Mémoires

Le voleur dans la maison vide

JEAN-FRANÇOIS REVEL

MÉMOIRES

LE VOLEUR
DANS
LA MAISON VIDE

PLON

À la mémoire de Joseph
et
à l'avenir de Simon

LIVRE PREMIER

ANCIENNES INADVERTANCES

I

Les hommes, et pas seulement les auteurs de mémoires, déclarent volontiers qu'en dépit des échecs, douleurs, erreurs, déceptions ou même forfaits dont est chargé leur passé, ils sont, tout bien pesé, contents de leur destin désormais derrière eux et que, si leur vie était à recommencer, ils ne la choisiraient pas différente.

Tel n'est pas mon avis sur la mienne. Sans sous-estimer les parts respectives de l'inévitable et de l'accidentel, aucun des deux, d'ailleurs, n'étant synonyme de désirable, il subsiste dans mon souvenir un foisonnement de circonstances, petites ou grandes, décisives ou mineures, dans lesquelles je vois bien que c'était moi qui avais le choix et que je me suis trompé. Ma mémoire me rappelle tantôt une orientation capitale de mon existence, tantôt un détail futile de ma conduite, lors d'un épisode sans importance. Mais il n'est guère de jour où, à table, dans mon lit, dans la rue, sur la grève, je ne pousse un rauque gémissement de repentir et de honte. C'est que revient me mordre le souvenir d'une bêtise fatale, d'une réaction vulgaire, d'un mensonge dégradant, d'une fanfaronnade ridicule dont je me suis rendu coupable, jadis, naguère ou avant-hier.

Mais le plus cruel de mes repentirs vient de mon impuissance, sans cesse croissante, à défendre mon temps contre les pillards extérieurs. Je n'ai jamais lu sans colère contre moi-même ces lignes que Sénèque écrit à son disciple : « Rien, Lucilius, ne nous appartient ; seul le temps est à nous. Ce bien fugitif et glissant est l'unique possession que nous ait départie la Nature ; et peut nous en chasser qui veut. Telle est la folie des humains qu'ils se sentent redevables du moindre cadeau peu coûteux qu'on leur fait, cadeau remplaçable en tout cas, mais que personne ne s'estime redevable du temps qu'il a reçu en partage, alors que le plus reconnaissant des hommes ne pourrait le rendre[1]. »

---

1. Sénèque, *Entretiens et Lettres à Lucilius* (Coll. Bouquins, Robert Laffont. Edition établie par Paul Veyne, 1993. Traduction d'Henri Noblot, revue par Antoinette Novara pour les éditions Les Belles Lettres et par Paul Veyne). Texte latin : « *Omnia, Lucili, aliena sunt, tempus tantum nostrum*

Que l'on ne se méprenne pas : je suis le plus sociable des hommes. La compagnie de mes semblables me donne toujours de la joie. S'il n'est pas pour moi de journée heureuse qui ne comporte une portion de solitude, il n'en est pas non plus sans qu'y figure quelques heures du plus vif de tous les plaisirs de l'esprit, la conversation. L'amitié a toujours été un centre de ma vie, ainsi que la curiosité de rencontrer des gens nouveaux, de les écouter, de les questionner, d'épier leurs réactions à mes propos. De quoi vous plaignez-vous donc, me rétorquera-t-on ? Eh bien justement de ce que la condition d'auteur et de journaliste me prive par trop du temps disponible pour les interlocuteurs que j'aime voir et m'entraîne à leur substituer bien malgré moi des processions de fâcheux qui ne m'apportent que fatigue.

---

est : *in hujus rei unius fugacis ac lubricae possessionem natura nos misit, ex qua expellit quicumque vult. Et tanta stultitia mortalium est ut, quae minima et vilissima sunt, certe reparabilia, imputari sibi, cum inpetravere, patiantur, nemo se judicet quicquam debere, qui tempus accepit, cum interim hoc unum est, quod ne gratus quidem potest reddere.* »

II

A partir de quel moment me suis-je insensiblement laissé détourner de moi-même par les autres, non en ce qui concerne mes idées, mes goûts et mes sentiments, certes, mais pour mes occupations, mes responsabilités et mes promesses ? Un retour sur ma jeunesse me montre que j'ai su gérer ma vie de façon judicieuse et avec fermeté jusqu'à l'âge de dix-neuf ans et demi, c'est-à-dire jusqu'en juillet 1943, date de ma réussite au concours d'entrée à l'Ecole normale supérieure. Ce fut lorsque, devant le 45, rue d'Ulm, je pris sur la tête une ou deux de ces « bombes à eau », sacs en papier remplis au robinet de la cour et que les normaliens, perchés sur le toit de la loge du concierge de l'Ecole, précipitaient selon la tradition sur la petite troupe des candidats se bousculant sur le trottoir pour lire la liste des reçus au concours, tout juste affichée sur la porte, que, constatant avec une joyeuse surprise que j'y figurais, je commençai peut-être à laisser se relâcher en moi, sans m'en douter encore, l'intransigeance et la vigilance qui m'avaient précisément permis d'arriver à ce succès.

Je ne m'en exagère pas la portée, qu'on le croie, d'autant moins que je fus reçu dernier de ma promotion : 24e ex aequo sur 24, ou plutôt 25, devant, il est vrai, quelques centaines de concurrents. J'appris plus tard, en guise de consolation, que l'illustre mathématicien Laurent Schwartz avait été reçu 20e sur 20, en 1934. Etre reçu à une grande école en France n'a jamais été facile, bien sûr, mais ce petit exploit n'est pas non plus la marque infaillible d'un talent exceptionnel, ni même d'un talent tout court. J'ai vu nombre d'esprits sans relief, sinon sans mérite, y parvenir, tandis que certains autres élèves de khâgne (dans l'argot des lycées : classe préparatoire à l'ENS) beaucoup plus intelligents et originaux, mordaient contre toute raison la poussière. La suite de leur carrière devait établir leur supériorité sur les premiers. Je pense, entre autres, à mes deux si précieux amis, connus au début de mes années italiennes, Pierre Nora et André Fermigier, qui s'étaient fait « étendre » à deux ou trois reprises au concours de l'Ecole, mésaventure dérisoire à la lumière des capacités dont témoignèrent chez eux leurs activités ultérieures. Je ne méconnaissais donc pas la part d'arbitraire et de hasard qui décide de l'issue des concours.

Pourtant, dans mon cas, ce succès fit soudain se lever du tréfonds de mon caractère une confiance en moi toute nouvelle qui me transforma. Comme toutes les émotions puissantes, je ne la sentis consciemment que plus tard. Je l'éprouvai au début sans y penser, sous forme d'euphorie libératrice. D'abord parce que, contre ma propre espérance, j'avais été reçu à ma première tentative, ce qui se voyait assez rarement ; ensuite et surtout à cause de mon passé, de l'hérésie toute personnelle avec laquelle dès l'enfance j'avais mené mon fiacre selon mon propre jugement, instinct ou tempérament. J'avais contrevenu avec ruse, grâce à une feinte innocence et à une fausse paresse, aux prescriptions, du reste bien intentionnées, de ma famille, de mon milieu et de la majorité de mes maîtres. J'avais été un mauvais élève, au sens scolaire du terme, un bon élève selon ma recette paradoxale, et je ressentais donc la satisfaction de l'inventeur quand son hypothèse, longtemps décriée comme du charlatanisme, reçoit, un divin matin, l'éclatante confirmation de l'expérience.

Je me rappelle, peu après, une journée de fin juillet 1943 où j'étais allé voir et remercier mon ancien professeur de Première, l'abbé Laporte, à Marseille, à l'Ecole libre de Provence, le collège de jésuites où j'avais fait toutes mes études primaires et secondaires. Nous étions assis sur un banc, sous un platane, dans la cour dite « d'honneur » — les autres, toutes aussi vastes et ombragées, étant destinées aux récréations. L'abbé, auquel les élèves avaient conféré le sobriquet de Janus (nom, dans la religion romaine, du dieu des portes), aurait plutôt mérité celui d'Hercule, du point de vue physique autant que pédagogique. Il enseignait, haletant, à la fois le français, l'histoire, le latin et le grec. Il corrigeait chaque semaine, en meublant les marges de prolixes observations, un paquet de trente à trente-cinq dissertations françaises, autant de copies de versions grecques et de versions latines, plus une ou deux interrogations écrites d'histoire. Le professeur que je devins moi-même plus tard ne manqua pas de mesurer rétrospectivement l'abnégation qu'impliquait cette performance. Ses classes d'histoire et, surtout, de français étaient, pour mon goût, trop scolaires et, sans tomber à proprement parler dans le bachotage, visaient trop l'efficacité, en approvisionnant les élèves de munitions aisément disponibles pour le jour de l'examen. A mon avis, Janus était à son mieux comme professeur de langues anciennes. Il discourait, précisément, ce jour-là, sous le platane, sur les diverses manières possibles de traduire tel vers de la première églogue de Virgile, lorsque s'approcha un autre professeur, un « laïque » (de moins en moins nombreux, les Jésuites ne pouvaient pas, et purent de moins en moins dans la suite du siècle, pourvoir toutes les chaires de leurs collèges avec des Pères) qui, me reconnaissant, ironisa, avec une jovialité sarcastique : « Ah ! voilà le candidat à Normale... », sur le ton dont on userait avec un manchot qui se serait inscrit à un championnat de trapèze. « Comment, candidat ? », vociféra l'abbé avec la flamme courroucée d'un Cicéron entamant *ex abrupto* une Catilinaire « que non pas ! *Reçu* à Normale ! ». La stupeur à la fois penaude et consternée qui se peignit alors sur le visage du dédaigneux interrupteur me fit savourer *in petto* une délectation futile et puérile, certes, mais réconfortante, une involontaire revanche sur les vexations du passé.

Ces vexations, je les avais méritées en partie. Car, durant mes années de collège, si mes maîtres ne me rangeaient pas dans la catégorie des élèves à jamais nuls devant l'Eternel, ceux dont ils jugeaient l'inaptitude à apprendre congénitale, complète et absolue, en revanche ils ne m'avaient pas davantage admis, à quelque moment que ce fût de mon parcours scolaire, dans la communion des bons élèves, sauf quand j'arrivai en classe de philosophie, où celui de mes professeurs que j'ai le plus admiré de toute ma vie, le révérend père Nicolet (je reparlerai de lui) me traita enfin avec une considération qui m'indiqua que j'avais été reçu dans la « divine troppe », comme dit Ronsard. Avant cela, mes maîtres ne me jugeaient pas taillé dans la bonne étoffe. Même quand j'obtenais une excellente note, ils me laissaient entendre qu'elle ne prouvait rien. Non point que l'on m'ait jamais accusé d'avoir triché — d'ailleurs la plupart des devoirs étaient faits en étude surveillée — mais on me reprochait par le biais d'allusifs froncements de sourcils et de force soupirs résignés d'avoir, en quelque sorte, usurpé un peu par hasard un résultat supérieur à mes propres mérites. On ne me déniait pas l'intelligence, mais on ne pouvait souffrir l'usage que j'en faisais. Ni cancre ni fort en thème, ni même moyen, car je pouvais briller, je flottais donc dans un espace indistinct. Fâcheux animal, impossible à situer dans la classification des espèces pédagogiques.

Le procès que les Jésuites ne cessaient de m'intenter en sourdine venait de ce que je m'approvisionnais à d'autres sources intellectuelles que celles où ils amenaient leurs brebis se désaltérer. Même l'abbé Laporte (qui était religieux, mais non jésuite, comme son titre l'indique) se montrait froissé de ce que je ne lui resservisse pas dans mes compositions françaises une simple mouture de ses cours ronéotés, qu'il distribuait chaque matin dans nos rangs avec une frénétique prodigalité, avant de les lire et de les commenter à haute voix du haut de sa chaire, en guise de leçon magistrale. Je l'entends encore, me rendant un devoir traitant de *Phèdre*, récriminer contre l'utilisation et les citations que j'y avais faites d'un récent essai de Jean Giraudoux sur Racine, comme si j'avais fourni là une marque non de curiosité dans mes lectures, mais d'insubordination et de défiance. C'était en 1939. Plus tard, en 1943, quand nous causâmes sous le platane, le brave abbé, oubliant ses rebuffades, et s'attribuant la paternité quasi exclusive de mon entrée à l'Ecole, jura m'avoir au premier coup d'œil vu les dents d'une robuste bête à concours. Cruel, je lui rappelai qu'il m'avait parfois flanqué des notes plus que moyennes, voire médiocres. Cette incidente provoqua chez lui un haut-le-corps indigné : « Pas du tout ! D'ailleurs j'ai dans mon bureau toutes mes archives, sur tous mes anciens élèves, et vous verrez qu'il n'en est rien. » J'ai mis longtemps à devenir diplomate, et, si, par rapport à ma jeunesse, j'ai fait quelques progrès dans la civilité de savoir se taire même quand on a raison, c'est plus par fatigue que par retenue.

L'animosité de la hiérarchie du collège à mon égard se justifiait, je dois l'avouer sans tergiverser, par une cause d'une déplorable réalité : mes absences longues et fréquentes. Dès dix ou onze ans, c'est-à-dire dès que j'entrai dans le cycle secondaire, soit à partir de la sixième ou de la cinquième, je pris conscience qu'il était plus agréable et même plus utile de rester lire à la maison que d'écouter des cours de littérature en classe. Liseur précoce, je n'eus bientôt que faire des fades résumés d'histoire littéraire destinés à des élèves dont la majorité manquait de toute sensibilité personnelle pour les lettres. La plupart des professeurs mêmes en sont dépourvus, y compris, comme je l'ai remarqué plus tard, dans l'enseignement supérieur. Ils peuvent posséder l'érudition, la compétence, la méthode, mais on en trouve à peine un sur dix qui soit un véritable connaisseur, avec qui l'on aurait envie de parler d'un livre, pour savoir ce qu'il en pense, découvrir l'éclairage insoupçonné que projette sur l'œuvre sa perception personnelle. Si les connaissances littéraires ne sont pas les mêmes chez tous les hommes, parce que tous n'en font pas leur métier, les connaisseurs sont en proportion sensiblement égale chez les universitaires et dans le commun des lecteurs.

De même, la science de certains éminents historiens ne les immunise pas contre l'aveuglement politique quand ils jugent l'histoire qui est en train de se faire. J'ai haï et fui dès l'âge de raison les manuels d'histoire littéraire dont les auteurs ont l'art de rendre plat tout ce qu'ils touchent et transforment les fleurs les plus éclatantes en grisâtres serpillières. Ce sont de très sûres machines à détourner la jeunesse de tout amour des lettres, à force de réduire les œuvres à des clichés, fussent-ils d'avant-garde. Les fabricants de manuels communiquent aux classiques l'ennui que distille leur propre médiocrité. Quant aux lettres modernes et contemporaines, domaine où la tradition n'a pas encore eu le temps de solidifier un classement sommaire des valeurs, et où il faudrait donc se livrer à une petite exploration originale, c'est là qu'éclatent le mauvais goût et le conformisme à l'égard de la mode la plus bête de ces assassins de la beauté et de la gaieté littéraires que sont les barbouilleurs de manuels. Le manuel tue l'envie de lire.

Il va de soi que les longs et nombreux loisirs que je consacrais à « ce vice impuni, la lecture », comme dit Larbaud, je ne les obtenais qu'en simulant la maladie. A une époque où les parents surveillaient avec une pointilleuse vigilance les études de leurs enfants, les miens n'auraient pas toléré que je manquasse une seule heure de classe sans raison sérieuse. L'unique sérieuse à leurs yeux était, en fait, la raison de santé. A dix ans (j'étais en sixième), j'avais eu la chance d'être foudroyé par une soudaine crise d'appendicite aiguë. J'avais dû être opéré d'urgence, en un temps où cette intervention entraînait pour le patient une bonne semaine sous surveillance à la clinique, suivie d'un large mois de convalescence. Cette aubaine m'ouvrit des horizons illimités. Mais, comme l'organisme n'a malheureusement qu'un seul appendice, il me fallut bien, après ma guérison, suppléer par l'imagination la nature, qui s'obstinait à me refuser, pendant toute la suite de ma scolarité, le secours de la morbidité. Je devins un artiste de la grippe affectée, un virtuose de l'embarras gastrique provoqué, un prestidigitateur du thermomètre, que j'amenais à 37°9 ou 38°5 au choix, voire 39° en cas de danger, d'un discret massage entre le pouce et l'index sous la couverture. Je devins un passable acteur de composition, maîtrisant bien la toux de poitrine, le râle de la trachée, le frisson vespéral, au point de duper assidûment le médecin de famille, le « bon » Dr Larrouyet, dont le diagnostic et la thérapeutique consistaient surtout, il est vrai, au cours de sa visite quotidienne, avant l'heure du dîner, à discuter politique avec mon père. En réalité, j'étais mon propre guérisseur, et pour cause. Je mettais un terme à mes maladies le jour exact choisi par moi, et qui coïncidait à point nommé avec celui où j'avais tourné la dernière page des *Illusions perdues* ou de *La Chartreuse de Parme*, fini de glaner çà et là des phrases amusantes de Cocteau dans *Le Coq et l'Arlequin* ou *Carte blanche* et renoncé provisoirement à m'associer aux aventures d'Arsène Lupin ou de Rouletabille.

III

Je fis, aux alentours de ma douzième année, cette découverte : on ne parvient à la culture que par des voies obliques. J'entends, obliques par rapport à l'enseignement officiel, quoique ou parce que directes par rapport à la culture même. Il ne faut ni négliger ni mépriser les voies canoniques, mais elles nous conduisent à une culture qui, même substantielle, nous est pour ainsi dire étrangère. Les voies scolaires ne se réduisent pas aux seules études, secondaires ou supérieures. Ce sont aussi les goûts, opinions et sensibilités conventionnels qui nous intoxiquent tout au long de la vie. Ce sont les journaux et les revues des bien-pensants qui les soutiennent, les réseaux de complicités qui les entretiennent, les nœuds de pouvoirs qui les subventionnent et les médias conformistes qui les assènent au public, lequel, intimidé, les avale, même si c'est de travers.

Mes voies détournées à moi, mes lectures clandestines, peu appréciées de mes maîtres du collège, firent merveille, en revanche, dès mon entrée en hypokhâgne, plus tard rebaptisée « Lettres supérieures », nom argotique de la « Première supérieure préparatoire », antichambre destinée à sélectionner les étudiants jugés assez forts pour entrer l'année suivante en khâgne ou « Première supérieure », où l'on peut rester trois ans, c'est-à-dire tenter trois fois le concours de Normale sup. Je me rappelle encore l'appréciation écrite en tête de ma première dissertation par le premier professeur de français réellement « supérieur » que j'eus, Jean Fabre (plus tard admiré pour ses cours sur le dix-huitième siècle, à la Sorbonne). On éprouve, disait-il en substance, un « soulagement » en lisant enfin une copie nourrie de réflexions directes sur les textes, et non de manuels maladroitement mis au pillage. A ce stade, les lectures braconnées de mon adolescence m'avaient servi plus que ne l'aurait fait une parfaite assiduité en classe.

J'ai souvent remarqué que de très bons élèves de l'enseignement secondaire ne réussissaient pas aussi bien dans le supérieur. Dans ma classe d'hypokhâgne, au lycée du Parc, à Lyon, se retrouvaient par définition les meilleurs élèves littéraires des lycées et collèges du sud de la

France et de l'Algérie. Plusieurs d'entre eux avaient même été lauréats du Concours général, ce concours national auquel les professeurs des classes terminales présentent chaque année, dans leurs disciplines respectives, leurs plus brillants sujets. Pourtant, ces élèves modèles avant le baccalauréat devenaient quelquefois ternes et gris après ; ils piétinaient quand il fallait passer de la simple application laborieuse à la réflexion originale, et, pour résumer, d'une culture des manuels à une culture des textes, de la parfaite assimilation des cours à l'exploration de ce qui se situe au-delà des cours. L'instinct de mon adolescence à la fois paresseuse et studieuse m'avait soufflé un conseil impératif qu'ultérieurement je n'ai jamais manqué de suivre : toujours s'adresser aux sources. Quand j'entrai en khâgne, un de mes aînés, qui devait devenir un de mes plus grands amis, René Schérer, m'enjoignit de suivre précisément ce même principe en philosophie, comme je l'avais fait dans les lettres. J'étais déçu par le bavardage assez creux du professeur en cette matière que j'eus en hypokhâgne et en khâgne, Jean Lacroix, un « personnaliste » qui assuma ensuite, après la guerre, pendant une trentaine d'années, la chronique des livres de philosophie dans *Le Monde*. Je fus sauvé de mon accablement par Schérer, qui m'indiqua le chemin du vrai travail avec toute l'autorité du « bicat » (élève de quatrième année, hypokhâgne comprise, de préparation au concours, c'est-à-dire ayant échoué deux fois) s'adressant à un « carré » (élève de deuxième année ; l'élève de troisième année s'appelait un « cube »). Il m'ordonna d'un ton sec : « Ne perds pas ton temps : plonge-toi dans la lecture, directe et sans intermédiaire, de Kant et de Hegel, de Spinoza et de Leibniz , de Platon surtout. » En effet, la plupart des étudiants commettaient l'erreur de croire que l'initiation aux classiques de la philosophie devait être filtrée par l'absorption préalable d'un bon cours ou d'un bon livre sur tel ou tel auteur, réputé trop escarpé pour pouvoir être abordé de front par un débutant.

Venant de peiner plusieurs semaines à déchiffrer un ouvrage, alors fort estimé, sur Kant, je découvris, en me jetant dans la *Critique de la raison pure*, que Kant, malgré sa lourdeur en tant que styliste, exposait sa pensée beaucoup mieux que ne le faisait n'importe quel commentateur, ce qui, somme toute, n'avait rien d'anormal. Cette supériorité de l'original sur la glose devient plus évidente encore quand le philosophe se double d'un écrivain. Platon ou Nietzsche étudiés de seconde main, quelle tristesse ! Je ne conteste pas que l'on puisse, que l'on doive même enseigner aux élèves et aux étudiants l'histoire des idées. L'ineptie de l'enseignement actuel de la philosophie découle d'ailleurs en partie de l'abandon de cette tâche, fondatrice de toute culture. Mais cette initiation à l'histoire des idées, comme à celle de la littérature, du reste, doit à chaque instant s'accrocher à l'explication des textes.

IV

Ma vigilance me permit de fuir, d'écarter, de repousser ou d'abandonner, jusqu'au milieu de ma vingtième année, toutes les activités qui n'étaient pas en consonance avec ma nature et ma texture. Ainsi, je compris très tôt que je ne pourrais jamais devenir un bon mathématicien. Et le manque d'assiduité aux cours, dû à mon absentéisme chronique, aggrava encore la noyade due à mon manque de dons. Pourtant, mon père, un autodidacte (la pauvreté de sa mère, veuve alors qu'il avait à peine deux ans, l'avait contraint à interrompre ses études bien avant le baccalauréat), avait un goût inné pour les mathématiques, qu'il cultivait en amateur. A un mur de son bureau, à la maison, il avait fait accrocher un tableau noir, saugrenu pour moi en ce lieu, car je n'associais cet objet qu'à une salle de classe. Et après dîner il se distrayait à le couvrir de calculs et de figures jusqu'à une ou deux heures du matin. Je n'ai hérité de lui ni l'aptitude à veiller tard, ni celle pour les mathématiques. Bien incapable de conjecturer quel niveau il avait atteint, je gage pourtant qu'il dépassait en tout cas de beaucoup celui des programmes de seconde et de première dans lesquels j'avais perdu pied. Il essaya donc de m'aider, mais je cessai très tôt de pouvoir être secouru. Quand je le retrouvais, chaque jour de la semaine, à sept heures du matin, dans la salle à manger, où il déjeunait de viande froide et de vin rouge, avant de partir pour son bureau en ville (à l'époque, les hommes d'affaires arrivaient à leur bureau à huit heures, et non à dix), il m'annonçait parfois qu'il avait tracé la veille au tableau noir pour moi une suite d'équations faisant partie de mon programme d'algèbre, pour que je les étudie à mon retour du collège, en fin d'après-midi. En vain. Et que l'on n'aille pas invoquer, comme cause de ma crasse inertie, je ne sais quelle « résistance au père ». Je n'ai jamais résisté à mon père dans le domaine littéraire, ni à ses conseils de lecture ni à son exemple. Et c'est parce que cet autodidacte, qui n'avait, je l'ai dit, jamais mis les pieds dans une université, ni même dans une terminale de lycée, et qui n'exerça toute sa vie de profession que commerciale, était un acheteur de livres à la prodigalité impulsive, irrépressible, que j'ai trouvé à la maison, tout amassé, et eu sous la main dès que j'ai su lire, le trésor de lettres qui me permit de me rendre autonome par rapport au collège et capable de tenir victorieusement, dans ma citadelle, plusieurs sièges de longue durée contre les assauts des stupides manuels. Si je me suis opposé à mon père, c'est en politique, où notre désaccord devint même hargneux jusqu'à tendre nos rapports à l'extrême, pendant des années. Mais il y avait à cela des raisons objectives qui ne devaient rien à quelque obscure « résistance au père ». La mienne fut dans ce domaine la conséquence et non la cause de notre désaccord. En mathématiques, j'étais à l'inverse fort conscient de ce que l'échec de la pédagogie paternelle découlait sans aucune équivoque possible de ma propre nullité. Résigné à mon infirmité, je me bornai au travail minimal indispensable au baccalauréat : les questions de cours. Tout imbécile peut les apprendre par cœur. L'écrit de mathématiques se décomposait en une question de cours et un problème. Le jour de l'épreuve, je ne tentai même pas de comprendre l'énoncé du problème. J'obtins un 6 ou 7 sur 20 déshonorant, mais suffisant parce que largement rattrapé par mes notes dans les trois matières littéraires : français, latin et grec.

La défense de mon temps s'exerçait aussi hors du domaine scolaire. Si j'ai toujours adoré converser avec des amis ou des camarades ayant les mêmes curiosités que moi, j'avais un talent consommé pour couper aux cérémonies familiales et pour me défiler lors des corvées imposées par les rites ou les convenances. A l'heure où je subodorais que ma mère allait m'intimer l'ordre de « descendre au salon » pour saluer des parentes ou amies de passage, venues prendre le thé, un jeudi ou un dimanche, jours de congé scolaire, j'avais depuis belle lurette disparu. Je m'escamotais moi-même avec facilité, car nous habitions dans le quartier Sainte-Marguerite, partie de Marseille alors encore à demi campagnarde et pourvue de maintes cachettes où je me rendais introuvable, derrière des buissons et sous les pins. Notre villa s'appelait d'ailleurs « La Pinède ». J'inscrivais avec stoïcisme au chapitre des inconvénients du métier l'inéluctable algarade maternelle qui me tombait dessus à ma réapparition. Les seules réunions de famille dont je fusse friand étaient les vastes attroupements tribaux qui avaient lieu, chez mes parents ou chez tels ou tels de mes oncles et tantes, lors des premières communions, baptêmes, mariages, jours de Noël et de nouvel an. Je savais en effet pouvoir y rencontrer d'attachantes cousines, dont l'une ou l'autre, l'air de fête aidant, ne déclinerait pas l'offre d'un aparté à l'abri d'un fourré ou dans un grenier, à l'heure de l'après-midi où les adultes, étourdis par le festin et absorbés par la pétanque, n'y verraient plus assez clair pour remarquer qui était là et qui s'était éclipsé.

Mais, en dehors de ces journées de ripaille graveleuse, où les structures élémentaires de la parenté, pour user de la terminologie de mon ex-futur maître Claude Lévi-Strauss, ne me servaient qu'à violer la prohibition de l'inceste, y compris avec des cousines parallèles (dont le « parallélisme » devait plus à la définition de Paul Verlaine dans *Parallèlement* qu'à celle de l'illustre anthropologue), j'ai toujours abhorré la famille, tant celle dont je suis issu que celles que j'ai fondées. Je dis bien la famille, non les individus qui la composent ou l'ont composée. J'ai aimé, je crois, en tant que personnes, prises une par une, mes parents, mon frère, mes grands-mères, mes épouses, mes enfants et mes petits-enfants. Mais j'ai détesté la vie de famille et ses obligations programmées, son inextinguible puissance de dérangement, dévoreuse de temps, destructrice de concentration et de liberté. Bien qu'appartenant à la génération sur laquelle André Gide exerça sa plus forte influence, l'imprécation gidienne « Familles, je vous hais » obéissait chez moi à d'autres mobiles que les siens. Gide rejetait la famille en tant que source d'oppression morale, sexuelle et intellectuelle. Pour ma part, je n'avais aucune censure à reprocher à la mienne. Je nourrissais contre elle des griefs d'ordre purement pratique. Je la fuyais comme on fuit un raz de marée de contretemps. J'affectionnais chacun des membres de ma famille, pris séparément. Mais, sans qu'ils le voulussent, et, pour ainsi dire, fonctionnellement, comme collectivité, ils se muaient en une dévastatrice bande de casse-pieds. Chaque famille excelle en outre à dilater ses nuisances en s'inventant des prolongements factices. Quand, plus tard, durant les années cinquante ou soixante, après la mort de mon père, je venais voir ma mère à Marseille, comptant sur quelques jours paisibles chez elle, je découvrais avec épouvante dès mon arrivée qu'elle m'avait agencé à l'avance un calvaire de rencontres, thés, apéritifs, déjeuners et dîners, à domicile ou à l'extérieur, avec la rigueur inhumaine d'un planificateur totalitaire. Sur la liste des impétrants elle inscrivait non seulement d'authentiques parents, qu'au demeurant les dieux lares ne m'imposaient peut-être pas de voir tous à chacun de mes passages, mais encore un cortège hétéroclite de relations avec lesquelles nos prétendus liens de famille étaient aussi insaisissables que l'agrément de leur compagnie me paraissait ténu. A quoi elle ajoutait force voisins et voisines, puisque, pour citer un noble mais imprévoyant proverbe arabe, « le voisin fait partie de la famille ». Comme ma mère les avait mis dès la semaine précédente en état d'alerte, assignant à chacun son poste sur le front, elle avait à mon insu jugulé d'emblée toute résistance de ma part, surprenant mon ingénuité sans me laisser une seconde pour esquisser le moindre dispositif de défense. Allais-je lui faire perdre la face ? Les Untels, si gentils avec elle, « ne comprendraient pas » ma dérobade. « Si tu ne le fais pas pour eux, fais-le pour moi », tel était l'argument suprême. Cette arme absolue pulvérisait le mince bouclier de mon autonomie personnelle.

Conscient que la famille est un rétiaire dont le filet d'une ampleur croissante parviendrait, quoi que je fisse, à m'enserrer et à m'immobiliser, j'obtins de mon père, après mon baccalauréat de philosophie, passé en juillet 1941, qu'il m'inscrivît comme interne à l'hypokhâgne du lycée du Parc, à Lyon. Je donnai comme raison officielle à ce départ que la khâgne de Lyon obtenait avec régularité plus de reçus à Normale que celle du lycée Thiers à Marseille. Le fait ne se discutait pas. Cependant, ma raison intime résidait dans mon impérieux besoin de m'évader du filet. Un filet, du reste, qui ne faisait que préfigurer celui, bien plus vaste, des intrus qui devait par la suite m'envelopper, m'étouffer, combien davantage, et cette fois non par tendresse mais par intérêt, durant mon âge mûr et ma décrépitude. L'humanité, il est vrai, n'est-elle pas une grande famille ?

Ô paradoxe ! je devins libre en devenant élève interne. Et interne pendant la guerre, sous l'Occupation, c'est-à-dire sans chauffage et en pleine pénurie de nourriture. Moi qui, dès l'enfance, avait connu le confort bourgeois de « ma » chambre personnelle, avec « mes » affaires, « mes » livres, « ma » lampe de chevet, « mon » petit bureau, bref le luxe suprême des temps modernes, de tous les temps, à vrai dire, la *privacy*, voilà que je plongeais avec délice dans les espaces grégaires de dortoirs glaciaux, où les pensionnaires, rangés côte à côte dans des lits séparés d'un mètre, telles des vaches dans une étable, sombraient tous ensemble dans les ténèbres à vingt et une heures précises, par la main d'un surveillant d'internat manœuvrant de son box surélevé le seul interrupteur de la salle. Certes, nous parvenions néanmoins à lire après neuf heures, sous notre couverture, grâce à une lampe électrique, ce que l'administration, planifiant notre sommeil, interdisait. Le pion parcourait la travée centrale du dortoir à pas feutrés et bondissait sur les contrevenants qu'il repérait, pour leur confisquer leur lampe. Aussi bien, les piles de rechange, comme toutes choses, devinrent vite introuvables dans le commerce. Le travail personnel, qui, dans l'enseignement supérieur, compte au moins autant sinon plus que les cours, nous le faisions en étude et à la très fournie bibliothèque municipale, qui flanquait, dans le vieux Lyon, la primatiale Saint-Jean, où la plupart des élèves passaient deux après-midi par semaine à préparer dissertations et exposés. Bien que nous fussions concurrents à une épreuve nationale où il y avait peu d'élus, nous nous entraidions sans aucun égoïsme. Il régnait en hypokhâgne et en khâgne une camaraderie chaleureuse et même joyeuse, malgré la cruauté matérielle et morale de ces années lugubres, une gentillesse sans arrière-pensée dont je garde un souvenir réconfortant. Nous n'étions plus assez enfants pour nous disputer et pas encore assez adultes pour nous haïr. Malgré cette apaisante cordialité, ou à cause d'elle, la dissipation en parlotes nuisait quelque peu au travail. J'obtins de mon père qu'il me finançât, pour ma deuxième année à Lyon, une chambre en ville, dans une pension dite « de famille » (ce que, grâce au ciel, elle n'était que de nom), la Pension Tajana, située dans une ruelle du quartier des Terreaux. Je voyais à cette réclusion l'avantage de pouvoir échapper à l'obscurité imposée du dortoir et travailler deux heures de plus que les internes, de neuf à onze heures du soir. En outre, je rentrais après le dernier cours, vers cinq heures, et, jusqu'au présumé dîner de la Pension Tajana, je pouvais me concentrer sur mes tâches beaucoup mieux qu'à l'étude du lycée, où l'inévitable bavardage avec les camarades, si docte fût-il, mangeait beaucoup de minutes. Devenu externe, comme l'était d'ailleurs une partie des élèves, ceux dont la famille habitait Lyon, je n'en continuai pas moins à vivre la vie amicale de la khâgne. J'étais resté demi-pensionnaire, et je partageais donc la pitance (ce qui était vite fait !) et les conversations du réfectoire avec mes condisciples, en compagnie desquels s'écoulait le plus clair de mes journées. Après quoi je pénétrais dans la partie foncée de ces mêmes journées, le silence de la solitude protégée (pas tout à fait, comme je le raconterai). Cette double vie me fit découvrir une expérience qui fixa pour toujours en moi le modèle de la félicité, la vie d'hôtel, même si ce fut alors — vu le niveau du garni — dans une version sordide et miséreuse. Les foyers que je fondai par la suite me contraignirent à subir les tracas, les dépenses, les servitudes fâcheuses et ruineuses de la vie de locataire et de propriétaire, dont les traverses m'ont dévoré le foie et moulu l'encéphale. Que de journées démolies par les imprévus de l'immobilier ! A l'hôtel, vous ne vous préoccupez ni des assurances, ni des taxes, ni du ménage, ni du blanchissage, ni des factures d'électricité. Vous les payez, sans doute, inclus dans votre note, mais vous ne vous en occupez pas. Si le chauffage s'éteint, si le lavabo refuse de se vider, si la baignoire déborde, si l'eau chaude est en panne, s'il pleut à travers le plafond, vous dites : « Veuillez réparer ce truc-là ou alors ayez l'obligeance de me changer de chambre » (à moins que vous ne changiez d'hôtel). Vous n'avez pas à courir vous-même après d'inabordables plombiers, vitriers ou couvreurs ni à éconduire vous-même les importuns. En payant, à l'hôtel, on achète l'insouciance ; à domicile, en payant, on achète les soucis.

Ayant voyagé plus que Julien Benda, qui disait : « On peut vivre en France, à condition que ce soit à l'hôtel », j'atteste que cette loi s'applique à d'autres pays, peut-être même à tous. J'ai connu, en cinquante ans, maintes catégories d'hôtels, des plus piteux aux plus fastueux.Tous possédaient un point commun : leur pouvoir d'isolation spirituelle. « Un hôtel, au fond, c'est une clinique », avait coutume de dire mon ami Carlos Rangel. J'ai goûté la tranquillité d'âme, sur fond d'existence agitée, il est vrai — car l'hôtel permet, justement, ce contraste apparent — quand à Florence, entre mes deux mariages, j'habitai d'abord l'hôtel Berchielli, dont je revois encore dans tous ses détails, en fermant les yeux, ma « room with a view » sur l'Arno, puis ma chère Pension Bandini, place Santo Spirito. Ou, en 1950, quand j'arrivai à Mexico, trois mois avant que ne m'y rejoignissent ma première femme et nos deux enfants. Je pus ainsi passer à l'hôtel Emporio, Paseo de la Reforma, quatre-vingt-dix jours d'entracte voués à un célibat constructif. Peu avant d'écrire ces lignes, j'ai lu, dans *Le Monde* du 19 juin 1993, un article sur Albert Cossery, écrivain français de nationalité égyptienne, produit raffiné de la civilisation alexandrine moderne, qui depuis 1947 vit à Paris, à l'hôtel, et dans le même hôtel de la rue de Seine depuis 1951 ! Je croisais parfois Cossery, dans les années soixante et soixante-dix chez Laffont, qui était alors sa maison d'édition et la mienne. Mais il paraissait tellement être son propre spectre, cheminant, effaré, avec l'hésitation d'un somnambule inoffensif et fragile, que je craignais de le réveiller, et nos conversations ne dépassèrent jamais le stade des salutations balbutiées avec ferveur mais sans prolongement. Aussi éprouvai-je du plaisir à le connaître enfin un peu, grâce à ce substantiel et subtil portrait signé Philippe Boggio, et à pouvoir ajouter, à tous mes autres motifs de priser Cossery, le déchaînement d'une admiration envieuse pour cet homme qui vit depuis quarante-six ans, à l'hôtel ! Le critique du *Monde* rapporte en outre que le sage d'Alexandrie consent vers midi, après sa toilette, à une lecture paresseuse de son courrier, auquel il ne répond jamais. Habiter l'hôtel et laisser le courrier sans réponse : quel paradis !

La combinaison de la vie d'hôtel et de la vie de lycée m'avait, en tout cas, permis d'atteindre pleinement mon objectif, qui était de me mettre hors de portée du cannibalisme domestique. Il faut savoir que le mot « lycée », depuis Aristote et jusque vers 1970, avait un sens très différent de celui qu'il a pris aujourd'hui.

En vieux français, c'est-à-dire dans la langue parlée jusqu'en 1970, on entendait par ce vocable une sorte de couvent, selon l'étymologie, d'« assemblée », un lieu de réunion — convent, *conventus* — où se transmettait, tout en s'accroissant, le patrimoine intellectuel et esthétique d'une civilisation. Cette transmission, que l'on présumait, le cas échéant, éducative et non pas seulement récréative, impliquait que l'on soumît la jeunesse, qui d'ailleurs le demandait, à des exercices, écrits et oraux, souvent éprouvants (des « épreuves », justement), destinés à vérifier la réalité de son initiation à la culture.

En ce qui me concerne, l'épreuve décisive, le concours, se déroula au printemps de 1943. D'abord eut lieu l'écrit, sur place, à Lyon même ; puis, pour les candidats qui seraient « admissibles », aurait lieu l'oral, à la fin de juillet, à Paris, où l'on ne pouvait se rendre qu'en franchissant, moyennant contrôle policier allemand, la ligne de démarcation entre la zone sud et la zone nord. Etablie par les Allemands après l'armistice de 1940, pour séparer la zone occupée — le nord —

et la zone dite libre, cette ligne subsistait en 1943, quoique, depuis novembre 1942, la Wehrmacht eût envahi également la zone sud. Après avoir « subi » les épreuves écrites, pour parler l'ancien langage universitaire, (« subir » retrouvant ici son acception première de « passer », « traverser »), je retournai chez mes parents à Marseille pendant les cinq ou six semaines au bout desquelles je saurais si j'étais admissible ou non. Pour ma première tentative, je ne visais, à vrai dire, que l'admissibilité, qui aurait suffi à mon bonheur et à l'estime de mes professeurs de khâgne. Etre admissible en « carré » et reçu en « khûbe » (c'est-à-dire au bout de la troisième année) constituait le cursus normal de l'excellent khâgneux. Néanmoins, je préparai l'oral « comme si » je devais le passer. Mon labeur se doublait de mes stratagèmes ordinaires visant à déjouer tous les efforts déployés par ma mère pour me faire descendre le plus souvent possible de ma chambre prendre le thé (denrée hors de prix, alors, au marché noir) avec taties Henriette, Odette, ou Poupette, désireuses, toutes affaires cessantes, de s'assurer de mon exécrable mine et de m'exhorter à me ménager. Travailler l'oral consistait à se remettre à sa langue vivante (pour moi l'anglais) et à ingurgiter un millénaire d'histoire de l'Antiquité, deux matières sur lesquelles on « faisait l'impasse » jusque-là, car elles ne figuraient pas à l'écrit, lequel comportait les trois dissertations (français, philosophie, histoire moderne et contemporaine) et les trois épreuves de langues anciennes (version grecque, version latine, thème latin). L'entracte séparant l'écrit de l'oral se meublait, de surcroît, d'un exercice très noble et bien particulier : s'immerger dans Homère, s'en imprégner, le pratiquer de longues heures d'affilée au point de l'intérioriser jusqu'à la métempsycose. En effet, chaque épreuve de l'oral comportait bien entendu soit un exposé ou une explication de texte — dans le cas de la philosophie, du français et de l'histoire — soit une traduction de passages tirés au sort et préparés pendant une vingtaine de minutes ; mais en outre, elles étaient toutes suivies de ce qu'on appelait la « question mitrailleuse ». Par exemple, après un exposé d'histoire sur, mettons, la politique étrangère de Disraeli, que l'on préparait, le ou les examinateurs demandaient à brûle-pourpoint au candidat : « Combien de fois Clemenceau a-t-il été ministre ? » Ou bien : « Talleyrand avait-il des enfants naturels ? » Et la réponse à cette question inattendue devait jaillir sur-le-champ. Or, à l'oral de grec, la question mitrailleuse, succédant à l'interprétation d'un passage de Thucydide ou de Théocrite, consistait, selon une coutume immémoriale, en ce que l'examinateur, ouvrant au hasard l'*Iliade* ou l'*Odyssée*, vous priait de traduire de chic et instantanément quatre ou cinq vers qu'il vous marquait de l'ongle. D'où l'entraînement, fort profitable, que l'on s'imposait à haute dose, puisque Homère a une langue et un vocabulaire bien à lui, et des mots qu'on ne trouve que chez lui, et, pour certains, de surcroît, une seule fois, les fameux « apax ».

Un après-midi, j'étais allé, pour me détendre, nager dans un établissement balnéaire de la Corniche qui affichait l'enseigne baroque de « Bains militaires », quoiqu'il n'offrît de mémoire d'homme pas le plus petit caractère martial, sinon un bataillon de jeunes filles et de filles jeunes dénuées de férocité et qui m'y attiraient au moins autant que la tiédeur de l'eau méditerranéenne. Les surveillantes, aussi peu combattantes que les surveillées, fermaient les yeux moyennant un modique honoraire, quand je m'égarais, tendrement accompagné, dans une cabine du côté « Dames ». Vers cinq heures, à mon retour, descendant du tramway 22, à l'arrêt situé au milieu du boulevard Michelet, et comme j'entamais le parcours d'un quart d'heure à pied qu'il fallait pour gagner la maison, je croisai mon père, qui allait prendre le tram en sens inverse pour se rendre en ville (le carburant ayant disparu, il y avait longtemps que sa voiture moisissait au garage). Il me dit : « Un télégramme du proviseur du lycée du Parc vient d'arriver : tu es admissible. » Au milieu du délabrement universel des moyens de communication et de transmission, les télégrammes ont continué de fonctionner à la perfection sous l'Occupation. Je n'en ai jamais autant reçu et envoyé, pour obvier aux lenteurs de la poste et à la cherté excessive du téléphone interurbain, au réseau du reste vétuste et qui devait le rester jusqu'en... 1975.

Après les vingt-quatre heures nécessaires, en ces temps pauvres en charbon, pour aller de Marseille à Paris dans un train poussif où se hissèrent à Perrache quelques camarades lyonnais, j'entrai dans le circuit des épreuves orales l'esprit calme et l'humeur détendue, considérant cette expérience comme un galop d'essai utile pour l'année suivante. Au bout d'une semaine, il ne me restait plus que l'oral de grec à passer. Je marchais un matin dans un couloir, en direction de la salle où se déroulait l'interrogation, lorsque quelqu'un me tira par la manche : « Vous êtes Jean-François Ricard ? Je suis François Cuzin, un ami d'Auguste Anglès. »

Auguste Anglès, le futur auteur d'un monument de l'histoire littéraire, *André Gide et les débuts de la Nouvelle Revue française*, était en 1941 assistant à la faculté des lettres de Lyon. Je l'avais connu grâce à un camarade d'hypokhâgne, dont il était le cousin. Il avait, avec René Tavernier, fondé à Lyon, où nombre d'écrivains s'étaient repliés, la revue mensuelle *Confluences*, qui remplaça, sous l'Occupation, dans la vie littéraire, la *Nouvelle Revue française*, tombée sous une direction collaborationniste à Paris. C'est dans *Confluences* que j'ai publié mes premiers textes — fort mauvais, du reste, sauf un, paru juste après la Libération. En 1943, Auguste m'avait recruté dans son mouvement de résistance, créé lors de l'invasion de la zone sud. François Cuzin, qui en faisait également partie, devait mourir, fusillé par les Allemands, au printemps de 1944. Tous deux étaient normaliens, d'une promotion antérieure de plusieurs années à la mienne. Je crus faire un beau rêve mâtiné de cauchemar quand j'entendis Cuzin (qui, mandaté par Anglès, s'était fait « tuyauter » par un ami du jury) me murmurer au creux de l'oreille : « Ecoute, ça va être très tangent ; tu es trente-troisième à l'écrit, tu as remonté à la vingt-sixième place ; en fait, tout va dépendre du grec, que tu vas passer à l'instant. » Mon oral peinard s'achevait dans la panique. Je me présentai la gorge serrée devant Fernand Chapouthier, l'helléniste renommé qui devait plus tard diriger l'Ecole. Je tombai sur un texte de Xénophon sans difficulté, puis sur une « mitrailleuse » homérique plus ardue, mais que j'avais « repassée » la semaine précédente. J'avais eu de la chance.

V

De la chance ou de la malchance ? Ce succès rapide me fit
baisser la garde. Ma vigilance s'amollit. N'avoir fait qu'une bouchée
de ce Minotaure qu'on m'avait dépeint si redoutable et presque
invincible même au prix d'assauts répétés, m'induisit à un puéril
excès de confiance en moi. N'était-ce donc que cela, me dis-je ?
Fallait-il que les autres fussent lourdauds pour voir une montagne
dans un tournoi qui n'était, somme toute, que l'occasion stimulante
de se livrer par écrit à quelques exercices littéraires, suivis de
conversations agréables avec des examinateurs courtois et cultivés,
souvent eux-mêmes auteurs raffinés de travaux érudits, que nous
avions tous lus avec vénération ? Je ne comprenais pas comment
ni pourquoi mon ami René Schérer lui-même, que j'admirais intensément, que je jugeais supérieur à moi, avait dû s'y prendre à trois
fois pour « intégrer » ce qu'il venait de faire en même temps que
moi. Cet esprit riche et profond devait, pensais-je, être encombré
quelque part dans sa cervelle d'une jambe de bois qui l'avait fait
trébucher. Certes, je n'étais pas le seul « carré » de la promotion,
mais j'étais sans doute celui qui s'y était glissé par les voies les
plus personnelles. L'euphorie néfaste que j'en conçus, la conviction
de receler en moi une boussole qui me garderait de toute erreur
m'amenèrent, au cours des années suivantes, à tomber par aveuglement dans de terribles pièges et à saccager l'aube d'une carrière
en apparence libre de tout obstacle. Peut-être même me débili-
tèrent-elles à jamais. Jusqu'en juillet 1943, en mon tréfonds, je me
méprisais secrètement et me traitais durement. Je partageais à mon
endroit l'animosité sardonique du préfet des études (l'équivalent du
censeur des lycées, mais avec beaucoup plus de pouvoir) de l'Ecole
libre de Provence, le RP Moëlle, dit « Baleine », qui m'avait surnommé le « carottier ». Et voilà qu'à l'épilogue le carottier se révélait plus sérieux que les sérieux, les chouchous de Baleine
embourbés pour la plupart dans la médiocrité. Je m'étais joué de

tous les pronostics, mais j'y gagnais le talisman vénéneux d'une illusion d'infaillibilité.

Sans cette funeste présomption, sans cet obscur écroulement de mes défenses immunitaires, je n'aurais pas eu l'étourderie de me laisser entraîner, dès l'été 1945, dans un mariage imprudent et prématuré, source de difficultés matérielles et de reviviscence de la pieuvre familiale, soudain tirée en double exemplaire, qui désorganisèrent mon activité pendant plusieurs années et dévoyèrent ou ralentirent la poursuite de mes études et de ma carrière universitaire. Je ne me serais pas, sous l'influence du prosélytisme de ma femme, affaissé dans les bas-fonds de la niaiserie gurdjeffienne, défaillance certes passagère, néanmoins superflue et nocive. Je n'aurais pas davantage été contraint par des nécessités financières d'accepter, avant même d'avoir le titre d'agrégé, des postes d'enseignement excentriques, pour la raison majeure qu'ils étaient bien rémunérés, car je m'étais rendu, avec une précipitation brouillonne, père de deux enfants, délicieux mais dispendieux. Je n'aurais pas eu à quitter la France, muni seulement de la licence et du diplôme d'études supérieures de philosophie, pour occuper un poste d'abord en Algérie durant l'année 1947-1948, puis au lycée et à l'Institut français de Mexico entre janvier 1950 et octobre 1952, enfin à l'Institut français de Florence, de novembre 1952 à juillet 1956, date à laquelle je passai enfin l'agrégation, avec six ou sept malencontreuses années de retard par rapport à la date où j'aurais dû l'obtenir, si je n'avais pas endossé la camisole matrimoniale. Je n'aurais pas non plus, entre mon retour d'Algérie, au printemps de 1948, et mon départ pour le Mexique, ayant fui l'Ecole, pataugé dans une bohême crapuleuse et avinée (*crapulatus a vino*, comme dit Grégoire de Tours) subsistant d'expédients divers, aussi peu lucratifs que peu reluisants. Enfin, je n'aurais pas vérifié à mes dépens l'exactitude du dicton latin, *aut libri aut liberi*, « ou des livres ou des enfants » (sous entendu : il faut choisir). J'aurais, sans les entraves du tracas domestique, écrit plus tôt, alors que je publiai mon premier livre en 1957, à trente-trois ans, âge auquel mon cher tortionnaire indélébile, Bernard Frank, célibataire narquois, qui ne se laissa épouser qu'à cinquante ans, en avait déjà publié une bonne demi-douzaine.

Pourtant, je puis aussi bien porter, sur le fatras houleux d'actes déraisonnables qui s'étend de mon premier mariage, au milieu de 1945, à mon départ pour le Mexique, un jugement paradoxalement plus positif que la condamnation dictée sans équivoque par le bon sens et la morale. En effet, si mes incartades ne m'avaient pas égaré hors de la voie classique, je n'aurais pas connu, en Algérie, à la fois les avant-derniers instants d'une société coloniale et les coutumes ancestrales d'une civilisation islamique, observés d'autant plus près que j'enseignais dans une médersa (Institut d'études supérieures franco-musulmanes) où les élèves étaient tous algériens. Je n'aurais pas connu mes amis Si Khaddour Ben Naïmi, mon collègue à la médersa de Tlemcen, où il était professeur d'arabe littéraire, et son cousin Si Taki. Ils étaient tous deux descendants d'une famille de la noblesse nomade du Sud. Je n'aurais pas, grâce à eux, d'abord compris sur le vif l'insupportable condition des colonisés, ensuite mené aux confins du Sahara la vie nomade, lors d'un voyage où leur réseau familial me prit en charge, avec cette religion de l'hospitalité ancrée au cœur de la sociabilité arabe. Un autre de mes amis algériens, Khelladi, instituteur dans le petit village du Khemis, près de Tlemcen, me recevait souvent chez lui, les fins de semaine, avec ma femme et notre petit garçon, Matthieu, âgé de deux ans. Sa propre femme roulait un couscous impalpable de finesse. Le mets eût été digne de la table du Prophète. Mais l'enseignement du Prophète, justement, interdisait au cher Khelladi, qui avait vécu en France et s'y était mis à consommer du vin aux repas, d'en boire au Khemis. Dans ce bourg minuscule, habité par quelques centaines, au plus, de musulmans rigoureux, toute infraction ostensible à la loi coranique aurait mis l'instituteur au ban de la petite communauté. D'ailleurs, aucune boutique locale ne vendait de vin et mon ami aurait donc dû en apporter de Tlemcen par le car, à l'arrivée duquel hélas ! l'ensemble de la population assistait avec ponctualité, ce qui jugulait toute tentative d'importation clandestine. En revanche, l'importation officielle devenait hautement licite dans le cas du chrétien que j'étais. Comme j'avais demandé à Khelladi ce que je pouvais lui apporter de la ville qui lui fît plaisir, il me répondit sans ambage « mon vin pour la semaine ». Voire le mois, cela dépendait de la date de ma visite suivante. Aux yeux des villageois, m'expliqua-t-il, je débarquais tout naturellement avec ma provision personnelle pour le séjour. Mais, vu que ma cargaison comptait jusqu'à vingt ou trente bouteilles, destinées en majorité à la réserve secrète de l'ami Khelladi, et que mes séjours duraient au plus quarante-huit heures, les habitants du Khemis devaient se faire de ma ration quotidienne, déjà trop élevée, une idée transcendante, propre à inspirer l'affolement le plus légitime. Jamais, pourtant, dans leur courtoisie sans limite, les agriculteurs et les pasteurs de cette poignée de maisons blanches noyées dans les asphodèles, et qui devaient, dix ans plus tard, être toutes rasées par l'armée française, ne me permirent de lire dans leurs yeux la moindre désapprobation, le moindre étonnement. Quand ils me versaient le thé vert de l'hospitalité, dans une échoppe de cordonnier ou une remise d'olives, à l'heure du soir où il fallait déjà porter la flamme à la mèche de la bougie, je regrettais moins, beaucoup moins, plus du tout de ne pas me trouver là où le devoir universitaire m'eût commandé d'être au même moment : à la Sorbonne, en train d'écouter le cours de Ferdinand Alquié sur la création par Dieu des vérités éternelles chez Descartes, ou celui de Merleau-Ponty sur la phénoménologie de la perception.

De même si, étudiant appliqué, j'avais passé l'agrégation en même temps que mes camarades, je n'aurais vécu ni au Mexique, ni à Florence. Je n'aurais pas appris l'espagnol et l'italien, deux langues qui, ajoutées à l'anglais, m'apportèrent non seulement d'immenses joies de lecture, mais de rares facilités dans la recherche de l'information, pour mes livres et mes éditoriaux ultérieurs. Je n'aurais pas acquis si jeune une connaissance directe de l'art précolombien et des contradictions des sociétés latino-américaines contemporaines, dont l'étude et l'observation allaient par la suite m'intéresser et m'émouvoir sans discontinuer. Je n'aurais pas, en Italie, senti l'appel d'une deuxième vocation, celle de l'histoire de l'art, qui me requit presque tout entier pendant une quinzaine d'années. Non que je prétendisse en devenir spécialiste, encore moins y apporter une contribution originale. Mais, du moins, ai-je appris alors à distinguer, dans cette discipline, le sérieux du verbeux. Il se trouva de surcroît que par hasard la Pension Bandini, où je logeais, était située au dernier étage d'un palais qui abritait également, au troisième, la bibliothèque de l'Institut allemand d'histoire de l'art, une des plus fournies d'Europe dans le domaine italien. L'Institut français abritait pour sa part un fonds assez riche de livres traitant de l'archéologie médiévale française et un peu moins abondant mais assez substantiel sur les autres périodes de l'art français, que d'ailleurs le directeur m'avait chargé d'enseigner. Le corps des professeurs de l'Institut ne comptait pas d'historien de métier, si bien qu'étant normalien, j'en devint le succédané le plus approximatif. Quant à la philosophie, je me remis en Italie à préparer pour de bon l'agrégation. Et, par une répétition du passé qui n'était sans doute qu'à demi fortuite, mon éloignement de Paris reconstituait, par la force des choses, les conditions que, durant mon enfance et mon adolescence, j'avais suscitées à l'aide de mes fausses maladies. C'est-à-dire que ma préparation se concentra tout entière en la seule lecture des textes originaux des grands auteurs, et exclut, pour cause d'éloignement, tout cours en Sorbonne, et, mieux encore, toute immersion dans la basse-cour débilitante des « agrégatifs », où se brocantent de vains tuyaux sur les sujets qui vont « sortir » ou sur les manies et phobies supposées de tel ou tel membre du jury. J'envoyais de temps en temps une dissertation d'entraînement à Louis Althusser, avec qui je m'étais lié d'affection dès avant mon départ pour le Mexique et avec qui j'avais, à chacun de mes passages à Paris, de longues conversations, dans lesquelles, pour notre plaisir à tous deux, mon agrégation et la philosophie ne tenaient qu'une place accessoire et vite expédiée.

Il n'est pas jusqu'à mes deux années de bohème cynique, côtoyant la délinquance, entre mon retour d'Algérie et mon embarquement pour le Mexique, qui ne m'aient appris maintes notions que ne m'eût pas, même de très loin, suggérées l'exercice de la fonction de professeur agrégé au lycée de Carpentras ou de Reims, et pas davantage la préparation d'une thèse de doctorat. Enseigner la philosophie dans la classe de philosophie d'un lycée, comme je le fis à Mexico pendant trois ans, puis à Lille et à Paris entre 1957 et 1963, me procura tant de bonheur que j'avais, chaque fin d'année, envie de dire merci à mes élèves. Mais je préfère avoir goûté avec eux ce privilège de l'esprit — se dire que l'on a transmis à plus jeune que soi un peu de la culture reçue de très lointains inspirateurs — après avoir bâti ma propre faculté d'analyse. Qu'auraient-ils retenu d'une pensée dont j'aurais été non la source ou au moins le filtre, mais le tuyau d'arrosage ? Même ma sotte incursion dans la secte gurdjeffienne m'a servi à découvrir et expérimenter que l'homme peut se laisser circonvenir et convaincre par les plus absurdes systèmes de pensée, ce qui m'aida ensuite à comprendre les mécanismes de la conviction totalitaire. Si je n'avais pas quitté le chemin du conformisme, fût-ce pour emprunter celui de l'aberration, je n'aurais pas non plus noué des amitiés qui me furent chères et durables, celles d'Henri de Turenne, d'Hector de Galard, déjà journalistes célèbres, de Robert de Pomereu, amateur d'art et inlassable voyageur fortuné. Je n'aurais pas, grâce à la généreuse invitation de ce dernier, parcouru l'Egypte durant l'hiver 1948-1949. En un mot, alors que mes pauvres parents consternés attribuaient à un énigmatique accès de démence la frivolité avec laquelle j'avais à leurs yeux brisé dès sa naissance une carrière toute tracée, je me demande aujourd'hui si un secret instinct de sauvegarde, et comme une sagacité souterraine ne m'ont pas poussé aux divagations qui m'ont en somme arraché, dans ces années de formation décisives, celles où la force d'assimilation est la plus grande, à un destin plus conventionnel, en tout cas moins nourri d'expériences hérétiques.

A mon entrée à l'Ecole, j'avais choisi la philosophie comme spécialité universitaire, puisque chaque « conscrit » devait indiquer quelle agrégation il entendait préparer, mais je ne voulais pas et n'ai jamais voulu pour autant m'enfermer dans cette seule discipline. La philosophie me semblait être le meilleur « poste d'observation », comme disent les diplomates, ayant vue sur les autres domaines de la culture, mais à condition de les observer effectivement, et de ne pas verser dans le mirage de l'illusoire omniscience philosophique, censée suppléer les défaillances de la compétence, tic ridicule d'un grand nombre de mes collègues. Mon appétit pour la littérature, l'histoire, l'art, la politique et aussi pour la vie des sens, les voyages, les amitiés, les amours m'habitait trop pour que je me risquasse à mener l'existence étriquée de la secte. Tout en épousant la philosophie en justes noces universitaires, je fis donc d'emblée tout mon possible pour ne pas en devenir le prisonnier et pour la juger en toute liberté sans esprit de boutique. A cette liberté, ma découverte de Montaigne me prépara très tôt. Ce fut durant l'été qui suivit mon baccalauréat de philosophie que, fuyant les « morceaux choisis » auxquels le génie de Montaigne se prête fort peu, je pratiquai ma première immersion complète dans les *Essais*. Cette lecture sidérante me conduisit à me poser par contraste une question sacrilège : les systèmes philosophiques ne seraient-ils pas destinés à suppléer l'absence d'idées ? N'est-on pas acculé à construire une théorie lorsque et parce qu'on reste engourdi devant chaque occurrence d'une réalité dont la diversité nous submerge ? Montaigne étalait avec une inépuisable impétuosité ce qu'est penser sans théorie, penser en prise directe sur le réel, lui, le plus fin « écouteur » de l'homme. Montaigne n'est sceptique qu'envers l'erreur déguisée en science, amoral qu'envers l'imposture maquillée en vertu, conservateur que contre les croque-morts travestis en sauveurs.

Mon regimbement éclectique m'a épargné l'orthodoxie. Je ne devins pas le jeune professeur de philosophie modèle, doublé de l'intellectuel parisien typique des années cinquante, flatté de voir parfois paraître une chronique de sa plume dans *Les Temps modernes*, et juché avec une béate componction sur les trois colonnes de la vulgate du moment : l'existentialisme, la psychanalyse, le marxisme. Aucune de ces doctrines ne méritait certes le mépris, loin de là, et je m'en suis copieusement nourri moi-même, mais en opposant le bouclier de la distance à la bigoterie parisienne. L'air du temps et le poids du milieu m'auraient-ils, comme tant de mes amis ou camarades, enrôlé dans le troupeau des intellectuels qui crurent devoir couler quelques années au Parti communiste, quand ce ne fut pas leur vie entière ? J'en doute — car, fréquentant plusieurs membres du Parti à la fin des années quarante, j'avais été fortement incommodé par l'odeur de renfermé que dégageaient leurs rites et leur rhétorique. Je n'avais gobé à aucun instant leurs mensonges justificatifs des procès Rajk à Budapest et Slansky à Prague, les ignobles plaidoyers pour la potence qu'en ces années sordides même des compagnons de route, sans engagement de discipline partisane, prirent ou feignirent de prendre au pied de la lettre, et jusqu'à un indépendant comme Julien Benda, qui, par un contagieux affaissement de la raison, trahit en 1950 sa propre *Trahison des clercs* de 1927, en justifiant les exécutions, à ma déception accablée. Pourtant, comment puis-je jurer que, vivant en France et oblitéré par la suprématie idéologique des staliniens, je n'aurais pas abdiqué moi aussi mon sens critique et mon sens éthique, alors qu'y consentirent tant de mes camarades normaliens et de mes amis dont j'avais envié l'intelligence, un Maurice Mouillaud (promu collaborateur régulier de la revue mensuelle du PCF, *La Nouvelle critique*), un Maurice Caveing, dont une tirade contre « le falsificateur Blum », dans cette même *Nouvelle critique*, me chagrina, un Jean Deprun, lui aussi philosophe érudit et subtil, et même René Schérer, ou encore ceux que je rencontrerai longtemps après leur désabusement, tels Alain Besançon, ou Emmanuel Le Roy Ladurie ? Ces cas éminents d'autostalinisation me révélèrent que l'envoûtement totalitaire peut plonger dans la nuit temporaire ou définitive des esprits supérieurs aussi bien que des abrutis, et des consciences honnêtes autant que des scélérats. Si le fascisme et le communisme n'avaient séduit que des imbéciles et des canailles, il eût été plus simple de s'en débarrasser.

En 1996, j'ai voulu parler de ce mystère avec Maurice Mouillaud, dont je trouvai l'adresse et le téléphone dans l'Annuaire des anciens élèves de l'Ecole. Il m'apprit qu'il avait quitté le Parti en 1968. Nous prîmes rendez-vous pour déjeuner. Voir entrer dans un restaurant quelqu'un dont notre mémoire conserve une image physique datant de cinquante ans, et penser aussitôt que lui, de même, au premier coup d'œil, compare l'être que je fus à celui que je suis devenu, c'est jouer un peu le rôle d'un spectre qui en croise un autre. Dans *L'Enfer*, par exemple, Dante tombe sur Brunetto Latini :

> *Et moi, quand il tendait le bras,*
> *je fixai mes regards sur sa figure cuite,*
> *si fort que le visage brûlé n'empêcha pas*
> *à mon esprit de le connaître ;*
> *et, tendant la main vers sa face,*
> *je répondis « Vous êtes ici, messire Brunetto[1] ?*

Une accolade immédiate, spontanée des deux côtés, effaça d'un coup notre gêne et un demi-siècle de séparation. J'avais voulu interroger Mouillaud en particulier parce que, parmi les camarades dont j'admirais l'intelligence, il était le plus critique, le plus attentif aux nuances et le plus rétif aux emportements sommaires. Comment, de tous ceux

---

1. *Enfer*, chant XV, vers 25-30. Traduction française de Jacqueline Risset.
   E io, quando 'l suo braccio a me distese,
   ficcaï li occhi per lo cotto aspetto,
   si ché'l viso abbrusciato non difese
   la conoscenza süa al mio 'ntelletto ;
   e chinando la mano a la sua faccia
   rispuosi : « Siete voi qui, ser Brunetto ?

qui étaient entrés au Parti, avait-il pu être ensuite le plus idolâtre, celui dont la liberté intellectuelle s'était le plus anéantie elle-même ? Les articles qu'il avait écrits entre 1948 et 1956 comptaient parmi les plus servilement staliniens de la presse communiste. Et le culte qu'il vouait à l'infaillibilité du secrétaire général du Parti communiste français l'avait fait appeler dans la revue *Esprit*, pourtant de gauche, « le cire-botte attitré de Maurice Thorez ». Comment expliquer ce contraste entre la finesse de jugement que je lui avais connue et cet affaissement dans la bigoterie ? Sa réponse fut du même ordre que celle que m'avaient faite Pierre Courtade en 1962, Pierre Daix en 1975 ou Charles Tillon en 1976. Pas plus qu'eux, il ne chercha d'excuse. Je l'ai souvent observé, ceux qui sont allés jusqu'au bout du stalinisme deviennent les plus lucides et les plus sévères envers eux-mêmes après en être revenus. Au contraire, les « compagnons de route », les demi-portions du totalitarisme prétendent enterrer leurs aberrations et leurs mensonges en les justifiant par le « contexte » et les circonstances. « Il faut quand même que je raconte comment et pourquoi je suis devenu stalinien », me répétait Charles Tillon, plaidant pour que Laffont gardât le titre qu'il avait donné à ses mémoires, *Les Enchaînements*. Titre auquel Max Gallo, qui s'occupait avec moi du livre de Tillon, voulait substituer celui, plus clinquant, de *On chantait rouge*, qui fut finalement retenu, plus imagé mais qui, avouons-le, ne rendait guère compte du vrai sujet.

Telles celles des autres aussi, l'explication de Mouillaud n'expliquait rien, je veux dire ne tissait aucun « enchaînement » continu et intelligible entre les raisons supposées de l'adhésion et le bond à l'aveuglette dans l'absurde. Mouillaud ne chercha d'ailleurs nullement à soutenir qu'une telle continuité intelligible existât. Même la rationalité, ici, était irrationnelle. Comme chez Courtade, l'exégèse recourait à l'analogie et à l'énigme de la croyance religieuse. Mouillaud alla plus loin. Il invoqua une sorte d'envoûtement, apparenté à celui des membres des sectes. Il avait l'impression, quand il relisait ses anciens textes, d'avoir été envahi, habité par une autre personnalité, sans rapport avec ses moi antérieur et ultérieur. Il n'y avait rien à comprendre, ni à l'adhésion ni au détachement. Sauf, dit-il, si l'on gardait présent à l'esprit que le communiste conséquent était à la poursuite d'une « purification » totale, de la création d'un « homme nouveau », selon l'expression canonique, ce qui légitimait la liquidation physique et intégrale de l'homme ancien. En ce sens le communiste le plus conséquent, plus encore que Staline et Mao, me dit Mouillaud, avait été Pol Pot au Cambodge, parce que ce fut le plus intégral liquidateur. « Lui au moins a voulu tuer tout le monde. C'était le plus logique. » Ce déjeuner avec Mouillaud, sans m'éclairer, me confirma que ni l'intelligence ni l'intention de bien faire ne nous préservent du Mal. Le seul barrage au fanatisme meurtrier est de vivre dans une société pluraliste où le contrepoids institutionnel d'autres doctrines et d'autres pouvoirs nous empêche toujours d'aller jusqu'au bout des nôtres.

Un trait supplémentaire du Parti communiste me le rendit décidément infréquentable, outre l'odieux, c'est son ridicule ; en particulier lors de sa croisade en faveur du « réalisme socialiste » en peinture et en littérature. L'identité d'essence des trois totalitarismes du XXᵉ siècle, fascisme, nazisme et communisme, flagrante dans les domaines politique et policier, me parut frappante également dans la culture. Pourquoi un déterminisme commun poussa-t-il les trois frères vers l'art pompier, qu'il s'agisse de la sculpture boursouflée « non dégénérée » imposée par Hitler, de l'emphase hideuse du style « Novecento » de Mussolini ou du réalisme socialiste de Staline et Jdanov ? L'explication est, je crois, que le totalitarisme (néologisme forgé par Mussolini en 1922) doit non seulement, comme son nom l'indique, englober la totalité des activités d'une société et donc l'art, mais encore veiller à ce que cet art accable les « masses » d'un ennui profond, afin qu'il ne constitue pas une distraction, susceptible de détourner l'attention collective de la mastication exclusive de l'utopie officielle. Quand au Mexique je lus dans l'hebdomadaire *Arts* les savoureux et cinglants articles d'André Breton contre Aragon (je les republiai en un recueil où je reprenais aussi *Flagrant délit*, dans ma collection *Libertés*, chez Jean-Jacques Pauvert en 1964), surtout le plus comique d'entre eux, intitulé *Du réalisme socialiste comme moyen d'extermination morale*, je me réjouis de si bon cœur que mes éclats de rire écartèrent à jamais de moi la tentation totalitaire. Reste qu'il était prudent, pour y résister, de me divertir à cette lecture plutôt dans les bordels de Mexico que dans les cloîtres parisiens de la religion marxiste-léniniste.

Quand je dis que je n'ai jamais adhéré au communisme, je dis la vérité. Quand en revanche je dis que je n'ai jamais été membre du Parti communiste français, je ne la dis pas tout entière. J'en ai été membre, en fait, pendant trois jours. C'est lors de mon déjeuner avec Maurice Mouillaud que le souvenir m'en revint. Un jour de 1945, un de mes camarades, un hispanisant, André Joucla-Ruau, qui, lui, en était membre et le restera fort avant dans sa carrière, me confie qu'à la prochaine réunion de sa cellule, une semaine plus tard, seraient présents Paul Langevin et Frédéric Joliot- Curie, inscrits dans le quartier de la rue d'Ulm, où était située l'Ecole. « Tu vois, me dis Joucla, cherchant à m'appâter pour me recruter, si tu entrais au Parti, tu aurais l'occasion de côtoyer ces deux génies de la pensée scientifique. » L'envie de les voir et de les entendre ne me manquait certes pas, et le tentateur avait visé juste. Je le suivis donc dans je ne sais quelle permanence pour prendre ma carte. Je pus ainsi assister, peu après, un soir, à la fameuse réunion de cette cellule huppée, rue du Pot-de-Fer ou rue de l'Arbalète, je ne me souviens plus. Nous étions assez nombreux, une trentaine peut-être. J'aperçus de profil et de loin les deux illustres savants. Quant à leurs propos, d'une banalité bien décevante, ils roulèrent sur la seule question de savoir comment accroître la diffusion de la presse du Parti, pourtant alors d'une ampleur qui n'allait cesser de s'amenuiser par la suite. C'est là, d'après ce que l'on m'a souvent conté depuis, chaque fois qu'un ancien du PC m'a fait des confidences, un sujet permanent et majeur des discussions de cellule. Je rentrai me coucher à onze heures, n'ayant rien appris sinon que, une fois enrôlés dans une secte, de grands esprits peuvent eux aussi n'articuler que des platitudes. Quelques jours plus tard, au cours d'une promenade dans les jardins du Luxembourg, je détruisis ma carte.

Je ne me souviens pas d'avoir rempli de biographie pour accompagner ma demande d'éphémère adhésion. Pourtant la « bio », d'après les règles communistes, constituait une obligation. Peut-être mon passage fut-il trop furtif et mon inscription un simple préliminaire sous bénéfice d'inventaire ultérieur, de sorte que les autorités surveillantes n'ont pas eu le temps matériel de me faire accomplir cette formalité. Ou peut-être ai-je rempli un questionnaire et l'ai-je oublié, tant étaient simples et brefs les renseignements qu'à l'âge de vingt et un ans j'avais à donner, et tant fut mince et brève ma contribution « encartée » à la Révolution prolétarienne mondiale.

VI

Je n'essaye pas de réhabiliter après coup comme des traits de génie mes inconséquences et mes négligences, ni d'attribuer des accidents à des intentions. Je me borne à compter les points étalés sur la table au moment où retombèrent les dés de ce jeu de hasard, l'année de ma rentrée dans le rang. Mes tribulations, en partie provoquées, m'avaient infligé, certes, beaucoup de désagréments, mais aussi elles avaient introduit du saugrenu et de la variété dans mes années d'apprentissage. J'avais, encore jeune, vécu à l'intérieur de deux civilisations différentes de la mienne. J'avais ainsi appris à juger la mienne propre d'un point de vue extérieur, à en percevoir mieux les défauts, auxquels on peut être aveugle quand on y baigne, et les qualités, que l'on sous-estime souvent quand on en profite tous les jours. J'avais cultivé ou arpenté bien d'autres champs culturels que ma propre spécialité universitaire, la philosophie, sans toutefois l'abandonner. L'homme qui rentrait en France à la fin de 1956 — ayant enfin passé l'agrégation ! — tranchait par la plupart des ingrédients de son caractère, de son bagage intellectuel et de ses expériences biographiques, sur celui que je fusse devenu si ma trajectoire ne s'était pas égarée à partir de 1945. Je n'ai pas pour autant l'impression que ma résistance aux conventions, aux modes et aux pressions ait été le pur fruit des circonstances, de mon éloignement de Paris et d'un aventureux dévergondage. Il y a toujours eu en moi et malgré moi, il y aurait eu, je pense, de toute manière un noyau réfractaire à la tyrannie des milieux officiels et des idées reçues.

Outre mon instabilité, une autre cause éclaire aussi à mes yeux mon comportement de l'immédiate après-guerre, c'est la guerre elle-même. La période qui s'étend de l'ouverture des hostilités, en septembre 1939, à la Libération, en août 1944, et à la capitulation allemande, en mai 1945, conjugua pour moi la tension due à la charge de travail, des examens et concours, presque sans un seul jour de réelles vacances, avec l'anxiété sécrétée en permanence par la tragédie sanglante, par la hantise d'une mort pure et simple de notre civilisation et aussi par les secousses, les privations et les dangers de la vie sous l'Occupation. Lorsque enfin, peu après mes vingt ans, s'ôta et s'envola ce couvercle de souffrance et d'angoisse, j'explosai, tel le poisson des profondeurs amené à la surface de la mer. Je ne me résolus pas, je l'avoue, à reprendre, impavide et docile, livres et dictionnaires, cours à la Sorbonne et séances à la Bibliothèque nationale ou à celle de l'Ecole, rédactions de dissertations et préparations d'exposés. Je ne pus supporter la plate perspective de renouer sans transition avec la monotonie de la « scolarité », fût-elle « supérieure ».

LIVRE DEUXIÈME

FASTES INFLUENCES

I

« Est écrivain celui dont on peut affirmer que, s'il n'avait pas existé, ce qu'il a dit n'aurait pas existé, ni sa façon de le dire. Et même on n'aurait jamais su que cela pût exister. A l'opposé, neuf sur dix des ouvrages proposés en librairie sont prévisibles et même programmables. Leurs auteurs ont plus ou moins de mérite, mais ils sont remplaçables ou interchangeables. S'ils n'avaient pas fait ce qu'ils ont fait, d'autres à leur place l'auraient fait ou auraient pu le faire. » L'homme qui me tenait à peu près ce langage, un jour de mon adolescence, n'était ni professeur de faculté, ni critique littéraire, ni auteur d'un traité d'esthétique, mais courtier en graines oléagineuses. C'était Joseph-Marie-Théophile Ricard, mon père, dont les prénoms, tous tournés vers le Ciel, révèlent par ailleurs l'étendue de la piété de ma grand-mère. Cet homme, un matin de septembre 1939, je le regardais, dans la chambre de mes parents, revêtir son uniforme de capitaine d'artillerie. A la déclaration de guerre, toute la famille se trouvait en vacances à Ladroit, hameau situé dans le Doubs, entre Pontarlier et la frontière suisse, dans une maison appartenant à ma grand-mère maternelle, une ferme aménagée, dont l'immense grange, restée intacte, servait encore au paysan voisin. Il y entreposait une partie de son foin et, en échange, cultivait notre jardin potager. Dans cette région aux hivers longs et rigoureux, l'élevage des vaches — dont le lait sert à fabriquer le succulent fromage de la région, le comté — était la principale ressource. Il fallait, en été, emmagasiner du fourrage pour plusieurs mois. Aussi les granges, avec les étables, occupaient-elles plus de place dans les fermes que les pièces habitées par les humains. Aussitôt connu l'ordre de mobilisation générale, et comme mon père, officier de réserve, savait qu'une lettre de convocation allait lui parvenir à Marseille, nous prîmes en toute hâte la route du sud dans sa « traction avant » Citroën, le bijou technologique de la construction automobile française de série, dans l'immédiate avant-guerre. Nous laissâmes ma grand-mère fermer la maison et rentrer par le train.

Nous autres Européens de l'Ouest, qui, depuis 1945, grâce à l'Alliance atlantique, aux Etats-Unis et à la construction européenne, avons joui d'un demi-siècle de paix, et chez qui, en outre, le très court service obligatoire, dans les pays où il subsiste, est en voie de disparition, nous avons oublié la part énorme que l'armée a prélevée dans la vie des générations nées un peu avant ou un peu après 1900. C'est surtout mortellement vrai, hélas, pour les millions de jeunes soldats de toutes nationalités tués dans les deux guerres mondiales. Mais les rescapés mêmes ont vu la durée de leur vie civile amputée de plusieurs années par le cumul des guerres et du service militaire. Ce dernier, au rebours de ce que prétendirent les vitupérateurs patriotiques lorsque le gouvernement français se résolut enfin à le supprimer, en 1996, ne datait pas de la fondation de la République. Le service réellement obligatoire et réellement égalitaire — du moins dans les textes — ne remontait qu'à la loi de 1905. Appelé en 1912 à « faire son régiment », pour une durée de deux ans (portée à trois en 1913), mon père n'eut donc même pas le temps de l'achever et se trouvait encore « sous les drapeaux » quand éclata la guerre de 1914. Au front pendant quatre ans, sauf durant un stage d'élève officier de deux mois, en 1916, à l'Ecole d'artillerie de Fontainebleau, qui lui permit d'acquérir le petit bagage mathématique dont j'ai parlé et qu'il élargit ensuite en autodidacte, il ne put reprendre la vie civile, c'est-à-dire débuter, en fait, dans la vie, qu'en 1919, à vingt-sept ans, sans le moindre diplôme. Ensuite, et avant même d'être remobilisé en 1939, il accomplit, entre ces deux dates, de fréquentes « périodes » d'exercice militaire, auxquelles l'état-major astreignait tous les officiers de réserve, pour les entraîner, mettre à jour leurs connaissances techniques et les initier aux dernières subtilités de la pensée stratégique française. Le résultat, en 1940, ne fut évidemment pas éblouissant, mais le cœur y était et, d'ailleurs, mon père aimait cette vie militaire intermittente. Elle lui fournissait des manières de vacances, loin des tracas familiaux, du mauvais caractère de ma mère et des soucis de l'homme d'affaires. Il portait avec fierté la qualité d'officier de réserve et la croix de guerre. A Marseille, chez Basso, chez Susy, au Cintra, où il allait par roulement absorber son whisky triquotidien, il ne restait pas indifférent quand les barmans prévenants l'appelaient d'une voix martiale « commandant », grade qu'il n'atteignit jamais.

Si j'ai rapporté la définition de l'écrivain par mon père, c'est pour évoquer un état social de la culture française d'avant la guerre dont, peut-être à tort, je me demande s'il n'a pas disparu par la suite, du moins sous la forme que je lui ai connue. Aujourd'hui, malgré la « diffusion de l'instruction », comme on disait au XIXe siècle, ou, si l'on préfère, la démocratisation de l'enseignement, l'irruption de la culture de masse, la naissance et la prolifération du livre de poche, l'augmentation du nombre des acheteurs de livres, due à la généralisation des études et, aussi, à la prospérité des « trente glorieuses » années de la croissance d'après guerre, je crois constater que, dans la petite et moyenne bourgeoisie (qui, de mince couche qu'elle était, a fini par devenir de nos jours une épaisse tranche de la population), on rencontre de moins en moins, en dehors des professions intellectuelles, de gens cultivés à leur manière propre et originale, de véritables connaisseurs, des amateurs possédant un goût, *leur* goût, bon ou mauvais, mais sincère et bien à eux, fondé sur des expériences et point sur des on-dit. Nous semblons vivre de plus en plus dans une culture par ouï-dire. J'avais examiné ce paradoxe lors d'une conférence que je fis, vers 1965, à l'Université libre de Bruxelles. L'auditoire et la presse prirent mon interrogation comme une marque de défiance à l'égard de la démocratisation de la culture. C'est là une fréquente interversion des termes du syllogisme, dans le conformisme optimiste : si vous discernez qu'un remède manque d'efficacité, on vous reproche d'acclamer la maladie, de « tuer l'espoir », péché plus impardonnable que de tuer le patient. La culture de masse, la démocratisation de l'enseignement, les émissions littéraires à la télévision, j'en suis partisan jusqu'au fanatisme, étant fils des Lumières. La multiplication des acheteurs de livres et des visiteurs d'expositions me paraît un des plus probants succès intellectuels de la démocratie. Mais ce sont là des moyens, non des fins. Au stade du public, pourquoi l'échantillon, fort répandu avant guerre, du connaisseur totalement étranger à la classe intellectuelle se fait-il de plus en plus rare ? Or n'est-ce pas là le terreau d'une civilisation, qui, pour réussir, doit déborder le cercle des professionnels de l'esprit, fussent-ils singés par une foule d'ouailles attentives mais passives ?

Non que le public actuel ne lise pas, je le répète : les chiffres prouvent que la lecture a progressé, même si, d'après les sondages, près de la moitié de nos contemporains s'abstiennent de toute visite chez le libraire. Mais cette lecture, quand elle a lieu, se borne quasiment à un ou deux spécimens de la production saisonnière. Dans une conversation avec ou entre des membres de la classe moyenne, chefs d'entreprise, médecins, commerçants, cadres, on entend mentionner, dans le meilleur des cas, le dernier ouvrage d'un romancier, d'un essayiste ou d'un historien célèbre. Même des auteurs difficiles connaissent des succès de librairie, ce qui est un bon signe. Mais il s'agit dans la plupart des cas de parutions toutes récentes. On n'entend presque jamais un convive de ces dîners ou réunions de fin de semaine dire qu'il est plongé dans les *Mémoires* de Guizot, est en train de découvrir un roman de Dickens qu'il avait jusque-là négligé ou d'entreprendre la relecture des *Liaisons dangereuses* (sauf si un film « adapté » de cette œuvre vient de sortir sur les écrans ou de repasser à la télévision). Certes, les collections de classiques, La Pléiade, Bouquins, Penguin Books, Petite bibliothèque Rizzoli, Fondo de cultura economica, etc., ont des catalogues d'un très haut niveau et se vendent bien, mais, dirait-on, surtout aux professeurs et aux étudiants, car, en dehors de ces milieux, on les entend fort rarement commenter, sauf par les critiques, qui les reçoivent en service de presse. Chez les autres, chez les non professionnels de la culture, les membres de la « société civile » qui produit, achète, vend ou soigne, quand je les compare à leurs équivalents d'avant guerre, j'ai le sentiment que le goût de l'exploration personnelle est plus réduit, et qu'a diminué la curiosité vraie, celle qui lance ses filets vers des poissons plus lointains et moins triviaux que ceux apportés à la criée par la dernière marée.

Souvent j'ai entendu les amis de mon père, petits ou gros industriels et commerçants (le plus proche de l'intellectuel de métier était un avocat), échanger des considérations animées sur des romans ou mémoires classiques, voire peu connus, français ou étrangers, surtout du XIXᵉ siècle, en des termes qui dénotaient une fraîche lecture et non pas une opinion fondée sur des propos colportés. Ils pouvaient proférer des inepties et, dans le fouillis de leurs préférences, le meilleur côtoyait le pire. Mais à les entendre on n'avait pas ce pressentiment accablant, que l'on éprouve quand un de leurs semblables actuels ouvre la bouche, de savoir à l'avance ce qu'il va dire. Sans doute la critique écrite, la seule qui existât, influençait-elle les lecteurs. Mais elle n'avait ni le pouvoir ni l'effet d'uniformiser leurs réactions, d'abord parce qu'elle était argumentée et exigeait elle-même un effort de lecture, ensuite parce qu'elle était objet naturel de controverse, enfin parce qu'elle ne se substituait pas à la connaissance de l'œuvre. Le lecteur de base parlait d'un auteur parce qu'il l'avait lu ou il n'en parlait pas. Car la « communication » n'était pas là pour lui fournir de quoi en parler sans l'avoir lu. Aussi chacun se sentait-il plus libre de se frayer son sentier au hasard de sa promenade solitaire à travers les livres.

Ainsi, un des amis de mon père, Léonce Vial, petit industriel dans la savonnerie, avait cinq passions : sa famille, la pêche, la chasse, les cartes et... la poésie. Sa famille présentait à mes yeux le mérite de compter parmi les enfants deux filles. Je faisais la cour aux deux, sans préjugé sélectif et sans le moindre succès. La pêche, il s'y adonnait, d'abord, bien entendu, dans les calanques proches de Marseille, mais aussi avec, de temps à autre, moi comme mousse, en été, sur le lac franc-comtois de Saint-Point, quand la famille Vial venait passer quelques semaines avec nous à Ladroit. Je maniais tantôt les rames, pour mener la barque vers les bons coins, tantôt le salabre (nom marseillais de l'épuisette) pour tirer hors de l'eau les brochets qui avaient mordu à sa ligne. La chasse, il la pratiquait avec adresse en saison le dimanche dans la Crau, en compagnie d'un groupe d'amis, dont mon père. Mais il la racontait surtout avec exaltation le lundi, à la réunion du Rendez-vous des chasseurs, un café du Vieux Port où les héros de la veille venaient raconter leurs exploits et leurs déconvenues. La maison poussait le zèle cynégétique jusqu'à tenir à la disposition des clients un fusil en bois, grâce auquel ils pouvaient mimer les phases les plus pathétiques de leurs aventures dominicales. Je revois une fin d'après-midi où j'étais venu y retrouver mon père, en sortant du collège, afin de rentrer avec lui en voiture à La Pinède. Et j'entends encore Vial, conscient d'avoir atteint dans son récit le degré d'intensité où il ne pouvait poursuivre sans joindre le geste à la parole, crier au garçon : « Eusèbe ! (Prononcez *U*sèbe) Porte-moi le fusil en bois ! » (en français marseillais « porter » veut dire « apporter ») ; et Eusèbe, écartant les bras en signe de consternation impuissante, le visage crispé par le chagrin, répondit : « Monsieur Léonce, il est en main ! » Quant à ses talents aux cartes, Léonce figurait parmi les plus irrésistibles bridgeurs méridionaux, paraît-il, et on le redoutait aussi au poker, où ses gains lui avaient à plusieurs reprises, pendant la crise économique du début des années trente, procuré le complément d'argent nécessaire aux échéances de son affaire de savon et à la paye de ses ouvriers, sans qu'il eût à en renvoyer un seul.

Je ne dirai pas que j'ai beaucoup appris en parlant de poésie avec lui, car il ne discutait pas, il citait. Si je lui demandais : « Où placez-vous Verlaine ? », il répondait sur-le-champ :

> *Souvenir, souvenir que me veux-tu ? L'automne*
> *Faisait voler la grive à travers l'air atone,*
> *Et le soleil dardait un rayon monotone*
> *Sur le bois jaunissant où la bise détone*

A la question finaude du potache borné : « Préférez-vous Ronsard ou du Bellay ? », il répliquait non par des ratiocinations mais par :

> *Versons ces roses près ce vin,*
> *Près de ce vin versons ces roses,*
> *Et buvons l'un à l'autre, afin*
> *Qu'au cœur nos tristesses encloses*
> *Prennent en buvant quelque fin.*

Le choix de cette ode de Ronsard m'indiquait vers lequel des deux poètes il penchait. La quantité de vers des poètes français qu'il connaissait par cœur était telle que, si un incendie comme celui de la bibliothèque d'Alexandrie en avait anéanti les supports écrits, Léonce aurait pu servir de griot et transmettre par la voie orale aux générations futures un échantillonnage représentatif des trésors perdus. C'est dans la poésie de la dernière partie du XIXe siècle et du début du XXe que sa mémoire plongeait ses racines les plus multiples. Rien ne lui échappait, bien sûr, des plus grands ou des plus connus, les

Mallarmé, Verlaine, Corbière, Nouveau, Rimbaud, Laforgue, Moréas ou Heredia. Mais il me révélait, en outre, des poètes dont la notoriété s'était déjà estompée à ma naissance et n'a guère ressuscité depuis (sauf dans les anthologies obèses, qui tournent à l'encyclopédie) les Elskamp, Rodenbach, Samain, Ghil, Stuart Merrill ou Viélé-Griffin. Devant la moue sceptique avec laquelle ma morgue moderniste accueillait sa promotion de ces poètes du second rayon, l'ire enflait sa voix. Il protestait en rendant tonitruante sa récitation. Je regrette de n'avoir pas eu d'appareil pour le photographier, debout à la proue de notre barque, sur les eaux aimables du brave lac de Saint-Point, gesticulant et vociférant une réfutation inspirée à la fois par notre intrépide navigation et par le très oubliable Léon Dierx :

> *Je suis tel qu'un ponton sans vergues et sans mâts,*
> *Aventureux débris des trombes tropicales !...*

Malgré cette trombe purement verbale, nous abordâmes, ce soir-là, sains et saufs au port minuscule et attendrissant de Malbuisson, où nous louions notre barque quotidienne. Parfois nos désaccords s'aigrissaient. L'indulgence de mon aède pour des nullités m'agaçait. Je menaçais de refuser de l'accompagner à la pêche. Et comme son matelot lui était indispensable, il se disait résigné à me sacrifier Emile Verhaeren, voire Francis Jammes, avec des mimiques de critique gastronomique vénal qui laisse entendre à un restaurateur que son jugement est impartial mais non pas immuable.

J'ai conservé le souvenir du moment exact où coula dans ma poitrine ma première émotion poétique, ce brusque serrement du cœur que seuls donnent, pour reprendre le qualificatif d'André Breton, « la beauté convulsive du poème » ou le premier déploiement souverain d'une phrase musicale inespérée (ce à quoi Breton était, en revanche, insensible). Je dois avoir dix ans, j'arpente un terrain de tennis désaffecté, cerné par les herbes, ombragé par les pins, qui se cachait en face de la villa de mes parents, de l'autre côté d'une petite route, et nous servait désormais de terrain de football, à nous, gamins du quartier. Je suis seul et me récite à voix basse, sans me lasser de les reprendre, les deux premiers vers d'*Athalie*, qui m'ont été révélés la veille, au cours d'une explication de texte en classe de sixième :

> *Oui, je viens dans son temple adorer l'Eternel ;*
> *Je viens, selon l'usage antique et solennel,*
> *Célébrer avec vous la fameuse journée...*

Qu'est-ce qui put bien provoquer en moi un tel saisissement, dans ces vers où le génie de Racine ne se hausse pas à la hauteur de sa plus fine pointe et que ni Paul Valéry ni l'abbé Bremond n'eussent admis dans le paradis de leur « poésie pure » ? Est-ce la cadence, la rime, la fluidité, la musicalité secrète et sûre du style qui effacèrent, pour me bouleverser, la platitude énonciative et utilitaire de cet exorde théâtral ? Toujours est-il que c'est par la porte entrebâillée de l'austère temple du grand prêtre Joad que je me faufilai dans le parc ensorcelé de l'initiation poétique.

Le catalogue mémorisé de Léonce s'arrêtait net en 1914, et même un peu avant, puisque je ne me rappelle pas l'avoir entendu mentionner Apollinaire, alors qu'*Alcools* a paru en 1913. Pour la poésie récente, mon père prenait la succession, sans déclamer, toutefois, se bornant à me conseiller des lectures et, parfois, à me lire lui-même un bref fragment. Il vouait un culte à Guillaume Apollinaire, précisément, et à Max Jacob, dont il me mit très tôt entre les mains *Le Cornet à dés*, recueil de courts poèmes en proses qui ressortissent, à vrai dire, plus de l'humour saugrenu que du chant profond. Je revois surtout entre les mains paternelles la couverture brique d'une *Anthologie de la Nouvelle Poésie française*, parue chez un éditeur nommé Kra, qui était son livre de chevet et devint le mien. Ce choix commençait, comme il se doit, par Baudelaire, Verlaine et Rimbaud, se poursuivait, avec plus d'originalité pour l'époque, par Lautréamont, Charles Cros et Jarry, Nouveau, Corbière, puis Apollinaire. Et, surtout, il me permit de prendre un premier contact avec des poètes d'avant 1914 encore méconnus, tels Levet, Toulet, ou avec des poètes vivants tels Oscar Milosz, Pierre Reverdy, Carco, Philippe Soupault, le spirituel et mélancolique Tristan Derême (un « auteur culte » de mon père), Cendrars, André Salmon, Paul Valéry ou Jean Cocteau. Trait intrigant, dans le roman et, en général, la prose, le goût de mon père péchait par confusion des niveaux. Il plaçait sur un pied d'égalité Céline et Pierre Benoît, Marcel Aymé et Maurice Dekobra, comme s'il ne pouvait distinguer le génie du savoir-faire. Un jour idolâtre de Jean Giono, qu'il avait d'ailleurs rencontré aux réunions du Cercle des bibliophiles de Provence, dont l'écrivain était un fréquent invité d'honneur et mon père un membre fondateur (il possédait du reste avec fierté le texte manuscrit d'une préface à *Regain*), s'extasiait un autre jour devant les déjections d'un Alexandre Arnoux, d'un Claude Aveline ou d'un Léo Larguier. Si je lui sais gré de m'avoir gavé de Georges Courteline et d'Alphonse Allais, je ne pus jamais souscrire à ses éloges d'un aussi piètre humoriste que Clément Vautel. Il avait le bon goût de couvrir de justes sarcasmes ce benêt d'Henry Bordeaux, académicien vénéré de la bourgeoisie d'antan, et de priser plutôt Paul Morand et *Méditation sur un amour défunt* (le futur *Silvia*) d'Emmanuel Berl. Mais alors pourquoi se goinfrer de Maurice Bedel, Charles Plisnier ou Philippe Hériat, sinon parce que ces trois derniers plumitifs avaient décroché le prix Goncourt ?

Ce malencontreux pot-pourri, en revanche, il ne l'apprêtait pas en poésie. Là, ses choix cessaient d'être disparates. J'ignore pourquoi. Je sais seulement qu'il ne me vanta jamais de mauvais rimailleurs ou des imposteurs prétentieux.

Les intrusions de la « communication » médiatique et du snobisme de masse ont-elles fait disparaître de la civilisation actuelle ce type d'amateur indépendant ? Sans l'affirmer, je témoigne seulement que je n'en rencontre plus dans les couches socioprofessionnelles et culturelles équivalentes à celle où mon père a vécu. Son émerveillement devant Lautréamont, par exemple, de la part d'un homme né à la fin du XIXe siècle, et sans aucun lien avec une avant-garde quelconque, ni quelque milieu littéraire que ce fût, venait d'une exploration toute personnelle. Un soir, il vint s'asseoir dans ma chambre pour me lire avec ferveur le passage fétiche « Vieil océan aux vagues de cristal », avec l'espoir de m'aider à supporter par cette incantation une grippe que rien ne pouvait atténuer, une grippe incurable, puisqu'elle n'existait pas. Peut-être est-ce à cause de cette association entre Isidore Ducasse et l'aspirine arrosée de bouillon de légumes que je cessai, pour ma part, plus tard, de tenir les *Chants de Maldoror* pour de la poésie, malgré les admonestations outragées d'André Breton.

Quand je regardais mon père se sangler dans son uniforme, en septembre 1939, je ne me doutais pas que je le voyais pour la dernière fois, non pas lui, en tant que personne physique, car il ne devait pas mourir à la guerre, mais lui en tant que personne morale et intellectuelle, en tant que modèle admiré, avec encore mes yeux d'enfant. Certes nous retrouverions plus tard des rapports affectueux, après des années d'affrontement et de quasi-rupture, dus à l'antagonisme de nos camps sous l'Occupation. Mais la restauration ultérieure de notre attachement réciproque, facilitée et comme lubrifiée par la confiture sentimentale due à la naissance de mes propres enfants, ne ressuscita pas l'estime ancienne. Cette réconciliation fut viscérale plus que cérébrale.

II

En partant pour la ligne Maginot, après un détour par Castellane (dans les Basses-Alpes, pompeusement rebaptisées en 1970 Alpes de Haute-Provence), où son régiment resta quelque temps stationné, sans doute dans la vaine attente d'une improbable attaque italienne, qui ne se produisit en fait qu'après la débâcle militaire française, avec la déclaration de guerre de Mussolini, le 10 juin 1940, mon père laissait sa femme et ses deux enfants dans une fâcheuse débine financière. Je me mis à avoir honte du contraste mensonger entre notre villa patricienne de deux étages et de vingt-trois pièces, vieille demeure provençale à la façade trapue, douce modulation d'orangé, d'ocre et de safran, rutilance solaire voilée de cyprès, de magnolias, de platanes et de pins, et la gêne quotidienne, le manque de ressources où ma mère dut se débattre et se débrouiller durant la « drôle de guerre », à cause de la joviale imprévoyance de son mari, qui avait tari toutes ses réserves, s'il en avait jamais constitué. Aux yeux de nos voisins, nous étions des riches. Nous l'étions, sans doute, par les biens immobiliers et fonciers, par la possession d'une automobile (objet alors inaccessible à la petite bourgeoisie, aux employés, aux petits fonctionnaires et, bien entendu, aux ouvriers). Un jour même, un gamin du « lotissement » (comme on appelait les alentours de « La Pinède », où la construction « résidentielle » prospérait), un petit compagnon de jeu avec qui je me disputais, durant une partie de pétanque, me cloua le bec avec cet argument triomphal : « Eh, merde ! Capitaliste ! » J'ignorais le sens du mot et restai muet de perplexité. Capitaliste, l'adjectif s'appliquait certes à nous, étant donné notre patrimoine, dans la France d'alors, et la profession de mon père, qui nous rangeaient dans la classe « moyenne supérieure », c'est-à-dire parmi les gens dits aisés. Mais, en pratique, le capital est une chose et le revenu en est une autre. Aisés, nous avions cessé de l'être, puisque ma mère, réduite à la chiche « délégation de solde » de mon père mobilisé, ne disposait néanmoins pas du liquide nécessaire aux dépenses quotidiennes.

Un autre liquide, sous forme de whisky et de vin, figurait certainement parmi les causes qui avaient entraîné mon père à négliger de plus en plus ses affaires, après les revers et le découragement dus à la grande crise des années trente. Mais l'assèchement de ses revenus ne l'avait pas rendu moins dépensier, ni guéri de sa répugnance physique à payer ses dettes, dont ma mère recueillait ainsi, de surcroît, l'ardoise !

Mon père considérait l'envoi d'une facture comme un geste inamical, entraînant, à titre de légitimes représailles, la suspension immédiate de tout règlement. Quand lui parvenait ensuite l'inéluctable lettre de rappel, lui remémorant son impayé, il signifiait au malotru qui avait osé la lui expédier la radiation à vie de la liste de ses fournisseurs. C'est tout juste s'il ne lui réclamait pas une indemnité pour harcèlement comptable. Il aurait volontiers mis ses créanciers à l'amende pour les punir de leur seule existence, amende doublée en cas de sollicitations indiscrètes.

L'étourderie financière de mon père, son manque de parole et de ponctualité dans ses règlements illustrent le simplisme arbitraire des explications de la conduite personnelle et du caractère par les seules origines sociales. Issu d'un milieu riche, on l'eût défini comme un fils de famille « très dix-huitième siècle », accoutumé par une jeunesse opulente et insouciante à vivre au-dessus de ses moyens et à faire lanterner ses créanciers. Issu en réalité d'un milieu pauvre, avancera-t-on qu'il tenait à prendre sa revanche sur un passé besogneux ? Ces poncifs contradictoires font hausser les épaules. Ils sont de la même farine que ceux grâce auxquels les psychanalystes croient expliquer les origines de l'homosexualité masculine, l'attribuant tantôt à un père trop autoritaire, tantôt à un père falot, qui se laisse supplanter par la mère, voire à l'absence de tout père, à une mère trop aimante et envahissante, à moins que ce ne soit au défaut de tendresse maternelle. Mon ami René Schérer, le philosophe, me dit un jour voir la cause de son homosexualité (ou plutôt, de sa pédérastie, car il n'a jamais eu de goût que pour les très jeunes gens) dans une enfance submergée de présences féminines, une farandole de tantes et de cousines s'étant ajoutée à sa mère pour effacer son père et le pousser en marge de la tribu. Fort bien. Mais alors pourquoi ce même contexte a-t-il eu l'effet opposé sur son hétéro de frère, Maurice, plus connu par la suite sous le pseudonyme cinématographique d'Eric Rohmer ? Quand un riche se montre avare, on dit qu'il n'aurait pas édifié sa fortune s'il n'avait économisé sou par sou. C'est l'existence, parmi les pingres, de milliardaires par héritage, et, parmi les parvenus, de dissipateurs magnifiques. Tel, précisément, Joseph Ricard, qui, par exemple, durant les années trente, pourtant grevées d'une détérioration galopante de ses revenus, avait poussé la libéralité jusqu'à entretenir un peintre local, Louis Audibert, en lui offrant table ouverte à la maison et en lui achetant toutes ses œuvres, desquelles il s'était amouraché, sans qu'elles puissent à aucun titre passer pour un bon placement, quoique non dénuées d'un petit charme provençal. Ce charme devenait chaque été franc-comtois, lorsque nous emmenions leur auteur passer le mois d'août avec nous à Ladroit. Hurluberlu bonasse, plein d'une sagesse suave, d'une drôlerie observatrice mais exempte de malveillance, car il avait depuis longtemps renoncé à toute autre ambition que celle de subsister, Audibert, surtout, débordait d'anecdotes cocasses que j'écoutais goulûment : il avait portraituré Mounet-Sully venu jouer *Les Précieuses ridicules* à Marseille, accompagné Cézanne dans ses randonnées picturales autour d'Aix-en-Provence, vu Caruso dans *La Bohême* se curer les ongles en scène pour décontenancer la Melba qui chantait Mimi, et, à Paris, entendu Paul Verlaine, lesté de maintes absinthes, vers minuit, boulevard Saint-Michel, haranguer un groupe d'étudiants pour conclure avec fièvre par cette entraînante exhortation : « Et maintenant, allons chier derrière le Panthéon ! » Audibert incarnait la version provinciale du modèle national que personnifiait Verlaine : le bohème, cette curieuse espèce sociale, ou, plutôt, asociale, mais adoptée, voire soutenue par la société. Si le prototype, au brio inégalé, du bohème, remonte au *Neveu de Rameau*, sa prolifération débute vers 1840 et s'éteint en 1940. La Deuxième Guerre mondiale et l'idéologisme pompeux qu'elle engendra, la mainmise de l'Etat sur la société, même capitaliste, ouvrirent l'ère du sérieux socio-professionnel en art et rendirent dans les lettres la vie impossible aux inclassables économiques. Le prêche de Sartre contre les surréalistes, par exemple, s'appuie tout entier sur cette remontrance : ils se comportent en purs consommateurs et ne s'associent pas à la production ! Bref, ils n'avaient pas de « situation », c'est le cas de le dire et c'est ce qu'aurait dit d'eux ma grand-mère maternelle, si elle avait eu la moindre notion de leur existence. A partir des années cinquante, écrivains et peintres devinrent des bourgeois, petits ou grands selon leur réussite financière, et en général de gauche pour faire oublier leur richesse ou leur aisance et garder un lien peu coûteux avec leurs ancêtres bohèmes. Nos sociétés comptent encore hélas ! nombre d'aspirants artistes sans argent et le plus souvent sans talent, mais elle les répertorie avec soin pour les normaliser en catégorie administrative. Elles les subventionnent, même, et prétendent les « insérer ». Le bohème d'antan refusait de s'insérer. Il se voulait non l'assisté de la collectivité, mais le parasite d'un ou plusieurs individus dont l'argent rendait hommage à son originalité. Avec leurs dons, au demeurant, il se livrait lui-même à des largesses de comptoir. C'était un tapeur munificent.

Car l'avarice ou la générosité, j'y reviens, ne dépendent de l'importance ni des biens du donateur (ou du radin), ni du montant de la dépense. Riche ou misérable, l'avare et son contraire se repèrent instantanément, à leur attitude, dès la minute où le garçon pose les deux tasses de café ou les deux verres de vin blanc sur le bar.

Mon oncle Jean, frère de Joseph et son cadet de deux ans, né alors que leur père venait de mourir, avait, cela va de soi, grandi dans la même gêne que son aîné. A lui aussi l'âge de raison avait fait découvrir un train-train besogneux, dans un faubourg de Besançon, puis dans le village jurassien de Chaumergy, après que ma grand-mère se fut remariée à un modeste fonctionnaire des postes, qui, outre quatre enfants supplémentaires, lui avait apporté l'amour, la bonté et la sécurité, mais certes pas l'aisance. Et pourtant Jean devenu adulte s'opposait à Joseph par tout son caractère, et en particulier par son attitude vis-à-vis de l'argent, à un degré bien propre à renforcer le scepticisme sur la genèse sociologique de la personnalité, ou, du moins, de toute la personnalité.

Mon père et mon oncle avaient par la suite tous deux épousé des filles riches et eu la chance de tomber sur des beaux-pères qui leur avaient, selon la locution, mis le pied à l'étrier. Tous deux intelligents, ils avaient bien tiré parti de ce hasard matrimonial et fourni la preuve d'exceptionnelles capacités dans les emplois qu'on leur avait confiés. Quand je demandai un jour à ma mère comment elle avait rencontré papa, elle me répondit « en allant lui ouvrir la porte ». C'était à Besançon, et ce devait être au début de l'année 1914. France, ma mère, avait seize ans. Joseph venait de terminer son service militaire et cherchait du travail. Par des relations, il fut recommandé à mon grand-père maternel, Marius Mathez, qui possédait une maison de commerce à Lourenço Marques (aujourd'hui Maputo) au Mozambique et cherchait un jeune employé. France, sa fille unique, avait d'ailleurs vu le jour au Mozambique, à Inhambane, et fait la majeure partie de ce que je n'oserai appeler ses études dans un pensionnat anglais pour jeunes filles, à Durban, en Afrique du Sud. Joseph était donc venu se présenter au domicile de son éventuel employeur futur (de passage à Besançon entre deux séjours en Afrique). Marius Mathez commença par le prendre à l'essai sur place, à son bureau bisontin. Le nouvel employé donna satisfaction, plut en outre à la fille de la maison, fut agréé comme fiancé, et c'est nanti de ce titre qu'il repartit sous les drapeaux, en août 1914. France et Joseph restèrent fidèles à leur promesse pendant toute la guerre et se marièrent en 1919.

Ces détails anecdotiques ne méritent le récit que dans la mesure où ils éclairent l'aléatoire de la vie humaine. Si France Mathez n'avait pas épousé Joseph Ricard, à la suite d'un hasard de recherche d'emploi ; si Marius Mathez n'avait pas été associé en affaires avec un riche industriel marseillais, Antonin Badelon (devenu plus riche encore grâce à cette association, mais dans des conditions contestées par mon grand-père, et qui aboutirent à un procès et à une brouille) ; si l'épouse d'Antonin Badelon, prénommée Manotte, et qui devait devenir ma marraine, n'avait pas eu d'un premier mariage une fille, Henriette Caubère, que Jean Ricard rencontra au mariage de mes parents, ce qui conduisit à un autre mariage et à l'entrée de mon oncle dans l'entreprise de Badelon, ma famille franc-comtoise ne serait pas devenue marseillaise d'adoption, ni sa progéniture provençale et méditerranéenne de culture, de goût et de sensibilité. Si Marius Mathez n'avait pas fondé à Lourenço Marques une maison de commerce, que mon père alla reprendre en emmenant avec lui ma mère et moi, en 1924, peu après ma naissance, le portugais n'aurait pas été ma langue maternelle, au moins durant mes cinq premières années, jusqu'en 1929. A ce moment-là mes parents rentrèrent une fois pour toute en France, parce que mon père tenait à ce que ses enfants fissent de « solides études classiques », programme irréalisable au Mozambique et que la Compagnie de Jésus se chargea d'exécuter en Provence.

Promus hommes d'affaires par leurs mariages, à la suite d'une série de rencontres inopinées, Jean et Joseph jouèrent, je l'ai dit, avec talent, mais de deux façons entièrement opposées, les cartes que leurs belles familles respectives leur avaient distribuées. Mon père gagna souvent beaucoup d'argent. Mais cet argent lui venait comme en une succession de feux de paille bientôt consumés. Mon oncle, au contraire, construisit avec méthode et lenteur une solide et substantielle fortune, en ayant soin de mettre constamment son train de vie privé en harmonie avec la progresion de sa richesse, sans jamais se permettre plus de luxe que n'en comportait une utilisation raisonnable de ses revenus et surtout sans entamer son capital ni en ralentir la croissance. C'est ainsi qu'il vécut longtemps avec sa femme et ses deux fils dans un appartement de taille moyenne, avant de se décider à l'achat d'une villa, tandis que mon père avait depuis plusieurs années acquis La Pinède, avec d'ailleurs l'argent que ma mère avait hérité au moment du décès de mon grand-père Mathez. Pour mon oncle, rien ne passait avant son assiduité à son bureau, à partir duquel il dirigeait les usines du groupe JB Paul, dont le fleuron, après l'huile d'arachide, était le savon de Marseille, de la marque « Fer à cheval ». Ce qui incitait Joseph à railler son frère en le dépeignant comme « un curé en train de dire toute la journée la sainte messe sur l'autel du dieu Fer à cheval ». Pour mon père, le bureau ne justifiait pas qu'on lui sacrifiât des occasions de joie. Un matin de 1938 ou du début de 1939, apprenant par la lecture du journal que les tableaux les plus précieux du musée du Prado, expédiés hors du pays par le gouvernement de la République espagnole soucieux de les mettre en sécurité durant la guerre civile et d'en tirer quelque recette, se trouvaient exposés à Genève, mon père planta là incontinent ses affaires, nous fourra, ma mère, mon frère et moi dans la voiture sous une avalanche de valises bâclées et démarra en direction de la frontière, non sans un arrêt à sa banque, la Westminster, pour acheter des francs suisses et non sans cueillir au passage l'indispensable Audibert. Nous passâmes, entre l'hôtel Beau Rivage et les trésors du Prado, deux ou trois journées d'impétueuse contemplation picturale, qui s'achevaient par des dîners plantureux à la Perle du Lac, où mon père, outre sa famille et son peintre personnel, traitait avec faste, en les assourdissant de commentaires lyriques sur Velasquez ou Zurbaran, deux vieux amis connus jadis en Afrique et par lui dégottés dans l'annuaire de Genève. Ces extravagances glaçaient Jean, lui-même fort cultivé, amateur de livres et de tableaux, mais incapable de manquer au sérieux professionnel. L'inattention et la négligence de mon père lui avaient d'ailleurs valu de se faire escroquer par un de ses associés. Quelques années après la Deuxième Guerre mondiale, mon oncle me confia, plongé qu'il était, un dimanche, dans les *Mémoires* de Winston Churchill, avoir entre tous admiré le passage où le Premier ministre raconte avoir donné au début de la guerre et des restrictions l'ordre à tous les ministères et administrations de retourner les enveloppes destinées au courrier officiel, afin de les utiliser deux fois, pour parer à la pénurie de papier. « Avoir songé à ce détail, me dit mon oncle, et à mille autres du même genre qui, au bout du compte, par leur accumulation même, cessent d'être des détails, voilà qui dénote le grand homme d'Etat ! Et le grand homme d'affaires ! » Mon père était déjà mort quand j'entendis cette remarque de mon oncle, mais j'imaginai ses ricanements sardoniques si je la lui avais rapportée. « Voilà bien Jean ! S'il s'imagine que c'est en économisant des bouts d'enveloppes qu'on gagne une guerre ! »

Avant même que je n'apprisse à lire, mon père m'avait enseigné oralement *La Cigale et la Fourmi*, que, bientôt, je pus réciter par cœur. Mais les humains sont aveugles à leur propre ressemblance avec les caractères dépeints dans les chefs-d'œuvre classiques. Joseph ne se reconnaissait pas dans le premier de ces deux insectes et n'admit jamais de bon gré que sa fourmi de frère pût avoir lui aussi des mérites, de l'humour et de la générosité.

III

En 1955, quand, après deux ans de notre cohabitation intermittente à Florence, une jeune femme prénommée Paola et moi dûmes nous séparer, nous en étions réduits à nous donner rendez-vous, de temps à autre, pour au moins nous parler, dans l'église Santa Maria Maggiore à Rome, croyant ainsi à tort déjouer le zèle des détectives privés que sa famille avait abonnés à ses trousses. Le rendez-vous dans les églises des amoureux interdits d'entrevue est, ou était, de toute manière, une vieille tradition italienne, familière à toute consciencieuse agence de filatures. Au cours d'une de nos conversations à mi-voix dans la pénombre de Santa Maria Maggiore, Paola me dit combien lui paraissait faux le préjugé selon lequel la personnalité se construit par la lente accoutumance, la pression continue du milieu et la répétition des influences. « Il y a des habitudes définitives, ajouta-t-elle, qui se prennent en une seconde, au contact imprévisible de quelqu'un. »

En ce qui me concerne, je pourrais inscrire, parmi ces habitudes inattendues et définitives, comme exemple de ces précipités, la nouvelle vision de la vie que j'ai contractée dès ma toute première conversation avec le Dr Pierre Imbert. Ma mère pour parer à la dèche où, en courant défendre la patrie, nous avait laissés mon père, lors de la mobilisation générale, s'était avisée de louer deux ou trois chambres à des officiers eux-mêmes mobilisés dans les parages. La Pinède comptait plusieurs chambres d'amis, que l'on appelait chambres « à donner », et qu'il eût été sot, vu notre embarras, de ne point proposer à des hôtes payants. Comme nous étions voisins de l'hôpital Sainte-Marguerite, transformé en hôpital militaire, il se trouva que tous les hôtes qui se succédèrent sous notre toit pendant la « Drôle de guerre » de 1939-1940 étaient des officiers médecins. Nous vîmes défiler toutes les spécialités, de l'otho-rhino-laryngologie à la stomatologie et à la rhumatologie, et, au milieu d'une aussi vigilante concentration d'esculapes, nous ne pouvions esquisser la moindre toux, colique ou migraine sans déclencher la riposte instantanée de leur sollicitude thérapeutique. Sous l'angle médical au moins, la Drôle de guerre, à ma mère, mon frère et moi, nous apporta la profusion. Elle m'apporta en outre un maître à penser ou à vivre.

J'avais quinze ans, je venais d'entrer en première, qu'on nommait en ce temps la « Rhétorique » (la seconde, qui la précédait, étant les « Humanités »). Mais aussi, je cherchais sur la vie, sur les passions, sur la sagesse, les hommes et les femmes, la sensualité, l'ambition et l'action, à ouvrir des serrures plus secrètes, au moyen de clefs aux indentations plus subtiles et compliquées que celles distribuées par les serruriers accrédités de la famille et du collège. Je trouvai en la personne du Dr Imbert la réplique moderne de ce qu'était un maître de sagesse dans l'Antiquité. J'établis avec lui ce lien personnel de disciple à maître en quoi les Anciens voyaient le seul véhicule sûr de la pleine transmission philosophique, l'unique moyen de fondre ensemble l'idée abstraite et la pratique individuelle, les principes et l'expérience, la théorie et la psychologie, le savoir et la vie, les livres et la parole. Encore jeune — il n'avait pas alors atteint quarante ans —, ce pur Lyonnais, d'une atypique maigreur et de taille moyenne, avait le profil dolichocéphale, le teint basané, les cheveux noirs et ondulés du Méditerranéen qu'il n'était pas. Il possédait aussi de l'esprit méridional cet « art de conférer » tout ensemble savant et familier qui alliait à la propriété des termes et à la correction de la syntaxe un reposant naturel. Il pouvait recourir, mais toujours à bon escient, à une expression argotique ou à un mot cru. Il jouait de tous les registres de sa voix de baryton, mais le plus souvent pianissimo, comme quelqu'un qui pense tout haut et pour lui-même autant que pour celui qui l'écoute.

L'amitié réciproque entre l'aîné et le cadet transforme une interprétation de l'existence en confidences personnelles et une méditation morale en conseils indirects. La culture du Dr Imbert était vaste et il l'élargissait sans cesse. Mais on ne trouvait pas un atome de cette culture qui n'eût fait l'objet d'une assimilation intégrale à la substance intime de son moi et de sa sensibilité. De sorte que, s'il citait un auteur, c'était parce que cette citation, à cet instant précis, se moulait à la perfection sur le plus intime et le plus profond de sa pensée, un peu comme chez Montaigne. C'est d'ailleurs lui qui me pressa de m'abandonner sans retenue ni hâte à la lecture des *Essais*.

Un tel enseignement ne peut passer que par la parole, car seule elle prête son rythme à la combinaison de la notion et de l'intuition, de l'idée et du sentiment, de l'universel et du particulier. Hugo Friedrich remarque, dans la magistrale somme qu'il lui a consacrée, qu'à lire Montaigne par longues séquences ininterrompues, comme on doit le faire, il arrive un moment où l'on a soudain l'impression de l'entendre parler devant soi. Alors, ce qu'il offre d'unique à nous révéler nous pénètre de sa musique. En cela réside ce que les Anciens appelaient enseignement philosophique. Un livre réduit à l'écriture était pour eux comme une partition qu'un orchestre ne jouerait jamais. Sans le dialogue, le texte écrit dépérit parce que, dit Platon, « son père n'est pas là pour le défendre ». Le seul maître, à part Pierre Imbert, qui, durant mon adolescence, m'ait à ce point subjugué par la fusion verbale de la sonorité et de la pensée fut mon professeur d'histoire en khâgne, Joseph Hours. Il avait une façon mélodieuse, après un long recueillement, de commencer un cours comme on attaque une suite de Bach pour violoncelle seul. Il nous caressait l'esprit en modulant avec une vigueur plaintive : « Napoléon III était inte*lll*igent !... »

Bien que cette fréquentation ne m'eût, on s'en doute, jamais été recommandée par les bons pères, mais parce qu'elle me fut conseillée par le Dr Imbert, qui, en médecin, m'avait jugé trop mûr pour que je puisse préparer avec sérénité le baccalauréat en observant une chasteté que mes cousines ou les Bains militaires n'interrompaient qu'avec parcimonie et fugacité, j'allais souvent, le jeudi (alors jour de congé de mi-semaine des collégiens), travailler mes versions grecques ou mes dissertations françaises dans un bordel du quartier dit « de derrière la mairie », situé à droite du Vieux Port quand on regarde vers le large, et qui, depuis le XVIIe siècle, et peut-être même dès les temps de l'antique Massalia, était voué à l'économie amoureuse de marché. Les Allemands détruisirent à l'explosif, sous l'Occupation, ce site vénérable, cette ville dans la ville. Car ce fouillis de ruelles, d'escaliers dérobés, de souterrains, de maisons à deux portes, de colimaçons et de spirales s'était converti, pour les résistants et les réfractaires, en une forteresse parsemée de cachettes indécelables et d'issues insoupçonnables, même pour la Gestapo. Durant les dernières années heureuses, je travaillais dans la paix de l'esprit au bar-salon de mon établissement favori en buvant du café ; puis, à l'heure creuse où le bourgeois va dîner, une fille m'emmenait « en étage » moyennant une somme modique — le tarif réduit pour débutant — que j'extorquais à ma mère en lui faisant croire que ce pécule servait à payer des leçons particulières, destinées à pallier ma faiblesse en mathématiques. Ma pauvre maman ne fut jamais détrompée. Elle éprouva même la joie de constater que ces « leçons » m'avaient servi. Car, au lieu que le Ciel me punît pour mon mensonge et ma débauche, j'obtins contre toute logique au baccalauréat, à l'instant irréfragable du dénouement, une note en mathématiques moins ignominieuse que je ne la méritais. La seule frayeur que je ressentis, lors de mes studieuses après-midi du jeudi « derrière la mairie », me fut insufflée par l'apostrophe venimeuse d'une maquerelle de la maison close voisine de celle où j'avais mes habitudes. Voyant que j'étais fort éloigné de la majorité légale (alors à vingt et un ans) et après avoir maintes fois essayé en vain de m'attirer chez elle, la gaupe se vengea un soir de mes froideurs en hurlant cette menace : « Attends un peu, petit merdeux, que les Mœurs y t'attrapent ! »

En Pierre Imbert, j'ai contemplé et écouté l'un des derniers maîtres de l'ère de la clinique, juste avant que les techniques d'examens découlant des progrès de la biologie, de l'invention du scanner, de l'échographie ou du doppler ne transfèrent du cabinet au laboratoire une investigation à la précision devenue ainsi bien supérieure, sans doute, mais dont le praticien est l'ordonnateur et le lecteur plus que l'auteur. Au point que l'on pourrait presque aujourd'hui parler de médecine par correspondance. Les médecins d'avant guerre avaient la radioscopie et la radiographie, mais la plupart la manipulaient eux-mêmes. Pour la génération d'Imbert, tout passait par la relation personnelle avec le patient. Il n'y avait pas de maladies, il n'y avait que des malades. La consultation alliait les connaissances pathologiques à l'intuition psychologique, au déchiffrement des symptômes par la vue et le toucher, complétés par l'adresse à provoquer les confidences, à obtenir l'obéissance et par la comparaison instantanée, dans la mémoire, du cas donné avec les cas semblables rencontrés auparavant. L'orgueil du médecin, la preuve de sa classe, le signe de sa supériorité sur des confrères aussi consciencieux mais sans génie, c'était, en ce temps-là, le sens et la sûreté du diagnostic. D'ailleurs, Imbert sous-estimait si peu son don qu'il s'était d'emblée installé, quoiqu'il fût généraliste (on dit aujourd'hui interniste), comme « consultant », c'est-à-dire qu'il ne recevait ou ne visitait de patients qu'à la demande des autres médecins, lorsque ceux-ci ne se sentaient pas assez sûrs d'eux pour élucider et traiter tout seuls un cas. Selon la filière d'avant guerre, il avait gravi, à Lyon, faculté réputée alors plus exigeante que Paris, les trois sommets successifs de l'ascension médicale : internat, clinicat, médicat. Avec le titre de médecin des hôpitaux, il avait été nommé médecin chef d'un hôpital qui dépendait de Lyon mais se situait sur la côte d'azur, car on y soignait la tuberculose des os, que le soleil et l'air marin aidaient, croyait-on, à guérir : l'hôpital Renée-Sabran, à Giens. Imbert avait donc ouvert son cabinet privé dans la ville la plus proche : Toulon. Après l'armistice, sa jeune femme (qui était venue le rejoindre à La Pinède durant les deux derniers mois de la Drôle de guerre) et lui-même m'invitèrent à venir passer quelques jours, lors de mes congés scolaires, dans leur villa, la Tolosane, une bastide verte et mauve dans les palmiers, un peu en dehors de Toulon, sur la route du Cap-Brun (aujourd'hui boulevard de la Résistance). Tantôt je restais à fouiller dans la bibliothèque du docteur, tantôt il m'emmenait avec lui en voiture jusqu'à la presqu'île de Giens, où il m'affublait de la blouse et du bonnet blancs et m'invitait à observer sa visite matinale, en me mêlant au groupe des internes qui, de lit en lit, prenaient des notes. Nourrissait-il l'arrière-pensée, jamais exprimée, de susciter en moi la vocation médicale ? Maintes fois, la matinée terminée, et quand, après un détour dans la mer où nous nagions un petit quart d'heure, la conversation se ranimait devant une bouilla-baisse, sur la terrasse de chez Justin, à Carqueiranne, Pierre Imbert me commentait certains épisodes de la visite du matin, dans un dessein subrepticement pédagogique : « Vous avez remarqué, Untel, l'interne à qui j'ai demandé de palper devant moi le ventre de cette femme, celle qui se plaignait de coliques ? Il ne faut jamais faire ce qu'il a fait, refermer et enfoncer ses doigts, il faut *laisser venir* les organes dans la main ouverte. » Mais, en ce déchirant printemps de 1941, j'achevais ma classe de philosophie avec une passion de plus en plus impérieuse qui me révélait que là se trouvait ma réelle vocation. D'ailleurs, le Dr Imbert lui-même n'avait pas peu contribué à l'éveiller, en médecin pour qui son art était aussi un moyen de connaître les hommes en moraliste et en humaniste. A l'instar des négociants et industriels liseurs de l'entourage de mon père, les médecins littéraires, à la culture vaste et profonde, me paraissent s'être aujourd'hui quelque peu évanouis ou raréfiés. Sans doute leurs successeurs ont-ils d'autres qualités, que je suis devenu incapable d'apercevoir. Mais écrirait-on des mémoires si ce n'était pour lutter contre un sentiment de disparition ?

IV

Beaucoup plus tard, l'occurrence d'un dîner chez le Premier ministre du moment, Edouard Balladur, le 3 août 1993, ranima, devant les yeux soudain rouverts de ma conscience oublieuse, mon professeur de philosophie, le Père Nicolet, le premier en date et en capacité de tous les professeurs de philosophie qui ont jalonné mon apprentissage en cette matière, et, à coup sûr, le seul qui fût un vrai philosophe, au sens où on le dit de Socrate ou de Spinoza, car il était à la fois un pédagogue et un modèle. Pourquoi le geste, la voix, le visage de cet homme se reconstituèrent-ils en mon for intérieur, après cinquante-trois ans, ce soir-là ? J'avais interrompu un séjour en Bretagne et la rédaction de ces souvenirs pour répondre à l'invitation du Premier ministre qui souhaitait (m'avait confié au téléphone un membre de son cabinet) « réunir autour de lui quelques intellectuels », avant de partir en vacances. L'intellectualité du repas devait, si je comprenais bien, lui servir de pont suspendu entre les sommets de l'Etat, qu'il occupait depuis quatre mois, et ceux des Alpes, où il partait villégiaturer quelques jours. Parmi les invités figurait Georges Charpak, le prix Nobel de physique, qui, après avoir, à la suggestion d'Edouard Balladur, disserté sur le « big bang » et les origines de l'Univers, glissa, entraîné par son sujet, vers l'indéterminisme en microphysique et l'impossibilité de prévoir par où passera un électron qui a le « choix », si l'on peut dire, entre deux orifices. « C'est Dieu qui décide », trancha le chef du gouvernement, connu pour la rigueur de sa foi catholique.

L'année scolaire 1940-1941, au cours de laquelle je préparai le baccalauréat de philosophie, concluait une double décennie scientifique bouleversée par la révolution quantique en physique et les fameuses « relations d'indétermination de Heisenberg ». Elles excitaient beaucoup les philosophes, surtout les spiritualistes, qui, martyrisés depuis un siècle par les positivistes et méprisés par les savants, relevèrent la tête à ouïr cette bonne surprise. La matière n'était donc peut-être pas entièrement gouvernée par les rapports de cause à effet !

Et, pour reprendre la rhétorique engendrée par cette bonace, nous allions pouvoir de nouveau « insérer le libre arbitre humain dans le tissu du déterminisme ». Quelques bonimenteurs amusaient de cet espoir les partisans de l'âme, lesquels, ragaillardis et renfloués, menaient grand tapage. Nicolet, qui était bergsonien, se garda pourtant de succomber à cette tentation, suscitée par une plate confusion verbale. Il nous entretenait, sans se départir de sa sérénité, des répercussions épistémologiques de ces découvertes toutes récentes et donna à lire à certains d'entre nous, pour qu'ils en fissent des exposés à leurs camarades, les deux livres élégants, et accessibles pour des profanes, de Louis de Broglie, *Matière et Lumière* et *La Physique nouvelle et les quantas*, qui venaient de paraître, en 1937. Au rappel fortuit du paradoxe aujourd'hui déjà antique, mais alors combien saisissant, énonçant l'impossibilité d'observer à la fois la position et la vitesse d'un électron, je vis s'intercaler entre le visage de Balladur et moi-même les couvertures grises et orangées de ces deux livres lointains et j'entendis tomber des lèvres du Premier ministre la voix de mon vieux maître, nous expliquant ce qu'est une révolution scientifique et comment la théorie et l'expérimentation coopèrent pour faire progresser la connaissance dans des directions imprévisibles.

Ce dîner à l'hôtel Matignon me fournissait en outre une probante vérification des considérations sévères sur la vie de salon que l'on rencontre à plusieurs reprises dans *La Recherche du temps perdu*, dont Nicolet nous lisait souvent une page ou deux en classe. Et, en 1940, citer Proust en classe n'était pas, comme de nos jours, une preuve de conformisme et constituait encore une marque d'originalité pour un professeur. Selon Proust, dont le Dr Imbert me parlait également beaucoup mais que je ne lirais qu'un peu plus tard, l'éclat de la vie de salon est, on le sait, une reconstruction rétrospective et idéalisée, une légende mensongère forgée à l'intention de la postérité par des mémorialistes désireux de se faire eux-mêmes valoir en peignant de couleurs brillantes les soirées mornes de la conversation mondaine. Quelle fierté, en effet, pourrait-on éprouver à crier : « J'y étais ! » tout en avouant n'avoir perçu qu'un brouhaha de lieux communs décousus ? La « loi de Marcel Proust », que, en écho à celle de son homonyme du XIXe siècle, le chimiste Joseph Proust, on pourrait nommer « loi des proportions définies », c'est que, si l'on farcit un dîner en ville de dix ou vingt grands esprits, ce n'est point par là où ils sont grands qu'ils se manifesteront dans la conversation. Si un biologiste vénéré se double d'un hypocrite vaniteux, un grand physicien d'un jobard sentimental, un poète génial d'une crapule politique, la maîtresse de maison ne peut servir à table que l'hypocrite, le jobard et la crapule, car l'autre moitié des personnages ne peut pas respirer dans l'air raréfié des salons, et, de plus, leurs trois égocentrismes se neutralisent les uns les autres. Avec un didactisme presque grossier, Proust montre son Dr Cottard composé, en « proportions définies », d'un clinicien à l'intellect sûr et rapide, mais qui n'émerge qu'à l'hôpital, et d'un imbécile béatement adonné à la dégradante monomanie du calembour, l'inepte sosie salonnard du clairvoyant médecin.

Je n'irai certes pas jusqu'à qualifier de salonnarde ma soirée à l'hôtel Matignon, qui réunissait autour d'un homme d'Etat subtil et réfléchi, outre le physicien de renommée internationale déjà mentionné, l'historien René Rémond, mon vieil ami Jean d'Ormesson (revenu pour ce dîner tout exprès par avion de Corse, où il retournait le lendemain se remettre à un roman sur... l'origine de l'Univers !) et enfin Alain Minc. Quand en entrant j'aperçus ce dernier, je ne pus réfréner un tressaillement d'admiration pour la vélocité avec laquelle il avait en un éclair bondi hors du bateau avarié de la gauche, à la seconde même du naufrage, pour atterrir avec brio sur le radeau accueillant de la droite. L'intellectuel dispose de deux recettes, pour rester considéré de toutes les majorités et perdurer à travers toutes les alternances. L'une est de ne se tromper jamais. C'était la formule de Raymond Aron. L'autre est de se tromper toujours : c'est celle d'Alain Minc. Elle est encore plus dure à appliquer que la première et suppose une sévère et constante discipline de soi, si l'on veut être sûr de ne jamais se relâcher dans son effort vers la futilité pompeuse ni succomber à la tentation de la modeste vérité. Quoique la réunion, je l'ai dit, ne fût point exactement mondaine, dans sa définition initiale, elle le devint rapidement de par la dégradation même de la conversation. Le fond de l'abîme fut atteint après le repas, ou ce qui en tenait lieu. Nous étions passés nous asseoir dans un petit salon voisin et nous formions un cercle autour d'une infusion, quand j'entendis Minc déclarer : « Avez-vous jamais pénétré dans une salle de change ? Avez-vous vu les cambistes, ces abrutis qui, au vu des oscillations de deux ou trois paramètres sur un écran tapotent comme des singes sur le clavier de leur ordinateur pour acheter ou vendre des devises, sans la moindre notion des conséquences de leur geste ? » Quarante-huit heures après l'écroulement du système de changes européen et la dévaluation de fait du franc qui secouèrent l'été de 1993, cette tirade tendait à caresser le Premier ministre, que l'humaine faiblesse poussait à imputer la débâcle monétaire française, d'ailleurs présentée comme une victoire, aux méchants « spéculateurs ». Je tentai en balbutiant, et en m'abritant derrière un article de Françoise Lazare dans *Le Monde*, afin de me couvrir à gauche, d'avancer qu'à côté d'une frange de spéculateurs cyniques, la plupart des vendeurs de francs français, depuis un mois, étaient des opérateurs financiers normaux, dont le devoir professionnel était de s'alléger d'une devise que l'on disait, à tort ou à raison, destinée à baisser. Ce propos fut amorti jusqu'à l'anéantissement par l'étouffoir patriotique d'un désintérêt médusé. « Je reste un libéral convaincu, glosa le Premier ministre, mais ce que nous venons de subir m'incite à m'interroger.

Est-ce que *les* marchés ne vont pas tuer *le* marché ? » « Il faut juguler *les* marchés afin de sauver *le* marché, enchaîna sur-le-champ Alain Minc, de même qu'il faut éliminer le stalinisme pour sauver le socialisme. » Aussitôt Charpak, un ancien communiste, explosa d'un enthousiasme aussi sonore que le big bang : « Eliminer le stalinisme pour sauver le socialisme ! Ça, c'est une trouvaille extraordinaire ! Je vais noter ça tout de suite, et je vous assure que je le resservirai. »

Etais-je victime d'une hallucination ? D'un cauchemar dont le scénario insipide était dû au sadisme de quelque idéologue hypnotiseur ? Avais-je dû sacrifier mon bain de mer du jour pour qu'on m'assénât la supercherie de la déstalinisation du socialisme, déjà éculée en 1956, après l'écrasement de la révolte hongroise ? Etait-ce bien assis entre un prix Nobel de physique et un Premier ministre à l'intelligence si déliée, en face d'un historien et d'un académicien, tous deux, de surcroît, fort pénétrants commentateurs de la politique contemporaine, oui, était-ce bien là, devant cette infusion, en une telle compagnie, que j'avais entendu applaudir un poncif nauséabond, qui, même au café de la Place de mon petit village de Pleubian, dont je regrettais de m'être absenté, eût valu à son auteur l'expulsion immédiate ?

Après le « marronnnier » du big bang (comme nous baptisons dans notre argot journalistique les sujets passe-partout que l'on ressort avec régularité aux dates un peu creuses pour les ventes), cette envolée de grands esprits vers les cimes de la bêtise, du seul fait de leur assemblage dans la même casserole, n'illustrait-elle pas à la perfection la loi de Marcel Proust ? Triste et abattu, plein de remords, je refluai avec véhémence vers l'évocation intérieure de mon année de philosophie et du Père Nicolet.

Sans être gros, Nicolet était, au physique comme au moral, aussi rond et enveloppant que le Dr Imbert était svelte et tranchant. Les circonférences du visage, du geste, des lunettes n'empêchaient pas le Père de projeter vers nous, d'une voix bien timbrée, une pensée carrée, que ne dépravait aucune de ces coquetteries précieuses et de ces obscurités factices dont s'entortillent volontiers la plupart des philosophes pour faire croire à leur profondeur. Son humour sous-jacent, sans cesse à l'affût, affleurait de temps à autre en se ponctuant alors d'un changement de temps, d'une inflexion complice et d'un sourire de lapin, qui dévoilait deux larges incisives supérieures.

Là, dans cette modeste classe de philosophie de province réunissant un professeur et trente potaches, j'avais goûté à la probité et à la rigueur, à l'amour de la vérité et au scrupule dans le jugement, au souci collectif de s'informer sans tricher. Pourquoi ces vertus faisaient-elles si outrageusement défaut ici, dans ce glorieux cénacle ? Leur absence tenait non à la malhonnêteté ou à l'incompétence, mais à l'équivoque d'une forme de sociabilité qui conduit à parler superficiellement de sujets graves, ce qui est la tare de la conversation mondaine.

Bien que jésuite, Nicolet nous dispensait un enseignement neutre, exempt de toute bondieuserie et même dénué de toute tentative subreptice d'incliner la philosophie vers la religion. J'irai jusqu'à dire au contraire, puisque, notamment, dans le cadre des matières dites « à option », il consacrait chaque année un remarquable cours monographique au problème de l'origine de la religion, où il exposait en toute impartialité les théories de sociologues comme James Frazer, Herbert Spencer, Emile Durkheim, Lucien Lévy-Bruhl, pour lesquels la religion constituait un fait social, et non le fruit d'une Révélation. Nicolet nous résumait également dans ce cours la thèse psychanalytique et athée développée par Freud dans *Totem et Tabou* et dans l'*Avenir d'une illusion*. Certes, sa préférence personnelle allait à la théorie bergsonienne des *Deux sources de la morale et de la religion*, où l'une de ces deux sources reste transcendante. Mais il ne nous l'imposait pas.

Par une permutation paradoxale, les professeurs de l'enseignement public que j'ai eus plus tard, lorsqu'ils étaient croyants, loin de pratiquer la vertu de discrétion du jésuite Nicolet, ne se gênaient pas pour infliger subrepticement à leurs élèves, sous pavillon philosophique, de massives tirades d'apologétique chrétienne. Cette confusion des langues embrouillait la parole d'un Jean Lacroix, le personnaliste chrétien que j'eus pendant deux ans comme professeur de philosophie au lycée du Parc à Lyon, et aussi celle d'Etienne Borne à la khâgne du lycée Henri-IV à Paris, d'après ce que me raconta plus tard Pierre Nora, qui avait suivi ses transes et en faisait, du reste, d'hilarantes imitations. Mon professeur de lettres en khâgne, Victor-Henri Debidour, savant et talentueux au demeurant, était un catholique maurrassien, traditionnaliste et fervent, qui trouvait tout naturel d'associer effusion littéraire et sainte extase. L'exemple de Nicolet, son dosage idéal de chaleur et de retenue, de naturel et de sobriété, m'ont rendu méfiant une fois pour toutes vis-à-vis d'un certain type, adulé des médias, de professeur démagogue, qui cabotine en classe et joue à la fois au copain et au gourou. Nicolet a influencé des générations d'élèves sans jamais se livrer à un numéro d'acteur. Son ascendant sur son auditoire n'avait pourtant d'égal que son prestige au-dehors, non seulement auprès de ceux qui avaient traversé sa classe, mais auprès de ses collègues des lycées de Marseille, qui savaient ce qu'il valait.

Dix ou quinze ans plus tard, quand je fus devenu moi-même professeur, pendant la guerre froide, la neutralité du corps enseignant se mit à souffrir non plus des préjugés religieux mais des préjugés politiques de ses membres. La plupart appartenaient à la gauche marxiste ou lui vouaient obéissance idéologique. Les professeurs de l'enseignement public — en France comme dans les pays voisins du nôtre à cette

époque — oubliaient que « laïcité » est une notion qui signifie neutralité non pas seulement à l'égard des dogmes religieux, mais à l'égard
de tout dogme quel qu'il soit. Dans le sectarisme qu'entraîne cet oubli,
les curés marxistes nombreux parmi mes collègues allèrent beaucoup
plus loin que ne l'avaient jamais fait les vrais curés qui avaient été
mes maîtres.

A ceux-ci je tiens à rendre hommage aujourd'hui sur ce point, car,
pendant deux ou trois décennies, enragé d'anticléricalisme (évolution
du reste assez courante, depuis Voltaire, chez les anciens élèves des
bons pères), je suis allé parfois, jusqu'à cacher que j'avais fait mes
études secondaires chez les Jésuites. J'en avais presque honte. A la
longue, je me suis rendu compte qu'en matière d'« empreinte » fanatique sur l'esprit, on avait fait bien pire depuis, et, en matière pédagogique, infiniment moins bien.

L'Empreinte était le titre d'un roman de l'alors illustre Edouard
Estaunié. Cet auteur désignait de ce mot la marque indélébile que
l'éducation jésuite était réputée imprimer sur ses produits. Celle
qu'elle avait laissée sur moi, qui pourtant y étais exposé depuis mon
entrée en onzième, à cinq ans et demi, paraissait devoir s'effacer avant
mon imminente sortie : je m'aperçus, en effet, que j'avais perdu la Foi.
Je décidai de m'en ouvrir à Nicolet et lui demandai dans ce dessein de
m'accorder un entretien concernant une question personnelle. Il me
proposa de l'accompagner le lendemain au cours de la promenade
quotidienne qu'il faisait faire dans les jardins du collège à deux chiots
qu'il avait depuis peu. En guise de maladroite entrée en matière, je
m'enquis de leurs noms. « Tobrouk et Benghazi », me répliqua mon
maître, hilare. C'étaient là les lieux de deux récentes victoires
anglaises sur les troupes italiennes, en Libye, respectivement le 23
janvier et le 7 février 1941. La nouvelle de ces premières défaites des
armées de l'Axe en rase campagne, depuis la déroute française de juin
1940, avaient résonné à nos oreilles comme une voix amie dans le
couloir d'une prison. Après ce préambule stratégique, je passai à la
crise de ma spiritualité qui m'amenait. N'osant avouer du premier
coup à Nicolet que je m'étais affaissé sans transition dans l'athéisme,
j'eus la fourberie de lui servir que ma représentation de Dieu avait
subi une simple transformation et que je m'étais borné à délaisser le
monothéisme au profit d'un panthéisme intermédiaire entre celui des
stoïciens et celui de l'*Ethique* de Spinoza. C'était, en quelque sorte,
un hommage à la vertu persuasive de ses propres leçons sur ces deux
philosophies. Fut-il dupe ? J'en doute. Toujours est-il que j'obtins de
lui ce que je désirais : qu'il intervînt auprès du père recteur pour que je
fusse, par souci d'honnêteté envers moi-même et envers le Créateur,
dispensé d'une « retraite » religieuse de trois jours que la classe devait
suivre prochainement.

En 1971, François Mitterrand ne me témoigna point la même tolérance ni la même amicale compréhension lorsque je lui déclarai que je ne croyais plus au socialisme. Comme il n'y croyait lui-même que depuis six mois, ou, du moins, faisait croire qu'il y croyait, je conçois, il est vrai, qu'il ait pu attribuer mon abjuration à un désir pervers de prendre le contrepied de sa toute fraîche conversion. La différence entre les deux hommes tient à ce que Nicolet avait une foi réelle et s'intéressait en profondeur à mes raisons intellectuelles de la contester, tandis que, pour Mitterrand, le socialisme n'était qu'un moyen de conquérir le pouvoir dans la conjoncture électorale et politique de la France des années soixante-dix. Me tenant pour un déserteur de la cause sacrée de sa carrière personnelle, il ne voyait aucun sens à une discussion n'ayant pour objet que de rechercher la vérité. Peu lui importait la validité théorique et pratique du socialisme. Du socialisme ou de toute autre doctrine, sujet ou réalité, d'ailleurs. Jamais, au cours des années où nous conversions assez régulièrement, Mitterrand ne m'a posé la moindre question dans le simple but de s'informer ou de recueillir un avis (quitte à n'en pas tenir compte) sur les sujets que je pouvais connaître mieux que lui, l'éducation nationale, la presse ou les Etats-Unis, que sais-je. D'ailleurs il ne faisait là que présenter, sous une forme particulièrement accentuée, un travers propre à presque tous les hommes politiques : l'incapacité de s'intéresser à la connaissance comme telle, parce que, pour s'y intéresser, il faut être désintéressé.

Nicolet professait, quant à lui, une morale du désintéressement. Il avait affiché sur la porte de sa classe : « Que nul n'entre ici s'il souhaite faire quelque chose d'utile », maxime dans le droit fil du loisir studieux, l'*otium litteratum* des Anciens. Disons qu'il s'agissait plutôt d'une morale du détour, l'affirmation que, pour aboutir à la connaissance utile on doit passer d'abord par la connaissance désintéressée, comme nul chercheur scientifique ne l'ignore. Chaque fois que j'ai rencontré des hommes politiques, je les ai trouvés moins soucieux de se renseigner sur mes conceptions que de me transformer en propagateurs des leurs, lesquelles dépendaient non d'une réflexion objective mais des nécessités de l'action immédiate ou des réactions actuelles ou probables de l'opinion publique. Ou bien ils réunissent des écrivains, des chercheurs, des artistes, dans le dessein de pouvoir se dire et faire dire qu'ils sont éclairés, amoureux des lettres et protecteurs des arts. Le dîner chez Balladur ne paraissait pas avoir d'autre fonction, tant resplendissait l'incuriosité de l'hôte pour nos opinions, sauf sur le big bang. Mais celui-ci, s'étant déroulé il y a quinze milliards d'années, n'avait pas d'incidence perceptible sur l'actualité culturelle. Encore cette ancienneté de quinze milliards d'années, qui avait tant sidéré le Premier ministre quand Charpak la lui dévoila, a-t-elle été réduite de moitié depuis ce dîner à l'hôtel de Matignon, à la suite des observations nouvelles dues au télescope spatial Hubble. Quel dommage que nous ne l'ayons pas su plus tôt, afin d'amputer dans la même proportion l'oiseuse conversation consacrée à l'événement cosmique.

Parfois, la vanité culturelle des politiques confine à la mégalomanie planétaire. En 1983, Mitterrand avait invité des intellectuels du monde entier à des « rencontres » à la Sorbonne, dont nul, je crois, ne pourrait aujourd'hui résumer la teneur. On balance pour savoir qui, dans ce couple, méprise le plus l'autre : le chef de l'Etat qui, montant une opération de publicité autour de sa personne, voit accourir vers lui avec un empressement servil des intellectuels de tous pays ? Ou bien ces mêmes intellectuels, qui, se gaussant sous cape de leur hôte munificent, pensent et même disent : « Puisque Monsieur Jourdain chef d'Etat nous paye le voyage en Concorde et un appartement au Ritz pour que nous venions le flatter, à quoi bon se priver ? » Un seul correctif doit être ajouté à cette rosserie, que j'ai entendue : le chef d'Etat ne paye pas, il fait payer, à leur insu, ses concitoyens, les contribuables.

Vers dix heures et demie du soir, la compagnie, mettant un terme à son bavardage décousu, prit congé, et, comme je me trouvais sur le trottoir de la rue de Varenne, devant l'hôtel Matignon, en train d'attendre un taxi avec Georges Charpak, je lui demandai : « Cher Monsieur, avez-vous la moindre idée de la raison pour laquelle nous avons été invités ? » — « Aucune », me répondit-il en écartant les bras en signe d'impuissance et d'incompréhension. Je conçus de sa réponse un abattement redoublé, à l'idée d'avoir, pour ce dîner sans raison ni rime, parcouru mille kilomètres aller et retour en TGV, fût-ce avec la réduction à laquelle me donnait droit ma carte Vermeil.

Ce n'est certes pas dans un train à grande vitesse que, en juillet 1941, mon frère cadet, Michel, ma mère et moi gagnâmes à grand peine, au prix de plusieurs changements et de multiples escarbilles, Le Cheylard, dans l'Ardèche, pour y passer les vacances d'été. La pénurie de charbon et de pièces de rechange rendait les trains français, jusquelà fleurons de la locomotion à vapeur en Europe, de plus en plus poussifs et sujets aux pannes. Comme ils étaient aussi plus rares, la moitié des voyageurs étaient transportés debout, écrasés les uns contre les autres, dans les couloirs. Louer une place assise était une opération qui n'était couronnée de succès que si on l'effectuait plusieurs semaines avant le départ. J'ai revécu mes souvenirs de ces trains bondés de l'Occupation quand, en 1963, j'ai traversé la Hongrie pour aller de Vienne à Bucarest. Afin de voir le paysage, j'avais choisi le rail plutôt que l'avion. Je retrouvai la même foule entassée dans les couloirs, avec les mêmes vêtements élimés et le même encombrement de vieilles valises ficelées et craquelées. Les Hongrois de 1963 aussi étaient occupés par l'ennemi, comme les Français des années de guerre et, comme eux, obsédés par le ravitaillement.

Le ravitaillement était d'ailleurs la grande raison qui attirait les citadins vers des lieux de vacances montagnards ou campagnards, éloignés des grandes villes comme des grandes voies de communication, et où les paysans pouvaient vendre à peu près librement leurs produits, hors des contrôles, aux estivants et aux restaurants. Le modeste hôtel où nous avions pris pension se situait au cœur d'une de ces régions isolées que l'autarcie préservait des restrictions et emplissait de vacanciers lyonnais et marseillais. Je m'y liai bientôt avec la jeune et blonde épouse d'un client si passionné par la pêche à la truite qu'il disparaissait toute la journée pour aller tremper du fil dans la rivière locale, l'Eyrieux, ce qui me laissait tout le loisir voulu pour bavarder en croissante communion avec sa femme. Malheureusement, poète patriotique, elle avait composé et tint à me soumettre une *Ode au Maréchal*, encore plus mauvaise que celle de Paul Claudel, mais qui avait sur cette dernière l'avantage d'être écrite en alexandrins, tous faux, auxquels je lui proposai de retrancher ou d'ajouter, çà et là, un ou deux pieds, selon le côté duquel le vers boitait. Nos séances de travail, souvent dans les prés ou sous les arbres, se multiplièrent et se prolongèrent, car je trouvais cette œuvre délicieuse toujours digne d'être encore davantage polie.

Ce qui motivait mon zèle était, on s'en doute, beaucoup plus le joli visage de son auteur que le culte politique de son dédicataire. Le Maréchal et le maréchalisme, après les quelques mois d'expectative et d'hébétude qui avaient suivi la déroute de juin 1940, s'étaient mués pour moi en objets de répulsion, depuis l'entrevue de Montoire entre Hitler et Pétain, en octobre 1940, suivie par l'annonce aux Français du programme de la collaboration avec l'Allemagne. A ce propos se produisit une rupture grave et qui ne serait jamais réparée, avec mon père. Elle rendit nos rapports à ce point orageux, au désespoir de ma mère, que c'est avec soulagement que je quittai pour jamais la maison de mon enfance à la fin du mois de septembre 1941, et entrai comme interne au lycée du Parc à Lyon.

LIVRE TROISIÈME

LA GUERRE EN COULISSE

I

J'effectuai mon premier « travail » dans la Résistance en décembre 1942, à Lyon. Il était bien modeste. Auguste Anglès m'indiqua l'adresse d'une librairie. Je devrais m'y rendre, le lendemain, en fin d'après-midi, après la classe, m'adresser au libraire en lui posant une question devant servir de signe de reconnaissance, et qu'Auguste me communiqua. Question assez saugrenue pour que personne d'autre ne puisse la poser, mais assez vraisemblable pour ne pas sentir à vingt mètres le mot de passe, au cas où de mauvaises oreilles auraient traîné dans la boutique. J'entrai. Plusieurs messieurs épars feuilletaient çà et là. C'était une librarie cossue, pour amateurs aisés, pas pour étudiants. J'avisai le libraire. Il dissertait sur les mérites d'une édition illustrée de *A rebours*, qu'un client tenait en main. Nous croyons, quand nous lisons les récits des périodes agitées du passé, que les guerres, les occupations étrangères, les privations, les périls, les révolutions éteignent en nous toute capacité de nous intéresser encore aux aspects courants de l'existence, nobles ou banals, et que l'Histoire, comme disent les benêts (et ils y ajouteraient volontiers quatre ou cinq H s'ils pouvaient), dévore la totalité de notre force d'attention à la vie. Il n'en est rien. Chaque homme dispose toujours en lui de plusieurs jeux de cartes. Il conduit simultanément plusieurs parties, les unes privées, voire dérisoires, les autres capitales pour son destin ou celui d'une cause, voire pour la fameuse Histoire, d'autres enfin jouées par amour d'un art, d'un être ou d'une simple distraction.

Messager oublieux, j'écoutais avec plaisir la discussion sur l'édition de luxe d'*A Rebours* ; et nul, à moins d'être dans le coup, n'aurait soupçonné que ce libraire dilettante avait accepté le danger de servir de boîte aux lettres à la Résistance. Quand il fut revenu à sa caisse, je pus enfin l'aborder et prononcer ma phrase. Un petit sourire entendu modifia son visage. Il se dirigea vers un rayon, en retira trois ou quatre livres, prit dans le fond une enveloppe et me la tendit. Je l'empochai et sortis dans la nuit. Dix minutes plus tard, je la remettais à Auguste, place Bellecour, sur le lieu prévu d'un rendez-vous en plein air. Il se trouvait en compagnie d'un de mes camarades de khâgne, un khube, dont les exposés élégants me remplissaient d'admiration, Georges Lesèvre. La découverte de l'activité clandestine de Lesèvre ne m'étonna qu'à moitié, si visible était l'hostilité au régime de Vichy qu'il étalait en classe, et que, d'ailleurs, vu son engagement, il aurait mieux fait de cacher. Comme je remettais le pli à Auguste, mon camarade de khâgne éclata de joie : « Ah ! ça ! Je suis rudement content de te voir là-dedans », s'exclama-t-il et me répétait-il tous les dix mètres, pendant que nous remontions tous trois à pied vers la place des Cordeliers. « On ne dit pas "là-dedans", corrigea Auguste. On dit : "dans le commerce". Ne prononce surtout jamais le mot de Résistance. Quand tu veux vérifier si tu as affaire à un camarade, tu lui demandes s'il est "dans le commerce". Et tu lui dis : "Moi aussi je suis dans le commerce." » Fort bien, songeai-je. Mais si l'autre est vraiment un commerçant ? Comme mon distingué libraire, justement ? Sans creuser la difficulté, et sans aucun sentiment d'héroïsme après cet obscur début dans la lutte contre l'occupant, je rentrai en hâte travailler ma version latine à la pension Tajana, non sans avoir rangé dans mon cartable un autre pli que m'avait confié Auguste, avec instruction de le porter le lendemain à une autre adresse, muni d'un autre mot de passe.

Cinquante ans après cet événement peu historique, un jeune homme me demanda un jour pourquoi j'étais entré dans la Résistance. Sa question me surprit, tant la réponse me paraissait évidente, à savoir : faire ce qui était à ma modeste portée pour hâter la libération de mon pays et la défaite du nazisme. A la réflexion, cette vérité première est pourtant insuffisante. Elle ne fournit qu'une explication partielle. J'ai côtoyé durant cette période bien des Français qui abhorraient eux aussi les occupants et les collaborateurs, mais qui, pour autant, n'entrèrent pas volontairement dans la Résistance. Certains y furent ultérieurement poussés par la nécessité de se soustraire au Service du travail obligatoire. D'autres, fort nombreux, parvinrent à rester inactifs durant toute la guerre sans éprouver cependant la moindre sympathie pour la politique de Vichy. Ce n'était pas qu'ils fussent lâches. Certains de mes camarades, qui n'avaient pas résisté, s'engagèrent, après le débarquement, dans l'armée française et firent les campagnes d'Alsace et d'Allemagne au péril de leur vie, pas moi. A l'opposé d'un partage sommaire qui eut souvent cours plus tard, le peuple français ne se divisait pas de façon tranchée en collaborateurs zélés et en résistants actifs. Très vite, une majorité se révéla hostile à la collaboration sans pour autant participer à la Résistance. Mes opinions et mon écœurement avaient donc suivi la trajectoire générale. Si je sautai le pas, ce fut à la fois par conviction et par hasard, le hasard ayant consisté en ma rencontre avec Auguste Anglès. Lorsqu'il me recruta, au début de 1943, les candidats au « commerce » étaient encore assez rares. En mars ou avril 1944, ils se bousculèrent. Je me rappelle avoir causé plusieurs déceptions, faute de pouvoir donner suite à des offres de service que je transmettais à mes supérieurs, lesquels me répondaient que les effectifs étaient au complet, du moins dans le réseau très spécialisé qu'était le nôtre. Je me rappelle aussi, avant de prendre ma propre décision, être allé demander conseil à mon professeur d'histoire, Joseph Hours, qui me reçut dans son appartement proche du lycée du Parc. C'était une habitude que j'avais contractée chez les Jésuites, que de solliciter de tel ou tel professeur respecté et estimé un entretien particulier sur des sujets concernant non le travail scolaire mais l'orientation de l'existence. Bien entendu, Hours, tout en n'ayant pas besoin de souligner quelles étaient ses positions personnelles, tant elles transparaissaient dans ses cours, ne me pressa ni ne me retint de décider quoi que ce fût. Il se contenta d'insister sur le risque couru, dont je devais avoir conscience, et sur le chagrin qu'éprouveraient mes parents s'il m'arrivait malheur, faisant vibrer sa voix de violoncelle dans une apostrophe très Comédie-Française : « Vous avez une mère ! Songez à elle... » En son tréfonds, il était ravi que je me glisse dans un réseau. Il enchaîna, se repliant vers les notes graves : « Mais vous avez aussi l'esprit de sacrifice », ajoutant (ce dont s'abstenait toujours un jésuite) : « Car vous êtes catholique. » Cette idée lui venait sans doute de ce que j'avais écrit un petit article de critique littéraire dans le bulletin ronéoté des catholiques de la khâgne, *Talavara* (dans l'argot maison, Tala : catholique pratiquant ; Vara : déesse de la khâgne). Quand je lui confessai que je n'étais plus croyant, je vis le désarroi sur ses traits et, néanmoins, dans son regard, un mélange de tristesse et de bonté qui me donnait l'absolution. « En ce qui me concerne, vous savez que la foi est la base même de mon existence », conclut-il. « Allez, soyez très prudent. »

Une fois parisien, à partir d'octobre 1943, et durant ma première année d'Ecole normale, je vis mes humbles fonctions de coursier de la Résistance se doubler d'un accès au contenu même des messages et documents que je distribuais. Elles devinrent en outre plus absorbantes. A Lyon, Auguste Anglès tenait compte de la proximité du concours et, en ami soucieux de ne pas compromettre ma préparation, me confiait des missions économes de mon temps et destinées surtout, pour lui, à me faire prouver le sérieux de mon engagement. A Paris, au contraire, pendant cette première année d'école qui était traditionnellement comme un entracte dans les études, après la tension du concours d'entrée et avant la reprise du travail en vue de l'agrégation, il était normal que le « commerce » me demandât jusqu'à plusieurs heures par jour d'activité. La zone d'autorité d'Anglès (qui avait pour pseudonyme dans la clandestinité « Duperrier ») était la région Rhône-Alpes. A Paris, je fus donc « muté » sous les ordres d'un nouveau chef, Pierre Grappin (alias « Maréchal »), normalien de la même promotion qu'Auguste — 1936 — et agrégé d'allemand. C'est ce même Pierre Grappin qui, doyen de Nanterre en 1968, devait alors se faire conspuer par les étudiants « révolutionnaires » et traiter par eux de « nazi », « SS » et « flic de la Gestapo », une Gestapo qu'il avait, pour son malheur, connue de fort près, lorsque au printemps de 1944 une partie des membres de notre réseau, dont lui, avaient été arrêtés. Il est digne de méditation qu'à une époque où l'on ne s'est jamais autant réclamé du « sens de l'Histoire », sens dont les contestataires de 1968, dans tous les pays, se prétendaient les porteurs suréminents, les étudiants contestataires et bourgeois de mai, eux qui allaient passer deux décennies à se gargariser de la « mémoire », aient pu en manquer et manquer de pudeur au point de traiter de nazi un ancien résistant, un des hommes auxquels ils devaient de vivre en démocratie.

Je ne suis pas de ceux qui condamnent tout mai 68, comme le fit Raymond Aron. Ce fut un mouvement international qui apporta une profonde et souvent positive transformation dans les mœurs, les sensibilités, les mentalités. Cette composante positive, j'en ai d'ailleurs exposé la genèse et le volet américains dans *Ni Marx ni Jésus*, en 1970, avec une sympathie qui ne fut du goût ni de la droite ni de la gauche européennes. Mais, libératrices à bien des égards sur le plan de l'existence, les « idées 68 » furent, sur le plan conceptuel, d'une indigence et, fort heureusement, d'un irréalisme confinant à l'infirmité. Leur sottise révélait surtout que, dans les générations nées au lendemain de la guerre, nombreux étaient les esprits qui n'avaient rien compris à l'enjeu du siècle, à savoir la lutte à mort entre les totalitarismes et les démocraties, autrement dit rien compris à l'Histoire. L'illusion des résistants, illusion fréquente dans les crises, avait été de croire que la tragique victoire des nazis en 1940 et leur coûteuse élimination en 1945 empêcheraient à tout jamais le retour des erreurs de l'avant-guerre, de ce totalitarisme-là ou d'un autre.

Pierre Grappin m'avait, ai-je dit, jugé digne non seulement de transporter les documents que notre réseau avait à traiter, mais de les lire. En fait, il me chargeait de débroussailler la profusion désordonnée de papiers en tout genre qui lui parvenaient chaque jour, de les analyser, de les trier, de les classer. Ensuite, il pouvait les adresser aux autres réseaux de la Résistance, compte tenu de leurs activités propres, en transmettant à chacun d'entre eux les informations qui pourraient lui être utiles. Je finis par comprendre que j'appartenais à un organisme qui s'appelait le CID (Centre d'information et de documentation), une sorte de service de renseignements. Les documents qui me passaient entre les mains étaient des plus hétéroclites. On y trouvait des comptes rendus des réunions du CFLN, Comité français de la Libération nationale, créé le 3 juin 1943 par ordonnance à la suite d'un accord entre de Gaulle et Giraud, pouvoir central français unique résidant à Alger ; après quoi je pouvais tomber sur des notes de notre service de noyautage des administrations, c'est-à-dire d'agents de la Résistance qui travaillaient dans les ministères de Vichy, dans les préfectures, voire dans la police de la collaboration, et qui nous informaient sur les intentions ou les décisions secrètes de nos adversaires ; puis surgissaient éventuellement des extraits de la presse suisse, la seule en Europe dont les nouvelles fussent dignes de confiance, voire un numéro entier du *Journal de Genève* ou de la *Weltwoche*, rapportés par un passeur ; souvent défilaient sous mes yeux des fiches destinées à mettre en garde les divers réseaux contre des traîtres infiltrés parmi les résistants, soit qu'ils eussent accepté de travailler pour l'occupant après une arrestation, pour avoir la vie sauve, soit qu'ils eussent été dès l'origine des indicateurs de la police française ou allemande. Leurs noms, leurs pseudos, leurs photos, leurs biographies repartaient vers les destinations où opéraient ceux qui devaient les mettre hors d'état de nuire. Je lisais aussi d'innombrables études et rapports très généraux, non signés, naturellement, ou signés de pseudos qui n'évoquaient rien pour moi. Ces textes démontraient que les Français, même dans l'abîme, ne perdaient pas leur faculté ratiocinante. Certes il était normal que l'on réfléchît à ce que serait la société française après la Libération. Mais certains de ces mémoires étaient d'un didactisme tellement intemporel et abstrait que je me demandais parfois s'il était raisonnable de risquer sa vie pour transporter dans Paris des dissertations qui ressemblaient plus à des cours polycopiés pour l'Ecole des Sciences politiques qu'à des mots d'ordre guerriers. Dans une courte nouvelle que j'écrivis après la guerre, intitulée *Les Difficultés artificielles* et qui parut dans la revue mensuelle *Confluences*, je mets en scène un coursier de la Résistance qui se fait fusiller parce qu'il est arrêté alors qu'il était porteur d'une étude sur la « situation pétrolifère en Anatolie centrale », sujet qui ne révêtait pas une importance extrême pour la libération du territoire français. Pierre Grappin prit très mal cette moquerie, oubliant que toute activité humaine, même très noble, comporte quelques aspects risibles.

Dès mon retour à Paris en octobre 1943, Grappin m'avait demandé de rédiger moi-même un rapport sur la question de savoir si la Résistance devait ou non commettre des attentats individuels contre des militaires allemands, dans la rue, le métro, les restaurants et autres lieux où, par la force de l'Occupation, ils circulaient ou séjournaient en grand nombre parmi nous. On sait que ces exécutions, d'un rendement faible ou nul par rapport à nos buts de guerre, d'autant que les cibles en étaient le plus souvent le menu fretin, simples soldats ou sous-officiers, les seuls qui s'offraient à nos coups car ils se déplaçaient à pied ou dans les transports en commun, avaient surtout pour résultat de déchaîner de terribles représailles allemandes, sous forme d'exécutions d'otages, en majorité juifs ou communistes, par dizaines chaque fois. Autant les attentats contre les voies ferrées et les ponts avaient l'utilité de gêner, de ralentir, voire d'interrompre pendant plusieurs heures ou plusieurs jours les convois de l'armée allemande, autant abattre un troufion vert épinard à la station Mouton-Duvernet ou Richelieu-Drouot paraissait dérisoire, au regard de l'expiation sanglante qui en était la conséquence pour de pauvres gens fusillés au hasard.

J'ignore à qui était destiné mon rapport, ni s'il fut jamais lu par quelqu'un d'autre que Grappin lui-même, mais je sais que je ne possédais ni la maturité de jugement, ni l'expérience de la guerre clandestine, ni la connaissance des rivalités entre les divers mouvements de résistance qui m'eussent habilité à formuler sur ce sujet, où la morale et l'efficacité risquaient d'être également malmenées, un avis étayé par la pratique et porteur d'une quelconque valeur politique et tactique. Ce que j'ignorais, en effet, par exemple, à ce moment-là, c'est que le Parti communiste, entré dans la Résistance en tant que parti (certains individus avaient résisté pus tôt) seulement après l'invasion de l'Union soviétique par les troupes hitlériennes, en juin 1941, voulait accumuler le plus possible de « martyrs », pour effacer ou compenser le souvenir du Pacte germano-soviétique et de sa collaboration en 1940 avec les nazis. Il put ainsi se présenter à la Libération comme le « Parti des fusillés ». Et un moyen d'allonger la liste de ceux-ci était en effet de commander des attentats qui entraînaient aussitôt, de la part des Allemands, des dizaines d'exécutions.

Plusieurs des membres de notre mouvement avec lesquels j'étais en rapport de travail quasi quotidien étaient d'ailleurs communistes, mais je l'ignorais. Je le découvris après la Libération. L'un d'eux, d'une trentaine d'années, avait pour pseudonyme « Goriot ». C'était un gouailleur cocasse et intarissable, qui parvenait à me faire rire même dans les circonstances les plus lugubres. Ce causeur pétillant, fertile en saillies, se révéla, quand je connus son vrai nom après la guerre, être Pierre Courtade, un communiste des plus sectaires, futur rédacteur en chef (ce que nous appelons aujourd'hui directeur de la rédaction) de l'hebdomadaire *Action*, puis de *L'Humanité*, dont il devint enfin, dans les années qui suivirent la répression de la révolte hongroise de 1956, le correspondant à Moscou. Avant que l'URSS ne la réprimât, cette révolte avait eu au moins un résultat : la réhabilitation de Laszlò Rajk, célèbre dirigeant communiste condamné et exécuté en 1949 en épilogue d'un procès truqué, qui copiait le modèle de ceux de Moscou de l'immédiate avant-guerre (lesquels avaient d'ailleurs reçu la honteuse approbation de la Ligue des droits de l'homme française) et préfigurait ceux de Prague du début des années cinquante. La réhabilitation de Rajk en 1956, précisément, avait porté un coup fatal au moral de Courtade et même à son physique, puisque c'est à partir de cette année-là qu'il souffrit d'infarctus répétés, jusqu'à ce qu'une crise plus grave finisse par l'emporter en 1962. Par hasard, quelques jours avant sa mort, nous avions déjeuné en tête à tête, chez moi, dans un appartement que j'occupais alors, par intermittence, place de Furstenberg, au-dessus de l'atelier d'Eugène Delacroix. « Comment veux-tu que je me regarde dans une glace, me confiat-il, alors que j'ai écrit cinquante articles pour soutenir que Rajk était coupable ? » Comme bien d'autres, il expliquait son ardeur mensongère au service du crime par une « attitude religieuse » envers le communisme et la Révolution. Je me récriai. Comment pouvait-il, lui, un esprit si critique, si caustique, réchauffer ce fade cliché qui traînait partout et consistait à comparer la servilité envers le totalitarisme avec la foi religieuse ? L'une et l'autre, certes, ont eu pour conséquences fréquentes, à travers l'histoire, l'intolérance et la persécution. Mais les religions ne promettent la béatitude et la justice que dans l'au-delà, c'est-à-dire dans des conditions par définition invérifiables ici-bas. Elles ne sont et ne peuvent légitimement être qu'objets de foi, non de démonstration. Le communisme, au contraire, promettait le bonheur dans ce monde-ci au nom d'une théorie qu'il proclamait scientifique et soumise au verdict de l'expérience, de la « praxis », critère suprême selon les marxistes. Nul n'était donc excusable de ne pas le juger à ses résultats effectifs, puisque sa validité se trouvait pleinement établie ou réfutée dans la réalité quotidienne et vécue. Courtade me répliqua, comme je m'y attendais, que les choses étaient « moins simples ». Elles eussent à l'inverse été plus simples si l'être humain n'avait pas été l'être humain, c'est-à-dire un être qui tient non à la vérité, mais à soutenir qu'il a raison de se tromper. D'ailleurs, malgré les remords dont il me fit la confidence, Courtade ne quitta jamais le Parti, contrairement à une Annie Kriegel ou à un Pierre Daix. Et le Comité central lui organisa les obsèques grandioses qui étaient réservées à ses plus éminents dignitaires. L'art des enterrements est l'un de ceux où le Parti a le plus excellé.

C'est par Auguste Anglès, venu en 1951 faire des conférences à l'Institut français de Mexico, où j'étais en poste, que j'appris comment Pierre Courtade, en bon stalinien, venait de lâcher un autre de nos camarades de résistance, un communiste hongrois qui avait vécu dès l'avant-guerre à Paris. Il répondait au pseudo de « Georges », qui était du reste son authentique prénom. Son patronyme était Szekerecz (ou Szekeres). C'est également à cette date tardive de 1951 que j'appris l'appartenance de « Georges » lui-même au parti communiste hongrois. Quelques mois avant la Libération, il m'avait bien dit, une fois : « Je vais dès la fin de la guerre rentrer à Budapest où nous allons tout mettre à feu et à sang. » Mais cette délicate intention n'impliquait pas en toute certitude qu'il fût communiste. Nommé à l'ambassade de Hongrie à Rome après la consolidation à Budapest de Matyas Rakosi, venu d'URSS en 1945 dans les fourgons de l'Armée rouge imposer sa dictature stalinienne, Georges, qui avait été proche de Rajk, reçut soudain l'ordre de rentrer dans son pays en 1950, après la liquidation physique de son ami. Soupçonnant qu'on le convoquait pour lui offrir non des fleurs mais des couronnes, il prit plutôt le chemin de Paris. Il espérait, dans cette ville où il avait vécu plusieurs années avant de participer activement à la Résistance française, trouver un accueil amical, des protections et des moyens d'existence. C'était compter sans la puissance des communistes, alors, en France, et sans la lâcheté des autres. Le parti français le précipita d'emblée dans l'enfer des traîtres. C'est ce que fait, par exemple, Roger Vailland, alors intégriste du stalinisme, qui note dans son journal posthume à la date du 20 mars 1950[1] : « Szekeres essaie d'échapper à la fatalité qui mène de la dissidence à la traîtrise et dont il semble très conscient. "Je reste, dit-il, cent pour cent d'accord avec le communisme, l'URSS, le gouvernement de mon pays" mais : "Je veux bien donner ma vie pour le communisme mais je ne veux pas être emmerdé par des cons." » Explication peu claire, commente Vailland, des causes immédiates de sa dissidence : « Je peux tout accepter par discipline, pas de faire le mouton. » Rappelé à Budapest, y craignant des « ennuis », il a préféré venir à Paris, où il se cache, espère trouver un petit travail non politique, pouvoir rentrer « plus tard, dans un an peut-être » à Budapest. « Si j'avais eu un véritable tempérament politique, mais j'ai seulement le goût de la politique, je serais rentré, j'aurais fait front, je me serais défendu. »

Courtade qui, lui, plus encore que Vailland, avait un « véritable tempérament politique » au point d'être devenu un professionnel de l'appareil, non seulement laissa tomber Georges et s'arrangea pour lui faire fermer toutes les portes, mais en outre fit exclure du PC et priver de son gagne-pain la compagne française du « traître » hongrois, Jeannie Chauveau, jeune femme tout sourires et gentillesse, dont j'avais eu l'occasion de constater le courage dans la clandestinité. Georges ne l'avait pas emmenée avec lui après la guerre et il la retrouvait donc à Paris, où elle élevait seule un enfant de lui. Fallait-il que le totalitarisme non seulement fût inhumain, mais encore se sentît faible pour se croire ainsi menacé dans son essence par le regimbement d'un seul individu au point de poursuivre de sa hargne jusqu'à son inoffensive compagne et leur enfant âgé de huit ans ? On perçoit cette angoisse chez Roger Vailland, qui subodore chez son ami Jacques-Francis Rolland, alors comme lui membre du parti, une coupable compassion envers Szekeres. Vailland note, toujours à la date du 30 mars 1950 dans ses *Ecrits intimes* : « J'ai très fâcheuse impression, comme s'il (Rolland) cherchait une excuse de sa volonté de trouver dans le drame de Szekeres une nécessité de remettre en question les bases du monde communiste. » Rien de moins ! Vu la chaleur des

---

1. Roger Vailland, *Ecrits intimes*, Paris, Gallimard, 1968.

appuis que lui prodiguaient ses anciens « camarades » français, dont il avait contribué à libérer le pays, Georges n'eut d'autre issue que de rentrer à Budapest, où la justice socialiste, dans son objective magnanimité, lui octroya illico une condamnation à quinze ans de camp de travail.

Outre celle de Courtade, l'aide de Pierre Hervé s'était également dérobée aux sollicitations de Georges à Paris. Hervé, je l'appris plus tard aussi (comme presque tout ce que j'ai su), était le chef le plus haut placé de notre réseau, au-dessus même d'Anglès et de Grappin, un chef si important que, à ma modeste place, je ne l'avais jamais rencontré, ce qui était d'ailleurs conforme aux règles du compartimentage nécessaire à la sécurité. Les contacts entre nous et les gens connus de chacun de nous devaient être aussi peu nombreux que possible, pour limiter les dégâts en cas de filature ou d'arrestation.

A défaut de Pierre Hervé, je rencontrais, en revanche, régulièrement sa femme, sans savoir, bien entendu, qu'elle l'était. « Barbara », comme elle se nommait dans le « commerce », était blonde, grande et belle. A l'époque circulait dans ma « turne » normalienne (on appelait ainsi une petite salle collective où avaient leurs tables de travail et leurs casiers à livres trois, quatre ou cinq élèves) un roman danois, *Barbara*, de Jakobsen, dont la traduction venait de paraître chez Gallimard. Je n'ai conservé de l'intrigue de ce livre aucun souvenir, sinon celui de l'émotion qu'elle m'inspira, surtout, je crois, parce que le titre évoquait pour moi la Barbara de chair et d'os que je voyais de temps à autre et avec qui je m'entretenais non de galanterie hélas ! mais de nos activités communes. Pierre Grappin réunissait en effet une ou deux fois par mois notre petit groupe autour d'une table ovale dans une dépendance de la Sorbonne, l'Institut des langues vivantes, situé rue de l'Ecole de médecine, presque à l'angle du boulevard Saint-Michel. En sa qualité d'agrégé d'allemand et de pensionnaire de la Fondation Thiers (où il était censé préparer sa thèse), il pouvait disposer à l'Institut d'un bureau où, officiellement, nous participions sous sa direction à un séminaire de littérature allemande. Pour donner le change en cas de descente de police, il nous distribuait d'ailleurs des textes polycopiés de ou sur Hölderlin, Arnim ou Nietzsche, que nous posions devant nous, chacun à notre place. Les sujets de notre conversation n'avaient, on s'en doute, rien à voir avec ces auteurs vénérables. Outre les camarades que j'ai cités, assistait à ces « séminaires » d'un genre peu orthodoxe Pierre Kaufmann, un normalien philosophe, lui aussi de la promotion d'Anglès et de Grappin, un cœur affectueux en même temps qu'un humoriste froid à la Jarry, qui, avec une modestie mâtinée de provocation, expliquait volontiers qu'il était entré dans la Résistance pour la seule raison que sa condition de juif lui « interdisait toute profession honorable ». Il signait des articles dans *Confluences* d'un pseudonyme en forme de dicton : « A bon chat, bon rat » et

portait dans la clandestinité celui de « Chapuis ». Le mien était
« Ferral », nom d'un personnage de *La Condition humaine* de
Malraux, personnage fort antipathique du reste et roman dont je n'ai
jamais été qu'un admirateur éphémère et modéré. Mais le nom était
bref et sa sonorité le rendait facile à retenir. J'indique ces détails pour
rappeler qu'aucun de nous, selon la règle, ne connaissait la véritable
identité des autres, sauf quand il l'avait connue avant la Résistance,
ce qui était assez souvent le cas et constituait d'ailleurs une imprudence. Si les règles de sécurité avaient été strictement appliquées, elles
auraient prohibé que deux individus s'étant connus avant d'entrer
dans la clandestinité travaillent au sein du même réseau, ou du moins
y aient des contacts réguliers. Etre arrêté en ne connaissant d'un
camarade que son faux nom, et en ignorant tout de sa véritable identité, de son adresse, de sa famille, de sa profession, limitait dans une
mesure qui pouvait être décisive la casse possible dans l'éventualité
d'un effondrement sous la torture. Cette précaution, malheureusement, n'était pas toujours prise, et cette légèreté explique bien des
pertes dans les rangs des résistants, pertes que le respect du secret des
identités permit, en revanche, souvent de limiter.

Ainsi, lorsque « Maréchal » fut arrêté, le 6 juin 1944, jour même du
débarquement allié en Normandie, nul dans le réseau n'aurait dû
savoir qu'il s'appelait en réalité Pierre Grappin. Par bonheur, aucun
de ceux qui le savaient ne fut arrêté ou ne le révéla. Les Allemands
qui avaient interpellé le germaniste Pierre Grappin, chercheur à la
Fondation Thiers, soupçonnaient mais n'étaient pas sûrs que ce professeur ne faisait qu'un avec le chef résistant « Maréchal ». Et tout le
système de défense de Grappin, durant de violents interrogatoires,
consista à tenter de convaincre la Gestapo que le paisible universitaire, épris de culture allemande, qu'elle avait coffré, n'avait rien de
commun avec le redoutable « Maréchal ». Le doute subsista. Il n'empêcha pas Grappin d'être fortement tabassé puis fourré dans un train
de déportés politiques en direction de l'Allemagne, mais lui épargna
probablement d'être fusillé sur-le-champ. Sort qui eût presque à coup
sûr été le sien si la Gestapo avait en même temps arrêté et réussi à
faire parler un membre du réseau connaissant sa véritable identité, et
il y en avait plus d'un. Kaufmann, par exemple, dit Chapuis, tombé
dans la même souricière, sut avec une telle perfection feindre l'idiotie
que les Allemands finirent par se persuader qu'ils avaient par erreur
embarqué un inoffensif passant, de surcroît un abruti complet, et le
relâchèrent au bout de quelques jours.

Pour moi, la Résistance, durant cet hiver 1943- 1944, ce fut une
succession de rendez-vous, jour après jour, tantôt dans des cafés qui
changeaient naturellement tout le temps, tantôt dans des appartements glacés, que nous prêtaient des sympathisants. Les cafés, où la
consigne était de ne jamais attendre plus d'un quart d'heure celui ou

celle avec qui l'on avait rendez-vous, étaient les lieux où je recevais ou remettais des documents ou bien, parfois, le paquet contenant l'argent servant à financer un réseau, le nôtre ou un autre. Pour parer au danger de se faire arrêter en ayant sur soi la liste des rendez-vous du jour ou de la semaine, Courtade avait trouvé une ruse qui réduisait les risques. A cette époque, les hommes, du moins les bourgeois, portaient tous des gants. Cet accessoire obligé de l'attirail masculin disparut, tout comme le chapeau, vers le milieu des années cinquante. Le plus souvent, on n'enfilait pas ses gants, on les tenait ensemble pressés dans la main droite, comme une sorte de courte cravache, signe, paraît-il, de chic et d'élégance ; et, quand on entrait dans une maison ou un restaurant, on les posait quelque part avec ses autres affaires. L'astuce de Courtade consistait à écrire les rendez-vous sur de petits rouleaux de papiers qu'il enfonçait ensuite dans les doigts des gants. Au café, il plaçait derrière lui sa paire de gants sur la sorte de petite corniche surélevée et bordée de barres de cuivre qui, dans tous les établissements parisiens, se trouve derrière les rangées de tables et qu'on appelle une chapelière, puisqu'elle était destinée à recevoir principalement les chapeaux. Au cas où on serait venu l'embarquer, « Goriot » comptait abandonner tout simplement ses gants sur place. La police aurait eu beau le fouiller, elle n'aurait rien trouvé sur lui. Il ne fut, par bonheur, jamais réduit à cette extrêmité. Mais je me demande si la Gestapo, qui ne péchait guère par amateurisme, n'aurait pas eu l'idée de dépiauter les effets posés derrière lui.

Dans les cafés, les passages étaient brefs. Dans les appartements, les séjours étaient longs. Ils le paraissaient d'autant plus que les moyens de chauffage, partout en France, manquaient chaque jour davantage, mis à part quelques chétifs radiateurs électriques, rendus la plupart du temps inutiles, à cause des incessantes coupures de courant. C'est dans ces locaux dont, pour déjouer les filatures et les éventuelles dénonciations, nous changions fréquemment, que je lisais, classais, faisais taper à la machine et polycopier laborieusement et lentement (la photocopieuse ne devait être inventée que vingt ou trente ans plus tard), les documents hétéroclites que j'ai déjà décrits. Je ne puis évoquer sans tendresse et respect les secrétaires qui exécutaient pour nous ce travail, il va de soi bénévole : dames de tous âges et de modeste condition, auxquelles un coup de filet de la Gestapo eût valu et, parfois, a valu, malgré l'humilité de leur fonction, la prison, le camp, la mort. Leur obscur dévouement reposait sur un désintéressement aussi total dans le présent que pour l'avenir. Car les chefs et les camarades que j'ai côtoyés agissaient eux aussi par patriotisme, idéalisme politique et haine du nazisme. Mais la plupart savaient que leurs titres de résistants leur ouvriraient en outre, à condition qu'ils réchappent, une carrière politique ou administrative intéressante après la Libération. Ce fut le cas pour la plupart de mes amis. Aussi, dans les derniers mois de l'Occupation, au sein des divers mouvements de la Résistance, les luttes et rivalités dans la course aux places, aux sièges, aux portefeuilles futurs absorbaient-elles déjà les énergies presque autant que la tâche encore inachevée d'expulser l'ennemi. Les secrétaires-dactylos qui, en nous assistant, risquaient autant que nous leur peau, n'avaient, elles, en revanche, aucune autre perspective après la victoire que de se retrouver secrétaires-dactylos, et même pas avec une petite décoration.

Notre nomadisme, nos migrations incessantes d'un appartement prêté à un autre, d'un hôtel à un autre, d'où nous déguerpissions derechef en hâte, quand Grappin craignait que nous n'eussions été repérés, (que de fois l'ai-je vu débouler pour ordonner de sa voix sèche : « Allez ! on déménage ! ») m'amenaient à trimbaler partout avec moi, dans mon cartable d'étudiant, des documents concernant la Résistance, que je devais rapporter le lendemain ou le surlendemain à l'endroit indiqué. Imprudence peut-être inévitable, mais que l'on aurait dû néanmoins trouver un moyen d'éviter, tant elle accroissait les dangers, surtout à Paris où les rafles avec vérification d'identité, fouille des vêtements, valises, serviettes et sacs étaient fréquentes. Les sorties de métro notamment (et je prenais le métro dix fois par jour) constituaient des souricières idéales pour la police. J'avais vite appris, en descendant d'une rame, à flairer le contrôle, quand il s'en déroulait un en haut de l'escalier, rien qu'à voir le tassement des voyageurs dans le couloir, la soudaine et inhabituelle lenteur avec laquelle s'écoulait la foule. Je ressautais promptement dans la voiture encore arrêtée et repartais vers une autre station. En outre, pour parachever ces infractions grossières aux règles de sécurité, comme je devais bien conserver par-devers moi, parfois pendant quarante-huit heures, au minimum pendant une demi-journée ou une nuit, des pièces compromettantes, j'en étais réduit à les entreposer à l'Ecole normale, où je logeais, et où je les rangeais dans le casier de ma turne, parmi les cours et livres de philosophie qui me fournissaient, si j'ose dire, l'autre volet de mes lectures, en ce temps-là. Inqualifiable sottise ! Mais quel autre asile trouver à ces papiers ? Criminelle irresponsabilité, car l'Ecole regorgeait d'élèves réfractaires au Service du travail obligatoire, instauré en 1943, et qui contraignait tous les étudiants âgés de plus de dix-huit et de moins de vingt et un ans à se rendre en Allemagne pour servir de main-d'œuvre dans les usines. Personnellement, la vraie-fausse carte d'identité que m'avait fournie la Résistance m'attribuait vingt-deux ans au lieu de dix-neuf. Mais plusieurs de mes camarades, dont la dérobade s'appuyait sur des prétextes fragiles — certificats médicaux de complaisance, invocation d'une situation de « soutien de famille », voire de « jeune marié père d'un enfant », qui relevait de la farce — avaient le pire à redouter d'une descente de police. Il me souvient que notre professeur d'éducation physique, le légendaire Boyle, fort estimé de tous, m'alerta une fois parce que *L'Auto* (ancêtre de *L'Equipe*), à l'occasion de championnats universitaires de foot-ball, avait publié les noms des joueurs de toutes les équipes, dont la nôtre (à laquelle j'appartenais), alors que la moitié au moins de ses titulaires avaient réussi à se faire exempter du STO pour unijambisme ou paralysie générale. « Les Allemands ne sont pas idiots, me dit Boyle. J'espère qu'ils ne feront pas le rapprochement. » Dans ce cas-là, par chance, ils ne s'avisèrent pas de le faire. Il n'en demeurait pas moins que l'Ecole se trouvait sous haute surveillance. A tout instant l'arrivée de la police pouvait s'y produire, ce qui n'en faisait pas un lieu à choisir ni à conseiller pour y abriter des papiers émanant d'un réseau clandestin d'espionnage !

Le secrétaire général de l'Ecole, Jean Baillou, un agrégé de lettres, spécialiste de la poésie française du XVIe siècle (il préparait une thèse sur Pontus de Tyard), et qui avait été l'un de mes deux examinateurs en français à l'oral du concours, venait, au début de 1944, d'être arrêté et déporté en Allemagne en raison des nombreux subterfuges pour aider les élèves à se soustraire au STO qu'il avait inventés et que la Gestapo avait éventés. Baillou avait aggravé son cas en rendant des services à des résistants, ce que j'appris plus tard.

Un soir de février 1944, après le « pot », c'est-à- dire, dans le patois normalien, le repas, dans ce cas le dîner, qui avait lieu fort tôt, vers sept heures, j'étais dans ma turne en train de travailler, en compagnie de mes camarades. Chacun était à sa table, sous la lampe, et, ce qui était rare, nous ne cédions pas à la tentation du bavardage. Le silence régnait. La chaleur aussi, car le « Pot » (le mot, cette fois avec une majuscule, désignant l'économe de l'Ecole) était parvenu à obtenir pour Normale le régime des gardes républicains et des sapeurs pompiers, qui comportait des allocations exceptionnelles de nourriture et de charbon. La nourriture ne m'a pas laissé un grand souvenir, ni en quantité ni en qualité. En revanche, durant ces hivers de guerre qui comptèrent parmi les plus rigoureux de la décennie, la chaleur que l'on trouvait dans les turnes, où le radiateur restait constamment brûlant, nous apportait un bien-être dont étaient privés la majorité des Français. Récent privilégié du chauffage central, je goûtais d'autant plus ce confort que je sortais de la glacière qu'était, à Lyon, dans le quartier des Traboules, ma chambrette de la pension Tajana, où je devais m'envelopper dans mes couvertures pour tenter de travailler par deux ou trois degrés à peine au-dessus de zéro — et parfois au-dessous.

Cette veillée sereine, douillette et studieuse fut soudain interrompue par des coups violents frappés contre la porte et accompagnés de vociférations en allemand, puis, aussitôt, par l'irruption d'un individu assez jeune, sanglé dans un imperméable, coiffé d'un chapeau mou et tenant à la main une torche électrique, du reste inutile : la pièce était fort bien éclairée. Il était suivi de deux sbires muets. Leur chef, lui, ne l'était pas. Il se mit d'emblée à hurler et ne cessa tout du long d'enfler la voix, éructant des phrases en allemand et d'autres dans un français correct, mais prononcé avec un pesant accent germanique. Il cria mon nom. Je me levai. Haussant toujours davantage le ton, il m'appela « le terroriste » (nom qui servait à la Gestapo et aux collaborateurs pour parler des résistants) et affirma savoir que les preuves de ma culpabilité se trouvaient dans cette pièce. Elles s'y trouvaient hélas ! en effet. Et, lorsque l'énergumène, avant de commencer sa perquisition, promena le faisceau de sa torche électrique sur les visages de mes camarades, en déclarant qu'il les considérait tous comme mes complices, ma poitrine d'un seul coup se vida. J'étais mis en face des conséquences de ma meurtrière idiotie. L'homme à la torche et au chapeau mou se rua tout d'abord sur le fichier de mon bon ami l'ancien khâgneux lyonnais Paul Courbin, qui préparait pour sa licence de lettres un certificat de philologie, en vue de l'agrégation de grammaire. Les fiches de Courbin ne portaient que des mentions de mots grecs, latins ou d'ancien français, de leurs évolutions et de leurs filiations. Le flic crut qu'il s'agissait d'un fichier d'adresses. Persuadé d'être tombé sur une précieuse mine de renseignements propre à lui livrer tous les réseaux de résistance parisiens, il brandit triomphalement et agita dans l'air avec frénésie en particulier un carton extrait par lui avec gourmandise de la boîte et consacré au digamma, lettre de l'alphabet grec archaïque, qui correspondait au son W. Elle avait déjà disparu de l'alphabet à l'époque des poèmes homériques. « Digamma ! Digamma ! clamait-il. Qui est ce Digamma ? De qui est-ce là le pseudonyme ! Sûrement un chef terroriste ! Nous avons les moyens de vous faire parler. *Wir haben Mitteln !* » tonna-t-il, collant son nez contre celui du pauvre Courbin. Toute la turne éclata de rire, tant cet échantillon de comique linguistico-policier ajoutait une note de bouffonnerie insolite à notre sale situation. Le gestapiste furibond réagit à notre gaieté incongrue en faisant vider par ses sbires tous les casiers. Il se plongea dans l'examen des produits de sa pêche, tout en grommelant sans interruption dans sa langue maternelle des injures à notre adresse. Enfin, pendant que je l'observais avec le sentiment fataliste de l'imminence inéluctable, il finit par en arriver aux papiers que je n'aurais jamais dû garder là et poussa un aboiement de victoire qui dut retentir jusqu'au Panthéon. Je m'avançai pour lui dire que j'étais le seul à incriminer, mais il ne m'écouta pas et quitta la turne avec les pièces à conviction sous le bras, en nous intimant l'ordre de ne pas bouger et en fermant la porte à clef derrière lui.

Je m'attendais à ce que, durant cet intermède, mes camarades me couvrissent de reproches violents et justifiés, pour les beaux draps où mon égoïste insouciance les avaient jetés. Bien au contraire, tous autant qu'ils étaient — Mouillaud, Schérer, Villanueva, Courbin —

avec une élégance et un désintéressement qui me bouleversèrent, s'affairèrent avec précipitation pour m'aider à sauver ma peau et à filer. La turne était au rez-de-chaussée. La fenêtre donnait sur un jardin jouxtant la piste d'entraînement où Boyle nous faisait courir le matin pour que nous nous échauffions avant la séance de gymnastique. De là, je pourrais escalader aisément la grille du fond, à l'angle de la rue d'Ulm et de la rue Claude-Bernard, et détaler. Mes copains ouvrirent grand la fenêtre. Je sautai dans la nuit.

A peine m'étais-je ramassé sur la pelouse que je fus ceinturé par derrière. Mes frêles espoirs de fuite avaient été bien naïfs, car j'aurais dû me douter que les gestapistes, en professionnels, ne laisseraient pas sans surveillance une aussi flagrante issue.

II

Ce fut en 1977 seulement que l'un des héros grâce auxquels la France avait cessé en 1944 d'être occupée, Gilbert Renault, autrement appelé le « Colonel Rémy », d'après son pseudonyme de guerre, devenu son nom d'auteur, me raconta une mésaventure, doublée d'une méprise, qui lui était advenue en 1943, dans le métro parisien. Elle révélait un paradoxe de la psychologie humaine dont l'évocation fit aussitôt vibrer en moi une corde du souvenir, lointaine et depuis longtemps silencieuse.

Elle éveilla dans les limbes de mon moi un écho d'autant plus obsédant que le Colonel, entre 1977 et sa mort, en 1984, me narra son instructif malentendu non pas une fois, mais bien vingt ou trente. Il racontait bien, longuement et souvent les mêmes histoires. Connaître déjà et dans les moindres détails ses récits ne conférait à l'auditeur chevronné aucun privilège par rapport au débutant, aucune dispense, aucun droit au raccourci. Car le Colonel était aussi impossible à interrompre qu'incapable de condenser. Je l'affectionnais au point de toujours écouter avec plaisir les interminables reprises des anecdotes de son répertoire, quand j'allais lui rendre visite dans sa grande maison de granit, à Lanmodez, entre Lézardrieux et le Sillon de Talbert, à un petit kilomètre de la mienne, qui est en bois. Il me préparait un punch, breuvage qu'il annonçait avec orgueil comme le fruit d'une recette originale ou du moins perfectionnée par ses soins, mais qu'il exécutait en un délai pouvant atteindre trente ou quarante minutes. Car il était de ceux qui ne peuvent à la fois agir et parler. Et comme il parlait sans relâche, il s'arrêtait à chaque instant dans l'opération complexe de la confection rituelle de son punch. Je revois sa silhouette courte et ronde se détacher sur un fond de mer, devant une grande fenêtre, et ses deux bras gesticuler avec un shaker brandi d'une main, pendant que l'autre tâtonnait sur une table, à la recherche des divers ingrédients destinés à une boisson finale dont l'échéance devenait à chaque séance plus tardive et douteuse. Entre le moment où il avait enfin mis la glace dans le shaker et celui où il y versait le sirop de sucre s'écoulaient dix minutes ; et autant pour parvenir au stade du rhum, puis du jus de citron, enfin de la noix de coco rapée et autres aromates de son alchimie. Même quand la mixture avait atteint le stade ultime et qu'était enfin accompli le geste auguste de l'agitation du shaker, Rémy ne se décidait toujours pas à verser. Il suspendait son élan salvateur pour me fournir de toute urgence une indispensable précision sur un propos à lui tenu par le général de Gaulle en 1950. Il fallait souvent le cri d'alarme de la douce Madame Renault, Edith, gémissant : « Mais enfin, Gilbert, tu laisses Monsieur Revel mourir de soif ! » pour que la main de l'orateur s'inclinât enfin dans l'acte suprême de remplir les verres du liquide si longuement convoité et devenu quasiment inespéré.

Quand j'écris « précision sur un propos tenu par de Gaulle », je me réfère à un épisode bien déterminé, qui était devenu l'idée fixe du colonel. Il le revivait perpétuellement comme un événement présent ou datant de la veille et le relatait sans se lasser, prenant son interlocuteur à témoin de sa bonne foi pour se laver des accusations de mythomanie ou de falsification que les gardiens de la foi gaulliste avaient portées et continuaient à porter contre lui. Parmi eux, sa principale bête noire, son vigilant persécuteur, Pierre Lefranc, président de l'Association nationale d'action pour la fidélité au général de Gaulle, inondait les journaux de démentis méprisants, chaque fois que Rémy avait réussi à placer par miracle quelque part son obsessionnelle et sempiternelle mise au point. Quand je devins directeur de *L'Express*, en 1978, Rémy, transporté d'exaltation à l'idée de mes nouveaux pouvoirs, et convaincu que mon amitié ne manquerait pas de se mettre à son service, me pria de passer le voir dès qu'il apprit mon arrivée à Lanmodez pour quelques jours de vacances, en août. Il me reçut avec gravité, non dans le salon où se déroulait d'ordinaire l'aimable cérémonie du punch, mais dans son vaste bureau du premier étage, dont les larges fenêtres s'ouvraient sur une vue immense de la baie qui déroule son demi-cercle vaporeux depuis l'île Modez jusqu'à celle de Bréhat. Je le trouvai assis à sa monumentale table de travail et il m'indiqua d'un air entendu un siège en face de lui, comme pour marquer le poids capital de la révélation qu'il s'apprêtait à me confier. « J'ai pour vous une exclusivité, martela-t-il d'une voix forte, le compte rendu détaillé d'une confidence que m'a faite le général de Gaulle. »

Comme le général de Gaulle était mort huit ans auparavant, je crus d'abord que le brave colonel faisait tourner les guéridons et conversait avec l'au-delà. Mais il poussa vers moi des papiers où je reconnus, au premier coup d'œil, la vieille histoire, qui avait déjà, au fil des étés, agrémenté nos rencontres, et qui, d'ailleurs, était vaguement parvenue à mes oreilles au moment où elle s'était produite, bien que je me trouvasse alors à Mexico.

En 1947, Rémy était devenu l'un des principaux responsables du Rassemblement du peuple français, fondé cette année-là par de Gaulle. Il a d'ailleurs lui-même retracé en 1971 cette période de sa vie et son amer épilogue dans *Dix ans avec de Gaulle ; 1940-1950.* C'était l'un des innombrables livres que sa précaire situation matérielle l'a poussé à publier tout au long de sa vie, parfois à la cadence pléthorique de deux ou trois par an. En tant qu'ancien chef du deuxième réseau de renseignement en France occupée, la « Confrérie Notre-Dame », et collaborateur du Général, avant et après la Libération, il lui revenait certes un rôle légitime d'historien et de témoin de premier ordre. Mais tous ses livres ne procèdent pas clairement de cette mission sacrée. Beaucoup sont des travaux alimentaires, qui n'ont du reste rien de déshonorant. Lorsqu'il mourut, en 1984, et qu'avec quelques amis je me penchai sur les perspectives de ressources de sa veuve, j'appris avec affliction et compassion que même sa demeure quasi seigneuriale de Lanmodez, son seul bien, était hypothéquée depuis des lustres.

Sa puissance d'organisation lui avait valu de recevoir en 1947 au RPF la charge des réunions publiques et des voyages en province du Général, aux côtés duquel il travaillait, se déplaçait, vivait donc de façon presque quotidienne. Or, un soir de 1950, il accompagnait de Gaulle, qui logeait rue La Pérouse, son lieu de séjour habituel quand il venait à Paris, et qui, après dîner, faisait une promenade digestive autour de la place de l'Etoile, avant de se retirer. De Gaulle rêvassait à voix haute tout en déambulant, et, à une diatribe de Rémy contre Pétain, il rétorqua : « Souvenez-vous qu'il faut que la France ait toujours deux cordes à son arc. En juin 1940, il lui fallait la corde Pétain aussi bien que la corde de Gaulle. » Je n'ai jamais eu le moindre doute sur l'honnêteté de Rémy et la véridicité de sa transcription du propos gaullien. J'ai, en revanche, la plus piètre opinion de son sens politique. Car comment eut-il l'ingénuité d'imaginer qu'il pourrait, surtout dans le contexte de l'immédiate après-guerre, publier cette phrase du chef de la France libre sans s'attirer un foudroyant et catégorique démenti ? C'est pourtant ce que fit l'imprudent.

Jean Galtier-Boissière, le fondateur en 1915 et directeur jusqu'à sa mort, en 1966, du redouté périodique anticonformiste *Le Crapouillot*, note dans son *Journal*, à la date du 11 avril 1950 : « Sensationnel article du Colonel Rémy dans *Carrefour*[1], où le résistant numéro 1 demande la libération de Pétain et déclare : c'est ce que le général de Gaulle a voulu exprimer quand, un certain soir où je lui parlais du maréchal Pétain avec amertume, il m'a répondu (suit ici la phrase du Général citée plus haut). » Et Galtier-Boissière ajoute : « La grande

---

1. Hebdomadaire politique et culturel de tendance gaulliste, qui disparut une dizaine d'années plus tard.

idée de Rémy serait, dit-on, d'organiser spectaculairement la réconciliation du maréchal Pétain et du général de Gaulle devant l'ossuaire de Douaumont. »

Je ne pris connaissance de ce passage de Galtier que fort tard, lors de la réédition de son *Journal* par les Editions du Quai Voltaire en 1992. Mais à la lecture de ce programme saugrenu, je m'aperçus que mon cher colonel avait conçu très tôt cette illusion sentimentale dont il me bassinait de façon touchante pendant les dernières années de sa vie. Il était parvenu à se convaincre que tous les Français, à leur manière, avaient été résistants. Il n'était point de collaborateur félon, point de traître criminel à l'activité desquels il ne découvrît dans quelque recoin une secrète dimension antiallemande. Il avait les larmes aux yeux quand il plaidait pour cette unanimité nationale. Le contredire risquait de le pousser à éclater en sanglots, tant il était incapable de supposer l'idée qu'un seul Français eût sacrifié à l'ennemi les intérêts de la patrie malheureuse.

La dure, l'évidente nécessité politique conduisit, bien entendu, de Gaulle et les gaullistes, après l'article de *Carrefour*, à traiter Rémy de menteur ayant inventé le propos ou de sot ne l'ayant pas compris. Il fut renvoyé du RPF, perdit son poste de dirigeant de ce rassemblement, qui, alors, constituait sa raison d'être et aussi son principal gagne-pain. Il passa le reste de son existence à tenter d'effacer la flétrissure de cette injuste mais inéluctable condamnation. Je n'étais pas le premier et ne fus pas le dernier auquel il demanda de l'aider dans l'entreprise sans espoir d'obtenir réparation des gardiens de l'orthodoxie gaulliste. Chaque fois qu'il revenait à la charge, je lui exposais avec toute la douceur possible qu'un journal doit traiter avant tout de sujets actuels, mais que je ne manquerais pas, un jour, dans mes écrits personnels, de certifier que je croyais à sa sincérité et à la fidélité de son témoignage — ce que je fais ici.

La morale de l'histoire est qu'un héros peut n'avoir point la tête politique. Parmi les grands chefs de la Résistance que j'ai bien connus, Charles Tillon et Auguste Lecœur possédaient un tempérament et un raisonnement politiques, avant comme après leur rupture avec le communisme. A droite, Henri Frenay beaucoup moins et Rémy pas du tout. Avoir un naturel politique ne veut pas dire que l'on ne commet pas d'erreurs. Je dirais même que l'on en commet souvent de plus lourdes que les autres hommes. C'est simplement une manière de penser, de réagir aux actions des autres et de les interpréter.

Les résistants qui pensaient la Résistance en politiques, ce qui ne ravale en rien leur courage, y disposaient d'ores et déjà les bases et les équipes des compétitions politiques de l'après-guerre. Ils s'efforçaient, avant même que fussent restaurées l'indépendance nationale et la démocratie, d'élargir leur influence future au détriment de groupes, partis ou individus concurrents. A l'intérieur, le Conseil national de la

Résistance, à l'extérieur, l'Assemblée consultative provisoire d'Alger, laquelle avait tenu sa séance inaugurale le 3 novembre 1943, présentaient en filigrane les divisions partisanes et parfois les mesquineries personnelles des parlements de l'avenir. A qui aurait conseillé aux résistants politiques : « Tâchez d'abord d'atteindre vivants le jour de la Libération, et ensuite vous pourrez commencer à intriguer » ils auraient sans doute répliqué : « Je veux bien sacrifier ma vie à la France, mais pas ma passion du pouvoir. » De même, Maurice Clavel, émergé un bref matin de son maquis beauceron pour venir faire un tour à l'Ecole, et à qui un camarade conseillait de se laisser pousser la barbe pour être moins reconnaissable, eut un haut-le-corps et s'écria, outré : « Je veux bien sacrifier ma vie à la France, mais pas ma beauté ! »

Les résistants qui voyaient et vivaient, au contraire, la Résistance pour ainsi dire à l'état pur, sans prolongement dans la République future, étaient dénués d'ambition et même, parfois, de conceptions politiques. Rémy appartenait à cette espèce exempt de bâtardise. Et il ne renâclait pas non plus, lui, à porter la barbe, fût-elle fausse, comme le montre une autre scène de sa vie, qu'il rejouait devant moi presque aussi souvent que celle de sa dernière et funeste conversation avec le général de Gaulle. Un jour de 1943, donc, à Paris, après un retour de Londres ou d'Alger, il avait pris le métro pour aller à un rendez-vous. Comme la Gestapo et ses supplétifs français, à cette date, avaient dû, selon toute probabilité, pensait-il, finir par se procurer son signalement, il ne sortait que grimé. Barbe, moustache, perruque, tous ces postiches, complétés par un lorgnon antique et un chapeau enfoncé jusqu'aux sourcils, le faisaient se croire méconnaissable. Soudain, il sent le poids d'une main qui se pose sur son épaule, sans brutalité mais avec insistance et fermeté. « Eh bien, ça y est, me dis-je » — J'entends encore le cher homme moduler sa voix en la tirant vers les tons les plus propres à reconstituer le monologue intérieur. « Eh bien, ça y est, c'est fini, me dis-je. Mais je me gardai de bouger. La poigne se fit plus insistante et se mit à tapoter mon épaule droite. L'autre main me saisit le bras gauche. Après plusieurs longues secondes hors du temps, il fallut bien que je me retourne enfin. Que vis-je ! C'était un ami d'enfance, arrivé de Vannes la veille, tout heureux de tomber sur moi et qui ne pouvait avoir la moindre idée des activités que Gilbert Renault exerçait sous le nom de Rémy, nom qui, d'ailleurs, n'était sans doute jamais parvenu à ses oreilles. Trois bizarreries me surprennent encore, quand je me remémore cet instant. La première, vexante, fut que cet ami d'enfance, que je n'avais pas revu depuis l'avant-guerre, m'ait si aisément identifié au premier coup d'œil, malgré mon déguisement, au moment où je montai dans la voiture ; la deuxième, qu'il ait eu l'air de trouver naturel mon maquillage, et n'ait formulé aucune remarque ni posé de question sur mon étrange

apparence ; la troisième — la plus déconcertante du point de vue psychologique — est que, durant le bref laps de temps où je me crus pour
de bon en passe d'être arrêté, j'éprouvai une impression de soulagement ! Pourtant, je savais ce qui m'attendait. Je lutterais, certes, mais
j'évaluai la minceur de mes chances de survie. En même temps, je me
sentis passer brusquement d'une existence tendue, chaotique, semée
de complications imprévisibles, à une situation d'une extrême simplicité ; et je fus envahi par un sentiment de repos. »

III

Je ne vais pas, moi, ciron de la clandestinité, me comparer à Rémy, cet éléphant de la Résistance, sauf pour cet insolite trait de psychologie. Après tout, l'humaine condition est commune au troupier et au général. Lorsque après avoir sauté par la fenêtre je me sentis attrapé et immobilisé par-derrière, j'éprouvai, après un éclair d'intense désagrément, le même énigmatique soulagement que mon vieil ami. Je fus comme inondé à l'intérieur de moi-même par une coulée de sérénité. Je n'aurais plus, par exemple, à résoudre le casse-tête quotidien de concilier mes rendez-vous de clandestin avec l'obligation de poursuivre, malgré tout, mes études, d'assister à quelques cours à l'Ecole ou à la Sorbonne, puisque, si débonnaire fût-elle, l'administration devait bien exiger des élèves un minimum d'assiduité. Je n'aurais pas davantage à me contorsionner pour inventer le temps que me prenait un fructueux et au demeurant fort sympathique tapir (dans l'argot de l'Ecole, tapir : élève de lycée un peu en retard auquel on donne des leçons particulières rémunérées ; d'après une vieille entrée du *Larousse* qui définissait le tapir « animal bête et précieux »). Ce tapir casse-tête m'était indispensable pour payer le loyer, fort modeste, d'une chambre en ville, rue Lecourbe, où logeait une amie que, pour tout arranger, j'avais lieu de croire enceinte. Il s'avéra ultérieurement qu'elle ne l'était point ; mais je cherchais surtout dans ma tête, ce soir-là, s'il y avait une possibilité que la police m'eût filé une fois jusqu'à la rue Lecourbe. Pauvre Denise ! J'opinai que non. Quoi qu'il en fût, le coup de baguette magique de la Gestapo pulvérisait ces tracas d'une existence éclatée et me réduisit aux deux branches simplicissimes d'une alternative saumâtre mais somme toute apaisante : la vie ou la mort. Tout en faisant défiler dans ma tête, comme assommé, les rares variantes possibles du sort qui m'attendait, je regardais impavide la forme des arbres surgir devant moi dans l'obscurité à laquelle mes yeux commençaient à s'accoutumer. Qu'attendait-on pour m'emmener, d'ailleurs ?

Je m'aperçus alors que le cogne qui continuait à m'immobiliser en

tenant ferme mes deux bras serrés derrière mon dos, avec le canon de
son révolver dans mes reins, était en train de grelotter. Tiens, me dis-
je, ce pauvre type est gelé. Ça prouve que même la Gestapo a sa
piétaille, mal nourrie, mal vêtue, mal chauffée, mal payée, et ne se
compose pas des seuls grands et petits chefs que nous voyons sillonner
Paris en voiture pour gagner les hôtels réquisitionnés et les restaurants
de marché noir. Ce minable auxiliaire, au fond, est aussi une victime
du nazisme. J'en étais là de mes réflexions humanitaires et, on en
conviendra, empreintes d'une rare hauteur de vues en telle circonstance, lorsque je me rendis compte que le bonhomme tremblait non
de froid mais de rire. Un rire qui le secouait de spasmes incoercibles,
d'abord sous cape, puis bientôt sans retenue, de plus en plus bruyants
et qui fusèrent en cascades à gorge déployée. Je me retournai. Ce fut
pour découvrir que mon « geôlier » avait le visage de mon excellent
camarade André Joucla-Ruau dont, en effet, j'avais remarqué l'absence de la turne, ce soir-là. Au même moment, la fenêtre de cette
même turne se rouvrit, tous mes camarades hilares me couvrirent d'acclamations et de hourras ironiques. Joucla m'entraîna derrière lui, me
poussa, me souleva pendant que les autres me hissaient. Je repassai la
fenêtre dans l'autre sens, vers l'intérieur, où déjà s'entrechoquaient
les verres et se débouchaient les bouteilles de vinasse et de bière aigre,
mais combien plus délectables, à mes lèvres, en cet instant, que le plus
capiteux des chambertin ou la plus savoureuse des lambic.

Je venais d'être le jouet d'un canular (à l'Ecole, on orthographiait
parfois aussi khanular) digne d'admiration tant pour la conception que
pour l'exécution. L'agent de la Gestapo était un germaniste, étudiant
à la Sorbonne, que mes copains avaient enrôlé dans cette comédie où,
j'en conviens, et je l'en complimentai sur-le-champ, il avait interprété
son rôle avec justesse, brio, abattage et un sens aigu des effets. Une
fois vidées les bouteilles, passées les bourrades et les rigolades, je sentis en moi un abattement lugubre et me dis que, bien évidemment,
mes amis avaient monté cette mystification non simplement comme
une farce et un bon tour (nous en inventions tous les jours) mais aussi
et surtout comme un avertissement à mon intention. A juste titre, ils
avaient voulu me donner une leçon et me faire comprendre qu'ils
trouvaient légère, méprisante et répréhensible mon habitude d'entreposer dans la turne des documents dont la découverte par la Gestapo
aurait pu déchaîner non seulement contre eux, mais contre l'Ecole
tout entière, de dures et peut-être même, pour certains, fatales représailles. D'autant plus que, par pure vanité, je ne leur cachais guère
avoir en ma possession ces pièces dangereuses ; et cette vantardise
soulève, encore aujourd'hui, en moi de fréquentes crises aiguës de
honte rétrospective. La correction avait été cinglante et j'en tins
compte. Je pris dès lors des précautions que mes chefs, à vrai dire,
auraient dû bien plus tôt d'eux-mêmes m'imposer.

IV

Ma distinction entre les « politiques » et les « purs » au sein de la Résistance ne comporte aucune condamnation des premiers, ni surtout ne suggère que les seconds fussent tous des ingénus. Auguste Anglès connaissait la politique française mieux que bien des professionnels, mais se souciait fort peu de devenir l'un d'eux. Ce virage, pourtant, lui eût été facile après la Libération, étant donné ses titres de grand résistant à y prétendre. Il se contenta d'assumer la charge de délégué régional à l'information, sorte de « ministère » dans le « gouvernement » local que fut le commissariat de la République de la région Rhône-Alpes, à Lyon. Et j'y fus même son épisodique « chef de cabinet ». A partir de ce tremplin, il aurait pu tenter de se lancer dans une carrière politique nationale à Paris avec le même empressement que mirent à le faire plusieurs de ses homologues des autres régions. Il s'en garda bien, car, une fois le nazisme vaincu, il ne désirait rien tant que retourner à ses recherches d'histoire et de critique littéraires, à la préparation de cette thèse de doctorat si originale, à l'époque, sur André Gide et le premier groupe de la *Nouvelle Revue française.* Elle reposait sur l'absorption d'une masse de sources et de documents, inédits ou non, si copieuse et éparpillée que le premier tome ne parut qu'en... 1978 ; et le second, en 1986, après la mort de mon ami. Plus l'objet de l'histoire est proche de l'historien dans le temps, plus abondent les traces écrites encore inexplorées et les témoins survivants pas encore interrogés ; plus, par conséquent, dure le travail de préparation. A partir de 1975-1980, on a vu le genre biographique, assez abandonné en France depuis la guerre, reconquérir le goût du public. Je contemplai alors non sans stupeur la bousculade dans les programmes des éditeurs, à côté d'ouvrages consciencieusement préparés et soigneusement écrits, d'une cohue bâclée de biographies de personnages amples et complexes, autant que l'étaient les connaissances nécessaires à leur compréhension. Ouvrages épais que d'invariables et infatigables plumitifs vomissaient à la cadence d'un tous les deux ou trois ans, et qui, s'ils avaient été sérieux, auraient requis des années de travail. J'entendais Auguste, dans les années cinquante, place Edmond-Rostand, face au Jardin du Luxembourg, chez le glacier Pons, où nous prenions souvent le thé les jours où il travaillait à la voisine Fondation Doucet, m'expliquer qu'il avait passé la journée entière à éplucher une vingtaine de lettres inédites échangées entre André Gide et Jean Schlumberger. Qu'en retirait-il ? Quelques fiches, qui lui fourniraient tout au plus la matière d'un demi-paragraphe de son livre. Etre « politique » ou non dans la Résistance tenait donc au tempérament. Le sien le poussait vers les lettres seules, malgré sa compétence et son jugement politiques fort sûrs, en particulier dans cette longue période propice aux entraînements irréfléchis que fut la guerre froide.

Cependant, prise dans son ensemble, la Résistance était politique dans un sens qui débordait la question de savoir lesquels de ses membres comptaient y asseoir pour plus tard une carrière dans les affaires publiques et au sein de quel parti politique. Quel sens ? Depuis toujours, dans tous les désastres qui ont manqué engloutir une civilisation, un continent, un pays, un genre d'institutions, les hommes se consolent en pensant que, du moins, dans le fond du gouffre, ils auront tiré les enseignements de leur malheur. Ils s'affranchiront à jamais, croient-ils, des fautes qui l'ont provoqué et bâtiront une société régénérée. Cet espoir de rebondir vers un monde amélioré suppose que les hommes sont capables d'extraire les leçons de leurs expériences. C'est presque toujours une illusion. Après 14-18, les Européens professèrent qu'au moins l'horreur du carnage conduirait à la suppression définitive de la guerre. Celle qu'ils venaient de vivre devait, de par son atrocité même, être la dernière, ils en étaient convaincus. Les perfidies de l'histoire ridiculisèrent cette naïveté.

Quant à la Résistance, elle fourmillait d'idées et de projets, en vue du renouveau de l'après-Libération. Aucun, bon ou mauvais, ne se réalisa. Les communistes entendaient staliniser tout le continent, mais sa partie occidentale leur échappa. Les socialistes voulaient aller « de la Résistance à la Révolution », (c'était la devise du quotidien *Combat*, dont Albert Camus fut, juste après la guerre, le principal éditorialiste) et ils n'allèrent que de la Résistance au scandale des vins du Midi et au trafic des piastres en Indochine. Le général de Gaulle tenait à une réforme des institutions qui arracherait la France aux « régime des partis » et au parlementarisme politicien. Il démissionna en janvier 1946 faute de pouvoir la faire adopter. Il n'y parviendra qu'en 1958, à la faveur, si j'ose dire, d'une autre crise, la guerre d'Algérie, qui n'avait rien à voir avec les enseignements de la défaite, non plus qu'avec ceux de la victoire. Elle provenait, au contraire, de ce que la France n'avait pas su les tirer en matière de décolonisation. Ainsi, personne n'a réussi à extraire du désastre de la Deuxième

Guerre mondiale la mirifique rénovation escomptée, qui devait constituer l'amer bénéfice de cette épreuve.

La même stérilité intellectuelle et pratique devait marquer, quarante ans plus tard, les réactions à la décomposition du communisme
en Europe. Non seulement peu de gens comprirent que la fin du
communisme comme système politique n'impliquait nullement la fin
des maux que le communisme avait infligés à la civilisation européenne. Pis : beaucoup se mirent à regretter la prétendue « stabilité »
que le communisme avait, selon eux, procurée à l'Europe et attribuèrent à son effondrement les guerres ethniques et les flambées
nationalistes qui se mirent à consumer les ruines de l'Empire. Elles
étaient au contraire imputables à la régression engendrée par sa tyrannie destructrice. Car ce n'est pas la chute du communisme qui a plongé
l'Europe dans le chaos, c'est son avènement. Pour revenir à l'après-
Libération et conclure par un propos qui tempère ce pessimisme, les
Européens ont pourtant tiré une leçon de leurs crimes contre eux-
mêmes : elle a nom Union européenne. Mais elle a été, depuis 1985,
tellement détournée de ses fins initiales, écartelée entre les intérêts
catégoriels et paralysée d'impuissance collective qu'on peut redouter,
en ce crépuscule du siècle, qu'elle ne s'étouffe elle-même. Pour tout
le reste, les rêves des résistants, ne fût-ce que parce qu'ils n'étaient
pas les mêmes chez tous les résistants, ne devinrent point ou devinrent
très peu les réalités de l'après-guerre.

V

Même dans les époques tragiques, la majeure partie de la vie est quotidienne, pour employer cet adjectif à la manière « renforcée » de Jules Laforgue, c'est-à-dire comme un attribut. *(Ah ! que la vie est quotidienne / Et du plus loin qu'on se souvienne / Comme on est piètre et sans génie.)* Montherlant raconte avoir trouvé dans un grenier un portrait de bon bourgeois daté de 1793. Ainsi, en pleine Terreur, un Parisien se faisait paisiblement portraiturer, afin d'orner son salon de son effigie pour son contentement et pour la joie de sa famille et de ses descendants. « Quel beau dimanche ! » s'écrie à Buchenwald, le jour du Seigneur d'un printemps de 1944, un compagnon de camp de Jorge Semprun, sur le même ton qu'il l'aurait dit, un matin de vacances, en temps de paix, à Questembert ou à Aurillac. On ne vit pas extraordinairement chaque instant d'une époque extraordinaire. La première préoccupation des Français pendant la guerre était ce pain qualifié lui aussi de quotidien. Ils usaient une part toujours grandissante de leur temps et d'une énergie déjà réduite par les privations à la recherche d'aliments, de vêtements, de tous les objets les plus humblement nécessaires à l'existence, une casserole, un morceau de tissu, du savon, une lame de rasoir. Les « restrictions », comme on disait, ont d'ailleurs duré pendant quatre ou cinq années encore après la guerre. En rentrant du Mexique via New York, à la fin de 1952, j'ai rapporté des Etats-Unis une cargaison de lames de rasoir, précisément. J'étais persuadé que le marché français manquait de lames de bonne qualité autant que lors de mon départ, en janvier 1950. Mon réflexe « soviétique », contracté sous l'Occupation, se révéla dépassé, car l'Europe, en moins de trois ans, avait fait irruption dans l'ère de la croissance et de la consommation. On pouvait acheter « sans ticket » à Paris ou à Florence les mêmes « Gillette » qu'à New York.

Pendant la guerre, la vie, c'était la survie, même quand aucun danger d'arrestation ou de persécution raciale ne vous menaçait. L'épuisement causé par cette chasse constante, en général peu fructueuse, faisait glisser les Français dans la même hébétude qu'ont vue, plus tard, les Occidentaux qui voyagèrent dans les pays communistes : cet abrutissement des foules et des queues rassemblées par la pénurie chronique.

Mais c'est aussi par ses bons côtés que la vie peut rester quotidienne dans les périodes exceptionnelles. Jamais, dans toute ma vie, je ne suis autant allé au théâtre que sous l'Occupation, moment où l'art dramatique se déploya dans les salles parisiennes avec une rare profusion, surtout aux yeux d'un jeune provincial qui n'avait jamais assisté à des représentations de qualité, sauf, en tout et pour tout, une fois, à Marseille, à celle de *L'Ecole des femmes*, dans la mise en scène de Louis Jouvet, et une seconde fois, à Lyon, à celle des *Caprices de Marianne*, dans la mise en scène de Gaston Baty. Avant et pendant la guerre, quasiment les seules occasions que l'on avait en province de voir du bon théâtre étaient fournies par les tournées fort peu fréquentes des compagnies parisiennes. Sans doute existait-il à Marseille une troupe dirigée par Louis Ducreux et appelée « Le rideau gris », mais elle n'avait pas de salle attitrée et ne donnait que de rares représentations. Combien fortunées sont les générations d'après-guerre, qui ont vécu l'essor des festivals et de la décentralisation théâtrale, quels que soient les défauts incontestables qui ont rendu parfois un peu ridicule cette politique culturelle, avec son côté sermonneur, « avant-garde bien pensante » et même son ennui vertueux, dans quelques cas du moins. Il fallait un robuste amour du théâtre, dans le Paris occupé, pour aider les spectateurs à endurer un froid glacial, dans des salles où le chauffage central s'était depuis longtemps éteint. Les acteurs aussi se gelaient. Charles Dullin, petit et chétif dans son habit noir d'Harpagon, et que deux camarades et moi étions allés remercier, à l'entracte, parce qu'il avait fait envoyer aux élèves de l'Ecole des billets gratuits pour *L'Avare*, battait la semelle dans la loge volumineuse et surchargée de Sarah Bernhardt, dont il avait alors repris le théâtre. Au lieu des précieuses paroles et des oracles définitifs sur l'art d'interpréter Molière que nous espérions voir tomber de sa bouche, il se borna, pendant toute l'entrevue, à répéter comme dans une litanie : « On a froid en scène, on a froid en scène, on a froid en scène. » C'est chez Dullin aussi que je vis la première pièce de Jean-Paul Sartre, *Les Mouches*. Je la jugeai comme une application lourdaude d'une recette favorite de Giraudoux : traiter dans un langage moderne, familier, voire argotique, des sujets classiques tirés de l'Antiquité grecque. Quant au prétendu contenu politique prêté aux *Mouches* après la Libération je puis jurer qu'aucun des spectateurs qui virent la pièce lors de sa création ne le remarqua. Nul ne perçut fût-ce le fantôme d'une allusion à l'actualité ou le balbutiement d'un sous-entendu qui pût renvoyer à l'occupation nazie, pourtant omniprésente, et jusque dans la salle. J'en demande pardon aux sartriens qui tentèrent plus tard avec un zèle mythomaniaque de faire passer *Les Mouches* pour une œuvre de combat et pour la contribution de Sartre à une Résistance à laquelle, en fait, il ne participa ni par ses écrits ni d'aucune autre manière. Sur le plan dramatique, *Les Mouches* n'annonçaient en rien l'originalité et le brillant que Sartre allait trouver peu après avec *Huis-Clos*. La pièce était médiocre. Ce fut d'ailleurs un four, puisque, comme me le dit Tran Duc Thao, avec qui j'étais allé assister à ce spectacle, « le public ne se trompe jamais », ce qui d'ailleurs est faux.

Thao ne poussait peut-être pas la haine ou l'indifférence pour le théâtre jusqu'à vociférer avec Nietzsche : « Quiconque de nos jours applaudit au théâtre en a honte le lendemain. » Mais je doute qu'il y soit allé souvent et je soupçonne qu'il ne se dérangea ce soir-là pour voir représenter *Les Mouches* que parce qu'il s'agissait d'une pièce écrite par un philosophe. Il existait bien une œuvre dramatique due à un autre philosophe, Gabriel Marcel, mais on ne la jouait jamais. En outre, Thao ne considérait pas Gabriel Marcel comme un vrai philosophe, quoique cet auteur contemporain connût alors dans les khâgnes une certaine vogue. Pour Thao, être philosophe constituait une propriété intrinsèque de l'esprit, que l'on possédait ou ne possédait pas, comme les dons musicaux, et qui pouvait être de haute ou de basse qualité, voire ne présupposait pas nécessairement l'intelligence. Comparant deux maîtres de grande réputation, l'un, Louis Lavelle, au Collège de France, l'autre, René Le Senne, à la Sorbonne, comme je l'interrogeais à leur sujet, il me répondit : « Lavelle est brillant, mais ce n'est pas un philosophe ; Le Senne est un mauvais philosophe, mais *c'est* un philosophe. »

Thao, que les normaliens avaient hissé au rang de demi-dieu de la pensée, comme ils firent vingt-cinq ans plus tard pour Althusser, était à coup sûr un pur philosophe, en ce sens qu'il ne se demandait jamais si une philosophie était vraie ou fausse. Eventuellement, elle pouvait être faible ou forte, ce dont il jugeait selon des critères strictement internes. Il l'étudiait comme un pur juriste examine une loi, sans se poser la question de savoir si elle est juste ou injuste, réaliste ou inapplicable, et uniquement pour parvenir à comprendre et à exposer aux autres avec toute la clarté possible la volonté exacte du législateur. La méthode de Thao reposait sur une honnêteté qui, dans ces limites, était totale. Il ne se permettait aucune fantaisie historique, aucune préciosité verbale, aucune tricherie intellectuelle qui auraient eu pour but de soi-disant « renouveler » ou annexer l'auteur qu'il commentait et de se faire valoir à ses dépens. Ce fut du moins sa vertu jusqu'à ce qu'il devînt marxiste, après la guerre, et que, poussé par sa légitime passion de patriote vietnamien, il se laissât dévoyer par le totalitarisme de Hô Chi Minh et fût contraint de transformer sa machine intellectuelle, avec tout le riche matériel et le vaste vocabulaire philosophique qu'elle charriait, en souillon au service de la pire propagande idéologique, et de plus, dans une de ses plus médiocres répliques provinciales.

Car cet esprit vigoureux, scrupuleux et ironique figure parmi les nombreux penseurs de ce siècle dont l'intelligence s'immola sur l'autel du communisme. Pendant l'année universitaire 1943-1944, bien avant que sa délectable dialectique, à la fois subtile et sensée, ne dégénérât en gaudriole concentrationnaire, ma curiosité de philosophe débutant m'amenait à lui rendre visite le plus souvent possible dans sa « mono-turne », c'est-à-dire l'une des rares turnes que quelques privilégiés, en raison de leur ancienneté, avaient le droit d'occuper seuls. Thao venait d'être reçu à l'agrégation, quand je le connus, et il profitait de l'année supplémentaire que l'Ecole, dans sa générosité, venait d'instituer pour permettre aux nouveaux agrégés de réfléchir à loisir à leur avenir et de travailler selon leur goût, après la fin de leurs études, avant d'assumer un enseignement ou ébaucher la préparation d'une thèse.

Fin avril 1993, je lus dans *Le Monde* le titre suivant : « Mort du philosophe marxiste Tran Duc Thao. » Suivait un article d'où il ressortait que Thao avait embrassé le communisme dès ses années d'Ecole normale et que, depuis son départ pour le Vietnam, en 1952, via Prague, Moscou et Pékin, jusqu'à son retour à Paris, à la fin des années 80, il avait connu le plein bonheur révolutionnaire d'un militant marxiste-léniniste hautement estimé et judicieusement utilisé en fonction de son talent par le Parti communiste vietnamien.

Cet article était faux sur au moins deux points précis et, plus encore, par sa coloration générale. Que Thao se soit rapproché des communistes à partir de 1945, dans le cadre de sa lutte pour l'indépendance de l'Indochine, et qu'ensuite, sur le plan philosophique, il ait adhéré au marxisme, c'est exact. Mais il est non moins indéniable que, pendant la guerre, à l'Ecole, il était indifférent au marxisme et à la politique. Il ne devait même pas connaître très bien Marx dont, en tout cas, il ne me parla jamais. Et il me fit part, une seule fois, de ses opinions sur le régime colonial en Indochine. Encore fut-ce seulement à la suite d'une question de ma part. Ses opinions me parurent à la fois naturelles et conventionnelles. Toutefois, ébahi par l'article du *Monde*, soucieux de confronter ma mémoire avec celle d'autres témoins, j'appelai Jean Deprun, de ma propre promotion, et Jean-Pierre Dannaud, de la promotion 1940. Tous deux philosophes, ils avaient avec assiduité fréquenté à l'Ecole Thao, dont le prestige faisait un oracle philosophique, et ils confirmèrent mes souvenirs. Quant au sort de Thao après son arrivée à Hanoï en 1952, l'article était encore plus mensonger, car il taisait que le plus clair des trois décennies passées par Thao dans le Vietnam communiste s'était déroulé dans des camps de rééducation ou sous le coup d'une assignation à résidence. Le penseur trop occidentalisé était vite tombé en disgrâce en raison de ce qui lui restait d'indépendance intellectuelle. En particulier, pour reprendre les termes d'une note biographique de Thao lui-même publiée par *Les Temps modernes* après sa mort, en novembre 1993, il avait, en 1956, « confondu la démocratie socialiste avec la démocratie bourgeoise, l'humanisme marxiste avec l'humanisme bourgeois ». La résonance même de cet acte d'accusation de soi-même évoque les pires inquisitions du totalitarisme idéologique et culturel qui asservissait et abêtissait, durant les années cinquante et soixante, même un pays libre comme la France, et, à plus forte raison, un pays stalinien comme le Nord-Vietnam.

Mais les lignes du *Monde* que j'avais sous les yeux me prouvaient que cette inquisition délirante ou, en tout cas, ses séquelles et les myriades d'esprits qu'elle avait mutilés n'avaient pas disparu en 1993 ni perdu leur capacité de nuire. Malgré tous les chants d'action de grâces dont, depuis l'effondrement de l'Empire soviétique, on nous berce sur les bienfaits de la résurrection d'une culture de la liberté et de la vérité, les leçons de l'immense égarement du xxᵉ siècle n'ont pas véritablement été tirées dans l'application quotidienne. Les habitudes de fraude méthodique persistent, et de manière d'autant plus insidieuse qu'elles se sont dès l'origine implantées dans des milieux et des publications non communistes, où elles éveillent moins de méfiance que lorsqu'elles s'enracinent au vu de tous dans le giron même du Parti et de ses organes officiels.

Irrité et découragé à la fois, j'eus une réaction chez moi très inhabituelle : je décrochai mon téléphone pour exposer mes objections étonnées au directeur de la rédaction du *Monde*, Bruno Frappat, avec qui j'avais des relations espacées mais cordiales. Il me répondit tout ignorer des sources de ce bref et péremptoire article, et ajouta que son auteur, un certain Kéchichian, allait sur sa recomandation me rappeler dans un instant. Quand je m'enquis auprès dudit Kéchichian de l'origine de ses informations, il me répondit avec une placide ingénuité qu'il s'était contenté de reprendre l'article paru le matin même dans *L'Humanité*. Du coup, je demeurai, je l'avoue, plus interdit qu'indigné. Je m'attendais à d'entortillées sinuosités jésuitiques, non pas à un aveu aussi carré de jobardise. Bruno Frappat venait de signer ou cosigner dans *Le Monde* une laborieuse dissertation en forme de sermon et de manifeste sur la déontologie journalistique. A quoi bon tant de longues et subtiles ratiocinations sur la morale de l'information et les devoirs des informateurs si c'était pour, sans désemparer et sans délai, folâtrer dans une faute professionnelle d'une grossièreté aussi primitive, presque candide. Sur une destinée ô combien controversée, reproduire servilement le papier de l'organe central du Parti communiste français ! C'est comme si, en 1950, pour se renseigner sur Trotski, on avait pris comme unique instrument de documentation *L'Encyclopédie soviétique*. Je n'en admirai que davantage l'aisance des journalistes d'une certaine école et d'une certaine bonne conscience à prendre, dans la pratique, le contrepied radical de l'éthique qu'ils professent en théorie, un peu comme les politiciens socialistes quand ils arrivent au pouvoir. *Libération* du lendemain dégoisa mot pour mot les mêmes balivernes. Le chouchou de l'intelligentsia française devait-il son inspiration à un emprunt au *Monde* ou, par pompage direct, à *L'Humanité* même ? Toujours est-il que ces prédicateurs de vertu déontologique s'étaient recopiés les uns les autres en s'abstenant de toute vérification. Quelques coups de téléphone auraient suffi. Un détail, par lui-même sans importance, mais révélateur de leur paresse, trahissait le démarquage : tous dataient de 1942 l'agrégation de Thao, alors qu'il y avait été reçu en 1943. Quand, dans les bibliographies de plusieurs « savants » ouvrages universitaires, un titre de livre est écorché partout de la même manière, c'est le symptôme que ces éminents chercheurs n'ont pas lu le tiers des auteurs qu'ils citent en référence et se sont limités à faire photocopier les annexes de leurs collègues. Ainsi, les trois journaux avouaient leur plagiat circulaire, en se refilant pieusement la même erreur de date, vénielle sans doute, mais qu'un rapide appel au secrétariat de l'Ecole ou à un ancien condisciple de Thao leur aurait permis de corriger sans fatigue. Indifférents à vérifier les faits sur un point neutre, comment s'en seraient-ils donné la peine sur des sujets bourrés de dynamite idéologique ?

La définition « philosophe marxiste » convenait aussi peu à la fin de la carrière de Thao qu'à son commencement. Car Thao ne mourut point marxiste. Renvoyé de Hanoï à Paris en tant que zombie propagandiste en septembre 1991, intellectuellement anéanti, il recouvra néanmoins, sur la fin, assez d'énergie pour libérer sinon pour reconstruire sa pensée. En février 1993, deux mois avant sa mort, il prononça une conférence au Cercle culturel vietnamien de la rue du Cardinal-Lemoine à trois minutes de chez moi. L'annonce en fut si discrète que je n'en sus rien. J'en dois la relation à un homme de grande culture, Hugues Ghérards, avec qui je m'étais lié d'amitié vers 1975. C'était alors encore presque un étudiant. J'avais même commencé avec lui une série d'entretiens autobiographiques, qui n'ont finalement pas abouti. Puis nous nous étions perdus de vue. Il savait mon intérêt pour Tran Duc Thao et il émergea du passé pour me rapporter dans une lettre cette ultime et pathétique conférence.

Comme je n'appartiens pas à la génération des écrivains et penseurs qui ont accédé à la « communication éditoriale » après 1970, je me contenterai de le citer, sans le piller, au lieu de le plagier sans le citer. La qualité, l'intensité, la densité de son bref récit perdraient à n'importe quelle paraphrase. Il est des cas où la bienséance littéraire commande que l'on se borne à ouvrir les guillemets : « Lu votre émouvante évocation de Tran Duc Thao dans le dernier numéro du *Point*[1]), je me permets de vous faire part d'un modeste témoignage personnel.

« Amoureux du Vietnam, de sa civilisation, de ses arts, de sa littéra-

---

1. Il s'agit du *Point* du 30 avril 1993.

ture, plein d'estime et de sympathie pour son peuple, par là même exécrant son régime, ne connaissant Tran Duc Thao que pour l'avoir vu cité dans des ouvrages et articles philosophiques, et par les pages que lui consacre Olivier Todd dans *Un fils rebelle* au chapitre « Vietnam », je me suis rendu, en février de cette année, à une conférence qu'il donnait au Cercle culturel du Vietnam de la rue du Cardinal-Lemoine, afin de voir et d'entendre cette figure ou ce monument historique. Nous étions cinq exactement, dont deux Français, l'autre étant un homme d'un certain âge, qui semblait connaître personnellement Thao. Celui-ci, avec humour, déclara que, si nous n'étions pas beaucoup, du moins était-ce un commencement certain d'existence, laquelle était préférable à l'inexistence. Et là-dessus, d'énoncer, commençant, deux ou trois propositions relativement simples d'aspect, théoriquement du moins, selon lesquelles toute la philosophie occidentale depuis l'Antiquité s'était fourvoyée dans sa saisie du social pour avoir perdu de vue le sujet, la conscience individuelle. Elle avait préparé ainsi les modernes despotismes, dont Marx était le plus regrettable théoricien. Pour Thao, c'en était fini du marxisme. Il fallait repartir sur de nouvelles bases, ce à quoi il s'attelait. Thao évoqua en passant, brièvement, ses entretiens batailleurs avec Sartre, fit allusion à des points husserliens qui pour partie m'échappèrent — mais surtout, impitoyablement, dans un sourire figé, réitéra à peu près à l'identique ses deux ou trois propositions plus de deux heures d'affilée. Au terme, quittant ce piétinement mécanique, il répondit à une question matérielle en quelques mots de vietnamien (courtement, par courtoisie pour les deux Français) et son visage durant ces quelques instants reprit une vie remarquable. Je sortis pour ma part consterné et accablé de la salle à un point que je ne saurais exprimer ; la fin de ma soirée en fut entièrement assombrie. Les communistes vietnamiens ont fait un travail solide.

« *Libération*, annonçant sa mort, le présente à son tour, après *Le Monde*, comme "philosophe marxiste" : j'imagine l'amertume qu'il en eût conçue. Citant ceci à une amie vietnamienne, enseignante de Hanoï en stage à Sèvres (née en 1962), elle m'a répondu qu'au Vietnam Thao était, à sa connaissance, considéré comme philosophe existentialiste ou phénoménologiste, ayant écrit des textes de propagande pour le Parti, mais non pas comme un marxiste. Il vivait maintenant, m'a-t-elle appris, rue Victor-Cousin. »

L'étroite rue Victor-Cousin longe la Sorbonne. C'est là que se trouve le petit hôtel où, avant de partir pour le Mexique, j'étais allé voir Thao. Il était vêtu de la même robe de chambre élimée au pelage jaunasse qu'il portait jadis en turne comme au réfectoire. Etait-ce à cette vieille adresse que, septuagénaire, il avait voulu revenir loger ? Lors de mon ultime et lointaine visite, des Vietnamiens poussaient sans arrêt la porte de la chambre et ressortaient. Thao échangeait avec eux quelques brèves paroles dans sa langue maternelle, que je ne l'avais jamais entendu parler auparavant, et pour cause, puisqu'elle n'était celle de personne d'autre que lui à l'Ecole. Puis il revenait à notre conversation en français. Conscient qu'il était du contraste entre le philosophe serein et solitaire de sa monoturne de naguère et le fébrile dirigeant des « Indochinois de France » qu'il était devenu, il me dit : « Tu vois, il y a une grande différence entre la pensée hors du monde et la pensée dans le monde. » Phrase de la langue philosophique s'il en fut, et qu'on peut traduire ainsi : « On a moins de tranquillité en organisant des réunions publiques et des manifestations de rue qu'en méditant sur Husserl à l'Ecole normale. » Cette phrase fut la dernière de notre dernier dialogue.

Olivier Todd raconte qu'en 1966, comme il devait se rendre en reportage au Vietnam, Jean-Paul Sartre lui remit, avant son départ, une lettre pour le Premier ministre Pham Van Dong. Dans cette lettre, Sartre priait Pham Van Dong d'autoriser Todd à rencontrer Thao, dont il désirait avoir des nouvelles sûres et dont on lui avait rapporté qu'il avait des « ennuis ». Voici, telle que la relate Todd en 1981 dans *Un fils rebelle*, comment se déroula sa « rencontre » avec Thao : « J'en suis certain, écrit-il, c'est en partie grâce à cette lettre que j'ai pu rester deux mois au Vietnam du Nord. A Hanoï, Pham Van Dong me demandera, presque chaque fois qu'il me recevra, des nouvelles "de la santé de Jean-Paul Sartre". Pham parlait plus facilement de Victor Hugo et de Zola que de l'œuvre de Sartre. Mais il mesurait l'influence de ce dernier. De mon côté, à chaque rencontre, je demanderai à voir Tran Duc Thao. Le Premier ministre, alors, prendra un air affairé, irrité :

— Où est-il ? Ah bon, qu'il vienne à Hanoï, alors !

ou :

— S'il ne peut pas faire le trajet à bicyclette, qu'il vienne en voiture !

ou :

— Je suis navré, cher ami, Tran Duc Thao n'a pu venir parce que le pont qu'il devait passer a été bombardé.

Je ne verrai jamais Tran Duc Thao. En 1972, au cours d'un voyage beaucoup plus tendu à Hanoï, on évitera encore plus brutalement mes questions à son sujet. »

Thao ramasse dans sa destinée les absurdités contradictoires du XXᵉ siècle. Colonisé, il accède, grâce à des bourses, à la plus haute culture du colonisateur, au lycée français de Hanoï d'abord, aux lycées Louis-le-Grand et Henri-IV à Paris ensuite, rue d'Ulm enfin, où il est reçu premier à l'agrégation de philosophie. Désireux de conquérir la liberté pour son peuple et pour lui-même, il fut, avec tous les Vietnamiens, réduit en esclavage. Son autonomie même de chercheur et de penseur lui fut arrachée. Le Parti communiste vietnamien le contraignit à récrire son mémoire de diplôme d'études supérieures, *La Méthode phénoménologique chez Husserl*. Il lui enjoignit de prouver que Husserl conduisait à Marx, ânerie dont seul Hô Chi Minh était capable, de même que le sinistre Nguyen Khac Vien, conseiller public en meurtres d'esprits, à l'occasion en meurtres tout court, et auquel l'Académie française crut devoir décerner en 1992 son prix de la Francophonie ! Comme je l'écrivis, peu après ce haut fait, au secrétaire perpétuel de l'Académie, Maurice Druon, pourquoi dès lors à titre posthume ne pas décerner ce prix à Klaus Barbie, le regretté ex-chef de la Gestapo de Lyon, l'assassin de Marc Bloch, de Jean Moulin, d'enfants juifs ? Lui aussi, après tout, parlait fort joliment le français ? Druon me répondit que seule une cabale d'exilés vietnamiens « d'extrême droite » avaient pu protester contre le prix attribué à un tel ami de la France. Il se trouvait donc encore, en 1992, en France, comme dans les pires années de la terreur intellectuelle stalinienne, des gens pour rejeter dans « l'extrême droite » des opposants à un régime totalitaire sous prétexte que celui-ci se disait de gauche !

En 1943, j'avais lu en manuscrit le mémoire de diplôme de Thao. Quand je rentrai du Mexique à la fin de 1952, j'appris que ce mémoire avait été publié l'année précédente sous le titre, fort alarmant déjà par lui-même, de *Phénoménologie et matérialisme dialectique*, par de curieuses « Editions Minh-Tan », rue Guénégaud, où je me précipitai pour l'acheter. Quelle déconvenue ! Sous le bitume marxiste, rien n'avait survécu de la cristalline limpidité de l'argumentation, de l'élégante solidité du style, de la rigoureuse probité de l'analyse historique, toutes qualités qui, à la lecture de la première version, écrite en 1941-1942, m'avaient donné un si haut sentiment de sécurité intellectuelle et un si vif plaisir logique. Contraint de charger sur ses épaules le poids accablant du matérialisme dialectique, Thao était devenu à la fois précieux et plat, compliqué et simpliste, pesant et superficiel, pointilleux et inexact. Confirmant le témoignage de Hugues Gérhards, un Vietnamien de Paris, M. Ngo Manh Lan, qui avait été le plus proche ami de Tran Duc Thao depuis le retour de celui-ci en France, m'écrivit lui aussi : « Les tout derniers échanges de vues que j'avais eus avec Thao montraient qu'il rejetait Marx et le marxisme dans leurs fondements mêmes, et qu'il faisait remonter les erreurs de Marx à Hegel, dont il mettait en cause la dialectique de la logique. Il était revenu à la phénoménologie et à l'humanisme de la *Krisis*[1] et travaillait d'arrache-pied à développer le concept husserlien de Présent vivant. Ses quarante ans de vie au Vietnam l'ont laminé physiquement et moralement. »

---

1. *Krisis*, ouvrage de Husserl dont je rappelle le titre complet : *Die Krisis der Europäischen Wissenschaften und die Transzendentale Phänomenologie* (La crise des sciences européennes et la phénoménologie transcendantale).

J'ai raconté l'histoire de Thao, parce qu'elle montre, parmi des centaines d'autres, que même les intellectuels les plus originaux, les moins
opportunistes, les plus vigilants perdent parfois la force qui leur serait
nécessaire pour résister à d'excessives pressions despotiques. Joseph
Rovan, l'historien et politologue, né Allemand et juif, en 1918, devenu
Français quand ses parents eurent émigré, après la consolidation du
nazisme, converti au catholicisme, entré dans la Résistance française
en 1940, déporté à Dachau en 1944, fit cette observation, qui me
frappa beaucoup, dans les quelques mots qu'il adressa aux amis qui
s'étaient réunis autour de lui pour fêter ses soixante-quinze ans : « J'ai
eu deux chances dans ma vie, dit Joseph. D'abord, si je n'avais pas
été juif et si ma famille était donc restée en Allemagne, j'aurais sans
doute été enclin à entrer dans les Jeunesses hitlériennes. Elles paraissaient si exaltantes, au début ! Ensuite, si je n'avais pas été à Dachau
jusqu'à l'été 1945, et si j'avais passé à Paris l'année qui a suivi la
Libération, d'août 1944 à août 1945, sans doute eussé-je été enclin à
entrer au Parti communiste. Son influence était si envoûtante, juste
après la guerre ! » L'humilité de cette confession doit inciter à plus
de modestie pour eux-mêmes et à plus d'indulgence pour autrui les
intellectuels de ce siècle dépravé.

Dans le Livre premier de ces souvenirs, j'ai exposé comment, d'un
certain point de vue, certaines de mes sottises m'ont épargné peut-
être des sottises pires, en me soustrayant, comme Rovan, un peu par
accident, aux conditions où j'eusse été enclin à les commettre. Mais,
d'un autre point de vue, je le répète, je ne puis nier la présence depuis
toujours en moi d'un ressort apparemment autonome qui résiste avec
opiniâtreté à toute espèce de contrainte et me rend récalcitrant,
malgré moi ou presque, à toute forme d'imitation ou d'intimidation.
Nature ou culture ? Hasard ou nécessité ? Volonté ou veine ? Bon
jugement ou mauvais caractère ?

Ce qu'on nomme culture consiste, pour une partie des intellectuels,
à persécuter l'autre partie. Dans les sociétés totalitaires, cette persécution est institutionnalisée, elle fait corps avec l'Etat. Dans les sociétés
ouvertes, si elle est diffuse, elle n'est pas pour autant absente. Les
intellectuels s'y organisent fort adroitement pour reconstituer l'ostracisme. Le « politiquement correct » qui a sévi aux Etats-Unis à partir
du milieu des années quatre-vingt en est un effroyable échantillon.
Cette propension des clercs à inculper d'autres clercs peut atteindre à
des extrêmes burlesques, telle cette mésaventure « littéraire » que
m'avait contée Francis Ponge.

Après la Libération, Pierre Courtade, on l'a vu, avait pris, ou plutôt
reçu, la rédaction en chef de l'hebdomadaire politique et culturel
Action. A ses débuts, quoique communiste, ce journal pratiquait une
relative tolérance et s'ouvrait à des collaborateurs de la gauche non
communiste. C'était, il est vrai, pendant la période dite d'Union natio-

nale où, en France comme en Italie, les communistes participaient à des gouvernements « bourgeois » et « tendaient la main » aux intellectuels de tous bords, sauf les ex-collabos, bien entendu, du moins officiellement. Cette modération devait prendre fin avec le retour de Staline à la stratégie révolutionnaire, « classe contre classe », en 1947. J'allais parfois bavarder avec Courtade, dans son bureau d'*Action* et, d'autre part, mon ami René Schérer, qui avait un goût très vif pour la peinture et la commentait fort bien, avait placé dans ce journal un article sur Jean Dubuffet, alors tout juste révélé. Beau succès, et belle preuve de discernement pour un débutant, encore étudiant. Et preuve que la tyrannie abêtissante du « réalisme socialiste » n'avait pas encore entièrement stérilisé la critique d'art dans la presse communiste.

Le rédacteur en chef des pages littéraires et artistiques d'*Action*, celui à qui René Schérer avait eu affaire au moment de son article et que, emboîtant le pas à mon ami, j'étais allé voir, moi aussi, par curiosité et pour le plaisir, était Francis Ponge, qui mettait alors à être communiste le même inflexible entêtement qu'il déploierait dix ans plus tard à épouser la conviction royaliste. Le poète du *Parti pris des choses* tirait son inspiration, comme on le sait et comme l'indique de reste le titre de son recueil, des seuls objets inanimés, des minéraux ou, à titre exceptionnel, des végétaux, à condition qu'ils fussent déjà morts. Par exemple il avait chanté avec enthousiasme un tronc d'arbre déjà débité en billots. Or le préposé à la culture du Bureau politique du PC, s'étant ému de cette indifférence à l'humain, au social et à l'histoire, fit notifier à Ponge que son devoir de poète communiste lui imposait de répondre à l'attente des masses en célébrant davantage l'homme, « le capital le plus précieux », selon la sublime expression du génial Joseph Staline. Ponge répondit que, conscient des actuelles limites de sa lyre, il ne se sentait pas encore assez mûr pour aborder ce niveau élevé de la lutte révolutionnaire. Du moins, il le jurait, allait-il tenter de gravir un ou deux échelons vers ce sommet pour se rapprocher de l'idéal en composant des poèmes sur des objets, toujours, certes, mais des objets fabriqués et utilisés par l'homme. Après de laborieuses méditations et d'épuisants efforts en vue d'insérer son art dans le voisinage de l'humain, Ponge parvint à obtempérer et finit par se fendre d'un poème sur... le savon.

VI

Quand je lis les livres d'histoire ou de souvenirs consacrés à la période que j'ai vécue, aux milieux dont j'ai fait partie, aux gens que j'ai connus, je suis chaque fois ébahi des erreurs et omissions, volontaires et involontaires, que commettent leurs auteurs. Mauvaise mémoire ou mauvaise foi, le résultat n'en est pas moins la déformation grossière ou l'inexactitude fâcheuse, ou encore l'inaptitude à rendre la vérité d'un climat moral, d'un état d'esprit. Je n'irai pas prétendre que ces péchés contre l'histoire sont commis par tous les témoins. Mais qu'ils le soient par nombre d'entre eux suffit à introduire par avance le ver dans le fruit des historiens futurs dès la formation de la graine..

Défaillance de la mémoire ou ressentiment à mon égard, j'eus, en 1993, l'exemple d'une erreur qui, sans importance par elle-même, en eut pour moi d'un point de vue affectif, et qui était par moi aisément réfutable, puisqu'elle me concernait. Je reçus, fin mai, un paquet qu'accompagnait la lettre suivante de Madame Pierre Grappin : « Cher Monsieur, sachant que vous avez bien connu mon mari — actuellement souffrant — je me permets de vous adresser un exemplaire de son livre de souvenirs, *L'Ile aux peupliers*, qui, je l'espère, vous intéressera. Je me tiens à votre disposition pour répondre à vos éventuelles questions. Je serai très heureuse d'avoir votre avis sur cet ouvrage. »

Nul critique littéraire ou éditorialiste ne l'ignore : le désir de « recueillir son avis » ou de « s'entretenir avec lui » sur un ouvrage, ces formules, sous-entendent le vœu d'obtenir un compte rendu. Pourquoi d'ailleurs ne l'aurais-je pas écrit sur le livre de mon vieux chef ? Je m'immergeai donc aussitôt dans la lecture de cette *Ile aux peupliers ; De la Résistance à Mai 68 ; Souvenirs du doyen de Nanterre*, édité par les Presses Universitaires de Nancy, ville où Grappin avait enseigné après son calvaire de Mai 68. A mesure que j'avançais à travers les pages consacrées à la Résistance, ma stupeur grandissait : Pierre ne faisait pas la moindre mention de mon rôle auprès de lui. Or il ne l'avait pas oublié, puisque, et assez récemment encore, chaque fois qu'il en avait été besoin, il avait toujours donné à ceux qui les lui avaient demandés tous les renseignements et attestations sur mes activités en 1943 et 1944 : mon pseudonyme, mes missions de liaison entre Anglès et lui, etc. Et quand Nicole Grappin commençait sa lettre par ces mots : « Sachant que vous avez bien connu mon mari... », elle savait qu'elle ne pouvait faire allusion qu'à la Résistance, puisque je n'avais jamais revu Pierre après la guerre, sauf une fois, par hasard, à un dîner chez l'historien Charles Morazé, auquel il assistait avec sa femme, vers la fin des années cinquante. Dîner que Mme Grappin avait d'ailleurs oublié, puisqu'elle ajoutait, plus loin dans sa lettre : « Je serais heureuse de faire votre connaissance. »

Pierre m'en voulait-il encore de cette nasarde sur les désordres picaresques de la Résistance, *Les Difficultés artificielles,* courte nouvelle parue dans la revue *Confluences* en 1945, et qui l'avait blessé, quoiqu'elle eût beaucoup amusé Courtade et Anglès ? Durant ce dîner chez les Morazé, dix ou quinze ans plus tard, je lui dis en aparté combien je regrettais de lui avoir fait alors de la peine, mais il s'esclaffa et me rassura en ajoutant : « C'est de l'histoire ancienne. » Ou bien peut-être me gardait-il rancune de lui avoir, en mai 1944, dit mon intention de quitter son réseau pour rejoindre les maquis des FTP ? Je finissais en effet par trouver monotone mon métier de coursier dans Paris. C'est pourtant Pierre lui-même qui m'arrangea un rendez-vous, dans les jardins du Luxembourg, avec un sergent-recruteur des FTP, lequel se révéla plus tard avoir été Jacques-Francis Rolland, dont il a déjà été question plus haut, et qui devint le modèle du personnage de Rodrigue dans le roman de Roger Vailland intitulé *Drôle de jeu.* Grappin avait-il ressenti ma « demande de mutation » comme un acte d'infidélité à son égard ? A coup sûr, malgré une estime que je crois avoir été réciproque, jamais ne naquirent entre nous les liens affectueux, chaleureux qui s'établirent entre Anglès et moi dès l'origine de notre amitié et qui se maintinrent jusqu'à sa mort. Mais ce n'était pas une raison pour, dans ses souvenirs, amputer mon histoire personnelle d'une année presque entière de rendez-vous presque quotidiens avec lui, ces dix mois où j'avais occupé une place, subalterne sans doute, mais réelle, dans son réseau, et où je le précédais souvent en éclaireur dans les appartements réputés dangereux, c'est-à-dire supposés peut-être sous surveillance. Omission d'autant plus bizarre que mon nom figure dans *L'Ile aux peupliers,* mais là où il n'avait rien à faire. L'auteur en est à l'année 1941 dans son récit. Il écrit : « Peu après, j'allais quitter la solitude de Briançon pour prendre mon nouveau poste à Lyon, au lycée du Parc, que j'ai rejoint au milieu de janvier. J'y ai retrouvé la salle de cours où, de 1934 à 1936, j'avais été élève de khâgne et où j'allais avoir devant moi d'autres khâgneux, mes cadets de six ou sept ans.(...) Plusieurs de mes auditeurs de cette époque sont d'ailleurs devenus mes collègues.(...) Parmi les élèves "non spécia-listes", il y en avait aussi qui ne se montraient pas moins intéressés : Jean-Marie Domenach, que j'allais rencontrer souvent plus tard, dans diverses réunions, par exemple du groupe *Esprit*, ou le futur essayiste Jean-François Revel, qui ne portait pas encore à l'époque le nom qu'il a rendu célèbre. »

Or, ma présence aux cours d'allemand de Pierre Grappin, à cette date, de janvier à juillet 1941, était une impossibilité matérielle. Je suis arrivé à Lyon, pour entrer en hypokhâgne, en octobre 1941. Le professeur d'allemand de la khâgne et de l'hypokhâgne alors en fonc-tion se nommait Jean-Paul de Dadelsen, poète qui fut aussi, après la Libération, éditorialiste à *Combat* et conseiller de Jean Monnet. Pierre avait quitté le lycée du Parc quand j'y arrivai. J'ignorais jusqu'à son existence. Je fis sa connaissance, comme je l'ai raconté, à la Fon-dation Thiers en octobre 1943. Intrigué par cette erreur et cette omis-sion étranges, je tentai à plusieurs reprises en 1993 de joindre Pierre Grappin par téléphone. En vain. Il ne me rappela jamais. J'eus l'expli-cation de ce silence : la maladie à laquelle faisait allusion sa femme dans sa lettre, quand elle me disait « mon mari est souffrant », était la maladie d'Alzheimer. J'aurais souhaité que le pauvre terminât ses souvenirs avant de perdre tout à fait la mémoire.

Ainsi s'écrit souvent l'histoire, fût-elle petite. Et surtout, je dirai, ainsi s'est écrite l'histoire de la Résistance, dont bien des dessous, que l'on a dissimulés, sont ignorés de la postérité et sans doute, désormais et à tout jamais, le resteront.

LIVRE QUATRIÈME

DANS LA RÉPUBLIQUE DE RHÔNE-ALPES

I

Vers 1955, Pierre Soulages et Alberto Giacometti sortaient d'une boîte de nuit, à Montparnasse. Ils avaient discuté jusqu'au matin. Quand ils se trouvèrent sur le trottoir, le jour était déjà levé et, m'a raconté Soulages, Giacometti s'écria : « Merde ! on a raté l'aube... »

Ainsi ai-je raté l'aube du 6 juin 1944, car, ce même jour, la nouvelle de l'arrestation de Grappin et d'une partie du réseau gâcha pour moi celle du débarquement allié en Normandie. J'ignorais encore le grand événement lorsque, très tôt, exécutant des consignes de la veille, j'étais allé appeler un « contact » à partir du téléphone de l'infirmerie. Cette petite maison, située au fond des jardins de l'Ecole avait, au XIXe siècle, servi un moment de laboratoire à Louis Pasteur. Je suppo-sais ce poste téléphonique moins certainement surveillé que le taxiphone, situé dans l'entrée principale de l'Ecole, l'« Aquarium », d'où les élèves passaient d'ordinaire leurs coups de fil. Le « contact », avec une éloquente concision me susurra : « Y a eu un malheur, file tout de suite. » Et il raccrocha. Cette fois, ça n'avait pas l'air d'être un canular. Quand je me retournai, effaré et sonné, je me retrouvai nez-à-nez avec l'obligeant infirmier, et je l'entendis, à travers le capitonnage d'hébétude qui m'avait soudain enveloppé, me lancer cette exclama-tion pour moi abracadabrante : « Alors, ça y est, ils ont débarqué ! » Interloqué, je crus d'abord qu'il parlait de la descente de police dont mes amis venaient d'être victimes et, stupide, lui demandai : « Com-ment le savez-vous ? » — « Ils l'ont annoncé ce matin à la radio, me répondit-il. » Ce qui accrut fort ma berlue. Je compris enfin de quoi il parlait lorsqu'il ajouta : « Ça s'est passé sur les plages proches de Caen et de Bayeux. » Il dut me croire proallemand, car je ne manifes-tai qu'une joie bien tiède, tant mon visage inexpressif était figé par l'accablement et par la question qui absorbait toutes mes facultés : « Est-il prudent que je remonte au dortoir ramasser ma valise et quelques affaires ou dois-je me diriger de ce pas, cru et nu, vers la sortie ? »

Je me résolus à bondir dans les étages pour y prendre mes vêtements. Cette décision me fut dictée en une seconde par une préoccupation précise : éviter dans l'immédiat de revoir mon père. En effet, j'avais l'intention de quitter Paris pour rejoindre ma base à Lyon et tenter d'y retrouver mon cher « Duperrier » : Auguste Anglès. Mais, si je n'avais eu ni linge ni hardes, il m'eût fallu au préalable passer en prendre à Marseille, chez mes parents. Depuis la fin de 1940, textiles et chaussures étaient rationnés, et il n'était plus question d'entrer simplement dans un magasin acheter de quoi s'habiller. D'abord, vu l'état de délabrement des voies ferrées, coupées un peu partout par les bombardements alliés et le travail de sabotage au sol de la Résistance, je doutais fort de pouvoir même atteindre Marseille et revenir à Lyon dans un délai prévisible. Déjà, parvenir jusqu'à Lyon serait laborieux. Les trains partaient sans horaire précis, s'arrêtaient tous les cinquante kilomètres en rase campagne, parfois pendant des heures, parvenaient peu ou très tard à leur destination. Ensuite, ma répugnance à retrouver La Pinède, fût-ce pour un jour, tenait à la dégradation irrémédiable de mes relations avec mon père, dont les opinions et les engagements collaborationnistes avaient engendré entre nous un désaccord rapidement aigri jusqu'à l'antagonisme agressif, à l'hostilité ouverte, à l'impossibilité de nous parler avec calme et de nous supporter l'un l'autre. Je ne me souciais guère de replonger dans ce cauchemar familial, où nos éclats de voix étaient ponctués des sanglots de ma mère et des onomatopées ironiques de mon jeune frère Michel, de deux ans seulement mon cadet, mais qui resta longtemps plus gamin et espiègle que ne le comportait son âge : « Bla-bla-bla, clic-clac, cocorico, coin-coin, cui-cui, guilli-guilli, patati-patata, et caetera et caetera », crépitait-il en bruit de fond. Déjà, même pour les vacances de Noël de 1943, j'avais préféré rester à l'Ecole, au désespoir maternel. Je redoutais encore davantage un séjour à La Pinède en juin 1944, cette période de tous les dénouements où approchaient la défaite allemande, l'écroulement du régime de Vichy et une épreuve affective que j'appréhendais comme très probable : l'épuration de mon père. Ayant péché en paroles et en défilés maréchalistes mais non en actes criminels, il lui aurait suffi de s'absenter de Marseille et d'aller passer, par exemple, trois mois chez ma grand-mère, dans le Jura, pour échapper aux « ennuis » locaux qui l'attendaient selon toute vraisemblance durant les semaines de radicalisation qui suivaient la Libération. Mais je savais inutile de lui donner le moindre conseil. Depuis le début de nos divergences, il déniait toute valeur à mes opinions, et les attribuait à des « influences néfastes ».

Avec en tête Lyon comme objectif, je passai donc en coup de vent au dortoir sans encombre et me retrouvai l'instant d'après arpentant, valise en main, le Quartier latin. Toutefois, avant d'aller Gare de Lyon inspecter comment se présentait la situation ferroviaire, avec toute la circonspection requise, car les gares et leurs alentours comportaient de fréquents dangers de rafles et de contrôle de papiers, je devais encore remplir une formalité universitaire. Ce même 6 juin 1944, en effet, j'étais convoqué à la Sorbonne pour y passer l'oral du certificat de licence dit de philosophie générale. C'était le dernier des trois certificats de licence que j'avais à obtenir au terme de ma première année rue d'Ulm.

La direction et l'administration de l'Ecole, depuis une réforme des règlements adoptée au début du siècle, toléraient une liberté frisant l'anarchie. Un élève pouvait, dans ce prétendu internat, découcher à sa guise, disparaître pendant des semaines, sans que les autorités, si on pouvait encore les appeler de ce nom, lui en fissent le moindre reproche. Personne en haut lieu, même, ne le remarquait. Le seul chapitre sur lequel la direction demeurait inflexible, c'était celui des résultats universitaires : il nous fallait présenter des examens en fin d'année et les réussir. En cas de défaillances répétées, nous nous exposions au renvoi. Auguste Anglès m'avait prévenu, lorsqu'il m'avait recruté : « Débrouille-toi pour réussir tes certifs en fin d'année. Je ne veux pas avoir sur la conscience le naufrage de tes études. » Docile, je me gardai de « sécher » l'examen, quitte à partir plus tard. Je confiai ce matin-là mon baluchon au café Capoulade, dont j'étais un habitué, lieu historique, à l'angle de la rue Soufflot et du Boul' Mich' (là où se trouve, depuis 1980 ou 1985, un fast-food répondant au nom de « Quick ») et gagnai la Sorbonne.

L'examinateur face auquel je m'assis une demi-heure plus tard, le professeur Etienne Souriau, bel homme au noble visage d'empereur romain, connu pour ses ouvrages d'esthétique, me dévisagea du regard empreint de bienveillance qu'il réservait à tous les normaliens, puis articula d'une voix grave et bien timbrée de baryton-basse la question sur laquelle il m'invitait à faire la preuve de mon savoir et de mon savoir-faire. Elle était ainsi conçue : « La matière est-elle capable de penser ? »

J'eus beaucoup de mal à réprimer un fou rire et aucun à ressentir ce que Bertolt Brecht appelle « effet d'étrangeté » ou « distanciation ». A l'heure où nous parlions, Alliés et Allemands étaient en train de s'entretuer sur les plages de Ouistreham et d'Arromanches, dans une bataille dont dépendait notre salut ; Grappin et d'autres amis étaient en train de subir l'interrogatoire de la Gestapo ; j'entendais au loin le bruit de bombes qui tombaient, probablement sur Villeneuve-Saint-Georges, nœud ferroviaire que la Royal Air Force redétruisait à peu près tous les trois jours (ce qui achevait de compromettre mon départ rapide pour Lyon). Et, en ces temps de tribulations et d'angoisse, on me demandait si la matière était capable de penser ! Je sus imposer silence à mon hilarité et, convoquant toutes les ressources de ma virtuosité verbale et conceptuelle, j'improvisai avec frénésie un soliloque où s'étripaient Hegel, Démocrite, Helvétius, Spinoza, Engels,

Empédocle et... Souriau. Car l'objectivité historique commandait, dans un examen ou un concours, de ne jamais omettre de mentionner l'apport à la philosophie universelle du maître qui vous interrogeait. Simple coïncidence... A l'audition de mon pot-pourri burlesque, les traits de mon vis-à-vis, je dois cet hommage à sa modestie, exprimaient l'approbation avant même que j'eusse cité au hasard un de ses livres, *L'Instauration philosophique*, que je n'avais d'ailleurs pas lu. Dans les heures qui suivirent ma conclusion, je ramassai successivement une bonne note, une mention flatteuse et ma valise chez Capoulade.

II

La lenteur du train censé m'emmener à Lyon m'octroya tout le loisir de réfléchir à ma brouille avec mon père. Ce qui nous opposait se définissait d'ailleurs moins comme une brouille aiguë que comme une incompatibilité chronique. C'était une incapacité de conserver notre calme en discutant l'un avec l'autre, une identique rigidité de caractère qui nous rendait à l'un et à l'autre insupportable l'expression d'un point de vue différent du nôtre et nous le faisait rejeter avec irritation et mépris. Jamais n'intervint entre nous de rupture consommée. C'était suite continue de désaccords. Nous nous exaspérions mutuellement à tel point que je me mis à fuir de plus en plus les occasions de rencontre. En arriver là vis-à-vis de mon propre père, à vingt ans, m'éprouva moins qu'il n'eût été naturel, parce que j'étais convaincu que l'avenir rassérénerait nos relations et laisserait libre à nouveau de percer l'affection qui persistait sous l'antagonisme des tempéraments.

J'en conviens : ma mésentente avec mon père débordait les limites de la banale divergence politique, comme toutes les dissensions qui, sous l'Occupation, séparaient sans nuance possible les partisans de la Résistance et ceux de la Collaboration. L'enjeu était infini, sans comparaison plus vital que ne l'est, dans une démocratie indépendante, celui des rivalités normales entre partis opposés. La France n'avait ni la démocratie ni l'indépendance. Mais, même lorsqu'elle les eut reconquises, la tolérance n'y devint pas maîtresse des esprits pour autant. Il existe jusqu'à une façon intolérante de défendre la tolérance, dans les relations politiques et culturelles modernes, comme il a existé, dans la civilisation religieuse du passé, une manière sainte d'envoyer des hommes au bûcher par charité chrétienne et par amour du prochain. L'infamie que nous attachons à tout individu d'un parti hostile au nôtre, notre besoin de lui imputer une vilenie morale et de l'éliminer continuent, pour la plupart d'entre nous, en pleine ère « pluraliste » et en toute fraternité républicaine, d'aller de soi.

Bien entendu, sous l'Occupation, rien ne justifiait une tolérance

quelconque, sinon humaine et personnelle, vis-à-vis des collaborateurs. Ils ne constituaient pas un parti politique parmi d'autres,
puisque la démocratie avait disparu. Ils sacrifiaient la liberté civile au
totalitarisme et l'indépendance nationale aux intérêts d'une puissance
étrangère. Est-ce à cause de l'Occupation que nous avons gardé ce pli
d'accuser de trahison nos adversaires politiques, bien après la récupération de la souveraineté, le rétablissement des règles constitutionnelles démocratiques et le retour de la liberté d'opinion, contexte
d'ensemble auquel cette notion de trahison devenait au plus haut
point inadéquate ? En 1981, après la victoire électorale en France de
François Mitterrand et de la gauche, un ministre socialiste compara
cet événement à la Libération de 1944 et il assimila le septennat précédent, celui du président Giscard d'Estaing, au régime de Vichy. A l'en
croire, Giscard ne devait donc pas sa présidence à un succès dans un
scrutin démocratique. Les Assemblées nationales, celle de 1973 et
celle de 1978, ne sortaient pas non plus selon lui des urnes. Selon
sa construction délirante, pendant ces années soixante-dix une armée
ennemie avait, apparemment, occupé le territoire national et les socialistes l'en avaient chassée en juin 1981 !

En ce même mois de juin 1981, précisément, j'eus recours, pour un
service de caractère privé, à Paul Guimard, qui appartenait depuis
longtemps au cercle des intimes de Mitterrand et, de ce fait, venait,
par le bon plaisir du nouveau prince, de se voir catapulté à l'Elysée
avec le titre de « chargé de mission au secrétariat général de la Présidence de la République ». Je désirais faire admettre mon plus jeune
fils, Nicolas, en seconde au lycée Henri-IV. D'abord, à cause de l'excellence de cet établissement, et aussi parce que « Henri IV » se trouvait à quelques minutes à pied de notre domicile. Il n'y avait qu'un
pont sur la Seine à traverser. Mais voilà ! Malgré cette proximité, nous
nous trouvions dans le IVe arrondissement de Paris et le lycée
convoité dans le Ve. Or le ministère avait, après 1968, confectionné
un monstre administratif appelé « carte scolaire », qui interdisait aux
parents d'inscrire leurs enfants dans des collèges ou lycées autres que
ceux de leur quartier. On avait constaté, en effet, dans toute la France,
comme on l'avait constaté partout depuis la création du monde, que
les établissements les plus réputés attiraient des élèves qui résidaient
souvent fort loin de leur emplacement, ce qui ne pouvait scandaliser
que des idéologues égalitaristes. D'autres lycées, moins bons, ne se
remplissaient qu'à grand-peine. Mais, selon la nouvelle doctrine, tous
les lycées, tous les professeurs et tous les élèves étaient identiques, en
intelligence, en talent, en curiosité d'esprit et en capacité de travail. Il
fallut en conséquence, par la contrainte et au nom de la liberté,
dépouiller les parents de la faculté de choisir le lieu d'éducation de
leurs enfants. Il va de soi que la plus nauséabonde hypocrisie permettait en sous-main de violer la « carte scolaire » aux familles pourvues

d'un bon piston. C'est ce que me rappela sans circonlocution le censeur de Henri-IV, au cours d'une visite pendant laquelle je lui donnai du « mon cher collègue » tous les six mots, en lui soumettant le dossier scolaire de Nicolas, un bon dossier, digne de la maison. « Fort bien, parfait, de premier ordre, martela-t-il. Mais cela n'a rien à voir avec le problème. Seule, seule une intervention *politique* peut nous apporter la solution. Vous devez très bien connaître Monsieur Régis Debray ? » Car Debray venait, lui aussi, d'accéder à la place de « chargé de mission pour le tiers monde au secrétariat général de la Présidence de la République ». *Sancta simplicitas !* Le censeur s'imaginait que tous les hommes de lettres s'aimaient entre eux ! Je me remémorai *in petto* l'apophtegme de l'humoriste américain Billy Rose : « J'aime mes ennemis mais eux ne m'aiment pas tous. » (« *I love my enemies but they don't all love me.* ») Ma mine soudainement abattue fit comprendre au « cher collègue » que je nourrissais peu d'espoir de pouvoir frapper avec succès à cette porte. C'est alors que, dans un sursaut de lucidité, je m'avisai que Paul Guimard aussi s'était mué en « politique », et haut placé !

J'avais rencontré Paul vers 1958 ou 1959 au cours d'un déjeuner de rédaction de *Arts*, hebdomadaire qui fut sans doute le dernier journal dilettante de l'histoire de la presse française, antidogmatique avec une effronterie tout épicurienne. Sans aucune marque, ni politique, ni philosophique, ni esthétique, ni religieuse, il accueillait les collaborateurs de n'importe quelles écoles ou tendances, pourvu que leurs articles fussent vivants. Son directeur, André Parinaud, sorte de Scapin cordial qui affichait avec force toutes les convictions changeantes qu'il n'avait pas, adorait organiser ou prolonger des polémiques littéraires ou artistiques. Il donnait une estrade à tous les points de vue, d'une indifférence égale à l'égard de tous, quoique prétendant se lancer dans des croisades. Il m'agrippait par le bouton de ma veste pour me confier, farouche : « Vous et moi, cher Revel, avons en commun la tentation de la lucidité ! » C'est dans *Arts* qu'André Breton avait publié ses somptueuses et dévastatrices diatribes contre Aragon au sujet de l'art pompier soviétique : « Pourquoi nous cache-t-on la peinture russe contemporaine ? » et « Du réalisme socialiste comme moyen d'extermination morale ». J'écrivais aussi parfois dans ce journal des articles (dont j'ai repris certains dans le recueil *Contrecensures* en 1966). Je sympathisai aussitôt avec Paul, sans néanmoins pouvoir jamais transformer cette inclination en coopération rédactionnelle. Car, chaque fois que je lui posais une question sur le journal, il me répondait invariablement : « Je ne sais pas du tout, je ne me suis pas occupé de ce numéro. » J'ignore de quels numéros de *Arts* il s'occupa jamais ; je soupçonne qu'ils ne doivent pas encombrer la collection. De la même manière, devenu plus tard « éditeur conseil » de la maison Denoël puis de la Librairie Hachette, il résidait le plus souvent soit en Bretagne, où il était né, soit à Hyères, dans le Midi. Nous devînmes intimes surtout quand il collabora, de 1971 à 1975, à *L'Express*, comme éditorialiste. J'avais pris plaisir à ses romans, sa *Rue du Havre* et, plus tard, ses *Choses de la vie*. Et je goûtais fort la compagnie de ce haut gaillard rigolard et chaleureux, ami de ses amis par amour de l'amitié, nonchalant et jouisseur, qui, à vous apercevoir, vous accueillait toujours avec un visage extasié de bonheur. Il passait plus de temps au restaurant qu'à son écritoire, et je concélébrais avec lui des messes prandiales qui se prolongeaient jusqu'au milieu de l'après-midi, dans cet enthousiasme bachique et sentimental qu'excellait à mettre en scène Antoine Blondin, lequel nous était cher à tous deux. Nous nous séparions vers quatre heures, articulant, selon un rite invariable, l'exclamation de Plaute : « *Edormiscam hanc crapulam* » (« Je vais cuver ma cuite », Plaute, *Rudens*, II, 7, 28). En 1982, Mitterrand, l'arrachant aux lourdes responsabilités de sa « mission » à l'Elysée, le casa dans l'asile douillet et doré qu'il venait d'inventer à l'intention toute spéciale des très gros travailleurs de ses relations : la haute autorité de l'audiovisuel.

Quand je lui téléphonai à l'Elysée, pour lui exposer mon cas et lui indiquer le nom de l'inspecteur général qu'il devrait appeler pour faire admettre mon fils à Henri-IV, Paul, du haut de sa fraîche toute puissance étatique, régla l'affaire dans la demi-heure, avec la délectation empressée qu'il éprouvait à rendre service. Je vérifiai une fois de plus qu'il vaut mieux, en France, avoir de bonnes relations que de bons arguments.

L'intolérance à l'égard des idées est corrigée en France par la tolérance à l'égard des personnes, le sectarisme par la camaraderie. A quelque temps de là, j'avais convié Paul à déjeuner au Récamier, et comme je le remerciais avec une chaleureuse et reconnaissante sincérité, il prononça cette phrase étrange, dont, sur le moment, le sens ou le sous-entendu m'échappèrent : « Enfin ! Ecoute ! Voyons ! Ce qui compte, c'est le bonhomme ! »

Déclaration que je ne compris pas bien, et dont le souvenir s'envola de mon esprit, jusqu'à ce que, deux ans plus tard, j'entendisse Charles Hernu me la servir à nouveau pour son propre compte. Je connaissais Hernu depuis 1959 aussi, année où il m'avait écrit une lettre pour demander à me rencontrer après la publication de mon livre contre de Gaulle, ou, plus exactement, contre la Cinquième République : *Le Style du Général*. Il m'avait félicité d'avoir composé « le premier pamphlet antigaulliste », voulant dire le premier en date à compter du retour du Général au pouvoir. Il ne se doutait pas qu'en octobre 1981 je signerais également le premier pamphlet antisocialiste, toujours selon l'ordre chronologique. D'emblée une cordialité se noua entre nous, cet épanchement jovial, plat, réconfortant comme un placebo, dont Robert de Jouvenel dit si bien dans *La République des camarades*, subtil chef-d'œuvre de l'autre avant-guerre, « ce n'est ni de l'es-

time, ni de l'amitié, ni de la confiance — c'est de la camaraderie ! ».
La nôtre, malgré des contacts espacés, vivota, durant trois décennies.
J'ai ignoré, jusqu'à ce que paraisse sur Charles, en 1993, la biographie
due à Jean Guisnel, qu'Hernu le Républicain avait, après la Libération, purgé deux mois de prison à Grenoble pour collaboration. Je
n'avais jamais non plus entrevu, avant de lire Guisnel, les embarras
scabreux où il se fourra toute sa vie, y compris sa vie de ministre, à
cause de l'argent ou, plutôt, du manque d'argent. Je savais encore
moins qu'il avait émargé, peut-être par la seule raison de cette impécuniosité chronique, au budget des services de renseignement des pays
communistes entre 1953 et 1963, s'il faut en croire l'*Express* du
31 octobre 1996, faisant état de sources qui furent contestées. Quand
je me fus éloigné de la gauche, à partir de 1970 et, surtout, du « programme commun » socialo-communiste de 1972, Charles Hernu me
parut le moins moutonnier de ce vaste troupeau socialiste qui rebrous-
sait chemin vers le XIXᵉ siècle. Il s'acharna et réussit à convaincre la
gauche, contre les communistes, que l'Occident ne pouvait pas se passer de politique de défense ni la France de dissuasion nucléaire. Je
l'entends encore me seriner, en 1978, au cours d'une réception chez
l'économiste Pierre Uri : « Je ne veux pas d'une France finlandisée »,
avec une flamme plus ardente que celle d'un Giscard d'Estaing et de
bien d'autres politiques « de droite », alors transis d'amour pour la
« détente ». Profession de foi peu en harmonie avec sa qualité présumée d'agent soviétique, à moins qu'il ne s'agît d'un raffinement de
duplicité. L'expression « finlandisation », forgée par l'un des conseillers de Willy Brandt, le politologue Richard Loewenthal, érigeait en
concept le cas de la Finlande, c'est-à-dire d'un pays jouissant d'une
relative autonomie interne, mais dépendant de l'Union soviétique
pour toute sa politique étrangère et tous les sujets sensibles concernant la sphère communiste, dans le domaine de l'information en particulier. Reste que je n'en étais pas moins devenu, tant par mes
éditoriaux que par mes livres, un adversaire du parti et donc de la
carrière de Charles Hernu.

Je me trouvai, un soir de 1983, alors qu'il était ministre de la
Défense depuis deux ans, en train de dîner à la même table que lui,
au cours de la soirée inaugurale d'un colloque organisé à l'hôtel Intercontinental, rue de Castiglione à Paris, par Marie-France Garaud, sous
les auspices de son Institut international de géopolitique. La générosité des donateurs se mesurait au nombre des invités, venus de tous
les pays du monde non communiste, et à la notoriété de plusieurs
d'entre eux. La présence d'Hernu indiquait que Mitterrand ne voyait
pas d'un mauvais œil l'Institut de l'ancienne conseillère de Georges
Pompidou et de Jacques Chirac. Peut-être même avait-il appliqué en
sa faveur une discrète chiquenaude sur la « pompe à phynance » de
l'Elysée. A notre table, outre Marie-France, qui la présidait, siégaient,

autour d'Hernu, Raymond Barre, Zbigniew Brzezinski, l'ancien conseiller à la sécurité du président Carter et l'ambassadeur François de Rose, qui venait de publier sa *Stratégie des Curiaces*. On disputait avec animation de ce livre dans les milieux intéressés par la Défense. Charles Hernu dévoila même à l'ambassadeur, avec la mine épanouie et bienheureuse du santon idiot, que, dans les crèches provençales, on appelle le « ravi » un secret d'Etat : l'auguste index présidentiel avait probablement feuilleté son ouvrage ! C'est alors que, lui ayant rappelé quelques communs et plaisants souvenirs, manière de glisser en toute banalité combien j'avais plaisir à le revoir, je l'entendis me répondre : « Mais bien sûr, mon vieux ! Ce qui compte, c'est le bonhomme ! »

D'abord interloqué de l'entendre prononcer mot pour mot, et sur le même ton, l'aphorisme de Guimard, j'eus une brusque illumination sur le sens de ce message, qui m'avait, sans que je l'élucide, survolé la tête à la première audition. Parbleu, que n'avais-je compris plus tôt ! Ce texte codé devait se déchiffrer ainsi : j'avais trahi la gauche, abandonné le camp du socialisme, commis le crime de lèse-Mitterrand, grossi la cohorte infâme des réactionnaires, mais, bien que je me fusse mué en un déchet de droite, Paul et Charles continuaient à m'avoir à la bonne. En marge de mon déshonneur je restais un type sympa. De même, nous conservons notre affection à un frère ou à un ami qui viennent d'être condamnés en correctionnelle pour escroquerie aux dépens d'une vieille indigente ou pour viol sur la personne du cardinal-archévêque de Paris, parce que, si méprisables soient-ils, nous les aimons, par-delà le Bien et le Mal. La conduite normale et naturelle, sous-entendaient Paul et Charles, aurait dû consister de leur part à rompre avec le renégat que j'étais. Mais, dans certains cas, le « facteur humain » autorise à continuer de fréquenter un pendard, pour autant qu'on limite les retrouvailles à des gueuletons et à des beuveries, sans entrer dans la moindre conversation politique, compromission à proscrire avec un agent de l'ennemi, pécheur, hérétique et relaps.

J'ai vu de nouveau Hernu affecté de cette partition de l'esprit, lors des obsèques du Colonel Rémy, le 1er août 1984. Nous venions d'assister, la famille, les voisins et quelques intimes, à l'office religieux, dans la minuscule église de Lanmodez, où nous eûmes du mal à tenir à trente ou quarante. Nous sortîmes. Sous un violent soleil quelques centaines de personnes se pressaient au-dehors, dans le petit cimetière, debout sur le muret qui l'entoure ou sur la route et le chemin qui le bordent : des villageois du lieu et des environs, plus loin d'anciens compagnons d'armes, porteurs de banderoles et tapissés de médailles, un détachement militaire avec sa fanfare, les gendarmes, qui, en un tournemain, avaient interdit au commun des usagers la circulation automobile sur toutes les voies carrossables du canton, comme s'il se fût agi d'une conférence au sommet de cinquante chefs d'Etat, ce qui était très français, et enfin, ce qui ne l'était pas moins, « les autorités »,

qui attendaient en tremblant le ministre de la Défense, dont l'hélicop-
tère devait se poser d'un instant à l'autre dans un champ voisin. La
maréchaussée sourcilleuse le cernait avec vigilance pour empêcher le
bétail d'y venir divaguer, de peur que les vaches ne missent en péril
la vie de Charles, rempart du salut de la Patrie. Chacun se réjouissait
de ce qu'une présence ministérielle attestât la gratitude de l'Etat républicain à l'égard d'un des hommes qui l'avaient tiré du gouffre. Mais
dans l'éloge funèbre qu'Hernu improvisa, cette gratitude s'exprima, là
aussi, même en cette minute, selon une ligne de démarcation entre le
« bonhomme » Rémy, plein de bravoure et de bonté, et ses opinions
politiques, incompréhensibles vu ses qualités personnelles. Hernu
consacra le plus long développement de son discours à déplorer que
Gilbert Renault n'eût jamais partagé ses convictions socialistes. Mais
ce fut pour reconnaître avec d'autant plus de magnanimité, dans la
péroraison, que, malgré cette affreuse lacune, Rémy était toujours
resté un homme « avec qui l'on pouvait discuter ». En somme, la
patrie lui devait une paradoxale reconnaissance, car, bien qu'hostile
au socialisme, il n'avait jamais été, comme individu, proprement
infréquentable.

III

Du département de l'Allier, où je me cachais depuis la mi-juillet 1944, après avoir passé trois ou quatre semaines à Lyon depuis l'arrestation de Grappin et mon départ de Paris, j'avais commencé, sur la fin du mois d'août, à revenir vers Lyon, dont la libération s'annonçait imminente. Retour laborieux, qui se fit en grande partie à pied, puis en train pour un court trajet, enfin dans une camionnette à gazogène, dont le chauffeur voulut bien m'embarquer pour les derniers cinquante ou soixante kilomètres, entre Saint-Etienne et Lyon. Je me rendis d'abord au domicile d'Auguste Anglès, dans les environs de Lyon, à Ecully. Son beau-père, le Dr Girel, qu'Auguste affectionnait (jamais je ne l'ai entendu mentionner son père biologique), me dit que je le trouverais à la préfecture et qu'il m'y attendait. Je n'avais d'autre expédient pour regagner le centre de la ville que de reprendre la marche à pied. Malgré l'agilité de mes vingt ans, cette dernière étape me parut d'autant plus pénible que je me sentais travaillé d'une faim stridente. Les ponts de Lyon avaient presque tous sauté. Il fallait une longue attente, dans une queue impatiente, pour traverser le Rhône, en empruntant le seul pont qui subsistait au centre ville, celui de la Guillotière, ou, plutôt, la passerelle de fortune qui le remplaçait. Gisaient çà et là dans les rues des cadavres de collaborateurs, vrais ou supposés, abattus avec, pour tout jugement, parfois, une pancarte accrochée à leur cou et dénonçant leur traîtrise. « Que veux-tu ? Ils l'ont fait aux autres ; maintenant on le leur fait à eux », entendis-je une dame dire à son mari, devant deux corps sanglants étalés sur le trottoir, cours Gambetta.

La facilité avec laquelle j'entrai dans la préfecture, où des bancs de harengs humains tournoyaient comme des voyageurs affolés dans une gare un jour de grand départ, me surprit. Le service d'ordre des FFI (Forces françaises de l'intérieur) semblait trop occupé de ses propres allées et venues pour surveiller celles des visiteurs. Je suivis des couloirs, je poussai des portes, me dirigeant au juger en flairant la piste de mon gibier vers les bureaux que je pressentais les plus majestueux.

Pénétrant, pour finir, dans une vaste pièce que ne gardait aucun huissier, j'aperçus Auguste, en compagnie d'un homme à crinière poivre et sel et à tête de tribun, qui se révéla être le Commissaire de la République de la région Rhône-Alpes, Yves Farge. A leurs côtés, participait à la conversation un autre individu, brun et plus frêle : c'était le futur préfet du Rhône, Longchambon, nommé à ce poste le 4 septembre. « Tiens, te voilà », articula Auguste avec laconisme en m'apercevant. Il me présenta aux deux autres, résuma mes états de service sous son autorité, ajouta que j'allais devenir membre de son « cabinet ». Son titre et sa fonction, allais-je apprendre dans l'instant suivant, étaient « délégué régional à l'information ». La discussion au beau milieu de laquelle j'étais tombé lors de mon irruption, dont nul ne se formalisa en ces heures encore sans protocole, roulait sur le sujet éternel de toutes les administrations, même dans les ouragans historiques et les fureurs révolutionnaires : la répartition des bureaux, ou plus exactement, pour parler clair, la lutte pour les bureaux. Farge arguait qu'on manquait de place pour loger dans l'enceinte même de la préfecture les services d'Anglès. Le visage de mon patron marquait de la contrariété. Moi-même, quoique je ne fusse membre de sa délégation régionale que depuis cent vingt secondes, je sentis au creux de mon âme sourdre l'esprit de corps et poindre une amère indignation à la perspective que « nous » risquions d'échouer dans d'humiliantes officines périphériques. En conclusion, on nous trouva des locaux fort honorables, en plein centre de Lyon.

Une semaine plus tard, je me vis nommé je ne sais plus trop quoi par un arrêté paru dans le *Journal officiel du commissariat de la République (région Rhône-Alpes)* et signé Yves Farge. Le titre majestueux de cet organe républicain flattait à l'excès la maigreur d'un bien modeste et assez piteux bulletin. Mais cet orgueil brouillon traduisait une réalité politique. En ce mois de septembre 1944, le défaut presque total de moyens de transports et de communications, même postales ou téléphoniques, privait le gouvernement provisoire, tout juste installé à Paris, des moyens pratiques d'exercer son autorité sur les provinces et de se faire obéir au-delà de l'Oise ou de la Seine-et-Marne. Chaque région, qui comprenait plusieurs départements, s'érigeait en république indépendante, sans daigner s'informer ni se préoccuper de ce que l'on voulait et accomplissait dans la capitale ou dans les autres régions. Chaque commissaire de la République agissait et légiférait par arrêté pour son propre compte et de sa propre initiative, et d'autant plus qu'il était plus vaniteux. Tous exerçaient le droit de grâce, prérogative par excellence des chefs d'Etat, plus étendue et lourde de conséquences que jamais en ces temps où les tribunaux d'épuration locaux prononçaient des dizaines de condamnations à mort par jour. De Gaulle dut se battre pour reconquérir, à la fin de 1944, l'exclusivité du droit de grâce, à la fureur de maints chefs résistants, qui le trouvaient trop indulgent. Il est vrai qu'il n'avait pas vécu, lui, comme les résistants de l'intérieur, la rage de savoir de proches camarades dénoncés, torturés, tués par des traîtres français, et ne pouvait ressentir la soif de vengeance qui nous tenaillait vis-à-vis des coupables. A Lyon, Farge avait constitué la réplique régionale d'un gouvernement national imaginaire, exhaussant les délégués au rang de ministres qui ne relevaient que de lui, cependant que lui ne relevait de personne, ou du moins le pensait. Il s'estimait seul habilité à commander les septs préfets de la région Rhône-Alpes. Bien entendu, les commissaires de la République possédaient une légitimité, issue de choix faits par le Conseil national de la Résistance intérieure et confirmés, en juillet, par le Comité de la France libre d'Alger. Mais ils gonflèrent leur autonomie en partie à cause de leur isolement forcé, au début, en partie parce que, même plus tard, nombre d'entre eux entendaient le plus vite possible pousser en avant le pouvoir des communistes contre celui du général de Gaulle, dont ils traitèrent les premiers émissaires plus comme des pairs que comme des supérieurs, voire plus comme des visiteurs venus d'un pays voisin et pas nécessairement ami que comme des dirigeants nationaux. C'est ainsi qu'Emmanuel d'Astier de la Vigerie, passé de l'extrême droite antisémite au cousinage communiste, vint, le 9 septembre, conférer avec Farge et le « gouvernement » de Rhône-Alpes, en sa qualité de ministre de l'Intérieur. Il avait reçu ce portefeuille le 4 septembre à Paris. C'était le prolongement naturel de son poste de « Commissaire à l'intérieur » à Alger, auquel il avait été nommé le 9 novembre 1943. Tombé à Lyon comme de la lune, il se borna, me raconta Auguste au sortir de la réunion, « à nous interroger avec courtoisie sur les premières mesures que nous avions prises ». Il adoptait le ton neutre d'un homme venu rassembler une documentation plutôt que donner des instructions. Il hochait la tête de temps à autre en murmurant : « Oui, bien, très bien, c'est à peu près ce que nous avons fait aussi à Paris », se félicitant de cette heureuse et fortuite convergence. Bien lui prit de cette discrétion, et de s'abstenir de donner des ordres à Farge, car, ajouta Auguste (en se renversant en arrière dans un de ces rires inextinguibles dont un rien lui était l'occasion), voilà-t-il pas qu'un huissier pousse la porte et lui remet un télégramme, qu'il lit aussitôt. « Mes amis, déclara-t-il en se levant de sa chaise, inutile de prolonger cette agréable conversation : je ne suis plus ministre de l'Intérieur. » En effet, de Gaulle, jugeant les premières décisions de d'Astier trop dociles aux exigences communistes, venait de le remplacer, à distance et sans avertissement ni ménagement, par le socialiste Adrien Tixier.

Je ne prétends point m'ériger en historien de la Libération, même pas pour Lyon. De cette période, comme des autres d'ailleurs, je ne raconte que ce que j'ai vécu, me limitant même, dans ce que j'ai vécu, à ce qui m'a le plus frappé, à ce qui, événement historique ou épisode futile, personnage important ou insignifiant, est devenu partie intégrante de mes souvenirs et de mes émotions.

La Délégation régionale à l'information avait pour première mission d'exproprier les biens, les imprimeries, les immeubles des journaux collaborationnistes et de les répartir entre les nouveaux journaux, issus de la Résistance, ou de les restituer à ceux qui, bien qu'existant avant la guerre, n'avaient pas collaboré. Pour ces titres anciens, les textes adoptés avant l'été par le gouvernement provisoire d'Alger définissaient comme délit de collaboration, en zone sud, la poursuite de la parution après l'invasion de cette même zone, le 11 novembre 1942, par l'armée allemande. Devait disparaître tout journal qui ne s'était pas sabordé dans les quinze jours suivant cette date, à laquelle s'effaçait la distinction, si faible fût-elle jusqu'alors, entre France occupée et France non occupée. Dans la presse lyonnaise, *Le Progrès*, propriété d'une famille scrupuleusement républicaine, les Brémond, avait fermé ses portes dès l'arrivée de la Wehrmacht, au contraire de son concurrent *Le Nouvelliste*, qui tomba donc sous le coup de l'interdiction en septembre 1944. *Le Figaro*, replié en zone sud après l'armistice, s'arrêta aussi de paraître dans les délais, d'où sa légitime résurrection après la Libération. Tel ne fut pas le sort du vénérable et discutable *Temps* (discutable car, paraît-il, derrière sa façade austère s'était toujours cachée une certaine vénalité), lui aussi replié à Lyon et qui avait eu le tort d'attendre le 29 novembre, trois jours de trop, pour baisser le rideau. Au demeurant, par quelle divination aurait-il pu connaître la date maudite, qui fut fixée beaucoup plus tard ? Anglès, avec son rire habituel, me confia qu'on avait choisi pour limite le 27 justement dans le dessein d'éliminer *Le Temps* ! Dès lors, pourquoi *La Croix*, subventionnée par Vichy et qui se maintint après le 26 novembre 1942, reçut-elle néanmoins l'autorisation de paraître après la Libération ? Craignons que ce ne fût grâce à la protection du parti catholique, le MRP (Mouvement républicain populaire), très puissant après la guerre. Comme je l'entendis souvent répéter plus tard par Benjamin Péret, à qui cette formule servait d'explication politique universelle : « Encore un coup des staliniens, avec probablement la calotte par-derrière. » Ce que je vis, à Lyon comme à Saint-Etienne, Grenoble ou Chambéry, en fait de transferts de propriété, ressembla souvent moins à des mutations conformes au droit qu'à des abordages de flibustiers. Les plus forts, c'est-à-dire, à l'époque, les communistes, empochaient le gros du butin.

Ils faisaient de même avec la répartition du papier, une autre des tâches de la délégation. C'était la pénurie de papier plus que d'acheteurs qui limitait, à l'époque, la diffusion d'un journal et le tirage des livres. Le public lisait avec avidité, et la rareté produisait dans ce domaine les mêmes effets que dans les autres : une bonne part du commerce des livres se faisait au marché noir, à des prix que le libraire majorait pour son profit, bien au-delà de la marge régulière. Indignés par une cherté qui les privait de leurs instruments d'étude, maints étudiants s'adonnaient au vol en librairie, en le baptisant « récupération », c'est-à-dire reconquête légitime d'un bien dont on vous a dépouillé. C'est un des principaux arts humains que d'inventer des mobiles moraux à des actes malhonnêtes. A l'Ecole normale, pendant l'hiver 1943-1944, la « récupération » avait ses virtuoses. Quand René Schérer me demandait : « Si on allait *faire* les Presses ? » cela signifiait qu'il me proposait d'aller voler quelques livres aux Presses Universitaires de France, à l'angle du boulevard Saint-Michel et de la place de la Sorbonne. J'allais aussi opérer en face, à la somptueuse Librairie allemande ouverte par la *Propagandastaffel* dans le dessein de promouvoir la collaboration culturelle, dont prenait soin avec tant de doigté dans les milieux littéraires parisiens le suave lieutenant Heller... qui devait en 1965 être un de mes éditeurs en Allemagne ! Je collaborais sur ce terrain à ma manière, en m'approvisionnant copieusement en classiques allemands, en particulier dans l'encyclopédique collection *Reclam*, sorte de livre de poche, bien antérieur au nôtre. On y trouvait tous les auteurs, y compris Karl Marx, je puis l'attester, ou du moins un titre de Marx, les *Réflexions sur la question juive*, éructation antisémite du fondateur juif du socialisme « scientifique ». A la sortie, de peur d'éveiller les soupçons, je payais à la caisse avec ostentation un ou deux des volumes que j'avais choisis, au milieu des sourires des ravissantes mais inabordables vendeuses allemandes francophones que le IIIᵉ Reich déployait sur le front de la pensée. Quand je me vantai de mes larcins germaniques devant Grappin, je pris sur la tête l'un des plus rudes savons que l'on m'ait jamais passés. Risquer ainsi l'arrestation pour un délit banal, aller se fourrer pour si peu dans la gueule du loup quand on a par ailleurs des raisons si graves de le craindre ! Surtout si je transportais dans ma serviette des papiers gênants, c'était pire que de l'irresponsabilité, c'était de l'arriération mentale ! Comment lui donner tort ? Pourtant depuis mes plus jeunes années, j'entendais répéter autour de moi que j'étais « très mûr pour mon âge ». Et j'en avais donné quelques preuves. Mais la maturité précoce peut coexister avec le plus sot infantilisme, et ce, jusqu'à un âge fort avancé.

En même temps que l'installation ou la réinstallation des journaux résistants et la fixation orageuse, pour chacun, de son contingent de papier, la Délégation à l'information devait, dans sa région Rhône-Alpes, surveiller l'épuration des hommes, dresser la liste des journalistes, écrivains, professeurs qui avaient collaboré, et apprécier la gravité de leur compromission. Concernant les professeurs, le préfet Longchambon me pria un jour de lui amener Jean Beaufret, maître subtil et affable de la classe de philosophie au lycée Ampère. Beaufret avait acquis une réputation de résistant hardi en déjeunant souvent au restaurant « Chez Antoinette », où se rencontraient, en effet, plusieurs membres ou sympathisants de la Résistance. L'imprudence de ces rendez-vous réguliers m'inspire d'ailleurs, quand j'y repense, une fois de plus de l'étonnement. Comment la Gestapo n'a-t-elle pas réussi parmi nous davantage de coups de filet ? Certes, il est lugubre de déjeuner seul, et agréable de disposer d'une manière de club informel, où l'on sait que des mains amicales se tendront vers vous dès votre entrée, et que de bons compagnons vous inviteront à prendre place à leur table. C'est bien pourquoi, perché à Lyon en juin et au début de juillet 1944. je fréquentais avec trop d'assiduité ce bistrot d'un marché noir tempéré par l'impécuniosité de ses clients, mais où Auguste, plus circonspect, refusait avec sagesse d'avoir ses habitudes. Chez « Antoinette » je retrouvai à mon grand soulagement Pierre Courtade, dégringolé comme moi de Paris après l'arrestation de nos camarades. J'y fis la connaissance de Roger Vailland, de Jean Thomas, professeur à la faculté des lettres de Lyon, qu'à vrai dire j'avais déjà vu, puisqu'il avait été, avec Jean Baillou, mon examinateur en français au concours d'entrée à l'Ecole. J'y devins aussi ami de Jean Beaufret.

Beaufret n'était pas encore le prophète accrédité de Heidegger en France qu'il allait devenir par la suite et demeurer tant bien que mal jusqu'à sa mort, en 1982. Il était à peine en train de découvrir *Sein und Zeit*, et il me montra, chez lui, l'exemplaire rarissime (avec celui que j'avais volé pour moi-même six mois auparavant à la Librairie allemande de la place de la Sorbonne) qu'il était en train de travailler, soulignant comme un écolier, à grands coups de crayon, les phrases ou les termes à ses yeux fondamentaux. Séduisant et disert, rieur et faisant rire, il appartenait à ce grand cru des professeurs disparus qui, tout en enseignant avec compétence leur spécialité, la débordaient par une culture naturelle et légère de dévots du goût et d'artistes de la conversation. Ni lui ni Jean Thomas, et lui moins encore que Jean Thomas, ne gardaient la plus petite trace de ce je ne sais quoi de compassé que l'opinion commune attache à l'étiquette d'universitaire. S'agissant des sommités universitaires, j'ai subi plus de cuistres pompeux et vaniteux dans la génération de mes condisciples que dans celle de mes maîtres. C'était un délice d'entendre Beaufret causer de Balzac, d'Eluard ou de Sacha Guitry. Avec ce dernier des amis l'avaient invité à passer des vacances, avant la guerre. Selon un préjugé dit moderne, le passage du temps à lui seul assouplirait les mœurs et civiliserait les rapports humains. Quelle erreur ! Le temps détériore autant qu'il améliore. Il se moque d'apporter le progrès ou la régression, l'honnête homme ou le pédant pontifiant. Plus encore que le siècle des lumières, notre siècle des ombres a donné dans ce grossier historicisme. La libération des esprits ne suit pas plus un cours uniforme que ne le fait la libération des mœurs. Ainsi, pour ne mentionner qu'un détail, Jean Thomas et Jean Beaufret affichaient l'un et l'autre leur homosexualité. Ou plutôt ils ne l'affichaient pas : ils s'en fichaient. Ils la vivaient avec la plus souriante sérénité, sans que leur notoire réputation eût jamais nui ni à leurs amitiés ni à leur carrière. Quand on bavarde de nos jours avec des adhérents du FHAR (Front homosexuel d'action révolutionnaire) ou autres organisations militantes, on les trouve convaincus qu'avant 1968 tout homosexuel vivait enseveli sous la terreur et condamné à la dissimulation, surtout s'il était fonctionnaire. C'est là une de ces reconstructions factices, qui tendent à dépeindre le passé comme plus répressif qu'il ne l'était, ce qui autorise à célébrer le présent comme plus révolutionnaire qu'il ne l'est.

Le préfet Longchambon m'avait prié de lui amener Beaufret qu'il voulait convaincre d'accepter la présidence d'une sorte de commission d'épuration, chargée de débarrasser le corps enseignant lyonnais de ses pétainistes. Interdit à cette proposition, Beaufret hochait la tête, faisait la moue et répétait toutes les trente secondes d'une voix plaintive et monocorde, comme s'il chantait *Pelléas et Mélisande* : « Non, non, je suis un philosophe et un poète, je ne suis pas un justicier » (bis). D'après Longchambon, les écrivains, journalistes, professeurs, et en général tous les Français qui avaient pour métier l'expression de la pensée devaient, s'ils avaient soutenu des opinions vichyssoises ou collaborationnistes, être punis par là où ils avaient péché, c'est-à-dire en se voyant retirer le droit de se faire imprimer, d'enseigner, de parler en public. Il attendait de cette délimitation toute spirituelle de leur infraction un ajustement et une modération de la sanction. Et en effet, à côté des Cours de justice, devant lesquelles comparaissaient les présumés coupables d'intelligence avec l'ennemi et de crimes ou de délations contre des concitoyens juifs ou résistants, ou les deux, proliféraient, dans tous les secteurs d'activité, des comités d'épuration, qui examinaient s'il fallait ou non priver du droit d'exercer leur profession les propagandistes ou partisans de la Révolution dite nationale, ceux qui en avaient approuvé les thèmes sans qu'on puisse pour autant leur imputer d'acte criminel ni de haute trahison. On devine sans peine l'arbitraire capricieux et les vengeances personnelles qui risquaient de s'infiltrer dans cette nouvelle mouture de la Sainte-Inquisition, que ne régissait et ne pouvait régir, bien entendu, aucun texte précis et cohérent. En outre, le critère de Longchambon souffrait de mélanger des catégories de réprouvés qui, dans la pratique, se situaient aux antipodes les uns des autres. Parmi les adeptes intellectuels de la Révolution nationale, pourquoi aurait-on épuré, par exemple, car on faillit le faire, mon professeur de lettres en khâgne, Victor-Henry Debidour, admirateur de Philippe Pétain, certes, et maurrassien, mais qui n'avait jamais donné à ses convictions le plus petit prolongement actif, de nature à nuire à qui que ce fût ? Eût-il fallu l'empêcher de continuer à enseigner le latin et le grec ? En revanche, des livres ou des articles pouvaient constituer des incitations au meurtre, suivies d'exécution. Dès lors leurs auteurs méritaient un châtiment pénal et non point seulement professionnel. C'est excités par un article de Charles Maurras, qui protestait dans *L'Action française* contre la liberté selon lui indue dont jouissait un « magnat impuni de la ploutocratie juive », que, le 6 février 1944, des miliciens assassinèrent le banquier Pierre Worms, père de Roger Stéphane, le futur écrivain, journaliste et homme de télévison, fondateur, en 1950, de *L'Observateur*, l'hebdomadaire bien connu, intitulé plus tard *France-Observateur* puis, en 1964, *Le Nouvel Observateur*. Devant de telles conséquences sanglantes, les intellectuels perdent le droit de se réfugier sous l'abri douillet de la liberté d'expression. C'est pourquoi, durant les « années de plomb » du terrorisme des Brigades rouges, la justice italienne retint à juste titre le principe de la responsabilité de prétendus « théoriciens », comme Toni Negri, professeur à l'université de Padoue. Ces fanatiques, sans avoir commis d'attentats de leurs propres mains, avaient inculqué une croyance préconisant la violence à des jeunes gens influençables, qui commirent ensuite sous cette impulsion des assassinats terroristes. Puisqu'il plaît tant aux intellectuels de se susciter des disciples, qu'au moins ils aient la décence d'avouer tous ceux qu'ils ont marqués de leur pensée ou de ce qui leur en tient lieu.

Les mois qui suivirent la Libération mirent en concurrence à chaque instant la légalité républicaine, dont le rétablissement avait été l'un des buts de la Résistance, et, à travers les Comités départementaux de Libération, les passions à la fois compréhensibles et effrénées d'une guerre civile, où le désir de faire expier les collaborateurs se souciait peu de formes judiriques. C'est ainsi qu'on réveilla une nuit Auguste Anglès parce qu'une bande armée des Forces françaises de l'intérieur, des maquisards, à moins que ce ne fussent de ces insurgés tardifs qu'on avait surnommés les « résistants de septembre », avait envahi la prison Saint-Paul où se trouvait incarcéré, précisément, Charles Maurras, arrêté le 8 septembre. Ces FFI nourrissaient le dessein bien arrêté de lui faire la peau sur-le-champ. Alerté par le directeur de la prison, Auguste m'envoya chercher et, lorsque je l'eus rejoint sur place, il avait déjà commencé, exhumant son éloquence de professeur de faculté, à improviser, devant une horde qui me parut aussi avinée qu'elle était dépenaillée, un cours magistral sur l'importance indéniable, même si elle était déplorable, de *L'Action française* dans l'histoire des idées en France au XXe siècle. Maurras est le principal théoricien de la Révolution nationale, conclut Auguste. On ne doit pas l'abattre à la va-vite, comme un piètre indic de la Gestapo. On doit le juger dans un procès de retentissement national, qui permette à tous les Français de comprendre à quel point ses conceptions étaient fausses, nuisibles et ont été réfutées par l'histoire. Subjugués ou

engourdis par cette harangue, les FFI se laissèrent entraîner progressivement vers le bistrot d'en face où, dans le jour qui se levait, nous
leur offrîmes le café national, disons plutôt l'eau chaude noirâtre qui
en tenait lieu. « Il est bon, votre café ? » demandais-je stupidement à
la patronne. « Ah, il est encore signé Philippe », me répondit-elle, voulant dire qu'il n'avait pas eu le temps de s'améliorer depuis le départ
du Maréchal. Tout en l'absorbant avec résignation, je songeais aux
élucubrations de Maurras, que je connaissais jusqu'à la nausée par les
soliloques de mon père. Quel théâtre de contradictions que l'esprit
humain ! *L'Action française*, depuis sa fondation, avait eu pour un de
ses piliers doctrinaux l'hostilité à l'Allemagne, et Maurras avait fini
en chantre de la collaboration vichyssoise ! De même, la Résistance
avait combattu pour la restauration de la liberté, mais, dès le lendemain de la Libération et pour longtemps, les trois quarts des intellectuels français ont soit exercé sans ménagement soit subi avec docilité
l'hégémonisme de la pensée totalitaire stalinienne. Et on en sentait la
poix couler sur nos têtes dès septembre 1944. Je tentai d'intéresser
Auguste à ma méditation matinale, mais, peu réceptif, il me rétorqua
pour toute glose : « Va donc t'occuper de tes comuniqués. »

Car les communiqués officiels, en ces semaines où il fallait tout
réorganiser, répartir la disette et rafistoler le matériel, pleuvaient à
foison des hauteurs du commissariat de la République, de la préfecture, des diverses délégations, de la police, de la municipalité, de
l'état-major de la Première armée française, celle commandée par de
Lattre de Tassigny (« Rhin et Danube ») ou de l'état-major américain.
Hélas ! les journaux, que la pénurie de papier rétrécissait au format
et à la pagination d'un étique canard de lycéens, renâclaient à amputer, pour passer des communiqués, l'espace déjà si mince dont ils disposaient pour les articles. Mais comme la plupart de nos communiqués
contenaient des informations pratiques souvent indispensables à la
population, qu'il s'agisse du ravitaillement, des transports, du logement, des écoles, du charbon, du retour des prisonniers ou de la
recherche des disparus, Auguste m'avait chargé de trouver une
entente avec les journaux pour qu'ils assurent un minimum de « service public » dans ces domaines. A la Délégation, j'étais devenu pour
les rédactions lyonnaises l'« homme communiqués », c'est-à-dire le
fâcheux, puisque je leur mangeais de la place, à un moment où elle
était si exiguë et où les sujets politiques n'avaient jamais été aussi
vastes. Chaque fin d'après-midi me parvenaient en avalanche les
communiqués de diverses sources. Je les répartissais avec équité entre
les quotidiens, après élimination des messages que j'estimais superflus,
ce qui me mettait déjà mal avec leurs auteurs. Après ces protestations
en amont, venaient les rechignements en aval. Dès minuit je recevais
les morasses des quotidiens, après leur passage à la censure militaire.
Avant même de lire les nouvelles des événements dont dépendait

l'avenir de l'humanité, je me ruais à la chasse de mes chers communiqués, pour voir quelle proportion on en avait publié. En cas de généreuse moisson, j'allais me coucher, rasséréné, avec un sentiment de victoire. Des pertes excessives, en revanche, m'assombrissaient et m'aigrissaient. Je criblais les rédacteurs en chef de notes amères et autoritaires. Certains s'en plaignirent avec raison, demandant à Anglès qui donc était ce blanc-bec, pour oser s'adresser à eux sur un tel ton. De son côté, le préfet Longchambon critiquait ma méthode de répartition égalitaire des communiqués entre les divers organes, arguant que le Lyonnais ordinaire n'avait ni les moyens ni l'envie d'acheter tous les journaux, d'autant qu'ils étaient alors légion, quoique petits, sans être bon marché. Mais exiger que tout journal publiât tous les communiqués, c'était les condamner en bloc à ne plus rien imprimer d'autre. Absurdité ! Je remâchais à longueur de journée les termes de cette contradiction insoluble. Le destin de la planète s'écrivait autour de nous et un peu grâce à nous en majuscules historiques. Moi, en proie à mon idée fixe, je percevais et isolais dans cette tornade épique un drame personnel : *Le Progrès* avait sucré ce matin « mon » communiqué appelant les charpentiers à se présenter à l'embauche en vue de l'urgente reconstruction des ponts. Ecartelé entre la presse, la population, mes supérieurs, je perdais la tête. Je réclamai un soir l'arbitrage du commissaire de la République, Yves Farge. Je faillis exiger celui du général de Gaulle, ce qui eût sans doute provoqué mon internement psychiatrique, mais la visite de ce dernier à Lyon, le 14 septembre, fut trop rapide. Cette expérience d'égarement délirant me démontra que l'esprit bureaucratique, l'étroitesse de vue du rond-de-cuir peuvent envahir en un éclair de temps n'importe quel être humain, si éloigné qu'il en ait été par sa formation et ses goûts. Toute intelligence, altérée par la mentalité administrative, peut en venir à ne plus appréhender l'univers qu'à travers le prisme tyrannique de la bonne marche du service.

Pour me soustraire à la maladie mentale et me distraire de mes corvées par trop paperassières, Auguste me chargea de diverses missions itinérantes. J'allai d'abord accueillir à la frontière, au nom de la Délégation et du Commissariat, une trentaine de journalistes suisses, les premiers, je crois, qui pénétrèrent sur le territoire français après la Libération. A l'aller, je fis le trajet, par Nantua et Bellegarde, dans une 202 Peugeot exténuée, et pilotée par un chauffeur de l'armée qui ne l'était pas moins. Requis depuis une semaine nuit et jour, il dodelinait de sommeil et, malgré nos incessants arrêts, délibérés ou dus à l'épuisement du moteur, nous ne trouvâmes presque rien à manger en route. Quel contraste quand, abandonnant mon cachexique compagnon, je grimpai dans l'autocar suisse, qui patientait depuis plusieurs heures au poste français de Genève. J'y trouvai, comme par un bond en arrière effectué grâce à la machine à remonter le temps, une huma-

nité à la peau tendue par la nourriture et vermillonnée par les vita-
mines, bien rasée pour les hommes, bien rincée et poudrée pour les
femmes, vêtue de neuf et, surtout, de tissus opulents et souples, qui
faisaient paraître encore plus ternes et rêches les camelotes auxquelles
nous donnaient parfois droit nos « tickets de textile ». Une île où
s'était conservée intacte une civilisation disparue appelée « l'avant-
guerre », et dont je découvrais la population, aussi différente de la
nôtre que les Polynésiens pour Bougainville et Cook au XVIIIᵉ siècle,
telle m'apparut la Suisse, vue à travers ce modeste fragment extra-
territorial qu'était l'autocar, lui-même bien astiqué, bien suspendu et
bien tiré par son moteur efficace et ronflant sous le feu d'un robuste
et vrai carburant. Malgré cette incomparable puissance du véhicule,
les arrêts furent encore plus fréquents au retour qu'à l'aller, car mes
compagnons souhaitaient naturellement regarder et photographier
toutes les traces de ces combats, bombardements, destructions qu'ils
ne connaissaient jusque-là que par ouï-dire, par les nouvelles et sur la
carte. Devant des villages incendiés, des immeubles écroulés, des
ponts démolis par l'aviation, l'artillerie ou les explosifs, spectacles
familiers pour moi et devenus comme une composante banale du paysage, eux se récriaient, ordonnaient une halte, se ruaient sur le site,
avec l'empressement d'historiens qui se fussent réincarnés par miracle
sur les lieux d'Azincourt ou de Marathon quelques semaines après la
bataille. Quant aux questions dont ils me submergeaient, elles portaient pour la plupart sur les charniers dont la découverte presque
hebdomadaire dans les alentours de Lyon ou les départements limi-
trophes peignait d'horreur ce mois de septembre. Un seul eût suffi à
donner la mesure de l'inhumanité de l'homme. Ils étaient hélas ! plus
nombreux, mais nos invités suisses, dans leur ample vision des crimes
contre l'humanité, les avaient multipliés encore par dix ou vingt. Ils
parurent déçus quand j'énumérai ceux, déjà trop réels, que je croyais
pouvoir dénombrer. En revanche, ils ne me demandèrent presque
aucun renseignement sur les actions de la Résistance, pourtant
héroïques dans l'Ain, l'Isère, la Drôme. Je découvris alors un penchant inhérent à la psychologie des journalistes que je devais revérifier
souvent quand j'en fus devenu un moi-même : une curiosité plus forte
pour les monstres que pour leurs ennemis, à condition que les
monstres œuvrent dans le mauvais camp idéologique, bien sûr. Dans
le car, je racontai à nos visiteurs comment, l'avant-veille, présent à
l'ouverture d'une fosse où se décomposaient quelques dizaines de
cadavres de victimes, massacrées sans doute début août, je sentais
mon cœur dans un étau, sous le double poids de la douleur et de
l'odeur. Ce fut l'instant que choisit un jovial correspondant phi-
lanthrope de l'illustre *Gazette de Lausanne* pour m'offrir un plantureux sandwich au beurre et au jambon, en me tendant aussi la
bouteille de fendant. J'avais l'estomac vide quasiment depuis mon

départ de Lyon et je n'avais pas humé de bon pain de froment pur depuis bientôt quatre ans, mais je me contentai du vin blanc.

Une autre diversion à mes tracas de mises sous séquestre, épuration, attributions de papier et distribution de communiqués tenait aux visites d'écrivains et d'universitaires. Ils se pressaient à la Délégation. Ils y venaient aux nouvelles, y prenaient racine pour bavarder avec nous et entre eux, comme à une sorte de cercle, ce qui était fort agréable pour tous. René Tavernier, fondateur et directeur de la revue littéraire *Confluences*, où s'était regroupé sous l'Occupation tout ce qui tentait d'écrire encore un peu librement, était l'un des meilleurs amis d'Auguste depuis leur adolescence, et le mien depuis 1942. Il s'était emparé avec une active nonchalance du rôle de ministre de la Culture officieux. Son entrain, pour notre plaisir, donnait à nos monotones locaux l'allure animée des couloirs d'une maison d'édition un jour de cocktail. Je fis ainsi la connaissance personnelle de poètes et de critiques dont j'avais maintes fois lu les noms (ou les pseudonymes) au sommaire de *Confluences* : Pierre Emmanuel, Henri Michaux, Alain Borne, Georges Sadoul. De ce dernier j'avais lu, dans la revue, les critiques de cinéma, qu'il signait Claude Jacquier. Le plus envahissant de nos habitués, Louis Aragon, m'échut comme cadeau du patron, avec consigne reçue de l'éloigner le plus possible de nos murs. Ou, pour mieux dire, de *les* éloigner, car le poète ne se déplaçait jamais que sous la surveillance des « yeux d'Elsa », complétés par celui de Moscou. Anglès avait fini par concevoir de l'agacement à force d'entendre Aragon allant répéter de bureau en bureau sur un ton d'affliction plaintive : « Je suis aussi écœuré qu'en mai 36 ! » Il donnait à entendre par là qu'en 1936, selon la version après coup forgée par le Parti communiste, le « traître » socialiste Léon Blum avait dénaturé le Front populaire en le détournant de la voie révolutionnaire pour pactiser avec la bourgeoisie et le capitalisme. De même, les communistes, entrés en tant qu'organisation dans la Résistance bons derniers, après l'attaque d'Hitler contre Staline en juin 1941, cherchaient à en sortir seuls vainqueurs. Ils travaillaient ferme à confisquer la totalité du pouvoir, à travers les comités régionaux de libération et les milices patriotiques. A Marseille, par exemple, écrit de Gaulle dans ses *Mémoires de guerre*, les communistes « avaient établi une dictature anonyme, qui prenait à son compte des arrestations, procédait même à des exécutions (de Gaulle aurait pu ajouter : des tortures, dans les caves mêmes de la préfecture), sans que l'autorité s'y opposât avec vigueur ». L'autorité, c'était le commissaire de la République Raymond Aubrac, indiscret compagnon de route, sinon davantage, du PC. Pour Julien Airaldi, par exemple, chef communiste d'Avignon, en 1944 les Comités départementaux de libération nationale « représentent tous les patriotes qui ont libéré la France et, de ce fait, ils constituent la base de la légalité nouvelle ». La folie des grandeurs d'Aragon, qui s'exhibait comme l'unique incarnation authentique de l'esprit de la Résistance, à laquelle sa contribution active était demeurée des plus impalpables, portait sur les nerfs d'Auguste, qui pourtant l'aimait et l'admirait, quoiqu'il le fît rire par ses manies vaniteuses et les sauts périlleux de ses « convictions » staliniennes.

Les voyages entrepris d'urgence par le général de Gaulle, d'abord à Lyon, les 14 et 15 septembre, puis à Toulouse, Marseille et autres commissariats avaient pour but et eurent pour effet de corriger le rapport de forces au bénéfice de l'Etat central et de la vraie légalité républicaine, en voie de convalescence à travers le gouvernement provisoire, l'Assemblée consultative, en attendant l'élection d'une assemblée constituante au suffrage universel (avec le vote des femmes pour la première fois en France).

L'« écœurement » d'Aragon venait de ce que, dès la mi-septembre, on voyait se dessiner l'échec du plan communiste de prise insurrectionnelle du pouvoir, ou, tout au moins, du monopole de ce pouvoir, et d'élimination de la Résistance extérieure gaulliste et des composantes non communistes de la Résistance intérieure. Une fois de plus, la Révolution était trahie. L'épilogue, bien connu, devait se révéler sordide : en échange de l'amnistie et de l'autorisation de rentrer en France accordées par de Gaulle au secrétaire général Maurice Thorez, qui avait déserté devant l'ennemi en 1939 pour gagner Moscou via l'Allemagne hitlérienne, alors amie de l'URSS, le Parti communiste accepta que le gouvernement provisoire dissolve les comités départementaux de libération et les milices patriotiques. Ensuite, l'entrée de Thorez au gouvernement guérit en un battement de cil la nausée d'Aragon, que je retrouvai à Paris, quelques mois plus tard, converti en prédicateur intraitable de l'Union nationale et de la production industrielle.

A Lyon, en attendant cette glorieuse métamorphose patriotique, ma modeste mission régionaliste de balader le couple encombrant trouva l'aide d'un vigoureux tremplin dans la passion qui tenaillait Aragon de lire ses poèmes à haute voix devant un public qui pouvait aller de trois personnes à trois cents, tant il franchissait vite le seuil à partir duquel se déchaînait sa fureur de se faire écouter. J'avais obtenu l'affectation d'un petit salon de la préfecture pour qu'il y tînt séance. Sa manière de lire à haute voix, dès la première fois que je l'entendis, me cloua sur place. Depuis les hilarantes imitations par le rapin ami de mon père, Louis Audibert, de Mounet-Sully, parangon du vieux style pompier de la Comédie-Française, dans le monologue de don Diègue du *Cid*, je n'avais jamais entendu réciter des vers avec une diction aussi emphatique, aussi ampoulée, aussi grandiloquente, avec ce pathos de tremblotements racoleurs dans la voix. Comment expliquer un tel académisme, chez un écrivain qui, avant ses abjections staliniennes, avait, malgré tout, contribué dans sa jeunesse à la révolution surréaliste ? Etait-ce dû à sa génération et à la façon dont l'école de son enfance apprenait aux élèves à réciter des vers ? Ou subissait-il déjà les premières atteintes du virus des poncifs réalistes-socialistes ? Puis, en écoutant mieux, je m'aperçus qu'en vérité son enflure vocale de cabot mélodramatique convenait à la nature profonde de ses poèmes. Ceux dont il nous gratifiait provenaient tous soit du *Cantique à Elsa* (ou *Yeux d'Elsa*) — matière obligatoire du programme — soit du *Crève-Cœur*, recueil qui chantait la douleur et l'espérance de la France défaite et qui, dès sa publication, en 1941, avait bouleversé des milliers de lecteurs dans le pays. La façon de les dire de l'auteur lui-même en faisait éclater la flagrante nature de vers de mirliton. La poésie avait fleuri sous l'Occupation et y avait joui d'une ferveur populaire comme jamais, me disait Auguste Anglès, depuis la période symboliste, à la fin du XIXᵉ siècle, où l'on avait vu également des employés de l'octroi ou des négociants en bestiaux se ruer sur les volumes de vers comme sur des romans. La différence hélas ! tient à ce que la poésie symboliste reste d'une qualité aussi haute que l'était sa nouveauté, tandis que la poésie de l'Occupation constitue une rechute dans l'académisme. Nul ne l'a mieux dénoncé que celui qui l'a déploré le premier, Benjamin Péret, dans *Le Déshonneur des poètes*, en 1945, quand il écrit que pas un de ces « poèmes » (les méprisants guillemets affichent déjà son verdict) « ne dépasse le niveau lyrique de la publicité pharmaceutique et ce n'est pas un hasard si leurs auteurs ont cru devoir, en leur immense majorité, revenir à la rime et à l'alexandrin classique ». Quant à leurs thèmes, Péret constate qu'ils se bornent à marier christianisme et nationalisme, alliage du plus pur pétainisme, même dans le cas de poètes personnellement sympathisants de la Résistance. Notant que Loys Masson, Pierre Emmanuel ou Patrice de la Tour du Pin « se limitent à broder sur le catéchisme », Péret félicite Aragon, habitué de l'encensoir stalinien, d'avoir célébré néanmoins Jeanne d'Arc (!) sans toutefois parvenir aussi bien que ses concurrents à allier Dieu et la patrie. Déjeunant avec Aragon et Elsa dans un restaurant de marché noir où le patron les accueillait en riches amis de la maison et où un paravent protocolaire les isolait de la plèbe de la salle, je leur demandai s'ils entrevoyaient la possibilité d'une esthétique conciliant le marxisme et l'avant-garde. « Le marxisme, c'est l'avant-garde », proféra la pythie des *Yeux d'Elsa*, approuvée par Elsa. Je me tus. René Tavernier, qui participait au déjeuner nous écarta de ce terrain miné pour nous rapporter un bruit qui attribuait à Yves Farge la paternité du *Silence de la mer*. Ce court roman qui avait tant ému la France occupée en 1942, et dont Jean-Pierre Melville devait tirer un beau film en 1948, était signé « Vercors ». Mais on ignorait à cette date qui s'abritait derrière ce pseudonyme. Le bruit courait que c'était un écrivain célèbre. On avait prononcé le nom de François Mauriac. Or c'était un débutant, dont le nom ne dit rien à personne quand on l'apprit, et dont aucun des livres suivants n'égala le premier : Jean Bruller, mort en 1991, presque oublié. L'hypothèse Farge me médusa. « A-t-il le talent de le faire ? » interrogeai-je. « Il a la dissimulation d'avoir le talent de le faire », modula Louis Aragon avec un élégant geste de la main. Par ce raccourci, le talent même d'Aragon venait de scintiller à nouveau en un bref éclair. Je fus ravi d'entendre résonner, le temps d'un soupir, l'esprit englouti du pur-sang littéraire du *Paysan de Paris*. Le mot respirait un charme à la Voltaire ou à la Chamfort. Au demeurant, la conjecture était fausse. Farge, vaniteux, hâbleur, expansif, était incapable de dissimuler quoi que ce fût, et surtout pas son talent, s'il en avait possédé.

IV

Grâce à une autre des distractions qu'Auguste Anglès m'octroya, j'eus l'occasion d'accompagner trois officiers des Forces françaises libres dans un voyage de quelques jours sur le front de l'Est dont la pointe, au cours de cette deuxième quinzaine de septembre, atteignait la région de la Haute-Saône. Quand nous y parvînmes, Vesoul fumait encore des brûlures d'une bataille de la veille. Un sergent m'indiqua sur un mur, à la hauteur du deuxième étage, une large auréole de sang : tout ce qui restait d'un de nos soldats qui, quelques heures plus tôt, avait sauté sur une puissante mine. Elle avait projeté contre la paroi son corps déchiqueté. De Lattre de Tassigny conservait pour lors son quartier général à Besançon, où le chef de mes compagnons de voyage, le commandant Gillet, avait prévu de me présenter à lui. Sa légende, déjà prestigieuse à l'époque, le dépeignait comme plein de morgue. Il se voulait, disait-on, la réincarnation contemporaine de ces demi-dieux du commandement militaire qui, tels Alexandre le Grand, Napoléon ou Lyautey, ne se départissent jamais d'une attitude calculée, à la fois familière et distante, en vue de susciter l'« idolâtrie » de leurs hommes. Or, loin de tomber sur un comédien en représentation, j'eus le surprenant plaisir de serrer la main d'un interlocuteur cordial et ouvert, impatient avant tout d'exposer ses vues et ses actes sur un sujet qui pesait alors très lourd dans les complications de la Libération : l'amalgame. Mot qui évoquait les guerres de la Révolution française et signifiait l'intégration dans les Forces françaises libres, c'est-à-dire dans une armée régulière, composée de soldats formés, entraînés, commandés par de véritables officiers, du plus possible d'éléments des Forces françaises de l'intérieur. Les combattants gaullistes des armées françaises qui avaient débarqué avec les Américains considéraient volontiers avec mépris les FFI comme des pitres tardivement affublés d'uniformes et non comme des compagnons d'armes. Il est certain que Marseille, par exemple, comptait tout au plus cinq cents guérilleros urbains le jour de sa libération et qu'on en avait vu défiler cinq mille sur la Canebière trois semaines après, lors de la visite du général de Gaulle. J'avais jeté un froid, dans la voiture où je roulais vers Besançon avec le commandant Gillet, un capitaine et un lieutenant, en commettant la gaffe de citer, sans plus, un gros titre du magazine illustré américain *Life* (dont m'avaient donné quelques numéros des officiers des services américains d'information à Lyon, la *Psychological Warfare Branch*). Ce titre annonçait, avec plus de romantisme, il est vrai, que d'exactitude : « Les FFI servent de fer de lance aux FFL pour refouler la Wehrmacht. » D'ailleurs, si l'état-major français avait proposé à la Délégation régionale d'emmener un de ses membres en tournée d'information, c'était dans l'espoir que nous l'aiderions ensuite à rectifier le lyrisme pro-FFI de la presse. A lire, surtout, la presse communiste, on aurait presque cru que les unités de débarquement avaient ralenti le recul des Allemands ! Derrière ces frictions en apparence techniques se déroulait une lutte politique. De Lattre avait compris que l'amalgame assagirait les maquisards plus sûrement que le rejet préconisé et pratiqué par de Gaulle, exaspéré au-delà du supportable par les grades usurpés qu'arboraient ces hordes criardes. Il faut en convenir, j'avais retrouvé à Lyon quelques camarades de ma khâgne, studieusement blottis, encore trois mois auparavant, à la bibliothèque Saint-Jean, soudain revêtus d'uniformes improvisés, et galonnés jusqu'au coude par la grâce d'une aussi vigoureuse que mystérieuse accélération promotionnelle. Une fois calmé l'enthousiasme confus des commencements, il fallait donc, pour réussir l'amalgame, faire accepter une conversion des grades, par exemple la transformation, non sans grincements de dents, d'un « colonel » FFI en adjudant ou en aspirant de l'armée régulière. De Lattre s'était attaché avec patience à cette tâche de consolidation et, dans une large mesure, il était en train de la mener à bien.

Le trio d'officiers — un commandant, un capitaine et un lieutenant — qui me chaperonnait avec tant de gentillesse reflétait la diversité sociale de la France combattante. Le commandant Gillet, fils d'un homme de lettres estimé, représentait ce qu'il est convenu d'appeler la « grande bourgeoisie cultivée ». J'avais lu l'étude de son père, le critique Louis Gillet, sur Bossuet, parue juste avant la guerre dans le *Tableau de la littérature française de Corneille à Chénier*, livre qui contenait également le *Racine* de Jean Giraudoux (l'un des plus éblouissants essais de critique littéraire du siècle), le *Rousseau* de Jean Cocteau, le *Montesquieu* de Paul Valéry ou le *Laclos* d'André Malraux. Le capitaine, quant à lui, devait avoir été avant 1939 un homme d'affaires moyen. Il affichait pour passion prédominante les rallyes automobiles. Il consacra une grande part du temps de nos déplacements à me raconter les rallyes auxquels il avait pris part jadis et me répétait sans se lasser cet axiome, que je ne cherchai aucunement à contester d'ailleurs : « Une voiture se conduit autant avec les oreilles (c'est-à-dire en écoutant le moteur) qu'avec les yeux. » C'est lui, des trois, qui nourrissait la plus indomptable haine envers les FFI, encore enragé contre le défilé de « cette bande de marioles » à Marseille. Quant au lieutenant, il était pianiste dans une boîte de nuit à Casablanca au moment du débarquement des Alliés sur les côtes d'Afrique du Nord, en novembre 1942. Il avait alors laissé en plan son clavier pour aller à Alger s'engager chez de Gaulle. Infatigable dans la farce et le calembour, il incarnait la quintescence éruptive de ce que la coutume appelle un joyeux drille. Sa joie suprême consistait à, par exemple, arrêter la voiture à hauteur d'une jolie fille et, feignant d'être un Américain (puisque les uniformes étaient les mêmes) incapable de prononcer correctement Besançon, il demandait à la donzelle la route de « baise-en-con ». J'étais alors partagé entre la nécessité de rire pour éviter de vexer le pianiste et celle de ne pas trop rire, de peur de consterner le fils du spécialiste de Bossuet.

Je revins à Lyon pour y trouver la nouvelle, à la fois désagréable et attendue, que mon père avait été arrêté et incarcéré à Marseille en tant que collaborateur. L'état délabré des voies ferrées et la rareté persistante des trains rendaient encore obligatoires, pour monter sans délai dans un wagon, des permis spéciaux ou ordres de mission officiels. Auguste me signa, bien entendu, tous les documents dont j'avais besoin. Il y joignit une lettre d'introduction à Raymond Aubrac, le commissaire de la République de la région Provence-Côte d'Azur. Il lui exposait qu'il m'envoyait à lui pour que j'enquête sur la façon dont son Commissariat et sa Délégation à l'information géraient l'installation de la nouvelle presse, afin de vérifier si nos politiques dans ce domaine s'harmonisaient. Il priait enfin Aubrac d'écouter avec bienveillance et « dans un esprit de fraternité résistante » ce que j'avais à lui dire au sujet d'un « douloureux drame familial ». Je trouvai ma mère d'abord accablée par la mort récente de sa propre mère (ma grand-mère figurait parmi les quelque deux mille victimes marseillaises du bombardement allié du 27 mai 1944), ensuite désemparée par l'arrestation de son mari, dont elle ne cessait, dans sa naïveté politique, de répéter qu'il « n'avait rien fait de mal ». C'était par bonheur une vérité matérielle, mais, vu l'occupation par l'ennemi que nous avions vécue, ce n'était pas une vérité morale. Mon père avait pour avocat Me Léon Petit, qui était aussi son meilleur ami, une notoriété du barreau marseillais, ancien bâtonnier de l'Ordre. Mais c'était avant tout un civiliste. Hésitant donc à prendre seul le dossier en main, il trouva des confrères aptes à bien le plaider, sans nous demander des honoraires trop élevés, que nous n'étions pas en mesure de payer. En outre, Me Petit entretenait des relations amicales avec Gaston Defferre, sur le point de devenir le maire inamovible de Marseille. Il avait pris son cabinet d'avocat en gérance au moment où Defferre était entré dans la clandestinité. Il avait même plusieurs fois hébergé

« Gaston » à son propre domicile durant la période de la Résistance. J'ignore si cette relation fut utile, car Mᵉ Petit refusa toujours de me dire s'il l'avait utilisée ou non. Plus tard, quand je connus Defferre, je n'osai jamais lui poser la question.

De ma visite à Aubrac, je sortis mécontent de moi-même, avec l'impression d'avoir échoué dans ma démarche en ce qui concernait mon père. Pour me vieillir et me rendre plus officiel d'aspect, j'avais dégotté dans la garde-robe paternelle et je m'étais affublé d'un de ces chapeaux bleus à larges bords relevés, que la mode appelait « à la Eden », du nom du secrétaire britannique au Foreign Office, Anthony Eden, l'un des arbitres des élégances de l'Europe des années trente. Mais, surmontant un blouson kaki de l'armée américaine, un col de chemise dépourvu de cravate, un pantalon sans âge et sans pli, des godasses à semelles de bois, la noble coiffure londonienne, qui eût appelé un complet issu du meilleur faiseur de Jermyn Street, me donnait une tournure grotesque. Posée sur mes genoux durant l'entretien, elle devenait encore plus saugrenue. De surcroît, j'avais écrit sur ma fiche de demande d'audience : « Délégation régionale de la région Rhône-Alpes. » Voilà que l'huissier, ressortant radieux au bout de trois secondes du bureau d'Aubrac et m'en tenant la porte ouverte, se met à hurler d'une voix triomphale pour m'annoncer : « Monsieur le Délégué régional à l'information de la région Rhône-Alpes. » Le commissaire de la République avait lu trop vite ma fiche et m'avait pris pour mon patron. Je le défrisai quelque peu en lui apprenant que je n'étais que l'un des collaborateurs d'Anglès. Nous avions beau être en période « révolutionnaire » et nous appeler entre nous « citoyen » ou « citoyenne » (ce qui était une des interpellations favorites d'Yves Farge), Aubrac laissa néanmoins paraître quelque dépit de n'avoir pas fait attendre davantage dans l'antichambre un personnage si inférieur à lui-même dans la nouvelle hiérarchie. Renfrogné, il lut cependant avec attention la lettre d'Auguste (dont j'ai omis de mentionner qu'elle énumérait aussi mes modestes titres d'aide résistant). Pour les renseignements désirés par Anglès, il marmonna qu'il annoncerait ma visite à son propre délégué régional à l'information, Gaston Berger, le philosophe déjà bien connu. Encore collégien, je l'avais souvent aperçu à la Société marseillaise de philosophie, où il animait avec suavité des cycles de conférences. Enfin, touchant les « ennuis » de mon père, Aubrac, après m'avoir écouté avec un visage de bois, laissa tomber qu'il se ferait communiquer le dossier. Glacial, il ne se leva même pas de son fauteuil pour me raccompagner à la porte de son bureau. Je me revois planté sur le trottoir, devant la préfecture, hébété, irrité contre moi-même, avec sur le chef mon ridicule feutre « à la Eden » et sur le cœur un affreux poids de pessimisme.

Et pourtant, combien trompeuses peuvent se révéler parfois nos intuitions ! J'appris, à la fin de l'année, par le juge d'instruction, que l'intervention d'Aubrac avait beaucoup joué dans le non-lieu que mon père finit par obtenir. Au cours de ma première conversation avec lui, ce juge m'avait ôté tout espoir de non-lieu, mon père n'ayant, dit-il, certes commis aucun acte criminel de collaboration ou d'intelligence avec l'ennemi, mais ayant reconnu avoir participé à des manifestations pétainistes après la date fatidique du 30 novembre 1942 et même avoir appartenu au SOL (Service d'ordre de l'organisation vichyste appelé la Légion), lequel SOL avait préfiguré la criminelle Milice. Quand le juge eut néanmoins prononcé, après plusieurs mois, l'improbable non-lieu, j'allai le revoir. Sur le dossier, il n'avait pas, me dit-il, changé d'avis. Il fallait attribuer son indulgence, précisa-t-il, à mes propres antécédents de résistant et à l'argumentation d'Aubrac faisant valoir qu'on « devait quand même faire quelque chose pour un gamin qui avait choisi le bon combat ». Ainsi, cet homme que de Gaulle méprisait pour son incapacité administrative, que les Marseillais avaient surnommé « Aubracadabrant » en raison de sa gestion chaotique de la ville et de la région, que l'on classait comme un ventriloque des communistes et un sectaire dans le domaine de l'épuration, avait accompli en faveur d'un jeune inconnu auquel ne le liait aucun passé et dont l'assurance avait dû lui paraître puante, un geste généreux, dénué de tout calcul intéressé, comme de toute perspective de réciprocité.

Au retour de mon premier séjour judiciaire et familial à Marseille, au début d'octobre, je trouvai, à Lyon, la Délégation et le Commissariat de la République étales, banals, routiniers, inertes et soudain provincialisés. C'est qu'en effet le pouvoir politique avait achevé de se reconcentrer à Paris. Les noyaux d'autorité qui, disséminés à travers tout le pays, avaient vécu sur eux-mêmes pendant un mois, un mois et demi, et s'étaient gouvernés presque comme de petites républiques autonomes, étaient retournés à leur réalité de succursales provisoires du gouvernement national. Cette évolution rendait monotone désormais notre travail lyonnais. Elle le privait des incertitudes et des responsabilités excitantes de la Libération et elle l'asseyait comme rouage subalterne dans la fonction obscure et indispensable de la reconstruction matérielle et institutionnelle. Je confessai donc à Auguste mon désir de retourner à Paris, à l'Ecole, rue d'Ulm. Il accepta ma démission, en universitaire comprenant et même appréciant hautement qu'à vingt ans et demi, au lieu de me servir de mon petit marchepied d'après Résistance pour me faufiler dans l'administration ou la politique, je redonne la priorité à mes études. Lui-même, après quelques mois, dédaignant les possibilités de carrière parlementaire, diplomatique ou administrative que ses états de service lui auraient permis aisément d'exploiter, revint à l'enseignement et à la recherche littéraires. Nous nous embrassâmes, conscients de voir finir une époque et se cristalliser une amitié dont seule sa mort devait briser entre nous l'exercice et dont seule la mienne pourra effacer de mon cœur le souvenir.

LIVRE CINQUIÈME

INFLUENCES NÉFASTES

I

Ce peut être en 1946 ou en 1947. Ce fut, dans la réalité, maintes fois, au cours de ces deux années. Vers sept heures du soir, je descends à pied du métro Etoile jusqu'à la rue d'Armaillé, je prends à gauche la courte rue des Colonels-Renard (dont je n'ai jamais eu la curiosité de chercher à savoir combien ni qui diable ils étaient). Je sonne à la porte de l'appartement du premier étage d'un triste immeuble de cette rue étroite et sombre. On m'ouvre aussitôt, car les disciples stationnent, nombreux déjà, dans l'antichambre. C'est jour de séance chez Gurdjieff.

La mère supérieure qui remplit auprès de lui les fonctions de directeur de cabinet, de fondé de pouvoir, de sergent recruteur, d'interprète (veuve d'un Russe blanc, vieux compagnon de Gurdjieff, elle parle russe), d'intendante des finances et d'exégète consolateur auprès des apôtres déçus, Mme de Salzmann, fait asseoir par terre en tailleur la vingtaine d'initiés présents, dans un salon dépourvu de tout meuble, sauf la propre chaise de la veuve et le large fauteuil où va trôner le maître. Sortant de l'ombre après avoir parcouru un tortueux couloir, au fond duquel une pièce qui lui sert à la fois d'alcôve, de cellier, de cuisine, de bureau et de confessionnal pour ses audiences privées, paraît un sexagénaire rond, court sur pattes, au crâne lisse, dont le masque géorgien troué d'yeux immenses est barré d'une épaisse et large moustache aux longues pointes. Il ouvre la réunion tantôt sur un ton jovial, tantôt de méchante humeur. Il passe d'ailleurs à plusieurs reprises de la gaîté ironique à la colère dévastatrice. Bien entendu, Mme de Salzmann saura nous expliquer ensuite que ce sont là des rôles qu'il joue pour notre bien. Un maître spirituel de cette envergure, déjà parvenu à épanouir en lui le « troisième corps », quelque chose dans le genre de l'âme immortelle, ne saurait éprouver aucune humeur. Il se sert de son être de chair, le « premier corps », comme d'une marionnette, pour produire sur son interlocuteur ou son auditoire l'effet désiré par lui. Les disciples ont le droit, au cours de ces réunions, de lui poser des questions les concernant personnellement, sur les progrès qu'ils croient avoir faits ou les difficultés auxquelles ils se heurtent dans le « travail ». De tel ou tel d'entre nous, on dit qu'il est plus ou moins « avancé dans le travail », dans sa quête spirituelle. Les participants aux séances de questions connaissent déjà les lignes générales de l'« enseignement ». On dit d'eux : « Il est dans l'enseignement », « il veut entrer dans l'enseignement ». Mme de Salzmann tient elle-même des réunions didactiques dans son appartement de la rue Vaneau — à l'adresse même où habite, à un autre étage, André Gide ! Le plus souvent l'initiation consiste en la simple lecture à haute voix du texte sacré, l'ouvrage de Gurdjieff, *Récits de Belzébuth à son petit-fils*, qui a, du reste, été publié depuis, ce dont je me réjouis car la nullité en est ainsi apparue au grand jour. A nos questions, le Géorgien répond dans un sabir franco-russe digne de l'anglo-russe de Misha Auer, le prince exilé devenu serveur de restaurant dans le film burlesque *Hellzapopin*. Il ne connaît des verbes que l'infinitif, ignore les articles, les prépositions et les conjonctions de coordination ou de subordination. Par exemple, quand (en consultation privée, bien sûr) il veut entraîner une femme dans l'antre du fond du couloir pour coucher avec elle, il dit : « Vous venir avec moi dans chambre ; moi donner vous très grosse plassirr. » En échange de ses conseils spirituels, aux femmes désirables il demande leur « premier corps », aux autres de l'argent, ainsi qu'aux hommes. Mme de Salzmann, rassurante confidente, explique à tous que ces exigences sont dénuées de tout égoïsme et dictées par le seul souci de nous faire « avancer dans le travail ». De même, c'est encore Mme de Salzmann qui est là pour traduire, quand Gurdjieff se lance dans une réponse trop subtile pour son piètre français et passe donc au russe. Avoir suscité une réponse « en russe » signifie, pour le disciple, un degré de sollicitude supérieur de la part du maître et donc d'avancement marqué chez lui-même.

A la séance de questions et réponses succédait un dîner, auquel Gurdjieff invitait tous ses sujets présents, comme le fait un chef d'Etat, c'est-à-dire avec leur propre argent, s'entend, puisque nous lui versions tous, via Mme de Salzmann, une cotisation mensuelle « proportionnelle à nos facultés contributives », comme le dit la Constitution de 1791. Le banquier, le fils de famille nanti, la femme du monde épouse d'un potentat de la finance, outre leur forte contribution régulière, se voyaient de temps à autre taxer en vue d'une urgence. En échange ils obtenaient de plus fréquentes entrevues en tête à tête avec le maître et l'assurance que leurs dispositions pour la spiritualité, leurs progrès « dans le travail » dépassaient le niveau commun, là encore « à proportion de leurs facultés contributives ». Le don spécial imposé aux jolies femmes, don de soi plutôt que de sous, l'un n'excluant pas l'autre, était générateur d'une ascension accélérée vers le deuxième ou le troisième corps. Les dîners se déroulaient dans une salle à manger attenante au salon des exercices spirituels et trop exiguë pour que nous puissions tous nous asseoir autour de la longue table ovale, d'autant que le canapé sur lequel s'installait Gurdjieff, flanqué de femmes et de riches, en occupait tout un côté. Sur une chaise ou debout, nous dégustions une savoureuse cuisine russo-géorgienne, consistant surtout de bortsch à la viande très relevé, qu'avait confectionné et conservé au chaud dans des marmites norvégiennes une ribambelle d'émigrées russes : cousines, nièces, belles-sœurs, qui gravitaient avec une silencieuse et active servilité autour du chef de la tribu. Le monarque, environné de sa cour, portait les toasts à la santé de diverses catégories d'idiots — tous les humains qui ne suivaient pas son enseignement. Toasts nombreux, et Gurdjieff veillait à ce que nous finissions la soirée ivres. Avec un œil infaillible de vieil alcoolique, il repérait les petits verres que certains emplissaient subrepticement d'eau, dont la couleur blanche, croyaient ces naïfs, se confondait avec celle de la vodka. La différence, c'est que l'eau offre à sa surface un ménisque, et pas la vodka. Décelant cette imperceptible convexité, un Gurdjieff courroucé exigeait que le coupable ingurgitât sans délai deux vodkas coup sur coup « à la santé de tous les idiots buveurs d'eau ».

La substance proprement dite de l'enseignement de Georges Ivanovitch Gurdjieff — Ghiorghivantch pour les familiers — rassemblait en un pot-pourri trivial des traits empruntés au vieux fonds universel des doctrines de conquête de la sagesse et de l'illumination spirituelle. Ses principales sources se situaient en Orient, parce que c'est l'Orient qui plaît en Occident, comme le montre par ailleurs, avant et juste après la guerre, le succès des œuvres de René Guénon, qui ne séduisirent pas seulement de vieilles rombières crédules, puisque le persifleur Jean Paulhan et même un intransigeant rationaliste comme Etiemble m'en parlèrent, plus tard, avec un évident intérêt. Tout comme André Breton, et avec encore plus de ferveur, ce qui ne saurait étonner, vu le soubassement anti-intellectualiste du surréalisme. Gurdjieff, pour sa part, amadouait avec cynisme des occidentaux tenus par lui pour des dégénérés, qui avaient répudié la « tradition », à part d'heureuses exceptions comme les Rose-Croix. Il les invitait à renouer avec cette « tradition » où brillaient les prestiges lointains du *Tao-Te King*, du yoga, du bouddhisme tibétain, surtout du bouddhisme zen japonais, dans lequel les rapports énigmatiques et brutaux du maître et des disciples avaient tout pour lui convenir. Quant à moi, je n'avais aucun mal à remarquer les analogies que comportaient ces thèmes — recherche d'une maîtrise de soi et d'un détachement du monde conduisant à une illumination supérieure — avec certains courants et auteurs de la philosophie européenne, de Pythagore, Socrate ou Platon jusqu'à Spinoza en passant par les stoïciens, tous philosophes imprégnés eux aussi, à leur manière et à des degrés divers, de religiosité.

La question n'était donc pas, en ce qui me concerne, de savoir quelle attention il fallait accorder à l'étude de morales, de philosophies, de religions orientales qui faisaient somme toute partie du patrimoine de l'humanité. Elle était de savoir pourquoi ma curiosité avait pris la forme d'un sot et dégradant engagement dans le « groupe ». C'est ainsi qu'on nommait la petite église. Et « faire partie du groupe » signifiait suivre Ghiorghivantch, c'est-à-dire un imposteur et un escroc, dont l'aplomb esbroufeur n'aurait pas dû me cacher l'indigence intellectuelle. Oh, certes, j'étais en bonne compagnie. Seule la discrétion m'empêche de nommer les gens influents ou célèbres, à l'époque ou par la suite, que j'ai croisés rue des Colonels-Renard. Je puis mentionner ceux qui ont eux-mêmes traité de leur engagement dans des livres, tels Luc Diétrich, René Daumal, Louis Pauwels. Mais je côtoyai aussi d'actuels ou futurs présidents de grandes entreprises, des hauts fonctionnaires, d'éminents journalistes et directeurs de journaux, des médecins des hôpitaux et professeurs de faculté, des artistes renommés, qui se mêlaient à une faune moins reluisante de petits employés bigots ou d'Anglaises gâteuses mais dévouées et rémunératrices. Mon assiduité dans l'ésotérisme me portait à négliger mes études et compromettait mon avenir. A l'Ecole, je m'acheminais vers le statut d'absent permanent.

II

Bien que j'aie goûté et admiré plusieurs exercices littéraires de Sartre, dans *L'Etre et le Néant* et *L'Imaginaire*, la phénoménologie et l'existentialisme n'ont jamais exercé sur moi qu'une influence provisoire et limitée, sauf sur un point et dans un cas décisifs, un tournant imprévu, source de catastrophe ou de bonheur dans ma vie, selon l'humeur, plus probablement les deux à la fois. Un jour d'avril 1945, je vois entrer dans ma turne une fille au beau visage et à l'émouvant sourire. Elle m'explique qu'elle a reçu mission de réunir une documentation et de prendre des contacts en vue d'une émission de radio sur l'existentialisme que préparait un certain Jacques Baratier, qui connut plus tard une demi-minute de notoriété comme cinéaste. La visiteuse m'expose que son patron souhaite ajouter aux entretiens qu'il a déjà enregistrés avec les principaux philosophes existentialistes de l'heure le point de vue d'un étudiant en philosophie. Elle tient mon nom d'un de mes camarades de l'Ecole, mon aîné Marcel Hignette, futur directeur de la Librairie (lisez : Editions) Hachette, dont j'appréciais la virtuosité de causeur, sinueuse, mélodieuse et sûre d'elle-même, comme celle du Docteur Pierre Imbert. Dans quel cercle elle et Baratier avaient rencontré Hignette, c'est ce que l'avenir allait bien trop vite me dévoiler. J'avais acquis une tâtonnante expérience de la radio à Lyon, parmi mes occupations à la Délégation régionale et j'avais, en particulier, fait une émission sur Saint-Exupéry, qui venait de disparaître, abattu en vol le 13 juillet 1944. J'avais pris goût au micro. Va donc pour l'existentialisme ! Un mois plus tard, la démarcheuse radiophonique se trouva enceinte. En juillet, je l'invitai à m'accompagner à La Pinède pour passer quelques jours chez mes parents à Marseille. Au bout de vingt-quatre heures, je sentis que ma mère, mûre pour le mélodrame, avait subodoré la vérité. Elle me prit à part. Arborant le faciès d'Athalie après le songe, elle haleta, d'une voix tonnante et brisée à la fois : « Mon fils, il y a des signes qui ne trompent pas une femme, surtout une mère : je suis sûre qu'elle est enceinte ! » Quelques semaines plus tard, j'épousai Yahne Le Toumelin à la mairie du VIIIe arrondissement, à Paris.

C'était à point nommé la source d'embarras qu'à vingt et un ans je pouvais redouter le plus. Mais à toutes les questions que peut poser Panurge au « vieil poète français » Raminagrobis, sur le sujet du mariage, la seule réponse que je puisse faire, en ce qui me concerne, j'entends, c'est que le mariage en soi n'existe pas. On n'épouse pas le mariage. On épouse une femme. Parce qu'on l'aime et que le mariage se trouve être, pour l'heure, le plus commode moyen de vivre avec elle. C'est une solution de paresse. Si je n'avais pas été amoureux, j'aurais pu détaler en m'appropriant le discours d'adieu de Restif de la Bretonne : « Elle m'a rendu heureux, je l'ai rendue mère : nous sommes quittes. » Même sans amour, cependant, je n'aurais pas eu ce courage. Le cynisme a toujours été hors de ma portée. Comme j'aurais voulu posséder cette capacité, de même que la persévérance dans la vengeance ! Ma rancune s'évapore en une saison, et quand je bute sur une ordure que je devrais poignarder pour toutes ses calomnies ou la bassesse de ses attaques, je l'étreins avec des tressaillements d'allégresse. Une faiblesse m'empêche de repousser son accolade.

Me trouver ainsi, à vingt et un ans, brusquement métamorphosé en « jeune marié », bientôt en « père de famille » (notre fils Matthieu devait naître le 15 février 1946), non seulement m'affubla sans préavis d'un costume de petit bourgeois besogneux, contraire à l'esthétique de ma vie telle que je l'avais rêvée, non seulement me précipita dans les tracas matériels, à commencer par celui du logement, puisque à l'Ecole tout élève marié devenait obligatoirement externe, mais encore détermina, selon une causalité initiatique toute sentimentale, ma dégringolade dans la débilité gurdjieffienne. C'est en effet Yahne qui me recruta. L'envoûtant Marcel Hignette m'avait dès longtemps laissé entendre avec force mimiques chargées de sous-entendus qu'il était « initié » et pouvait m'initier. Il avait auparavant déjà lancé vers moi ses filets, allant jusqu'à me narrer, pour me circonvenir, une entrevue qu'il avait lui-même ourdie entre Gurdjieff et Georges Dumézil. L'éminent historien des mythes et religions indo-européens n'avait pas encore atteint à cette époque la célébrité qu'il devait acquérir par la suite. Il n'était alors connu que de ceux qui le lisaient effectivement, en particulier les latinistes, dont faisait partie Hignette. Dans la religion romaine, il avait constaté le même soubassement ternaire que l'on retrouve dans presque toutes les autres religions indo-européennes. Hignette avait persuadé Dumézil, dont il était l'étudiant, de rencontrer un « maître » qui lui révélerait la raison secrète de cette prépondérance du chiffre trois dans la « tradition ». Il m'avait décrit la scène : le savant, quoique armé de son immense érudition, réduit à l'humilité d'un enfant, face au « sage » qui détenait, lui, la clef ésotérique, seule capable d'ouvrir la porte de l'interprétation d'un tel savoir. Sans cette clef, la science de Dumézil était condamnée à rester une vaine collection de concepts d'une stérile sécheresse théorique.

Pourtant, lors de cette première tentative, je n'avais succombé ni à la prestigieuse caution de Dumézil ni à l'insinuante éloquence d'Hignette. Aussi ce dernier, malgré toute sa suavité étudiée, parvint-il mal à me dissimuler une irritation outragée, après qu'il eut appris que Yahne avait en se jouant réussi là où il avait laborieusement échoué. « Tu ne m'avais pas averti de ton accession », articula-t-il, froissé, en me toisant, un après-midi, dans une alvéole de la bibliothèque de l'Ecole. C'est qu'en effet l'une des tâches le plus utiles au « groupe » et les plus appréciées des « maîtres » était, pour les disciples, d'« amener » de nouveaux adeptes, ce qui élargissait l'assiette des contributions. Hignette oubliait que son échec, qu'il croyait mortifiant, n'en était pas un, car Yahne disposait pour me convertir d'un argument intime dont il était pour moi dépourvu. Malgré l'intérêt que j'avais pris au diplôme d'études supérieures de mon camarade sur *L'Arboriculture chez Pline l'Ancien*, je me sentais plus attiré par le règne animal que par le règne végétal et par le *mundus muliebris* que par l'*Historia naturalis* du grand savant romain. Mais pouvais-je lui avouer que c'était sous l'impulsion de la Chair que j'avais accédé à l'Esprit ?

Mon penchant à la captivité volontaire dans l'univers féminin, le *mundus muliebris*, me poussera, souvent encore, au bonheur par l'erreur. Mais cette première faute-là, qui n'était pas tout à fait la première, eut des conséquences abêtissantes d'un comique navrant du fait que c'est Yahne qui m'amena au « groupe ». Dans la troisième partie de *Histoire de Flore*, petit roman à l'insuccès mérité, que j'écrivis en Italie vers 1953 et qui parut à Paris en 1957, je raconte, avec plus de détails que je n'ai la patience d'en donner ici, les étapes successives de l'« initiation » de mon héroïne, plus crédule au point de départ que je ne le fus moi-même.

Mais, si peu que je le fusse, je l'étais encore trop, et l'empire de Yahne sur moi durant notre lune de miel ne suffit pas à m'excuser, d'autant que cette influence fut de courte durée. Corneille, en effet (dans sa comédie *Mélite*), dit fort bien :

Que, bien qu'une beauté mérite qu'on l'adore,
Pour en perdre le goût on n'a qu'à l'épouser.

Ce qui m'intéresse rétrospectivement, dans ma mésaventure gurdjieffienne, c'est l'expérience que je fis sur mon propre cas de l'aptitude des hommes à se persuader de la vérité de n'importe quelle théorie, de bâtir dans leur tête un attirail justificatif de n'importe quel système, fût-ce le plus extravagant, sans que l'intelligence et la culture puissent entraver cette intoxication idéologique. Sans doute Gurdjieff était-il un adroit histrion, dont les artifices en vue de réduire son entourage en esclavage affectif et de constituer autour de lui une cour obséquieuse étaient dignes des meilleurs modèles politiques, artistiques ou mondains. Il sévissait en France depuis les années vingt. Il avait alors créé à Fontainebleau une sorte de phalanstère, dans une propriété appelée « Le Prieuré », où il menait la vie à grandes guides grâce au denier du culte, et où il avait attiré, parmi ses disciples, Katherine Mansfield. La romancière y était morte à trente-cinq ans, en 1923. Des rumeurs prêtaient à Gurdjieff une part de responsabilité dans cette fin prématurée. Car le vieux charlatan prétendait détenir aussi des secrets médicaux, issus d'une mystérieuse « tradition », censée être plus efficace que la plate et « intellectuelle » médecine occidentale. Katherine Mansfield s'en serait remise à lui pour soigner sa tuberculose, ce qui ne pouvait de toute évidence avoir pour résultat que d'en hâter le cours fatal. Quel crédit attribuer à ces imputations ? Je l'ignore. Je puis en revanche assurer que Gurdjieff fournissait souvent à ses ouailles, dans la confidence de son garde-manger-alcôve, des médecines de sa composition enveloppées d'indéfinissables bouts de papier crasseux et supposées guérir telle ou telle de leurs affections. Cette faveur entraînait, bien entendu, un « don » pécuniaire de la dupe. Le beau, dans cette exorbitante filouterie de notre Esculape caucasien, tient à ce que son « groupe » comptait en permanence des médecins, certains même illustres grands patrons des hôpitaux de Paris. Or, tant la foi paralyse l'intelligence et la conscience, nul d'entre eux ne s'avisa jamais de le dénoncer pour exercice illégal de la médecine. Discrétion qui constituait, si j'entends un peu de droit, le délit de non-assistance à personne en danger.

On pourrait être tenté de comparer le groupe Gurdjieff aux sectes qui ont défrayé la chronique criminelle depuis 1980. Je dirai, pour une fois à sa décharge, que ce serait une erreur, en raison d'une différence capitale : Gurdjieff ne cherchait à retenir personne. Les gens venaient s'ils voulaient, quand ils voulaient et pouvaient disparaître à jamais sans qu'il s'enquît de ce qu'ils étaient devenus.

Lorsque j'essaye de reconstruire cette insolite et impudente période de ma vie, entre 1945 et 1950, au cours de laquelle j'ai avec une minutieuse férocité « déconstruit » (comme dit la race moutonnière des critiques avancés, trouvant sans doute que « détruit » est trop banal) et piétiné ma carrière universitaire en herbe, pourtant toute tracée sur la voie « royale » et facile ouverte par les grandes Ecoles, je vois bien que la cause profonde de cette divagation ne tient ni à l'influence éphémère de Yahne, ni à la séduction vite éventée des fadaises ésotériques. Elle tient à une pente naturelle qui par tout mon caractère m'écartait de la vie universitaire orthodoxe. Enfant, j'avais aimé les lettres à ma façon, en me révoltant par la lecture directe contre la monotonie impersonnelle de leur enseignement au collège. Puis j'avais préparé le concours surtout pour me prouver que je pouvais le passer et pour faire ainsi la nique, sur le terrain même du sérieux scolaire, aux maîtres qui m'avaient tant reproché d'en manquer.

Mais une autre raison expliquait cette anesthésie de mon esprit critique. Si falsifié qu'il fût, l'« enseignement » de Gurdjieff se rattachait à une tradition authentique dont il charriait encore des bribes, tradition qui n'était pas seulement orientale. Après tout, les philosophies dont j'avais été nourri, qu'enseignaient-elles, sinon les techniques de la maîtrise de soi, la méfiance à l'égard des ambitions séculières, le refus de participer aux querelles de la Cité pour le pouvoir et la gloire, l'art du sage de passer inaperçu dans la foule et d'échapper au flux et au reflux de ses imprévisibles passions ? La philosophie de mon temps avait tourné le dos à cette subtile décoction de l'accomplissement personnel. Qu'il fût marxiste ou existentialiste, le courant dominant prescrivait l'« engagement » de l'« intellectuel » dans les affaires du monde, une conception collectiviste de l'accomplissement et utilitariste de la vérité, le sacrifice de la probité à la propagande. Et le tout au nom de l'« authenticité » et de la lutte contre l'« aliénation » telle que la définit Marx. A quoi s'ajoute un autre facteur explicatif de mon dévoiement.

Après la Libération, je trouvai, sans me l'avouer, intolérable la perspective d'une nouvelle liturgie quinquennale de « bon élève », consacrée à conquérir mes derniers certificats de licence (ce que je fis en juin 1945), puis le diplôme d'études supérieures (aujourd'hui rebaptisé maîtrise), ce que je fis l'année suivante, puis à préparer une sage agrégation, enfin à me dénicher un « patron » de thèse. A cette thèse devrais-je immoler mes dix années suivantes, tout en dévoilant les régals de la philosophie à quelques potaches de province, à moins que l'on ne m'inscrivît par faveur sur le rôlet des rentiers du Centre national de la recherche scientifique, position moins fatigante mais guère plus attrayante ? Réfractaire à ce calvaire d'ennui, et trop affamé de la vraie vie, je commençai à dévier dès le début de 1945.

L'une des influences qu'y m'y aidèrent le plus fut celle d'un personnage dont le génie propre m'apparut d'emblée d'une venue surpassant en élégance, en style d'être, tous les gens que j'avais admirés jusquelà. Je vis en lui sur-le-champ un modèle à imiter, pour fuir en tout la platitude des opinions passivement répétées et colportées, les goûts vulgaires et conformistes, les manières balourdes du fretin littéraire et intellectuel. Je fis sa connaissance au sortir d'une leçon qu'avait faite à l'Ecole un de ses anciens élèves du lycée Charlemagne, mon camarade et aîné Jacques Havet, sur le « rationalisme de Léon Brunschvicg ». Havet me présenta, ainsi que mon ami René Schérer, à son invité. C'était un homme haut et robuste, proche de la quarantaine, enfoncé et sanglé dans un somptueux manteau fauve en poils de chameau qui, à côté de mon sarrau élimé, m'apparut comme la Rolls Royce du pardessus. Attribuer un « masque d'empereur romain » à tout porteur d'un faciès plein et noble est un cliché qui, pourtant, convenait sans conteste à l'inconnu au nez aquilin, au vaste front dégarni, aux lèvres charnues et bien dessinées, qui, déambulant avec nous sans se presser vers la sortie, dans l'enfilade des couloirs multiples de l'Ecole, commentait méditativement, d'une voix tout à la fois timbrée et contenue, l'exposé de son ancien élève de Charlemagne. Il me parut triste, lui dont je devais entendre par la suite si souvent retentir le rire jupitérien. C'est que, ce soir-là, comme il me le confessa plus tard, il émergeait à peine d'une dépression nerveuse, ou, pour parler comme à l'époque, d'un accès de mélancolie dû à une rupture douloureuse, à la fois dramatique et sordide, avec Sartre et Simone de Beauvoir, ses amis depuis leurs vingt ans à tous trois.

Sartre, au demeurant, a montré combien Marc Zuorro avait compté pour lui, puisqu'il a cherché à exorciser le spectre de l'ami répudié ou perdu en le dépeignant, ou, plutôt, en le caricaturant sous les traits d'un personnage des *Chemins de la liberté* qui tient autant de place dans ce roman que le modèle en avait tenu dans sa vie : Séréno. Sartre fait de Séréno un homosexuel alcoolique, sadique, menteur et fou d'orgueil. Or Zuorro n'était ni peu ni prou alcoolique. Et, s'il était en effet homosexuel, ce dont, à des signes indirects, je n'acquis d'ailleurs la conviction que fort tard, il le cachait avec une farouche vigilance, tranchant, par sa discrétion, sur son faux double, l'exhibitionniste Séréno. Pourquoi les homosexuels se divisent-ils en deux catégories, ceux qui parlent tout le temps de leur homosexualité et ceux qui n'en parlent jamais ? Je l'ignore. Mais je sais que Zuorro se situait dans le deuxième camp. Non par honte ou crainte du qu'en dira-t-on : Ganymède et Saint-Sébastien réunis savent combien injustifiée était une telle crainte dans le Saint-Germain-des-Prés de l'après-guerre. L'Université, que du reste Zuorro était en train d'abandonner, montrait envers eux, pourvu qu'il n'y eût pas de scandale avec les élèves (c'était aussi vrai avec les élèves filles), une tolérance égale à celle des milieux « artistes », comme il ressort de la carrière universitaire de Jean Beaufret, habitué, lui, à porter son homosexualité en écharpe et à s'en faire le Cicérone obligeant avec une souriante volubilité. Quant aux vilenies de caractère que Sartre accumule dans sa diabolisation de Zuorro qu'est Séréno, elles résultent d'une décantation bien connue. Après une brouille avec un ami que nous avons admiré avec passion et qui nous a influencé jusqu'à l'envoûtement, nous évinçons de notre souvenir toutes ses qualités pour ne retenir que leur envers haïssable. Qu'un causeur inventif nous comble d'aise, comme le faisait Zuorro, par ses vues inattendues, sa syntaxe infaillible, sa diction digne du Théâtre-Français, le choix original et la propriété de ses mots, la singularité de sa culture littéraire et musicale, le claquant de ses trouvailles, dont il s'amuse le premier et entend que son auditeur s'amuse aussi sans retard et avec ostentation, alors, après la rupture, nous biffons en nous les heures de jouissance intellectuelle, les idées nouvelles, les jugements inhabituels, le rafraîchissement de notre sensibilité dont ce commerce nous a enrichis, pour ne laisser surnager sous le regard de la mémoire qu'un déclamateur pompeux, péremptoire, rabâcheur et prétentieux.

Le retournement racinien, le brusque changement de signe du sentiment, sa conversion en haine surviennent dans l'amitié comme dans l'amour. Plus précisément, il existe une amitié-passion comme il existe un amour-passion. N'en déplaise aux brocanteurs de la pacotille psychanalytique, cette amitié entre personnes du même sexe n'a rien de sexuel, et cependant cela est bien ou cela peut être une passion. Nul ne l'a mieux su et dit qu'un écrivain qui était bien placé pour distinguer l'amour-passion de l'amitié-passion vis-à-vis des individus de son propre sexe, et pour vérifier leur spécificité, puisqu'il éprouva les deux : Marcel Proust. L'amitié-passion peut lier un homme et une femme, sans désir aucun même si l'un et l'autre n'ont jamais convoité que des partenaires du sexe opposé, à plus forte raison si l'un des deux est homosexuel. Ainsi, l'amitié seule inspira et pouvait inspirer la passion de Michel Ange pour Vittoria Colonna ou celle de Luchino Visconti pour Elsa Morante. S'y trouvaient toutes les manifestations de la passion : visites quotidiennes, pluies de messages, besoin de la présence de l'autre, chagrin quand il voyage au loin, jalousie, supputation incessante de ce qu'il va penser ou de ce qu'on va lui dire ou de ce qu'il va dire. J'ai trop été nourri de la lecture de Freud, qui d'ailleurs a été assassiné beaucoup plus par ses disciples que par ses détracteurs, pour le rejeter entièrement, comme on a tendance à le faire en cette fin du xxᵉ siècle. Je n'en professe pas moins qu'il faut avoir un champ de vision d'une étroitesse de corridor et une insensiblité daltonienne aux couleurs de la vie pour se condamner à la portion congrue et à la morne pitance de la seule et unique sexualité comme source, thème et vecteur exclusifs des riches et innombrables passions humaines.

On pouvait certes taxer « Zuor » (diminutif dont il nous incitait à user) de folie des grandeurs, tant par son attitude et ses intonations, il faisait sentir à ses interlocuteurs sa supériorité. N'en déplaise à Sartre, cette supériorité, dans neuf cas sur dix, contrairement à celle de Séréno dans *Les Chemins de la liberté*, n'était pas imaginaire, qu'il s'agît d'expliquer pourquoi Tacite atteignait le sommet de son art dans le passage des *Annales* racontant la noyade d'Agrippine ou pourquoi l'interprétation de Jacques Février du *Concerto pour la main gauche* de Maurice Ravel était la seule qui exprimât le rythme déhanché de l'œuvre. Il faut, si l'on veut comprendre cette façon de tancer tout en éduquant, comparer Zuor à un chef d'école philosophique de l'Antiquité. Ses amis se confondaient avec ses disciples et, pour nombre d'entre eux, avec ses anciens élèves du lycée, qui continuaient à lui vouer un culte et ne pouvaient se passer de venir le voir, en quête de ce que l'on ne se lassait pas de contempler chez lui : un style. Le style de celui qui, comme Oscar Wilde, met son génie dans sa vie.

Que la conscience de ce génie atteignît parfois chez Zuor des hauteurs excessives ne peut surprendre chez un maniaco-dépressif dont les minutes d'exaltation se traduisaient, les grands soirs, par la vociféeration stridente du cri de l'ange de Claudel, dans *Le Soulier de Satin* : « J'EXISTE dans cet état de TRANSPORT ! ! ! » Zuor redoutait à ce point la faute de goût qu'il préférait ne pas la risquer, ce pourquoi il n'a rien écrit, car il voulait rester insituable, insaisissable et inclassable. Lorsqu'en 1950, juste avant mon départ pour le Mexique, je me résolus enfin à lui poser la question : « Mais enfin, Zuor, nous sommes assez amis, oui ou non, êtes-vous pédéraste ? » il se dressa de tout son haut et, enflant sa voix sonore jusqu'au fortissimo d'un exorde à l'antique, me foudroya de cette réponse : « Je suis AU-DESSUS des sexes ! »

La vocation, l'ambition et peut-être aussi l'infirmité secrète de Zuorro étaient de chercher à influencer plutôt qu'à créer. Pour mieux dire, il avait le désir de créer par procuration. Et le paradoxe amer de la genèse des *Chemins de la liberté*, ce roman où Zuorro se recroqueville en Séréno, marionnette grotesque, odieuse et dérisoire, c'est qu'il en a soufflé à Sartre la formule de composition. Zuorro professait en effet une théorie de la temporalité qu'il appelait de la simultanéité, par opposition au temps linéaire. Il haïssait la succession, qui le mettait en colère. Pour lui, les modèles à suivre étaient les romans de Dos Passos, surtout *Quarante-deuxième parallèle*, ou encore *Les Palmiers sauvages* de Faulkner, qui offraient la prouesse de plusieurs histoires conduites simultanément, sans qu'elles entretinssent entre elles de rapports anecdotiques, explicites, sans points communs par leur intrigue ou leurs personnages. Ces rails de plusieurs récits, qui ne se rejoignaient jamais, étaient cependant soudés en profondeur par une nécessité romanesque ou « existentielle » et constituaient une œuvre à la fois multiple et une. On sait l'importance qu'ont eue les romanciers américains pour Sartre et les articles fervents qu'il leur a consacrés, vers la fin des années trente. Il semble que ce soit Zuorro, à une époque où le couple Sartre-Beauvoir vivait sous son charme, qui les lui ait révélés, ou, en tout cas, ait soutenu avec vigueur devant lui l'idée que là s'ouvrait la voie à suivre et à prolonger, pour renouveler en France l'art du roman. Avec cette réserve que, bien entendu, je n'ai jamais connu que la version de Zuorro. Au demeurant, je ne pense pas qu'avec sa marotte de la simultanéité, il ait rendu à Sartre un bien grand service artistique, puisque, de l'avis de beaucoup, *Les Chemins de la liberté* constituent un assez indigeste ratage. Chez les Américains, la composition en simultanéité résultait d'une inspiration. Chez Sartre, elle n'était plus qu'une recette.

C'est que Zuorro, en art, ne croyait qu'à la technique, comme fin
et non pas seulement comme moyen, qu'il s'agît de peinture, de
musique ou de littérature. A l'instar de Valéry ou de Stravinski, il
tenait pour vulgaire et primaire l'esthétique romantique du don sacré
et de l'improvisation créatrice. Je comprenais fort bien comment et
pourquoi il avait pu être pendant des années pour Sartre un stimulant
de l'intelligence et de la sensibilité, un champagne de la pensée et
de la parole, un exaltant contre-poison au lourd brouet de la culture
universitaire. Il était tout cela pour moi aussi, qu'il parlât de poésie
ou de philosophie, de cinéma ou de musique. C'est lui qui me fit
découvrir à la fois la Cinémathèque française, laquelle, après la Libération, donnait ses séances dans une petite salle disparue de la rue de
Troyon, près de l'Etoile, et l'opéra italien, puisque Zuorro lui-même,
doté d'une belle voix de baryton et qui avait appris le chant en Italie,
dépassait le niveau d'un simple amateur, sans atteindre pour autant
celui du professionnel qu'il aurait voulu devenir et serait peut-être
devenu s'il n'avait méprisé la persévérance, vertu trop plate pour lui.
Mais je comprends fort bien aussi comment et pourquoi sa manie de
jouer les maîtres à penser et de diriger la vie de ses amis, acceptable
et même profitable quand on avait vingt ans de moins que lui, avait
pu devenir rapidement insupportable pour Sartre, dont le talent se
faisait chaque jour plus manifeste et l'autorisait à finir par s'énerver
des admonestations persifleuses de son envahissant mentor.

III

C'est à Zuorro que je dois non seulement un séisme du goût mais encore une expérience dérogatoire, dans ma vie. Zuorro était un Français d'Algérie, né à Bône dans une famille d'origine corse. Libéral, quoique incapable d'imaginer une Algérie qui cesserait d'être française, il croyait à la possibilité en Afrique du Nord d'une civilisation franco-arabe démocratique, cimentée par une croissante compénétration des deux cultures. Avec cet objectif, des gouverneurs généraux intelligents avaient d'ailleurs, dès le XIXe siècle, créé trois instituts d'études supérieures franco-musulmans, appelés médersas (université ou école supérieure, en arabe maghrébin), dans lesquels des étudiants, tous musulmans, recevaient un enseignement composé pour moitié d'arabe classique et de droit musulman, dispensé par des « cheiks » (érudits) musulmans, et pour moitié de cours de littérature et d'un peu de philosophie françaises, dispensés par des professeurs français. Hélas ! Ces derniers se recrutaient d'ordinaire parmi les plus calamiteuses ganaches, inaptes au service dans les lycées normaux et, de surcroît, d'origine locale, donc piètres véhicules de la culture métropolitaine auprès des jeunes Algériens. Aussi le gouverneur général Chataigneau, en poste durant cette année 1947, avait-il eu l'idée de faire nommer, dans les trois médersas d'Alger, de Constantine et de Tlemcen, des professeurs jeunes, venus de Paris, des normaliens de préférence, et qui, par leur culture et leur ardeur, réveilleraient l'intérêt de leur auditoire d'étudiants musulmans. Chataigneau était un libéral, et grand ami de Zuorro, qui lui promit de prendre l'affaire en main. Il n'eut aucune peine à nous emballer, Schérer et moi, dans son opération, lui pour Alger, moi pour Tlemcen. Le gouverneur général, de passage à Paris, m'offrit un porto-flip au bar du Pont-Royal, où il m'expliqua ma mission. Et, en octobre, nous voilà, Yahne et notre fils Matthieu, âgé alors d'un an et demi, embarqués à Marseille et voguant vers l'Afrique.

De la part de Schérer cette évasion outre-mer ne constituait vis-à-vis du ministère de l'Education nationale ni une extravagance ni une impertinence : il venait de passer l'agrégation. De ma part, c'était à la fois une imprudence sur le plan de la carrière et, à l'aune de notre Sainte Mère l'Université, une insolence. René Schérer, il est vrai, avait deux ans de plus que moi. Mais il était de ma promotion. Et, si je m'étais conformé aux normes, j'aurais dû et pu passer l'agrégation la même année que lui. J'avais omis de la préparer et de m'y présenter en raison de mes mômeries initiatiques et d'autres débordements, qui consternaient mes parents, sidérés de voir leur aîné, d'étudiant sérieux et prometteur qu'il était, se métamorphoser soudain en un bohème sans profession et sans avenir. Pour l'Ecole et son administration, je m'étais volatilisé, j'avais glissé dans les limbes où flottent les âmes mortes appelées « élèves fantômes ». Yahne et moi avions logé d'abord chez ses parents, puis chez sa grande-mère, régressions humiliantes pour moi. Matthieu vivait chez mes propres parents, à Chambéry, où mon père avait retrouvé du travail, après avoir vendu La Pinède. L'un des innombrables inconvénients d'un mariage prématuré, c'est la rechute dans la famille. D'abord on redevient, à contre-courant, dépendant de la sienne propre ; ensuite on doit subir la tribu que l'épousée traîne après elle, si pénible en soit la procession de mégères et d'olibrius. J'étais attaché de cœur à mes propres parents, mais je ne tenais pas à les voir souvent. Il y avait eu le déraillement de mes relations avec mon père ; et je traversais encore ce terrain vague, entre l'adolescence et la maturité, où l'on n'a plus et pas encore de mère. A douze ans on adore sa maman parce que c'est elle. A trente ans on se sent bien auprès d'elle parce qu'elle évoque la madone qui a veillé sur l'enfance. Entre ces deux âges, elle vous énerve. Je me voyais de nouveau les menottes aux poignets, pour des raisons de pure nécessité matérielle. A cette époque, les élèves des grandes écoles ne devenaient pas, comme aujourd'hui, fonctionnaires, pourvus d'un traitement, dès leur succès au concours d'entrée. Outre le vivre, pour tous, et le couvert, pour les internes, l'économat ne nous allouait qu'une mesquine somme mensuelle d'argent de poche, le « pécule ». Le reste, c'est-à-dire le plus gros, nous devions le gagner à l'aide de leçons particulières, que je n'avais plus le temps de donner. Je me rappelle, ayant eu à remplir un formulaire pour obtenir un passeport, avoir inscrit, en face de la mention « profession », les mots : « expédients divers ». Mes incursions dans ma turne se raréfiaient. J'avais quasiment disparu de la rue d'Ulm, et, en supposant que l'impulsion fugace de m'y rendre me traversât parfois l'esprit, je n'aurais même pas pu y collecter mon pécule, car, trop absent, j'avais été rayé des feuilles d'émargement. Ma nomination à Tlemcen avait donc constitué pour les bureaucrates un casse-tête administratif. Il avait fallu dans un premier temps que je fusse réintégré ou rerégularisé à l'Ecole ; dans un deuxième temps que je fusse mis en congé provisoire de cette même Ecole ; dans un troisième temps, que je fusse nommé

« délégué rectoral » directement par le rectorat d'Alger, puisque, n'étant pas encore fonctionnaire, je ne dépendais pas, pour ce poste, du ministère. J'allais vivre longtemps encore dans une indétermination administrative due à cette syncope du sens de mes responsabilités.

En revanche, mon séjour en Algérie, de l'automne de 1947 au printemps de 1948, m'enrichit d'un dépaysement ineffaçable, au sein d'une réalité et d'une humanité beaucoup plus gorgées de vie et plus inattendues que ne l'eussent été les mêmes heures égrenées au Quartier latin, dans les amphithéâtres de la Sorbonne et la sagesse étriquée d'une carrière orthodoxe. Pour ma découverte du monde, la folie que j'avais commise se révéla constructive, et je la devais à un fou destructeur. Zuorro m'avait déjà ouvert dans l'ordre de l'esprit bien d'autres horizons que ceux des nobles paysages maghrébins et des traditions hospitalières de leurs habitants. Je m'épris de l'art de vivre si délicat, si courtois, si chaleureux des Algériens, avant que le socialisme infligé au pays après l'indépendance de 1962 ne mutilât et ne desséchât leur civilisation généreuse, à laquelle l'intégrisme islamique porta ensuite le coup final et fatal. Pourtant, je range l'ascendant de Zuorro sur moi, à bien des égards bénéfique, parmi les influences au total néfastes que j'ai subies. Car le personnage, malgré ses scintillements intellectuels, présentait néanmoins à mon émulation un modèle contagieux d'inauthenticité, selon le sens que donne Sartre à ce terme dans L'Etre et le Néant.

L'époustouflante faconde de Zuorro tendait en effet tout entière à simuler un personnage qu'il n'avait ni la force ni la constance de devenir. En couvrant avec verve de ses délectables moqueries les ridicules des autres, il se fuyait lui-même et dissimulait sous de spirituelles saillies son impuissance à être et à faire. Maître de littérature et philosophe sans œuvre, il manquait de la faculté de concentration et de cohérence nécessaire à la production fût-ce d'un court article de critique. Musicien et fin connaisseur de la musique, il tenait de la nature une voix qui aurait pu le mener sur les planches, s'il avait su s'imposer le travail, la continuité dans l'effort qui seuls font le professionnalisme. Piqué, vers la quarantaine, de la frénésie politique, et m'ayant notifié solennellement sa décision improvisée d'« intervenir », comme il disait, dans le déroulement de l'histoire, il ne put jamais imprimer à son « action » d'autre forme que celle de tonitruants monologues dévidés dans le secret sonore de son studio-cuisine du 216, boulevard Raspail, ou dans le tête-à-tête de rendez-vous mystérieux avec des gens qualifiés par lui d'influents, mais qui, en supposant qu'ils le fussent, ne mirent apparemment jamais leur pouvoir au service de ses chimères. Surtout, Zuorro me marqua pendant deux ou trois ans d'une empreinte morbide en m'incitant à devenir le singe mimétique de son gongorisme. Je rougis encore au souvenir d'une visite que me fit, un après-midi, dans ma turne mon pauvre Auguste Anglès à qui, en proie à mon nouveau personnage d'emprunt, je condescendis à m'adresser avec l'affectation narquoise et la morgue maniérée d'un petit maître précieux. Epouvanté par cette transe gourmée, dont il ignorait le modèle caché, puis bientôt exaspéré par mon ton odieusement hautain, Auguste claqua la porte en me conseillant de toute urgence une douche froide. Par bonheur le zuorrisme ne m'écarta que l'espace d'un bref instant de ma propre pente, laquelle me ramena vite à plus de naturel.

Ce tardif retour au bon sens ne s'étendit toutefois pas dans l'immédiat au soin de ma carrière, ni même à la préoccupation plus modeste de gagner mon pain et celui de ma famille, laquelle, en 1948, s'accrut d'une unité : ma fille Eve, née en août. Je ne me remis au travail avec sérieux, j'entends pour préparer l'agrégation, qu'en 1953, quand j'eus rejoins mon poste à l'Institut français de Florence. Alors déjà séparé en fait de Yahne, je l'avais installée avec les enfants à Valmondois, entre L'Isle-Adam et Auvers-sur-Oise, dans une douce maison « au jardin de curé » (comme dit Jean-Jacques Rousseau), demeure qu'avait quelque temps habitée Camille Corot, un siècle auparavant, et que je louais, un prix très modique, à des amis plus que bienveillants. Quant à moi, je pris logement à Florence pour presque quatre années à la Pensione Bandini, place Santo Spirito, au dernier étage du palais Guadagni, construit par le Cronaca (croit-on) au tout début du XVIe siècle. J'habitais une vaste chambre rouge, garnie de ces austères meubles toscans presque noirs, mes préférés, aux surfaces lisses et aux bords rectilignes. Des coffres rectangulaires, posés à même le sol, rendaient inutiles les encombrantes armoires et commodes modernes. Une large galerie ouverte sur le plein air, à colonnettes, où j'allais lire par beau temps, donnait sur la place et sur l'église de Brunelleschi avec sa façade à volutes, plane et blanche, presque purifiée par son inachèvement, et rythmée par ses deux incurvations et ses deux volutes latérales. Des fenêtres de ma chambre, située à l'arrière du palais, je balayais de la vue une succession de toits safran qui s'échelonnaient jusqu'à celui, cyclopéen et sévère, du palais Pitti, qui les dominait de toute sa monumentale hauteur, mais au-delà duquel j'embrassais d'un seul regard les ifs et les cyprès vert foncé qui s'étageaient sur les pentes abruptes du jardin Boboli. C'est cette sensuelle construction de l'esprit que j'avais sous les yeux quand je levais la tête de ma table de travail, et je me rappelle m'être souvent alors fait la réflexion que jamais plus, sans doute, après l'inévitable départ, je ne vivrais dans un lieu aussi beau, que le spectacle en fût éclairé par la lumière blanche des printemps ou par le vermeil des fins d'après-midi d'octobre.

A Florence, pour préparer l'agrégation, j'avais au fond reconstitué, avec une opiniâtreté d'insecte et sous la poussée d'une obscure loi de mon vouloir vivre, les circonstances exactes que, entre treize et seize ans, à l'époque où je simulais la maladie pour sécher le collège, j'avais créées pour pouvoir m'imprégner tout seul des grandes œuvres littéraires et fuir les impersonnels cours scolaires traitant de ces mêmes œuvres. Ainsi donc, de la même manière, quinze ans plus tard, après tant de dérobades et de sinuosités insensées, mais qui à mon insu tendaient toutes en sous-main à contourner la geôle intellectuelle et la morne piste balisée de la Sorbonne, je retrouvais les seules études dont je me souciasse : la lecture directe des grands auteurs, sans intermédiaire, sans avoir à prêter l'oreille aux vénérables billevesées des professeurs et, surtout peut-être, des condisciples. C'est à peu près au même moment que je me suis mis à écrire les premières pages de *Pourquoi des philosophes ?* dont l'idée avait germé en moi au Mexique.

Je n'en aurais à coup sûr pas été capable plus tôt. Il me fallait en effet un brin de maturité pour oser porter sur Leibniz ou Hegel un jugement qui m'appartînt, ne prendre en considération que ce que je constatais par moi-même dans leurs livres, sans me contraindre à me le dissimuler sous l'empire intimidant du conformisme universitaire. La solitude constitue à cet égard la serre la plus propice à l'éclosion du jugement. Non que mes maîtres eussent été tous mauvais. Quand je grogne contre eux, mon humeur s'irrite à l'excès, j'en conviens. J'ai d'ailleurs cité ceux d'entre eux grâce auxquels j'ai entrevu des vérités, compris des auteurs, acquis des méthodes. C'est à leur autorité que je dois ma liberté. Seuls les bons professeurs forment les bons autodidactes.

IV

En février 1948, le gouvernement français, dirigé par le démocrate-chrétien (MRP) Robert Schuman, avait remplacé le gouverneur général Chataigneau, jugé trop libéral et « pro-arabe », par le socialiste Marcel-Edmond Naegelen, jusque-là ministre de l'Education nationale dans divers cabinets depuis janvier 1946. Naegelen devait son poste « gubernatorial » (c'était l'adjectif usité) à sa docilité. Il avait accepté la mission, qu'avait refusée Chataigneau, de truquer les imminentes élections à la première assemblée algérienne. Ces élections devaient, en théorie, marquer le passage du système colonial à un début de communauté démocratique franco-algérienne. Démocratisation fort limitée en pratique, puisque les Français d'Algérie, soit le dixième de l'électorat, groupés dans le « premier collège », devaient envoyer à la future assemblée autant de députés que le reste des électeurs, les musulmans, groupés dans un « second collège ». Pourtant, même cette répartition inique, la France ne put se résigner à la respecter. Elle la maintint, certes, dans la lettre. Il y eut bien une moitié de députés musulmans. Mais la dextérité gubernatoriale s'arrangea pour que les élus du second collège fussent, pour les trois quarts, des candidats dits « administratifs », créatures du Gouvernement général et « collaborateurs » prêts à voter selon les instructions des autorités françaises. En somme, la France avait bien voulu qu'il y eût une assemblée algérienne, à condition de pouvoir en nommer elle-même presque tous les membres algériens.

J'étais allé passer les vacances de Pâques de 1948 dans le Grand Sud, emmené par mon collègue et ami Si Khaddour Ben Naïmi, originaire lui-même de ce Sud. Il enseignait la littérature arabe classique à la médersa. C'était un des produits les plus raffinés de cette culture franco-maghrébine dont, sans notre bêtise, l'Algérie aurait peut-être pu devenir le creuset. Versé dans les deux littératures, il parlait un français d'une élégance et d'une pureté que bien des professeurs de notre enseignement supérieur auraient gagné à imiter. Il avait commencé à me donner des leçons d'arabe classique et d'arabe dialectal qu'hélas ! la suite malheureuse des événements interrompit. Décidé à enseigner la culture orientale avec des méthodes occidentales, Si Khaddour avait rompu avec les méthodes encore médiévales qui continuaient à régner dans les médersas ancestrales — universités purement musulmanes — les plus réputées du Maghreb, celle de Fez par exemple. Selon ces méthodes, les cheikhs initiaient leurs étudiants à la littérature en suivant... l'ordre alphabétique. Ils les invitaient à contempler, pour commencer, la lettre A (âlif en arabe). Eloge de l'âlif, de sa magnificence, de son importance dans le Coran ; énumération de tous les poètes ayant montré pour l'âlif une prédilection particulière ; citation de tous les vers classiques comptant plus de cinq âlifs etc. A ce rythme, des étudiants frisant la trentaine n'avaient pas encore dépassé le milieu de l'alphabet. Surtout, ils n'apprenaient leur propre culture que sous la forme la plus stupidement mnémotechnique, sans aucun entraînement à la pensée, rappelant le rabâchage imbécile des premiers précepteurs « sorbonagres » du Gargantua de Rabelais. A ces survivances abêtissantes, Si Khaddour avait substitué un enseignement grammatical synthétique et logique, allant du simple au complexe, de la règle à l'exception, et accompagné d'explications de textes précises, sur le patron de nos grammaires latines, grecques ou françaises et de l'enseignement littéraire qui les prolongeait.

Grâce à Si Khaddour, je connus dans le Sud l'hospitalité de ses nombreux parents. Je découvris cette société déjà saharienne, semi-nomade, où se conservaient des traditions d'une courtoisie aussi délicate que généreuse, transmises par ceux que l'on appelait « les fils de grande tente », c'est-à-dire les chefs des grandes familles nobles de cette région. J'ai depuis longtemps perdu les quelques photos rapportées de ce voyage. Elles me montraient à dos de chameau, vêtu d'un burnous, enturbanné — ce qui n'était pas que coquetterie, car le soleil frappait — et non loin de me prendre pour le colonel Lawrence, dont Les Sept Piliers de la sagesse m'avaient comme envoûté.

Yahne, enceinte de notre deuxième enfant, Eve, qui devait naître en août, était depuis un mois retournée en France avec Matthieu, chez mes parents, en Savoie. Nous n'avions jamais pu trouver d'appartement, même modeste, où nous loger à Tlemcen. La crise du logement sévissait dans les villes algériennes autant qu'à Paris. Nous avions passé l'hiver, et un hiver plutôt rude, car les monts de Tlemcen tiennent à distance la douceur méditerranéenne, dans deux chambres d'un « Hôtel moderne » qui l'était fort peu, notamment sous le rapport de son chauffage, en panne perpétuelle par pénurie de charbon.

Je revins de ma virée dans le Sud à la veille de l'élection. Elle se présentait mal, puisque, déjà, la police avait arrêté à titre préventif une bonne moitié des candidats musulmans non conformistes. En outre, le dimanche du scrutin, elle cerna les bureaux de vote et filtra les musulmans, ne laissant accéder aux urnes que les électeurs dont les sentiments « administratifs » étaient connus. Vers dix heures du matin, plusieurs de mes étudiants vinrent à l'Hôtel moderne et demandèrent à me voir. Ils me supplièrent de les accompagner dans la campagne environnante, pour que je sois témoin du siège policier dont se trouvaient investis les bureaux de vote des villages. Je fus même surpris de la grossièreté du procédé employé par Naegelen. Il existe, malgré tout, des moyens plus subtils de falsifier des élections. Dans les villes, le dispositif gubernatorial était moins voyant, ce qui n'empêcha pas le candidat administratif de passer haut la main à Tlemcen. L'« élu » poussa même l'indécence jusqu'à parcourir, le soir, les rues de la ville au volant de sa voiture en faisant sonner son avertisseur, pour célébrer sa « victoire ». J'étais en train de dîner avec Si Khaddour et son cousin Si Takki, un propriétaire terrien des environs, dans la salle à manger de l'Hôtel moderne. J'entends encore Si Takki, au bruit de ce klaxon insultant, murmurer à plusieurs reprises : « C'est de la provocation. » Et lui, même lui, un lettré, fleur rare, aussi, de la culture algéro-française, parangon de cette civilisation qui aurait pu être et ne devait jamais advenir, ajouter avec un triste sourire : « Aujourd'hui, une page a été tournée. Nous avons compris que nous ne pourrons plus jamais faire confiance à la France, ni nous entendre avec les Français. » Quelques années plus tard, pendant la guerre d'indépendance, Si Takki (je l'appris par mon ami l'instituteur Khelladi) devait mourir sous la torture.

Vu le départ de Chataigneau et la tournure du « rapprochement culturel franco-arabe » dont j'étais censé, à mon humble place, être l'un des artisans, je sentis que ma présence à Tlemcen avait perdu toute signification et toute raison de se prolonger. Je décidai donc de ne pas terminer l'année scolaire et, sans même avertir le directeur de la médersa, je déguerpis en direction de la France. Ce départ hautement irrégulier me valut de recevoir, quelques semaines plus tard, un « blâme rectoral », des plus justifiés, pour « abandon de poste sans autorisation ». Dès mon arrivée à Paris, je me rendis au journal *Combat*, qu'avait illustré Albert Camus et que dirigeait alors Claude Bourdet. Surtout, je savais pouvoir y trouver mon ami Hector de Galard. Grâce à lui, je pus renseigner de première main le directeur et la rédaction de *Combat* sur le déroulement un peu biscornu des élections à la française en Algérie.

Mon retour précipité, outre l'avantage de me tirer d'une impasse morale devenue insupportable, eut celui de me permettre de soutenir à temps mon mémoire pour le diplôme d'études supérieures sur *La Notion de nécessité chez Spinoza et Leibniz* devant mon « bon maître » René Le Senne. J'avais emporté en Algérie *L'Ethique* de Spinoza, ce qui, même avec en supplément le *Court traité* et le *Traité de la réforme de l'entendement*, ne posait pas de problèmes d'excédent de bagages. En revanche, Leibniz, lui, en posait. Atteint de manie écrivassière, en latin, en français, plus rarement en allemand, il se répétait d'autant plus qu'il réexposait toute sa philosophie à chacun de ses correspondants. Ses œuvres complètes, dans l'édition Gerhardt[1], la seule qui fasse autorité, comptent de nombreux et lourds volumes in-quarto, dont j'avais soutiré une bonne part à la bibliothèque de l'Ecole, au grand désespoir des candidats à l'agrégation de philosophie. Comme je n'avais pas de domicile connu, le bibliothécaire ne savait même pas où m'adresser les habituelles semonces, par lesquelles il intimait l'ordre aux égoïstes négligents de rapporter au bout d'un mois les volumes empruntés. Fin juin, quand j'eus terminé la rédaction de mon mémoire, je confiai lâchement à René Schérer, qui venait à son tour de rentrer d'Alger (mais en vacances régulières), la corvée de restituer les volumes Gerhardt à la bibliothèque, car je n'osai affronter les foudres justifiées du bibliothécaire. A cause de cette crainte, mon absence de l'Ecole devint, à partir de là, totale et définitive.

Ma frivole imprévoyance à l'égard de mon avenir en général et de la poursuite de mes études en particulier, cette faille de cinq ans, si amusante qu'elle ait pu être, n'en demeure pas moins une énigme pour moi-même, puisque la suite de ma vie témoignera, malgré quelques âneries, d'un sens des responsabilités dont mes années d'adolescence n'avaient pas non plus été tout à fait dépourvues. Le retard pris entre 1945 et 1950 me paraît d'autant moins excusable que, malgré la guerre et la Résistance, je n'avais jamais été contraint d'interrompre durablement mes études, comme ceux de mes camarades plus âgés qui avaient combattu en 1939-1940 et dont certains, tel Louis Althusser, avaient été faits prisonniers et avaient passé plusieurs années en captivité. Je n'avais même pas, comme mes cadets le feront, dû sacrifier une année au service militaire, puisque j'appartenais à la classe 44 qui, dans la désorganisation de la Libération, n'avait pas été appelée. Il va de soi que je n'en restais pas moins mobilisable en cas de conflit. Mais, dans l'immédiat, j'appréciai de pouvoir goûter en liberté l'euphorie de la paix revenue. J'ai sous les yeux mon livret militaire. Il porte la mention suivante, unique dans l'histoire de France depuis l'institution de la conscription : « Reconnu bon pour le service armé par le Conseil de révision de la Seine le 22 juin 45. Classe non appelée. Considéré comme ayant satisfait à ses obligations militaires d'activité. » Livret établi à Marseille le 4 mai 1948 et signé du directeur du recrutement et de la statistique de la IXe Région. Signature illisible, bien sûr, puisqu'en France tout fonctionnaire d'autorité a le droit de rester inconnu des citoyens dont il exige l'obéissance ou l'argent. Merci quand même, anonyme directeur.

---

1. C.I. Gerhardt, *Die Philosophischen Schriften von Gottfried Wilhem Leibniz*, 7 vol.

V

Mes huit mois d'Algérie m'avaient permis, en m'éloignant physiquement du gurdjieffisme, de m'en écarter aussi moralement. Qu'étais-je allé faire dans cette périssoire, si peu adaptée à mon style de navigation ? Comme beaucoup de convalescents qui sont en voie de se guérir d'une névrose idéologique, je commençai à mon retour par me rallier aux courants « révisionnistes » de la secte, façon classique de lorgner vers la sortie. Dans tous les partis totalitaires, les coupables d'activités fractionnelles font de bien meilleurs compagnons de discussion que les dévots, ne fût-ce que parce que la première chose dont ils s'affranchissent est la « langue de bois », le jargon stéréotypé dont l'emploi signale, chez le bigot, l'abdication de toute autonomie intellectuelle. Les adeptes désireux et capables de « libéraliser » le « travail », de préconiser et de pratiquer une « perestroïka » ou, pour le moins, une « glasnost » de l'« enseignement » se trouvaient surtout parmi certains étrangers qui avaient connu le maître avant la guerre, à ses débuts dans le charlatanisme, au Prieuré, à Fontainebleau. L'un d'eux, Nicholas Putnam, la trentaine finissante, était un Américain longiligne, qui, hormis par sa haute taille, ressemblait en tous points dans ses moindres gestes à l'acteur Humphrey Bogart. Il avait sa voix, ce sourire en rictus à peine esquissé, ironique et un peu amer, il avait son imperméable, sa démarche et son chapeau mou. Tous les hommes, il est vrai, à l'époque, portaient un feutre, tandis qu'à partir de 1960, les membres du Politburo de l'Union soviétique restèrent, presque seuls au monde, fidèles au couvre-chef. Nick monologuait interminablement de sa voix grave, au Grand Veneur à Barbizon ou dans sa voiture ou allongé en fumant sans arrêt, jusque fort avant dans la nuit, le verre de cognac à la main, sur un canapé de son salon, dans son appartement de l'Hôtel des Saints-Pères où il descendait toujours quand il venait à Paris. Grâce aux innombrables heures passées à l'écouter, je réappris l'anglais ou commmençai à le réapprendre. Ç'avait été ma langue vivante, au collège et en khâgne. De plus, en 1938, mon père m'avait envoyé passer les deux mois de vacances d'été à Londres et comme, à quatorze ans, on progresse vite dans les langues, comme on y attrape aisément le bon accent, j'étais revenu à Marseille parlant un anglais fluide et passable. Mais, depuis lors, le manque de pratique, le bain germanique dû à l'Occupation, le fait que je me sois mis à l'allemand, à cause de la philosophie, avaient appauvri mon anglais, devenu livresque et racorni. Avec Nick, j'appliquai soudain, malgré moi, la méthode dite plus tard de l'« immersion totale ». Appartenant à la génération de ces Américains nantis qui, durant les années vingt, ses chères « twenties », passaient régulièrement en Europe une partie de l'année, les « remittance boys » (jeunes gens vivant de la pension mensuelle envoyée par leurs parents), il était à son aise en français, y compris en argot, quoique avec un accent marqué. Mais dans nos conversations, et pour mon plus grand profit, seul l'anglais avait cours. Il m'entretenait de sa version affinée du gurdjieffisme, mais, plus encore, de l'Amérique, des mentalités et des usages américains, du fonctionnement de la société et des caractéristiques de la civilisation des Etats-Unis, du cinéma comme moyen de bien les connaître. « Quatre-vingt dix pour cent de ce que je sais, aimait-il à dire, je l'ai appris du cinéma et dix pour cent de Gurdjieff. » Grâce à ses anecdotes, quand je débarquai à New York pour la première fois, en 1950, ce fut comme si j'avais atterri sur les bords du Tibre au Ier siècle de notre ère après m'être imprégné du brillant bréviaire de Jérôme Carcopino, *La Vie quotidienne à Rome sous l'Empire.*

Nick fréquentait par intermittence une vague épouse en Californie, où il avait grand soin de la laisser, car, en France, il vivait avec une nièce de Gurdjieff, Lida, qu'il avait séduite avant la guerre quand elle n'était encore qu' une « nymphette ». Il nourrissait le même goût obsessionnel pour les filles très jeunes que le Humbert Humbert de Nabokov. De cette Lida devenue femme mûre, il eut, hors mariage, un garçon, qui naquit en 1948 ou 1949. Quant à l'« enseignement », il se considérait comme devenu lui-même un maître spirituel et il persiflait Gurdjieff. Fronde stérile. J'entendis plus tard maints communistes « déstalinisés » critiquer la direction du Parti communiste français. Pas plus qu'eux, Nick ne pouvait pousser sa libération jusqu'à son terme, le départ tout net, et, comme eux, il gardait l'illusoire espérance de restaurer un jour « de l'intérieur » l'authenticité de la doctrine, supposée trahie et dogmatisée par l'appareil officiel. Comme si certaines doctrines pouvaient naître et se perpétuer ailleurs que dans l'inauthenticité ! Les théologiens qui ont perdu la foi se montrent plus tourmentés et parfois plus pointilleux dans les détours de leur rhétorique stérile que les cagots banals murés dans leur reposante bêtise. J'ai ainsi connu plus tard des ex-communistes qui pensaient, en fait, non que le communisme était faux en soi, mais qu'il avait été mal utilisé.

La vie en France d'un Américain comme Nicholas Putnam, à la fin des années quarante, était à la fois beaucoup plus facile parce que bien meilleur marché qu'aux Etats-Unis, étant donné l'abîme qui séparait alors le revenu moyen des deux pays, et très compliquée, étant donné un autre abîme, celui qui séparait chez nous la vie officielle de la vie réelle. Il y avait d'un côté l'alimentation et les restaurants « avec tickets » et de l'autre les mêmes commerces parallèles « sans tickets ». Cette fracture ne se réduisit que lentement après la Libération. L'essence aussi était rationnée, mais on en trouvait sur le marché noir au prix fort. Les touristes pourvus de dollars recevaient une allocation de « bons d'essence » triple ou quadruple de celle des Français. Ils se ravitaillaient à un tarif de faveur, après quoi ils avaient avantage à revendre sous le manteau une partie du carburant ainsi acheté. Le dollar se vendait à un cours réel parfois double du cours officiel, en ces années de vertige inflationniste qui vit, en trois ans, les prix en France multipliés par six. Aucun Français moyen à la recherche d'un logement ne pouvait en trouver au prix des loyers légaux, qui étaient bloqués, mais on trouvait à sous-louer « meublés », c'est-à-dire sans bail, toute la gamme des appartements souhaitables, pour le triple du salaire mensuel d'un employé. Bref les fléaux, les illogismes, les torts les plus injustes que peuvent infliger à une population les réglementations, rationnements, blocages des prix et des loyers, contrôle des changes et autres brimades asphyxiantes se trouvaient réunis, et pour longtemps, dans la France de l'après-guerre. Nick, dont la profession aux Etats-Unis, du moins celle qui figurait sur son passeport, était « *realtor* » (agent immobilier), était un combinard, qui tirait parti avec virtuosité de cette conjoncture avantageuse, pendant ses longs séjours en Europe, mais qui, fort paresseux, s'en était peu à peu remis à moi de gérer l'intendance de son économie occulte, en me ristournant une part de ses bénéfices. J'allais changer ses dollars dans une galerie d'art de la rue La Boétie, où l'art, à vrai dire, jouait un rôle assez mince et servait de camouflage aux trafics de l'arrière-boutique. L'expérience ainsi acquise me servit plus tard, quand je fus professeur à Florence. La France ayant bêtement conservé le contrôle des changes, la distorsion entre la valeur officielle et la valeur réelle du franc par rapport à la lire n'avait pas manqué de croître. J'allais, chaque fois que je partais en vacances, acheter des francs avec mes lires, dans une officine louche de la place de la République, où j'obtenais vingt pour cent de plus que le cours légal payé à Paris.

Autre mât de cocagne : alors que les Français, vu la lenteur de la reconstruction industrielle, devaient en 1948 attendre quinze ou vingt mois à partir de la commande pour prendre livraison d'une automobile, les acheteurs étrangers, réglant en dollars, voyaient débloquer la leur sans délai. Retournant dans leur pays après quelques mois, ils la revendaient, avant de partir, plus cher qu'ils ne l'avaient payée, car les voitures d'occasion, étant immédiatement disponibles, atteignaient un cours supérieur à celui des neuves, surtout quand elles avaient peu roulé. Nick, revenant à chaque printemps, réitéra plusieurs fois cette fructueuse opération, pour laquelle je servais de médiocre intermédiaire rémunéré. Cette entourloupe, entre autres, faisait partie de ces « expédients divers », mentionnés plus haut, qui m'assuraient des revenus précaires et intermittents. Entre deux chutes de manne, je cavalais après le ticket de métro et le quignon de pain. Certains soirs, je me couchais en chapon, comme dit Rabelais, d'autres, je faisais carême. Yahne et moi passions d'appartement en appartement, moitié prêtés par des amis, moitié sous-loués sans bail, au milieu d'un tourbillon de factures impayées. Notre fils Matthieu était en Savoie chez mes parents. Notre fille, encore au berceau, se transportait sans difficulté comme un colis.

Le groupe de mes amis, pour la plupart étrangers au groupe Gurdjieff, se composait, pour citer François Villon, de « grâcieux galants ». Ils étaient « si plaisants en faits et en dits » qu'aucun de nous ne recherchait de plus agréable passe-temps que celui de la compagnie des autres. Notre principale règle de conduite et de conversation consistait à nous garder d'abonder dans les poncifs esthétiques ou politiques du moment. Nous nous interdisions toute pensée, toute expression, toute émotion même, sur un livre, un film, un tableau, un concert, qui ne fussent le fruit d'un constat original n'appartenant qu'à nous, du moins qui nous parussent tel. Nous nous gaussions des cohues moutonnières d'étudiants, de professeurs, de critiques, se fondant, anonymes pélerins du suivisme, dans la grisaille brumeuse d'opinions qu'ils croyaient leurs et qu'ils ne faisaient, à leur insu, que répéter.

Certains de nous poussaient ce besoin de singularité jusqu'aux frontières les moins défendables de la provocation. Paul Gégauff, par exemple, que j'avais connu par Maurice Schérer, le frère de mon ami René, résistait au « résistancialisme » bien-pensant, qui avait remplacé le pétainisme de 1940 et 1941, en prétendant avoir combattu dans les Jeunesses hitlériennes. Alsacien, son origine prêtait quelque vraisemblance à cet enrôlement, auquel néanmoins je ne crus jamais, étant bien placé pour savoir que, si Paul avait porté l'uniforme allemand, il aurait eu, pour l'heure, son séant posé sur le tabouret d'une geôle et non sur une chaise de la terrasse du Café de Flore, en train de se saouler au vin blanc. D'autant qu'il se vantait d'avoir pris part à la Libération de Paris « mais de l'autre côté de la barrière », précisait-il après un silence, pour mieux faire saillir son effet. Il prétendait même s'être trouvé aux côtés du commandant militaire de la capitale, le général von Choltitz, quand un FFI avait fait irruption, pistolet au poing, dans le bureau de ce général à l'Hôtel Meurice en lui criant : « *Sprechen Sie Deutsch ?* » La bouffonnerie de ce troufion débraillé, demandant à un officier supérieur allemand s'il parlait allemand, plongeait Paul dans des jouissances dont il ne se lassait pas, mais qui finirent par lasser un peu ses auditeurs. En 1958, quand il écrivit le scénario et les dialogues des *Cousins* de Claude Chabrol (comme de plusieurs autres films de ce réalisateur), il ne put s'empêcher, fidèle à sa marotte, d'y introduire une scène où l'un des deux principaux interprètes, Jean-Claude Brialy, se coiffe d'une casquette d'officier nazi et dégoise un long soliloque en harmonie avec son couvre-chef.

Cette rage du contrepied n'épargnait pas non plus Maurice. Etant donné que René, celui des deux frères Schérer qui passait alors pour le génie de la famille, avait adhéré au Parti communiste, Maurice crut élégant de se porter à l'autre extrême. Il se mit à vomir non seulement le communisme, mais même la gauche démocratique, le marxisme anti-stalinien, auxquels tant d'intellectuels en Europe, y compris moi-même, accrochaient alors leurs espérances. Il ne tarissait pas de sarcasmes sur les jobards sentimentaux qui se ruaient dans cette « troisième voie » et sur les journaux tels *Combat, Le Monde* ou, plus tard, *L'Observateur* et *L'Express*, qui l'exploraient. Pour parfaire son nouveau genre de beauté idéologique, il devint ou, plutôt, redevint (car il avait grandi dans une famille corrézienne très croyante) catholique pratiquant et d'un absolutisme farouchement pascalien. Sa chambre de l'Hôtel de la Sorbonne, rue Victor-Cousin (le même que celui où avait séjourné Thao) s'orna d'images pieuses, mais n'en servait pas moins de théâtre à de nonchalantes partouzes juvéniles, dont le maître de cérémonie était Paul Gégauff, qui, grâce à son charme et à son bagou, régnait sur une volée d'étudiantes, dénuées de tout « résistancialisme », du moins à nos empressements. L'amour en groupe n'a jamais été dans mes goûts, mais Paul, toujours serviable en ces matières, m'avait accordé, par dérogation spéciale, le droit au tête-à-tête, à condition que je ne prétendisse jamais à la fidélité de ma partenaire du jour. J'ai assisté et modestement participé depuis ma puberté à au moins cinq « révolutions sexuelles ». Chaque classe d'âge se figure conquérir pour la première fois dans l'histoire la liberté du plaisir. Nous ne nous heurtions, à la fin des années quarante, à aucune répression sociale plus notable que n'en rencontre la jeunesse d'aujourd'hui dans nos rapports avec les filles. Et nos amis homosexuels ne suscitaient pas de réprobation pour avoir suivi le cours de leur sensibilité. Je ne dirai pas que nous « tolérions » leur préférence (terme qui eût impliqué abusivement le droit inverse de l'interdire) . elle nous laissait purement et simplement indifférents. Et, dans le domaine de la vie privée, l'indifférence ne constitue-t-elle pas la forme la plus civilisée du respect ? Peut-être l'illusion périodique de la « libération des mœurs » satisfait-elle le besoin qu'éprouve chaque génération de se croire novatrice.

Très militant « prolétarien », René se chagrina de l'horrifique déviation réactionnaire de Maurice au point de m'écrire, à Mexico, en 1951, qu'il avait dû presque rompre avec lui. C'était manquer quelque peu d'humour. Quand je rentrai à Paris, à la fin de 1952, je déjeunai avec Maurice Schérer au « Bouillon Buci », gargote pour étudiants et cochers, datant du XIXᵉ siècle. Chaque quartier de Paris avait encore, pour peu de temps, son « bouillon », où l'on mangeait de bons plats de ménage, arrosés de « gros rouge qui tache », moyennant quelques francs. Mais pour éviter la cherté, il fallait accepter la promiscuité. Pendant tout le repas, Maurice ne cessa de maugréer contre les « chinetoques » et les « négros » qui nous entouraient. Puis, voyant que ses bravades n'entamaient pas la sérénité avec laquelle j'absorbais mon bœuf gros sel, il se mit à rire en disant : « J'espère que tu rapporteras mes propos à René, pour le faire bisquer. » Un autre moment de ce déjeuner avec son frère que je racontai à René le fit plutôt rire. J'avais lu, dans *Arts-Spectacles*, avant d'arriver au Bouillon Buci, un article sur un film américain qui venait de sortir à Paris et que j'avais vu dix jours auparavant à New York. Je l'avais trouvé médiocre. Or l'article le couvrait de louanges avec des arguments qui m'avaient agacé par leur préciosité maniériste, échafaudages ingénieux mais pour moi dénués de rapport avec la réalité de l'œuvre projetée sur l'écran. Ce travers devait d'ailleurs devenir de plus en plus le péché mortel de la critique cinématographique française. Le signataire du papier avait un nom qui ne me disait rien : Eric Rohmer. J'avais lu auparavant maintes critiques de cinéma que Maurice avait signées de son vrai nom dans des revues spécialisées. J'ignorais qu'il venait tout juste d'adopter le pseudonyme d'Eric Rohmer, sous lequel il devait, on le sait, devenir plus tard réalisateur. Et je lui dis : « Connais-tu un danger public, un redoutable cuistre nommé Eric Rohmer ? » Sa mine se rembrunit d'un coup et, au lieu de me répondre « c'est moi », franchise qui aurait du moins permis une discussion sans masque entre nous, il aboya un plaidoyer furibond pour le film et l'article avec une véhémence dont le véritable motif m'échappait et qui me réduisit à quia. Crut-il que je savais qu'il était Rohmer et que j'avais usé d'un stratagème sadique, à la Zuorro, pour le blesser ? Toujours est-il que nous cessâmes ensuite de nous voir.

Au cours de ces années d'escapade, ni la fange morale dans laquelle je rampais, comme a coutume de gémir en se percutant le poitrail mon épiscopal prédécesseur saint Augustin, quand il narre sa jeunesse d'avant la conversion, ni l'instabilité de ma vie nomade, poursuite épuisante d'un incertain butin quotidien à chaparder ici ou là, n'avaient noyé en moi toute curiosité désintéressée. Loin de là. Mais il se trouve que l'art devenu alors la cible de mon obsession n'était plus la littérature, comme dix ans auparavant, ou la philosophie, comme cinq ans auparavant, c'était le cinéma. J'allais dans les salles une ou deux fois par jour découvrir les films qui sortaient, en une période d'une particulière profusion créatrice, et plus novatrice encore aux Etats-Unis, en Italie, en Angleterre qu'en France. D'autre part, avec Paul, Maurice et quelques fantômes indistincts qui traversaient vaguement notre cercle élastique sans que je retinsse toujours leurs noms (j'appris plus tard que j'avais ainsi souvent croisé les futurs Truffaut, Godard, Chabrol, venus bavarder avec le futur Rohmer à l'Hôtel de la Sorbonne), nous avions, avec l'aide de faux étudiants du Quartier latin, infâmes mais spirituelles crapules, créé un ciné-club où nous coulions la plupart de nos soirées. Si je lisais, certes, toujours, pour mon plaisir, Kierkegaard, Larbaud ou Evelyn Waugh, et si j'assistais avec assiduité et recueillement aux séances de lecture à haute voix des *Cent vingt journées de Sodome* qu'en divers lieux privés donnait Paul à l'usage des jeunes personnes dont il dirigeait l'éducation morale, reste que j'ingurgitais, essorais, disséquais tout ce que le français et l'anglais pouvaient offrir de livres et d'articles de revues, anciens ou contemporains, sur le septième art, les réalisateurs majeurs ou mineurs et leur filmographie. Justement parce que le cinéma est récent, les écrits esthétiques et critiques qui le concernent sont souvent plus pédants, scolastiques, dogmatiques et vétilleux que la plus formaliste critique littéraire. Je maîtrisai vite l'érudition maniaque du cinéphile tatillon, incollable sur l'histoire, les vertus et les abus du travelling chez Hitchcock, sur la profondeur de champ dans *Intolérance* de Griffith, la poésie sonore des bruits non musicaux dans *La Chevauchée fantastique* de John Ford, l'ellipse chez Howard Hawks, la virtuosité nerveuse et moelleuse des transitions et du montage chez René Clair. Les cinéphiles entre eux font assaut de cuistrerie, chacun s'estimant déshonoré s'il ne peut pas évoquer avec la dernière précision tel geste de tel acteur, dans telle scène de tel film, dirigé par Untel, dont c'est la troisième œuvre, tournée dans telle circonstance, avec tel succès.

Cinq ans plus tard, à mon arrivée à Florence, c'est dans l'histoire de l'art que j'allais me plonger avec la même passion dévoratrice et pour longtemps. Pendant quinze ans, une part prépondérante de mes lectures allait porter sur la peinture, la sculpture et l'architecture. Le choix de mes lieux de séjour serait dicté par le désir d'explorer une ville d'art, une concentration de musées encore mal connus de moi. Tous mes voyages auraient pour but l'exploration d'une galerie illustre, l'inspection approfondie d'une grande rétrospective. En 1960, je me suis abstenu de partir en vacances, pour pouvoir me rendre tous les jours à la rétrospective de Poussin qu'avait organisée cette année-là le musée du Louvre et qu'à coup sûr, pensais-je, on ne referait jamais de mon vivant, ce en quoi je me trompais.

Des lecteurs ont eu la bonté de s'interroger sur ce qu'ils appellent avec générosité ma « méthode ». L'enseignement des Jésuites, la technique de la khâgne, et, par-dessus tout, l'habitude et le goût du travail solitaire m'ont certes appris à rassembler et sélectionner les éléments d'information dont j'ai besoin pour traiter un sujet déterminé, à les vérifier en les comparant les uns aux autres, puis à hiérarchiser les idées directrices qui me permettent de les classer et de les utiliser. Il n'y a là aucune « méthode » particulière, qui ne découle du sens commun. Beaucoup attribuent à ma mémoire l'abondance des données que j'utilise. Si je ne l'ai pas mauvaise, j'en conviens, et si elle m'aide à ne pas oublier les antécédents d'une question, elle n'est cependant pas mon outil essentiel.

On m'a souvent qualifié de « rationaliste », euphémisme détourné pour indiquer mes limites, en un siècle où le prestige s'est plutôt attaché à l'irrationalisme, voire à l'imposture confuse. Or, plus qu'un raisonneur, je crois être un intuitif, dans le sens étymologique du terme, c'est-à-dire je « vois » avant d'induire ou de déduire. J'ai beaucoup appris à la volée. Si « méthode » il y a, elle consiste en une vision simple qui m'aide à saisir, à travers une masse de renseignements, et pour peu que je me sois familiarisé avec un dossier ou une discipline, les rapprochements, oppositions, convergences et contradictions qui apparaissent ou devraient apparaître à tout un chacun.

Bien des intelligences, même puissantes souffrent de ce que j'appellerai une résistance à l'évidence. Par exemple, au moment où j'écris ce chapitre, en mars 1994, se déchaînent dans toute la France des manifestations de lycéens et d'étudiants qui visent et d'ailleurs parviennent à faire retirer par le gouvernement une formule de « contrat d'insertion professionnelle », sorte d'apprentissage destiné aux jeunes chômeurs, même ceux qui sont diplômés. Ce contrat devait leur valoir une rémunération un peu inférieure au salaire minimum, la différence étant destinée à compenser le temps consacré à leur formation par l'entreprise. La violence et la persistance de ces manifestations dépassant leur objet, aussitôt les politiques, les démagogues, les journalistes, les curés de choc et surtout les sociologues de service, jamais en retard d'un slogan creux, ânonnent partout que ces troubles proviennent de l'« angoisse » d'une jeunesse que la pénurie d'emplois laisse à la porte de la société. Or, un quart de siècle plus tôt, en 1968, les mêmes docteurs béats expliquaient, à la syllabe près, par les mêmes clichés une « révolte de la jeunesse » due à la surabondance « angoissante » du bien-être capitaliste et au fait que « l'on ne tombe pas amoureux d'un taux de croissance ». Comme deux causes antithétiques ne sauraient produire un effet identique, ainsi que l'ont enseigné l'un après l'autre Aristote et Monsieur Homais, on ne comprend pas comment la satiété due à la croissance, à la « consommation », au plein emploi et à l'omnipotence des diplômes peut entraîner les mêmes comportements — brûler des voitures et casser des vitrines — que la société des années 1990, faite de récession (souhaitée d'ailleurs par les soixante-huitards), de « nouvelle pauvreté », de chômage et d'inutilité des diplômes (du

reste dévalués par la volonté même des grands ancêtres de Mai 1968).
Il n'y avait pas, en 1968, de « banlieues à problèmes », peuplées de
jeunes immigrés ou enfants d'immigrés, d'« exclus » en « échec scolaire », qui affluaient vers Paris. Les brûleurs de voitures et les briseurs
de vitrines étaient les enfants instruits de la bourgeoisie nantie des
quartiers aisés de la capitale. Comment les sociologues peuvent-ils
assigner à deux phénomènes si différents la même cause, au demeurant d'un vague consternant ? Si constater cette contradiction banale
est « rationaliste », alors, va pour rationaliste. Le rationalisme désigne
d'ailleurs deux démarches intellectuelles que l'on confond trop souvent. En temps que théorie globale, le mot convient à la conception
selon laquelle l'univers en général et l'homme en particulier sont intégralement régis par des lois et des principes rationnels. Dans ce sens
là, je ne suis pas rationaliste. Dans un autre sens, je vois qu'il existe
un domaine de la pensée qui relève de la démonstration logique ou
de la preuve expérimentale. *A l'intérieur de ce domaine*, je ne sache
pas que l'on puisse procéder autrement que de façon rationnelle. On
peut ne pas s'y intéresser, mais, si l'on s'y aventure, on doit s'as-
treindre à la seule et unique méthode qui serve à y obtenir des résultats. Un même individu peut, d'ailleurs, pratiquer cette méthode
rationnelle à l'intérieur de sa discipline et se montrer irrationnel, fou,
stupide quand il opine hors de cette discipline. Ce qui distingue le
généraliste du spécialiste, c'est que le généraliste reste cohérent à peu
près partout, tandis que le spécialiste, beaucoup plus rigoureux que
l'autre devant son objet spécifique, peut se muer en un agité confu-
sionnel dès qu'il s'en éloigne.

J'en ai, à point nommé, observé un cas assez aigu, le 23 mars 1994.
Je venais d'assister à la leçon inaugurale d'Etienne Baulieu au Collège
de France. Elle portait sur les « fondements et principes de la reproduction humaine ». Le soir, Etienne réunit au Ritz une quarantaine
de personnalités scientifiques et d'amis personnels en un dîner par
petites tables. Le mécène en était le laboratoire Roussel-Uclaf, producteur de la pilule abortive RU486, pilule dite « du lendemain », dont
Etienne Baulieu est l'inventeur. On m'avait placé à une table anglo-
phone, en compagnie de chercheurs américains, qui avaient traversé
l'Océan pour venir rendre hommage à leur collègue français. L'un de
ces biologistes, illustre par ses travaux, et qui avait sans doute eu
quelque vague écho de certains de mes livres, me demanda quelle
était ma définition du totalitarisme. Occupé à savourer un honorable
tartare de saumon aux herbes, accompagné de la cuvée exceptionnelle
d'un champagne sans défaut, dont j'avais rêvé pendant toute la leçon
inaugurale, je répondis avec laconisme. Je me bornai à citer les trois
conditions constitutives du système totalitaire telles que les formule
Youri Orlov dans un texte de référence, écrit en 1975. Ce sont les
suivantes : monopolisation globale de l'initiative économique ; mono-

polisation globale de l'initiative politique ; monopolisation globale de l'initiative culturelle — avec création corrélative d'un appareil de répression dans les trois domaines. (Les curieux pourront trouver la traduction en français de ce texte d'Orlov à la fin de mon livre *La Nouvelle Censure*, Annexe III). Ce qu'ayant ouï, le biologiste, la fourchette suspendue, me demanda quel était le pays dont, selon moi, le régime actuel correspondait le mieux à cette définition. Après la décomposition de l'Union soviétique, répondis-je, et à part quelques fossiles comme la Corée du Nord et Cuba, il ne reste, comme pays importants qui soient encore totalitaires, que le Vietnam et la Chine. A cette nuance près, ajoutai-je, que le monopole économique de l'Etat, pour des raisons de pure survie matérielle, y a été entamé par le développement « libéral » d'activités plus ou moins capitalistes et plus ou moins tolérées. Apitoyé par mon ingénuité, le biologiste américain, après avoir à plusieurs reprises promené sa tête négativement de gauche à droite, laissa tomber ces paroles impérissables : « Non. Il subsiste un seul pays totalitaire aujourd'hui, dans le monde, ce sont les Etats-Unis. » En 1994 j'avais devant moi un cas aigu de ce que j'appelle le caractère intransférable d'un certain type d'intelligence dont la méthodologie est entièrement liée à un objet précis et à un seul. A l'intérieur de sa discipline, ce biologiste possédait une capacité d'observation exacte et de raisonnement rigoureux. Mais cette capacité l'abandonnait entièrement dès qu'il sortait de son domaine. Il endossait alors une autre personnalité. Ce dédoublement fait de nombreuses victimes parmi les scientifiques. Pas chez tous, puisque Youri Orlov, lui-même physicien, et bien d'autres, ne laissent pas à la porte l'esprit scientifique, le scrupule élémentaire, le simple bon sens, dès qu'ils pénètrent dans un sujet de sociologie, d'histoire ou de politique. La fréquence de cette coexistence de l'intelligence particulière et de l'aveuglement général, néanmoins, chez les spécialistes, démontre qu'une raison de survivre existe pour la réflexion philosophique et la pensée polyvalente. Ou, du moins, cette raison de survivre existerait, si les philosophes respectaient tous la rigueur et l'honnêteté intellectuelles auxquelles les engageait, à l'origine, ce que j'appellerai le « serment de Socrate ». Seules elles justifieraient qu'ils se perpétuent.

VI

La bohème est une nébuleuse qui touche aux deux extrêmes de la fortune. Elle rapproche des gens très riches et des gens très pauvres. Les uns et les autres ont un point commun : ils n'exercent aucun métier. Les premiers parce qu'ils n'en ont pas besoin, les seconds parce que toute activité mercenaire leur répugne.

Parmi les très riches il en est qui s'ennuient dans leur milieu et demandent aux pauvres de les distraire. Les pauvres leur demandent, en retour, de les nourrir, oh ! bien modestement, de régler quelques additions de restaurants, de leur « prêter », les jours de naufrage, quelque somme qui ne sera jamais remboursée, de les emmener dans leurs belles voitures passer quelques jours à la campagne ou sur la Côte d'Azur, de les inviter à déjeuner dans leur hôtel particulier à Paris ou à séjourner dans leur château en province. Au nœud de cet échange « également inégal », selon l'expression mystérieuse d'Aristote (*Poétique*, VI, 5, homalôs anomalon, que Corneille, dans son *Avertissement au Cid*, traduit « inégalement égal »), se trouvent certains riches souvent tout aussi intelligents et cultivés, voire plus, que certains pauvres. Ils cherchent surtout en la compagnie de ces derniers des jumeaux spirituels et aussi des complices divertissants, qui les applaudissent de n'exercer aucune profession, de se contenter de vivre de leurs rentes, oisiveté que leur famille leur reproche d'ordinaire au nom d'un puritanisme du travail. Je revois Philip Lasell, rejeton d'une riche lignée de la Nouvelle-Angleterre, allongé sur son lit, dans sa chambre de l'Hôtel Régina, place des Pyramides, où il séjournait chaque année plusieurs mois (et dont le directeur était un de mes oncles !), grillant au bout d'une aiguille sa boulette d'opium, avant de la ficher dans le trou de la longue pipe et d'en aspirer avec concentration la fumée. De l'opium, je ne connus et ne voulus jamais connaître que le parfum, quand le nuage se répand dans la pièce, avec l'odeur épicée des foins d'été que l'on vient de faucher et qui commencent tout juste à sécher au soleil, ou avec l'âcre et enveloppant relent du regain qui fermente dans la grange, sublime épopée olfactive du règne végétal. Philip avait passé toute sa jeunesse à Paris, dans le cercle de Jean Cocteau, dont il avait été l'ami, de Jean Hugo, de Christian Bérard. Il parlait et prononçait un français à peu près aussi mélodieux et pur que celui des comédiens de la maison de Molière. Le seul Américain de mes connaissances qui le parlât avec ce même accent plus que parfait fut Jacob Bean, l'historien d'art, que je rencontrai à Florence en 1953. Jacob, cependant, commettait quelques petites fautes de grammaire, jamais Philip.

Je ne l'ai presque point vu autrement que dans la pénombre de sa chambre, rideaux tirés, le plateau du fumeur d'opium à portée d'une main, le verre de fine champagne dans l'autre. Il se faisait apporter ses repas et, à l'occasion, le mien, d'un restaurant voisin, rue de l'Echelle, maison réputée, qui avait pour enseigne, « Au Gourmet sans chiqué », espèce à laquelle nous nous flattions d'appartenir. Une fois ou deux par semaine — moment que guettaient les malheureuses femmes de chambre de l'Hôtel Régina, pour bondir chez lui, faire enfin un peu le ménage, aérer la pièce, changer les draps — Philip esquissait une promenade à pied dans le jardin des Tuileries ou bien s'aventurait jusqu'au bout du jardin du Palais-Royal, pour déjeuner au Grand Véfour, où je découvris grâce à sa générosité le talent éminent d'un jeune cuisinier alors débutant : Raymond Oliver, le futur pape des émissions gastronomiques télévisées et le dernier des grands chefs traditionnels, avant la révolution de 1970.

C'était Nicholas Putnam qui m'avait présenté à Philip et confié la charge de veiller à ce qu'il suivît avec fidélité son « enseignement » personnel, sorte de gurdjieffisme affiné, un équivalent ésotérique du marxisme révisionniste. Philip versait à Nick des honoraires pour ses « conseils spirituels » *(spiritual advice)*, et Nick m'en ristournait une maigre part en ma qualité de sacristain. Ma fonction de directeur de conscience adjoint ne m'infligeait, il est vrai, aucun surmenage.

Tout au contraire, elle me procurait le plaisir, un peu statique mais très vif, de goûter la conversation de Philip, les récits et les portraits qu'il ciselait des mondains artistiques ou des artistes mondains du Paris des années vingt et trente. Comme tout oisif dont le talent se concentre tout entier dans l'art de causer, il ne daignait narrer ou dépeindre que les anecdotes ou les gens qui offraient un degré insolite d'extravagance. Pour entrer dans sa galerie, une comtesse milliardaire et protectrice des arts devait en outre être, au minimum, à la fois alcoolique et lesbienne, ou alors s'être fait greffer un estomac en platine. Une autre fois, il me racontait comment une riche admiratrice de Jean Cocteau, qui tenait ou essayait de tenir salon, avait fait porter au poète, pour qu'il le lui dédicaçât, un exemplaire de *Thomas l'imposteur* à chaque page duquel elle avait épinglé un billet de mille francs. En 1925, un manœuvre gagnait par an cinq mille francs, un employé dix mille. Un hectare de bonne terre en Beauce valait six mille francs. Comme le roman de Cocteau a trois cents pages, l'étrenne ne manquait donc pas de munificence. Pourtant l'« enchanteur » s'abîma, racontait Philip, dans une colère convulsive parce que la postulante avait omis d'accrocher un billet à la toute ultime page, le feuillet blanc qui suit l'achevé d'imprimé. Dans un autre de ses numéros, Philip me faisait vivre les scènes accompagnant la mode qui, quelque temps, avait agité le Paris littéraire, sous l'impulsion de Jacques Maritain. C'était à qui se convertirait ou reviendrait plus vite que les autres au christianisme, ou, mieux encore, entrerait dans les ordres. Maurice Sachs avait succombé brièvement à la tentation sacerdotale. Philip (le payeur, sans aucun doute), Max Jacob et Jean Cocteau avaient soutenu de leurs conseils Sachs dans sa visite « chez un tailleur très chic et fournisseur du roi », où ils choisirent avec lui des tissus délicats pour ses soutanes, débattant avec gravité de la hauteur où l'élégance commandait que s'arrêtât de tomber le costume ecclésiastique : juste au-dessus de la cheville ou un peu au-dessous ?

Sachs, juste après la guerre, jouait le rôle d'auteur de référence dans la bohème interlope dont il avait été l'une des plus scintillantes étoiles. Ses deux livres posthumes de souvenirs, *Le Sabbat* et *La Chasse à courre* servaient de traité de morale et de manuel de savoir-vivre à Saint-Germain-des-Prés. Cet ivrogne cultivé, disert et cynique, talentueux imposteur et menteur, qui vivotait de larcins aux dépens de ses amis, cet écrivain qui s'adonna au marché noir sous l'Occupation, ce juif qui devint indicateur de la Gestapo et finit assassiné à Hambourg, probablement par d'autres Français travaillant aussi pour les Allemands, voilà une haute figure qui ne pouvait manquer de déchaîner chez Paul Gégauff la plus enthousiaste admiration.

Toutefois, comme beaucoup d'immoralistes, Paul ne supportait pas qu'on usât envers lui des procédés qu'il trouvait hilarant d'employer lui-même à l'égard d'autrui. J'avais un jour palpé un fort courtage en m'occupant de vendre la bibliothèque de famille, riche en éditions originales du XIXᵉ siècle, d'un ami de mon beau-père, qui désirait se retirer à la campagne. Paul avait bondi sur l'occasion de me taper aussitôt d'un bon paquet. Comme il rechignait à me le restituer, opposant à mes sollicitations, réitérées des mois durant, un rictus béat et irritant, je me remboursai tout seul en faisant main basse sur deux douzaines de très belles chemises, vestiges de sa splendeur passée, acquises à un moment où il avait hérité une petite somme de son grand-père. J'ai rarement vu un être humain aussi vertueusement indigné. Il se vengea en escroquant le pauvre Philip Lasell, auquel il fit croire qu'il avait reçu un arrivage du meilleur opium de Bénarès et qui eut l'ingénuité masochiste de lui avancer une somme prétendu ment destinée à payer le colis au moment de la mythique livraison.

Sur le versant riche de la bohème, un de nos amis les plus généreux, et qui allait devenir le mien pour la vie, Robert, dit « Bobby », de Pomereu, nous offrait de multiples randonnées dans sa Jaguar, la voiture anglaise de sport qui représentait alors le fin du fin du jeune séducteur. Héritier d'un grand nom et d'une grande fortune, il nous invitait souvent dans le château de ses parents, à Daubeuf, près de Fécamp, ou dans un autre de ses châteaux normands, au Héron, entouré de forêts giboyeuses et de rivières poissonneuses. Elles étaient si réputées que le président de la République, Vincent Auriol, grand taquineur de goujons et de tanches, avait même demandé au marquis de Pomereu, le père de Bobby, la faveur de venir une fois y pêcher. Bobby, chargé de s'empresser autour de la gaule présidentielle, s'étonnait, au bout d'une demi-heure, qu'Auriol, qui dandinait avec fureur, ne prît toujours rien, quand il s'aperçut que l'hameçon du chef de l'Etat, dont la vue était courte mais le bras long, sautillait en fait dans le pré qui longeait l'autre bord de la rivière, laquelle était fort étroite. Un génie comme La Fontaine aurait sans doute pu tourner cet épisode en une fable, de profonde portée, sur la politique.

Bobby restait plus que moi un fidèle du gurdjieffisme, dans la version putnamienne, cosmopolite et élégamment sceptique. En fait, il crut toute sa vie à l'ésotérisme, persuadé de la réalité d'une « tradition » enfouie et multiforme, capable d'apporter à l'« initié » des « pouvoirs » surnaturels, interdits au vulgaire troupeau des inconscients. Il chercha toujours un enseignement assorti de pratiques secrètes, qui affleurait selon lui tantôt dans la doctrine taoïste, tantôt dans le bouddhisme, tantôt dans tel ou tel ashram de l'Inde. A soixante ans, il cavalera encore dès qu'on lui signalera quelque part un « maître » à consulter. Mon déniaisement ne refroidit pas pour autant notre amitié, car nous avions nombre d'autres intérêts en commun.

Je vérifiai l'étendue de mon indifférence reconquise et la solidité de mon bon sens retrouvé un jour de 1949 où j'entrai vers une heure de l'après-midi chez *Dominique*, rue Bréa, le restaurant russe de Montparnasse. Je n'avais l'intention que de m'asseoir au bar pour y boire une ou deux vodkas sur quelques bouchées d'esturgeon fumé. En faisant pivoter mon tabouret, j'aperçus Nick et Bobby attablés dans la salle du fond en train d'attaquer leur déjeuner. J'allai leur dire bonjour et m'assis quelques minutes en leur compagnie. Je leur trouvai une solennité bizarre. Après m'avoir laissé papillonner d'un sujet à l'autre, comme pour mieux me laisser étaler ma futilité, Nick se composa une expression très étudiée qui mélangeait les tics de ses acteurs de cinéma favoris : le sourire où traînait une amère dérision de Humphrey Bogart, le masque du courage impassible à la Gary Cooper, les yeux largement ouverts et le regard appuyé de Henry Fonda. Puis il lâcha enfin d'une voix grave : « Le vieux est mort, ce matin. » Son effet portait encore mieux en anglais, à cause de l'intonation de basse-taille qu'il mettait dans *died* en l'allongeant : « *The old man* died, *this morning.* » En même temps, toute sa mimique sous-entendait sa triste certitude que la nouvelle — il s'agissait de la mort de Gurdjieff — ne pourrait émouvoir le déplorable mécréant qu'il savait que j'étais devenu. Il avait raison. « *Oh, that's too bad* », (« C'est vraiment dommage ») dis-je, d'une voix neutre en me levant pour prendre congé.

LIVRE SIXIÈME

LENT RETOUR AU BERCAIL

I

Préparant pour le bicentenaire de l'Ecole normale, en 1994, la troisième version, copieusement accrue, de son livre *Rue d'Ulm, chroniques de la vie normalienne*, Alain Peyrefitte m'avait demandé, en 1992, une contribution, qui figure dans cette édition. *Rue d'Ulm* consiste en une anthologie amusante et instructive de témoignages, souvenirs, anecdotes, éloges, diatribes et jugements sur l'Ecole, qui s'échelonnent de la fin du XVIIIe siècle à la fin du XXe. Quand je relus mon texte, à la publication de l'ouvrage, frappé d'une illumination que ma conscience m'avait refusée quand je l'avais rédigé, je me mis à rire jaune, tant s'étalait devant moi, dès les premières lignes, un éclatant exemple de la vanité humaine et de sa propension à expulser tout souvenir qui risque de diminuer notre mérite à nos propres yeux et d'augmenter notre gratitude envers autrui.

Voulant tordre le cou au reproche souvent fait aux anciens élèves des grandes écoles de constituer des sortes de « francs-maçonneries » et de s'entraider, à coup de faveurs occultes et de passe-droits, tout au long de leurs carrières, en favorisant, quand ils sont en position de le faire, d'anciens condisciples au détriment de la stricte impartialité, j'écris dans *Rue d'Ulm* que, pour ma part, je n'ai jamais bénéficié ni dans mes occupations d'universitaire ni dans les autres, par la suite, de coup de pouce que m'aurait donné un « archicube » (ancien élève) bienveillant et haut placé. Ce que disant, j'avais, en toute simplicité inconsciente, voilé d'un grossier oubli l'un des tournants les plus décisifs de toute mon existence : mon entrée au service des Relations culturelles et mon départ, en janvier 1950, pour le Mexique, où j'allai rejoindre le premier poste auquel m'avait affecté cette administration. C'est en effet par le détour de l'étranger que je réintégrai l'Université. Ce mot désignait alors encore, à la mode napoléonienne, le corps des maîtres de l'enseignement public des trois degrés, primaire, secondaire et supérieur, et non pas seulement, comme aujourd'hui, un établissement public d'enseignement supérieur ou réputé tel. Cet itinéraire tourmenté naquit d'un hasard, au sens précis que le « géomètre-philosophe » Antoine-Augustin Cournot a donné à ce terme au XIXᵉ siècle. Les vieux manuels de mon adolescence citaient encore avec piété sa définition du hasard : « rencontre de deux séries indépendantes » d'événements eux-mêmes reliés les uns aux autres par des rapports normaux de causalité. Ainsi le philosophe sauvait le déterminisme tout en rendant compréhensible le fortuit.

En ce qui me concerne, la première série de causes consista en un voyage en Egypte que Bobby de Pomereu m'invita, en décembre 1948, à faire avec lui. Bobby devait d'abord passer collecter à Genève de quoi subvenir aux frais de notre expédition : une substantielle somme d'argent, dont il ne me révéla pas la mystérieuse origine et dont il me recommanda de ne pas souffler mot à son père, le marquis de Pomereu (Bobby lui-même était comte), lequel marquis devait également toujours ignorer que c'était son fils qui m'avait payé ce voyage. Je jurai le silence.

C'est que mon ami Bobby entretenait avec l'argent des relations d'une intrigante bizarrerie. La richesse des Pomereu aurait pu lui permettre de se borner à collaborer avec son père en s'initiant à ses côtés à la gestion des affaires de la famille. Il aurait pu se comporter en fils raisonnable et réaliste, assurant ainsi une continuité d'autant plus souhaitable qu'il était fils unique. Hélas ! il adorait donner tête baissée, en cachette de son père, dans des combines extravagantes dont il escomptait un profit à la fois élevé, rapide et facile. Son euphorique optimisme initial ne manquait presque jamais de s'achever en amère déconvenue. Une fois, il entreprenait de charger un navire de bouteilles de cognac destinées au Venezuela, où il comptait les introduire en contrebande et les revendre en quintuplant sa mise. Comme de bien entendu, il se faisait à la fois voler par l'équipage, pincer par les douanes vénézuéliennes, confisquer la cargaison et condamner à une ravageuse amende. Un autre jour, il achetait, pour les revendre avec un gros bénéfice, des fusils de chasse en Belgique, où ces engins coûtaient moitié moins cher qu'en France, pour s'apercevoir, en les réceptionnant à Paris, que, durant le temps du transport, le prix français avait chu au-dessous du prix belge. Ou encore, il avait, au cours d'un voyage en Amérique du Sud, constaté que la Colombie, quoique tapissée en maintes régions de vertes prairies évoquant sa Normandie ancestrale, ne produisait pas de pommes. Flairant un pactole s'il comblait cette lacune de l'arboriculture colombienne, il y acheta des terres, y transplanta des pommiers, y fit venir des agronomes. Mais était-ce dû au sol, à la lumière, à l'altitude ? Les arbres s'entêtèrent dans une désolante stérilité. Je fus un des rares à tirer un petit profit de cette désastreuse opération, car, dans sa gentillesse, Bobby m'avait ramené d'un de ses déplacements là-bas une veste de tweed anglais que j'ai portée des années. Je revois encore l'étiquette du faiseur, cousue sur la poche intérieure, et qui était comme la mélancolique épitaphe des vergers qui jamais ne crûrent : « *El Clásico*, Bogota »

Entre autres spéculations inspirées par les romans de la « Série noire », fort en vogue après la guerre, Bobby tenta en 1947 d'importer en fraude plusieurs caisses de bas en nylon, dix fois plus cher à la vente au marché noir à Paris que leur prix d'achat aux Etats-Unis. Le pauvre convoyeur de Bobby, empoigné par les douanes, échoua au violon. Pour s'en tirer, le marquis furieux dut recourir à ses hautes relations, sans néanmoins échapper, bien entendu, à la saisie de la marchandise et à une douloureuse sanction pécuniaire. Le coup des bas nylon fit déborder l'urne de la patience paternelle. Le marquis intima au comte l'ordre d'avoir à s'abstenir désormais de toute initiative dans le domaine des affaires, surtout louches.

Pour tourner l'interdit, Bobby passa du genre série noire au genre épopée des mers du sud, style *Ile au trésor*. S'étant fourré dans la tête que le présumé trésor de l'île des Cocos, dont le mythe avait servi de point de départ probable au roman de Stevenson, existait réellement et, au fond, n'avait jamais été retrouvé, il entreprit de monter une expédition afin d'aller le déterrer. Le périple, dans l'équipage duquel il m'enrôla sans tarder, ainsi que Paul Gégauff, s'accomplirait sur le voilier de mon beau-frère Jacques-Yves Le Toumelin, *Kurun* (Tonnerre, en breton), alors ancré, obscur, dans le port du Croisic, avant le tour du monde en solitaire qui devait, en 1952, valoir la gloire au navire et à son commandant. Jacques (nous l'appelions tous Jacques dans la famille, mais plus tard, devenu célèbre, il se limita au prénom Yves, qui sonnait davantage breton) se laissa, dans sa grande gentillesse, forcer la main sans enthousiasme par l'escouade de fumistes que nous constituions. Il se sentait sans aucun doute réconforté dans son calvaire par la conviction assez perspicace que notre bande de « frères de la côte » en peau de merlan ne cinglerait jamais plus loin que la terrasse du *Café de la Marine* au Croisic. Seul cet établissement, où nous affinâmes pendant deux mois nos préparatifs, encaissa une recette tangible à cause du trésor de l'île des Cocos. Pour qui connaissait Jacques, notre bruyante galéjade allait contre toute sa sensibilité, lui qui, depuis l'âge de huit ans, nourrissait un unique rêve, naviguer en solitaire, et sans but lucratif.

Pour repérer le trésor, Bobby avait en outre embauché un sourcier, qu'il se proposait d'emmener à bord. Ce sourcier localisa avec aisance et assurance le trésor sur la carte de l'île des Cocos. Mais lorsqu'on soumit le magicien à une épreuve plus réelle — retrouver un lingot d'or que Bobby avait enterré dans un champ de son domaine du Héron —, le pendule magique, quoique plusieurs fois promené audessus du métal enfoui, se cantonna dans la plus consternante immobilité, malgré les substantiels honoraires demandés. Une autre dépense à fonds perdu se trouva portée à l'actif de Paul qui, se promouvant lui-même intendant de l'expédition, soutira au trop confiant Bobby un budget largement calculé (par lui) sous prétexte de commencer à mettre en soute notre ravitaillement. Il prétendit avoir acheté des centaines de boîtes de sardines à l'huile et de pâtés de foie de volaille avec une quantité proportionnelle de bouteilles de rhum (de rigueur pour des loups de mer) et de vin blanc, rouge et rosé. Il m'emprunta même, soi-disant pour les transporter, le charreton qui m'avait servi à livrer, chez le libraire d'ancien, les ouvrages rares de l'ami de mon beau-père. Provisions et bouteilles se fondirent à jamais dans le néant, à supposer qu'elles en fussent jamais sorties.

Comme l'île des Cocos appartient au Costa Rica, il fallait, d'une part, obtenir du gouvernemnt de ce pays l'autorisation d'y aller fouiller, d'autre part, au point de vue juridique, savoir quelle proportion du trésor reviendrait à l'Etat costaricien, propriétaire du sous-sol, et quelle autre à ses inventeurs. Bobby consulta sur ce sujet plusieurs avocats internationaux, qu'assisté de nous tous, y compris le sourcier, il réunissait à déjeuner, avenue Foch, dans l'hôtel particulier de ses parents, quand ceux-ci étaient absents. J'ai souvent remarqué, dans les bouffonneries auxquelles j'ai été mêlé, que, plus une entreprise est irréaliste dans son ensemble, plus vétilleuse est la circonspection avec laquelle ses auteurs se penchent sur des points de détail. Ce même perfectionnisme à vide poussa Bobby à entamer des négociations avec la légation du Costa-Rica en France. Le chargé d'affaires de ce délicieux petit pays d'Amérique centrale n'était pas, jusque-là, il faut en convenir, le diplomate étranger le plus recherché des maîtresses de maison du Tout-Paris mondain et politique. Il vit donc avec émerveillement s'abattre tout à coup sur lui, par les soins de Bobby, une grêle de cartons d'invitation avenue Foch tant à des déjeuners « de travail » qu'en soirée à des réceptions littéraires et artistiques ou, les fins de semaine, en Normandie, à des séjours aristocratiques voués à la chasse et à la pêche. Gavé de faisans, de truites et de château-latour, il contracta en quelques semaines une carnation de dahlia. Sur son visage soudain épanoui se mit à luire en permanence le sourire de la béatitude perplexe. Bobby, sachant qu'en Amérique latine rien ne s'obtient sans *mordida* (morsure, l'équivalent du bakchich oriental), s'était enquis auprès de ce bienveillant confident costaricien du montant et du nombre des enveloppes à prévoir. Il renonça en trois minutes au trésor des Cocos le jour fatidique où le chargé d'affaires, sans oublier de s'y porter lui-même, lui remit la liste des politiciens et des fonctionnaires qu'il faudrait payer pour obtenir l'autorisation de fouiller l'île. Le total des *mordidas* atteignait des sommets si décourageants qu'ils eussent incité même les féroces pirates de Stevenson à courir s'engager illico dans l'Armée du Salut.

Pourquoi Bobby, dont l'intelligence, l'humour, la ruse même, l'expérience précoce dépassaient la moyenne, s'embringuait-il de son propre mouvement dans ces mésaventures ? C'était, je crois, par simple envie de s'amuser. Ses parents s'irritaient plus de l'inconvenance saugrenue de ces amusements que de leur coût. S'il avait dilapidé en jouant aux cartes ou en élevant des chevaux de course les mêmes sommes, après tout marginales au sein de ses revenus et de sa fortune, son père aurait considéré ces pertes comme le prix de distractions traditionnelles et acceptées dans sa classe sociale. Mais les entreprises burlesques qui chagrinaient tant le marquis divertissaient beaucoup plus Bobby, pour un prix peut-être inférieur, que de mornes et rituels loisirs occupés par le turf et le lansquenet. Surtout, elles lui fournissaient en outre l'occasion de connaître toutes espèces de sujets, bons ou mauvais, en tout cas plus pittoresques que la plupart des gens de son propre milieu. Si déconcertants fussent les vertus et les vices, au demeurant très disparates, de Paul Gégauff, Philip Lasell, Zuorro, Nick Putnam ou Jacques-Yves Le Toumelin, l'ennui ne figurait, quoi qu'il arrivât, jamais à leur programme. Chez Le Toumelin, ce qui lui plut, ce fut moins la vivacité (Jacques, volontiers taciturne, restait sur sa réserve quand les convives s'animaient) qu'une attirance partagée pour les « sciences » occultes. Le Toumelin excommuniait en bloc une vague chose qu'il englobait sous le vocable de « civilisation ». Cela comprenait à la fois le machinisme, notamment les bateaux à moteur, la démocratie, la presse, l'individualisme, les transports électriques. A Paris, refusant de prendre le métro, il se rendait partout à pied. S'affirmant comme Celte, il entendait revenir au mode de vie et à la religion des Gaulois. Très axé sur les druides, il enchantait Bobby en nous emmenant procéder à la cueillette du gui sacré sur les chênes (suivie d'un pique-nique plantureux et arrosé), sans oser toutefois aller, comme l'y incitait Paul, jusqu'à proposer de rétablir les sacrifices humains.

Quand par chance Bobby tirait un profit de l'une de ses jongleries financières, il se gardait bien d'en informer son père, par crainte de se voir prié de rembourser le montant des banqueroutes antérieures. Le comte jugeait essentiel pour la préservation de son superflu que le marquis, dont l'amertume ainsi ne pouvait cependant qu'empirer, eût connaissance des seuls revers de son fils, d'ailleurs jamais assez graves pour écorner sensiblement le patrimoine des Pomereu. D'où le secret qu'il exigea de moi sur le magot, d'obscure provenance, que nous retirâmes à Genève, après une nuit de wagon-lit, et qui servit à la dépense du voyage en Egypte, auquel m'avait convié mon munificent ami.

Ce voyage avait dans notre esprit deux objectifs, et eut deux volets : le volet de l'archéologie et le volet de la galanterie. Le premier nous apporta des joies qui dépassèrent toutes nos espérances, en deçà desquelles resta en revanche de façon très nette le second. Certes, aller voir l'art égyptien en Egypte même était notre but prépondérant, puisque après tout nous n'étions guère sevrés de galanterie à Paris. En particulier Bobby, grand, beau, célibataire et riche, risquait plus, en la matière, la satiété que la disette. Mais comme, par penchant, ou par singerie de Nick, il affichait le goût des très jeunes filles, il se figurait que l'Orient lui prodiguerait à foison les faveurs d'essaims d'adolescentes. Tous deux, d'ailleurs, victimes ingénues d'un mirage littéraire, nous imaginions qu'un Orient sensuel, se conformant à sa légende, nous admettrait à ses délices, à ses nuits raffinées, dont les subtilités poétiques contrasteraient, pour notre volupté, avec les mœurs brutales de l'Occident graveleux et vulgaire.

Nous négligions, dans notre songe, une information sociologique pourtant élémentaire, mais obnubilée en nous par le romantisme de notre vision : en Orient, les femmes et les filles, musulmanes ou chrétiennes, peu importe, sont toutes bouclées avec minutie et surveillées sans relâche. Déjà dans Athènes, où, en chemin, nous avions fait halte, Aphrodite avait sans vergogne refusé de couronner nos efforts. Je conserve de Bobby et de moi un souvenir jauni, fixé par un photographe ambulant, où nous sommes tous les deux seuls, devant le Parthénon, sur une Acropole déserte. Dans l'Europe appauvrie, le tourisme de masse n'avait pas encore recouvert de sa lave les monuments et les musées. De plus, la Grèce se convulsait en 1948 dans une guerre civile qui en écartait les voyageurs. Cette photo préfigurait toute la suite de notre voyage, où les beautés éternelles des civilisations disparues allaient meubler nos esprits et nos loisirs plus que les charmeuses éphémères dont nous nous flattions de les pimenter. Une autre photo nous montre attablés, le soir du 24 décembre 1948, pompeusement endimanchés pour le réveillon, en train de dîner dans la salle à manger de l'hôtel *Winter Palace* à Louxor, une bouteille de chianti posée entre nous, à côté de la chandelle. L'Italie, toujours dégourdie, avait, après la guerre, repris ses exportations plus vite que la France. Ce dîner de réveillon était annoncé « dansant ». Aussi, avant le dessert, Bobby et moi nous levâmes pour aller inviter à danser des jeunes filles de la bonne société cairote venues en famille passer les fêtes à Louxor. Notre proposition fort civile de les entraîner dans un sage fox-trot était dénuée de toute ambition libidineuse. Une quelconque tentative de séduire nos cavalières, d'ailleurs, vu le bataillon de pères, oncles, cousins, frères et duègnes qui servaient de vigilante garde rapprochée à leur vertu, aurait été d'avance vouée à l'échec. Bien que nous eussions le meilleur air possible de jeunes gens bien élevés et de bonne famille, nous n'en essuyâmes pas moins un refus sec du mâle le plus âgé de la tribu. Nous pûmes par bonheur sauver notre nuit de Noël en nous rabattant sur un exubérant peloton d'étudiantes américaines, venues visiter la Vallée des Rois sous la conduite relâchée de leur professeur, ivre dès huit heures du soir. Ces Américaines nous prouvèrent ou nous rappelèrent que, pour le naturel des rapports entre les sexes, la civilisation occidentale restait irremplaçable, en tout cas, dans l'improvisation, très supérieure à sa sœur orientale.

Durant notre séjour au Caire, comme le musée et les pyramides absorbaient toutes nos journées, nous manquions de temps pour la stratégie amoureuse et avions décidé, ou, du moins, tenté de recourir à l'amour vénal en chargeant le portier de l'hôtel *Shepheard's*, détruit, depuis, par un incendie, de s'entremettre. Le *Shepheard's*, ce mauve paradis des amours sybillines et du luxe anglo-arabe, tout de recueillement, était, entre autres privilèges, le lieu sacré où, chaque fin d'après-midi, dans le bar, croisement de sacristie ruskinienne néo-gothique et de harem du califat, se rencontraient les « effendis », égyptiens ou étrangers, pour le whisky de dix-huit heures. Plus montaient les exigences financières quotidiennes du portier, plus il faisait chou blanc. Enfin, une nuit, vers deux heures, il me réveilla en m'annonçant qu'il avait sous la main deux demoiselles. Hélas ! j'avais oublié le numéro de la chambre de Bobby et le portier aussi. N'ayant pas le cœur égoïste, je déclinai l'occasion, pour ne pas en profiter seul. Pendant mon hiver et mon printemps à Tlemcen, surtout après que Yahne fut rentrée en France, j'avais pu vérifier qu'en dépit de toutes leurs précautions, il n'y a pas plus cocus que les Arabes. Mais il faut du temps et des relations pour parvenir à se placer au sein d'un réseau actif et bien renseigné. Une fois qu'on y est installé, les entremetteuses, en fait, savent le jour exact où le mari est allé vendre ses moutons à la ville voisine, à moins que ce ne soit celui où l'épouse sort pour aller au bain. Elles trouvent la femme disposée à l'adultère, rémunéré ou non, et aussi la maison complice et discrète où on la rencontrera. Mon ami Si Khaddour maîtrisait avec une ferme discrétion plusieurs de ces réseaux, auxquels il eut la bonté de m'initier, à partir de quoi tout était devenu, pour moi, en Algérie, d'une mirifique facilité. Mais au Caire le temps nous fit défaut pour explorer les sentiers souterrains qui eussent mené au but. Le portier du *Shepeard's*, maladroit ou d'une inqualifiable absence de conscience professionnelle, me parut en outre manœuvrer de façon louche, visant avec perfidie à nous dépêcher en pleine nuit vers des adresses éloignées, où nous risquions surtout, flairai-je, de nous faire entôler.

Je suggérai donc à Bobby une prudente résignation, qui nous permettrait de consacrer toutes nos forces à l'égyptologie. N'était-elle pas la raison primordiale de notre présence ? Cependant, aux livres que nous avions mis dans nos valises pour les lire ou les relire sur place, Hérodote, le *Timée* de Platon, le *Livre des morts* (dont le titre littéral, combien plus beau, est *Livre de la sortie au jour*), l'ouvrage de Plutarque sur Isis et Osiris, le traité de J.H. Breasted, *The Development of Religion and Thought in Ancient Egypt*, encore fondamental bien que datant de 1912, à toutes ces lectures sur l'Egypte ancienne, j'avais ajouté un complément plus moderne, l'enchanteur *Voyage en Orient* de Gérard de Nerval. Or, c'est précisément un passage de ce livre qui ranima nos espoirs érotiques. Un peintre rencontré par Nerval au Caire lui donne le conseil de ne pas se fier aux guides accrédités, les « drogmans », pour trouver des femmes et de ne compter que sur lui-même. Comment ? D'abord, deviner dans la rue sous le voile et la draperie si une femme est jeune et, aux ondulations de sa démarche, si elle a toute chance d'être grâcieuse. « Si elle vous regarde en face au moment où elle ne se croira pas remarquée de la foule, assure le peintre à Nerval, prenez le chemin de votre maison ; elle vous suivra. » J'ignore si tout cet entortillage valut des succès à Nerval en 1843, car il ne nous le dit pas. Mais je puis affirmer qu'en 1948 nos randonnées nervaliennes, à Pomereu et à moi, n'appâtèrent aucune Egyptienne et n'eurent jamais d'autre couronnement qu'un aromatique narguilé mélancoliquement fumé en tête à tête dans un café.

Robert de Pomereu, « *Omnium curiositatum indagator* », « chercheur de toutes curiosités », comme on avait surnommé le surintendant Fouquet, appartenait à cette portion, somme toute assez réduite, des êtres humains qui possèdent pour les arts plastiques ce qu'on appelle un œil. Ce don me rendit toujours précieux, durant ce voyage et quelques autres, le plaisir de hanter avec lui églises, palais et musées. Il savait voir. Et, devant une statue, un temple, un tableau, ou il ne disait rien, ou rien de ce qu'il disait n'était oiseux. André Fermigier et Jacob Bean (le futur conservateur du département des dessins et gravures du Metropolitan Museum de New York) m'ont donné, plus tard, le même sentiment de pertinence, soutenu par la haine du bavardage superflu. Pourquoi l'homme se croit-il déshonoré s'il ne *parle* pas devant un tableau ? Car le flot sonore des bêtises creuses que l'on entend malgré soi dans les musées constitue une telle torture qu'on devrait, dans une société policée, afficher partout : « Il est interdit de commenter à voix haute les œuvres d'art. » Pourquoi le silence, obligatoire au théâtre et au concert, ne le serait-il pas dans les galeries ?

A côté de son indubitable capacité de voir, de sa *connoisseurship*, disent dans leur « franglais » les Anglais, Bobby s'obstinait à mitonner sous son crâne le ragoût occultiste, dans lequel il avait résolu d'accommoder aussi les restes de l'art égyptien. Pour les y faire entrer, aucune interprétation ne lui paraissait trop acrobatique. Rattacher l'« enseignement », la « tradition » à la ou aux religions égyptiennes lui semblait un devoir, le but suprême de notre voyage. Pour tenter de le détromper en le faisant rire, je lui lus, un soir, au bar du *Shepeard's*, devant un bon raki, le passage où Clément d'Alexandrie raconte son « initiation » : « En Egypte, les sanctuaires des temples sont ombragés par des voiles tissés d'or ; mais si vous allez vers le fond de l'édifice et que vous cherchiez la statue, un prêtre s'avance d'un air grave, en chantant un hymne en langue égyptienne, et soulève un peu le voile, comme pour vous montrer le dieu. Que voyez-vous alors ? Un crocodile, un serpent indigène, ou quelque autre animal dangereux ; le dieu des Egyptiens paraît : c'est une bête vautrée sur un tapis de pourpre. » Mais, malgré son sens de l'humour, Bobby ne rit pas du tout, tant il est vrai qu'une hantise enkystée dans notre psychisme s'y retranche sans subir l'influence du reste de la personnalité. J'ai dit avoir observé ce même dédoublement chez Pierre Courtade, dont l'ironie universelle enveloppait tous les sujets mais calait net devant les remparts du marxisme-léninisme et du Parti. Le joyeux compagnon se muait alors d'un seul coup en grand prêtre égyptien braillant son hymne devant son animal avec un sérieux intraitable.

Bobby s'évertuait à chercher en Egypte des preuves de l'existence, en un passé lointain, de l'Atlantide. Dans le *Timée*, que j'avais eu le tort de lui faire lire, aiguisant ainsi son idée fixe, il avait découvert que, selon Platon, l'Atlantide, située par le philosophe au large du détroit de Gibraltar, avait dominé toute l'Afrique du Nord, y compris l'Egypte. Les renseignements dont Platon prétend disposer dans son dialogue pour retrouver la vie et l'organisation sociale de l'Atlantide proviendraient de Solon, le vénérable homme d'Etat, fondateur des institutions athéniennes. Solon les avait, d'après la fable platonicienne, lui-même recueillis de la bouche d'initiés, au cours d'un voyage en Egypte, durant sa jeunesse, des siècles après que l'Atlantide eut été engloutie. L'Atlantide et le cataclysme qui l'avait précipitée dans l'abîme, elle qui était sans doute le berceau de la « tradition », transmise ensuite aux Egyptiens, préoccupait jour et nuit Bobby. Au point qu'une fois rentré il caressa un moment le projet de fonder une « Société des amis des continents disparus », dont Paul se nomma instantanément et par anticipation trésorier, mais dont, au grand soulagement du marquis, les statuts restèrent mort-nés.

Mon retour à Paris se doubla d'un retour mental sur les trois années que je venais de vivre en tant que normalien défroqué. Je m'étais bien amusé, certes, et j'avais même beaucoup appris, en des expériences et des compagnies dont le milieu humainement très rudimentaire des « sorbonagres » m'aurait tenu fort éloigné. Mais je n'entrevoyais toujours pas de possibilité de trouver un métier qui, à la fois, convînt à mes goûts et me permît de me passer sans regret de l'Université. Je ne conquerrai cette faculté que quinze ans plus tard. Ma vocation, purement onirique, du moment était celle de réalisateur de cinéma. Mais quand je considère que Maurice Schérer a dû subir lui-même dix ou douze ans d'une vie matérielle précaire d'éternel étudiant, avant de pouvoir créer son premier long métrage, *Le Signe du lion*, en 1959, je sens que je n'aurais pas supporté ce purgatoire, même dans l'hypothèse improbable où j'aurais eu le talent de mes ambitions. Par paradoxe, en 1949, Paul Gégauff, quoiqu'il aimât et connût fort bien le cinéma, voulait écrire ; et moi je voulais faire des films. En fin de compte, j'écrivis ; et lui, après s'être éparpillé à écrire, avoir publié sans succès, aux éditions de Minuit, deux ou trois piètres romans, fit du cinéma, tout au moins des dialogues de cinéma. Malgré les rentrées substantielles, mais irrégulières, que lui apportèrent ses collaborations à plusieurs films de Claude Chabrol, il mena jusqu'à fort avant dans l'âge mûr cette vie improvisée et besogneuse qui, passé la prime jeunesse, cesse d'être gaie pour devenir d'un pitoyable ridicule. Notre amitié s'élimait aussi vite que la popeline des chemises que je lui avais volées. Nous nous disputâmes avec violence, un jour de l'été de 1949, au Croisic, où je l'avais invité à passer une quinzaine, dans une maison que l'on nous avait prêtée, à Yahne et à moi. C'était un soir, chez un de nos amis, Pierre Bachelier, riche et cultivé bourgeois nantais, bibliophile et musicien, qui recevait avec générosité dans sa villa. Paul était un bon pianiste amateur. Bachelier le pria de se mettre au Bechstein. Paul annonça aux invités la sonate pour piano n° 28 de Beethoven. Je lui dis : « Pourquoi joues-tu ça ? C'est le seul morceau ennuyeux que Beethoven ait jamais composé. » Je le pense, au demeurant, encore que l'invention de Beethoven se réveille un peu, sans aller bien loin, dans le dernier mouvement. S'ensuivit une engueulade, que Bachelier se hâta de noyer sous un raz de marée de gros plant. Nous l'ingurgitâmes en trinquant à notre réconciliation avec des grognements haineux.

Je ne revis Paul qu'en 1959, à la suite d'un article où, dans *Arts*, je persiflais la Nouvelle Vague du cinéma français, en particulier *Les Cousins*, film de Chabrol auquel il avait collaboré, et où je trouvais que son esthétique de la dérision était devenue par trop pesante et sentencieuse. Il prit ma raillerie avec bonne grâce. Pourtant, je ne devais plus jamais avoir de nouvelles de lui jusqu'à ce qu'en 1988 la presse m'apprît qu'au cours d'une dispute conjugale il avait été assassiné par sa femme à coups de couteau, pendant la nuit de Noël, dans un chalet en Norvège. Rencontrant peu après Claude Chabrol au cours d'un dîner chez Jean Ferniot, je l'interrogeai sur l'énigme de cet étripage mutuel, puisque l'épouse aussi, une Scandinave, avait péri poignardée par son mari. « Oh ! me dit-il, pas de mystère ; simple démence meurtrière de deux ivrognes. Paul m'avait dit vouloir aller passer les vacances de Noël en Norvège, dans la solitude, pour rester dix jours sans boire. C'est réussi... »

En 1949, j'avais déniché un petit salaire régulier en assurant le secrétariat d'un sénateur, qui avait demandé à un de mes anciens camarades de l'Ecole, devenu fonctionnaire au Palais du Luxembourg, de lui trouver un normalien pour rédiger ses discours et son courrier. Comme ce sénateur ne montait jamais à la tribune sans bafouiller, il s'en abstenait le plus possible et mes dons éventuels de souffleur ne se trouvèrent guère mis à contribution. Ainsi mes chances de rivaliser avec les logographes de l'Antiquité furent anéanties. Quant à son courrier, il traitait en quasi-totalité non de politique, mais de vin et spiritueux. Car mon patron, sénateur de Constantine, alors département français, appartenait à ce cercle fermé que l'on désignait par l'appellation très contrôlée de « les gros colons ». C'étaient les plus riches propriétaires fonciers de l'Algérie française, pour la plupart viti-culteurs. Grâce à lui, et en l'écoutant parler avec ses pairs, je vis l'en-vers du décor que j'avais observé en partageant l'optique de mes amis arabes pendant l'hiver 1947-1948. Je n'en compris que mieux, à en juger d'après l'invincible obstination des « gros colons » — plus gros hélas ! qu'intelligents — à éterniser le statu quo, que l'Algérie s'ache-minait vers une insurrection. Ce que j'appris aussi de mon sénateur, c'est la définition d'une mistelle. Il me lança un jour : « Ecrivez à Untel que j'ai réussi à vendre nos mistelles. » C'était la première fois que j'entendais ce mot. Je m'informai. Une mistelle, m'expliqua-t-il, est un liquide qui sert de base à maints apéritifs et vermouths. On l'obtient en ajoutant de l'eau de vie dans du moût de raisin frais, de façon, lors de la fermentation alcoolique, à élever le degré tout en conservant les sucres. Je fus ravi de cette découverte. Mais elle ne suffit toutefois pas à me faire trouver de l'intérêt à mon nouvel office, malgré le bel et opulent avenir dans sa société que m'avait promis mon riche sénateur-viticulteur.

En me promenant, un matin, je me trouvai passer devant l'ambas-sade d'Egypte, avenue d'Iéna.

Sans doute le dieu-soleil Rê-Atoun, qui, avec ses huit compagnes et compagnons, tous divins eux aussi, forme la Grande Ennéade d'Hélio-polis, objet de mes récentes dévotions esthétiques et laïques, m'insuf-fla-t-il le feu prophétique de son inspiration surnaturelle. J'entrai, je montai. Je demandai à être reçu par le conseiller culturel. Je remplis ma fiche de demande d'audience, en y portant mes titres et qualités (ancien élève de l'ENS, licencié et diplômé d'études supérieures de philosophie) et l'objet de ma démarche (candidature à un poste de professeur en Egypte.) Après tout, me dis-je, au lieu de chercher à gagner ma croûte en servant de garde-malade à un opiomane ou de nègre à un viticulteur-sénateur, ou encore en essayant en vain de tou-cher une commission en décrochant une licence d'importation pour une marque de whisky écossais, le Dunbar, qui malheureusement sen-tait plutôt le whisky canadien, pourquoi, oui, pourquoi ne pas la gagner en exerçant tout bonnement mon respectable métier de profes-seur ? Comme nous l'ont appris La Palisse et Goethe, les évidences que l'on a sous le nez sont souvent celles que l'on met le plus long-temps à découvrir. J'avais entendu dire au Caire que les autorités égyptiennes étaient fort avides de recruter des professeurs français. Et, en effet, on m'introduisit avec une prestesse miraculeuse auprès de deux messieurs tout sourires, auxquels je narrai en une dizaine de minutes l'éblouissement de ma découverte récente de leur pays et mon souhait d'y vivre quelques années. Ils acceptèrent avec empressement et enchantement ma candidature. Ils ajoutèrent toutefois qu'étant donné leurs accords avec le service français des Relations culturelles, je devais, avant de revenir les voir, rendre visite aux responsables dudit service au ministère des Affaires étrangères afin d'obtenir leur agrément préalable. Ils m'indiquèrent obligeamment les noms de ces responsables : soit M. Sirinelli, soit M. Touchard, soit, bien évidemment, le directeur des Relations culturelles, Jean Baillou.

Je crus avoir un étourdissement. Jean Sirinelli et Jean Touchard comptaient parmi les camarades de l'ENS (de promotions un peu antérieures à la mienne) avec qui j'avais entretenu les plus cordiales relations, d'autant qu'un lien particulier nous avait rapprochés : nous faisions tous trois partie de l'équipe de football de l'Ecole, connue entre toutes les équipes universitaires de la région parisienne pour être celle qui prenait le plus grand nombre de buts dans le délai le plus court. Mais enfin, le cœur y était, et l'amitié aussi. Rien n'unit parfois comme la défaite. Quant à Jean Baillou, je l'ai déjà évoqué : examinateur en français à mon concours d'entrée, secrétaire général de l'Ecole en 1943-1944, résistant et déporté, il avait, je crois, quelque affection pour moi et je le lui rendais bien. Voilà pourquoi, ainsi que je l'ai confessé plus haut après avoir refoulé longtemps ce souvenir, rien de ce qui suivit ne se serait déroulé pour moi de façon aussi heureuse, rapide et facile sans la fraternité normalienne. Ce fut Sirinelli, chargé des rapports avec l'Egypte, qui me reçut d'abord, pour m'expliquer que j'avais intérêt non pas à me faire recruter et payer directement par les Egyptiens, mais, afin d'obtenir un traitement trois fois supérieur, à être nommé dans la catégorie des postes contrôlés par la France. Mais il n'avait rien de disponible pour moi en Egypte. « Ils vont râler », ajouta-t-il, au risque de mettre mon humilité en danger, « parce que j'aime autant te le dire, tu leur as tapé dans l'œil ». Après m'avoir houspillé pour ma négligence dans mes études et incité à me remettre au travail et à enfin passer l'agrégation, il me refila au responsable de l'Amérique latine : Jean Touchard. Après avoir subi de la part de celui-ci un nouveau sermon, que je méritais, sur mon indicible irresponsabilité, j'appris de sa bouche que je serais nommé soit à Rio (dans un poste que venait tout juste de quitter le subtil Marcel Hignette, auquel j'allai, en cette occasion, demander informations et conseils), soit à Mexico. Le choix dépendrait de l'issue finale d'un certain nombre de mutations encore en suspens. Si d'aventure ni Rio ni Mexico ne s'ouvraient à moi, le « Département » (j'appris ainsi comment, au sein du Saint des Saints, on doit appeler le ministère des Affaires étrangères), le Département, me chuchota Touchard, qui ainsi me démontra sa maîtrise vite acquise des circonlocutions bureaucratiques, s'arrangerait pour me trouver « un point de chute du côté du Bosphore ». En clair : on m'enverrait à Istanbul. L'épilogue, à la suite de travaux de terrassement administratif dont je ne sus jamais le fin mot, me dirigea vers Mexico. Mon destin proche serait donc non pas de réapprendre le portugais, ni d'apprendre le turc, mais de me plonger dans la langue espagnole, qui, avec l'italien plus tard, allait tant modifier ma sensibilité langagière et littéraire.

Au début de janvier 1950, j'allai dire au revoir à mes parents, qui s'étaient installés à Myans, village distant d'une vingtaine de kilomètres de Chambéry, au cœur d'un petit vignoble réputé pour son vin blanc perlé, l'un des meilleurs de Savoie, le vin des Abymes. Devenus savoyards, mon père et ma mère n'en gardaient pas moins leur fidélité à la cuisine provençale. Pour griller des lavarets du lac du Bourget, la veille au soir de mon adieu pour trois années, ma mère jeta dans la cheminée une javelle de sarments de vigne et ensuite, sur le plat, entoura les poissons de belles sorbes blettes, mouillées d'huile d'olive.

Je devais rejoindre mon poste de toute urgence. Aussi décidai-je de partir seul. Yahne, Matthieu et Eve me suivraient un peu plus tard, quand j'aurais eu le temps de trouver un logement à Mexico. Avant de prendre le train pour Cherbourg, où j'embarquerais sur le *Queen Elizabeth*, à destination de New York, je fus reçu par Jean Baillou, qui m'administra ses paternels conseils, et, au musée de l'Homme, par le Dr Paul Rivet, « parrain » incontournable de tous les établissements français en Amérique latine, et suzerain dont je ne pouvais manquer de recevoir l'adoubement. La France, dirait-on, reste une société d'autant plus féodale qu'elle est plus républicaine. Il faut s'y protéger contre la loi !

II

La fin de l'intermède picaresque de mon existence, mon accession à un poste honorable dans la fonction publique, due à la bouée de sauvetage lancée par mes camarades normaliens, l'assurance d'une rémunération régulière, la résolution de me remettre à préparer l'agrégation marquèrent, certes, un retour au bon sens et au réalisme. Elles n'éteignirent pas en moi pour autant la force perturbatrice des passions et des curiosités. Imprimant à ma vie ses balancements, elles continueront toujours à me faire osciller de part et d'autre de mon occupation principale. Je n'ai jamais pu me contraindre à ce que ma vie se réduisît à une seule vie. Je n'ai pas cessé d'être en plusieurs lieux, matériels et moraux à la fois, tant dans ma destinée privée et personnelle que dans mes activités professionnelles ou dans mes intérêts intellectuels. Je l'ai fait non par calcul ou par duplicité mais par inclination spontanée à fuir la monotonie et, d'ailleurs, sans dissimulation. La caracole a constamment été mon fort. Non pas au sens appauvri et niais qu'on donne souvent à ce mot, quand on l'emploie à tort comme synonyme de « trotter devant les autres » — ainsi dans l'inepte cliché journalistique : « il caracole en tête des sondages » ; mais au sens propre de « mouvement qu'accomplit le cavalier en demi-rond ou demi-tour, à gauche ou à droite, en changeant de main, afin que l'ennemi soit toujours incertain si on l'attaquera de front ou de flanc », pour citer Furetière. Toutes ces comparaisons, au demeurant, compliquent à l'excès une vérité simple : je n'ai jamais été tout à fait sérieux et, là où je le suis, ce n'est jamais dans un seul domaine à la fois.

Mais la leçon ineffaçable que j'ai retenue de ma période picaresque, c'est qu'il n'est amusant de divaguer qu'autour d'un pré carré bien à soi, c'est-à-dire d'un travail comportant un revenu minimal et ponctuellement versé. Ce principe directeur, je ne l'oublierai plus jamais. Il est la clé de la tranquillité d'esprit et de l'indépendance morale. Même quand, à la fin des années cinquante, je commençai à gagner plus d'argent que je ne m'y attendais, grâce à mes articles et au succès de mes livres, je laisserai passer encore plusieurs années avant de démissionner de l'enseignement, tant je craignais de me priver par une témérité prématurée de ce bouclier de sécurité et de liberté que constituait mon traitement de professeur, si modeste fût-il. Même après mon départ de la fonction publique, d'ailleurs, je me suis arrangé pour n'avoir jamais à compter sur mes seuls droits d'auteur, rentrées par esssence fluctuantes et imprévisibles, et pour assumer, dans une maison d'édition ou un journal, une fonction ou une collaboration me garantissant un salaire mensuel. Les angoisses éprouvées durant les années bohèmes de ma jeunesse m'avaient inspiré une aversion définitive pour l'incertitude du lendemain, ce qu'on appelle , dans le jargon administratif moderne, la « précarité », plus exterminatrice de la liberté personnelle que l'« esclavage » de l'emploi fixe. Conscient que l'achat d'un livre ou d'un tableau est un acte éminemment facultatif, de même que l'engagement d'une chanteuse, d'une comédienne, d'un danseur, je me suis longtemps étonné de trouver, chez la plupart des artistes que j'ai connus, cette conviction indestructible que leur désir de se produire en public pour de l'argent équivalait à un droit d'y parvenir.

C'est cette idée préconçue, chez Yahne, qui causa l'une des nombreuses mésententes qui furent fatales à notre mariage. Yahne était peintre, ou, pour mieux dire, elle faisait de la peinture. Tout le malentendu, précisément, provenait à mes yeux de la confusion entre les deux formules, du passage outrecuidant de l'une à l'autre. Parce qu'elle « faisait » de la peinture, Yahne avait décrété qu'elle « était » peintre, bien qu'elle ne vendît aucun tableau, ne fût prise en charge par aucune galerie. S'étant intronisée dans la profession de peintre, elle refusait par là même d'en exercer une autre, bien que la sienne présumée ne lui rapportât rien. Mais, continuant à raisonner avec fermeté hors du réel, elle attribuait l'absence de rentrées financières à une mauvaise passe, au bout de laquelle scintillaient déjà d'alléchantes perspectives. Ces mirages, bien entendu, ne se concrétisaient jamais. De toute sa vie, Yahne n'a vendu de tableaux qu'à quelques riches amis bienveillants et n'a fait d'exposition qu'à ses frais ou à ceux d'un obligeant protecteur. Mais elle ne s'en est pas moins conçue sans une seconde de doute durant toute sa « carrière » comme une artiste professionnelle, traversant de simples difficultés momentanées.

Non qu'elle fût dépourvue de savoir-faire, de talent ou d'une imagination qui, après maints tâtonnements de style, la cristallisa dans un registre surréaliste mineur, dans lequel l'engagea, en particulier, l'influence du peintre Léonora Carrington, l'ancienne femme de Max Ernst. Cette Anglaise, que nous connûmes au Mexique, où elle vivait, devint notre proche amie. Ce fut Léonora qui, après notre retour en France, écrivit à André Breton pour attirer son attention sur la peinture de Yahne, qu'il goûta au point d'écrire en 1957 à son sujet un texte de présentation, une « préface », comme on dit, pour l'une de ses expositions, confidentielle au demeurant. Ce texte figure dans *Le Surréalisme et la peinture*, en son édition revue et augmentée parue en 1965, un an avant la mort de Breton. Je ne conteste donc pas que les œuvres de Yahne contiennent « un brillant intérieur », comme dit Breton, lequel, en poète, oppose leur teneur émotive à la peinture abstraite. L'abstraction, en 1957, envahissait le marché, tout en ne parvenant, ajoute-t-il avec dédain, à composer qu'« un album de tissus qui se refusent résolument à tout usage ». Pour André Breton, la peinture sans la poésie, la peinture faite de pures structures spatiales, tombe dans le vide spirituel, tout comme y tombent les recherches formelles appuyées sur le réalisme du « motif » d'un Cézanne ou du vieil Auguste Renoir « s'exaltant devant un dernier plat de fruits ».

Je déniais à Yahne, donc, non le sens poétique, mais bien le sens pratique. Si sûre fût-elle de son talent et de son droit de l'exercer, je ne lui reconnaissais pas celui de se décharger sur moi de la totalité du fardeau financier de notre ménage. Quand, à sa demande, nous avions bâclé notre mariage, elle m'avait juré que notre union n'aurait rien de « bourgeois », serait « moderne » et que nous partagerions toutes les responsabilités. Qu'aurait-elle dit et fait ensuite, comment aurions-nous élevé nos enfants, si, l'imitant, je m'étais décrété poète devant l'Absolu et avait répudié toute basse activité lucrative, estimant qu'il incombait à la société de rémunérer mes poèmes à la mesure de la notion que je me forgeais de leur valeur ? Plus tard, quand je fis un peu de critique d'art et connus mieux le milieu des peintres, j'appris, en étudiant les statistiques de la profession, que Paris seul comptait des dizaines de milliers d'« artistes peintres » de plein métier, déclarés comme vivant de leur « art » ou aspirant à en vivre. Combien, en dehors de la poignée de très grands ou de seulement très commerciaux, gagnaient vraiment leur pain quotidien avec leur peinture ? Peut-être deux cents. Plus que la littérature, car la plupart des écrivains exercent un second métier, la peinture porte sans doute à cette inconscience. Avec l'art dramatique, il est vrai. Car j'ai fréquenté, au début des années soixante-dix, une « actrice », dûment « inscrite » à je ne sais quoi, qui n'avait jamais mis les pieds sur les planches. Sa « carrière », riche déjà de plusieurs années, se limitait à des figurations de quelques secondes dans des films ou des téléfilms. Elle n'en voyait pas moins son propre personnage social comme celui d'une comédienne reconnue et à plein temps. Elle avait un « agent », téléphonait du matin au soir à des producteurs en « laissant un message » qui demeurait pour l'éternité sans réponse. Autour d'elle virevoltait une nuée de copains et de copines, en proie à une exténuante agitation à propos de « rôles » qu'ils n'avaient jamais joués et ne joueraient jamais.

III

J'embarquai sur le *Queen Elizabeth* (premier du nom) à Cherbourg, par un noir crépuscule de janvier 1950. Le paquebot géant avait mouillé l'ancre au large, à l'extérieur de la petite rade, à trois ou quatre encablures de la jetée du Homet, juste le temps, venant de Portsmouth, de hisser à bord les passagers du continent. Des embarcations nous charrièrent avec nos malles jusqu'au flanc du monstre, où s'ouvrait une trappe par laquelle nous devions nous engouffrer. Cette opération se mua en danse acrobatique tant les chaloupes montaient et descendaient avec la forte houle, devant l'orifice béant. J'avais tenu à voyager sur un navire britannique, pour hâter mon dépaysement. A mon retour, en revanche, m'étant « refrancisé » durant l'exil, à force de nostalgie pour mon pays, j'insisterai, en septembre 1952, pour faire la traversée sur le *Liberté*, paquebot de la Compagnie générale trans-atlantique, reliant New York au Havre. A l'aller comme au retour, avant de gagner Mexico par avion puis d'en revenir, je m'arrangeai pour passer une semaine à New York, afin d'y voir quelques spec-tacles, le plus que je pourrais de peinture et, surtout, New York même.

Mes espérances de galanteries maritimes se trouvaient compro-mises, voire anéanties par les séquelles d'une varicelle que m'avait transmise ma petite Eve chérie, un soir où j'étais allé l'embrasser dans son lit, alors qu'elle était en période d'incubation de cette maladie. Ne l'ayant jamais contractée dans mon enfance, détail que ma mère me confirma, je ne jouissais donc d'aucune immunité et je fus, à vingt-six ans, la proie d'une contagion qui, en quelques jours, me couvrit le visage et le corps de petits boutons rouges, roses ou bruns, que les médecins nomment « papules ». Ces papules, lisons-nous dans les bonnes encyclopédies, « disparaissent sans laisser de traces, après une période de dessiccation ». Oui, mais, voilà ! en embarquant sur le *Queen Elizabeth*, j'atteignais justement le point culminant de cette dessiccation : autrement dit j'étais couvert de croûtes répugnantes, qui réduisirent à zéro mes chances de séducteur arpentant le pont promenade du transatlantique en distribuant des œillades.

Je ne réussis pas davantage dans mes projets de m'évader de l'atmosphère française, dont j'étais un peu las, au terme d'une période qui ne me laissait pas que de bons souvenirs. Le deuxième soir de la traversée, en train de lire, solitaire et mélancolique, dans un fauteuil du bar, j'aperçus un homme d'une cinquantaine d'années, porteur d'un béret basque, qui me dévisageait. A mon livre, il avait identifié le compatriote. Je fus d'ailleurs très honoré de bavarder avec lui, puisqu'il se révéla être Louis Leprince-Ringuet, un de nos plus éminents physiciens. M'ayant fait décliner mes titres, qualités, spécialités et buts de voyage, il s'écria : « Tiens ! j'ai précisément participé, récemment, à Vienne, à un colloque où a parlé d'un de vos camarades, un vrai sophiste, Louis Althusser. »

Louis Althusser ! Ce nom qui allait, pendant quinze ans, devenir celui d'un de mes meilleurs amis, puis, à partir de 1965, celui d'un philosophe célèbre, ne correspondait alors pour moi qu'à un souvenir unique et fugitif. Après une nuit où quelques camarades et moi avions arrosé mon départ, René Schérer m'avait entraîné, vers dix heures du matin, rue d'Ulm, où, me dit-il, il avait « rendez-vous avec Louis Althusser », personnage dont j'ignorais l'existence, puisque je m'étais éclipsé du bocal normalien depuis 1948. C'est cette même année qu'Althusser, de la promotion 1939, puis prisonnier de guerre en Allemagne pendant quatre ans, avait passé l'agrégation pour se voir aussitôt nommé « caïman » de philosophie : mot argotique dont le doublet administratif est « agrégé-répétiteur », une sorte de tuteur chargé à son tour d'aider ses cadets dans leur propre préparation de l'agrégation. Quand René et moi lui rendîmes visite en janvier 1950, c'était le lendemain du bal de l'Ecole, événement annuel, et, après une nuit blanche, Althusser était aussi pâteux que nous. Quand nous entrâmes, il trônait assis derrière son bureau, sur lequel, pour entrer en matière, je posai un litron de vin blanc aux trois quarts plein. Il eut un sourire, comment dire ? à la fois cordial et timide. Cette expression, la forme ovale, pleine, harmonieuse de son visage, son regard chaleureux et modeste, ses cheveux lisses chatain tirant sur le blond, me frappèrent par leur douceur. Son apparence amène traduisait bien le fond de son âme. Car, j'eus maintes fois l'occasion de le vérifier par la suite, Althusser était un homme d'une foncière bonté. C'est la seule et bien sommaire image que j'emportai de cette première et rapide rencontre avec lui. Aussi ne saisissais-je pas très bien ce que voulait dire Leprince-Ringuet en le traitant de « sophiste ». Je supposai qu'en scientifique sérieux le physicien s'était offusqué de l'avoir entendu recourir à l'une de ces cabrioles verbales, travesties en démonstrations, sans lesquelles la philosophie n'aurait plus qu'à fermer boutique. Je ne le compris que rétrospectivement : le « sophisme » auquel Leprince-Ringuet se référait, c'était le prosoviétisme de Louis. Le colloque de Vienne avait dû rouler sur la politique et sur la question centrale de la fin des années quarante : le choix entre l'Amérique et l'URSS, entre les partisans et les adversaires du Pacte atlantique, du Plan Marshall, de l'Europe future. Louis Leprince-Ringuet avait choisi sans réserve l'Amérique et l'Occident. Il était une exception parmi les intellectuels français et même les intellectuels européens, dont les trois quarts avaient, dans cette conjoncture, opté avec fougue pour le suicide de la démocratie et l'asphyxie de la pensée ; ou alors, n'ayant le courage d'aucun des deux choix, ils se blottissaient comme moi dans un « neutralisme » veule, inapplicable et borné. Je ne devais découvrir qu'ultérieurement et indirectement que Louis Althusser, après avoir été royaliste, avait adhéré au Parti communiste, en 1948.

Encore cette information ne joua-t-elle presque aucun rôle dans nos rapports, qui, dès mon retour du Mexique, à la fin de 1952, devinrent amicaux et même très affectueux. Dieu sait si mes entours regorgeaient de communistes, amis intimes, relations de travail occasionnelles ou vieux copains ! Dans les cercles où je flottais, on pouvait aussi peu éviter d'en fréquenter que de rencontrer des vaches dans le Cantal. Même les esprits les plus subtils, les plus dignes de confiance, les caractères les plus primesautiers, du moment qu'ils avaient adhéré au Parti, se montraient incapables d'oublier, fût-ce l'instant d'un battement de cil, qu'ils étaient communistes, devaient défendre le communisme, rappeler l'interlocuteur à l'ordre du « point de vue communiste » sur n'importe quel sujet, politique, artistique ou quotidien. Tous, sauf Althusser. Pendant mes années d'Italie, de 1953 à 1957, je déjeunais avec lui chaque fois que j'arrivais à Paris. Il venait souvent, à Pâques ou en juillet, à Valmondois, avec sa compagne et future femme, Hélène, passer la journée en ma compagnie et en celle des enfants et de Yahne, qui nous préparait de savoureux repas. Comme tous les peintres, elle possédait un don pour la cuisine.

Jamais, au fil de tant d'heures passées à converser avec lui, de tant de lettres de lui reçues à Florence, car nous nous écrivions souvent, je n'ai buté sur un mot, une réaction de Louis qui trahissent le communiste inscrit qu'il était. Sans doute s'affichait-il en gros « de gauche » et coutumier de grilles d'interprétation marxistes, comme c'était, plus modérément, aussi mon cas. Mais, en ma présence du moins, il fut toujours indemne de ce sectarisme qui souillait tant de bons esprits pendant l'âge de l'« idéologie froide », pour reprendre le titre, qui fit mouche, du livre de Kostas Papaïoannou (publié dans ma collection *Libertés*, chez Pauvert, en 1967). Tout au contraire, Louis se montrait souvent plus cinglant que moi pour les excès de l'orthodoxie stalinienne, quoique toujours avec calme et d'une voix douce. Il me détrompa, quand en 1955, je lui dis avoir trouvé quelques bons arguments dans un article de *La Nouvelle Critique*, la revue « théorique » officielle du Parti communiste. François Châtelet y attaquait *Les Aventures de la dialectique*, ce livre où Maurice Merleau-Ponty congé-

diait le marxisme pour se rallier à la sociologie de Max Weber —
hommage indirect à Raymond Aron et à son *Introduction à la philosophie de l'histoire* ! « Non, cet article de Châtelet, me dit Louis avec sa
tranquille courtoisie, est sectaire. Même à l'égard d'un adversaire, il
ne faut pas user de procédés qui discréditent le procureur. » Il me
décortiqua dans le détail les procédés dont il voulait me préserver. De
même je l'entendis une fois, à propos d'un article paru dans la revue
Esprit, qui m'avait intéressé, dauber sur les « gauchistes », ancêtres
avant la lettre de l'« antipsychiatrie » des années soixante-dix, et sur
leur manie de nier la spécificité pathologique des maladies mentales
pour les attribuer à la seule influence néfaste de la société et, comme
plaidera Michel Foucault, aux cruautés de l'« enfermement » hospita-
lier. Louis se montrait tout aussi sévère pour les crimes et les échecs
du « socialisme réel » en Union soviétique. Jamais je ne l'ai vu comme
d'autres philosophes marxistes se désarticuler l'esprit dans l'un de ces
plaidoyers incohérents et pitoyables en faveur de l'Union soviétique
et de ses satellites, qui étaient la marque de l'« aliénation » et de la
servitude morale des intellectuels communistes. Je n'ai pas constaté,
en 1956, que le rapport Krouchtchev sur les crimes de Staline ou la
répression soviétique de la révolte hongroise aient foudroyé Louis
comme tant d'autres croyants et complices communistes ni qu'il ait
partagé leur comique désarroi. Je ne l'ai pas même entendu alors
excuser l'échappatoire d'un compagnon de route, Sartre, attribuant,
dans *L'Express* du 11 novembre 1956, l'insurrection hongroise à « la
faute énorme » qu'avait été d'après lui le rapport Krouchtchev. Selon
le philosophe de l'« authenticité », il aurait fallu continuer à mentir au
peuple pour sauver le socialisme ! Cynisme qui n'avait même pas le
mérite du réalisme, puisque le peuple soviétique connaissait depuis
longtemps la vérité de la Grande Terreur, beaucoup mieux que les
intellectuels de gauche occidentaux, qui l'ignoraient volontairement,
et se transmettaient de génération en génération cette ignorance.

Si sur le *Queen Elizabeth* j'avais continué à bavarder avec Louis
Leprince-Ringuet, durant toute la semaine de ma traversée, j'aurais
peut-être recueilli de sa bouche le portrait d'un Althusser sectaire.
Mais, dès le troisième jour, je fus en mesure de préférer au savant la
compagnie d'une jeune Slovaque, à la beauté médiocre et à l'ample
tour de taille, mais qui s'était accommodée de mes pustules. Moins
léger, peut-être aurais-je su le fin mot du Colloque de Vienne. C'est
un mystère à mes yeux qu'Althusser, en 1950, ait pu envoyer à Jean
Lacroix, son ancien professeur de philosophie (et le mien) à la khâgne
du lycée du Parc de Lyon, une lettre contenant « un vibrant hommage
à Jdanov » (p. 529 de la chronologie complétant l'édition de poche de
L'avenir dure longtemps, le livre autobiographique posthume de
Louis). Car Jdanov, dictateur culturel de l'Union soviétique, était le
père du « réalisme socialiste » en peinture, que Louis a fréquemment

tourné en dérision devant moi, se moquant, par exemple, d'un brave
médecin, même pas communiste, et qui, plus porté sur le chromo que
sur l'abstraction lyrique, avait conclu d'un séjour à Moscou que la
peinture russe du moment était « bien plus belle que la nôtre ».
Autant que le « réalisme socialiste », l'intolérance m'a toujours paru
horripiler Althusser. En 1959, il me raconta sans indulgence le chahut
qu'avait organisé le groupe communiste de l'Ecole contre le général
de Gaulle, lors du bal annuel. La tradition voulait depuis toujours que
le chef de l'Etat y fît une apparition. Louis ne tarissait pas d'adjectifs
méprisants pour « ces petits crétins » du groupe communiste, quoiqu'il
se rangeât lui-même dans l'opposition à de Gaulle. Il me cita en s'es-
claffant le pataquès d'un de ces imbéciles, auquel de Gaulle avait
tendu la main, en passant devant une rangée d'élèves. Le « révolutionnaire » répondit au président de la République : « Je vous serre la
main, mais je ne serre pas la main de votre politique », image digne
de l'audacieux raccourci de Joseph Prudhomme : « Ce sabre est le plus
beau jour de ma vie. » Certes, on peut déplorer une entorse grossière à
la courtoisie protocolaire et aux usages démocratiques sans pour
autant pratiquer la tolérance idéologique. Louis faisait exception. Il
m'écrivit, par exemple, une lettre, en 1958 ou 1959, pour me remercier
de lui avoir fait connaître « cet homme fascinant qu'est Nathan
Leites ». « Fascinant », l'adjectif convenu aurait gagné à être remplacé
par « fatigant ». Les deux qualificatifs marchaient d'ailleurs de pair,
chez Nathan Leites, ce virtuose de la dialectique, au sens socratique
de l'allégresse du dialogue et non au sens soporifique des « abattoirs
historico-mondiaux » de Hegel, selon la sarcastique et prémonitoire
définition de Kierkegaard. Nathan était américain de nationalité, russe
d'origine et français de culture. Ecrivant le plus souvent en français,
qu'il parlait comme si ç'avait été sa langue maternelle, il était entre
autres l'auteur d'une étude perspicace sur les infirmités de la quatrième République, *La Maison sans fenêtres*. Il démontait le fonctionnement ou, plutôt, la panne de nos institutions, à partir du vocabulaire
et de la rhétorique des politiciens, dans leurs discours au Palais-Bour-
bon. Pour dessiner la mentalité politique de la Quatrième et le cercle
stérile dans lequel elle tournait, Leites procédait selon la méthode de
l'« analyse des énoncés » propre à l'« empirisme logique » anglais,
école philosophique à laquelle il adhérait, estimant que toutes les
autres n'étaient que verbiage pédant. J'avais d'ailleurs fait sa connaissance parce qu'il m'avait écrit pour demander à me rencontrer, après
la publication de *Pourquoi des philosophes ?* en 1957. L'obsession de
l'« analyse des énoncés » était justement ce qui rendait Leites fatigant,
car on ne pouvait rien proférer devant lui ou lui donner à lire sans
qu'aussitôt il passât au scalpel de l'analyse « empiriste-logique » les
cinq ou six premiers mots, en vous démontrant que votre « énoncé »
n'avait aucun sens et qu'il était inutile que vous alliez plus loin. Il

s'était même, à cause de cette constante filature de l'intelligence des autres, brouillé jadis avec Etiemble, qu'il avait connu à Chicago pendant la guerre et qui, m'ayant aperçu, un soir, en train de dîner avec Nathan au Balzar, rue des Écoles, s'était par la suite écrié : « Comment ? Vous connaissez Leites ! Il est insupportable. » Oui, mais il n'en était pas moins intéressant. Toutefois, qu'il le fût pour Althusser était paradoxal, puisque l'empirisme logique constituait l'attitude philosophique la plus opposée au marxisme, dont la dialectique de Leites ne laissait pas une théorie debout. De plus, Leites travaillait pour la *Rand Corporation*, le *Think tank* américain alors le plus réputé, mais aussi le plus engagé dans la guerre froide contre l'Union soviétique ; et assez proche de la *Central intelligence agency*, à laquelle il fournissait des études. L'admiration que lui voua d'emblée Louis s'ajouta donc aux raisons qui me rendirent, plus tard, doublement inexplicable la sorte de stalinisme métaphysique aiguisé par la lourde abstraction structuraliste de *Pour Marx* et de *Lire le Capital*, quand ces livres, qui devaient rendre Althusser célèbre, parurent, en 1965.

Certes, Althusser, qui lisait couramment et parlait un peu l'italien, me recommandait, chaque fois que je revenais de Florence, de ne surtout pas oublier de lui rapporter les plus récents numéros des deux revues « doctrinales » du Parti communiste transalpin, *Rináscita* et *Societá*, en même temps, d'ailleurs, que des chemises, alors plus jolies et moins chères en Italie qu'en France. J'ai encore en mémoire son tour de col : 42. Je lui remettais avec ponctualité le tout, lors du déjeuner rituel que nous avions, à chacun de mes séjours à Paris, dans un restaurant chinois de la rue Royer-Collard. La confiance qu'Althusser mettait dans les chemisiers italiens et leur capacité de renouveler la mode me paraissait plus justifiée que celle qu'il accordait aux penseurs du PCI et à leur capacité de renouveler le marxisme. Marx n'était renouvelable qu'au prix d'un saut verbal et d'une simulation intellectuelle relevant d'une conceptualisation onirique, dont Althusser allait précisément, vers 1965, inventer la recette. Ou plutôt, véritable oie dialectique, c'est gavé par de cupides disciples qu'il en ingurgiterait la fatale potion. J'avais, à vrai dire, été alerté en 1959 par son *Montesquieu, la politique et l'histoire*, où il démolissait *L'Esprit des lois* au moyen des arguments les plus ressassés de la pensée totalitaire dans son offensive immémoriale contre la pensée libérale. Je lui écrivis alors une longue lettre, de Saint-Briac, en Bretagne, où je passais l'été avec Yahne et les enfants, pour lui exprimer ma déception et lui faire observer que son réquisitoire reprenait presque terme pour terme celui fulminé dès le XVIII siècle contre Montesquieu par l'un des ancêtres intellectuels du totalitarisme politique : Helvétius. Comme toujours, Louis accepta mes objections avec équanimité et modestie, arguant qu'il avait écrit ce livre dans le seul dessein de se prouver à lui-même qu'il « pouvait encore travailler ». Cette phrase prit pour moi toute sa signification quand je sus, plus tard, ce que j'ignorais alors : qu'Althusser était sujet à de terribles dépressions périodiques. Je voyais bien parfois et j'entendais dire par les élèves de l'Ecole qu'il disparaissait de temps à autre pour se « faire soigner ». C'était en raison, me disait-il, d'une anémie chronique contractée durant ses années de captivité en Allemagne. En fait, ses dépressions nerveuses ne venaient pas de ses souffrances de prisonnier de guerre. Elles avaient commencé avant la mobilisation, dès 1938, quand il était encore en khâgne.

La psychose maniaco-dépressive d'Althusser ira s'aggravant jusqu'à ce qu'elle le pousse, en 1980, à étrangler sa femme, Hélène, épousée en 1976, mais avec laquelle il vivait, sauf de rares entractes, depuis 1947, union dont la durée, vu le caractère de la dame, ne peut s'expliquer chez Louis que par une persévérante volonté d'autopunition. L'Althusser sain d'esprit, le seul que j'aie fréquenté, je ne puis mieux le décrire qu'en citant quelques lignes de *En ce temps-là*, l'opuscule si élégant que lui consacra Clément Rosset en 1992 : « ... Ce qui m'étonne encore aujourd'hui à la lecture du livre posthume d'Althusser, c'est qu'il n'avait l'air ni de l'intellectuel de gauche dont il avait la réputation déjà bien établie, ni même d'un « intellectuel » tout court.... Je m'attendais à trouver un doctrinaire : j'avais devant moi le plus incertain des hommes... Au lieu du dogmatique que je m'imaginais, un pur sceptique... J'ajouterai qu'Althusser était aussi trop courtois, trop libéral, trop distrait — trop indifférent et comme « revenu de tout » — pour qu'on pût le soupçonner une seule minute d'être sérieusement engagé dans une cause quelconque. »

Que ce fût par sa propre initiative ou sous la pression de ses disciples, l'engagement d'Althusser n'en devint pas moins, dans ses écrits, au rebours de sa pente naturelle, un intégrisme travesti en modernisme. Car, loin de lutter contre la stalinisation du marxisme, il l'accentua. En particulier, les articles publiés dans *Le Monde* en 1978 après la défaite électorale de l'Union de la gauche, dénonçaient « ce qui ne peut plus durer dans le Parti communiste ». Mais, à l'inverse des autres critiques, il déplorait non le totalitarisme du Parti, mais son relâchement doctrinal ! Ce qui ne « pouvait plus durer », notamment, pour Althusser, c'était l'abandon, la répudiation par le secrétaire général Georges Marchais du dogme de la « dictature du prolétariat » !

Lorsque Louis m'avait envoyé, en septembre 1965, son *Pour Marx*, j'avais trouvé avec stupeur, dans cet ouvrage inaugural de l'althussérisme naissant, un hommage vibrant au Dr Jacques Lacan. Non content d'avoir transformé en bouffonnerie le peu de sérieux que contenait la psychanalyse, Lacan se voyait ainsi promu par Althusser à la fonction de génie tutélaire de la rénovation du marxisme ! Or Louis avait lu dès 1956 le manuscrit de *Pourquoi des Philosophes ?* et avait trouvé fort à son goût le chapitre où je soumets à une satire acide le prophète psychanalytico-structuraliste. Après la sortie de *Pourquoi des Philosophes ?*, Althusser avait en outre pris la défense de mon livre dans un débat public organisé par l'écrivain catholique de gauche Jacques Nantet, qui dirigeait en ces années une sorte de cercle où se discutaient les idées du jour. Loin d'exprimer la moindre réserve sur ma diatribe antilacanienne, Louis m'avait poussé à suren-chérir dans le sarcasme. Aussi restai-je pantois quand, ouvrant *Pour Marx*, je reçus de plein fouet la nouvelle de sa conversion inopinée au culte lacanien. Lui envoyant à mon tour un de mes livres, je l'appelai, par moquerie, dans ma dédicace, « suppôt de Lacan ». En novembre, derechef, Althusser m'expédia le tome premier de *Lire le Capital* (dont il n'a écrit, en fait, que quatre-vingts pages sur deux cent cin-quante, le reste étant dû à des disciples) avec la dédicace suivante : « A Jean-François, qui se convaincra que je suis bel et bien... un sup-pôt de Lacan (!). Avec ma fidèle affection, Louis. » Le point d'excla-mation est de lui, sans que je parvienne à deviner si ce signe de ponctuation est de revendication ou de dénégation. Mais pouvait-il nier être devenu partisan, ce que veut dire le mot suppôt, d'un tel escamoteur ?

A partir de 1966, l'althussérisme prit le large, captant dans ses voiles les vents de la plus haute mode intellectuelle. J'emploie ce terme sans mépris, car une mode répond toujours à un besoin. En l'occurrence, ce besoin était double : d'abord sauver la philosophie en la définissant comme « discours » autonome, dispensé de toute obligation de rendre des comptes à quelque tribunal qui fût situé hors de lui-même, et exempté de tout recours à une information d'origine externe comme de toute confrontation avec l'expérience. Ensuite, au moment où le marxisme avait été abominablement réfuté par le réel historique, le sauver en l'incorporant au « discours » philosophique, l'affranchir de toute vérification par la pratique. Althusser introduisait à cet effet l'innovation mirobolante de la « pratique théorique », entendant par là que la vraie pratique était la théorie pure, de même qu'elle tenait lieu de vraie lutte des classes : la « lutte des classes est dans la théo-rie ». Le marxisme avait toujours cherché à se rajeunir en se mettant en ménage avec la philosophie du moment. Durant les années cin-quante, ç'avait été le personnalisme chrétien puis la phénoménologie. Jusque vers 1960 ou 1962, on avait vu maints tâcherons du concept tirer la langue pour doser un brouet marxo-phénoménologique que le Sacré Collège des idéologues du Parti pût ingurgiter sans trop faire la grimace. Pour vanter leurs corniauds philosophiques, ces gâte-sauce comptaient beaucoup sur la presse de gauche non communiste, calcu-lant que des éloges venant de ce secteur leur vaudraient du prestige dans les journaux strictement communistes. Quand je dirigeais les pages culturelles de *France-Observateur*, de 1959 à 1963, je reçus la visite intéressée de plusieurs de ces vendeurs de cures de jouvence, qui se targuaient de retendre la peau de Marx en la massant avec la pommade de Husserl. Chez Althusser, le produit de beauté du dernier cri, pour aplatir les rides, fut non plus la phénoménologie mais le structuralisme. D'où l'antihumanisme, le refus de considérer l'homme comme le centre responsable de la vie sociale. Avec cette thèse alors d'avant-garde, Althusser abattait du revers de la main une tentative concurrente de moderniser le marxisme à l'aide d'un autre compromis : la remise en valeur des droits de l'homme. J'ai nommé la prédication de Roger Garaudy. Des deux philosophes « rénovateurs » du marxisme, Garaudy fut celui qui au bout du compte se fit exclure du Parti et Althusser celui qui en reçut la distante et prudente bénédiction.

Prévenons tout anachronisme au sujet de Garaudy. En 1970, année de son exclusion, rien n'annonçait son évolution ultérieure, sa conversion à l'islam et son ralliement en 1996 au « révisionnisme » des négateurs de l'Holocauste. Cette prise de position eût justifié, imposé même son élimination. Mais il en était fort loin. C'est bien à son combat pour le pluralisme et la liberté d'expression dans le Parti qu'il dut son excommunication. C'est cette aspiration à la tolérance qu'Althusser baptisait « humanisme » et réprouvait au nom de la pureté léniniste. Mais sa trouvaille consistait à faire passer cette régression pour un progrès, en l'habillant d'une phraséologie dernier cri : le structuralisme psychanalyticoïde du mage Lacan.

Un jour du printemps de 1966, je déjeunais chez François Mitterrand, rue Guynemer. Un convive chrétien de gauche parla du groupe des néo-marxistes althussériens de l'Ecole normale. Leur influence, disait-il, gagnait l'intelligentsia. Ils se révélaient des conquérants de la pensée très agressifs. Mon pauvre Louis ! Agressif ! Fallait-il que sa camarilla le manipulât ! Un autre invité, Jules Borker, un avocat communiste, qui avait pour secteur d'activité les relations avec la gauche non communiste et qui, à ce titre, rendait de fréquentes visites à Mitterrand, se recroquevilla voluptueusement sur son assiette (il n'y avait pas de quoi, soit dit en passant), tout sourires, puis, promenant autour de la table un regard circulaire pétillant de sous-entendus, lâcha cette révélation : « Oui, ce mouvement idéologique mérite considération ; d'ailleurs, M. Waldeck-Rochet va bientôt prendre *personnellement* position à ce sujet. » Que Waldeck-Rochet, le secrétaire général du PCF, un brave homme, mais un benêt à peu près illettré, soit censé porter un jugement « personnel », qui ferait jurisprudence, sur les élucubrations cabalistiques de Louis et de ses séminaristes attestait la vigueur intacte du centralisme démocratique, même en matière culturelle. L'ancien maraîcher de Saône-et-Loire Waldeck-Rochet n'était pas plus capable d'entendre goutte à la confuse et rude théologie marxoïde de mon ami Louis que celui-ci ne l'était de cultiver des laitues.

Je me suis fixé pour règle, dans ces souvenirs, de réexposer le moins possible les considérations qui ont fait la matière de mes autres livres. Je ne propose pas ici ou pas principalement une biographie intellectuelle, laquelle se lit déjà en filigrane dans mes essais. Je tente avant tout une biographie personnelle. Si j'évoque brièvement le fond intellectuel de mon désaccord avec Althusser, c'est que ce désaccord marque aussi la fin de notre amitié, ou, du moins, de nos relations. Je fis paraître, au début de l'été 1966, un article très caustique intitulé *Althusser ou Marx mis à la retraite par ses célibataires mêmes* (titre bien entendu inspiré de l'œuvre de Marcel Duchamp, *La Mariée mise à nu par ses célibataires, même)*, article qui a été repris parmi les Appendices de la réédition en un volume de *Pourquoi des Philosophes ?* et de *La Cabale des Dévots*[1]. En août 1966, quelques semaines après la publication de mon commentaire, Louis m'écrivit une lettre peinée, que je ne possède malheureusment plus car elle a brûlé en 1986 dans l'incendie de ma maison bretonne, où elle m'était parvenue et où je l'avais rangée. Je me rappelle seulement que Louis m'y reprochait, pour l'essentiel, de me « fabriquer un objet » sur mesure, pour ensuite pouvoir le démolir à ma guise. Je n'avais pas compris, déplorait-il, le sens profond, primordial de sa démarche, qui était de « refouler l'humanisme ». Comment cette intention centrale avait-elle pu me laisser indifférent ? Je lui répondis que sa peine me peinait à mon tour, mais que je suivais le précepte de nos maîtres les Anciens : « *Amicus Plato sed magis amica veritas* » ; « J'ai de l'amitié pour Platon, mais plus encore pour la vérité. »

Edgard Morin, dans son *Journal de Californie*, raconte avoir apporté à Herbert Marcuse, à San Diego, je ne sais quelle pétition. « Voulez-vous la lire ? » demande-t-il au vitupérateur de l'aliénation. « Sartre l'a signée. » — « Si Sartre l'a signée, je signe aussi », s'écria le dénonciateur de la « tolérance répressive ». Edgard admire ce trait, qui est la marque, selon lui, d'un « grand seigneur ». Quand nous lisons une réplique de même étoffe dans les *Mémoires* de Saint-Simon, émanant d'un courtisan prosterné devant son roi, ou, chez Proust, d'un mondain se tortillant devant une duchesse, ou, chez Soljenitsyne, chez Zinoviev, d'un communiste s'avilissant aux pieds d'un apparatchik du Parti, nous éclatons de rire ou de colère, nous nous indignons, nous éprouvons du mépris, de la pitié, même. Dès lors pourquoi la servilité intellectuelle ou le plat copinage deviendraient-ils respectables, de la part d'un philosophe qui se fait fort d'enseigner l'indépendance du jugement ? Depuis son premier balbutiement, la philosophie n'a-t-elle pas été le rejet de l'argument d'autorité ? Le refus de l'« *Aristoteles dixit* » — (« C'est vrai parce qu'Aristote l'a dit ») ? N'at-elle pas été l'interdiction d'accepter qu'un nom célèbre, si cher soit-

---

1. Collection « Bouquins », Robert Laffont, 1997.

il à notre cœur, serve de certificat sans examen à la vérité d'un point de vue ? Pourquoi ce qui est comique chez une bigote inculte serait-il vénérable chez un penseur « historico-mondial » subventionné par trois cents fondations ? A partir du moment où l'argument d'autorité est validé par un seul philosophe au profit d'un autre, la trahison est patente. Il n'est plus de limite à l'accrochage de nouveaux maillons à la chaîne de la bêtise. Le larbin de Marcuse qui n'aura pas lu Sartre deviendra par procuration le larbin de Sartre, parce que Marcuse approuve Sartre. Et le disciple du disciple de Marcuse adhère, de tout le moignon qui lui reste d'esprit, à Marcuse et à Sartre, au besoin sans avoir lu ni l'un ni l'autre.

Je me souvenais, quant à moi, du Louis Althusser avec qui je jouais au tennis en 1956 à Valmondois sous le soleil couchant et qui, bien meilleur que moi, me disait : « Attention, rappelle-toi Aristote ; les gestes du tennis sont *para phusinn* (contre la nature) et non *kata phusinn* (selon la nature). » Etant d'un caractère plutôt *kata phusinn*, j'ai à la fois rejeté le métaphysicien néo-stalinien et conservé affectueusement le souvenir de l'ami.

IV

La société mexicaine, dont allaient s'imprégner presque trois années de ma vie, sans même l'interruption de brefs séjours de vacances en France, rendus impossibles par la distance et le coût, offrait la stratification d'un pousse-café. Le pousse-café d'antan assemblait plusieurs liqueurs de densités différentes, qui donc ne se mélangeaient pas et prêtaient au verre qui les contenait l'allure d'un pilier multicolore. Au pied de la colonne sociale et culturelle du Mexique stagnaient les Indiens, un dixième environ de la population, le strate historique le plus ancien. En quasi-totalité ruraux et villageois, ils vivaient à l'écart et communiquaient, entre eux du moins, non en espagnol, mais dans une de leurs langues, nahuatl, maya, otomi, totonaque et d'autres. Au-dessus des Indiens montait d'un tenant la couche la plus épaisse du pousse-café : les métis, dont la peau devenait de moins en moins cuivrée, le cheveu de moins en moins plat et noir, à mesure que le patrimoine génétique européen panachait davantage leurs racines indiennes. Du sombre au clair et du jais lisse au chatain frisotté ou ondulé, ils étaient aussi enclins au rire, à la cordialité communicative, au bavardage fluvial que l'Indien restait triste, taciturne et réservé. C'étaient eux les Mexicains modernes, la nation issue du croisement de la société précolombienne et de la société coloniale. Ils comptaient pour les huit dixièmes de la population et occupaient toutes les places de pouvoir, dans la politique, l'administration, les services publics, les sociétés nationales. L'éloquence officielle, et combien fleurie ! avait beau exalter sans relâche l'âme indienne, la civilisation indienne, le génie indien, refuge, essence et rempart de l'originalité mexicaine et de sa résistance aux influences européenne et nord-américaine : je n'ai jamais, je crois, rencontré un seul Indien pur dans un poste de commandement ou d'influence, que ce fût en haut ou en bas de la hiérarchie politique et administrative, de la puissance publique, de l'engeance distributrice et prébendière.

Au-dessus de ce tronc de la nation, s'étageaient plusieurs minces stries d'étrangers. Quand je dis « au-dessus », je n'entends point qu'elles fussent supérieures en qualité mais qu'étant plus légères elles flottaient à la surface de la société. Et quand je dis « étrangers », je veux dire qu'ils étaient tenus pour tels par les métis, même quand ils possédaient la citoyenneté mexicaine, qu'elle fût récente ou très ancienne. Ainsi, les créoles, descendants non métissés des vieilles familles espagnoles restées dans le pays en 1819 après l'indépendance, étaient depuis cent trente ans mexicains mais n'en étaient pas moins considérés comme quelque peu allogènes, quoique d'un poids démographique à peu près comparable à celui des Indiens. Deux autres catégories d'Espagnols, d'immigration bien plus récente, avaient formé au Mexique de nouvelles communautés, surtout urbaines. Les uns avaient quitté l'Espagne pour fuir la pauvreté et avaient réussi à faire leur pelote dans le négoce de détail. Epiciers, charcutiers, gargotiers, on les surnommait les *cachupines*, sobriquet appliqué depuis longtemps aux Espagnols qui « passaient aux Indes » (en Amérique) pour s'y fixer. Franquistes par conformisme ou indifférents, ils étaient tenus à distance et méprisés par les autres Espagnols, les réfugiés républicains, *en el destierro*, en exil forcé, qui, après la déroute de 1939, avaient choisi le départ, soit pour échapper à la répression, soit par principe. Le président Lázaro Cárdenas, en 1939 chef de l'Etat mexicain, homme de gauche énergique et visionnaire, partisan intransigeant de la démocratie (hors du Mexique, bien entendu), avait dans un élan généreux accordé à tous les républicains espagnols désireux de s'établir dans son pays la naturalisation de plein droit.

Une autre fleur venait enrichir encore la variété de ce bouquet, un groupe puissant et fourni de familles nombreuses et unies, que l'on appelait « la colonie française », bien que les membres en fussent mexicains depuis deux ou trois générations. Il est vrai, des accords spéciaux leur avait attribué la double nationalité, et ils se montraient aussi attachés par tout leur être à leur patrie mexicaine que fidèles de cœur à leur patrie d'origine. En particulier, leurs largesses avaient permis l'édification d'un lycée français tout neuf. On achevait de le construire au moment de mon arrivée. Leurs enfants y faisaient leurs études. Ces Mexicains français descendaient d'émigrés très pauvres qui provenaient pour la plupart du département des Basses-Alpes. On les surnommait souvent « les Barcelonnette », du nom de la petite sous-préfecture d'où leurs grands-parents étaient partis, baluchon sur l'épaule. Une épidémie, à la fin du XIXe siècle, y avait exterminé les troupeaux de moutons, dont vivaient ces éleveurs. Quelques-uns ayant trouvé asile et subsistance à Mexico, ils avaient transmis le tuyau à la tribu alpine qui, de vague en vague, avait déferlé sur le plateau aztèque. Ces bergers ruinés s'y révélèrent des entrepreneurs surdoués. En 1950, les Mexicains de la colonie française détenaient quelques-unes des plus grosses fortunes du pays et — fait exceptionnel en Amérique latine — des fortunes dues non à la politique et à l'utilisation du pouvoir pour s'enrichir par le trafic d'influence ou à la collusion avec les concussionnaires mais à la seule activité économique, faite de perspicacité et de travail. Les Franco-Mexicains possédaient et géraient avec efficacité, entre autres, la majorité des grands magasins du centre de la capitale. Paul Reynaud, l'avant-dernier président du Conseil de la IIIe république, était allié à l'une de leurs familles, ce qui incitait la presse parisienne à lui reprocher de tirer ses revenus des « bazars de Mexico ». Le tabasco, ce jus de piments rouges qui sert à relever les bloody-merries et le guacamole (purée d'avocats), fut inventé et commercialisé, dans ses fioles si reconnaissables, par un Franco-Mexicain, Clemente Jacques (le prénom espagnol et le patronyme français caractérisaient les « Barcelonnette »). J'eus son fils comme élève, ce qui me valut de recevoir en cadeau assez de tabasco pour épicer tout le lac de Chapala si j'avais voulu. Par la suite, une firme agro-alimentaire américaine a racheté le brevet et changé la marque, en effaçant hélas ! la triomphale devise qui en rehaussait les étiquettes : « *Esa si que pica !* » (« Celle-là, oui, elle pique ! »). Bilingues encore à la troisième génération, et souvent trilingues, les Franco-Mexicains restaient cependant proches de leur vieux terroir. L'un d'eux n'a-t-il pas acheté, à Barcelonnette, un cinéma où il programmait des films mexicains en version originale, de façon que la parenté ne se sentît pas trop dépaysée pendant ses vacances dans les Basses-Alpes ? Et, en feuilletant l'édition 1996 du Michelin France, j'y découvre que le plus confortable hôtel de Barcelonnette s'appelle l'*Azteca* et se voit loué par le Guide pour « l'élégance de sa décoration intérieure composée de mobilier et d'objets de l'artisanat mexicain ».

Enfin, une ultime catégorie, très composite et hétéroclite, d'étrangers-Mexicains, si je puis dire, occupait le dernier étage du pousse-café culturel, ou plutôt, en saupoudrait la surface et en relevait le goût. Ses membres, si disparates fussent-ils, communiaient pourtant dans le motif originel de leur présence sur le continent américain, qui avait été le désir ou la nécessité de se soustraire à la périlleuse vigilance des régimes totalitaires européens ou la répulsion qu'ils leur inspiraient. Allemands, Hongrois, Roumains, qu'ils fussent juifs ou non, ils avaient eu la prudence de fuir à temps le fascisme et le nazisme. Beaucoup avaient séjourné en France un an ou deux, avant de traverser l'Atlantique après la déclaration de guerre, en 1939. Un bon nombre avaient été volontaires dans les Brigades internationales en Espagne pendant la guerre civile. Un de mes bons amis à Mexico, Hans Beimler, était le fils d'un héros allemand du camp républicain. Les combattants avaient composé à sa mémoire un chant qui s'incorpora au folklore des vaincus. Après la vague d'avant guerre de ces rebelles européens, la plus récente marée avait déposé sur les côtes du golfe du Mexique les réfractaires d'après guerre, ceux qui avaient fui le communisme : Tchèques, Roumains, Polonais, Baltes, Allemands de l'Est.

Accrochés aux flancs de cette tour de Babel, enfin, vivaient et travaillaient au Mexique des étrangers qui entendaient le rester, puisque n'étant pas réfugiés ils n'avaient aucun besoin de postuler la nationalité mexicaine. C'étaient des hommes d'affaires ou des universitaires, venus pour quelques années d'Europe et, surtout, bien entendu, dans leur majorité, du géant voisin nord-américain.

Ainsi, je plongeai en 1950 dans l'une des sociétés les plus cosmopolites que j'aie connues, plus que Paris ou Rome peut-être, moins que New York, sans doute, mais une société où les diverses cultures se compénétraient et fraternisaient plus qu'à New York, à la bonne franquette, en dépit des susceptibilités, comme dans un village. Mexico n'était pas encore devenu le monstre démographique actuel, qui compte presque autant d'habitants qu'on en dénombrait alors dans toute la République, vingt-cinq millions, sur un territoire d'une superficie égale à quatre fois celle de la France. Avec un million d'habitants, mais avec un centre bien circonscrit où tout le monde croisait tout le monde, la capitale était la plus internationale des villes de province.

Outre mes fonctions de professeur de philosophie au Lycée français, mon emploi du temps comportait quelques heures hebdomadaires à l'Institut français de Mexico. Institut, d'ailleurs, beaucoup plus que « de Mexico », au moins dans l'intention de ses fondateurs. Ils l'avaient, en effet, baptisé « d'Amérique latine » (l'IFAL, selon son sigle). Ils entendaient ainsi lui imprimer un rayonnement continental. En pratique, nous nous estimions très heureux de « rayonner » sur l'ensemble du pays. Certains embarras de l'Institut m'inspirèrent une initiative qui rendirent bientôt quotidiennes mes heures hebdomadaires.

Il se trouve qu'au moment de mon arrivée, l'Institut devait faire face à une fâcheuse sommation financière du ministère des Affaires étrangères, le « Département », comme il seyait de dire. Le conseiller culturel, Jean Sirol, et le directeur de l'Institut, François Chevalier, avaient fait construire dans l'enceinte de l'Institut une salle de théâtre d'environ cent cinquante places, pour ménager un local permanent à une troupe d'acteurs français établis au Mexique. Cette troupe se composait de quelques éléments de la Compagnie de Louis Jouvet, qui avaient choisi de rester en Amérique latine après une tournée commencée juste avant la déclaration de guerre. Ce noyau primitif s'était étoffé de semi-professionnels locaux, brillant plus par la bonne volonté que par le talent, de quelques Espagnols bilingues, en général comédiens professionnels puisés dans le camp des républicains vaincus, enfin, quand besoin était, d'amateurs occasionnels et bénévoles. Une fois, on m'appela même à la rescousse, pour boucher un trou et interpréter, dans *L'Avare*, le personnage de Cléante, le fils d'Harpagon. Je m'aperçus alors que, dans cette comédie que j'avais vingt fois lue, vue, expliquée, mon rôle était non seulement le plus fade, mais le plus long. Je suai à me le graver dans la mémoire. On agrippe mal les tirades élégantes mais dépourvues de ces saillies qui servent de repères. Mon camarade Luis Rizo, un des acteurs espagnols bilingues, spirituel compagnon et prince des ribauds, avec qui je m'amusai et m'entendis de mieux en mieux au fil de mes saisons mexicaines, me fit rabâcher mon texte en quelques séances de bruyante récitation, à la piscine de son club sportif, indifférent aux nageurs médusés.

Ce bric-à-brac de cabots parvenait à échafauder quelques spectacles pas toujours exécrables, eu égard aux moyens, et attirait des spectateurs, issus d'abord de la colonie française, bien entendu, et aussi du public polyglotte des Mexicains francisés et des réfugiés européens, mais pas assez pour que la recette, même soutenue par le mécénat, couvrît les frais de fonctionnement. Elle remboursait encore moins le déficit creusé par les frais de la construction de la salle. Or, quand le Département avait « fait savoir » (dans la correspondance diplomatique, le supérieur « fait savoir » au subordonné, tandis que, de bas en haut, les agents ont l'honneur de « faire connaître » au Département) qu'il déplorait cette dépense excessive et inconsidérée, le conseiller culturel Jean Sirol, d'un type qu'une expression mexicaine familière qualifie de « *muy listo* », « plein d'entrain », avait répliqué au moyen d'une trouvaille aux conséquences redoutables. Il avait eu « l'honneur de faire connaître » au Département que l'édification du théâtre, loin de constituer un gaspillage, allait devenir source de rentrées abondantes. Car, pour compléter les recettes de la troupe, nous pourrions, osa-t-il avancer, louer la salle fort cher à toutes sortes d'associations, entreprises, orchestres, qui ne manqueraient pas d'apprécier un cadre aussi prestigieux. Sirol chiffrait les rentrées à, mettons, cinq cent mille pesos de l'époque par an, ce qui permettrait selon ses calculs téméraires d'amortir le bâtiment en cinq ou six ans. Malin, le Département l'avait pris au mot, et lui avait « fait savoir » qu'il retrancherait donc pendant cinq ans cinq cent mille pesos des crédits de fonctionnement annuels de l'Institut. Comme les prévisions de recettes siroliennes étaient pure fanfaronnade, le directeur de l'Institut, François Chevalier, voyait s'ouvrir dans son budget un gouffre impossible à combler. Brisé par cette infortune cruelle, quand il me reçut pour la première fois, il s'épancha dans mon sein avec une détresse pathétique.

Ce malheur dressait l'un contre l'autre le directeur et le conseiller, et envenimait une mésentente à laquelle ne les prédisposait déjà que trop l'opposition de leurs tempéraments et de leur milieu. Chevalier, époux fidèle et catholique pratiquant, incarnait l'universitaire héréditaire. Son père, le professeur Jacques Chevalier, philosophe, avait été brièvement ministre de Pétain en 1940. Le fils s'inscrivait dans une tradition de puritanisme intellectuel dont ses excellents travaux d'historien du Mexique colonial le rendaient au demeurant fort digne. Homme de fiches plus que d'action, la moindre complication dans la gestion de l'Institut le désarçonnait et il l'attribuait à une trahison de ses collaborateurs ou à un complot ourdi par Sirol. Jean Sirol, agrégé de droit, gaulliste et ancien résistant, célibataire et noceur, plein d'esprit et d'activité, élégant et mondain, à la fois évasif et omniprésent, comptait moins, pour faire « rayonner » la France, sur la culture pure que sur ce qu'on appellera plus tard la « communication » et les relations publiques. Il aurait volontiers remplacé la bibliothèque de l'Institut par une piste de danse et les cours par des cocktails. Fortuné, il survolait le pays aux commandes de son petit avion personnel. Dans son appartement fastueux du Paseo de la Reforma il offrait des réceptions que couraient les magnats mexicains de la politique et de la presse, comme les célébrités françaises de passage. Sirol m'avait pris en sympathie et placé sous sa coupe. Il m'invitait à des dîners auxquels il ne conviait pas les Chevalier. Il m'emmenait dans son appareil faire des conférences à Vera Cruz ou à Guadalajara, aventures aériennes qui n'allaient pas sans me donner des sueurs d'angoisse, car fort myope, il prenait, du haut du ciel, pendant ses approches, facilement un lac pour un terrain d'atterrissage. Avec sa vue basse, je gage qu'il avait obtenu son brevet de pilote grâce à une *mordida*.

Cette faveur de Sirol me valut un moment la rancune compréhensible de Chevalier. Dans l'administration française, il n'est pire forfait que de passer par-dessus la tête de son chef. Acculé à choisir entre mon supérieur hiérarchique, et le supérieur de ce supérieur, c'est-à-dire entre l'hostilité de l'un et celle de l'autre, et peu doué, à mon grand regret, pour l'intrigue, je surmontai néanmoins ce dilemme et, dans la mesure compatible avec la rigidité des passions humaines, je rapprochai même l'un de l'autre les deux ennemis, en leur proposant mon plan. Car j'avais un plan.

Je l'avais conçu en vue d'alléger la croix qui leur broyait l'épaule à tous les deux : le déficit du théâtre. L'exécution de mon projet pourrait contribuer à rentabiliser la salle de spectacle. D'après mes renseignements, il n'avait jamais existé, non seulement au Mexique, mais dans toute l'Amérique latine, de ciné-club. En 1950, les Latino-Américains n'avaient pas encore envisagé que le cinéma pût être un art, avec un passé, des auteurs, des styles, des écoles. L'idée ne leur venait pas que l'ont pût revoir un film ancien comme on relit un livre. Ou voir un film ancien que l'on n'avait jamais vu, comme on étudie la littérature classique. Le cinéma restait pour eux une distraction éphémère dont chaque saison apporte et emporte les nouveautés, telles les paillettes du cabaret ou du music-hall. Je soutins donc à mes deux chefs réunis que l'Institut français jouerait son rôle d'éveilleur culturel en initiant le public mexicain à la muséographie vivante de la culture cinématographique. J'insistai cependant avec force, auprès de mes deux supérieurs et surtout de notre très nationaliste ambassadeur, pour que, fidèles à ce dessein, nous ne fissions pas figurer dans nos programmes les classiques du seul cinéma français. Le public, expliquai-je, nous saurait d'autant plus gré de notre entreprise et concevrait une opinion d'autant meilleure de l'universalité française que nous deviendrions les avocats du bon cinéma en général, sans chauvinisme ni propagande. La qualité de notre cinéma national, grande et continue depuis ses primitifs jusqu'à nos jours, en particulier durant les années trente, convaincrait d'autant plus que nous ne ferions pas l'article. Que notre discrétion s'abstînt, au nom du ciel, de débiter notre boniment favori sur la « supériorité de la culture française ! ». Je sus convaincre. Aussi veillai-je à un équilibre entre les séances consacrées aux cinémas français, allemand, italien, russe, anglais, américain, et, bien entendu, mexicain, ce dernier cas rendant difficile l'égalité de traitement, car la production mexicaine manquait non d'une certaine qualité, mais de quantité. L'école scandinave, elle aussi, à l'exception de Dreyer et avant l'apparition de Bergman, ne regorgeait pas de talents. Mais tout ce qui était présentable devait être présenté.

Sans narrer par le menu le triomphe somme toute provincial du « Ciné-Club de Mexico », je ramasserai en quelques lignes ce qu'il m'apporta : deux révélations et l'amitié — ou la fréquentation — d'un des créateurs les plus originaux du cinéma de notre siècle.

Ce fut une révélation pour moi que de vivre pour la première fois cette expérience imprévisible qu'est un succès de public. Les succès que j'avais connus jusqu'alors étaient des succès de caste, à l'intérieur d'une corporation, des succès octroyés par des jurys d'examens et de concours, des succès initiatiques. Il s'agissait de convaincre, d'impressionner, d'épater au besoin, des maîtres placés au sommet d'une pyramide dont je voulais gravir les degrés. Ou alors il s'agissait de plaire à un cercle bien délimité d'individus, voire à un seul individu. Mais quand j'eus annoncé la création du Ciné-Club, son programme et la date de la première séance, j'entendis résonner à mes oreilles une tout autre et plus authentique louange, la rumeur anonyme du suffrage des inconnus. Dans le petit bureau qu'on m'avait attribué à l'Institut affluèrent soudain les coups de téléphone, les visites, les lettres, les chèques. Car nous devions faire payer assez cher et faire verser à l'avance l'intégralité de l'abonnement trimestriel. D'ordinaire, dans les ciné-clubs, dans ceux que j'avais fréquentés ou organisés à Paris, on demande un abonnement modéré, auquel s'ajoute le prix de la séance quand l'amateur y assiste. Dans notre cas, comme nous devions faire venir les films par avion de Paris ou de New York et les réexpédier par la même coûteuse voie, nous ne pouvions nous lancer dans l'opération qu'après avoir encaissé en bon argent frais de quoi la financer. L'objectif n'était pas de creuser un nouveau déficit ! L'impératif était, bien plutôt, d'engranger des bénéfices. Les abonnés casquèrent sans rechigner, et si nombreux que nous refusâmes du monde le soir de l'ouverture. Je me vois encore, ce soir-là, échangeant des bourrades joyeuses avec Jose-Maria Garcia Ascot, « Jomi » pour les intimes, un jeune poète hispano-mexicain qui travaillait à l'Institut

et m'aida pendant toute l'histoire du Club. Nous dûmes bientôt projeter le même programme deux, puis trois, puis quatre fois par semaine.

Ma deuxième illumination fut de découvrir que la France, le pays
au monde qui s'attache avec le plus de passion à ses « relations culturelles » et à son « rayonnement » international, fait preuve, quand il
s'agit de passer à l'exécution, d'une éminente inefficacité. J'en consta-
terai souvent dans ma carrière les pitoyables et risibles dégâts. En
l'occurrence, je tirais mes films de trois sources : pour une petite part
des distributeurs locaux, qui conservaient quelquefois encore par
mégarde dans leurs réserves des copies d'œuvres datant de dix ou
quinze ans et méritant d'entrer au répertoire ; mais, pour l'essentiel,
de la Cinémathèque française et de la *Film Library* du musée d'Art
moderne de New York. Or la Cinémathèque française, qui aurait dû
être mon principal pourvoyeur, et qui, de surcroît, avait des accords
avec le Quai d'Orsay, dont elle recevait des subventions, nous infligea
les plus douloureux tourments. Tantôt les films arrivaient en retard
ou n'arrivaient pas du tout ; tantôt le film envoyé était un autre que
celui demandé, promis et annoncé ; tantôt encore, la bande-son manquait sur la copie fournie ! J'entretins une correspondance orageuse
avec le fondateur-directeur de la Cinémathèque, le grand Henri
Langlois, dont la dextérité administrative n'égalait certes pas le génie
de collectionneur-conservateur. Nul ne peut conjuguer tous les talents.
Mais c'eût été la responsabilité du « Département » que d'obvier aux
défaillances pagailleuses de la Cinémathèque. Elles nous donnèrent le
mal de mer au point que, cruel paradoxe ! nous, Institut français,
finîmes par ne plus travailler qu'avec les Américains du musée d'Art
moderne. Eux, au moins, tenaient parole.

Enfin, ce que mon modeste ciné-club m'apporta de moins oubliable,
ce fut de connaître Luis Buñuel. Je dirai, avec plus d'équité, ce fut de
conquérir deux amitiés. D'abord, je rencontrai le critique cinématographique de l'*Excelsior*, l'un des deux quotidiens nationaux les plus
lus (l'autre étant *Novedades*). C'était un Hispano-Mexicain, membre
de l'élite intellectuelle, si fournie, des républicains réfugiés. Par ses
articles, il m'avait, dès le début de mon aventure, appuyé avec une
flamme, une précision d'analyse et une érudition qui avaient conféré
d'emblée à mon entreprise ses lettres de noblesse culturelles auprès
du public, et aussi de mes supérieurs hiérarchiques, initialement assez
sceptiques, mais soudain ravis de voir les lauriers du prestige esthétique couronner le renflouement providentiel de la comptabilité. L'enthousiasme d'Alvaro Custodio pour notre ciné-club les avait intrigués
et désorientés. Car ils l'avaient jusque-là relégué parmi les « antifran-
çais » , en raison des éreintages que, à ses heures critique dramatique
aussi, il avait fulminé contre nos représentations théâtrales. Ces fonctionnaires culturels ne parvenaient pas à imaginer que, si Alvaro
jugeait sans indulgence les mises en scène du « Théâtre français de

Mexico », c'est qu'en toute sincérité il les trouvait médiocres, et non par hostilité de parti pris envers la France. Au contraire, nourri à la culture française autant qu'à l'espagnole, il avait au cours d'années parisiennes acquis avec la révolution théâtrale du cartel — Copeau, Pitoeff, Baty, Dullin, Jouvet — une familiarité que peu de Français possédaient, en tout cas pas un Français de province comme moi, ni la plupart des membres du corps dipolomatique ou de la mission universitaire. De même que nos hommes politiques ne tolèrent autour d'eux que des conseillers partageant d'avance leurs avis, des ventriloques dont les acquiescements rétribués font double emploi avec leurs propres pensées et sont donc superflus et inutiles, de même, nos serins culturels promeuvent de préférence au rang d'« amis de la France » de pâles flatteurs, non les écrivains et les artistes les plus influents, parce que ce ne sont pas ceux qui nous encensent avec le plus de docilité. Je pus vérifier que les Italiens, par exemple, n'ignorent pas, eux, l'existence d'une critique par amour, quand, en 1958, je publiai *Pour l'Italie*. Cette satire effrénée de la civilisation italienne d'alors, bien qu'elle eût provoqué une commotion nationale, ne m'en ouvrit pas moins dans la péninsule toutes les portes au lieu de me les fermer.

J'abordai, un soir, Alvaro Custodio, à la sortie d'une séance du ciné-club, et le remerciai de ses articles. Je lui proposai d'aller boire une bière au foyer de l'Institut, et nous prîmes, dès ce premier instant, un tel plaisir à bavarder ensemble que nous nous vîmes ou nous téléphonâmes presque tous les jours jusqu'à mon départ du Mexique. Son allure physique était tout sauf celle de l'Espagnol de l'imagerie courante. Il faisait partie de ce contingent à rebrousse-poil d'Andalous grands et blonds qui, selon la rumeur populaire, descendent des premiers compagnons, germaniques ou flamands, de Charles Quint. Quadragénaire à lunettes, d'une élégance vestimentaire plutôt britannique, on l'aurait pris pour un universitaire suédois et non pour un acteur sévillan, ce qu'il avait pourtant été brièvement, à vingt ans, dans la troupe de Garcia Lorca. C'était à cette époque aussi, juste au début des années vingt, qu'il était devenu l'ami de Luis Buñuel et de Salvador Dali, à Madrid, en 1923, année où Dali peignit le portrait impassible et inquiétant du jeune Buñuel, aujourd'hui dans les collections du musée *Reina Sofia*. Un peintre inconnu regarde de face un modèle inconnu, qui regarde ailleurs. Mais tous deux semblent savoir déjà qu'ils ne resteront pas inconnus, tant le produit de leur rencontre fixe sur la toile une monumentalité altière, d'un mystère distant et presque inhumain.

Luis Buñuel, en 1950, quand Alvaro m'emmena dîner en sa compagnie, ne jouissait encore que d'une célébrité confidentielle, si j'ose dire, comme jadis Mallarmé, dont les lecteurs étaient une poignée, mais « se seraient fait tuer pour lui », dit Gracq dans *La Littérature à l'estomac.* En 1950, Buñuel était l'auteur de trois courts ou moyens métrages, vieux de vingt ans ou davantage, vénérés dans les ciné-clubs et les cinémathèques, mais qui n'avaient jamais atteint dans les salles le grand ni même le moyen public : les deux chefs-d'œuvre du cinéma surréaliste, *Le Chien andalou*, réalisé en 1928 et donc muet, et *L'Age d'Or*, réalisé en 1930, donc sonore sinon vraiment parlant ; puis *Las Hurdes*, dont le titre français est *Terre sans pain*, un documentaire tourné en 1932 sur la misère paysanne en Espagne, dans la région écartée des Hurdes, et photographié par Eli Lotar. Le hasard devait me faire rencontrer ce Lotar en 1960, au cours d'un week-end dans la maison de campagne d'Henri Cartier- Bresson, à Saint-Dyé-sur-Loire. Je rapporte ce détail parce que Henri Cartier-Bresson, qui a toujours feint de mépriser tous les photographes, y compris lui-même, et la photographie en général, s'étant toujours considéré d'abord comme un peintre, me parut estimer Eli Lotar, signe du discernement de Buñuel dans le choix de son directeur de la photographie. Eli Lotar était le fils, devenu français, du plus renommé, dans sa patrie en tout cas, des poètes roumains du xxᵉ siècle, Tudor Arghezi. Pendant nos promenades autour de Saint-Dyé-sur-Loire, je ne réussis pas à lui sou-tirer le moindre souvenir sur le tournage de *Terre sans pain*, sinon que le roumain était une langue latine avec des apports slaves, réponse qui n'avait de toute évidence pas le moindre rapport avec mes questions.

Les Mexicains dans leur ensemble ignoraient l'existence des chefs-d'œuvre passés de Buñuel. Les deux premiers , comme on sait, ne sont d'ailleurs pas de Buñuel seul, puisque nés de sa collaboration ou co-création avec Salvador Dali. Alvaro Custodio me confia même que, selon lui, dans cette gestation commune, la part prépondérante, la plus imaginative, dans l'ordre des trouvailles fantastiques, revenait à Dali. Quoi qu'il en fût, c'était du fantastique méticuleux : j'avais lu, à Paris, dans une revue de cinéma, le texte intégral du scénario du *Chien anda-lou* : la réalisation en images, que je vis ensuite, plusieurs fois, à la Cinémathèque française, est la traduction juxtalinéaire de la version en mots, dont se dégage une puissante impression de nécessité, impo-sée par l'implacable minutie de l'idée fixe, c'est-à-dire de « l'écriture automatique » surréaliste. En revanche, contre l'avis d'Alvaro, la veine de Buñuel me paraît plus marquée dans *L'Age d'Or* que celle de Salvador Dali, si j'en crois un indice selon moi infaillible : la tona-lité comique et même bouffonne, qui colore beaucoup plus largement ce film que le précédent. Quiconque a un peu connu l'homme Buñuel sait que le comique était le jour sous lequel il voyait le plus volontiers la vie, l'aspect des comportements humains qui le stimulait et l'épa-nouissait le plus. Quand, avec les mendiants de *Viridiana*, il reconsti-tue la *Cène* de Léonard de Vinci, il s'offre une vaste farce, avant de songer à proférer un blasphème. Bon tour, aussi, joué aux bien-pen-sants de la déclamation édifiante, qu'en 1956 ce commissaire de police de *La Mort en ce jardin*, claudélien fervent, jamais assis à son bureau sans avoir à portée de la main le Claudel de la « Pléiade », sur lequel est posée une paire de menottes. Symbole, mais symbole réjouissant et non pesant. Il se tordait de rire en évoquant sans se lasser la séquence de *L'Age d'Or* où des évêques et des officiels trébuchent sur les cailloux d'une garrigue desséchée, pour venir poser dans ce désert une grotesque « première pierre », pendant qu'un pitre présidentiel en redingote et chapeau haut de forme exige, dans un français assaisonné d'un fort accent catalan, « un plus large accès aux matières premières », avant que les hurlements du viol consenti ne perturbent la cérémonie. Quand il préparait *La Montée au ciel (Subida al Cielo)*, il me parla, en 1951, toujours secoué par son fou rire incoercible, de son projet de la scène du rêve au sommet du « Monument à la Mère mexicaine », qui existe effectivement à Mexico, comme d'un bon tour qu'il comptait jouer aux adeptes larmoyants de ce culte national d'un sentimentalisme sirupeux. De *La Vie criminelle d'Archibald de la Cruz* (*Ensayo de un Crimen*, 1955) au *Charme discret de la bourgeoisie* (1972), on rate un point central du génie de Buñuel si on omet cette lecture comique et satirique de son génie.

Je ne relègue pas pour autant au placard des idées reçues les autres passions inspiratrices de l'art de Buñuel : le rêve, la révolte, l'érotisme, la profanation, la cruauté. Car loin de prétendre esquisser ici un essai sur l'œuvre de Buñuel en général, je me borne à relater ce qui m'est parvenu de l'homme au cours des deux années où je l'ai beaucoup écouté. En particulier, son outrance agressive dans l'exhibition de la cruauté humaine, tout au long de *Los Olvidados* par exemple, m'est apparue comme l'envers de sa compassion. Après une projection de *Las Hurdes* à laquelle lui, Alvaro Custodio et moi étions seuls à assister, pour préparer la présentation du film au ciné-club, je vis, quand la lumière revint, un Buñuel bouleversé, les traits contractés par la crainte de pleurer, répétant à satiété : « C'est l'homme, c'est l'homme. » Ce souvenir fut la cause qu'en 1961, quand j'écrivis dans *France-Observateur* un article sur *Viridiana*, je l'intitulai, à l'étonnement de beaucoup de lecteurs, « Buñuel, l'ami des hommes ». En conférant à Luis ce titre, repris de celui que le père de Mirabeau avait reçu de ses contemporains, je disais mon impression que la pitié, souvent, était chez lui le démiurge de sa peinture du mal. Non que Buñuel versât si peu que ce fût dans le sentimentalisme humanitaire : il citait avec délectation, en l'approuvant, l'anathème d'André Suarès contre « le cœur ignoble de Chaplin ». Buñuel, à mon avis, s'il avait vécu assez longtemps pour connaître les carnages de 1994 au Rwanda, se serait délecté d'apprendre que les soldats hutus, pénétrant dans les maisons tutsies, demandaient aux occupants : « Avez-vous de l'argent ? Si vous avez de l'argent, on vous tue à la mitraillette ; si vous n'en avez pas, on vous tue au couteau. » Il se serait délecté non par goût pour le mal, il l'avait en horreur, mais parce qu'il y aurait vu, en pessimiste, la confirmation de la méchanceté congénitale et du raffinement inventif de l'homme dans la haine meurtrière de son semblable. Sa pitié allait à l'homme parce que l'homme était foncièrement mauvais, d'après lui, cruel aux autres hommes, et que les victimes — celles de *Las Hurdes* ou de *Los Olvidados* — ne subissaient le mal que par incapacité de l'infliger à autrui. Malgré les références aux *Cent vingt journées de Sodome* qui émergent dans son œuvre, rien ne lui était plus étranger, à titre personnel, que le sadisme et la perversité. La beauté du chef- d'œuvre de Sade, il me l'a souvent dit, ne tenait qu'à la puissance triomphante de l'imagination. Son érotisme ne régnait que dans le grenier de son rêve. Un soir, chez lui, alors que le frère du torero Luis-Miguel Dominguin, de passage à Mexico, avait fait venir pour l'après-dîner des chanteurs et danseurs de flamenco, on s'aperçut, dès que leur déploiement eut commencé, que de leur style émanait une inflexion homosexuelle fort prononcée. Gonzalez (c'était le nom du frère aîné et *apoderado* de Dominguin, car le nom patronymique de Dominguin était Gonzalez) s'amusait avec une certaine ironie de voir Buñuel se rembrunir à chaque instant davantage. Luis se tournait toutes les dix secondes vers mon fauteuil en me marmonnant : « C'est trrès équivoque, trrès équivoque. » A la longue, il n'y put tenir, se dressa et intima l'ordre à ses deux fils, alors âgés respectivement d'environ douze et seize ans, de monter sans délai se coucher, les soustrayant d'un geste impérieux à la tentation de Ganymède. Je comprenais sans peine par ma propre éducation comment cet ancien élève des jésuites pouvait conjuguer l'exécration de la morale dans sa vie intellectuelle et le puritanisme le plus sourcilleux dans ses alarmes de père de famille.

Le lendemain de cette soirée prétendument « équivoque », je me trouvais, en fin de matinée, à la Librairie française, située au bout du Paseo de la Reforma, près de la place dite du Caballito : « du petit cheval », parce que s'élève en son centre la statue équestre de Charles Quint. Les Français et les *afrancesados* avaient coutume de passer régulièrement à la Librairie feuilleter les derniers livres et journaux arrivés de Paris, de s'y retrouver pour bavarder. Jouxtant la Librairie, un restaurant fort prisé, « Les Ambassadeurs », était le rendez-vous des nostalgiques, car il se nimbait de la gloire de posséder encore une réserve bien garnie d'apéritifs français datant d'avant guerre, supposés plus savoureux que leurs répliques d'après guerre : des Mandarin, Claquesin et autres Amer Picon, aujourd'hui passés de mode, mais jadis fort appréciés, en particulier des surréalistes — *Le Paysan de Paris* d'Aragon en témoigne. Nous avions trop bu, la veille au soir. Un vaste courant d'air berçait ma cervelle bourdonnante. Mon gosier n'aspirait qu'à l'eau minérale gazeuse de Teotihuacan. Je me concentrais avec difficulté sur le « prière d'insérer » d'un livre de Merleau-

Ponty, lorsque je sentis une lourde main s'abattre sur mon épaule et entendis la voix à la fois ronflante et rauque de Buñuel m'exhorter : « Cherr ami ! Né laissons pas lé foie sé réposser oune seule innstante ! Courrons aux Ambassadeurs boire des énorrmés manndarrrins citron ! » Par bonheur, l'intempérance seule ne motivait pas cette irrésistible injonction. Luis voulait en profiter pour m'annoncer qu'il acceptait en définitive, après plusieurs vaines sollicitations de ma part, de venir présenter lui-même au Ciné-club un *Chien andalou* et *L'Age d'Or*, programmés pour la rentrée suivante, après que j'eus, non sans peine, obtenu une de leurs rares copies de la *Film Library* de New York. Que Buñuel, étudiant, eût lui-même fondé à Madrid le premier ciné-club d'Espagne, en 1920, lui inspirait sans doute de la bienveillance pour le premier ciné-club d'Amérique latine.

Pourquoi Luis n'avait-il accédé à mes supplices qu'après tant d'hésitations ? C'est sans doute parce qu'à part les émigrés européens, le public mexicain ignorait tout de l'éclat de sa carrière surréaliste d'avant guerre, presque tout du surréalisme même et n'avait pas, du moins le craignait-il, la préparation esthétique et psychologique nécessaire à la compréhension d'œuvres aussi violentes que les siennes. Ces œuvres avaient indigné même la société parisienne, censée plus délurée, et suscité des protestations, en 1930, jusqu'à la Chambre des députés !

En 1950, Buñuel gagnait sa vie depuis quelques années en fabriquant pour le marché intérieur mexicain des films commerciaux qu'il ne signait peut-être même pas tous ; et son producteur reconnaissant, Oscar Dancigers, venait pour la première fois de mettre à sa libre disposition le budget nécessaire à une création personnelle. Cette création devait être *Los Olvidados*, que Luis réalisa au cours de cette même année 1950, et qui sortit en 1951. Le succès de ce film avec, en particulier, la consécration au Festival de Cannes, lui permit de recouvrer le contrôle de son œuvre et de redevenir l'auteur autonome que, par la faute des circonstances, il avait cessé d'être depuis 1936. Le matin du mandarin-citron aux « Ambassadeurs », tout avait changé. Le triomphe international des *Olvidados* venait de métamorphoser Buñuel en une gloire nationale dont le prestige imposerait aisément silence aux glapissements du conformisme, corollaires d'ailleurs naturels d'œuvres aussi troublantes.

De conformisme, Buñuel lui-même n'en était pas pour autant exempt, sur une mer d'inepties où les princes de l'intelligence et de l'art naviguent souvent avec délices et rarement sans naufrage : la politique. Je doute qu'il ait jamais eu sa carte du Parti communiste. En revanche, qu'il fût compagnon de route, moins du Parti, que de l'Union soviétique — car il n'y avait pas au Mexique de Parti communiste qui comptât — me parut évident, à deux reprises où il se métamorphosa brusquement sous mes yeux en un autre homme, un étranger à lui-même. L'ambassadeur soviétique m'avait fait porter une copie de *La Chute de Berlin*, un lourd machin stalinien fabriqué en 1949 par un valet du nom de Mikhaïl Tchiaourelli. Jdanov lui-même avait trépassé en 1948, mais la dictature de ses principes sur les lettres et les arts devait durer jusqu'au « dégel » — provisoire — qui suivit le Rapport Khrouchtchev de 1956 contre Staline. Tous les distributeurs du Mexique s'étaient enfuis, apeurés, devant ce navet et les services dits culturels de l'Ambassade me suggéraient, avec leur doigté habituel, de mettre au programme du ciné-club ce « chef-d'œuvre représentatif de l'art cinématographique soviétique de l'après-guerre ». Nous le « visionnâmes », comme disent les gens du métier, Luis Buñuel, Alvaro Custodio et moi-même, l'éternel trio, dans la petite salle de projection du Paseo de la Reforma où nous conservions nos habitudes. Jusqu'alors, je n'avais, du cinéma soviétique, retenu que les films d'Eisenstein, les seuls où l'art avait résisté à la pression idéologique. La découverte de *La Chute de Berlin* ne me porta point à élargir mon choix. Dans l'ordre de la bouffonnerie grandiloquente, du mélodrame horrifiant, de la gesticulation emphatique et de la falsification historique (l'Armée rouge seule avait combattu le nazisme) comme de la propagande, aussi légère qu'un rouleau compresseur, l'amateur averti trouvait à se repaître et, dans sa vive jouissance, ressentait une profonde gratitude pour les auteurs de ce grandiose étalage de laideur et d'imbécillité. Malgré ma joie, je jugeai que le public de mon chétif ciné-club n'était pas encore assez mûr pour les plaisirs au second degré que procure le pompier, quand il atteint au sublime.

La lumière revint dans la salle de projection. Rigolard, j'interrogeai mes deux amis. Alvaro, quoique lui-même un peu compagnon de route, n'était pourtant pas loin de partager mon hilarité. Au contraire, le visage de Luis se montra comme figé. « C'est trrrès beau, lui entendis-je articuler, à ma stupéfaction, trrrès, trrrès beau. » Ses yeux, ses gros yeux globuleux, qui d'ordinaire regardaient toujours directement l'interlocuteur, nous fuyaient, observaient le sol ou les cloisons. J'étais gêné pour lui et je sentis qu'Alvaro l'était aussi. Que Buñuel optât pour le camp soviétique dans la guerre froide, c'était son affaire, une mauvaise affaire, sans doute, qui avait l'inconvénient d'être fort répandue. Mais sans excuse était qu'il abdiquât toute indépendance *esthétique* et se parjurât par rapport à la conception de l'art qui imprimait son sens à toute sa vie — comme, le faisait, au même moment, Aragon dans ses veules encensements de la peinture réaliste-socialiste. Quel crève-cœur, quelle désillusion et quelle amertume !

Pourtant, Luis, avec son sens satirique toujours à l'affût, caricaturait à ravir les travers et les tics du « progressisme » ambiant. Que de fois l'ai-je vu parodier son ami Alvaro, devant l'intéressé, qui, vers deux heures du matin, échauffé de tequila, avait coutume d'éructer, furibond, de rituelles diatribes contre « le régime infâme du général

Tartempionez, dont la dictature ignoble, aux ordres de l'impérialisme américain, pèse avec férocité sur le malheureux peuple Gratemoila ». C'est que le Buñuel quotidien restait, de par sa nature intime, un anarchiste aigu, perceptif et libre. Mais, en revanche, dès qu'intervenait le facteur « solidarité avec l'Union soviétique », resurgissait l'autre volet de l'éducation jésuitique, l'obéissance « loyolesque » *perinde ac cadaver*, « avec la servilité d'un cadavre ».

L'autre manifestation d'esclavage moral que j'aperçus chez Luis concernait Eli Lotar, évoqué plus haut. Luis était retourné à Paris, après une longue absence, au printemps de 1951, pour la sortie en France de *Los Olvidados*. A cette occasion, il avait, bien sûr, revu de vieux amis, mais, me dit-il, avait refusé de revoir Eli Lotar « parce que malheureusement il travaille pour le Plan Marshall ». On sait que l'aide américaine dite Marshall (du nom du secrétaire d'Etat qui l'avait annoncée), aide financière pour la reconstruction de l'Europe, avait été proposée par les Etats-Unis en 1947 à tous les Etats du continent, y compris à l'Union soviétique, qui, après un temps d'hésitation, la refusa, puis contraignit les autres pays du bloc socialiste à la repousser aussi. Notamment, Moscou intima l'ordre à la Tchécoslovaquie, qui s'était empressée d'accepter une telle aubaine, de revenir sur sa décision. Dès lors, le Plan Marshall fut promu, parmi les communistes, les compagnons de route et dans d'épaisses tranches de cette cellulite intellectuelle appelée gauche non communiste, au rang de synonyme de l'«impérialisme américain ». Comme Lotar avait réalisé quelques photographies et courts métrages destinés au matériel de propagande Marshall, il se voyait relégué par Buñuel au rang des réprouvés. C'était d'ailleurs là le titre français des *Olvidados*, au prix d'un contresens, car les « oubliés » ne sont pas les « réprouvés ». Buñuel n'avait pas du tout « oublié » Lotar, mais il l'avait « réprouvé ». Quand il me déclara : « il travaille pour le Plan Marshall », c'était dans sa bouche l'équivalent moral de : « il fait partie de la Gestapo ». Voilà pourquoi Eli Lotar, justement amer, évita de me parler de Buñuel, en 1960, à Saint-Dyé-sur-Loire.

Quand on constate que, chez les plus admirables artistes, le génie créateur peut coexister avec l'ânerie et la lâcheté — Picasso en est un autre exemple calamiteux —, on se demande comment notre époque n'a pas davantage révisé le mythe de l'intellectuel phare et guide de son époque et, surtout, maître de vertu, infailliblement situé du côté des défenseurs de la justice. J'ai vu, par exemple, la génération militante qui a eu vingt ans en mai 1968 traverser ensuite toutes les nuances de l'arc-en-ciel politique, et même parfois revenir au point de départ, mais sans jamais se départir de son intolérance. Les intellectuels ont l'opportunisme exterminateur.

VI

Je n'aurais sans doute pas éprouvé d'emblée, en 1958, une aversion aussi vive pour le régime présidentialiste de la cinquième République française si je n'avais pas au préalable contemplé les turpitudes et les ravages du régime mexicain. Je dis bien « présidentialiste » et non présidentiel. Le véritable régime présidentiel, en effet, observe une loyale et réelle séparation des pouvoirs, dont aucun ne peut annihiler ni asservir les deux autres. Le « présidentialisme », c'est au contraire une prépondérance si écrasante de l'Exécutif, qu'il « exécute », précisément, le pouvoir législatif, et même le judiciaire. Il ressuscite en pratique le monarchique « bon plaisir » que la Révolution française avait aboli en principe.

J'ai dénoncé les méfaits du présidentialisme à la française, j'ose l'avancer, sans esprit partisan, puisque je les ai vitupérés tant sous le gaullisme triomphant que sous le gaullisme déclinant ; puis, plus tard, tant sous le socialisme plastronnant que sous le socialisme délinquant et déliquescent. Enfin, à nouveau, sous le gaullisme « absent » à la Chirac.

Les constitutions latino-américaines sont, dans la théorie, calquées sur le patron nord-américain : élection au suffrage universel direct du président et d'un congrès législatif qui peut s'opposer à l'exécutif sans pouvoir le renverser ni être dissous par lui. Mais, dans la pratique, la toute-puissance présidentielle, en Amérique latine, confisque dans une large mesure les prérogatives du congrès. Cette érection de la présidence en dictature élue varie de degré selon les pays, sans pour autant manquer dans aucun de constituer le trait dominant de la vie politique. C'était surtout vrai à l'époque de mon premier séjour sur ce continent. Depuis lors, la démocratie s'est établie ou rétablie dans de nombreux pays latino-américains. C'est d'ailleurs un des arguments de mon livre de 1992, *Le Regain démocratique*. Au Mexique, dans la période où j'y arrivai, le présidentialisme s'imposait à l'état presque pur, encore renforcé par le monopole de fait d'un parti unique, le PRI, sigle correspondant à la dénomination, d'une ineffable saveur

contradictoire, de « Parti révolutionnaire institutionnel ». Les autres
« partis » se cantonnaient dans la figuration et la cascade, pour lesquelles le PRI les payait, afin de créer l'illusion que rampait quelque
part une opposition. De réels partis d'opposition ont, en revanche,
pris consistance beaucoup plus tard, après 1988. Mais, durant l'époque
à laquelle je me réfère, l'hégémonie du PRI était absolue. Malgré
quoi, quand le général de Gaulle fit sa tournée des pays latino-américains, en 1964, il s'écria, enflammé, dans un discours prononcé à
Mexico du haut d'un balcon du palais officiel qui domine la place du
Zócalo : « Il nous faudrait un PRI français ! » A moins d'imputer l'audace d'un tel vœu à la démence ou à l'ignorance, hypothèses que
j'écarte, on doit bien admettre que ce cri du Général parachève en
toute rationalité la phobie gaullienne envers le « régime des partis ».
Il préconise une construction politique dans laquelle un parti unique
ou inexpugnablement prépondérant sert de socle ou d'appendice à
l'autocratie présidentialiste. Tout comme, d'ailleurs, au Mexique, lui
servent de monture les syndicats. Car les syndicats mexicains aussi
obéissaient au PRI, donc au président, et jouissaient en échange du
monopole de l'embauche, donc des pots-de-vin. Quand je voulais
engager un projectionniste pour mon ciné-club, je téléphonais au syndicat, qui m'en désignait et envoyait un d'office. Si, employeur, j'avais
tenté de traiter directement avec mon employé, un boycott m'aurait
châtié et il est probable qu'une « inspection » aurait conclu à la nécessité de fermer la salle pour cause d'insalubrité ou d'insécurité. Appartenir au syndicat de sa branche professionnelle apportait au travailleur
la garantie de l'emploi ; mais, pour y entrer, il ne suffisait pas d'y
adhérer et de payer sa cotisation, il fallait d'abord que le travailleur
verse au secrétaire général ou local du syndicat un gigantesque pas-
de-porte, équivalant à deux ou trois années de son salaire. Le présidentialisme à la française n'a certes jamais alourdi à ce point sa mainmise sur la société. Mais, par d'autres abus, il dépasse ceux de
l'Amérique latine. Ainsi, alors que l'Assemblée, ici comme là-bas, ne
peut pas renverser le président, le président français, en revanche,
peut dissoudre l'Assemblée, ce qui n'a encore pu être adopté dans
aucune république latino-américaine. De même, en cas de malversa-
tions excessives et patentes, les congrès et les magistrats latino-américains ont eu parfois l'énergie morale et la possibilité constitutionnelle
de déposer voire d'incarcérer un président véreux : Fernando Collor
de Mello fut destitué, au Brésil, en 1992 ; Carlos-Andrès Perez, au
Venezuela, fut congédié en 1993 et emprisonné en 1994, tous deux
pour concussion. On a vu, au contraire, en France un de nos présidents
transformer l'Elysée en une association de malfaiteurs sans encourir
le moindre châtiment pénal ni même politique, rendu inconcevable
par l'épaisseur même de la forteresse présidentielle née de notre
Constitution. En regardant opérer la classe politique mexicaine, ceux

que le petit peuple de là-bas appelle *los politicos*, j'ai en particulier acquis une répulsion définitive pour un type de corruption qui découle inéluctablement de ce système. Je veux dire le sans-gêne pillard avec lequel les membres de cette honorable société mettent les instruments et les pouvoirs de l'Etat au service de leurs plaisirs personnels. Je ne parle même pas du cynique affairisme politicien, bien pire que l'affairisme tout court puisqu'il est monstrueusement parasitaire — et il a sévi en France sous la Cinquième au-delà des bornes qui délimitent une démocratie — je parle de cette immonde vulgarité qui consiste, pour un président ou un ministre, à utiliser par exemple, avec leur famille ou leurs maîtresses, les avions de l'Etat, pour aller, dans un restaurant de province réputé, manger, suivis de leurs courtisans, tel homard ou certaine poularde. Ou encore, à faire réaliser la décoration de leur maison de campagne par des ouvriers du ministère, à refuser de régler les factures de haute couture de leur femme. Un couple ministériel et culturel a notoirement acclimaté en France, sous la Cinquième, ce cambriolage des deniers publics et ce « margoulinage » du secteur privé, avec une morgue placide, demeurée impunie. Voyant ces mœurs nauséabondes souiller mon pays, je reconnus les turpitudes du « système PRI ».

Le sous-développement ne se définit pas seulement en termes économiques. C'est un état d'esprit dont les stigmates psychologiques ne dépendent pas du seul niveau de vie. Des peuples riches peuvent en souffrir, alors qu'ils ne les avaient pas encore contractés avant de devenir prospères. Ainsi, une corruption « à la mexicaine » ou « à l'africaine » s'est mise à dévaster l'économie et à miner la démocratie en Italie, en Espagne, en France, en Belgique, au Japon, sans que la pauvreté pût leur servir d'excuse et au moment où au contraire ces pays accédaient à la plus grasse richesse de leur histoire. Un autre trait culturel du Mexique des années cinquante, que j'ai retrouvé dans la France, l'Espagne et la Grèce des années quatre-vingt et quatre-vingt-dix, c'est l'admiration, voire l'adoration du peuple pour les crapules qui le dépouillent. Aimer son propre voleur, voire voter pour lui en hommage à la virtuosité dont témoigne l'étendue de ses larcins, constitue un acte de soumission désintéressé, mais dégénéré, s'il en fut, à la force et à la ruse.

Cependant, les indices d'arriération les plus graves, dans ce type de société, sont la mégalomanie xénophobe et l'éloge sans vergogne de soi-même. Ils sont l'envers d'un doute cuisant. Ils s'accrochent à cette bouée lamentable qu'est le rejet sur les étrangers ou les adversaires de la responsabilité des échecs que l'on subit et des sentiments de frustration que l'on éprouve, dans l'ordre culturel comme dans l'ordre économique. Ainsi, le 10 mai 1994, Mitterrand « accorde » à deux journalistes des deux principales chaînes de télévision, TF1 et France 2, un entretien qui se réduit, bien entendu, selon la coutume présidentialiste, à un monologue dialogué, si j'ose cette formule contradictoire, quoique conforme à la réalité. Dissertant avec componction sur les causes du chômage en France, le président de la République en décelait trois : la crise économique américaine, les taux d'intérêt allemands trop élevés, la suppression par la droite française, en 1986 , sous le gouvernement Chirac dit de la « première cohabitation », de l'autorisation administrative de licenciement pour les entreprises. L'objection que le premier venu des étudiants de première année en économie ou en histoire aurait aisément opposée à Mitterrand, c'est que, loin d'exporter une crise qu'ils n'avaient pas ou plus, les Etats-Unis avaient traversé, du début de 1983 au début de 1990, la période de plus forte croissance continue de toute leur histoire, depuis la fin de la guerre de Sécession, expansion dont avait profité le monde entier...sauf la France. Pourquoi ? Voilà ce que les journalistes auraient dû lui demander. Quant aux taux d'intérêt allemands, leur influence sur les nôtres résultaient des contraintes acceptées de l'Union monétaire européenne. Enfin, le grand bond du chômage en France, sautant de un million sept cent mille à presque trois millions de chômeurs, s'est produit de 1981 à 1983, donc bien avant le succès de la droite aux élections de 1986 et la suppression de l'autorisation administrative de licenciement, qui d'ailleurs avait été instaurée par la droite elle-même, sous Pompidou. Je consigne là non des opinions miennes, mais des faits de notoriété publique, que nos deux interrogateurs agréés se gardèrent scrupuleusement d'évoquer face à Mitterrand. Au lieu de lui renvoyer la balle, ils se prosternaient pour la lui ramasser tout au long de l'émission et la lui tendaient, afin qu'il poursuivît son pesant soliloque. Une partie de la presse française, très mexicanisée, leur emboîta le pas le lendemain, en chantant la « forme étourdissante » du brillant septuagénaire qui nous avait si bien entortillés. A suivre l'analyse présidentielle, en effet, les Français pouvaient se rassurer et même se féliciter : ils étaient les seuls, grâce à leur président, bien sûr, chef de l'Etat depuis douze ans, à ne porter aucune responsabilité dans la progression continue de leur propre taux de chômage, le plus élevé des pays industrialisés après celui de l'Espagne. Quelques invectives rituelles sur les ravages du reaganisme et du thatcherisme, bien que les Etats-Unis et le Royaume-Uni affichassent une croissance supérieure et un chômage inférieur à ceux de la France, servirent à envelopper le paquet. Elles faisaient depuis longtemps office de pensée chez nos politiques et nos politologues. Le ricanement leur tenait lieu de raisonnement.

J'avais tellement déploré, chez les Mexicains, ce suicide de la citoyenneté qui consistait à rejeter sur les Etats-Unis d'Amérique la responsabilité de tout ce qui marchait mal chez eux ! Quelle amertume de diagnostiquer la même pitoyable maladie morale chez mes compatriotes, maladie que Mitterrand se bornait à entretenir, puisque le grand inoculateur du virus de ce type de tiers-mondisation mentale avait été de Gaulle.

Au sein des élites, la xénophobie mexicaine épanchait sa bile dans la sphère des lettres et des arts, comme il sied. La culture qui doute d'elle-même se sent non pas riche du patrimoine littéraire et artistique de l'humanité, mais hantée, empoisonnée, torturée par la place qu'elle y occupe ou n'y occupe pas, aux yeux des autres. Elle succombe à la constante obsession qu'on ne lui rend pas à l'étranger l'hommage qui lui est dû ; elle promène partout et à tous les instants la plaie à vif d'un imaginaire déni de justice.

A un dîner de quelques amis au restaurant *El Taquito*, celui, dans la capitale, où l'on servait la plus authentique cuisine mexicaine, avec les *gusanos de maguey* (vers frits), le *mole poblano* (ragoût au chocolat) et, comme boisson, du *pulque* (jus de maguey fermenté) tout frais apporté de Toluca, je me trouvais assis en face de Rodolfo Usigli, un auteur dramatique et causeur fort plaisant. Petit, élégant, cultivé, mordant, marié à une jolie femme, il avait rempli, peu auparavant, les fonctions d'attaché culturel à l'ambassade du Mexique à Paris. Je le voyais souvent et j'aimais parler avec lui, tout en restant sur mes gardes, car je le savais chatouilleux, prêt à faire exploser son amour propre, tant personnel que national. Au cours de la dernière année de mon séjour, j'avais commencé l'ébauche de *Pourquoi des Philosophes ?* et à en jeter les premières miettes sur le papier. Je glissai à Usigli une allusion à mes nouvelles idées « révisionnistes » en la matière. Il me fixa, en durcissant son regard derrière ses lunettes rondes cerclées d'argent, et articula, en détachant les syllabes : « Nietzsche a écrit : la philosophie, c'est la poésie au centre. » — « Belle formule », répliquai-je par pure paresse et en cherchant vainement dans ma tête où Nietzsche, qui a tout dit et le contraire, avait bien pu lâcher cet approximatif aphorisme. « Eh bien, ce n'est pas de Nietzsche, c'est de moi », m'annonça Usigli en se redressant. « Si c'est de vous, alors, lui dis-je, j'aimerais que nous en discutions, car, fort heureusement, au contraire de Nietzsche, qui ne peut plus répondre, vous êtes là, et bien vivant. Je ne crois pas que l'on puisse ramener toute la philosophie à la poésie. Cette assimilation aurait en tout cas fort contrarié la plupart des philosophes et des poètes du passé. D'autre part, je ne vois pas de quel "centre" vous voulez parler ? » Alors, il éclata : « C'est toujours la même chose ! Vous trouviez cette idée géniale quand vous croyiez qu'elle était d'un auteur européen ! Et vous la jugez mauvaise quand vous découvrez qu'elle est d'un auteur mexcicain. » Il n'en finissait pas de déverser son torrent de fiel.

Il serait injuste d'omettre que les écrivains mexicains les plus talentueux se dispensaient, en général, de s'enserrer la tête dans les œillères du chauvinisme culturel et figuraient, au contraire, parmi les esprits les plus cosmopolites que j'eusse rencontrés. C'était la qualité d'un prince de l'essai, Alfonso Reyes, qui me demandait souvent de passer l'écouter. Il ne faisait à ce point qu'un avec la littérature de tous les lieux et de tous les temps que je ne parvins jamais à l'inviter chez moi ou au restaurant, car, disait-il, « je tiens à ce que vous vous souveniez de moi uniquement dans mon cad*rr*e, parmi mes liv*rr*es ». L'universalisme des lectures et des intérêts, par-dessus les frontières et les langues, nourrissait aussi l'intelligence du plus grand des écrivains mexicains de notre époque, Octavio Paz, que je connus personnellement beaucoup plus tard, car, durant mes années mexicaines, il vivait en Europe. Ensuite, il quitta l'Europe pour devenir ambassadeur à New Delhi. Si j'avais pu le rencontrer quand j'étais à Mexico, sans doute m'aurait-il éclairé sur ses confrères, qui me déconcertaient tant. Car l'homme de culture, en général, au Mexique, tel que je l'ai pratiqué en ces temps reculés, éprouvait un double tourment. Outre l'objet du ressentiment de base de tout Mexicain : les Etats-Unis — les *Gringos* — il en avait un autre : l'Europe. Des trois peintres célèbres de l'école dite « fresquiste » mexicaine, l'un, Jose Clemente Orozco, venait de mourir. Mais j'eus plusieurs laborieuses conversations avec les deux autres, Diego Rivera et David Alfaro Siqueiros. J'acquis une connaissance hélas ! exhaustive de leur œuvre et, surtout, je les vis à l'œuvre. Tous deux nationalistes staliniens, ces révolutionnaires gorgés de commandes et de prébendes bourgeoises souillaient les bâtiments publics de *murales* pompiers, bâtards de l'emphase expressionniste et de la vulgarité réaliste-socialiste. On s'en fût consolé en s'abstenant de les voir. Mais y échapper était aussi impossible qu'au même moment, en Union soviétique, d'éviter les déjections de Guérassimov, le barbouilleur jdanovien chéri d'Aragon. Siqueiros et Rivera avaient mis en place un blocus contre toute entrée de peinture étrangère. Quand l'Institut français proposa une bien modeste exposition de simples reproductions de peintures impressionnistes, en couleurs et aux dimensions réelles, faites selon le tout nouveau procédé Hoepli de fac-similé, Diego Rivera, qui était professeur à l'Ecole des Beaux-Arts, interdit à ses étudiants de la visiter. Même l'art du XIXe siècle risquait de les corrompre ! Et, surtout, le maître prenait ombrage de toute concurrence, passée, présente et à venir, en s'abritant derrière des prétextes progressistes et patriotiques. Quand l'Institut réunit les fonds nécessaires à la création d'une bourse devant permettre à un jeune artiste mexicain d'aller passer un an à Paris — et de voyager en Europe —, nous invitâmes Siqueiros à siéger au jury. Il refusa, arguant qu'un boursier mexicain ne pourrait acquérir en Europe que les plus réactionnaires défauts. « Envoyer quelqu'un là-bas ? » me dit-il, alors que, le retenant par un bouton de sa veste, sur le trottoir de la Calle Nazas, où se trouvait l'IFAL, j'essayais encore de le convaincre, « Envoyer quelqu'un là-bas ? » hurla-t-il. « Pour que nous revienne ici un petit Picasso, un petit Matisse ? » (« *Para que nos regrese un pequeño Picasso, un pequeño Matisse ? »*) Je me permis de murmurer qu'au fond ce ne serait pas si mal. Mais il ne perçut pas l'ironie. Tout chauffeur de taxi mexicain, quand il se rendait compte qu'il transportait un étranger, lui demandait, avec un grand sourire, sûr de la réponse : « Quelle est, d'après vous, la plus belle ville du monde ? » Vous saviez n'avoir d'autre devoir que d'articuler mécaniquement ces trois mots : « Mexico, bien sûr » (« *México, por supuesto* »). Mais le chauffeur, lui, au moins, ne vous empêchait pas d'aller voir les autres capitales ! Toute culture peut être poussée par des vices internes qu'elle ne soupçonne pas à se provincialiser ou à se reprovincialiser. La culture française, jadis tournée vers l'universel, s'est provincialisée à partir de 1970. Et j'ai assisté à la reprovincialisation, durant les années quatre-vingt et quatre-vingt-dix, de la culture américaine, si ouverte vingt ans auparavant. Le seul peintre mexicain, dans les années cinquante, qui eût atteint une réputation internationale, Rufino Tamayo, se trouvait, de ce fait et du fait de son talent, excommunié par Rivera et Siqueiros, parce qu'il réussissait trop bien à Paris et à New York. Mais, en même temps, quand Siqueiros se vit tomber du ciel un vague petit prix secondaire que lui avait décerné le jury de la Biennale de Venise, il se rua en Italie pour le recevoir : cette année-là, le diable avait cessé provisoirement d'être européen.

Quand le jury du Festival de Cannes couronna *Los Olvidados* en 1951, Buñuel devint brusquement un « vrai » Mexicain. Car les Espagnols naturalisés en vertu du décret Cárdenas, et tous les autres naturalisés, d'ailleurs, de quelque origine qu'ils fussent, souffraient de la discrimination de ne pas exhiber sur leur passeport la mention : « Mexicain de naissance » (le sacro-saint *por nacimiento*), restriction qui leur interdisait certains emplois, en vertu de quotas xénophobes. Mais dès que le soleil de Cannes eut brillé sur ce film, rejaillissant sur le Mexique tout entier, il effaça par miracle les racines ibériques du réalisateur primé. Luis, à quelque temps de là, me téléphona pour m'inviter, au *Taquito*, à un déjeuner destiné à fêter son prix et me dit : « Yé voudrais offrir un pétit banquet en l'honneur dé mes ancêtrés aztéqués. »

Je retrouvai mes sensations mexicaines avec un mépris apitoyé et consterné devant la xénophobie culturelle française, quarante ans plus tard, quand retentirent les burlesques clabauderies de l'« exception culturelle » — traduisez : de l'impuissance créatrice — destinées à soustraire par des règlements protectionnistes la télévision et le cinéma français à la concurrence étrangère, surtout américaine. Mais le ridicule qui, chez le Mexicain, conservait une allure bon enfant de vantardise instinctive et de forfanterie rudimentaire, le Français, avec son opiniâtreté raisonneuse, tenait à l'ériger en théorie subtile. Il se hissa donc vite, grâce à la raison cartésienne, sur les cimes de la débilité mentale. Nous vainquîmes l'Everest gâteux de la vulgarité mondaine quand le bonimenteur accrédité des relations et subventions publiques du cinéma français, Daniel Toscan du Plantier, apprenant qu'un tremblement de terre avait en partie ravagé Hollywood, en 1993, s'écria : « Dieu a pris parti pour l'exception culturelle ! » Je songeai alors que tout Français devrait apprendre par cœur, en se l'appliquant à lui-même, puisqu'il s'agit de cinéma, la première phrase du monologue intérieur que prononce Orson Welles, au début de *La Dame de Shanghaï* : « *When I start out to make a fool of myself, then very little can stop me* » — « Quand je commence à me conduire comme un idiot, alors presque rien ne peut m'arrêter. »

LIVRE SEPTIÈME

FATALITÉS FORTUITES

I

Nos deuils et nos amours n'ont d'intérêt pour les autres qu'à partir du moment où ils cessent d'en avoir pour nous et où nous pouvons les romancer. C'est pourquoi, en septembre 1952, je cachai à mes collègues, à mes amis, à mes supérieurs la nouvelle que je venais de recevoir de France : la mort de mon père. Pourtant, cette mort me noya dans un égarement de chagrin en contradiction avec la froideur de mes sentiments filiaux, du moins depuis l'Occupation et la Libération. J'étais assis dans un taxi quand j'ouvris la lettre qu'on venait de me remettre à l'Institut français. Elle provenait de Chambéry, où habitaient alors mes parents, mais émanait de Me Léon Petit, l'avocat marseillais, le meilleur ami de mon père. « Mon cher enfant, il a été impossible de le sauver... C'est le cœur qui a cédé. » En fait, ce n'était pas du tout le cœur qui avait causé la mort, inéluctable issue d'un cancer du poumon, à évolution des plus rapides. Ma mère m'avait déjà écrit quelques semaines auparavant : « Les docteurs ne m'ont laissé aucun espoir en ce qui concerne papa. » Mais quelque chose en moi avait refusé de prendre au pied de la lettre cette sinistre annonce. J'avais écrit au Dr Imbert qui, dans sa réponse, m'avait inondé de ce luxe de détails superficiels et de renseignements techniques dont les médecins gratifient les proches quand ils savent le malade perdu. « Qu'il aille donc consulter Untel de ma part, à Lyon », me disait-il, m'incitant à croire que cette visite inutile pourrait encore servir à quelque chose. Quoique prévu, le décès me frappa donc comme s'il ne l'avait pas été, et, surtout, comme si j'avais conservé pour mon père une affection intense, manifestée avec assiduité dans une fréquentation quotidienne, alors qu'avant même mon départ de France, je le voyais le moins possible et, depuis, ne lui écrivais presque jamais. Je me mis à pleurer dans le fond du taxi sans pouvoir me contenir. Et plus tard, non pas à Mexico, où, comme je viens de le dire, je souhaitais rester discret, mais, à New York, sur le chemin du retour, et, plus encore, une fois rentré en France, je m'immergeai dans le culte du deuil intérieur et en arborai pendant plusieurs mois les signes extérieurs, notamment vestimentaires, avec une ostentation maniaque. Je faillis une fois, dans une brasserie, place de la Madeleine, aborder un inconnu parce que j'avais observé qu'il portait un crêpe au revers de son veston : « Alors, vous aussi, vous avez perdu quelqu'un ? » fus-je sur le point de lui demander, comme pour créer une sorte d'association internationale des endeuillés. La chance m'a épargné le coup qui resta toujours de moi le plus redouté et qui eût été le plus destructeur de mon être, la perte de l'un de mes enfants. Mais aucun décès par la suite ne m'a autant vidé l'âme, pas même celui de ma mère, à laquelle j'étais cependant beaucoup plus tendrement attaché qu'à mon père dans la pratique de la vie.

Le seul de mes supérieurs, à Mexico, que je mis au courant de ce malheur familial fut l'ambassadeur. Et dans un but intéressé : obtenir de lui l'autorisation de rentrer en France avant la date réglementaire prévue, qui était janvier 1953. Mon départ à la fin de septembre 1952 ne pertuberait en rien le service, plaidai-je. C'était vrai : les vacances scolaires, au Mexique, avaient lieu en ce temps-là du 1er octobre au 1er janvier, bien que le pays soit situé dans l'hémisphère Nord. Mais l'hiver est la saison sèche, et aussi celle où la chaleur, au niveau de la mer, à Acapulco et autres lieux balnéaires, se réduit et accable moins les vacanciers descendus de Mexico et habitués à la fraîcheur relative des 2 300 mètres d'altitude de la capitale. Aujourd'hui, le Mexique s'est aligné sur le calendrier scolaire des Etats-Unis et de l'Europe.

La mort de mon père et le souci « filial » de me rendre auprès de ma mère « en cette période douloureuse » furent des arguments qui convainquirent de me laisser aller l'ambassadeur, M. Bonneau, homme bon, protestant sévère, conscience pénétrée du sens du devoir et de la famille. Mais en secret j'avais une autre raison, que je gardai avec précaution par-devers moi, de vouloir déguerpir au plus vite.

Dans le numéro de mai 1952 de la revue *Esprit*, que dirigeait alors l'auteur d'un livre qui circulait beaucoup en khâgne quand j'y étais, *L'Ame romantique et le rêve*, Albert Béguin, successeur depuis peu d'Emmanuel Mounier, je venais de publier un article d'une trentaine de pages serrées, intitulé *Démocratie mexicaine*. C'était un réquisitoire minutieux contre la dictature, camouflée en démocratie, du « système PRI » et contre quelques autres malformations de la société, de la mentalité et de la culture mexicaines.

Si je partageais certaines orientations politiques « de gauche » de cette revue, je n'avais en revanche aucune affinité avec le « personnalisme chrétien » qui en constituait le socle doctrinal. Je n'avais déjà que trop ingurgité cette limonade bénite en subissant les prêches de Jean Lacroix, mon professeur de philosophie en khâgne, à Lyon. Envahi, en ces temps, par l'idée fixe anticléricale, j'enrageais plus encore contre les fanfreluches « progressistes » du catholicisme marxisant que contre les aveuglements bigots de l'Eglise de Pie XII. J'aurais donc choisi plutôt une autre revue si j'avais pu choisir, mais, inconnu et exilé, je n'étais guère en position de le faire. C'est au contraire par une fière aubaine que je rencontrai, à Mexico, Tibor Mende, auteur estimé d'analyses et de reportages sur les pays sous-développés. Je venais justement de lire son *Inde devant l'orage*, où j'avais admiré une façon nouvelle de décrire les difficultés des civilisations à la fois ligotées par l'archaïsme et contraintes de se moderniser pour sortir de la pauvreté. Les obstacles au développement, il le montrait bien, étaient extérieurs, certes, mais aussi intérieurs. Cet ouvrage, où alternaient les connaissances générales et les observations particulières, la théorie économique et le concret quotidien, inaugurait un genre promis à un fécond avenir. Il avait remporté un succès dont le bruit était parvenu jusqu'au Mexique. Mende préparait maintenant son livre suivant, *L'Amérique latine entre en scène*. De naissance hongroise, de nationalité française, d'expression anglaise (il avait fait ses études supérieures à Cambridge), il portait sur le monde ce regard multilatéral que j'étais en train de m'efforcer d'acquérir moi-même. Nous sympathisâmes. Je lui fus utile. Je lui ouvris les yeux sur le Mexique avec plus de rapidité qu'il ne les aurait ouverts tout seul. Il m'en sut gré, se servit de mes indications dans son travail, mais, au lieu de se les approprier dans leur intégralité sans vergogne et sans en citer la source, selon l'usage ultérieur des plumitifs de la fin du siècle, il m'offrit de me donner ma chance de m'exprimer pour mon compte et s'entremit pour faire paraître une étude de mon cru sur ce sujet en France. Ayant pour éditeur Le Seuil, il m'ouvrit en toute logique les portes de la revue que publiait cette maison : *Esprit*. Quelques semaines après le passage de Tibor Mende, j'expédiai mes quarante feuillets et reçus bientôt une lettre d'acceptation d'Albert Béguin.

Si je mentionne comme une singularité la probité professionnelle de Tibor Mende en cette occurrence, c'est que, depuis lors, elle a cessé de paraître normale, tant se sont implantées des coutumes de pillage et le plagiat. Pour les écrivains de la génération de 1950, c'était encore un honneur que de signaler les contemporains auxquels ils devaient une inspiration, une information, un tour de main littéraire. Pour les auteurs boulimiques de la génération de 1970, cette honnêteté devint aussi inconcevable que, pour un cafetier, de donner aux clients l'adresse du bistrot d'en face. Peut-être cette inversion des règles immémoriales de la civilisation vient-elle de l'anxiété fébrile répandue dans le troupeau littéraire par l'irruption des médias. Quand on ne sent plus sa propre réalité que dans la mesure où les médias la mentionnent, l'œuvre perd son autonomie au bénéfice exclusif de l'écho qu'elle suscite.

Murs, objets, corps, tout te reflète.
Tout est miroir !
Ton image te pourchasse,

chante Octavio Paz dans *Le Prisonnier*, tel que le traduit fort bien J-C Masson. Aussi les « postécrivains » de la fin du siècle, comme on dit postmoderne ou postfasciste, tirent-ils vers eux chacun les morceaux d'idées qu'ils peuvent chaparder sur leur passage, comme l'âpre paysan d'antan qui tâchait toujours de carotter quelques pouces du champ du voisin en comptant que ce larcin passerait inaperçu dans le village, même si la victime venait à gueuler un peu. Pour ma part, si j'ai renoncé à en vouloir à mes propres plagiaires, je m'abstiens toutefois de participer à la promotion de leurs livres, quoiqu'ils aient souvent l'aplomb de me le demander.

A la fois par respect du « devoir de réserve », requis de tout fonctionnaire, surtout à l'étranger, et par « crainte naturelle des coups », comme le Panurge de Rabelais, j'avais, étant donné l'impétuosité de mes assauts contre les réalités et les rêves mexicains, exigé de Béguin et de Mende une promesse de discrétion inviolable et signé mon article du pseudonyme de Jacques Séverin. Je ne suis jamais allé chercher bien loin mes pseudonymes : Séverin était le nom d'un magasin de chemises et de cravates, rue Paradis, à Marseille, dont le patron était le père d'un de mes camarades de collège. Revel (qui devint en 1977 mon patronyme) était le nom d'un restaurant, dont le patron cuisinait une daube irréfutable, rue de Montpensier, en face de chez Jean Cocteau et Emmanuel Berl. Avec Bobby de Pomereu, Paul Gégauff et d'autres compagnons de mes années de bohème, avant mon départ pour le Mexique, j'allais souvent y déjeuner. En m'abritant derrière « Séverin », à vrai dire, ce n'est pas à des ripostes mexicaines que je songeais à parer. Je cherchais surtout à m'épargner d'éventuelles réprimandes du « Département », de l'ambassadeur et de mes supérieurs, car je n'imaginais pas qu'*Esprit*, revue de qualité mais à la diffusion restreinte, assurerait à mon article une audience dépassant un cercle étroit d'intellectuels français.

Or, tout au contraire, loin de passer inaperçu au Mexique, où il n'y avait d'ordinaire peut-être pas six personnes qui le lisaient, *Esprit* y provoqua, en mai 1952, et pendant plusieurs mois, un séisme psychologique national. Je vis déferler avec stupeur les titres des journaux dénonçant « un torrent d'injures contre le Mexique et les Mexicains », « une délirante accumulation de calomnies contre le peuple, les dirigeants et les intellectuels de notre pays » et autres appels à la levée en masse contre un nouvel ennemi de la patrie. Dans les dîners, les déjeuners, les réceptions, j'entendais partout commenter mon papier. Quand l'assistance était mexicaine, une indignation sacrée flétrissait le contenu même de ma description. Quand les convives étaient étrangers, notamment français, ils concédaient que la peinture des mœurs par le folliculaire inconnu ne manquait pas d'exactitude, mais ils réprouvaient la férocité, jugée excessive, du trait. De peur de me trahir, je ne pouvais, bien entendu, défendre mon œuvre. Je renchérissais avec une lâche prudence sur les diatribes qui me piétinaient et, parfois, mon courroux contre moi-même, à force d'ardeur dans la simulation, finissait par devenir sincère.

L'irritation ambiante — et ambiguë — s'échauffait d'autant plus que nul ne parvenait à deviner qui était l'auteur du forfait. Pour détourner de moi les soupçons, j'avais pris la précaution supplémentaire de glisser dans le texte une phrase où l'auteur disait avoir « quitté le Mexique en octobre 1951 ». A Paris, Torrès Bodet, l'intellectuel mexicain qui était alors directeur général de l'Unesco, téléphona en vain à la revue pour tenter de savoir qui était Séverin. A Mexico, seul Alvaro Custodio connaissait la vérité, puisqu'il m'avait fourni des éléments et conseillé des corrections. En lui j'avais, bien sûr, pleine confiance. En revanche, je sentais à des signes de plus en plus fréquents, lors de mes rencontres, que mes interlocuteurs, se rappelant des conversations où j'avais développé des points de vue voisins de ceux du papier d'*Esprit*, subodoraient que j'en étais le responsable. Ils me lançaient des clins d'œil chargés de sous-entendus, et me glissaient dans le creux de l'oreille : « Au fond, vous savez, quoique Mexicain, je suis assez d'accord avec Séverin. » Ce fut avec soulagement que je pris place, à la fin de septembre 1952, dans l'avion pour New York, en compagnie de Yahne et des enfants.

Dix ans plus tard, je fis la connaissance à Paris de l'écrivain mexicain que j'estimais le plus, Octavio Paz. Je le rencontrai au vernissage d'une exposition Miró, à la Galerie Maeght. Nous nous présentâmes l'un à l'autre et, aussitôt, ce fut avec détachement et naturel qu'il me dit, comme pour mentionner en passant une chose notoire : « C'était très bien, votre article dans *Esprit*. Un article historique. Vous aviez entièrement raison, et vous nous avez fait beaucoup de bien. » Ravi et stupéfait, je ne lui demandai même pas comment il était remonté à la source, car, sans attendre, il s'était déjà lancé dans un parallèle, combien plus intéressant, entre la poésie en Europe et la poésie en Amérique latine.

Je tirai de cette expérience deux leçons. La première, somme toute fort encourageante, que le retentissement d'un texte ne tient qu'en partie à l'ampleur de la diffusion de l'organe dans lequel il paraît (ou, s'il s'agit d'un livre, de son tirage initial). Il tient surtout à son caractère inattendu, et à la clarté avec laquelle il explicite ce que beaucoup de lecteurs pensaient confusément sans parvenir à se le formuler. *La Littérature à l'estomac* de Julien Gracq, qui mit en ébullition en 1947 toute la république des Lettres, parut d'abord dans une obscure revue, auprès de laquelle *Esprit* faisait figure de magazine de grande presse. Si le pamphlet de Gracq circula sans délai dans toutes les mains, dans toutes les conversations, c'est que l'auteur, en pionnier, mettait le doigt sur les modifications de la transmission culturelle dues aux médias naissants, et avec un style de pur-sang qui embrasait l'esprit, là où le style des percherons sociologiques l'embourbait.

La seconde leçon est mineure, mais pas pour les écrivains. Elle est qu'il leur faut prendre toutes les précautions pour empêcher qu'une âme bien intentionnée n'ajoute à un texte une « correction » à leur insu. Au début de mon article sur le Mexique, je mentionne la Révolution de 1910. Une patte d'ours, à la revue *Esprit*, jeta entre parenthèses ce pavé : « C'est-à-dire la *Reforma* ». Or la *Reforma*, c'est la réforme libérale qui a eu lieu au XIXᵉ siècle. Elle n'a rien à voir avec la Révolution de 1910. Quiconque possède une connaissance élémentaire de l'histoire du Mexique ne saurait commettre une telle bourde. Combien de fois, pendant tout l'été de 1951, m'a-t-on jeté la boulette de la « Reforma » comme preuve de l'incompétence de l'ignare Séverin ! Au supplice, je devais me retenir de prendre sa défense, de rétorquer qu'il n'était pas le vrai responsable de la bévue ! Mais cette satisfaction vengeresse m'était interdite par ma duplicité obligée. Dans *Pour l'Italie*, paru en 1958, j'évoque, en un endroit, la mort d'Antonio Gramsci, « dans sa prison de Turi », obscure localité où la police fasciste avait emprisonné le penseur marxiste. Mon correcteur d'épreuves, persuadé que j'avais fait une coquille, corrige Turi en Turin. Je ne m'en aperçois pas quand le livre sort. Et mon traducteur italien, pourtant un ami et un de mes anciens étudiants, pas ma plus éblouissante réussite pédagogique au demeurant, traduit tout naturellement Turin, par Torino, sans être effleuré par le doute. Aussitôt, éclats de rire dans toute la péninsule : « Il prétend connaître l'Italie et confond Turi et Turin ! » Ces vétilles ne concernent pas le fond, mais elles peuvent en détourner. Elles font perdre inutilement du temps et le fil des arguments, dans le feu des polémiques qui suivent la publication d'un livre. La bonne foi n'étant pas la vertu la plus répandue chez l'homme, c'est fréquemment à propos de l'accessoire que l'on vous fait un procès, pour mieux éluder l'essentiel.

II

Le soin de ma carrière universitaire, en 1952, quand je rentrai du Mexique, aurait dû me persuader de rester en France, pour me rabibocher avec le ministère de l'Education nationale, au lieu de le cocufier de nouveau, cette fois avec celui des Affaires étrangères en repartant à l'étranger. Un matin d'octobre, ayant déjà en poche ma nomination à l'Institut français de Florence, je me rendis à l'Education nationale, rue de Grenelle, y rendre visite au fonctionnaire chargé de renouveler mon « détachement » aux Relations culturelles. Je faisais antichambre, après avoir rempli ma fiche de demande d'audience, lorsque l'huissier qui l'avait portée revint vers moi en m'annonçant que les inspecteurs généraux de philosophie, MM. Bridoux et Canguilhem, désiraient me voir de toute urgence avant que je ne fusse reçu par le bureaucrate avec qui j'avais rendez-vous. Pour un professeur de l'enseignement secondaire, l'inspecteur général est le calife tout-puissant dont dépendent ses promotions, ses nominations, son affectation dans la ville qui lui convient ou sa relégation à mille kilomètres du lieu où il souhaite résider. De plus, mes inspecteurs généraux (en philosophie, il n'y en avait que deux pour toute la France) faisaient de plein droit partie du jury de l'agrégation, concours auquel j'allais enfin me présenter. Le duo des Inspecteurs s'empressa de me désigner une chaise avec une inquiétante amabilité. « Votre présence ici à cette minute est providentielle », s'écria Bridoux, qui était spiritualiste. « C'est la rencontre de deux séries indépendantes ! » énonça Canguilhem, qui était scientiste. Devant mon ahurissement, ils voulurent bien m'expliquer avec une bienveillante componction que, peu avant le moment même où on leur avait dit que j'étais attendu dans la maison, ils venaient d'apprendre la mort subite du titulaire de la chaire de philosophie du lycée de Dijon, attribuée d'ordinaire à un agrégé. Comme ils n'avaient aucun agrégé sous la main pour remplacer le défunt, j'étais le seul successeur possible, étant le seul normalien philosophe disponible parmi les non-agrégés. Sans paraître douter de mon acceptation enthousiaste, ils entamèrent un chant amoebée — *amoebaeum carmen* : chant alterné de deux bergers dans la poésie pastorale grecque et latine — célébrant la beauté de Dijon, dont j'étais profondément convaincu, et la splendeur de ce poste si convoité, auquel j'accédais si jeune, soulignèrent-ils. Ils me félicitèrent. J'allais faire des jaloux. Muet d'affolement devant leur redoutable sollicitude, je bredouillai d'informes excuses où s'entortillaient à la fois l'immensité de ma reconnaissance et ma désolation de me dérober à leur bonté. J'avais déjà donné ma parole, dis-je, à Jean Baillou, directeur général des Relations culturelles. La stupeur offensée de la couple inspectrice, devant mon « non », se voila d'un air menaçant, qui annonçait des représailles plus disciplinaires que philosophiques. La sagesse universitaire aurait dû me souffler de me précipiter sur cette affectation, inespérée pour un premier poste en métropole, avec en plus l'agrégation à la clef, dont mes duettistes avaient sous-entendu qu'elle entrait dans la corbeille de noces. Baillou, contrairement à ce que je plaidai, face aux deux visages soudain murés de mes bienfaiteurs éconduits, ne se serait guère formalisé de mon retrait, car les candidats à Florence étaient foule. Mais la raison, si je puis dire, triompha en moi de la sagesse. L'attirance que m'inspiraient la galerie des Offices et la Toscane, le pressentiment des demeures nouvelles qu'elles allaient ouvrir en mon for intérieur l'emportèrent sur les admonestations d'un réalisme qui, en m'éloignant de la piazza Ognissanti, m'eût rapproché du doctorat d'Etat.

Je tenais d'autant plus à Florence que je devais la nomination à ce poste non pas à mes seuls mérites, mais à l'adultère, charme additionnel dont était privé Dijon. Adultère qui n'était pas le mien — j'aurais eu garde de pousser aussi loin le cynisme. J'éprouvais un désir persistant de vivre quelques années à Florence depuis que j'y avais passé une journée, avec Bobby de Pomereu, en 1948, sur le trajet de Rome, où nous allions prendre l'avion pour Athènes puis Le Caire. Cette aspiration obsédante, je l'aurais satisfaite tôt ou tard, fût-ce comme clochard. Elle constitue la part de nécessité dans mon destin. Quant à la part de hasard, elle se manifesta dans la cause occasionnelle qui accomplit cette nécessité.

Un puissant personnage du ministère des Affaires étrangères, au terme d'une tournée en Amérique latine, en juillet 1952, s'était attardé à Mexico une dizaine de jours pendant lesquels lui échut la bonne fortune d'une passade avec l'épouse d'un de nos diplomates. Le mari sut se montrer d'une discrétion qui valait consentement. Il était d'autant moins jaloux qu'il avait depuis longtemps rayé de la liste de ses propres vertus la fidélité conjugale. Il cultivait, en revanche, la vertu d'amitié et en avait conçu pour moi. Je lui rendais cette affection. J'appréciais son naturel. Nous éprouvions du plaisir à passer de longs moments de bavardage ensemble. Avant son départ pour Paris, le puissant personnage, que j'avais rencontré deux ou trois fois à déjeuner chez mon ami, dans un cercle plus intime et moins compassé que celui des dîners officiels, lui demanda : « Quel vœu auriez-vous à formuler pour votre carrière ? Que puis-je faire pour vous ? » — « Pour moi, rien, répondit ce fonctionnaire, unique de son espèce, mais pour mon petit copain (parlant de moi), oui : il brûle d'envie d'obtenir un poste à Florence. »

Quand, à mon tour, je fus rentré à Paris, l'homme venait d'être envoyé dans une lointaine et importante ambassade. Mais, rendant visite à mes camarades et supérieurs normaliens du service des Relations culturelles, comme je m'attendais à me faire rembarrer pour l'outrecuidance dont je faisais preuve en demandant l'Institut de Florence, j'eus la surprise de voir au contraire ma candidature pénétrer comme couteau dans le beurre. Le service unanime l'accueillit avec un cordial empressement, comme s'il n'avait jamais envisagé de m'expédier ailleurs. Je sentis aussitôt que je devais entonner dans le secret de mon cœur un chant d'action de grâces à l'intention de Mme X., la bonne fortune du puissant personnage, à laquelle j'expédiai au Mexique, par la valise diplomatique, un cadeau adéquat, pour, lui écrivis-je, la remercier « des moments si agréables passés chez toi durant ces trois dernières années ».

Tous les événements de ma vie n'ont certes pas découlé de ces hasards nécessaires. Je pourrais cependant citer l'autre « rencontre de deux séries indépendantes » qui me fit entrer comme conseiller littéraire et comme auteur en 1965 aux Editions Robert Laffont, où je devais rester pendant onze ans comme directeur de collection et davantage comme auteur de la maison. En ce temps-là, j'étais au moins aussi assidu sur les champs de courses qu'à ma table de travail, une manie qui m'avait saisi vers 1962. Je manquais rarement d'apercevoir à Auteuil ou à Longchamp un autre adepte du culte, une des figures certifiées de Saint-Germain-des-Prés, Daniel Anselme, romancier à la réputation assez mince, contrairement à son tour de taille. Car on identifiait le malheureux d'un bout à l'autre du boulevard Saint-Germain, tant il était gonflé d'une obésité due, sans doute, moins à la goinfrerie et à l'ivrognerie qu'à des troubles glandulaires. Nous échangeâmes un jour nos impressions sur les partants d'une réunion, puis, à la fin de l'après-midi, allâmes prendre un verre à L'Orée du Bois. Je lui racontai que je venais de quitter les Editions René Julliard, à la fois comme directeur de collection et comme auteur. Après la mort, en 1962, de René, qui m'avait couvé non seulement comme un éditeur attentionné, mais comme un tuteur rassurant et avunculaire, la maison avait d'abord été rachetée par une bouffonne Union financière de Paris, dont les dirigeants s'étaient convertis sans transition de l'importation de café en gros à l'édition en vrac. J'avais subi pendant deux ans leur amateurisme inconséquent, parce que la maison conservait, malgré l'adversité, comme directeur littéraire, au moins en titre,

Christian Bourgois, dont René Julliard avait fait son successeur désigné et son héritier spirituel. Mais, en 1965, l'Union financière de Paris venait de revendre Julliard aux Presses de la Cité, toujours dirigées par le fondateur, le vieux Sven Nielsen, plus connu pour son sens du commerce que pour son goût de la littérature. Après une conversation avec lui, j'avais démissionné comme collaborateur. Et, en tant qu'auteur, j'étais libre, car à bout de contrat. « Mais pourquoi donc ne viens-tu pas chez Laffont ? » me rétorqua aussitôt Anselme, dont c'était la maison d'édition. On savait à Saint-Germain-des-Prés qu'il y apportait tous les vendredis quinze ou vingt feuillets de son prochain roman, fruit du travail accompli depuis le samedi précédent, et que le comptable lui remettait en échange, à valoir sur ses droits, de quoi vivre pendant la semaine suivante. « Pourquoi pas ? » lui dis-je. « C'est, me dit-il, que Laffont n'est pas très bien vu en ce moment, je dois te prévenir, parce qu'il travaille avec de l'argent américain. » En effet, le groupe *Time-Life* avait des actions dans la maison. Cette remarque occasionnelle en dit plus que maints livres d'histoire sur les œillères de la gauche germanopratine des années soixante. Son antiaméricanisme organique avait en 1965 atteint l'intensité obsessionnelle d'une monomanie envahissante, à cause de la guerre du Vietnam. J'étais, moi aussi, alors, contre cette guerre, tout en n'ayant d'ailleurs pas encore pris la peine de l'analyser dans ses causes, sa réalité et ses conséquences possibles. Mais entre une position critique et l'antiaméricanisme global où les gaullistes, d'ailleurs, rivalisaient de sectarisme borné avec la gauche, s'ouvrait tout l'abîme qui sépare une condamnation raisonnée d'un délire monomaniaque. Avoir *Time-Life* dans son capital, était-ce donc comme collaborer avec l'occupant du temps des nazis ? Je rassurai Anselme sur le degré relativement modéré de mon aliénation mentale à l'égard des Etats-Unis. Dès le lendemain, à dix-neuf heures, nous avions, lui et moi, dans un ce ces bars-clubs de Saint-Germain-des-Prés où les habitués avaient leur bouteille de whisky réservée à leur nom, rendez-vous avec Claude Mahias, bras droit de Robert Laffont et directeur général des Editions. Une semaine après, Mahias me faisait déjeuner avec Laffont et, dans l'après-midi, tout était signé. La séance de mise au point des deux contrats, de collaborateur et d'auteur, se prolongea jusqu'à me faire rater la réunion de Longchamp, où se déroulait à cette date une course classique, décisive pour la préparation du Derby. Mais je me consolai en pensant que j'aurais sans doute moins gagné ce jour-là sur l'hippodrome du Bois que je ne fis par la suite place Saint-Sulpice.

III

Je me moque, j'en conviens, quelque peu, lorsque je dépeins le cours de ma vie comme une rhapsodie d'entraînements irréfléchis Mais je réagis ainsi contre la superstition du fait accompli qui, dans la vie privée comme dans la vie publique, pousse les individus et les peuples à se convaincre que leur histoire ne pouvait être ni autre, ni meilleure, ni pire que ce qu'elle a été. Cette apaisante absolution a pour ressort la peur de reconnaître ou de soupçonner que l'on a commis des fautes, manqué de clairvoyance, d'honnêteté, de volonté, que l'on a laissé échapper des occasions, accepté par lâcheté ou indolence des propositions que l'on aurait dû refuser. Par une puérile inconséquence, au demeurant, si nous attribuons nos échecs au déterminisme historique, nous revendiquons le mérite de nos réussites. Comme si, au même titre que nos revers, elles ne provenaient pas de rencontres improbables, d'occasions offertes et non suscitées, de circonstances surgies sans le moindre concours de notre intelligence ou de notre ruse, mais entre lesquelles nous avons, malgré tout, fait un tri. Un des fruits secs de la vulgate marxiste, même et surtout chez les perroquets qui n'ont pas conscience d'en subir l'influence, est le lieu commun selon lequel « on ne refait pas l'histoire avec des si ». On a grassement daubé Charles Renouvier, ce philosophe oublié qui, au XIXᵉ siècle, écrivit un livre au titre d'une prometteuse emphase : *Uchronie, ou l'histoire telle qu'elle n'a pas été, telle qu'elle aurait pu être*. Et pourtant, si l'on professe que l'histoire n'aurait pas pu être autre qu'elle n'a été et qu'il est oiseux de se poser la question, alors à quoi sert l'action, quelle utilité ont les Etats, quelle réalité les individus ? (« Uchronie » est un mot évidemment forgé sur le patron de *L'Utopie* de Thomas More. « Utopie » signifie : « qui n'est d'aucun lieu » ; « Uchronie » : qui n'est d'aucun temps.) Sottise, paraît-il, que de se demander si l'on n'aurait pas pu infléchir, voire créer l'histoire. Elle a un sens, dit-on, et on ne saurait, si l'on veut y creuser sa niche, qu'« aller » dans ce sens. Je ne sais si les politiques, les politologues et les historiens mesurent bien les conséquences pratiques et théoriques de cette philosophie de la carte forcée. Si l'histoire résulte de contraintes à ce point déterminantes que les hommes d'Etat n'ont d'autre choix que de bien les identifier et de prestement les épouser, on ne voit guère à quoi servent les gouvernements. Ils coûtent très cher pour peu de rendement, puisqu'on écarte l'hypothèse qu'un dirigeant aurait pu, à un moment donné, prendre une décision différente de celle qu'il adopta et parvenir ainsi à imprimer aux événements un trajet différent de celui qu'ils ont pris. Dès lors, supprimons les gouvernements. Rémunérons à leur place des cuisiniers, qui prépareront le banquet annuel au cours duquel les citoyens constateront et célébreront la fin du scénario unique et irremplaçable des douze mois écoulés. Les politiques et leurs flatteurs, selon l'un de leurs plus lassants poncifs, prétendent d'ailleurs rarement diriger l'histoire : ils se bornent d'ordinaire, dans leur infinie modestie, à se vanter d'avoir « rendez-vous avec l'histoire ». Tandis que le politicien de petite envergure fait antichambre chez la diva sans jamais être reçu, la marque du grand homme d'Etat est qu'il obtient de la drôlesse rancard sur rancard. Risible incantation ! Indice pathétique d'une abdication de la pensée ! Car comment peut-on avoir rendez-vous avec un concept abstrait, qui n'est qu'une représentation de l'esprit humain ? Ce n'est que l'activité de l'esprit humain qui ramasse dans un récit ces groupements complexes que nous appelons des événements. Ces faits, sans notre intervention intellectuelle, ne s'appelleraient pas l'histoire. L'histoire est un théorème indémontrable. Elle est l'enfant de notre seule pensée, de notre besoin d'interrogation, d'explication et de synthèse. Comment pourrions-nous éprouver ce besoin si l'histoire, qu'elle soit collective ou individuelle, ne pouvait pas, à tout instant, devenir autre qu'elle n'est ? Comment pourrait-elle préexister à notre action et à notre réflexion, alors qu'elle en est le résultat ? Par quel moyen serait-elle en position de nous donner des rendez-vous avant que nous ne l'ayons créée ? L'histoire ne fixe aucun rendez-vous, elle ne pose que des lapins. Seul l'homme peut se fixer des rendez-vous à lui-même, et seul il a le pouvoir de s'y rendre.

Plus encore que l'histoire collective, une histoire individuelle est le fruit du hasard et de la liberté. Aucun être humain n'est maître du jeu qui lui est distribué ni ne peut prévoir ou même imaginer, parmi les myriades de probabilités susceptibles de graviter autour de lui, quelle sera la demi-douzaine qui passeront effectivement à sa portée. Mais entre celles-ci, il pourra effectivement choisir. En 1977, un an après la publication de *La Tentation totalitaire*, voyant que j'avais obtenu un succès de ventes comparable à celui de *Ni Marx ni Jésus* en 1970, je supputai que je n'aurais à l'avenir plus besoin de travailler comme conseiller littéraire aux Editions Laffont. Je paraissais désormais pouvoir compter sur des droits d'auteur réguliers et suffisants. Joints à mon salaire d'éditorialiste à *L'Express*, ils me permettraient de ne vivre que de ce que j'écrirais. Grâce à mon autonomie financière, je serais libre de m'éloigner plus souvent de Paris, de ses fâcheux, de ses déjeuners trop copieux et trop capiteux. Dans mon rêve, les champs et les mers m'enveloppaient déjà de leur air pur. J'y savourerais mieux, après de bonnes nuits de vrai sommeil, la fraîcheur du travail matinal, qui a toujours eu ma prédilection. Je voyagerais encore davantage à l'étranger, en particulier aux Etats-Unis, pays que j'observais avec une curiosité d'autant plus attentive qu'elle était tardive et où, grâce à de fréquentes invitations de ses universités et de ses fondations, je passais, depuis 1970, de nombreuses semaines chaque année. Finis les interminables comités de lecture, les chamailleries avec les services de fabrication, les traductions bâclées que le directeur de collection, en l'occurrence moi-même, devait refaire en toute hâte, les journées passées à sermonner le service des ventes, les représentants, les libraires, trop portés à dénier toute potentialité commerciale aux livres de valeur. Fini surtout le déluge des manuscrits médiocres ou informes, sur lesquels il fallait perdre des heures et rédiger des notes de lecture, des lettres tarabiscotées aux auteurs. J'avais, pendant près de vingt ans, chez Julliard, Pauvert et Laffont, pratiqué l'édition avec conscience, plaisir et fougue. Par le choix même des textes que l'on publie, republie, fait traduire ou suscite, l'acte d'éditer fournit un moyen complémentaire d'influencer les idées et les goûts. Je m'étais tant attaché à mon point d'honneur de directeur de collection que j'étais devenu plus chatouilleux sur l'accueil réservé aux ouvrages dont j'étais l'instigateur que je ne le fus jamais pour ceux dont j'étais l'auteur. Avoir fait traduire et connaître en France, grâce à René Julliard, les classiques de l'histoire de l'art allemande, anglaise et italienne de notre siècle ; ou, chez Laffont, plus tard, les sommes sociologiques ou futurologiques d'un Daniel Bell ou d'un Herman Kahn ; construire la précieuse petite collection « Libertés » chez Pauvert furent des tâches dont l'accomplissement me remplit d'orgueil et m'inspira des courbettes devant des critiques influents, des projets de vengeance en cas de déconvenue, des soupçons de complots et des plans d'intrigues qui ne me seraient même pas venus à l'esprit s'agissant d'un de mes livres. Cette identification passionnelle à mes poulains, aux éloges ou aux blâmes qu'ils recevaient, à leurs ventes ou méventes, comme mon immersion dans la destinée de *L'Express* quand je le dirigeai, m'ouvrit les yeux sur la psychologie des directeurs de galeries d'art, des producteurs de films ou de disques, des organisateurs de festivals, en m'enseignant que la création par procuration peut apporter plus de tourments et de fiertés que la sienne propre. J'avais déjà éprouvé ce sentiment avec le ciné-club de Mexico. On est souvent plus ombrageux pour ce que l'on recommande que pour ce que l'on réalise, pour ce que l'on patronne que pour ce que l'on crée.

Mais, en 1977, malgré ces délices ambivalentes, j'étais excédé des pertes de temps qui me dévoraient. Je ressentais plus les inconvénients

que les jouissances de l'édition. J'annonçai donc mon projet de départ
à Robert Laffont. Dix ans de collaboration affectueusement mouvementée avaient édifié entre lui et moi une très sûre proximité amicale.
Certes il m'agaçait par un narcissisme si aigu qu'il l'empêchait de profiter même de ses propres qualités. Il cachait sous un captieux enjouement une mélancolie contagieuse. Elle le rendait morose au point qu'il
ne pouvait se résoudre à féliciter un collaborateur qui lui avait apporté
un beau livre, un succès commercial retentissant. Je le savais incapable
de concevoir qu'un être quelconque voulût le quitter. Aussi lui tour-
nai-je la chose en lui confirmant tout de go que nous resterions
ensemble pour l'éternité... grâce à mes successeurs, que je lui proposai
de lui léguer sans désemparer. D'abord Emmanuel Todd, dont je
venais de publier *La Chute finale*, le seul livre occidental qui ait vraiment annoncé avec quinze ans d'avance, la « décomposition de la
sphère soviétique » C'est le sous-titre du livre, dont j'avais trouvé en
un éclair le titre principal dans une piscine, alors que je m'étais jeté
par folle bravade d'un plongeoir beaucoup trop haut pour moi. Mais
« Mano », selon le diminutif familial par lequel je l'appelais depuis ma
première rencontre avec lui, quand il avait sept ans, ne devait pas
rester longtemps chez Laffont, aspiré qu'il fut bientôt par son œuvre
originale d'historien-démographe et de sociologue. En revanche, mon
autre candidat, Georges Liébert, que j'avais connu à peine un an auparavant, unissait les qualités du chercheur-auteur (en politologie, en
histoire, en musicologie) à une vocation et des capacités d'éditeur pur.
Il avait, tout jeune, fondé et dirigé la revue *Contrepoint*, refuge de la
pensée libérale en pleine hégémonie de l'idéologie dirigiste. Il avait
fondé chez Hachette la plus soignée des collections d'essais de poche,
la mieux éditée et documentée qui eût jamais vu le jour en France :
« Pluriel ». Mes deux héritiers furent sans délai ni hésitation adoptés
par Robert. Comme Georges devait, quant à lui, prendre sur-le-champ
ses fonctions, je fis joyeusement imprimer, pour être envoyé à tous
mes correspondants et solliciteurs passés, présents et futurs, le mirifique carton suivant, sésame de ma liberté recouvrée :

Jean-François Revel
s'excuse de ne pouvoir, faute de temps, lire les manuscrits qui lui
sont adressés personnellement et de ne pouvoir les retourner à leurs
expéditeurs ni même les conserver jusqu'à ce qu'ils les reprennent. Il
prie les auteurs d'envoyer les manuscrits et projets susceptibles de
l'intéresser exclusivement aux
					Editions Robert Laffont
					6, Place Saint-Sulpice
					75279 Paris cedex 06
à l'attention de M. Georges Liebert, désormais codirecteur de ses
collections.

Car j'avais, bien sûr, prévu de donner à Georges un coup de main, pendant la transition, le temps de le mettre au courant. Mais, dans mon âme, je galopais déjà loin de la place Saint-Sulpice, « à cheval vers la mer », pour reprendre le titre enivrant de la pièce de Synge.

C'est alors que commencèrent à tournoyer autour de moi des météores hétéroclites et multiples, dont l'assemblage fortuit allait, en moins d'un trimestre, jeter bas mon projet de revenir à l'oisiveté studieuse, l'*otium cum litteris*, de mon adolescence. D'abord, le carton talismanique qui devait, selon ma conjecture, détourner de ma personne vers le seul Liébert l'artillerie des lanceurs de manuscrits, se révéla dépourvu de toute efficacité dissuasive. Rusés et réalistes, les arbalétriers de la prose refusée doublèrent le nombre de leurs projectiles : ils se mirent à envoyer à Georges autant de paquets que j'en recevais naguère, sans réduire pour autant la masse de ceux qu'ils me destinaient et me destinent toujours. Ils continuent, aujourd'hui encore, à m'en expédier, chez moi, à mon journal, chez mes éditeurs, bien que, dans un ultime gémissement impuissant, et indéfiniment prolongé, j'aie pendant deux décennies tenté de leur opposer une lettre permanente et passe-partout, où je clame dans le désert : « Ayant abandonné toute fonction active dans l'édition, je suis au grand regret de, etc. » Rien n'y fait.

Mais c'est ailleurs que le pire se préparait. En mars 1977, Jean-Jacques Servan-Schreiber, las d'une brève carrière politique sans succès, où il s'était précipité sabre au clair en 1970, et peu désireux, je crois même peu capable, désormais, de redevenir un directeur de journal, vendit soudain la majorité, puis, à la fin de l'année, la totalité des actions de *L'Express* au financier franco-britannique Jimmy Goldsmith, qui s'était mis en tête de transformer la politique mondiale au moyen de divers organes de presse français et anglais. Au même moment, dans un autre journal, *Le Figaro*, se produisait un autre événement, sans relation avec le premier, et encore moins avec moi : un conflit entre Raymond Aron, le plus chevronné, le plus vénéré des éditorialistes français, et le nouveau propriétaire, Robert Hersant. Habile constructeur d'un empire prospère dans la presse automobile et régionale, Hersant n'avait, en revanche, ni la forme d'esprit, ni la préparation professionnelle, ni le genre d'ambition nécessaires pour produire un grand quotidien national. Inconscient de ses limites comme éditeur, il voulut les dépasser, en usurpant le rôle de « directeur politique ». Titre qui trahissait d'ailleurs l'incompétence d'Hersant à ce niveau de presse, car le directeur politique d'un journal national, c'est le directeur tout court, et ce ne peut être nul autre. Un vrai patron de presse doit être capable soit de diriger lui-même le journal dont il est propriétaire, comme Jean Prouvost, lord Beaverbrook, Jean-Jacques Servan-Schreiber, soit, après en avoir défini les orientations, d'en confier la direction à quelqu'un d'autre, sans arrière-pensée, ni démangeaisons d'intervenir dans le travail quotidien de la rédaction. Mais Hersant, comme Jimmy Goldsmith d'ailleurs, n'était capable ni de l'une ni de l'autre chose. A l'annonce de la prétention saugrenue du nouveau propriétaire, Raymond Aron démissionna du *Figaro* et, aussitôt sollicité par plusieurs quotidiens et hebdomadaires, il choisit en fin de compte d'entrer à *L'Express*. Philippe Grumbach, qui dirigeait alors le journal, m'annonça la nouvelle avec embarras, craignant de me voir prendre ombrage de l'arrivée d'un collaborateur de la stature d'Aron, puisque, depuis les débuts politiques de Jean-Jacques Servan-Schreiber et son départ (apparent) du journal, j'en étais devenu l'« éditorialiste vedette ». Je rassurai Philippe : pour moi, l'abondance des talents juxtaposés dans les mêmes colonnes met chacun d'entre eux en valeur. Certaines « plumes prestigieuses » de l'éditorial ou de la critique littéraire s'acharnent à bannir du journal où elles trônent tout rival qui pourrait leur être comparé. Elles sont les premières victimes de leur mesquinerie. Qu'est-ce qui est le plus flatteur pour un peintre ? Appartenir à une galerie qui a sous contrat plusieurs talents de premier ordre ou à un hangar qui, à part lui, n'expose que des croûtes ? Ce qui m'a mis parfois en fureur, dans ce métier, c'est non pas le voisinage de confrères aussi ou plus doués que moi, mais la promiscuité dégradante de plumitifs médiocres, dont les articles jouissaient de la même présentation que les miens. Entre Aron et moi tout alla donc bien. Si bien, même, qu'à la suite du départ de Philippe Grumbach, dont Jimmy Goldsmith se sépara au bout de quelques mois de mésentente, et après un intermède confus de direction dite « collégiale », inapplicable et chaotique, dans laquelle je n'avais voulu avoir aucune part, Aron convainquit Goldsmith que le journal ne pouvait se passer d'un directeur unique et que, dans la rédaction telle qu'elle était composée, ce ne pouvait être que moi. En fait de tranquillité reconquise, à l'aune de mes intentions bucoliques, c'était réussi !

Pendant trois ans, *L'Express* allait ingurgiter chaque seconde de mon temps. Ce fut la seule période de ma vie où je n'écrivis pas une ligne, en dehors de mes éditoriaux, pas une page d'un livre. Avant que je ne détaille plus loin et plus complètement ces tribulations, je réponds d'avance à ce qu'on m'objectera : mais qu'est-ce qui vous forçait à dire « oui » ? Rien, en effet, sauf la répugnance à repousser cette occasion d'une expérience nouvelle : diriger un grand journal et, de surcroît, un journal que j'aimais, où j'avais passé onze années heureuses et fructueuses. J'aurais pu aussi bien dire « non ». Je n'avais aucun besoin financier d'accepter ce poste. Dans ce coup de théâtre de ma destinée peuvent se lire les parts respectives de la liberté et de la nécessité, du hasard et de la passion, de l'audace et de la faiblesse. J'ai pris ma décision de diriger *L'Express* et donc de renverser ma décision précédente, d'ajourner mon programme de retour à la vie contemplative, grâce à un contexte qui s'était constitué pour des raisons disparates dont je n'avais pas eu la maîtrise. Eussé-je voulu le construire de propos délibéré que je n'aurais même pas pu en poser la première pierre. Si j'avais voulu prendre la direction de *L'Express* avant la naissance, impossible à deviner, de ce contexte, mes intrigues intempestives eussent glissé sur une situation inapte à se laisser modifier. La mise en place des conditions propices à la vraisemblance de ma propulsion n'a donc en rien dépendu de ma volonté. A mon échelle, ce fut un hasard. Mais, comme dit Pasteur, « le hasard ne favorise que les esprits préparés ». Car, en revanche, acquiescer à ces conditions, c'est-à-dire transformer le hasard en choix, a bien dépendu de moi. Le hasard avait lâché dans ma délibération un caillou de poids qui n'existait pas au moment où j'avais décidé de m'éloigner de l'édition active. Le choix venait d'un désir d'expérimenter, plus fort que mon désir de tranquillité. Jeté au confluent de toutes ces séries d'accidents, je descendis finalement de mon plein gré le fleuve où leurs courants conjugués m'entraînèrent. Ou, pour filer une autre métaphore, la tentation de jouer une pièce nouvelle, sur un théâtre que je connaissais déjà, mais pas complètement, l'emporta sur mon appétit de solitude. Cet appétit restait vif, la dérogation à ma première décision restait provisoire, et, au moment où je montai sur les planches, j'avais déjà fixé par avance la date à laquelle, quoi qu'il arrivât, je ferais tomber le rideau. Ce serait le 19 janvier 1984, jour de mes soixante ans. Je résolus que je démissionnerais alors en transmettant mon poste, si possible, à condition de recueillir l'accord de mon président, comme je l'avais fait dans l'édition, à un successeur proposé par moi en raison de ses mérites et non de ses appuis. En fait, ma démission intervint plus tôt que je ne l'avais prévu, lorsque mon conflit avec le propriétaire acheva de me convaincre que je ne pourrais plus assumer mes responsabilités de manière conforme à l'idée que je m'en faisais et aux principes que je m'étais fixés.

IV

A propos de mon arrivée à la tête de *L'Express* et, en général, à propos de ma collaboration aux journaux qui, toute ma vie, a longé et prolongé l'élaboration de mes livres, je voudrais demander aux intellectuels, écrivains, universitaires, sociologues et autres voyantes des pseudo-sciences de la « communication », comment elles peuvent caqueter sans fin sur la presse et les médias sans jamais avoir eu de l'intérieur l'expérience et encore moins la responsabilité de leur fonctionnement ? Je n'aurais pas pu écrire *La Connaissance inutile* (ou, du moins, certains chapitres de ce livre, lequel ne roule qu'en partie sur l'information journalistique) si je n'avais auparavant dirigé personnellement un journal, si, déjà, de 1960 à 1963, je n'avais pas assumé la rédaction en chef de la section culturelle de *France-Observateur*, si je n'avais pas, en avril 1973, occupé au *Washington Post* (qui avait un accord de réciprocité avec *L'Express*) un bureau d'où je regardais et écoutais travailler Woodward et Bernstein, en pleine explosion du scandale Watergate, etc. Ce qui me mit en bonne posture, d'ailleurs, au passage, pour sauter sur l'occasion de leur acheter avant parution les droits pour la France du livre qu'ils préparaient sur l'affaire : *All the President's Men*. Je l'eus à un prix cent fois inférieur à celui que Robert Laffont aurait dû le payer six mois plus tard, à la Foire de Francfort, après le triomphe de ce best-seller en Amérique[1]. Certes, je reconnais que mon contact avec les réactions de l'opinion publique ne vaut pas la conceptualisation transcendante des devins de la communication, puisque je me suis borné à recevoir au total, après quarante années, des milliers de lettres de lecteurs, alors que j'aurais, j'en conviens, été beaucoup mieux informé des dispositions du public en recevant des subventions du Centre national de la recherche scientifique. L'ombre de Socrate m'en soit témoin : je respecte infiniment la science ! C'est bien pourquoi j'en méprise les simulateurs. A l'exception des esprits supérieurs qui sauvent du déshonneur les deux

---

1. Traduction française, *Les Hommes du Président*, R. Laffont, 1974.

professions, le milieu social des journalistes est certes aussi fermé sur lui-même, intolérant à la critique et sûr de son infaillibilité que le milieu universitaire. Ayant appartenu aux deux meutes, je sais de quoi je parle. Mais le comique supplémentaire des universitaires, c'est qu'ils courent après les journalistes tout en les méprisant, tant ils sont avides de décrocher dans la presse et les médias une mention de leurs publications et de leurs personnes. Les universitaires, en sociologie et en politologie notamment, s'accrochent à la distinction entre les « chercheurs », qui seraient sérieux, et les journalistes, qui ne le seraient pas. Or les travaux des premiers se nourrissent dans une large mesure du pillage des articles des seconds. La manie des classifications et des barrières, une puérile vanité nobiliaire, inspirée par la défense des castes intellectuelles et des corporatismes professionnels, m'ont toujours amusé ou déplu, au point que j'ai toujours refusé, par exemple, d'adhérer à la « société des agrégés », tant j'ai connu de bons professeurs qui ne l'étaient pas et de mauvais qui l'étaient. L'amour des clôtures est fort vivace en France.

Cette prépondérance des domaines réservés, et de ce que j'appellerai le partage administratif du butin temporel de l'esprit, tient à ce que la civilisation française respecte les situations plus que les talents ou du moins encense les talents à condition qu'ils soient nantis d'un office. Au rebours des qualités d'originalité et de liberté du jugement qu'elle s'attribue à elle-même, la masse française, comme l'élite, réserve son estime aux détenteurs de places étiquetées et de fonctions cataloguées. Elle la mesure chichement au mérite, aux capacités, à l'intelligence inclassables qui n'occupent pas une position de pouvoir. La préséance qui compte est celle des titres.

J'aurai été l'homme de toutes les marges, mais, lorsque je me vis attribuer le poste ou, du moins, l'appellation de « directeur » de *L'Express*, je reçus plus de compliments venant de gens moyens — commerçants, restaurateurs, anciens collègues de lycée —, plus de félicitations émanant de cousins éloignés, d'inconnus se réclamant des relations amicales que leur grand-oncle avait eues avec la belle-sœur de ma grand-mère, je fus assailli de plus de témoignages de considération et d'assurances de dévouement qu'après des succès littéraires dont le retentissement avait pourtant surpassé le bruit, cantonné dans le microcosme journalistique, de ma « nomination ». Même en supposant immérité ce retentissement de mes livres, ce qui est plus prudent, je le devais néanmoins à moi seul. Au contraire, devenir « directeur » de quoi que ce soit résulte, comme je l'ai déjà dit, d'un tourbillon de circonstances, d'influences et de hasards presque entièrement extérieurs à la personne de l'impétrant. Son talent et ses capacités éventuels peuvent faire partie, certes, des facteurs constitutifs de la promotion, mais seulement après qu'ont été réunies les conditions aléatoires qui permettent à ces qualités personnelles de manifester leur poids. Encore le talent est-il parfois, dans ce domaine, un élément plus favorable au succès par son absence que par sa présence, lorsque l'éminence du poste ne paraît pouvoir être contrebalancée que par la médiocrité de son titulaire. Bref, que ce coup de chance dépende un peu, beaucoup ou pas du tout du mérite, à coup sûr il n'en dépend jamais tout entier. Or ce sont ces avancements-là qui valent aux humains le plus de marques de vénération de la part de leurs semblables. Lorsque Emmanuel Le Roy Ladurie devint administrateur général de la Bibliothèque nationale, en 1986, il me raconta que son œuvre d'historien et sa chaire de professeur au Collège de France ne lui avaient jamais attiré autant d'assauts obséquieux que son nouveau et mirifique poste. Des notables qui ne le saluaient jusqu'alors qu'avec une distante et distraite condescendance, poussaient désormais le ridicule jusqu'à l'héroïsme, en se pliant devant lui avec des « Monsieur l'Administrateur général », bégayés à satiété comme une oraison jaculatoire. Jacques Monod lui aussi me dit un jour avoir reçu plus de lettres et de télégrammes de félicitations après avoir été nommé directeur de l'Institut Pasteur qu'après avoir reçu le prix Nobel de médecine. Le génie nécessaire à une découverte fondamentale en biologie attirait moins d'hommages qu'une élévation administrative. Je me situais maints degrés plus bas. Pourtant, dans les restaurants où j'allais déjeuner, durant les jours qui suivirent ma nomination à un poste d'une importance très inférieure et largement illusoire, le patron me « payait le champagne », prodigalité qu'il n'avait jamais envisagée naguère, quand il m'était arrivé, parfois, de faire un peu parler de moi à la suite d'un livre — dont ce même patron n'omettait cependant pas, tout comme un ministre, de me demander de lui offrir un exemplaire dédicacé, qu'il ne lirait jamais. Il est pourtant beaucoup plus difficile d'écrire un livre passable que d'être nommé directeur d'un journal.

Mais un directeur de journal peut ordonner qu'on fasse l'éloge d'un ministre ou d'un restaurateur, ce qui est hors de portée d'un écrivain. D'où cette différence de traitement. Une « situation » confère un pouvoir — fût-ce de « faire parler » dans la presse d'un homme politique, d'un écrivain, d'un acteur, d'un cuisinier, d'un industriel, d'un ponte médical — tandis que la pure notoriété, le simple brouhaha momentané, voire la célébrité durable, ne permettent de rendre aucun service, ne procurent aucun moyen d'action précis. Un poste de pouvoir est donc l'objet d'une révérence à la fois hiérarchique et clientéliste. Autour d'un peintre illustre flotte une célébrité flatteuse pour ses amis, certes, mais gazeuse, non convertible, difficile à introduire dans une quelconque filière de faveurs ; tandis qu'en s'empressant auprès d'un député-maire ou d'un président-directeur général, au moins l'on sait quel sillon l'on arrose et ce qui peut y fleurir. La convertibilité de la gloire du peintre peut exister, fugitivement, si par exemple il connaît assez bien un ministre ou un directeur de journal pour pouvoir leur téléphoner, ce qui est fréquemment le cas. Mais il s'agit là d'un pouvoir à taux de change flottant, presque insaisissable, sans racines institutionnelles, si on le compare à ce pouvoir sûr et permanent, à taux de change fixe, solide et bien circonscrit, qu'est la possession d'un poste du haut duquel quelqu'un donne des ordres.

Une vingtaine d'années auparavant, à mon retour définitif d'Italie, j'avais pu mesurer l'omnipotence néfaste, en France, de ces monopoles administratifs de la vie culturelle. J'avais subi, au cours d'une mésaventure comique, l'asphyxie et la paralysie qu'engendre, dans la recherche universitaire même, le cloisonnement étriqué des disciplines. En notre époque où l'on se rengorge de « pluridisciplinarité », on cache mal, sous la hideur de cette cuistrerie néologique, la haine apeurée qui s'acharne contre la diversité des curiosités et l'entrecroisement des lignes de réflexion. Par ailleurs, autant la convergence des hasards me servit mon destin sur un plateau dans l'épisode de *L'Express*, où ma passivité n'eut plus qu'à consentir, autant, lors de la comédie de ma thèse de doctorat, je déployai en pure perte une volonté active qui pourtant se brisa contre des hasards divergents. Ou plutôt, contre les fortins dispersés des seigneuries universitaires françaises.

Après sept ans d'écarts de conduite j'avais passé l'agrégation. Et j'étais résolu à rentrer plus avant encore dans la peau d'un universitaire sérieux. J'avais l'intention de préparer une thèse de doctorat d'Etat. Il m'était, depuis deux ou trois ans, venu à l'esprit un sujet qui me parut original. A tout le moins il n'avait jamais été traité, ce qui est le propre et la condition requise de tout sujet de thèse de doctorat d'Etat. Et il avait à mes yeux l'avantage d'associer à ma discipline canonique, la philosophie, la passion qui, depuis mon installation à Florence, à la fin de 1952, avait de plus en plus absorbé ma pensée, mon intérêt, mon temps, mon travail, mes lectures, mes voyages : l'histoire de l'art. En relisant *L'Esthétique* de Hegel, j'avais été frappé par la qualité critique des analyses d'œuvres d'art particulières qu'on y trouvait. La philosophie de l'art de Hegel, dans sa partie générale et dans les spéculations abstraites de ses élucubrations dialectiques, était ce qu'elle était, pareille et rattachée à tout le reste de sa philosophie. Mais la sensibilité aux œuvres, chez lui, éclatait à chaque page en trouvailles spécifiques, dénotant une perception des caractéristiques individuelles d'une basilique, d'une sculpture, d'une peinture déterminées ; et elle tranchait sur les fades généralités des écrits esthétiques des autres philosophes modernes, et d'abord sur *La Critique du jugement* de Kant, d'où il appert que le sentencieux professeur n'a probablement jamais de sa vie vu un seul tableau, tout en prétendant nous fournir la clef universelle du Beau. Voilà bien la quintessence de l'esprit philosophique ! Hegel, au contraire, aurait pu, même s'il n'avait pas été philosophe, écrire sur l'art des commentaires fort originaux.

Mon projet consistait donc à tenter de réinterpréter *L'Esthétique* comme système philosophique, certes, sans pour autant me cantonner dans son déroulement théorique mais en recherchant aussi quelles étaient les œuvres plastiques vues physiquement par Hegel, celles qu'il avait connues par expérience directe dans l'Europe de son temps et celles, dans l'art égyptien par exemple, dont il n'avait qu'une notion indirecte, par les gravures. Bref, quelle était la culture concrète de Hegel en tant qu'amateur d'art ? Et un amateur d'art qui faisait preuve à chaque page de réactions et d'un jugement bien à lui. Et quels étaient les liens, voire les contradictions, de cette culture concrète avec son système ? Enfin, *L'Esthétique* traite, bien entendu, également, longuement et richement de littérature — de l'épopée, de la tragédie, de l'histoire, de l'éloquence, de la poésie lyrique. A leur propos, Hegel accumule des éclairs perçants où l'on voit que chez lui la vivacité primesautière du lecteur survit par bonheur aux coups de massue qu'assène à ses propres impressions spontanées le philosophe, pour tenter de les faire rentrer dans le rang de la dialectique.

J'étais tout content et tout fier d'avoir ainsi trouvé ce sujet, qui s'inscrivait dans ma spécialité universitaire tout en me permettant de continuer à satisfaire mes inclinations conjointes pour la philosophie, la littérature, l'art et l'histoire. En outre, il apporterait, selon moi, les éléments d'un réel renouvellement dans la compréhension d'un grand auteur. Je me rendis, confiant, un matin de l'automne de 1957, à un rendez-vous avec le spécialiste national, le propriétaire de Hegel en France, mon maître, l'éminent Jean Hyppolite, pour solliciter de lui l'honneur qu'il veuille bien accepter d'être mon directeur de thèse. Par des insinuations alléchantes, Althusser l'avait bien disposé en faveur de ma visite, sans lui en dévoiler l'objet dans les détails, de sorte que je n'attendais rien que de riant de cette entrevue prépara-toire. Hyppolite me reçut dans son auguste bureau de directeur de l'Ecole normale supérieure, là même où, en 1943, avait comparu ma promotion devant Jérôme Carcopino. Après quelques banalités de politesse, louant la vue exquise que l'on avait toujours, grâce au Ciel, depuis les fenêtres du premier étage, sur le petit parc intérieur et sur son attendrissant bassin des « Ernest » (poissons rouges), je fus invité à m'asseoir devant le bureau d'Hyppolite qui, de l'autre côté, concen-tra sur moi toute son attention philosophique et croisa ses mains pour écouter mon exposé.

Quand je l'eus terminé, je n'aperçus, pendant plusieurs longues secondes, devant moi, qu'un Hyppolite figé dans une immobilité silen-cieuse, avec ses deux yeux étonnés comme par une hallucination inex-plicable ou par une gênante aberration. Je lui aurais proposé de descendre avec moi l'Orénoque en canoë-kayak que je n'aurais pas suscité, chez cet homme bienveillant, plus d'embarras, allié à son désir amène de refuser mon invitation sans me blesser. « Pour moi, ce n'est pas, me dit-il enfin, une thèse de philosophie pure ; c'est une thèse d'histoire de l'art. Si vous voulez, je peux vous proposer une autre thèse — que je dirigerais très volontiers — sur des inédits de Husserl, qui se trouvent à la bibliothèque de l'université de Louvain. » Les inédits de Husserl à Louvain, j'en avais recueilli la description détaillée de la bouche de Thao, qui en avait lui-même extrait le meilleur jus. Il m'avait mis en garde contre le médiocre intérêt des milliers de pages qui traînaient encore de ce vieux bavard, lequel sténographiait à longueur de journée tout ce qui lui traversait la cervelle. Devant ma moue, Hyppolite n'insista pas, mais, pour tenter de me faire sentir l'inconvenance et l'inconvénient qu'il y avait à vouloir infliger à la philosophie cette indigne promiscuité avec l'histoire et la critique, il brandit l'arme suprême, celle de l'incompatibilité entre mon sujet bâtard et le blason universitaire, en quelque sorte la pureté de la race. « Je craindrais pour vous, poursuivit mon mentor en baissant la voix et en se recroquevillant comme pour une confidence scabreuse, que dans votre jury de thèse ne siégeassent aussi (et comment l'éviter ?) des historiens d'art et des littéraires ; je craindrais dès lors pour vous, répéta-t-il avec plus de force et avec une sorte d'épouvante, que, n'ayant pas été jugé *uniquement par vos pairs*, vous n'obtinssiez un titre de docteur qui serait toujours considéré par la suite comme déprécié. » Jean Hyppolite était un pur et pieux philosophe, qui voulait épargner à la philosophie et à son disciple, que je demeurais malgré mon inconduite, la souillure d'un contact avec les sciences profanes. Il professait que tous les systèmes philosophiques sont également vrais, opinion qui n'a jamais été celle de leurs auteurs respectifs. Il le croyait, pourtant, un peu comme mon cher Colonel Rémy avait fini par croire que tous les Français avaient été résistants. Chez l'un comme chez l'autre, cette effusion relevait plus de la foi que de l'analyse, et de l'union sacrée que du constat historique. Hyppolite la justifiait en arguant que l'historien de la philosophie devait confronter les solutions d'un philosophe non avec les données objectives qu'elles concernaient mais avec les prémisses et postulats de la doctrine. C'est ce qu'il appelait « entrer toujours plus avant dans la pensée de l'auteur ». Ce qui était le moyen le plus sûr de ne jamais en sortir. Il me conseilla donc, jugeant vite mon mal incurable, d'aller porter mon sujet à André Chastel, titulaire de la chaire d'histoire de l'art à la Sorbonne, et que j'avais déjà rencontré, grâce à un ami commun, le célèbre historien d'art italien Roberto Longhi. Après m'avoir écouté cinq minutes, Chastel m'interrompit en laissant tomber : « Pour moi, c'est une thèse de philosophie, ce n'est pas une thèse d'histoire de l'art. »

A quelque temps de là, j'eus l'occasion de narrer toutes ces déconvenues à Jean Wahl, professeur de philosophie également à la Sorbonne, et qui avait eu, peu auparavant, la gentillesse et l'indépendance intellectuelle de participer à un débat radiophonique sur *Pourquoi des Philosophes ?* Jean Wahl n'avait pas la rigidité cadavérique des universitaires conformistes. Il était de ceux, heureusement nombreux, qui se comportent en hommes cultivés et non en sentinelles d'une forteresse, quoiqu'ils n'aient pas, eux non plus, le pouvoir de faire tomber les remparts de l'académisme. Eclectique et changeant, Wahl avait été le découvreur et le révélateur en France de maints auteurs étrangers inconnus, peu connus ou mal étudiés avant 1939, de Hegel à Husserl et de Kierkegaard à Heidegger. Ses goûts débordaient sa spécialité ; il s'était risqué à composer des poèmes ; et je me rappelais avoir lu, dans un numéro de *La Nouvelle Revue française*, avant la guerre, alors que je devais être élève de seconde ou de première, un très long et très élogieux article de lui sur *Les Lépreuses* de Montherlant, écrivain auquel je vouais, tout jeune, un culte excessif, et qu'il comparait à Chateaubriand, ce qui ne l'était pas moins. Jean Wahl était un charmant homme, minuscule et sautillant, à la luxuriante chevelure bouclée, qui aimait vivre et épousait fréquemment ses étudiantes, sans obtenir ni exiger d'elles une fidélité irréfragable. Sa prolixité orale autant qu'écrite me faisait penser à cet auteur grec du Ier siècle avant notre ère, Didyme, que ses contemporains avaient surnommé Bibliolathas, l'« oublie-livres », parce qu'il ne retrouvait jamais de mémoire la liste entière de ses propres ouvrages, tant il en avait composé. Comme nous bavardions sur le trottoir, à la tombée de la nuit, au sortir de notre émission radiophonique, en compagnie de Jean d'Ormesson, qui avait été de la discussion, Jean Wahl, séduit par l'extravagance de mon sujet, me proposa, magnanime, de diriger ma thèse. Sombre présage : au moment même où il m'annonçait cette exaltante nouvelle, il rata la marche du trottoir et, sans la promptitude vigoureuse de Jean, qui le rattrapa de justesse à pleins bras, il se serait fracassé la machoire sur la chaussée. Sa générosité n'eut point de suite, hormis d'agréables rencontres autour d'une tasse de thé, chez lui, car il me pressa d'aller sans retard présenter mes hommages à Madame Marie-Jeanne Durry, régente suprême des études littéraires en France, sans laquelle aucune thèse de lettres ne pouvait dépasser le stade embryonnaire ni, surtout, conduire à l'obtention d'une chaire. Devant traiter, entre autres, de l'esthétique *littéraire* de Hegel, je devais acquérir ce droit en me faisant au préalable adouber par Madame Dury. Or il s'était trouvé que cette matrone, venue déclamer une conférence à l'Institut français de Florence deux ans auparavant, m'avait engourdi d'ennui à force de platitude pompeuse. Pour me venger, je lui avais, dans *Pourquoi des Philosophes ?*, tout à fait hors du sujet d'ailleurs, décoché une nasarde à propos d'un sien recueil de vers, d'une niaiserie geignarde à faire pleurer les poules. Il m'était revenu qu'elle en avait conçu un violent courroux contre moi. J'avais donc perdu toute chance d'obtenir d'elle l'indispensable autorisation, qu'elle était seule en France à pouvoir octroyer, de m'occuper de littérature, dans le cadre universitaire, s'entend. Je remis en mémoire à Jean Wahl mon épigramme insolente, ajoutant que tout un chacun peut, comme dit Boileau, « sans blesser l'Etat ni sa conscience s'ennuyer de plein droit à la lecture d'un sot livre ». Il en convint, mais nous comprîmes tous deux que ma thèse s'arrêterait là, ne serait jamais soutenue. « Quel dommage, m'écrivit-il quelques jours plus tard, avec une chaleureuse délicatesse, que votre projet aille rejoindre le catalogue trop long des grandes thèses qui n'ont jamais été écrites. » Suivait tout un annuaire de noms illustres, très flatteurs pour moi, dont les projets de thèses avaient été mort-nés.

Peut-être aurais-je été plus sage de ménager Hyppolite et de lui dire en trichant que je voulais faire une thèse sur *L'Esthétique* de Hegel tout court, en cachant l'intérieur de mon futur livre sous la couverture, comme jadis quand j'accompagnais ma grand-mère maternelle à la messe, pendant les grandes vacances, les dernières, celles de l'été 1939, au Frambourg, dans le Doubs. Pour éviter à la fois de la peiner, car elle était fort pieuse, et de m'ennuyer, car la messe solennelle était fort longue, j'avais fait relier en missel une jolie édition en format réduit des *Liaisons dangereuses*. « Mamé » s'attendrissait, tout au long de l'office divin, en me croyant plongé dans mes dévotions pendant que de mon côté je me délectais à la lecture de Laclos. Pour faire carrière, c'est-à-dire pour concilier les inconciliables, il faudrait plus souvent, sans doute, habiller les romans libertins en recueils de cantiques.

Mais en ne m'avisant pas de cette précaution avec mes maîtres, n'avais-je pas, sans me l'avouer, exécuté mon vœu profond, qui était, selon toute probabilité, de susciter en face de ma volonté les obstacles mêmes qui l'empêcheraient de s'accomplir ?

LIVRE HUITIÈME

CÉLIBATAIRE ITALIEN

I

Il n'y a pas de culture, il n'y a que des gens cultivés. Il n'y a pas plus de culture en général, hors les individus, qu'il n'y a d'art du piano dans l'abstrait, en l'absence de pianistes. Une culture meurt quand disparaissent ceux qui l'incarnent, non comme institution officielle, mais dans l'originalité unique de leur propre sensibilité, de leur propre intelligence. Le reste n'est que colportage. Selon la sarcastique et pertinente formule d'Etiemble : la plupart des gens, au lieu de commencer une phrase en disant « je pense que », devraient dire : « je répète que ». (Cours à la Sorbonne sur *Le Mythe de Rimbaud en Russie*, 1964.) La culture se transmet en se renouvelant, entre esprits qui, au lieu de répéter les idées et les goûts reçus, les revivent, les réévaluent et les refondent pour eux-mêmes et en eux-mêmes. La majeure partie de ce que j'ai appris et compris en matière d'art et de littérature, c'est à de tels individus que je dois de l'avoir aperçu. Souvent par le moyen d'une brève indication, d'une fugitive allusion, ils m'ouvraient une fenêtre, ils me renvoyaient à l'expérience directe des œuvres et me révélaient soudain que j'avais pris chez moi pour un jugement ce qui n'était qu'un préjugé.

C'est en arrivant à Florence, en novembre 1952, que je connus deux de ces individus, mes aînés d'une poignée d'ans, qui allaient métamorphoser mon étude et ma perception de l'art et devenir pour moi des amis quotidiens au cours des dix ou quinze années suivantes. Je rencontrai l'un, André Fermigier, en tant que collègue, puisque, agrégé de lettres, il enseignait la littérature française à l'Institut ; et l'autre, Jacob Bean, un historien d'art américain, par l'intermédiaire d'André. Nous habitions d'ailleurs tous trois l'hôtel Berchielli, sur la rive droite de l'Arno, près du Ponte Vecchio, un de ces hôtels ni luxueux ni miteux qui abondaient alors en Italie et qui fournissaient, dans toute la péninsule, aux « pèlerins passionnés » de l'art, des nids providentiels « d'un bon confort », accessibles à des portefeuilles d'intellectuels. La Sainte Madone sait combien j'en ai fréquenté, en quatre ans, dans toutes les villes italiennes, minuscules ou grandes, de ces *alberghi dis-*

creti (*discreto* voulant dire « moyen » et « tout à fait acceptable »),
d'où mon « fénestron » avait vue sur une ruelle, une pente, une colline, une église, une fontaine, un palais, un arbre étiolé, et qui ont
laissé en moi une impalpable mais impérissable nostalgie, semblable
à la trace mnémonique de ces poèmes dont on a oublié les mots et
qui se perpétuent dans notre cœur à l'état de pure résonance. Je m'ac-
coutumai vite à pouvoir travailler sans me sentir dérangé par le mar-
tellement des pas sonores, les cris stridents, les conversations hurlées,
le vacarme des minimotos, les « vespas » (guêpes) dans ces cités toutes
de pierre, restées médiévales dans leur centre, où les bruits se répercu-
tent et que d'Annunzio appelait « les villes du silence », sans doute
parce que, exemptes de la constante rumeur de fond des mégapoles,
le moindre éclat de voix s'y détache comme un coup de feu dans une
sacristie. Si je travaillais néanmoins au calme, dans ces chambrettes,
avec le lavabo derrière un oscillant paravent (le bain, sur demande, et
avec supplément, pouvait être pris au bout du couloir), c'est aussi que,
malgré la simplicité de leur ameublement, elles comportaient toutes
une large table, où il était possible d'écrire et de poser un livre lourd,
quand on devait prendre des notes. L'aubergiste avait également installé une lampe de chevet qui éclairait réellement, pour le cas où le
client voudrait lire avant de s'endormir, ou faute de pouvoir dormir.
Je donne ces précisions parce que, bien plus tard, lorsque mes revenus
ou la munificence des organisations qui m'invitaient me permirent de
fréquenter des hôtels de catégorie supérieure, voire les plus célèbres
palaces, s'ouvrit alors une période où je commençai à devoir livrer à
longueur d'année des batailles répétées pour me faire fournir des
tables qui puissent servir effectivement à écrire et des lampes de chevet ayant un vague rapport avec la fonction d'éclairer la page d'un
livre ou d'un journal. Mes demandes dans ce domaine soulèvent d'ordinaire chez les gouvernantes d'étage une panique stupéfaite. Et je
dois remonter jusqu'à la direction pour que, dans un remue-ménage
affolé et par faveur spéciale, mes exigences en matière d'ameublement
« culturel » reçoivent un début de satisfaction. Il semble que la progression du luxe hôtelier ait engendré, dans l'évolution de la clientèle
huppée, l'essor simultané de l'analphabétisme.

Deux adjuvants concoururent à réformer l'amateurisme superficiel
avec lequel j'avais jusqu'alors approché la peinture, et l'art en général.
Le premier fut le rôle de guides que jouèrent pour moi André
Fermigier et Jacob Bean dans mon étude de l'art italien. De guides
ou, plutôt, de modèles car ce fut surtout moi qui épiai, qui « espin-
chai », comme on dit à Marseille, leur manière de procéder et qui
reconstituai, en les écoutant, leurs antécédents intellectuels et leurs
expériences esthétiques. Jamais ils ne se firent pédagogues, attitude
didactique qui eût été un complet contraste avec la désinvolture de
leur talent. L'autre auxiliaire du renouveau de ma vision et de mon

information provint de ce que l'Institut me confia le cours d'histoire de l'art — de l'art français, s'entend, et cela ne pouvait d'ailleurs s'entendre autrement. A coup sûr, le « Département » savait que je n'avais jamais été indifférent à cette matière. Mais devoir l'enseigner me contraignit, pour mon plus grand profit, à une discipline de préparation beaucoup plus rigoureuse et à des lectures beaucoup plus étendues et approfondies que celles auxquelles je m'étais astreint jusquelà. Par bonheur, la bibliothèque de l'Institut me mettait sous la main mes instruments de travail, grâce à sa richesse, surtout dans le domaine de l'archéologie médiévale. Non sans raison : les plus notables travaux sur cette période dataient d'avant 1914. Fondé à la fin du XIXᵉ siècle, l'Institut avait conduit, jusqu'à la Première Guerre mondiale, tant en histoire qu'en littérature, une politique d'achat de livres quasiment exhaustive, et avait disposé des crédits nécessaires pour y faire face. Outre les classiques, presque rien de ce que l'édition française avait publié entre 1870 et 1914 ne manquait à la bibliothèque. Entre les deux guerres mondiales, des lacunes embarrassantes apparaissaient. A partir de 1945, elles s'élargissaient au point qu'on ne pouvait plus considérer avoir affaire à une bibliothèque universitaire fiable. Cet appauvrissement reflétait la dégradation de notre politique culturelle. Sous la troisième République, l'outil majeur de l'éducation de l'esprit et du « rayonnement culturel » de la France restait le livre. Après la Deuxième Guerre mondiale, cela devint le cocktail — et pas fameux, du reste, car, du moins de mon temps, on y voyait dans les verres se troubler les apéritifs anisés plus souvent que pétiller le champagne.

J'avais toujours aimé la peinture, mais, comme beaucoup de Français, bavards coureurs d'ateliers et de galeries, je me figurais que le coup d'œil suffisait pour comprendre un tableau. L'œil, certes, est indispensable, et aucune érudition ne le remplace. Je me rappelle l'éloge empoisonné que me fit Bernard Berenson de Roberto Longhi, un dimanche après-midi de 1956 où il m'avait invité à prendre le thé aux *Tatti*, sa célèbre villa-musée, à Settignano : « C'est un serpent, mais il a un œil qui marche bien. » Il en faut, comme de l'oreille en musique. Mais on nourrit une illusion si l'on croit que l'œil nu puisse tout saisir, que le pur contact physique avec l'œuvre permette d'en comprendre la signification, sans aucune connaissance iconographique, et même d'en appréhender la beauté formelle, qui, elle aussi, suit un code, variable selon les peintres, les époques, les écoles, et auquel il faut savoir s'initier, qu'il faut apprendre à lire. Le cubisme et la peinture abstraite ont implanté ce préjugé que l'œuvre plastique est forme pure, sans contenu ni message qui soient plus que des prétextes, des « anecdotes », comme disent avec dédain les abstraits. Mais il en est allé tout à l'opposé durant des milliers d'années, et, en particulier, pour les peintres si savants de la Renaissance, chez lesquels forme et signification se déterminent mutuellement et demeurent illisibles l'une sans l'autre. Quiconque s'imagine goûter à l'aide du seul regard *Le Printemps* de Botticelli ou *La Flagellation* de Piero della Francesca n'est qu'un naïf ou un hâbleur. Les différences formelles entre un tableau maniériste et un tableau baroque sont aussi des différences spirituelles, des incompatibilités de morale, de religion et de conception de la vie. Et ce qui vaut pour la peinture vaut pour la sculpture et l'architecture. Le choix du plan rond, en forme de croix grecque, d'une église d'Antonio da Sangallo ou du plan basilical, en croix latine, par Brunelleschi, implique et indique, pour des raisons que ce livre n'a pas pour fonction d'éclaircir, une opposition entre deux philosophies, la première plus païenne, la seconde plus vaticane. En énumérant au hasard ces quelques exemples, navrants de simplisme, je me garde de l'outrecuidance de prétendre enseigner au lecteur les rudiments de l'intellection esthétique. Je l'en suppose averti. Mon seul dessein est de reconstituer d'un trait cursif mon propre itinéraire. Pour me pardonner ce brin de cuistrerie, que l'on veuille bien se remémorer la catalepsie de la culture plastique, au milieu de ce siècle, en France.

Depuis l'extinction des historiens d'art français de la génération des Emile Mâle, Henri Focillon, Emile Bertaux, qui n'avaient pas encore de successeurs à leur hauteur, la France, elle-même endormie, ne risquait pas pour autant d'être tirée du sommeil par les nouveaux mouvements étrangers, dont les œuvres capitales parues durant l'entre-deux-guerres ou après la guerre n'étaient pas traduites en français. Très peu de gens connaissaient chez nous l'existence même des travaux de l'Ecole de Warburg, par exemple, qui avaient renouvelé de fond en comble la discipline, et dont les représentants avaient pour la plupart émigré d'Allemagne en Angleterre ou aux Etats-Unis après l'irruption du nazisme. Les noms de Panofsky, d'Edgar Wind, d'Ernest Gombrich, de Warburg lui-même, ne disaient rien au public français. Pas plus qu'il n'était au courant des recherches de l'école proprement anglaise, celles de l'étincelant styliste Kenneth Clark, de Denis Mahon, fondamental sur le xviie siècle italien, ou d'Anthony Blunt, sur l'art français renaissant et classique dont il était à l'époque le plus éminent connaisseur au monde. Blunt, on le sait, fut, à la fin de sa vie, démasqué comme agent soviétique, issu du cercle communiste clandestin des traîtres dit « Groupe de Cambridge ». D'une compétence sans faille et d'un goût sûr et nuancé quand il écrivait sur Philibert Delorme, Jean Goujon, François Mansart ou les frères Le Nain, Blunt devenait aveugle, fanatique et borné dès qu'il abordait la politique. Bien entendu, étant un espion, il ne l'abordait jamais publiquement. Mais ses actes ont parlé pour ses convictions. Comment cet homme élégant et subtil, ce parangon du *scholar*, irréprochable résumé de ce que notre civilisation paraissait pouvoir fournir de plus raffiné, ce maître qui m'éblouit et me charma, un soir où je le rencontrai à dîner, chez le futur directeur du Louvre, Michel Laclotte, à Paris, au début des années soixante (Blunt venait d'être confondu par le contre-espionnage britannique mais sa félonie ne fut révélée que dix ans plus tard), comment cet aristocrate de l'esprit et ce serviteur de la beauté pouvait-il abriter un larbin de Staline et de Béria, ou même de Krouchtchev qui, malgré sa réputation de libéral, était bel et bien le meurtrier qui avait fait massacrer les Hongrois en 1956 ? L'ambivalence de la conscience morale n'intrigue pas moins, en l'espèce, que celle de l'intelligence. Car le même homme qui, dans sa tâche d'historien, eût considéré comme déshonorant de classer tel tableau parmi les œuvres sûres d'un peintre sans apporter la justification irréfutable de cette attribution, n'éprouvait en revanche aucun remords à seconder les mensonges et les crimes du communisme et aucun besoin de soumettre à vérification les blagues grossières de la propagande soviétique.

Dans la « communauté internationale » de l'histoire de l'art non traduite en français, figuraient aussi, bien entendu, les auteurs italiens. Au premier plan d'entre eux, l'incisif Roberto Longhi, qui, à l'ingéniosité scrupuleuse du chercheur et à l'« œil » miraculeux du connaisseur, ajoutait le talent littéraire d'un maître de la prose italienne. Il vivait à Florence, du reste, et j'allai écouter ses leçons à l'Université dès que mon italien eut atteint un niveau suffisant pour me permettre de les suivre. Le vide créé par l'ignorance où se trouvaient les Français de tous les développements de l'histoire de l'art sérieuse qui avait eu lieu durant les quarante années antérieures, était rempli par la grandiloquence chevrotante et l'emphase creuse de rhéteurs prétentieux, tels Elie Faure et André Malraux, qui ne faisaient qu'encourager notre penchant national pour le verbiage historico-mondial de deuxième main et pour la vulgarisation ampoulée, aux déclamatoires prétentions métaphysiques. Ces patenôtres pâteuses, jalonnées de rapprochements vertigineux et d'enjambements racoleurs, flattaient malheureusement le public ivre de mots en lui communiquant l'illusion d'accéder aux cimes d'une critique visionnaire et transcendante, dédaigneuse du détail mesquin et de la sordide exactitude. Ces vendeurs d'orviétan lui fournissaient tout empaquetée l'intuition à prix fixe de trois millénaires en quatre paragraphes. Rien ne pouvait éloigner davantage de la compréhension et de la poésie de l'œuvre d'art. Celle-ci, sans pouvoir se lire en dehors du contexte qui en compose le code, n'acquiert néanmoins sa réalité qu'en devenant profondément, irréductiblement et imprévisiblement individuelle. Nous ne manquions pas, certes, en France, d'historiens d'art et de conservateurs de musée compétents, parfaitement au courant de la bibliographie internationale, André Chastel, Jacques Thuillier, Michel Laclotte et d'autres. Mais, pour la plupart, très jeunes, ils ne s'étaient pas encore fait connaître du grand public, sauf Chastel, leur aîné qui tenait une rubrique régulière dans *Le Monde*. Je lui préférais un autre aîné, Charles Sterling, qui alliait l'érudition à la sensibilité et chez qui l'historien scrupuleux cohabitait avec un critique original et communicatif. Il excellait à éveiller son lecteur aux formes et aux couleurs, contrairement à Chastel, plus sec, et dont les facultés de perception esthétique étaient très faibles. Ses livres me renseignaient, mais visiter une exposition en compagnie de Charles Sterling, c'était bien davantage, c'était pour moi comme assister à une succession de tours de magie. Son verbe faisait s'envoler de tableaux pourtant vus et revus la tourterelle cachée que je n'y avais jamais décelée. Sa *Nature morte* reste une des meilleures œuvres de la littérature sur l'art, tant par l'« invention » d'un sujet que par la manière probe, fine et juste de le traiter.

Comme le « Département » avait négligé de nommer à l'Institut un historien, on m'avait collé sur le dos, non seulement l'histoire de l'art, mais aussi l'histoire tout court, sous prétexte que, seul normalien de notre petite équipe, je pouvais enseigner toutes les disciplines littéraires ! A vrai dire, le niveau des étudiants et des étudiantes équivalait à celui des classes terminales du secondaire en France ou de la première année du supérieur. Cela rendait ma tâche moins redoutable que je n'avais craint. Mais si la formation en histoire que je devais à mes deux années de khâgne et à quelques lectures ultérieures me rendait capable de traiter, sans trop me déconsidérer, la période qui était au programme du concours d'entrée à l'Ecole, à savoir depuis le milieu du XVIIIᵉ siècle jusqu'à nos jours, en revanche mes bribes de connaissances sur les siècles antérieurs de l'histoire de France étaient à la fois rudimentaires et bien effacées, car elles dataient de mes années de collège. Je dus ainsi, salutaire nécessité, rebâtir à nouveaux frais ou, le plus souvent, tout nûment bâtir à partir de rien ma culture historique, avec un résultat modeste, sans doute, mais au moins mis à jour par la lecture de quelques travaux récents de l'historiographie. Mon guide dans ce rafraîchissement intellectuel se trouva être Pierre Nora, dont je fis la connaissance par l'intermédiaire d'André Fermigier, durant les vacances de Noël, à Paris, en décembre 1952.

Pierre, de sept ans mon cadet, n'était encore qu'un étudiant auquel le hasard des concours venait d'infliger, à lui si intelligent, une fort inique avanie : un triple échec au concours d'entrée à l'Ecole normale. Tout en faisant sa khâgne, au lycée Henri-IV, où il avait suivi les cours de Jean Beaufret, alors consacré légat en France du pape Heidegger et surnommé « le maître de la Montagne Sainte-Geneviève », Pierre avait avec sagesse passé en même temps en Sorbonne sa licence de philosophie. Il pouvait donc entreprendre sans délai et sans avoir perdu de temps son diplôme d'études supérieures et passer aussitôt après à la préparation de l'agrégation. C'est dans ces dispositions que je le laissai, quand je regagnai Florence, au début de janvier 1953. Un mois plus tard, il m'envoya une longue et désopilante lettre. Pierre possède un talent pour le récit comique, rehaussé encore, quand il raconte de vive voix, par son don d'imitateur. Il me narrait et dépeignait la logorrhée des cours des « maîtres » d'alors en philosophie à la Sorbonne, son écœurement qui, m'assurait-il, devait s'entendre au propre et non pas seulement au figuré : n'avait-il pas dû s'enfuir d'un cours de Jankélévitch, cet incompressible bavard, pour aller d'urgence vomir aux cabinets ? Bref, il se détournait avec dégoût d'une philosophie tombée, selon lui, dans le charlatanisme. Ce n'est pas moi qui allais tenter de l'en dissuader, puisque j'avais continué sur le même air à griffonner quelques idées en vue d'un livre dont maints passages seront d'ailleurs inspirés autant par mes conversations avec Pierre que par mes échanges de lettres avec Althusser. Tournant l'avant-dernier feuillet de l'épître de Pierre, je tombai enfin sur le pot aux roses, dévoilé en cette phrase qu'il avait tracée, au milieu d'une page blanche, d'une écriture rendue à dessein minuscule par humour, comme pour confesser l'inavouable : « Je fais un diplôme d'histoire. » En pratique, bien dirigé par Victor-Lucien Tapié, alors professeur à la Sorbonne, il conduisit sa reconversion avec une boulimique vélocité ; ce qui, et c'est là que je voulais en venir, le transforma pour moi en un conseiller salvateur, dans mes lectures de professeur d'histoire improvisé.

André Fermigier, Jacob Bean et moi-même, durant cet hiver de 1952-1953, dînions presque tous les soirs dans le Borgo San Jacopo, chez *Camillo*, une trattoria modeste sans être une gargote, où se retrouvait le tout-Florence des intellectuels et artistes célibataires, étrangers ou locaux. Nous aimions cette cuisine toscane, fondée sur la qualité naturelle des produits, surtout des légumes, et sur la simplicité des cuissons. « Cuisine légère, écrit Prezzolini dans sa *Vie de Nicolas Machiavel*, maigre, savoureuse, pleine d'esprit et de parfum, faite par un peuple qui a l'esprit éveillé, qui sut tenir à distance les graisses, qui resta fidèle à la broche et au gril, avec la flamme purificatrice du bois et du charbon de bois, qui voulut que la friture et le rôti ne s'accompagnent d'aucun jus. » Cuisine pour laquelle mes amis et moi nous montrions du reste trop sévères, empêchés que nous étions par notre vénération des complications gastronomiques françaises d'en apprécier dans leur plénitude la netteté et l'honnêteté.

Jacob poursuivait ses recherches en histoire de l'art à ses frais (en fait, aux frais de quelqu'un d'autre qui n'était pas là durant son séjour à Florence, mais je ne l'appris que par la suite). Pendant les dix ans où il vécut à Paris, sa base de départ pour ses innombrables voyages d'étude à travers l'Europe, il n'eut jamais le moindre poste ou subside officiel, ni même la plus humble bourse. Jusqu'au jour où, ayant acquis, sans presque jamais rien publier sinon un ou deux catalogues monographiques, la réputation, dans le milieu des historiens d'art de toutes nations, qui avaient fini tous par le rencontrer, d'un expert en dessins unique au monde, il fut soudain tiré du néant administratif et nommé du premier coup, en 1963, à la tête du département des dessins et gravures du Metropolitan Museum de New York. Grand, mince, rieur, d'une beauté hollywoodienne à la Cary Grant ou à la Gregory Peck, il parlait le français, comme Philip Lasell, avec un accent très pur, si pur que le français et non l'anglais imprégnait même sa prononciation de l'italien ! A l'entendre en toscan, on l'aurait juré originaire de Touraine et non du Minnesota. Chez *Camillo*, chaque fois (et ces fois étaient nombreuses, au cours d'un même repas) qu'il commandait : *ancora vino !* il laissait choir tous les accents toniques et prononçait la diphtongue *an* à la française, comme le pire transalpin réfractaire aux langues vivantes. Et il accueillait la fiasque de chianti pleine qui succédait au flacon évanoui avec un « gratezié millé » que n'eût pas désavoué notre plus chenu et casanier académicien. La sûreté de l'« œil » de Jacob n'aurait pas suffi à lui conférer le discernement qui fit sa célébrité s'il n'avait parallèlement travaillé avec l'acharnement d'un détective la documentation écrite. L'art de l'attribution correcte est d'autant plus difficile pour les dessins que presque aucun n'est signé. On ne trouve pas pour eux, comme pour les tableaux, de traces contemporaines, contrats, lettres de commande, mentions dans les mémoires du temps, commentaires des collectionneurs et amateurs de l'époque de l'artiste. L'expert doit donc rechercher avec une circonspection toute spéciale les preuves externes de l'authenticité, fort difficiles à rassembler, pour étayer son impression fondée sur les critères stylistiques. Et, afin de pouvoir attribuer à bon escient un dessin, il faut de toute évidence connaître à la perfection l'œuvre peint de l'artiste. Ayant fait avec Jacob, plus tard, en 1959, la tournée des musées et cabinets de dessins des Pays-Bas, je puis attester qu'il n'opérait qu'avec le soutien d'une lourde cargaison de livres, catalogues, dossiers et fiches dont l'arrière de ma voiture, utilisée pour ce voyage, se trouvait encombrée jusqu'à hauteur des glaces latérales. Il m'a fait comprendre qu'en matière d'art et de poésie, contrairement au préjugé bohème de l'instinctivisme primaire qui avait cours en France, la connaissance et l'intuition, loin d'être ennemies, sont complémentaires, et que le savoir approfondit l'émotion. « Analyser pour mieux sentir », ce précepte de Maurice Barrès, que le Père Nicolet nous avait donné un jour, en classe de philosophie, à méditer comme sujet de dissertation, servait aussi de maxime à Jacob Bean. Quant à Berenson, lors de ma visite en 1956, il était en train de lire *Un certain sourire*, de Françoise Sagan. Il me dit être charmé par ce récit de l'amour d'une toute jeune femme pour un homme, selon lui, « déjà sur le retour. » Or le héros du livre a quarante ans et Berenson en avait alors quatre-vingt-onze... Je fus moins frappé par son oubli du temps que par sa maîtrise de notre langue. Sans le savoir, je vivais les dernières années de l'Europe française.

II

Si je ne conserve pas de ma période italienne que des souvenirs heureux, félicité absolue qui, du reste, aurait de quoi inquiéter sur le compte de l'équilibre mental de qui l'éprouverait, du moins cette période coïncide-t-elle avec ce segment de mon existence où j'eus la joie de redevenir célibataire, du moins en fait sinon en droit, car je ne divorcerai que beaucoup plus tard. Quelle sensation exaltante que de se réveiller le matin en se disant que l'on va pouvoir construire son emploi du temps à sa guise, sans avoir à l'harmoniser avec celui d'un conjoint, du moins d'un conjoint institutionnel. Dans la vie du céliba-taire, chaque heure compte double. Yahne et moi nous étions certes aimés, au moins les deux ou trois premières années de notre mariage, mais nous ne nous étions jamais entendus. Dès que l'amour ne fut plus là pour combler l'abîme qui séparait nos caractères, la vie commune devint une incessante source d'acrimonie. Mon ressenti-ment à son égard, à cause de ce mariage précoce, qui m'avait dépouillé de la liberté de ma jeunesse, accablé de difficultés matérielles, que son naturel désordonné aggravait, mon impression d'être tombé dans un piège, tous ces griefs accumulèrent chez moi des rancunes agres-sives et chez elle des chagrins sans remords qui brisèrent toute possibi-lité de cohabitation durable. Elle vint passer deux ou trois mois à Florence, amenant Eve, car Matthieu, devenu écolier, devait rester en France, confié à ma mère. Nous louâmes même un appartement, qui devint aussitôt un théâtre de disputes criardes. Dans l'intérêt de notre santé nerveuse à tous deux et de la sérénité due aux enfants, nous trouvâmes par chance le recours de cette belle maison de Valmondois où toute la famille s'installa, y compris ma mère, au printemps de 1953 et où je me bornai à passer en leur compagnie les vacances, du moins une partie des vacances. C'est alors qu'à Florence je m'installai place Santo Spirito, à la Pensione Bandini, où je me taillai des ailes pour imprimer son plein essor à ma vocation, récemment avérée, de céliba-taire italien. Certes, tout en redevenant célibataire, je demeurais chargé de famille. Plus de la moitié de mon traitement allait à entretenir la mienne. C'est ce qui me distinguait d'André Fermigier, dont je voyais bien qu'exempt de toute taxation domestique, il pouvait s'offrir des luxes qui m'étaient inaccessibles. Pourtant, je rattrapais un peu mon infériorité par rapport à lui, dans une vie où notre activité prédominante, en dehors de notre enseignement, consistait à séjourner dans à peu près toutes les villes d'Italie, les unes après les autres, pour y inspecter les musées, les églises et l'architecture civile. Mon avantage sur lui était que je jouissais d'une réduction de cinquante pour cent sur les chemins de fer italiens. En effet, outre mes cours à l'Institut, mon poste comportait, par tradition, la fonction de lecteur de français — *lettore incaricato* — à la faculté des langues vivantes de l'université de Florence, la *Facoltà di Magistero*, située Via di Parione, à cinq minutes à pied de la Piazza Ognissanti, où se trouvait l'Institut français. De ce fait, j'avais le statut, pour cette partie de mes activités, de fonctionnaire italien et, comme tous les fonctionnaires italiens, je bénéficiais du demi-tarif dans les *Ferrovie dello Stato*. Les cours cessaient du vendredi midi au lundi deux heures. De plus, les brèves vacances étaient longues, les longues presque éternelles. Aussi pouvais-je sans manquer à mes devoirs m'absenter souvent de Florence. Quand le film de ma vie de cette époque repasse dans ma mémoire, je me revois toujours sortant d'une gare, une valise à la main, à Bologne, Modène, Sienne, Parme, Pérouse, Arezzo, Ferrare, Urbin, Pise, Assise ou Mantoue, louant une chambre dans un des hôtels plus haut évoqués, puis entamant sans désemparer l'exécution d'un programme méticuleux de visite du Dôme, des galeries et des palais. Ce programme, Jacob et André, forts de leur expérience de « pèlerins passionnés » plus ancienne que la mienne, m'avaient souvent aidé à l'établir, sans oublier le domaine où la certitude était sans doute le moins facilement accessible, les renseignements concernant les trattorias du cru.

Les professeurs de l'Institut français avaient obligation de rallier le territoire italien, mais pas forcément Florence, chaque 1er octobre, quoique les cours ne débutassent que le 15 novembre, pour cesser définitivement vers le 15 mai, un mois avant les examens, alors que nous n'avions le droit de prendre nos vacances en France qu'à partir du 1er juillet. Je consacrais chaque année ces providentielles semaines d'oisiveté active à de longs séjours à Rome ou à Venise, deux villes où, tout mis ensemble, j'ai l'impression d'avoir passé presque autant de temps qu'à Florence.

J'avais rencontré à bord du *Liberté*, en revenant de New York au Havre, une jeune Américaine qui faisait partie d'un groupe d'étudiantes de Smith College, dans le Massachusetts, envoyées pour un an à Paris afin d'y approfondir leur connaissance de la « civilisation française ». En des temps où l'Amérique passait pour puritaine, le groupe transatlantique du Smith College — dont l'âge moyen ne dépassait pas dix-neuf ans — se révéla quant à lui d'emblée très raisonnablement libéré. Je ne fus pas le seul, à bord, qui put le vérifier. A Paris, je continuai à voir Claudia, puis, quand j'y revins pour Noël après mon premier trimestre à Florence, nous passâmes huit jours ensemble à l'hôtel *Régina*, celui où vivait Philip Lasell. C'était un hôtel assez cher mais grâce au directeur, cet oncle à moi dont la bienveillance m'aida souvent, j'y jouissais de tarifs de faveur. Claudia avait pour meilleure amie, dans son groupe, une brune aux cheveux plats et au fin visage ovale, avec un corps élancé de danseuse classique. Les premiers temps, je ne parvenais jamais à me rappeler son prénom, si bien que je l'appelais *Without name*, « Sans-nom », sobriquet qui lui était resté par manière de plaisanterie, entre nous. Sans-nom avait commis l'erreur de devenir la maîtresse d'un des plus déplorables éléments de la cargaison humaine de notre traversée de l'Atlantique, un prétentieux critique littéraire du *New York Times*, Harvey Breit, venu passer un an de congé sabbatique en Europe, un lourdaud qui ne dessoûlait pas, prétextant que son whisky, produit d'une distillerie clandestine *(moonlighting)* du Mississippi, et dont il trimbalait constamment une fiole sur lui ne pouvait que stimuler son inspiration, parce que William Faulkner buvait le même. On imite les grands hommes par le côté où l'on peut. Ayant cru remarquer qu'André Fermigier souffrait d'une étrange solitude, j'avais entrepris, pendant nos vacances de Noël à Paris, de lui mettre Sans-nom dans les bras. Avec la complicité de Claudia, j'organisai des sorties à quatre, au théâtre, à souper, dans les boîtes qui faisaient alors florès, la « Fontaine des Quatre Saisons », rue de Grenelle, la « Rose Rouge », rue de Rennes, où surgissait alors dans sa première fraîcheur le talent comique des Frères Jacques. Harvey m'exaspérait au point de me faire trépigner, avec ses airs mystérieusement supérieurs, quand il lâchait dans la conversation « je viens de téléphoner à Ernest (Hemingway)... ». Je jugeai que je me devais de rendre à la littérature américaine le service de le faire cocufier par André, d'ailleurs plus jeune, plus élégant et plus amusant que lui ô combien ! Hélas ! mes débuts sans lendemain dans l'art de l'entremetteur se terminèrent par un fiasco. Je devais manquer de métier, car, si je réussis à me brouiller avec Harvey Breit, auquel mes pesantes manœuvres n'avaient pas échappé, j'échouai à donner à mes intrigues, dans l'immédiat, le couronnement que je souhaitais du côté d'André.

Au printemps suivant, Claudia vint me rejoindre à Florence, flanquée de son inséparable Sans-nom, elle-même enfin délivrée de Harvey, retourné se réapprovisionner en whisky de « clair de lune » dans le Mississippi. J'avais réservé les chambres des deux filles à la Pensione Bandini, et, le matin de leur arrivée, j'étais allé à leur rencontre les attendre à Pise, où elles devaient prendre l'*accelerato* pour Florence. *Accelerato* qualifie ou qualifiait en Italie, dans la classification ferroviaire officielle, un train qui n'accélérait pas du tout et au contraire s'arrêtait, non seulement dans toutes les gares du trajet, mais très volontiers aussi entre les gares durant de longs instants. C'était un matin très chaud et très beau, le lendemain exact des élections législatives de 1953 (on dit « politiques » en Italie, par opposition avec les élections « administratives », qui sont les régionales et munici-pales). Je lisais les journaux sur le quai de la gare. Les quotidiens communistes et socialistes titraient : « *Forte affermazione delle sinis-tre* », « Grande démonstration de force des gauches ». Ce qui devait se traduire : la gauche a perdu les élections. Et elle n'aurait pu d'ail-leurs les gagner, vu la puissance hégémonique, en ces temps, de la Démocratie chrétienne. Mon disciple Carlo m'avait accompagné à Pise.

Car j'avais un disciple ! C'était l'étudiant le plus bête de la faculté des lettres de Florence. Il m'avait voué un attachement canin. Je n'avais pu lui refuser la joie de venir porter les valises de mes amies. Comme je me demandais si, après quelques mois loin des yeux, le penchant de Claudia pour moi n'aurait pas tiédi, Carlo m'avait conseillé de cesser de me raser pendant trois jours, arguant qu'un visage noirci par une barbe de cow-boy me rendrait « plus romantique ».

Bien qu'averti de son idiotie, j'éprouvais une telle affection pour lui, pour sa gentillesse, que je suivais toujours docilement ses conseils les plus stupides. Je voulais éviter de le peiner. Les haut-parleurs annoncèrent que le « *rapidissimo* » en provenance de Turin et Gênes « voyageait » avec deux heures de retard, décalage à vrai dire modeste, à l'aune de la ponctualité ordinaire des *Ferrovie dello stato*. (J'ai toujours adoré cette formulation : « *il treno viaggia con due ore di ritardo* », alors que, justement, il ne « voyageait » pas, d'où le retard.) Nous sortîmes pour tuer le temps nous balader en ville, et boire quelques coups à l'un de ces mastroquets sans salle, comptoirs donnant à même la rue, que l'on appelle en Toscane *una méscita di vino* : littéralement, « boutique où l'on verse », de *méscere*, verser. Les fiasques ouvertes de chianti blanc et rouge s'y débitent au verre, avec le soutien parfumé de ces savoureux croutons garnis de foie de volaille hâché avec des filets d'anchois, de la sauge et des câpres, que l'on nomme *crostini alla fiorentina*. Carlo m'abrutissait de ses harangues sans pause, en bafouillant d'interminables sornettes sur les élections. Napolitain, fils d'un amiral débonnaire, qui n'avait jamais coulé aucun cuirassé, sauf les siens, il était né monarchiste. Il me van-tait sans ménagement le « génie » du maire de Naples, un partisan légitimiste et mystique de la restauration de la dynastie de Savoie. Ce maire n'était autre que le prospère et fanfaron armateur Achille Lauro, populaire et populiste mécène de l'équipe parthénopéenne de ballon rond. Carlo voyait en son idole le Solon de l'Italie future. Mais, ayant depuis peu trouvé une petite collaboration au quotidien progressiste florentin *Il Nuovo Corriere*, où il publiait des critiques de cinéma d'une désopilante niaiserie, il avait badigeonné son pauvre cerveau d'une teinture socialiste. Il en résultait une arlequinade politique où se mélangeaient le royalisme et le marxisme, et dont il me tambourinait les oreilles avec fougue, sans la moindre respiration, de sorte que je renonçai à ouvrir la bouche à d'autre fin que d'avaler du chianti. Quand, le temps d'attente une fois écoulé, j'aperçus Claudia descendant de son wagon, je lus aussitôt dans ses yeux un réflexe d'épouvante à mon aspect. Au lieu de me laisser encrasser par cet imbécile de Carlo, j'aurais dû me rappeler que, dans la morale de la Nouvelle Angleterre, comme de l'Angleterre même, ne pas s'être rasé le matin constitue pour un homme un péché encore plus mortel que de mâcher en ouvrant la bouche. En serrant dans ses bras le rôdeur hirsute et puant le vin dont, à l'instigation de mon disciple, j'avais revêtu le personnage, Claudia, après un haut-le-corps, eut l'indulgence d'admettre que je traversais sans doute une mauvaise passe, provisoire.

Inconscient de son forfait, Carlo frétillait, hilare, et commençait à jeter sur Sans-nom des œillades concupiscentes. Je le remis à sa place, lui notifiant sèchement en aparté que j'entendais réserver le morceau à André, auquel il témoignait aussi une pieuse dévotion. Il se calma donc. Mais, en même temps, je vis glisser sur son faciès un brusque voile d'étonnement, dont je ne songeai pas alors à éclaircir la cause.

Une semaine après, je proposai à André d'emmener nos Américaines découvrir Arezzo, l'église San Francesco et la légende de la Sainte Croix. Le bref et agréable trajet en train, la méditation devant les fresques, la promenade Piazza Grande, la gaieté du déjeuner dans une antique trattoria, tout cela méritait de s'appeler une journée réussie. Mais les travaux d'approche d'André me paraissaient toujours manquer singulièrement d'impétuosité. Lui qui me citait si souvent la jolie phrase de Montesquieu : « J'ai assez aimé de dire aux femmes des fadeurs et de leur rendre des services, qui coûtent si peu » ne suivait guère la même méthode. Durant le retour, il se blottit dans un coin du compartiment, emmuré dans le mutisme et la mauvaise humeur, pour nous fausser compagnie avec une abrupte précipitation dès notre arrivée en gare de Florence.

Mon aveuglement persistant témoignait surtout de ma naïveté ou, plus exactement, de mon incuriosité. L'indifférence à la vie privée des autres constitue, à mon avis, la meilleure forme du respect pour leur liberté. Je voyais André presque tous les jours depuis neuf ou dix mois, en Italie comme à Paris, et je ne m'étais pas aperçu qu'il était homosexuel. Il me l'annonça lui-même à brûle-pourpoint, quelques jours après l'expédition d'Arezzo, par besoin de s'épancher, parce qu'il venait d'être trompé et plaqué par « une immonde petite frappe », laquelle avait profité d'un de ses voyages à Paris pour filer à Rome avec « une infâme crapule, que vous connaissez, mais qui n'est même pas digne que je prononce son nom ». Ce qui m'intéressa, dans son indignation, est que ce familier des moralistes, ce fin connaisseur du cœur humain oubliait d'un seul coup, quand il se trouvait concerné, que, dans l'univers du désir, la stabilité n'est pas la règle. Il condamnait la désertion de la « petite frappe » d'un point de vue moral, comme s'il se fût agi de la forfaiture d'un haut fonctionnaire ou de la falsification d'un document par un historien. « Grâce à cet heureux hasard, ajouta-t-il, chantant presque victoire, je n'aurai plus à subir les sottises sur la peinture de cette lamentable tapette. » Il me raconta aussi la vaine passion qu'il avait ressentie tout l'hiver pour un camarade de Carlo, ce qui me fournit la clef de la stupeur qui s'était emparée de mon « disciple », sur le quai de la gare de Pise. Lui savait ! Quant aux raisons pour lesquelles le camarade n'avait pas cédé aux avances de son poursuivant, c'étaient, selon André, d'abord la « lâcheté », ensuite un désaccord politique grave entre eux, touchant la question des droits de l'Italie sur Trieste ! Théories l'une et l'autre aussi cocasses que baroques. En les entendant, j'eus du mal à réprimer un fou rire, tant elles montraient que la perspicacité du plus acéré des psychologues s'arrête net sur le seuil de ses propres passions. En fait, comme Carlo me le révéla, l'histoire était beaucoup plus simple : le camarade en question se foutait de Trieste et n'aimait que les filles, un point c'est tout. Et il avait passé l'hiver à louvoyer entre son admiration intellectuelle pour André, incitation à le revoir, et son ferme propos de se soustraire à ses assiduités. Pour faire bonne mesure, et pour comble de paradoxe, c'est par Claudia que j'appris que Jacob aussi était homosexuel. Comme elle désirait suivre en auditrice libre quelques cours de l'Ecole du Louvre et savoir lesquels choisir, je l'avais envoyée consulter Jacob à Paris, où, lui dis-je, il partageait un appartement avec un autre Américain. Ne se rappelant plus le numéro exact de la rue, Claudia entra chez un fleuriste pour demander si c'était bien dans cet immeuble qu'habitaient deux Américains. « Ah, oui, les deux pédérastes, répondit le fleuriste, c'est bien ici. » Là encore, pendant tout un hiver, pendant tant d'heures de conversation, tant de journées de déambulation de conserve, j'avais été bien peu attentif... Mais l'inattention n'est-elle pas la meilleure assurance de la discrétion ? Que mes amis soient homosexuels ou hétérosexuels, qu'ils me fassent des confidences ou non, j'ai toute ma vie couvert d'une impassibilité protectrice leurs secrets amoureux. Cette retenue devant le domaine privé d'autrui manque fort, je l'ai souvent déploré, dans les milieux où on s'attendrait le plus à la trouver : le « grand monde », le « jet-set », censé perpétuer le savoir-vivre aristocratique et qui pourtant fourmille de pipelettes vulgaires, incapables de vous apercevoir dans un restaurant avec une femme qui n'est pas la vôtre sans le téléphoner aussitôt à cinquante autres mouchards ; et les intellectuels, dont beaucoup m'ont souvent paru manifester plus de curiosité pour les vices particuliers que pour les vues générales. Avant que la nomination de Jacob à la direction du département des dessins du Metropolitan Museum de New York ne fût définitive, l'un des conservateurs de ce musée, qui était de mes relations, fut chargé de m'inviter à déjeuner pour s'enquérir de la question de savoir si Bean était ou non homosexuel. « Parce que, vous comprenez, m'exposa-t-il délicieusement, pour le Musée d'art moderne, ça irait très bien ; mais pour nous, c'est différent. » J'ai en réserve, pour les embarras de ce genre, une mimique d'étonnement profond, suivie d'un retentissant éclat de rire, comme devant la question la plus saugrenue jamais entendue de ma vie. Ma spontanéité est si bien feinte qu'elle balaye tout doute de l'esprit de mon interlocuteur. La botte est imparable. Pour reprendre les termes du neveu de Rameau, « Je ne l'ai pas inventée, mais personne ne m'a surpassé dans l'exécution ».

J'eus recours à ce numéro également par la suite, lorsque mon camarade de khâgne et d'Ecole, mon grand ami René Schérer, fut poursuivi en justice pour avoir serré de trop près certains de ses élèves mineurs. Je témoignai avec véhémence devant le tribunal qu'il était le coureur de jupons le plus dévergondé que j'eusse jamais connu. Il fut absous, ce qui ne trompa personne. L'Université, brave mémé, ferma les yeux, se bornant à le muter dans un autre poste. En revanche, René fut exclu du Parti communiste, inflexible censeur des hérésies sexuelles comme des perversions idéologiques.

III

Je ne recommencerai pas ici à peindre la manière dont, en ces années, je perçus la société italienne, ses mentalités, sa vie quotidienne, ses mœurs, ses usages, ses œillères, bref cette bigarrure de comportements et de sentiments, d'habitudes et de ritournelles que les Italiens eux- mêmes désignent du terme global de « *costume* ». J'ai déjà fait l'inventaire de mes réactions du moment, à chaud, dans *Pour l'Italie*, livre paru en 1958, si toutefois j'ose appeler livre un fatras de notes consignées sur place au gré de mes sursauts quotidiens. Quand il fut question de les publier, j'ai repoussé la tentation et les suggestions de récrire ces « fusées » en leur imposant l'amidon d'une dissertation continue et en les édulcorant de nuances sérieuses ou polies. L'efficacité littéraire du genre débraillé dépendait précisément du caractère outrancier de mes épanchements bilieux. Mon dessein, si dessein il y avait, disons mon instinct m'incitèrent à prendre, avec un sans-gêne et une muflerie calculés, le contrepied des attendrissements préconçus des Italiens sur eux-mêmes et des étrangers sur l'Italie. Dans l'avant-dernière des quatre préfaces successives que j'ai écrites pour les rééditions de mon brûlot, celle de 1976, j'avoue être atterré, à la relecture, par les simplifications, les généralisations, les exagérations qu'elle contient. Et pourtant cette scène de ménage faite à ma seconde patrie comportait du vrai, qui fit mouche à l'époque. En Italie, elle déclencha une commotion, un débat national, avant même que le livre ne fût traduit. En France, *Pour l'Italie*, sorti à l'office du 1er mai 1958, fut l'un des rares livres qui se vendit bien pendant le printemps et l'été, malgré le coup du 13 mai 1958, l'effondrement de la quatrième République, la prise du pouvoir par de Gaulle, le changement de régime. Succès de librairie paradoxal quand on sait d'expérience que les bouleversements collectifs plongent d'ordinaire l'édition dans le marasme commercial. La curiosité publique est rassasiée par le spectacle, chaque jour renouvelé, de l'agitation politique. Ses rebondissements fournissent sans frais aux journaux un consistant roman-feuilleton. L'opinion gavée n'a plus d'appétit pour d'autres lectures. Mes fort mineures facéties italiennes, sur un sujet sans rapport avec les préoccupations des Français, passèrent néanmoins victorieusement au travers de cet été peu propice à la lecture. Sans doute est-ce en partie à cause de leur légéreté même. Elles ne relevaient d'aucun genre litéraire sérieux ni même déterminé. Elles n'étaient ni essai ni roman, quoiqu'un peu les deux. A la suite de cette percée inattendue, la colère des italomanes français s'enflamma contre moi dans la presse encore plus que celle des nationalistes italiens. Les critiques italiens réagirent à mes jets de poix bouillante avec souvent plus d'intelligence que les français. Ils étaient conscients du dilemme où, sans le vouloir, je les enfermais et qu'avec sa clarté coutumière et son brio proverbial exprima l'éditorialiste le plus influent d'Italie, mon futur maître et ami Indro Montanelli, dans le *Corriere della Sera*, en intitulant son article, qui fut décisif pour le destin du livre : « S'irriter contre Revel serait lui donner raison. » Il avait bien saisi le caractère inclassable du livre, contrairement à tant de pesants commentateurs, qui me reprenaient avec solennité, comme si j'avais produit une thèse de doctorat et nourri des prétentions scientifiques, alors qu'il s'agissait d'une sorte de conversation à bâtons rompus. Conversation pas seulement avec moi-même : en de nombreux passages, je relate à l'état brut des conversations réelles ou condensées avec tel ou tel interlocuteur. Comme je le revendique dans la préface de 1976, peut-être une certaine vérité n'est-elle atteinte que lorsque le tireur est assez peu regardant sur la qualité de ses flèches. Les intuitions justes ont parfois pour véhicule des affirmations insensées. Moins insouciant, je me serais affaissé dans la sociologie.

Je dis plus haut avoir voulu prendre le contrepied de la vision conventionnelle et idyllique de l'Italie. Quand je dis « voulu », cela ne signifie pas que je l'eusse décidé. J'ai plutôt laissé s'imprimer en moi les images, les sons, les comportements. Quand j'emploie le mot « contrepied », je n'entends point par là que j'ai l'« esprit de contradiction ». Avoir l'esprit de contradiction, c'est prendre plaisir à défendre, de propos délibéré, le point de vue contraire de celui d'un autre, quel que soit ce point de vue et quel que soit cet autre. Je ne souffre nullement de ce travers monotone. J'adore approuver, chaque fois que je le peux. En revanche, quand un pays, une civilisation, un individu, une discipline, un groupe social, une école littéraire ou artistique, un journal, un parti, une religion s'adonnent à des pratiques intellectuelles ou morales en opposition complète ou partielle avec leurs principes ou avec leur réputation, alors, la concession dont je suis incapable, c'est de m'abstenir de le constater, et c'est d'édulcorer les termes dans lesquels j'exprime mon constat. Les mots, les phrases, les images, les épigrammes surgissent et s'organisent alors dans ma tête quasiment malgré moi. Qu'il s'agisse du Mexique (dans mon succinct article dans *Esprit*) ou de l'Italie ou de la philosophie, ou de la droite ou de la gauche, ou de bien d'autres sujets de mes livres, je suis envahi, impressionné (au sens d'une pellicule photographique) par la manifestation de cette évidence, fréquente sinon constante : l'humanité agit dans la réalité selon une norme qui est le contraire de celle qu'elle affiche et professe dans ses idéaux. En écrivant, je me borne à rapprocher la réalité effective de la réalité fictive, et leur contact provoque en général une explosion.

Au demeurant, la société italienne de 1955, celle que j'ai daubée dans *Pour l'Italie* plongeait encore ses racines dans un XIXe siècle attardé et dans un provincialisme clérical que la glaciation fasciste avait restaurés et prolongés. Mon titre, suggéré par François Nourissier, qui dirigeait alors la revue *La Parisienne*, et par Jean-Baptiste Dardel, qui l'assistait dans cette tâche et s'était révélé un éditeur original avant de devenir banquier, mon titre se voulait amical, sous-entendait une exhortation à changer, associait un plaidoyer en faveur de l'Italie *(Pro Italia)* à un message adressé à l'Italie *(Ad Italiam)*. Ce danger public de Carlo, que j'avais eu la mollesse débile de laisser se charger de la traduction, avait extrait de son pauvre cerveau, sans que le mien eût l'initiative de l'en empêcher, le titre bien-pensant suivant : *Per un altra Italia* (« Pour une autre Italie »), ce qui écœurait autant qu'une homélie de propagande électorale. Carlo réussit en outre le tour de force de faire condamner l'éditeur italien à un million de lires (somme alors importante) de dommages et intérêts au profit de la maison de vins Antinori, à la suite d'un contresens digne d'un cancre incurable. Et quand je pense qu'il avait été mon élève ! En effet, je déplore, quelque part dans mes jérémiades, qu'à l'hôtel *Excelsior*, qui se trouvait juste en face de l'Institut français, sur la Piazza Ognissanti, et où André Fermigier et moi-même allions souvent prendre un verre au bar, vers sept heures, après les cours, le barman nous servît sous le nom de champagne du mousseux Antinori. Ma phrase était : « Le champagne Antinori n'est pas du vrai champagne. » Puisque Champagne est un terroir, une province, cette appellation, alors non contrôlée hors de France (le Marché commun n'existait pas encore) était aussi abusive qu'il l'eût été de servir du « chianti » français. Or l'abruti traduisit : « *Lo spumante* ». C'est-à-dire : « Le mousseux Antinori n'est pas du vrai mousseux. » Or, il moussait, sans conteste, ce que l'avocat n'eut aucun mal à démontrer, bouteilles à l'appui, à l'audience. Carlo ne trouva rien de mieux, en guise de pirouette absolutoire, que de me lancer au nez, avec un ricanement de dégénéré cynique, qu'il se sentait très flatté d'être assez important pour avoir coûté un million à une maison d'édition, et que cet exploit lui redonnait confiance en lui, le remettait très sérieusement en selle dans les milieux littéraires italiens. L'animal ne cessa de me tourmenter ainsi, mais il me remplissait d'admiration au moins par sa variété personnelle de conformisme politique. Son sens de l'histoire se concrétisait en un infaillible opportunisme idéologico-sexuel. En 1956, au moment du soulèvement de la Hongrie contre le communisme, il se dégotta une petite amie hongroise. Quand Castro prit le pouvoir à Cuba en 1959, il se mit en ménage à Paris avec une Cubaine. En 1968, alors que je me trouvais à Turin pour y faire une conférence, juste après l'entrée des chars soviétiques à Prague, Carlo, se ruant depuis Milan, vint me rendre visite, au Turin Palace hôtel, accompagné d'une... Tchèque. Enfin, en 1982, alors que tout l'Occident frissonnait (sans rien faire de plus, d'ailleurs) et vibrait en faveur de *Solidarnosc*, Carlo m'envoya un sien ouvrage, dont je ne pus dépasser la page 1, en m'annonçant dans sa dédicace qu'il venait de saisir au vol le grand amour, en décembre 1981, juste le lendemain de la proclamation de la loi martiale en Pologne, en s'unissant à une belle personne originaire de Varsovie !

Une satisfaction morale vint contrebalancer mon humiliation culturelle due au mousseux Antinori. M'étant affligé, dans un passage de mes réflexions, de ce que trop d'Italiennes eussent les jambes velues, j'eus la surprise de tomber, dans *La Stampa*, peu après la publication de la traduction italienne, sur un encart publicitaire, repris dans divers autres journaux, citant ma diatribe contre cette pilosité féminine excessive, et vantant, par voie de conséquence commerciale, une pâte à épiler à laquelle le fabricant avait donné mon nom : la *Pasta Revel*. Ce produit miracle ne connut qu'une gloire éphémère, mais dont une partie au moins, pour ma consolation, rejaillit au passage sur ma modeste personne.

Livre tout en coups d'aiguille, *Pour l'Italie* met en œuvre l'un des rares procédés capables de forcer les préjugés à sortir de leur repaire, au fond duquel les analyses classiques, même sévères dans le contenu, mais académiques dans la forme, ne font qu'entretenir leur sommeil. Devant certaines surdités volontaires, il faut travailler à l'explosif. J'usai de la même brutalité en 1965, quand j'écrivis *En France*, poussé, depuis des années, à le faire par le peintre Silvio Loffredo, le dédicataire de *Pour l'Italie*, cher compagnon de mes pérégrinations florentines, et qui ne cessait de me défier en me répétant : « Tu prouveras ton impartialité quand tu écriras sur la France une satire aussi épicée que celle que tu as consacrée à l'Italie. » Italien né à Paris, dans une famille originaire de Torre del Greco, en Campanie, Silvio avait grandi rue Vercingétorix, à Montparnasse, et mariait, dans sa physionomie, sa gestuelle et son élocution d'une perpétuelle mobilité, le titi parisien et le farceur napolitain. Venu de France s'installer en Italie à vingt-cinq ans, il connaissait de l'intérieur toute l'intimité des deux langues, des deux civilisations, des deux mentalités, des deux littératures, des deux peintures. Elevé dans la pauvreté extrême d'une famille immigrée, il était une réfutation vivante, et loin d'être la seule que j'ai rencontrée, du poncif sociologique selon lequel seule la naissance dans une classe priviliégiée ouvre l'accès à la culture. Si tous les bourgeois et aristocrates que j'ai connus, les mondains et mondaines millionnaires dont les propos de table ont si gravement altéré ma santé avaient possédé le centième de la culture directe et fine de Silvio, sans parler de tant d'universitaires et d'intellectuels, cultivés par profession mais non par vocation, alors l'humanité entière siégerait au Parnasse, entre Apollon et les Muses. Pourtant Silvio avait dû, dès la fin de ses études primaires, en 1938 ou 1939, entrer comme apprenti chez un tailleur parisien de l'avenue de l'Opéra. Il conservait du reste la fierté de son premier métier et de son coup d'œil vestimentaire, insistant pour m'accompagner chez mon tailleur florentin, à chacun de mes essayages, et engueulant l'homme de l'art s'il jugeait que mon veston ne « tombait » pas selon une pente assez pure, à son gré, et marquant lui-même avec la craie des retouches rageuses sur le tissu.

A mon goût, *En France*, que j'écrivis en 1965 pour tenir la promesse faite à Silvio, ne « tombe » pas aussi bien ou aussi fort que *Pour l'Italie*, par la raison même invoquée dans ce dernier livre : la France, tout en puant la vanité, est plus habituée à recevoir et à se donner des coups que ne l'était l'Italie. Elle a incorporé à sa mentalité une ancienne tradition de férocité critique envers elle-même. Les persiflages dont elle est la cible de la part de ses propres écrivains la décontenancent donc beaucoup moins que l'ironie à leur endroit ne désarçonne les Italiens. Pourtant, je me rappelle l'effroi d'André Frossart, qui, dans un article, se scandalisa de ma provocation péremptoire, quand je proclame sans sourciller que la France « n'a aucun intérêt touristique ». Je regrette que le haut-le-corps du pieux académicien ne l'ait pas incité — ce qui était mon but — à soupeser les remarques plus raisonnables dont j'entoure ce piment un peu fort, que j'avais servi en amuse-gueule dans le seul dessein d'ouvrir l'appétit. Que voulais-je dire ? Je renvoyais à une impression bien définie, que retire tout voyageur de ses promenades comparées, en France et en Italie, lorsque, comme moi ou Silvio, il a parcouru avec minutie l'un et l'autre pays, ville par ville, village par village. En dehors des édifices religieux et des châteaux, la France n'a conservé intact presque aucun bâtiment d'usage courant antérieur à 1600 et seulement une infime quantité des constructions antérieures à 1700. Moins riche que l'Italie, avec une richesse moins disséminée, la France, en outre, moins bien pourvue par la nature en matériaux de construction solides et capables de traverser les millénaires, ne conserve donc que fort peu de ces ensembles urbains homogènes, datant du Moyen Age, de la Renaissance ou même de l'époque classique, qui foisonnent en Italie, presque dans les moindres trous de province, reflets tenaces d'un faste disparu. La beauté est beaucoup moins omniprésente en France qu'en Italie, parce que l'architecture privée, celle qui n'était ni princière ni religieuse, ne s'est presque jamais haussée, en moyenne, au niveau du grand art et n'a jamais fourni la chair vivante et palpitante du corps des villes, ni en quantité, ni en qualité, ni en durée. Même le paysage urbain parisien date presque tout entier du xixᵉ et du xxᵉ siècle. Et encore les hôtels particuliers du xviiiᵉ siècle, dans le faubourg Saint-Germain, ne se fondent-ils pas dans le paysage urbain pour le promeneur commun, puisque, pour la plupart, sièges de ministères, ils se dérobent derrière de hautes murailles et sont enfouis au milieu de parcs invisibles du dehors et interdits au public. La France est un pays où l'on va *visiter* une cathédrale, une abbaye, un château. L'Italie est un pays où l'on *vit* en permanence, où l'on se promène constamment ne fût-ce qu'en se rendant de son domicile à son travail, au milieu de chefs-d'œuvre. Cette différence, quand je revins vivre en France, je le confesse, me frappa vivement. J'avoue que, par comparaison avec leurs sœurs italiennes, je trouvai la plupart des petites villes françaises fort laides, même si elles contenaient un ou deux monuments admirables. Ces monuments étaient trop souvent enchâssés dans un entassement hideux d'immeubles, de masures, de « villas », de commerces, de hangars qui révélaient, chez les Français, dans le gros de la population, un inépuisable élan créateur dans le mauvais goût. On le retrouve d'ailleurs dans la décoration intérieure de la plupart des lieux publics et des demeures de particuliers, à part celle qui est due à une mince pellicule de connaisseurs.

En définitive, par un curieux retournement des émotions, mes invectives contre le conformisme de la société italienne de ce temps-là et contre quelques limites de la culture italienne passée, loin de me valoir l'animosité des Italiens, me transforma au contraire en un personnage très populaire dans la péninsule. Jamais on ne m'y invita autant à m'exprimer que dans les années qui suivirent 1958. Sous l'influence de Montanelli et aussi grâce à l'écrivain et grand journaliste Manlio Cancogni, alors correspondant de l'hebdomadaire *L'Espresso* à Paris, l'Italie décréta que j'étais le meilleur ami qu'elle eût eu depuis Montaigne. Moi-même énivré de cette comparaison trop flatteuse et de cette effusion contagieuse, je multipliai les professions de foi dans la presse pour attester que mon livre était, sans en avoir l'air, un « cri d'amour » adressé à l'Italie. En dix ans, la société italienne allait d'ailleurs se métamorphoser. La révolution des mœurs, la liberté sexuelle, l'allégement du poids de l'Eglise, la chute de la natalité, le divorce enfin, quoique adopté fort tard, en 1974 seulement, et sous une forme très restrictive, firent s'aligner l'Italie sur les sociétés du nord de l'Europe, parmi lesquelles, grâce à son essor économique et à l'ingéniosité de ses industriels, elle devint de surcroît l'une des plus opulentes nations. En politique, par contre, le lâchage de la vieille Italie, celle que j'avais couverte de mes sarcasmes, accéléra, sans doute, le progrès de la démocratie, mais non sans un revers empoisonné. Car, en même temps, il détermina pour cette même démocratie une menace qui s'incarna dans deux spectres morbides : la corruption et le terrorisme. L'épanouissement des partis, le renouveau de vitalité de la démocratie parlementaire dégénérèrent en partitocratie, en pots-de-vin et en loge P2, cette espèce de centrale occulte, d'où le « Grand Maître », la crapule Lucio Gelli, régenta un temps la politique et l'économie. L'anticonformisme nouveau-né de la jeunesse enfin réveillée se souilla très vite du sang que fit couler la stupide barbarie des Brigades rouges, dont les guides « intellectuels » se dégradèrent dans la fiente idéologique du pistolet P38. Contre la P2 et le P38, l'Italie eut bien du mal à sauver la démocratie. Elle y parvint, en éliminant d'une part le terrorisme et ses complices idéologiques, sans altérer l'Etat de droit, d'autre part la corruption, à partir de 1992, grâce à la grande lessive légale de *Mani pulite*, l'opération « mains propres » que les juges n'auraient jamais pu mener à bien sans l'appui décisif de l'opinion publique.

Cette purgation, il est vrai, souffrit de deux défauts. D'abord, elle ne réussit que faiblement à réduire la puissance de la mafia. Ensuite, et sans doute à cause des préférences politiques de bien des juges, elle s'attacha principalement et réussit parfaitement à démanteler la Démocratie chrétienne, le Parti socialiste de Bettino Craxi et les plus modernes entreprises industrielles, tout en fermant les yeux sur la corruption également gigantesque du Parti communiste, et, de plus, aggravée par les versements clandestins de fonds reçus d'Union soviétique, jusqu'en 1990, et non déclarés, comme le révélèrent en 1992 les archives russes ouvertes alors aux chercheurs. En 1958, nous étions bien loin de soupçonner tous ces trafics. Mes notations satiriques visaient surtout les mœurs, le conformisme social, l'oppression des femmes.

Epousant le tissu décousu du temps, les sentiments et ressentiments qui avaient dicté mon grinçant « cri d'amour » se muèrent peu à peu en pur et simple amour. Ayant filtré l'Italie de ses mythes, comme on décante un vin, je passai le reste de ma vie à en respirer l'arôme, et à en épier, avec la scrupuleuse assiduité clinique d'un médecin de famille, les mésaventures tortueuses. Comme journaliste aussi, je devins à moitié italien grâce à l'amitié de certaines inoubliables figures du talent, de l'intelligence et de la moralité européens. Je collaborai d'abord à *L'Espresso* de Manlio Cancogni et d'Arrigo Benedetti ; puis à *La Stampa* quand la dirigea Arrigo Levi, enfin au *Giornale*, du jour où le fonda le grand (au physique comme au mental) Indro Montanelli, en 1976, jusqu'à celui où il l'abandonna, en 1994, et fonda *La Voce* (où je le suivis également), créant — à quatre-vingt-six ans ! — un nouveau quotidien, pour éviter d'avoir à se plier aux injonctions politiques et frénétiques du propriétaire du *Giornale*, Silvio Berlusconi.

Ainsi l'italianité me colla sans cesse davantage au cœur et à l'intellect. Comme l'hispanité, d'ailleurs, celle-ci sous sa double incarnation, l'européenne et la latino-américaine. Même à Paris, je parcours chaque matin au moins deux quotidiens italiens et deux en langue castillane. Quand j'y manque, je me sens en exil.

IV

En politique, si j'examine de quel bois, en ma trentième année, se chauffaient mes indignations, de quoi se composait le missel de mes convictions, quels mots de passe conditionnaient mes réflexes et, selon une formule bouffonne qu'affectionnait Loffredo, me figeaient au « garde-à-vous moral », je crois que je correspondais au portrait-robot de ce que l'on appelle « être de gauche ». Cette disposition superposait chez moi d'une part des positions raisonnées, des jugements fondés sur des faits constatés, sur des informations vérifiées, d'autre part des préjugés, qui cimentaient un sentiment d'appartenance à une communauté, à un milieu où l'on se reconnaissait entre soi dès les premiers mots échangés. Au nombre de mes positions raisonnées, je rangerai mon anticolonialisme, résultat de mon observation directe de la situation algérienne, en 1947 et 1948. J'avais vu de trop près les erreurs ou félonies de la France, l'aveuglement des Français d'Algérie, qui achevèrent de rendre catastrophiques les contradictions de notre politique. Il fallait des « cartésiens » pour proclamer l'Algérie « territoire français » tout en refusant la citoyenneté française à la majorité des hommes qui y vivaient. Quelle logique ! La nouvelle de l'insurrection algérienne, en 1954, me fit sonner donc aux oreilles un tocsin que j'attendais depuis longtemps. J'avais vu, en avril 1948, à la suite du truquage des élections, mes étudiants modérés, de culture française, devenir extrémistes, et francophobes. En l'occurrence, mon opinion de gauche provenait d'une analyse des réalités. Dans d'autres cas, c'est ma vision des réalités qui provenait au contraire de mon opinion de gauche, ou, plutôt, de mon a priori de gauche.

Je regardais le soleil se lever sur Rome, en compagnie de Claudia, sur le balcon de l'hôtel d'Inghilterra, via Bocca di Leone (celui-là même où Gide situe les premiers chapitres des *Caves du Vatican*), lorsque j'appris par la radio, le 19 juin 1953, l'exécution des époux Rosenberg, accusés d'espionnage au profit de l'Union soviétique. En temps qu'Américaine, la candide Claudia se vit infliger un petit déjeuner orageux. La malheureuse n'y était pour rien, mais son père avait témoigné à charge contre d'anciens communistes devant la Commission des activités antiaméricaines, ce dont elle n'était pas davantage responsable. Etre convaincu de l'innocence des Rosenberg constituait alors, dans la gauche européenne, non pas à proprement parler une opinion, mais une obligation, un sauf-conduit. Je n'avais aucune connaissance du dossier, bien entendu, et je ne pouvais même pas éprouver le besoin d'en acquérir un puisque je ne mettais pas en doute la thèse de l'innocence. Comment d'ailleurs aurais-je pu le faire, étant donné ce que je lisais couramment dans la presse française, italienne ou anglaise ? Le propre du préjugé, c'est justement que nous n'avons pas conscience que c'est un préjugé. Il atteint sa perfection justement parce que nous ne soupçonnons pas qu'il est indémontré. En 1959, quand Manès Sperber, ci-devant austro-marxiste, émigré en France et devenu un pilier du très antimarxiste « Congrès pour la liberté de la culture », me dit avoir écrit dans la revue *Preuves* un article où, estimait-il, sur l'affaire Rosenberg, il avait, avec détachement et recul, pesé le pour et le contre, j'eus un haut-le-corps : envisager, même, la culpabilité trahissait le réactionnaire. Vingt ans après le procès, et encore davantage à partir de 1991, année où les archives de Moscou s'ouvrirent, les documents prouvèrent que les Rosenberg avaient effectivement été au service de l'Union soviétique. Surtout, ils n'étaient pas les seuls en Amérique. Grâce à un plus gros fretin qu'eux, grâce à l'espionnage et à la trahison, les Russes avaient mis au point la bombe atomique, en tout cas beaucoup plus tôt qu'ils ne l'auraient construite par leurs propres moyens. Les anticommunistes primaires, les forcenés de la chasse aux sorcières, et même le répugnant Joseph McCarthy, n'avaient pas été guidés par la seule folie d'un délire paranoïaque. L'histoire justifie donc après coup la condamnation des Rosenberg, sans excuser pour autant leur exécution, inadmissible en temps de paix. Mais en 1953, l'« innocence » des Rosenberg avait fourni à la gauche un signe de ralliement qui prohibait toute analyse rationnelle.

De même, en 1954, échappait au raisonnement l'hostilité de la gauche à la ratification par la France de son adhésion à la Communauté européenne de défense. Je revois Pierre Nora, le 30 août 1954, venu passer quelques jours avec moi dans un chalet que ma mère possédait à Courchevel, en Haute-Savoie. Pierre était en train de jouer au jokari avec mon fils Matthieu, âgé de huit ans, (un jokari qu'il lui avait offert) sur un petit chemin devant le chalet, entre deux mélèzes, sous un ardent soleil. Je finissais de boire mon café avec ma mère, Yahne et Eve, quand, ayant entendu la nouvelle à la radio, je me précipitai dehors pour dire à Pierre que, pendant la nuit, l'Assemblée nationale, sans discussion du fond et par le biais d'un vote sur la procédure, avait rejeté la Communauté européenne de défense. Nous tombâmes dans les bras l'un de l'autre en pleurant presque de joie.

Trois ou quatre décennies plus tard, on ne trouvait plus guère que les vieux débris du stalinisme et les braillards du nationalisme de « la France seule » pour nier que le rejet de la CED a été un cadeau inespéré fait par l'Europe démocratique au totalitarisme. C'est même cette erreur historique que les partisans du « oui » invoqueront, comme la faute à ne pas répéter, durant la campagne pour la ratification du Traité de Maastricht par référendum, en 1992. Pierre et moi, en 1954, possédions, je crois, toute la maturité intellectuelle et toutes les sources d'information voulues pour juger de cette querelle de la CED par nos propres moyens et sans nous laisser porter par le courant gaullo-gaucho-américanophobe où baignaient tant de Français irréfléchis, manipulés ou indécis. Le plus indécis fut le président du Conseil, Pierre Mendès France, que nous admirions, et qui avait pour brillant conseiller technique le frère aîné de Pierre, Simon Nora, que nous écoutions. Nous avions donc en main toute la matière première d'un raisonnement indépendant. Mais, par nature, le préjugé est précisément ce que le raisonnement ne peut pas rectifier. Il établit une cloison insonorisée entre notre opinion et notre intelligence, entre la conviction et la connaissance. Le niveau d'esprit et de culture n'entre dès lors pour rien dans notre option. Que notre cervelle recèle trois grammes ou trois tonnes d'intelligence, le préjugé les tient de la même manière à bonne distance de notre faculté de penser.

Lorsque je parcours mes écrits d'avant 1968, je m'aperçois qu'ils sont parsemés de ces panneaux de signalisation qui, à côté de positions solidement étayées et auxquelles je souscris aujourd'hui encore, ont pour seul office de crier au passant : « Coucou ! Je suis de gauche ! Je suis de gauche ! » Cela ne veut pas dire, en l'espèce, que l'on préconise une politique objective conduisant en effet dans la pratique à plus de justice (puisque on reste « de gauche » même quand la politique du même nom engendre l'injustice). Cela veut dire que l'on se fait acclamer (ou que l'on s'acclame soi-même, ce qui est plus sûr) comme subjectivité de gauche et comme membre d'une famille morale. Philip Lasell, ayant lu *Démocratie mexicaine* quand il était venu, en 1952, à Mexico, faire son habituelle inspection pastorale de la colonie pédérastique opiomane de la Nouvelle Espagne, se moqua de moi parce que j'avais écrit, dans cet article, qu'en politique étrangère le gouvernement mexicain suivait toujours avec servilité la « ligne de Washington ». Nous roulions en voiture, avec Yahne, que Philip aimait beaucoup, entre Mexico et Toluca, où nous allions boire un pulque réputé, qu'on ne trouvait que sur place. Ce breuvage m'aida à digérer les sarcasmes de Philip qui n'avait pas eu de mal à me démontrer qu'on ne pouvait pas dessiner une « ligne » de Washington comme il y avait une ligne de Moscou, imposée aux « partis frères » par l'Internationale communiste. C'était là un faux parallélisme. Mais, dans mon organisation schématique « de gauche », il me fallait à tout prix penser que le Département d'Etat régnait sur l'Amérique latine comme le Kremlin régnait sur les « démocraties populaires » communistes, au même degré et par les mêmes méthodes. Or, quel que fût le poids de Washington sur le Mexique, il était d'une autre chimie politique que celui de Moscou sur la Hongrie ou la Pologne. Ainsi, pour citer un seul indice, après 1959, le Mexique, malgré toutes les objurgations des Etats-Unis, refusa toujours de rompre les relations diplomatiques avec Castro et, tout à l'opposé, en entretint avec le dictateur communiste (un pléonasme) d'ostensiblement bienveillantes.

Tous ces dogmes de gauche étaient comme nos coins de champignons, sur lesquels nous entendions veiller avec une pointilleuse jalousie, même si l'on n'y cueillait plus que du bois mort. En 1960, quand j'envoyai *Sur Proust* à Cioran, il m'écrivit une lettre, au retour d'une de ses randonnées à pied de plusieurs jours ou semaines, à travers la campagne, qu'il affectionnait. Il m'avait lu par petits bouts, me dit-il, chaque soir à l'auberge. Après divers commentaires, il concluait par cette remarque : « Et pour finir, mon cher Revel, une question : quand donc vous déciderez-vous à ne plus être un « intellectuel de gauche ? » Je sentis bien que la formule, sous sa plume, n'avait aucun contenu techniquement politique. Elle tendait simplement à me signaler qu'à intervalles réguliers et souvent hors de propos, je rajustais dans ce livre mon nœud de cravate d'« homme de gauche », pour me rappeler au bon souvenir de la clientèle.

Bien entendu, mes inclinations de gauche n'avaient pas pour motifs que des idées préconçues. Après tout, *Le Capital* et *L'Introduction à la critique de l'économie politique* sont des cathédrales de la pensée historique, économique et sociologique. J'avais passé tout un hiver à les lire, en 1946, juste après mon mariage avec Yahne, quand nous vivions tous les deux rue d'Artois, dans une petite chambre au fond de l'appartement de ses parents. La puissance logique de Marx et la rigueur apparente avec laquelle il paraît appuyer ses théories, celle de la plus-value par exemple, sur des faits, me convainquirent pour longtemps que j'avais trouvé l'explication définitive du processus historique universel et le sésame de la réforme politique et sociale éternelle. Je dus par la suite m'initier moi-même à l'économie, je dus aussi compléter mes lectures historiques, puis rencontrer Kostas Papaïoannou, dont je découvris les écrits sur le marxisme, pour m'apercevoir, au bout du compte, que Marx était un philosophe comme les autres. Sa façon de s'appuyer sur l'expérience était un leurre. Marx habille en démonstration la sélection des preuves et, au besoin, leur invention. Mais, dans les années cinquante, le marxisme, à moi comme à bien d'autres, semblait apporter des réponses dans tous les domaines de la réalité, fonction qu'avait remplie, durant ma classe de philosophie, le bergsonisme, quand j'avais dix-sept ans. Vérité ou non, je ne pouvais en outre résister à la persuasion mélodieuse du style insinuant et pur de Bergson, qui enveloppait de ses délices des affirmations déguisées en raisonnements, comme le coulis de framboises fraîches nappe la pêche Melba. De même, le génie sardonique du polémiste Marx, dans *Le Dix-huit Brumaire de Louis-Napoléon Bonaparte*, m'inspira et me stimula plus d'une fois, avec son ironie cannibale et joyeuse, comme le fit aussi le Kierkegaard du *Post-scriptum*, avec cette méchanceté élégiaque dans le comique dialectique et la réfutation des idées par le ridicule, où il a surpassé même Socrate.

Je raconterai plus loin ce que la gauche appellera mon « virage à droite », incapable qu'elle est d'imaginer l'« être » à gauche autrement que comme une substance fixe, que l'on porte en soi ou que l'on jette ; une maison que l'on habite ou que l'on déserte pour aller loger en face, dans une autre demeure également immuable. Ce fétichisme de l'essence illustre au moins à quel point nombre d'esprits qui se réclamaient du marxisme n'ont rien compris à ce qu'il conserve de plausible, puisqu'ils ne perçoivent ni les renversements du temps historique ni l'efficacité de l'action humaine. Tout en n'ayant à la bouche que la dialectique et la praxis, ils sont incapables d'abjurer le jargon et le système comme de saisir le fond de la pensée. Ce n'est pas moi qui ai viré, c'est le monde. En le regardant d'un point de vue vraiment de gauche, on voit autre chose que ce que l'on voyait il y a cinquante ans, à moins d'embrasser le nominalisme le plus niaisement narcissique et la bigoterie qui redoute le blâme des dévots. Pour citer Charles Péguy : « On ne saura jamais ce que la peur de ne pas paraître suffisamment à gauche aura fait commettre de lâchetés à nos Français. » En fait, on le sait très bien. Le compte est facile à faire. Mais, même après l'effondrement du communisme à l'Est et la faillite du socialisme à l'Ouest, la gauche a su veiller, avec un entregent sans scrupule, à ce que le compte ne fût pas apuré.

La notion de « renégat » est une notion communiste qui, comme tant d'autres, a été ingurgitée et assimilée par les non-communistes. Elle implique que l'on dénie à l'individu le droit d'user de sa liberté de jugement, c'est-à-dire que l'on tourne le dos à la raison d'être même de la gauche. Quand la correction d'une erreur devient la trahison d'un clan, on se trouve en fait à l'extrême droite. L'horreur que m'a toujours inspirée ce type de sacrifice de mon indépendance morale est sans doute ce qui m'a retenu d'adhérer au communisme ou d'en devenir le compagnon de route, même à l'époque où je voyais le monde à travers le marxisme et où la moitié de mes amis avaient leur carte ou des remords de ne point l'avoir.

Tout en occupant ma chambrette dans la maison de la gauche, j'ai ainsi toujours, à tout moment, dès les années cinquante, ressenti la plus instinctive répulsion, manifesté la plus complète incrédulité et éludé le plus passager compagnonnage à l'égard du communisme, du Parti communiste et des pays communistes. Je suis rétrospectivement surpris de l'étanchéité que j'ai établie sans effort et d'emblée entre mes dispositions de gauche et la pression communiste, si forte alors. Je n'ai même pas connu de tourments de conscience. Tout ce qui émanait du Parti communiste français, du Parti communiste italien ou de l'univers soviétique et, plus tard, maoïste n'a jamais suscité chez moi qu'une hilarité aussi instantanée que spontanée. Ou alors, si je les considérais avec sérieux, ce ne pouvait être qu'en tant qu'objets d'étude, comme des cultes fossiles. Bien sûr, le communisme a éveillé en moi des colères, mais uniquement celles que je concevais à force de voir des hommes libres en devenir volontairement esclaves — ce que je baptiserai en 1975 la « tentation totalitaire ». Aujourd'hui, je me crois redevenu capable de parler avec détachement de cette énigme. « La seule marque que l'on a maîtrisé les passions, c'est de parler d'elles sans passion », dit Albert Thibaudet dans *La Campagne avec Thucydide*. Mais je n'oublie pas pour autant qu'une énigme non résolue est grosse d'un rejeton possible.

Parmi les illusions françaises sur l'Italie, que j'étais bien placé pour observer, figurait, dans la gauche non communiste française, la fantasmagorie d'un parti communiste italien plus libéral et pluraliste que le PC français. Togliatti, en réalité, avait plus de sang sur les mains et avait été un plus intime complice des crimes de Staline que ce gros balourd de Thorez, valet ahuri. Mais le secrétaire général italien, plus rusé que le français, manœuvrait avec dextérité l'opinion occidentale, clavier sur lequel son deuxième successeur Enrico Berlinguer jouera en meilleur virtuose encore. J'admirai en 1956 la fourberie de Togliatti, au moment du rapport « secret » de Khrouchtchev sur les crimes de Staline, rapport qui ne resta pas secret longtemps. Sans doute refilé à l'Occident par le PC polonais, il atterrit, en explosant, dans le *New York Times* du 4 juin 1956, et, la même semaine, parut in extenso dans l'*Observer* de Londres, où je le lus. Dans la débandade des partis communistes occidentaux, Togliatti qui, comme tous les secrétaires généraux « frères », avait reçu communication confidentielle du rapport avant le xxᵉ congrès du PCUS, fut le dirigeant le moins pris au dépourvu lors de sa divulgation par l'ennemi de classe. Les communistes français, avec leur sotte épaisseur d'esprit, proclamèrent aussitôt, sans se fatiguer la cervelle, qu'il s'agissait d'un faux. Ils rééditèrent cette trouvaille de génie en 1980, lorsque je publiai dans *L'Express* les documents établissant que Georges Marchais, secrétaire général depuis dix ans, avait collaboré pendant la guerre avec l'occupant nazi. Dans les deux cas, la piteuse astuce du « faux » ne résista pas deux heures à l'entassement des preuves. Togliatti, lui, ne s'exposa pas à ce ridicule. Après avoir fait exécuter à *L'Unità*, le quotidien du parti, quelques « paillasseries » grotesques, il imagina, puisque le rapport n'était pas officiel, d'accorder un entretien à un journal non officiel, c'est-à-dire non communiste, *Nuovi Argomenti* (numéro de mai-juin 1956). Subterfuge de juriste de la politique. Bien entendu, dans ses réponses, il filoche entre les interrogations comme un lézard entre les cailloux ; mais il ne perd pas la boule, comme ses frères inférieurs français, au point de nier l'existence même du document. En France, on raffina encore dans la bouffonnerie, au XIVe Congrès du Parti, en votant une motion condamnant le culte de la personnalité aussi dans le PCF. Mais quand quelqu'un demanda *à qui* avait profité ce culte, nul n'osa nommer Maurice Thorez et sa virago, Jeannette Vermersh. Ainsi, ô miracle ! qui n'avait de précédent que celui de la virginité de Marie, mère immaculée de Jésus, il y avait eu dans le Parti communiste français un culte de la personnalité sans qu'aucune personnalité déterminée en eût été l'objet.

Un de mes amis, le peintre et critique d'art Lando Landini, qui se définissait lui-même comme « militant communiste et peintre bourgeois » (il voulait dire qu'en tant qu'artiste il refusait le réalisme socialiste), me signala, dans l'hebdomadaire littéraire et artistique du PCI, *Vie Nuove*, un article sous forme de lettre ouverte à un esthéticien marxiste qui, comme Aragon en France, avait joué en Italie les inquisiteurs contre les réfractaires au réalisme socialiste. L'article s'intitulait « Qu'est-ce que tu attends pour te faire sauter le caisson ? » *(Cosa aspetti per ammazzarti ?)*.

Malgré la tornade, cette agressive liberté de ton demeura interdite dans la presse communiste française. En Italie, elle fit passer un mauvais quart d'heure à certains apparatchiks de l'art, tel le peintre Renato Guttuso. Il appartenait à la cohorte très fournie — la « divine troppe », comme disait Fermigier citant Ronsard — de ces intellectuels italiens qui, saisis par une brusque crise de conscience et envahis par une foudroyante lumière en 1944, avaient sauté en une heure du fascisme au communisme. Mais tous l'avaient oublié. Guttoso prit dix ans plus tard la malencontreuse initiative de publier dans une revue des dessins antiaméricains, au moment de la guerre de Corée, pour servir la propagande communiste et cracher sur l'intervention de l'ONU, dans la veine des lamentables « Massacres en Corée » de Picasso. Un fouineur découvrit que les mêmes dessins de Guttuso avaient déjà été publiés. Ils avaient servi à incriminer, une première fois, toujours les sanguinaires Américains, déjà, mais d'un autre point de vue : d'un point de vue fasciste, pour condamner... le débarquement allié en Sicile du 9 juillet 1943 ! Le plus édifiant fut qu'après un faux débat confus, Guttuso indigné continua de se montrer tout aussi fier de lui-même. Les militants redoublèrent de vénération pour lui. Réaction très italienne, dans une culture où comptent les individualités plus que les idées. Guttuso était un « monsieur ». Par quel inconvenant manque de respect avait-on pu lui « faire ça » ?

V

Dans ma vie la plus personnelle même, j'eus l'expérience intime de l'hypocrisie implacable des mœurs archaïques qui se perpétuaient encore à cette époque en Italie. Pour que je parcoure les détours de ce « petit monde révolu », selon le titre du roman d'Antonio Fogazzaro, paru en 1895, texte alors chéri des morceaux choisis scolaires, *Piccolo mondo antico*, reflet d'un dix-neuvième siècle italien déjà lui-même en retard sur le reste de l'évolution européenne, il fallut qu'une passion traversât la torpeur opportuniste de mon existence de faux célibataire. Depuis mon installation à Florence et la cessation de fait, sinon de droit, de mon mariage, j'avais tourné sans mal les obstacles que dressait la société italienne devant l'amour, car mes relations féminines, même tendres, restaient de calmes liaisons. Après le retour de Claudia aux Etats-Unis, j'avais souvent reçu la visite d'une Française, rencontrée à Paris en septembre 1953, chez une maîtresse de Pierre Nora, grande amie aussi d'André Fermigier. Les lois fascistes de « protection de la famille », que la République chrétienne, soutenue en cela par les communistes, s'était bien gardée d'abroger, interdisaient aux hôteliers de louer une même chambre à un couple non marié. Et les *documenti* (papiers d'identité), exigés d'emblée dans une vocifération sans réplique et qu'il fallait impérativement laisser à la réception pendant toute la nuit, pour que la police eût le temps de les contrôler, éliminaient toute possibilité de tricherie. Cette interdiction, insurmontable pour l'immense majorité, fort pauvre, des jeunes Italiens — je le savais bien par les confidences de mes étudiants — ne me gênait guère, car, avec un traitement devenu assez substantiel, j'avais, quand besoin était, les moyens de louer deux chambres, aussi bien à la Pensione Bandini que dans les hôtels divers de mes incessants voyages. Et ces voyages, également d'un coût inaccessible à la plupart des Italiens dans la fleur de l'âge et des désirs, me soustrayaient en outre aux espionnages et aux ragots des Florentins, car la cité du lys rouge démontrait qu'une capitale de la beauté peut être à la fois un haut lieu universel et un trou de province, surtout en hiver. Avec l'entrée en scène de Paola, à l'automne de 1954, l'intrigue de la pièce changea. Car, d'abord, je l'aimai, et, ensuite, elle était italienne. Elle vit donc se dresser devant elle non pas seulement les chefs réceptionnistes des hôtels, mais sa famille, son milieu, son éducation, pétrie de culpabilité et de terreurs. Quant à moi, je voulais, sinon vivre avec elle, du moins la voir tous les jours, sans me contenter, comme avec mes amies des deux années précédentes, d'épisodiques et discrètes rencontres. Au début, pour voir en tête à tête Paola, je n'avais pas dû recourir à mes stratagèmes habituels dans l'art du voyage de diversion, car j'avais trouvé la pie au nid, à la Pensione Bandini même, où elle s'était installée en octobre 1954 et où je l'avais croisée dans les couloirs au retour de mes vacances en France. Fille unique de riches parents romains, elle s'était heurtée à eux en un conflit criard, à la suite d'une première aventure avec un peintre sans talent mais non sans charme. Plaidant qu'une séparation apaiserait les disputes familiales, elle avait obtenu d'eux l'autorisation et les moyens financiers d'aller passer quelques mois à Florence, sous prétexte d'y suivre des cours de dessin à l'Académie des beaux-arts. Elle y eut d'ailleurs la chance de tomber dans la classe de mon cher Silvio Loffredo, à la légendaire mimique professorale fort prisée des rapins, sensibles à sa haletante prestidigitation pédagogique. Comme Paola et moi vivions sous le même toit, dans des chambres presque contiguës, sans avoir eu à nous donner la peine de pourvoir nous-mêmes à cet arrangement, cadeau du hasard, nous n'éveillâmes pendant plusieurs mois aucun soupçon, bien que le père fît surveiller sa fille par un détective privé. Mais, avec l'habitude du bonheur, nous manquâmes de plus en plus fréquemment à la prudence et, imitant tous ceux qui s'aiment, nous ne nous lassions jamais d'être ensemble, déjeunions, dînions, nous promenions ensemble, allions ensemble au concert et dans les musées, ou bien, plus étourdis encore, allions passer deux jours à Bologne ou à Sienne sans nous cacher. Le détective privé, malgré une fabuleuse paresse, vite remarquée et dont j'avais, bien à tort, conclu à une absence de danger, finit à la longue par s'aviser qu'il y avait du stupre sur les rives de l'Arno. Il fit son rapport, et, dans la semaine, un jour de mai 1955, le couple parental fit irruption à la Pensione Bandini et reprit sur-le-champ, avec la fille sous le bras, la direction de Rome. Rapt patriarcal contre lequel Paola ne pouvait pas s'insurger. Car, même si elle en avait eu le courage moral, hypothèse à écarter, elle n'en avait pas le droit légal, n'étant pas encore majeure. La majorité restait alors, comme en France, fixée à vingt et un ans, et Paola allait à peine sur ses vingt ans. Quand j'y repense avec le recul, je ne suis pas sans comprendre les parents. La liaison de leur fille mineure avec un homme marié et père de famille, étranger de surcroît, et professeur, gagne-pain modeste, qui, aux yeux de ces gens fortunés, me ravalait à un rang social indigne de leur famille, une telle accumulation de drogues empoisonnées formait une potion trop amère à ingurgiter pour des gosiers italiens. Je n'ouvrais en outre pas beaucoup de perspectives à Paola et donc, par ricochet, à ses parents, du fait que j'éludais avec une opiniâtre inertie d'indiquer une date, fût-elle lointaine, pour mon divorce. Car, dans mon for intérieur, je n'y étais pas résolu. Quoique séparé de Yahne, je ne souhaitais pas divorcer, de peur de perdre le contrôle de l'éducation des enfants, de leur lieu de résidence, et de leurs études. Sachant de quelles lubies Yahne était capable, je ne souhaitais pas apprendre un jour par télégramme qu'elle avait emmené à l'improviste Matthieu et Eve dans un ashram en Inde ou les avait arrachés à la déchéance rationaliste du lycée pour leur faire suivre un enseignement initiatique d'inspiration druidique, dans le droit fil du mysticisme celte. Je pouvais, pendant la plus grande partie des vacances, voir vivre mes enfants et les observer. André Fermigier, qui, durant maints étés, se joignit à nous, m'aidait à jauger leur niveau scolaire. Pour cette raison, et aussi, sans doute, par une horreur invétérée des démarches administratives et de la paperasserie, j'attendis plusieurs années pour divorcer. L'équivoque de mon statut de célibataire marié servit de ressort à bien des tragédies sentimentales, avec et après Paola. Mais, en même temps, ce fut un rempart, que ma fourberie se garda longtemps de démanteler, contre les décisions précipitées que je n'eusse pas manqué de prendre, à maintes reprises, par faiblesse. Il m'abrita de toute tentation de convoler inconsidérément. Au fond, la plus sûre garantie de ne pas se retrouver, un beau matin, marié à la légère, c'est de l'être déjà.

Le retour de Paola dans la geôle familiale transforma pour moi l'année universitaire 1955-1956 en une sorte de roman d'espionnage. Mon amie était pour moi comme un « contact » qu'un agent secret ne peut rencontrer qu'en brouillant les pistes et en trouvant des lieux de rendez-vous toujours nouveaux, imprévisibles pour l'ennemi. C'était tantôt une cabine de bain à Ostie (j'y fais allusion dans *Pour l'Italie*), tantôt un hôtel à Ortisei ou Cortina d'Ampezzo, dans le Haut Adige, stations où sa famille lui permettait d'aller pratiquer les sports d'hiver, et où je trompais les vigilances hostiles grâce à un déguisement tyrolien. Que de rencontres fugaces, à Orvieto ou à Pise, quand elle se rendait en Suisse ou à Gênes pour consulter des médecins. Elle descendait vingt-quatre heures, en cours de route, pour reprendre le même train le lendemain, quitte à bafouiller par la suite en guise d'excuses, sans convaincre, des bizarreries soi-disant explicatives de ce trou mystérieux dans son emploi du temps. Je me partageais entre Florence et Rome, voué à une monomanie de la solitude ferroviaire. Pour citer encore le monologue d'Orson Welles dans *La Dame de Shangaï*, « I did not use my head very much, except with thinking of her ». (« Je n'utilisais pas beaucoup ma tête, sauf pour penser à elle. ») Quand les gens qui me disaient bonjour me lançaient le routinier

« Comment allez-vous ? » je prenais un masque accablé, signifiant :
« Comment voulez-vous que j'aille ? Voyons ! » Hébété par la passion,
je supposais que la terre entière devait deviner que je m'étais laissé
emprisonner par une idée fixe. Chaque roman que je lisais, chaque
film que je voyais, chaque chanson que j'entendais n'existaient pour
moi que comme prétexte à y déchiffrer des analogies avec ma propre
histoire. Coïncidence littéraire mais involontaire, j'ébauchais alors
mon livre sur Proust, c'est-à-dire sur l'absurdité et la félicité de ce
type de passion, sans cause et sans issue. Si je relisais Proust, c'est que
Bernard de Fallois venait de découvrir et de publier de lui un inédit,
agitant au plus haut point, le *Contre Sainte-Beuve*. Au même moment,
l'Ecole normale supérieure de Pise (créée par Napoléon Ier sur le
modèle de la nôtre) m'avait demandé une conférence sur *La
Recherche du temps perdu*, à l'occasion de la réédition, enfin à peu
près correcte, de ce texte, dans la collection de La Pléiade. La substance de cette conférence servit de point de départ à mon livre, où
je retrouve partout des phrases sur l'amour et la jalousie que j'écrivis
à chaud, en pensant au moins autant à Paola qu'aux héroïnes du narrateur proustien, Odette et Albertine. A part ces rapprochements personnels et en dépit du prétexte en apparence fortuit qui la détermina,
cette relecture de Proust, que j'avais découvert dix ans plus tôt sans
être encore assez mûr pour appréhender tout son génie, me marqua
et me métamorphosa. Elle fixa en moi pour longtemps mon idée d'un
modèle du naturel dans le style créateur, qui, à l'instar de tous les
modèles, doit être, non pas imité, mais utilisé comme diapason,
comme instrument d'audition et de contrôle.

Quoique d'un conformisme moral en tous points fidèle à l'esprit du
Vatican, les parents de Paola étaient juifs. Ils appartenaient à l'infime
communauté juive de Rome. Sans doute n'étaient-ce point des juifs
religieux ; mais enfin, ils n'étaient en tout cas pas catholiques. Or ils
se comportaient avec leur fille exactement comme de classiques bourgeois italiens, c'est-à-dire comme des catholiques, puisque la quasi-
totalité des Italiens le sont, ou l'étaient. La pression sociale et la tradition morale l'emportaient donc en l'occurrence sur la culture religieuse. Désapprouvaient-ils la perspective, même incertaine et
lointaine, d'un mariage de leur fille avec moi parce que je n'étais pas
juif ? Non, puisque par la suite elle épousa un goy, qu'ils lui jetèrent
avec hâte dans les bras, quand j'eus détalé. Pas plus que par leur
judéité, leur étroitesse d'esprit n'était atténuée par leurs opinions « de
gauche » ou par leur cosmopolitisme, qui les avaient incités à faire
faire à Paola ses études dans un pensionnat « chic » en Suisse.

Tandis que je me bornais à perdre le sens tout en conservant, dans
mon égarement moral, une robuste constitution physique et un teint
aussi fleuri que vermeil, la santé organique de Paola se détériorait de
pair avec son équilibre psychique. Au point que son père vint me

surprendre, lors d'un mien séjour à Rome, à l'hôtel d'Inghilterra, où il n'avait aucun moyen normal de savoir que je me trouvais, ce qui me redémontra qu'il me faisait suivre. Il me sermonna en m'exhortant à me remettre en ménage avec mon épouse légitime, arguant que lui-même dans sa jeunesse (les hauts faits sont contagieux !) avait réintégré pour toujours le bercail conjugal après avoir succombé une fois à la tentation de l'adultère.

Il était convaincu que les sentiments de sa fille pour moi n'étaient dus chez elle qu'à l'espoir de m'épouser un jour et qu'ils s'évaporeraient dès que s'abolirait, dans son esprit dérangé, la possibilité du mariage. Raisonnement italianissime, car, dans l'Italie d'alors, pour presque toutes les femmes, l'amour se réduisait au mariage. Mais faux calcul, à tous points de vue. Paola et moi ne cessâmes jamais de nous revoir, jusque vers 1963, tant en Italie qu'en France, après mon retour définitif à Paris, et même après que je me fus « abandonné à d'autres nous », comme dit Henri Michaux, et qu'elle se fut résignée de son côté à un mariage sans amour, qui ne dura que quelques mois. Grâce à cette union légitime qui avait mal tourné, elle avait toutefois conquis la liberté par rapport à ses parents. Mais trop tard. Je n'éprouvais plus le désir de vivre avec elle, même si nous nous revîmes de temps à autre, à Paris, en Suisse ou en Italie. Lorsqu'elle mourut, en 1973, à trente-sept ans, j'appris la nouvelle de façon aussi navrante et dérisoire qu'était survenue notre séparation. Ses parents envoyèrent, à la direction de *L'Express*, avec prière de me le transmettre, l'avis de son décès découpé dans le journal ! Leur fille, disaient-ils, quand elle s'était sentie perdue, leur avait fait promettre de m'envoyer la nouvelle de sa mort. Ce fut donc Françoise Giroud qui me l'annonça. Dans leur billet, ils adjuraient *L'Express* de respecter cette ultime volonté de la défunte, avec qui, expliquaient-ils, « Monsieur Revel avait eu des contacts, à Florence, en 1954 ». A ce point de sublime bourgeois, une telle hypocrisie dans le deuil et dans la litote charnelle m'impressionna.

A leur incongrue coupure de presse, les parents avaient joint une ligne manuscrite, tracée d'une écriture informe de grand malade, sur un morceau de papier que Paola mourante leur avait également fait jurer de m'envoyer.

Je lus. C'était le dernier vers de *L'Infinito*, qu'elle me récitait avec tant d'ardeur répétitive durant nos promenades dans la campagne toscane lorsque, rejouant une des sempiternelles scènes de ménage que fait la culture italienne à la culture française, elle me soutenait que Leopardi était un plus grand poète que Baudelaire :

E il naufragar m'é dolce in questo mare.
« Et il m'est doux de sombrer dans cette mer. »

LIVRE NEUVIÈME

« ÉCRIVAIN-JOURNALISTE »
OU
« JOURNALISTE-ÉCRIVAIN » ?

« Tertullien emmerde Monsieur Zuorro. » Cette phrase tournait dans ma mémoire ainsi qu'un bourdon. Je l'avais lue, dans le studio même de Zuorro, en 1947, tracée d'une écriture qui n'était pas la sienne, au dos d'un livre du premier des Pères de l'Eglise, intitulé *Sur la toilette des femmes*, sujet dont mon ami n'était pas le spécialiste le plus averti. Pourquoi Tertullien, qui avait vécu de 155 à 222 après Jésus-Christ, emmerdait-il Monsieur Zuorro ? Et quelle main anonyme avait confié au papier cette invective absurde et pour quel motif ? J'avais toujours remis de le demander à « Zuor ». Et voilà qu'un jour, en 1957, après mon retour définitif d'Italie, prenant un verre avec René Schérer à la terrasse du café de Flore, je sus de sa bouche que je ne connaîtrais jamais la réponse à cette question sans intérêt, mais qui m'obsédait. Car, m'apprit René, Zuorro était mort. Il avait, de passage à Alger, eu le crâne fracassé par un pneu d'automobile posé sur la banquette arrière de sa voiture. L'objet avait été projeté sur sa nuque à la suite d'un coup de frein trop brusque. Quelques semaines plus tard, René admit qu'il avait inventé cette version peu plausible et que Zuorro avait, en fait, été assassiné. Crime pédérastique ou simplement crapuleux, ou les deux, comme celui qui, une nuit de 1975, près d'Ostie devait coûter la vie à Pier Paolo Pasolini ? Ou crime politique ? Car Zuorro, pied-noir né à Bône (ville qui, après l'indépendance, deviendra Annaba), s'était de plus en plus engagé dans l'action militante en faveur de « l'Algérie française », depuis le début de l'insurrection, en 1954. Quand René m'annonça qu'il n'y avait plus de Zuorro, je pensai d'abord au mystère Tertullien, un pur non-sens ; puis j'éprouvai un remords de l'avoir, un soir, fait marcher, en inventant que j'avais entendu Maurice Merleau-Ponty, au bar du Pont-Royal, se moquer publiquement de lui et faire rire à ses dépens Sartre et Simone de Beauvoir. Atteint naturellement déjà du délire de la persécution, prolongement de sa folie des grandeurs, le pauvre Zuorro n'avait guère besoin de ce genre de coups d'éperon supplémentaires pour bondir d'un seul élan jusqu'aux cimes de l'ire.

« Je l'écraserai ! » avait-il rugi. Puis, après avoir sombrement médité :
« Sartre, aucune importance : une paire de gifles dans un bar, à l'occasion ; la Beauvoir, de la rigolade : tutu-pan-pan, circulez — Mais, lui,
Merleau, ce chien, ce néant, ce nabot de l'esprit, je l'écraserai ! » L'intensité de son apoplectique colère m'avait alarmé et rendu honteux
de ma stupide farce. J'avais l'intention de m'en excuser, dix ans après !
Et voilà que je ne le pourrais pas. Je sentis aussi, du fait même de la
soudaine impossibilité de le faire, que Zuorro était l'un de ceux auxquels j'aurais le plus voulu soumettre, avant de le publier, le manuscrit
de *Pourquoi des Philosophes* ? D'abord « parce que c'était lui »,
ensuite parce que lui seul aurait pu me donner, dans l'ordre où les
bons avis sont le plus rares, l'ordre proprement et purement littéraire, des conseils de mises au point à la fois insoupçonnés et
indiscutables.

En même temps qu'un vide, sa mort m'apportait aussi, je dois le
confesser, un soulagement morbide et puéril, et cela pour le plus trivial et malséant des motifs : elle mettait fin à ses persiflages sur
l'amorce de ma calvitie, fatale évidence que je refusais d'admettre.
Chauve lui-même, Zuorro m'avait jovialement prophétisé que je le
deviendrais à mon tour. Je lui soutenais que, tout au contraire, ma
chevelure, sans doute peu fournie, était néanmoins solide et bien
accrochée. Je persistais à voir un état stationnaire dans ce qu'il analysait, avec clairvoyance hélas, comme le premier pas vers la nudité
d'un crâne qui se déplumait inexorablement. Il me martyrisait de ses
sarcasmes sur cette infortune. Quand il retrouvait une tablée d'amis
dans un restaurant, il me saluait dès l'entrée en claironnant de sa voix
éclatante de baryton au timbre vibrant, comme s'il attaquait un récita-
tif devant une salle de trois mille spectateurs : « Alors, très cher ?
Vos cheveux sont toujours rares, mais fidèles ? » Ces taquineries ne
constituaient certes pas une raison suffisante pour me réjouir de sa
mort. Mais il coexiste en chacun de nous plusieurs personnalités, de
la plus mesquine à la plus généreuse, et elles chantent en alternance
plutôt qu'en chœur. A côté du Zuorro que je détestais, mon souvenir
perpétuait le Zuorro que je pleurais, le ribaud érudit qui, dans le tête-
à-tête d'un bistrot, me déclamait à brûle-pourpoint ce vieux quatrain
bachique en dialecte napolitain, cité par Anatole France dans *Le
Crime de Sylvestre Bonnard*. Déambulant à Naples en 1986, je l'ai
encore lu gravé à l'entrée d'un cabaret, où je ne pus donc me retenir
de pénétrer, par piété envers la mémoire de mon défunt maître :

> *Amice, alliegre magnammo e bevimmo*
> *N'fin che n'ce stace noglio a la lucerna.*
> *Chi sa s'a l'autro munno nc'e vedimmo ?*
> *Chi sa s'a l'autro munno nc'e taverna ?*

Ami, mangeons et buvons dans la joie,
Tant qu'il y aura de l'huile dans la lampe.
Qui sait si dans l'autre monde nous nous verrons ?
Qui sait si dans l'autre monde il y a une taverne ?

Ce n'est pas dans l'autre monde, en 1957, c'est dans ce monde-ci que j'aurais eu grand besoin des conseils de Zuorro, même sans trinquer avec lui au gragnano, ce rouge campanien *frizzante*, c'est-à-dire travaillé d'un pétillement impalpable aussi exquis que volatile. Vin qui ne voyage pas et qui, selon le proverbe, ne reste bon à boire que là d'où l'on peut encore apercevoir le Vésuve. Après mes années d'Italie, qui avaient été pour moi une halte dans la clairière, je me trouvai soudain précipité, sans transition, sans décision et sans répit sur une route cahoteuse où je menai de front deux, trois et parfois quatre métiers. De 1958 à 1963, année où je démissionnai du corps enseignant, je fus à la fois professeur, écrivain, éditeur et journaliste. A partir de 1963, j'exerçai simultanément les trois derniers de ces métiers, jusqu'en 1977. En cette année 1977, ainsi que je l'ai déjà raconté, j'ai caressé quelques mois l'illusion qu'en abandonnant mes activités dans l'édition je pourrais me plonger à longueur d'année dans la quiétude champêtre et marine de la Bretagne ou dans la fraîcheur fluviale de la Dordogne. Ce rêve fut brisé par la chute sur ma tête de la direction de *L'Express*. Enfin, après ma démission de *L'Express*, en 1981, je réduisis, si je puis dire, mon travail, aux deux professions, du reste complémentaires depuis la fin du dix-huitième siècle, d'écrivain et de journaliste ou, pour être plus prudemment modeste, d'auteur de livres et d'auteur d'articles.

Il est révélateur de nos contradictions culturelles, malgré deux siècles d'essor mondial de la presse écrite, plaque tournante de la circulation des informations, des goûts et des idées dans les civilisations nées de la révolution démocratique, qu'une soi-disant élite continue à tenir le journalisme pour un genre méprisable et estime qu'un écrivain déchoit s'il s'y adonne. D'abord, seuls les faibles d'esprit peuvent encore croire à une hiérarchie des genres littéraires, à la supériorité intrinsèque de l'ode sur le madrigal, de la tragédie sur le roman, du traité philosophique sur le libelle polémique. Il n'y a pas de genres, il n'y a que des talents. Je dirai même : il n'y a pas de talents, il n'y a que des textes. François Mauriac restera sans doute plus par son *Bloc-notes* journalistique que par ses romans. Ensuite, le journalisme en soi, comme entité distincte, comme être doué d'unité spirituelle, n'existe pas. Qu'y a-t-il de commun entre un reportage sur une compétition sportive, une investigation policière, le récit du congrès d'un parti ou d'un syndicat, la rubrique du jeu d'échecs, un éditorial politique ou économique, un entretien avec un chef d'orchestre, un commentaire moral, une critique littéraire, cinématographique ou dramatique, l'analyse d'un sondage d'opinions, une enquête sur le niveau scolaire des élèves de quatrième, les correspondances d'un envoyé spécial en Inde ou en Finlande, l'étude d'un historien d'art à propos de la restauration des fresques de la chapelle Sixtine ou du nettoyage des *Noces de Cana* de Véronèse, une exhortation à l'intervention humanitaire au Rwanda ou une conversation avec un candidat futur à la présidence de la République ? Rien, sinon que ces considérations et relations diverses s'étalent sur le même support matériel et requièrent le même support moral : l'ardeur au travail dans la collecte de l'information et l'honnêteté dans l'expression des jugements. La critique littéraire peut être signée Sainte-Beuve, la critique d'art Charles Baudelaire, l'éditorial politique Albert Camus, la critique dramatique Paul Léautaud (alias Maurice Boissard), cependant que les récits, entretiens, enquêtes peuvent être dus à des exécutants honnêtes qui ne sortiront guère de l'obscurité, ou à des créateurs dans l'art du reportage, comme Albert Londres ou VS Naipaul. Et encore n'évoqué-je là que le journalisme écrit. Le journalisme radiophonique et, surtout, le journalisme télévisuel mettent en jeu des facultés humaines et font appel à des formes d'attention si différentes et si éloignées des dispositions requises par la rédaction et par la lecture, que l'on ne peut guère les comparer à la presse imprimée et à la manière de l'absorber, du moins dans leurs rapports avec la discipline de l'écrivain.

La plus importante séparation passe entre le journaliste pur, je veux dire l'individu dont la vocation originelle a toujours été de faire du journalisme, et l'écrivain qui écrit dans les journaux. Ce dernier n'avait pas et n'acquiert d'ailleurs jamais comme impulsion première de publier des articles. Je n'ai jamais, quant à moi, pris de mon propre mouvement l'initiative d'en écrire ni de briguer des responsabilités dans la presse. Je n'ai fait d'articles que lorsqu'on m'en demandait, ce qui s'est produit dès la sortie de *Pourquoi des Philosophes* ?, en 1957, et ce qui n'était et n'est demeuré durant toute la suite de ma vie que la conséquence de l'écho qu'éveillaient — à tort ou à raison — mes livres. Je n'ai collaboré ou appartenu par contrat à des journaux ou à des revues, *France-Observateur*, *Connaissance des Arts*, *Le Figaro littéraire*, *L'Œil*, *L'Express*, *Le Point*, auxquels se sont souvent ajoutés des organes étrangers, que lorsqu'on était venu, comme on dit, « m'offrir une tribune », ou une fonction. Encore fallait-il que celles-ci m'apparussent comme un prolongement possible de l'influence que je pouvais exercer par mes livres. Ou, en sens inverse, comme une préparation de ces mêmes livres. Beaucoup d'articles m'ont servi de bancs d'essai, pour éclaircir et formuler des idées ou des sentiments appelés à devenir la matrice de livres futurs. Jean Paulhan, qui m'avait fait obtenir le prix Fénéon en 1957, et que je visitai fort souvent durant les deux années qui suivirent — j'eus même l'honneur de jouer parfois avec lui à la pétanque, le dimanche matin, dans les Arènes de Lutèce —, m'inculqua dès mes débuts un précepte dont je ne m'écartai plus jamais ensuite : « Pour que le journalisme ne vous soit pas néfaste, vous devez toujours vous dire, quand vous écrivez un article, que c'est une page ou un chapitre d'un livre en cours, et même penser déjà, en le rédigeant, au livre où il prendra place. »

Ce livre pourra être, sans fard, un nu et cru recueil d'articles — j'en ai publié quatre — que le temps, et c'est le risque pris par l'auteur, devra ne pas avoir trop fanés ; ou bien ce livre pourra être inventé et construit à nouveaux frais. Certains articles, bien entendu refondus, méconnaissables, y fourniront quelques pierres ou poutrelles de la bâtisse.

Un écrivain qui collabore régulièrement à des journaux est donc, sans doute, un journaliste, mais un journaliste dont les articles ne peuvent être entièrement compris qu'à la lumière de ses livres. Le livre est le centre, la source et l'aboutissement de toute son activité. Processus mental inverse de celui qui donne naissance au journaliste-né. Celui-ci, quelquefois, à partir de ses articles et du matériel informatif amassé dans l'exercice de sa profession, prolonge son activité principale par des livres d'actualité. Cette distinction ne préjuge, ni en bien ni en mal, de la qualité des ouvrages produits. Mais on ne peut l'ignorer si l'on veut tenir compte, dans une histoire des rapports des intellectuels avec la presse, de la différence profonde, voire de l'antagonisme qui existent entre les vocations cachées derrière les signatures respectives qu'on lit en feuilletant les pages d'un journal.

Au demeurant, l'œuvre critique d'Angelo Rinaldi est-elle moins « noble » que ses romans ? L'œuvre journalistique de Bernard Frank, d'Octavio Paz, de Vargas Llosa, moins « littéraire » que leurs livres ? Je ne le crois pas. Qu'un écrivain puisse être aussi un grand journaliste sans cesser d'être écrivain, beaucoup de benêts, déjà, ne l'admettant qu'avec peine, malgré les multiples preuves que l'histoire nous en administre. En revanche, ce que l'opinion « cultivée » — c'est-à-dire conformiste et moutonnière — renâcle tout à fait à reconnaître, c'est qu'un grand journaliste, un esprit dont le « noyau primitif » se situe sans aucun doute dans le giron journalistique proprement dit, puisse être aussi un véritable écrivain. Indro Montanelli, dont la veine première est sans conteste le journalisme, l'emporte, dans ses livres, par le talent littéraire sur maints Italiens classés « écrivains » d'un point de vue académique. Mais ses innombrables lecteurs n'en ont pas tous conscience. Pourtant les portraits, par exemple, qui jalonnent les volumes de sa *Storia d'Italia* brillent d'un style si tendu, dense et délié que son éditeur (Rizzoli) a eu l'heureuse inspiration de les réunir en un recueil distinct : *Ritratti*, à retenir parmi les classiques littéraires du portrait. De même, les historiens repoussent avec horreur l'idée qu'un journaliste puisse faire un travail d'historien, même si, dans certains cas, il le fait mieux qu'eux, et si, sur certains sujets, il les devance.

Christian Jelen dans *L'Aveuglement* et dans *Hitler ou Staline*, Henri Amouroux dans son *Histoire des Français sous l'Occupation*, Pierre Péan dans *Une jeunesse française : François Mitterrand 1934-1947*, Eric Roussel dans son *Jean Monnet*, Olivier Todd dans son *Albert Camus*, entre autres « journalistes », ont découvert ou redécouvert des documents inconnus ou inédits, ils ont vérifié et comparé entre elles les sources, recueilli et confronté les témoignages des survivants, retrouvé et relu des textes originaux, sans se contenter de citations de deuxième main. Bref ils ont accompli le travail fondateur de la science historique qu'avaient négligé de faire, sur les mêmes périodes, les mêmes sujets ou les mêmes hommes, des historiens dits « de métier » qui somnolaient depuis trente ans, aux frais des contribuables, dans les hamacs du Centre national de la recherche scientifique ou des Hautes études. Leurs œuvres en cercle fermé se pillaient si dévotement les unes les autres qu'on retrouvait les mêmes coquilles dans les bibliographies des uns et des autres. J'ai infligé d'assez rudes roustes à mes confrères journalistes dans *La Connaissance inutile* pour qu'on ne m'accuse pas d'esprit de caste quand je dénonce également le racisme culturel dont ils sont les victimes, souvent de la part de pédants paresseux et rétribués par l'argent public.

Quand je les appelle « mes confrères », d'ailleurs, je me remémore aussitôt que je n'en ai pas le droit. En effet, la Commission de la carte professionnelle fonctionne, comme toutes choses en France, selon le corporatisme le plus étriqué. Selon ses critères, quoique j'aie, pendant quarante ans, figuré parmi les collaborateurs de journaux parmi les plus diffusés et les plus influents de France et autres lieux, je ne me suis jamais vu attribuer la carte de journaliste. Pourquoi ? Parce que le journalisme n'a jamais été ma seule ni même ma principale source de revenus. Un de mes élèves du lycée Jean-Baptiste-Say, en revanche, la dernière année où j'y ai enseigné, en 1963, avait la carte de journaliste parce que sa tante, qui dirigeait une revue de mode, lui avait publié dans cet organe quelques articles de critique cinématographique. Comme les rémunérations de ces papiers constituaient son unique revenu, mon élève se vit homologuer comme professionnel, honneur qui me fut toujours refusé. La seule période où j'aurais pu y prétendre fut celle où je devins directeur de *L'Express*, tâche à laquelle je dus bien évidemment consacrer tout mon temps, vivant ainsi, pour la première fois, principalement de mon salaire d'homme de presse. Manque de chance : étant alors non plus « employé » mais « patron », je n'eus pas droit non plus, pendant ces trois années, à la fameuse carte, dont je n'ai d'ailleurs jamais su très bien à quoi elle servait.

Une différence existe cependant entre l'auteur et le journaliste, dans les rapports qu'ils entretiennent au sein d'un seul et même individu, différence moins de substance ou de style que d'intention :

quand on fait un article, on écrit pour les autres ; quand on fait un livre, on écrit pour soi.

En entamant un article, on s'adresse d'emblée à ce lecteur à la fois anonyme et innombrable, proche et invisible, dont on pressent les émotions et les réflexions, comme l'orateur s'efforce de percevoir et d'interpréter les rumeurs de la foule qui l'écoute dans l'ombre. En écrivant un livre, il faut au contraire toujours procéder, jusqu'à la dernière ligne, comme s'il ne devait jamais être publié et n'y tenir compte que de ce que l'on veut y dire, en s'interdisant de se laisser infléchir par l'anticipation des réactions possibles, favorables ou non, qu'il risque de susciter.

Encore le temps des livres n'est-il réel que si l'on n'est pas épuisé par le reste. Durant la période où j'ai dirigé *L'Express* jamais autant de gens qu'alors ne m'ont demandé : « Est-ce que vous avez encore le temps d'écrire ? Avez-vous un livre en préparation ? », ce qui revenait à remuer pesamment le fer dans la plaie. Dès que j'eus démissionné de mon poste, tout le monde se mit à me demander : « L'oisiveté ne vous pèse-t-elle pas trop ? Projetez-vous de fonder un autre journal ? » comme si je n'avais jamais rien fait d'autre que de diriger *L'Express* ! Très peu me disaient : « Au moins, maintenant, vous avez le temps d'écrire pour vous. » Le sadisme est à ce point étranger à ma nature que je ne parviens jamais à croire qu'il explique un grand nombre de comportements et de propos, qui, sans cette clef, seraient indéchiffrables ou témoigneraient d'une bêtise par trop invraisemblable.

II

Olivier Todd a réussi avec plus d'instinct naturel et de flair spontané que la plupart des autres écrivains-journalistes ou journalistes-écrivains la fusion intime et la fécondation mutuelle du reportage et du roman, origine d'un genre littéraire de notre temps, fils de la grande presse et de l'art du conteur. *Les Canards de Ca-mao*, la plus pantelante et touchante reconstitution narrative, en tout cas en français, de la guerre du Vietnam sur sa fin, participe à la fois de la fiction et du récit. Il y s'agit de choses vues puisque l'auteur rapporte son expérience vécue sur place et qu'il fut effectivement fait prisonnier par les maquisards du Viêt-cong. Mais, en même temps, la mise en œuvre et la mise en scène disposent et recomposent événements et personnages sur le mode romanesque, ce qui ne veut pas dire romancé. Quinze ans auparavant, en 1957, paraissait chez Julliard un roman qui avait pour fond la guerre d'Indochine française. Il s'intitulait *La Trompette des Anges*, par un nommé Laurent La Praye. Maurice Nadeau, qui l'avait publié dans sa collection des « Lettres nouvelles », le célébra et le lança comme relevant de la « grande » littérature. Nadeau a donné maintes preuves de son discernement, au cours d'une longue carrière de découvreur. Mais toute médaille a son revers. La plaie secrète de la « grande » littérature surtout quand elle se proclame, par hérédité, d'avant-garde, c'est qu'elle a aussi, comme toute production de l'esprit, son académisme, ses critères conventionnels, ses poncifs. L'« avant-garde » authentique n'est pas une institution immobile, que l'on puisse reconnaître grâce à des repères indubitables, puisqu'elle est, par définition, ce que l'on n'avait jamais vu jusque-là, ce que l'on ne peut donc pas identifier à l'aide de signes préexistants ; et, surtout, elle est ce qui n'est pas destiné à se figer dans le confort répertorié de la bonne conscience esthétique. *La Trompette des Anges* n'a retenti que l'espace d'un cocktail, suivi d'un silence éternel. Au contraire, *Les Canards de Ca-mao*, fruit d'un croisement du reportage autobiographique et du récit romanesque, a créé un genre moderne, que seule notre époque pouvait permettre de concevoir. Genre que Maurice

Nadeau n'aurait jamais consenti à reconnaître comme étant un genre littéraire. Car chacun juge des genres littéraires en fonction de ceux qui étaient tenus pour nobles au moment où sa génération a formé son goût, quand ce n'est pas au siècle précédent.

En 1989, mes amis Bernard Frank et Angelo Rinaldi me pressèrent d'entrer dans le jury d'un prix littéraire qui venait de se créer, le prix Novembre. J'acceptai, en partie par faiblesse, parce qu'ils me terrorisèrent, en partie parce que le prix était doté, et fort richement, par un mécène privé, Philippe Dennery, président de Cassegrain-Graveur, ce qui plaisait au néo-libéral que je suis. Ce fauteuil de juré me fut l'occasion et m'imposa le devoir de me remettre à lire le tout-venant de la « production romanesque » française, comme on dit la production agricole, ou la production industrielle. Le prix n'était pas destiné aux seuls romans, sans naturellement les exclure. Le jury entendait distribuer ses couronnes en se fondant sur la seule qualité des œuvres. Admettons que, sur ce total, mille seulement se présentent comme aspirant à être de la littérature. C'est déjà beaucoup par rapport à la petite minorité qui parvient à l'effleurer. Comme l'a dit Salman Rushdie, « le roman n'est pas mort, il est enseveli. » Cette expérience m'enseigna ou me confirma que, sur les cinq mille sept cent vingt et une nouveautés publiées, par exemple, en 1993 en France dans la catégorie « littérature générale » (qui comprend le roman, la poésie, le théâtre, les essais, les récits, les mémoires, les reportages et l'histoire), trois mille trois cent vingt-huit sont des romans. Cette exorbitante horde sauvage, dont la mortalité à la naissance frôle par bonheur les quatre-vingt-dix pour cent et la moitié du reste a une espérance de vie qui n'excède pas trois mois, doit d'embouteiller les débits de brochures à la seule hébétude hypnotique et boulimique des éditeurs, qui ont l'œil fixé sur les « grands » prix littéraires comme le joueur sur le plateau de la roulette. Comme lui, ils attendent la fortune de l'espoir d'avoir misé sur le bon numéro. Ils ne s'interdisent pas, au demeurant, de fausser quelque peu la rotation de l'axe par de discrètes manipulations. Peu importe. Ce qui compte, au point de vue de la sociologie culturelle des genres dits littéraires, c'est que, sur les trois mille trois cents romans de ce déferlement périodique, représentant, donc, quasiment les trois quarts de la production française, trois mille deux cent cinquante souffrent d'une telle indigence qu'ils n'atteignent même pas le niveau où l'on commencerait à pouvoir leur trouver des défauts. On ne peut même pas les critiquer. Pour être mauvais, il faut d'abord être. A cette aune, on lit chaque jour dans la presse des articles plus proches de la littérature que les neuf dixièmes des romans.

Néanmoins, une autre constatation m'instruisit, dans cet épisode du « Novembre ». Le jury, réunissant une exceptionnelle densité et diversité de talents — critiques, écrivains, y compris étrangers, et quelques amateurs fort cultivés —, éprouvait toujours une pénible difficulté à considérer comme appartenant à la « littérature » tout ce qui n'était pas de la fiction. Nous ne récompensâmes pas seulement des romans, et certains de ceux que nous retînmes méritaient, je crois, le prix. Mais il fallait en général qu'un livre ne relevant pas de la fiction fût d'une qualité et d'une originalité indiscutablement très supérieures à ses médiocres concurrents romanesques pour qu'il l'emportât. Par deux fois, je plaidai en vain contre l'esprit conformiste la cause de deux livres qui sortaient de l'ordinaire (au sens où ce mot désigne la piètre nourriture quotidienne fournie à ses troufions par l'armée), à cause tant de la qualité de leur style que de l'originalité de leur sujet : *L'Etat culturel* de Marc Fumaroli et *L'Ecole du désenchantement* de Paul Bénichou. Les peurs collectives et les préjugés archaïques d'un jury pourtant indépendant triomphèrent hélas ! de l'intelligence et du goût de chacun de ses membres pris séparément. Non que les lauréats du prix, ces deux années-là, en fussent indignes. Mais leurs mérites fermaient une voie plus qu'ils n'en ouvraient une. Que dire alors du palmarès des « grands » prix d'automne réservés à la fiction, ou présumée telle, qui vont sept fois sur dix à un produit surgelé pseudo-romanesque et emballé sous vide, agrémenté de tous les colorants et odoriférants artificiels tolérés par la loi, et qu'il faut consommer impérativement avant Pâques de l'année suivante, date de péremption.

Ce que j'ai écrit plus haut sur le nouveau genre littéraire-journalistique apporté par notre temps, je ne l'ai donc pas développé en particulier à propos d'Olivier Todd par la seule raison que celui-ci est mon ami. Je n'ai pas lu Todd parce que je connaissais Olivier. A l'inverse, j'ai voulu faire la connaissance d'Olivier parce que j'avais lu Todd. C'était en 1957. J'avais été frappé par la vivacité d'un roman intitulé *Les Paumés*, dont *Les Temps modernes*, comme le faisaient alors encore les revues mensuelles selon une tradition remontant au XIXe siècle, donnaient la primeur en plusieurs livraisons étalées sur une succession de numéros, avant la publication en volume — chez René Julliard — mais sous un autre titre, *Une demi-campagne*, à mon avis moins bon. On l'avait substitué au premier par suite d'obscures considérations commerciales. L'édition de poche revint ensuite au titre original. Félicitons les lecteurs qui s'y sont retrouvés !

J'avais goûté des *Paumés* les phrases courtes et rebondies comme l'herbe du Paraguay, un discours amputé de cellulite et dont l'auteur me paraissait avoir compris que la condition du style consiste à savoir renoncer à tout effet de style. Bavardant de riens avec l'efficace et enjouée attachée de presse des Editions René Julliard, bergère bienveillante du troupeau, où je venais d'entrer, des « jeunes auteurs Julliard » — Bernard Frank, Jacques Lanzmann, François Nourissier, Jean d'Ormesson, Françoise Mallet-Joris, Françoise Sagan —, je lui demandai qui était donc cette nouvelle recrue, Olivier Todd, dont le roman, lui dis-je, m'avait beaucoup plu. Elle me répondit : « Ça tombe bien ; lui aussi voudrait vous connaître ; il a été convaincu par *Pourquoi des Philosophes ?* et il m'a interrogée à votre sujet. » J'appris ainsi, avant une rencontre qui ne devait pas rester sans lendemain, qu'Olivier Todd avait vingt-sept ans, qu'il était marié à la fille de Paul Nizan, l'écrivain tué au front en 1940 (après avoir quitté le Parti communiste en 1939 à cause du pacte Hitler-Staline) ; que, de mère anglaise, il était bilingue et enseignait au lycée international de Saint-Germain-en-Laye ; qu'enfin, dans l'équipe des *Temps modernes*, il était l'un des poulains de Jean-Paul Sartre, qui d'ailleurs préfaça *Les Paumés*, quoique l'un des plus indociles. Indocilité filiale qu'Olivier raconta d'ailleurs plus tard, après la mort de Sartre, dans *Un fils rebelle*.

Et à propos des rapports entre le journalisme et la littérature, le style tout en raccourcis de Todd, qui m'avait séduit dans *Les Paumés*, ne pouvait pas venir du journalisme, puisque l'auteur n'en avait alors jamais fait. C'est moi qui devais l'y amener en lui confiant la chronique de télévision de *France-Observateur*, en 1960. Les ignares qui l'accusèrent plus tard de transporter son style journalistique dans ses livres confondaient l'œuf et la poule. C'est au contraire parce qu'il avait déjà dans ses livres un style concis, maigre et rapide, un style de grillade et non de graillon, que Todd a pu devenir un bon journaliste.

III

Le plus précieux bienfait qui puisse échoir à un auteur, surtout jeune, c'est d'avoir un éditeur. Je veux dire non pas seulement de se faire éditer, objectif évident, mais d'avoir un éditeur qui soit un homme, qui soit l'édition en chair et en os. Par homme j'entends « être humain », cela va sans dire, mais cela va encore mieux en le disant, puisque le mélange de compréhension et d'autorité, d'amitié et de sévérité qui fait le bon éditeur se rencontre, bien entendu, autant chez les femmes que chez les hommes. Il serait superflu de le préciser, n'était le bilboquet de la féminisation des noms due à un esprit « politiquement correct » borgne sinon borné. Car enfin, est-il tolérable que l'on dise « une » sentinelle, alors que les soldats qui ont la charge de faire le guet appartiennent en général au sexe viril ? Les coupables de ces sornettes oublient-ils ou ignorent-ils que, selon les bonnes grammaires, « homme », comme maints autres substantifs, est tantôt « marqué », tantôt, et le plus fréquemment, « non marqué », c'est-à-dire désignant les deux sexes de l'espèce humaine, y compris les enfants ? A l'entrée « homme », c'est seulement au onzième paragraphe, après cinq hautes pages serrées, bourrées de très fins caractères, que Littré donne la définition « marquée » à savoir : « L'être qui, dans l'espèce humaine, appartient au sexe mâle. » Quand Cioran, dans une culbute de son réjouissant pessimisme, se proclame excédé par l'homme au point d'exiger « qu'il déguerpisse au plus vite », il n'adresse, de toute évidence, pas cette injonction aux seuls garçons. Que le féminisme de secte nous accule à devoir fournir d'aussi imbéciles précisions est humiliant.

Parmi les éditeurs qui ont le mieux su me « rassembler », comme on dit en termes de manège, quand on veut décrire l'art de « mettre ensemble » un cheval, afin que, bien équilibré, il se sente libre pour l'exécution des mouvements, ce sont souvent des femmes qui ont compté pour moi. Telles Françoise Verny, brièvement mais énergiquement chez Grasset, Nicole Lattès à Nil Editions et Betty Prashker, chez Doubleday, de 1969 à son départ de cette maison, en 1978, après lequel rien ne fut plus pour moi comme avant, dans ces bureaux de Park Avenue où j'avais été si heureux. Betty, petite femme sans séduction ni faconde, ne pouvait, bien sûr, m'aider d'aucun conseil dans l'élaboration des deux livres de moi qu'elle publia aux Etats-Unis, puisqu'il s'agissait de traductions. Et je n'étais pas toujours d'accord avec le choix des traducteurs par Betty. Amer souvenir, je dus, tout un été, rafistoler moi-même la version anglaise de *La Tentation totalitaire.* Pour comble, celui qui l'avait signée, le romancier David Hapgood, décrocha en Grande-Bretagne le prix de la meilleure traduction de l'année ! Mais, malgré son « physique ingrat », périphrase qu'articulait rituellement ma mère, avec un sadisme mielleux et faussement apitoyé pour parler d'un terrifiant laideron, et quoique sans facilité de parole, Betty donnait aux auteurs confiance en eux-mêmes. D'abord en leur prouvant qu'elle avait réellement lu leurs livres et les connaissait à fond ; ensuite en insufflant mystérieusement, sans se départir de son impavide et muette immobilité, le feu sacré aux équipes chargées d'organiser cette opération, déterminante aux Etats-Unis, qu'est la tournée de promotion d'un auteur à travers le pays ; enfin par sa connaissance incisive et sa subtile infiltration de la presse et des télévisions, qu'elle savait appâter, tel l'habile pêcheur à la mouche qui sait faire flotter son fil invisible sur la rivière au-dessus des truites gobeuses. Car cette femme paradoxale, sous ses apparences de taciturne insignifiance, excellait dans les relations publiques ! Etait-ce le secret de son efficacité ? Elle ne s'occupait que des livres qu'elle aimait et comprenait. Elle me stimulait de sa silencieuse approbation, dont elle ne se départit qu'une seule fois, pour me reprocher une plaisanterie douteuse que je m'étais permise, à la fin d'une réunion avec des journalistes, après la sortie à New York de *Ni Marx ni Jésus.* Comme, pendant une heure on ne m'avait posé de questions que sur Marx, je lançai en levant la séance : « Pour la conférence de presse sur Jésus, il vaut mieux que ce soit après le cocktail, quand nous aurons tous quelques verres dans le nez. » Betty me tança d'une bourrade furieuse qui renversa presque sur mon costume le Dry Martini que je tenais déjà en main : « Il ne faut jamais, ici, aux Etats-Unis, se moquer de Jésus : ils sont tous pour », vociféra-t-elle. Elle-même s'en foutait, car elle était juive ; mais, du fond de son professionnalisme, l'éditeur réprimandait le faux pas de l'Européen mécréant. La semaine suivante, par bonheur, un journal du Wisconsin me présenta comme « penseur religieux », ce qui me stupéfia, mais rétablit ma réputation.

C'est surtout René Julliard, parce que j'étais plus jeune, parce que je débutais, parce que, après sept ans passés à l'étranger, je n'avais aucune pratique des milieux littéraires parisiens, et surtout parce qu'il réunissait avec une élégance agile l'éventail complet des qualités constitutives de l'éditeur, à la fois père et frère, censeur et admirateur, supérieur et serviteur, patron et esclave, c'est lui qui demeure dans ma mémoire le modèle de cet étrange ami, connaisseur et pilote, qui prend en main vos livres et votre destin.

Par ses prévenances et sa finesse de touche, René Julliard marquait à tous ses auteurs, ou plutôt à chacun d'entre eux en particulier, que c'était lui qui était à leur service et non eux au sien. J'avais remis mon premier manuscrit à l'un de ses lecteurs, un Bourguignon faussement bourru et vraiment cultivé, Raymond Dumay, rencontré dans un dîner, arrangé expressément à cette fin par des amis parisiens, riches amateurs d'art que j'avais connus à Florence. C'était en juillet 1956 et Dumay, à la fin de la soirée, après avoir rangé le manuscrit dans sa serviette, me dit en prenant congé : « Bien sûr, n'attendez pas de nouvelles avant la fin de septembre ; Julliard est en vacances à Aix-les-Bains ; toutes les maisons d'édition se mettent en veilleuse pendant l'été. » Aussi, quelle ne fut pas ma surprise quand je reçus, moins d'une semaine plus tard, juste avant de partir moi-même pour la Bretagne, un contrat en deux exemplaires signés René Julliard, accompagnés d'un mot courtois et complimenteur de sa main, avec prière d'en signer moi-même un et de le retourner directement aux Editions, rue de l'Université. Dumay avait trouvé mon texte à son goût et l'avait aussitôt transmis à Aix-les-Bains avec les projets de contrat. C'était là l'un des traits de René : il ne faisait pas lanterner les auteurs. Chaque fois, par la suite, que je lui ai remis un manuscrit, je n'ai jamais attendu plus de vingt-quatre heures avant de recevoir son coup de téléphone, chargé de remarques circonstanciées qui dénotaient une lecture vigilante et passionnée. Non qu'il se contentât d'acclamations : il me fit plusieurs fois modifier ou supprimer des passages qu'il estimait mal venus ou mal placés, en me donnant toujours des raisons très fortes, auxquelles je me suis en général rendu. La politesse de René ne se limitait pas à une promptitude attentive. Lorsqu'il me reçut pour la première fois en tête-à-tête dans son bureau, à l'automne de 1956, il s'excusa d'avance de ce qu'il allait devoir, durant notre conversation, prendre un appel téléphonique venant de quelqu'un qu'il avait lui-même prié de le rappeler. Ce serait la seule interruption de notre entretien, me précisa-t-il. Or je n'étais rien ; j'étais un prof inconnu qui n'avait rien publié. Ce savoir-vivre me remplit d'admiration, dans un pays où il est rare de pouvoir avoir avec un homme haut placé un rendez-vous qui ne soit pas haché de sonneries importunes. J'en pris de la graine et, plus tard, quand il m'arriva d'occuper moi-même des postes de responsabilité, je me fixai pour règle de ne jamais faire attendre un visiteur ni laisser envahir par des ingérences téléphoniques le temps que j'avais convenu de lui consacrer.

Julliard savait en outre se montrer, pour ses auteurs , non pas seulement l'entrepreneur qui finançait la transcription de leur prose en caractères d'imprimerie, mais un médiateur et un point de ralliement, car il recevait, en compagnie de sa femme Gisèle, avec bonne grâce, doigté, et un raffinement à vrai dire plus délicat dans l'hospitalité que dans la cuisine. Ses déjeuners ou dîners d'auteurs réunissaient de six ou sept à une vingtaine d'invités. Ils nous permettaient de nous connaître entre nous, ce qui n'est pas toujours le cas dans les maisons d'édition, en particulier pour les écrivains étrangers. Grand, mince, affable et discret, René glissait entre les groupes, avant que nous ne passions à table. Il rapprochait les uns des autres les gens qui ne s'étaient pas encore rencontrés et entre lesquels il supposait des affinités. Le charme de l'atmosphère qu'il parvenait à créer faisait passer la chère, fort médiocre je l'ai dit, car le malheureux n'y veillait guère, n'étant point en état de la goûter. Il souffrait déjà du cancer de l'œsophage qui devait l'emporter en 1962 et qui l'empêchait quasiment d'ingérer quoi que ce fût d'autre que des liquides ou des purées. Chaque été, il m'invitait à venir le voir un jour ou deux à l'hôtel Splendide, aujourd'hui disparu ou rebaptisé, à Aix-les-Bains, où il faisait une cure régulière pour des rhumatismes dont il ne souffrait nullement, et en réalité parce que le caravansérail des Thermes d'Aix est un dédale fort commode pour des rendez-vous galants, qui passaient inaperçus de son épouse, laquelle, pourtant, ne le surveillait guère. Après nos déjeuners dans la salle à manger tout en vitres et si lumineuse de l'hôtel, il m'emmenait, dans le petit avion qu'il pilotait lui-même, survoler lacs, vallées et montagnes. Après l'une de ces randonnées aériennes, et dans la chaleur d'une fin d'après-midi d'été, alors que, à la buvette du petit aéroport de tourisme du Bourget-du-Lac, nous nous désaltérions d'un chignin, blanc savoyard d'une légèreté sèche et fruitée, je me décidai à mettre sous le nez de René mon projet de collection d'histoire de l'art. Il l'accepta aussi abruptement que je le lui avais exposé.

Au vrai, cet acquiescement, si rapide fût-il, était moins inconsidéré de sa part qu'il ne semble. Car j'avais à plusieurs reprises déblatéré devant lui contre la carence de l'édition française dans ce domaine. J'avais ressassé mon amertume de voir les classiques fondamentaux de l'histoire moderne de l'art demeurer inaccessibles à la majeure partie du public français, faute de traductions. Ma complainte et mes arguments avaient visiblement fait leur chemin dans l'esprit de René.

L'injustice des réputations prêtait à René Julliard celle d'un pur éditeur commercial. Il l'était aussi, certes, si l'on entend par là qu'il s'efforçait d'obtenir pour ses livres le plus de presse et le plus de ventes possibles. Je n'ai au demeurant jamais jusqu'à présent rencontré un seul auteur, même se tenant pour « difficile » et peu « grand public », qui enjoignît à son éditeur de museler la presse sur son compte et aux libraires de retourner ses livres au distributeur sans tenter de les vendre. Quant aux campagnes de réclame payante, j'ai plus d'une fois observé chez les écrivains, durant les années où je me suis occupé moi-même d'édition, que leur mépris pour la publicité en général se doublait d'une fringale illimitée de placards publicitaires pour leur usage particulier. Julliard ne faisait donc que son métier en tirant le meilleur parti possible des textes qu'il éditait. Mais si, en le qualifiant de « commercial », on entend que, pour des raisons purement mercantiles, il aurait publié des manuscrits jugés par lui-même mauvais et qu'il en aurait refusé d'autres, tout en les trouvant bons, mais peu vendables, c'est faux. Julliard publiait *Les Temps modernes*, revue célèbre mais peu ou pas rémunératrice, alors qu'il n'avait ni Sartre ni Simone de Beauvoir chez lui comme auteurs. Leur éditeur, Gallimard, n'avait plus voulu de la revue. Julliard laissait Maurice Nadeau libre de diriger *Les Lettres nouvelles* et la collection du même nom selon son goût, dont on ne saurait dire qu'il avait le succès financier pour objectif prioritaire. Quant à ma collection « Histoire de l'art », c'était, dans l'œuf, une monstruosité financière ; et Julliard, qui calculait plus vite qu'un ordinateur et connaissait à fond le marché, le vit et le comprit dès le départ. D'abord, il s'agissait d'auteurs dont les noms ne disaient rien aux Français, et pour cause ; de livres érudits, parfois énormes, assez souvent écrits avec lourdeur, sauf exceptions, comme ceux de Kenneth Clark ou de Roberto Longhi. Leurs gros frais de traduction alourdissaient encore le coût de fabrication. Pour modérer un peu ces derniers, j'avais décidé, pour les illustrations, de réutiliser sans changement les négatifs des éditions originales, d'où l'austérité de nos volumes, dans la période même où le perfectionnement des techniques de la reproduction en couleurs répandait sur le marché des albums d'art chatoyant aux textes d'ordinaire indigents mais aux rutilantes planches. C'est qu'il faut distinguer les « livres d'art », objets ornementaux, des livres *sur* l'art, qui valent par la prééminence du texte et qui sont faits pour être lus, contrairement aux premiers. Autant dire que nous obtînmes un succès plus « d'estime », comme on dit pudiquement dans ces cas-là, que de ventes. Cependant, René, pendant les trois ans qui s'écoulèrent entre le début de la collection et sa mort, ne me fit jamais le moindre reproche, ne me pria à aucun moment de réduire mes programmes, ne refusa ni ne différa même pas sa signature au bas d'un seul des contrats que je lui soumettais. J'accorde que nous remportions en acclamations chez les connaisseurs tout ce que nous perdions en recettes chez les libraires. Mais, précisément, cette abnégation stoïque était aussi dans le caractère de René Julliard et dans sa conception de l'édition. Et je trouve qu'il y montrait bien du mérite, quand je jette un coup d'œil rétrospectif sur le catalogue de ma collection. Car *Le Festin des Dieux* ou *Art et Anarchie* d'Edgar Wind, l'*Albert Dürer* d'Erwin Panofsky, le *Philibert Delorme* ou *La Théorie des arts en Italie* d'Anthony Blunt, *L'Architecture du Siècle des Lumières* d'Emil Kaufmann ou *Le Cubisme* de John Golding, *L'Atelier de Ferrare* de Roberto Longhi, et nombre d'autres titres que je publiai (ou dont j'achetai les droits sans avoir le temps de les publier, une fois Julliard disparu et sa maison absorbée par d'autres), de tels livres n'avaient pas en réalité vocation à paraître chez un éditeur privé qui en assumât tous les risques financiers, avec une témérité frôlant la sainteté. Ils auraient dû voir le jour dans une maison d'édition universitaire, soutenue par de fortes subventions et assurée d'une clientèle « captive ». Ma tâche était celle que nos professeurs d'histoire de l'art, forts de leurs appuis officiels et des crédits alloués aux collections dont ils avaient la charge, auraient dû entreprendre depuis longtemps, pour combler cette lacune béante de notre culture.

Pour comble, loin de me savoir gré de l'avoir remplie à leur place, ils m'en tinrent plutôt rigueur. D'abord, je dévoilais leurs sources. J'importais en France des rivaux jusque-là ignorés de leurs étudiants et dont la stature dépassait souvent la leur. Ensuite, j'avais l'air de leur faire la leçon, je soulignais sans le vouloir la défaillance de leur zèle à rendre accessible l'information internationale dans leur propre discipline. Pour qui se prenait ce dilettante, étranger à la corporation, qui se substituait à eux et faisait traduire les textes sacrés et secrets de la tribu ? Et chez l'éditeur de Françoise Sagan ! Le tout-puissant André Chastel, professeur à la Sorbonne, puis au Collège de France, à qui me liaient pourtant des relations cordiales, tenait la très influente rubrique de la critique d'art et de la critique des livres sur l'art dans *Le Monde*. Il ne consacra en trois ans jamais une ligne aux livres de ma collection, dont il me complimentait cependant de vive voix à chacune de nos rencontres et qui garnissaient les bibliographies de ses propres ouvrages. Je n'ai jamais eu assez d'énergie pour éterniser mes rancunes : vingt ans plus tard, quand Chastel publia chez Gallimard son *Sac de Rome*, j'en donnai dans *Le Point* un compte rendu fort élogieux, ainsi que le méritait cet essai, d'ailleurs. Il m'envoya une lettre où il me remerciait avec effusion de la « perspicacité » de mon article, oubliant toutefois d'ajouter à ses flatteries qu'il ne s'agissait en tout cas pas de ma part d'un renvoi d'ascenseur !

Les Français vouent à la culture de haute école un culte platonique. Quand ma collection dut s'arrêter, nombre de riches amateurs, que je croisais habituellement dans les musées, expositions et galeries, me reprochèrent avec véhémence de ne pas m'être davantage battu pour qu'elle survécût. Mais, durant son existence, ils ne m'avaient jamais encouragé autrement qu'en me demandant de leur en faire envoyer des exemplaires gratuits. Quand je sortis *L'Architecture du Siècle des Lumières*, texte fondamental sur Ledoux et sa période, je fis expédier plusieurs milliers de prospectus proposant un prix de faveur aux 25 000 architectes de France, les « DPLG » (diplômés par le gouvernement). Je conjecturais qu'ils s'intéressaient à l'histoire de leur art :

nous reçûmes *trois* réponses. L'appât d'un rabais ne suffit pas à vaincre l'amour de l'ignorance.

Au demeurant, la querelle sur l'édition commerciale et l'édition noble est irréaliste au point d'être puérile. J'ai vu des éditeurs faire fortune avec des livres de qualité et d'autres se ruiner avec des produits d'épicerie en gros, qu'ils croyaient assurés du succès et confectionnés selon des formules garanties. Ce que Julliard m'a enseigné, c'est l'absence d'antinomie entre les prétendus deux types d'édition. Il y a de bons livres qui se vendent et de bons livres qui ne se vendent pas ; comme il y a de mauvais livres qui se vendent et de mauvais livres qui ne se vendent pas. S'il suffisait de manquer de talent et de scrupule pour s'enrichir, la République des Lettres regorgerait de milliardaires. Et s'il suffisait d'en posséder pour s'appauvrir, tout le Parnasse serait à l'asile pour indigents, ce qui n'est pas le cas non plus.

J'ai lu des ouvrages de prétendus sociologues de la culture qui, avec une assurance admirable, prétendaient tracer une frontière précise entre l'édition commerciale et l'édition de qualité. Ces ouvrages révélaient surtout que leurs auteurs ne s'étaient pas donné la peine de parcourir les catalogues complets des maisons censées incarner l'un ou l'autre type. Ils y auraient observé dans les deux cas un troublant panachage. Non seulement aucun de ces soi-disant « scientifiques » n'avait vécu fût-ce un quart d'heure à l'intérieur d'une maison d'édition, mais nombre d'entre eux commettaient des erreurs de fait si grossières, affichaient une négligence si patente de l'information la plus élémentaire et la plus accessible qu'aucun rédacteur en chef ne les aurait tolérées de la part de n'importe quel petit journaliste stagiaire[1].

Réputé pour son flair commercial, René Julliard m'administra d'ailleurs, dès mes premiers pas chez lui, la preuve des flottements de ce sixième sens. J'arrivai dans sa maison, j'en ai déjà dit un mot au début de cet ouvrage, avec deux manuscrits, un roman, *Histoire de Flore*, et un essai, *Pourquoi des Philosophes* ?. Le roman avait une facture néoclassique, qui provenait non de ce que j'ignorais les recherches formelles dans l'art romanesque, mais de ce que je m'étais lassé d'y réfléchir. J'en avais discuté des dizaines d'heures avec Zuorro, qui, récusant tout récit linéaire, avait poussé Jean-Paul Sartre à recourir à un genre de composition à la Dos Passos pour écrire ses *Chemins de la liberté*. Après Dos Passos, précisément, et après l'*Ulysse* de Joyce ou *Le Bruit et la fureur* de Faulkner, on ne pouvait plus, m'enseignait Zuorro, simplement raconter une histoire avec des dialogues et des personnages. J'avais noirci des cahiers entiers de « réflexions sur le

---

1. Un exemple d'ouvrage bâclé et ignare sur le sujet est celui de Pierre Bourdieu, *Les Règles de l'art* (Seuil, 1992).

roman » dans ce sens. En France, le Nouveau Roman allait naître. Quant à moi, j'étais bien incapable de l'inventer. Fatigué de mes cogitations sur l'esthétique romanesque, je lus tardivement et par hasard, en 1955, *Le Petit Ami* de Paul Léautaud. Ce roman, quoique datant de 1903, me ravit par un art de la narration qui conciliait le classicisme apparent de la facture avec le modernisme aigu d'un style dont le tempo accéléré supprimait, comme dit Montesquieu, tous les intermédiaires. Je décidai de tenter une expérience voisine, appliquée cette fois à la vie d'une fille, une « petite amie ». Je m'inspirai du personnage d'une jeune femme rencontrée naguère dans le milieu gurdjieffien, que ma tentative me donnait ainsi également l'occasion de peindre. Je l'ai mentionné plus haut, René Julliard s'était d'emblée enflammé pour ce mince roman, auquel il prédisait un succès de vente comparable à celui du *Bonjour tristesse* de Françoise Sagan, pas moinsse ! *Histoire de Flore* prit la mer en février 1957 et sombra dès la sortie du port. Ma pauvre héroïne laissa le public de glace, même si j'eus quelques articles. L'un d'eux, dans *Arts*, signé d'un jeune auteur qui allait bientôt devenir un ami, François Nourissier, se concluait par une phrase qui m'attrista et m'encouragea tout à la fois : « Si M. Revel n'est pas assuré d'être un romancier, il est assuré d'être un écrivain. » Flore garnit moins les vitrines des libraires que leurs cartons de « retours à l'éditeur ». Tout penaud de ma déconfiture, je revins voir Julliard quelques semaines plus tard, en lui suggérant d'une voix étranglée de publier mon essai sur la philosophie. Il n'avait aucun engagement vis-à-vis de moi quant à ce titre, pour lequel nous n'avions pas établi de contrat. « Ecoutez, me dit-il, c'est un texte qui peut intéresser tout au plus quatre ou cinq cents personnes en France. Nadeau a refusé d'en passer un extrait dans *Les Lettres nouvelles*. Mais enfin, pour vous faire plaisir, je le publie volontiers. » Ainsi, un éditeur que les sociologues classeraient sans hésiter parmi les purs « commerciaux » acceptait par gentillesse envers un débutant sans notoriété de publier un livre dont il était sûr qu'il ne se vendrait pas, juste après en avoir sorti un du même qui déjà ne s'était pas vendu. Or le public et la critique octroyèrent à *Pourquoi des Philosophes ?*, paru en mai 1957, une fortune opposée en tous points à la sombre prédiction de René. Il fut très surpris d'avoir à réimprimer et bientôt il ressortit le livre sous une autre couverture, jugée plus « grand public » que l'austère couverture primitive gris-bleu. Ce chassé-croisé commercial de mes deux premiers textes montre à quel point il est faux que même le plus finaud des éditeurs puisse à tout coup prévoir le succès, à plus forte raison le fabriquer.

Cette première expérience m'a rendu, en tant qu'auteur, fataliste.

Elle m'a aussi enseigné, au rebours des préjugés du parasitisme puritain que la liberté du créateur, sa dignité aussi, c'est le choix du public qui les lui octroie et non les subventions de l'Etat. Ne l'oublions pas : tout art est aussi un commerce ou doit pouvoir l'être, sans quoi nous aboutissons à un art de type soviétique ou nazi, reposant tout entier sur les commandes officielles, avec les cataclysmes esthétiques que l'on connaît. La littérature a conquis sa liberté en devenant un commerce, car, même au plus haut niveau, il vaut mieux être Balzac, et vivre, fût-ce mal, de livres achetés par les lecteurs, que Racine ou Boileau, si grands soient-ils, tributaires de la cassette du prince.

Combien en ai-je vu naître et disparaître, de ces éphémères maisons d'édition, dont les prétentieux fondateurs croyaient prouver leur héroïsme littéraire par la promptitude de leur faillite ? Leur rapide dépôt de bilan n'établissait-il pas la sûreté de leur goût et le vice du système ? La logique de cette équation, selon laquelle l'insuccès démontrerait la qualité, est aussi fausse que celle de l'équation contraire, moins conforme aux préjugés chics, qui associe la valeur au succès. L'art et l'édition ou le cinéma ou le théâtre et la critique seraient trop simples, si l'une ou l'autre de ces deux équations se vérifiaient toujours. Quant à l'auteur, outre une compréhension, une complicité littéraires, il attend de son éditeur un sentiment de sécurité, grâce à une bonne gestion, gage de durée et de continuité. Rien n'affecte plus un auteur que d'ignorer soudain ce que vont devenir ses titres parce que sa maison vient de fermer ou de changer de propriétaire. Avoir vécu par deux fois ce désagrément, après la mort de Julliard et après la perte de sa majorité par Laffont, m'autorise à dire qu'être un véritable éditeur, c'est être capable non pas seulement de jouer le bel esprit, mais aussi de bien diriger une entreprise, dont la solidité seule apporte à l'auteur la sérénité indispensable au travail.

Vedette de l'édition, comme René Julliard, Robert Laffont s'opposait pourtant à lui par la totalité des traits de son caractère. Il était autant replié sur lui-même que René était tourné vers le dehors. Robert ne redoutait rien tant que de rencontrer un auteur, sauf dans son bureau pour discuter du contrat. Son directeur des services littéraires (et non « directeur littéraire » — nuance !), le jovial et perspicace Jacques Peuchmaurd insinuait même que, si la maison avait presque plus d'auteurs étrangers que d'auteurs français à son catalogue, c'était que, pour Robert, plus un auteur était loin, plus il était sympathique. L'auteur idéal était celui qu'il n'avait jamais vu. A vrai dire, il aimait non les écrivains, mais les livres, parce que c'étaient *ses* livres. L'absence ou la discrétion de leurs auteurs lui permettaient de s'imaginer que les textes qu'il publiait devaient au fond à lui seul leur existence, tout comme leurs auteurs lui devaient une éternelle reconnaissance, puisque, dans son idée, leur œuvre n'aurait jamais vu le jour sans lui.

Tout l'opposé de René Julliard, il répugnait à la compagnie des écrivains, surtout au tête-à-tête avec eux, à la discussion, à l'échange de vues, toutes expériences propres à lui faire toucher du doigt la réalité de l'auteur comme animal pensant, extérieur à lui, apparemment autonome et peut-être même doué d'une vague personnalité propre. Il avait du mal à supporter tout ce qui n'était pas ses émanations, ses créatures. Beau, mélancolique, et pourtant souriant, il était couvé jusqu'à l'idolâtrie par son équipe, surtout les femmes. Il lui en coûtait de s'arracher à ce douillet entourage adulateur.

Je ne réussis presque jamais, dans mes attributions de directeur de collection, à le traîner dans un déjeuner avec des critiques. Je lui représentais que cette sombre engeance se sent flattée de bavarder quelquefois non pas seulement avec les attachées de presse ou les conseillers littéraires, mais avec le patron lui-même. Hélas ! au cours de ces rares agapes journalistiques il prenait une mine si accablée, ou bien il s'abandonnait à de si répétitives jérémiades sur les injustices de la presse et des jurys de prix littéraires envers les Editions Robert Laffont que mes confrères, assommés et courroucés, s'esbignaient vers la sortie avant même les fraises ou le café. Là où Julliard convainquait et séduisait, Laffont geignait et bougonnait. Il ne prêtait, dans la conversation, attention qu'à l'état dans lequel il se trouvait lui-même, indifférent à celui des autres, sauf par rapport à lui, soit qu'il eût la satisfaction de constater chez son interlocuteur les marques d'une vénération idoine, soit au contraire qu'il le soupçonnât de malveillance, de perfidie ou, pis, d'une injurieuse indifférence. Cette vanité comportait un inconvénient : Robert se laissait gruger et dépouiller par des flagorneurs, oiseaux de passage et de proie, qui l'escroquaient en lui faisant gober des projets mirifiques, pour eux, s'entend, pas pour leur dupe. Nous y reperdions les bénéfices gagnés dans l'édition saine et honnête. Sa jobardise me jetait dans des colères qui me firent ranger par lui au nombre des « mauvais caractères ». Il allait répétant que je le « terrorisais ». En fait, je cherchais à le protéger, en vain.

Néanmoins, durant les dix ans que je passai chez lui, en qualité à la fois d'auteur et de conseiller, il se révéla en lui-même comme un éditeur à l'indubitable vocation et envers moi comme un ami à la sincère affection. Je la lui rendais bien, désintéressée, autant que spontanée. Hélas ! son narcissisme gâtait son naturel sociable. Lorsqu'un auteur ou un directeur de collection de chez Laffont changeaient d'éditeur, même dans des conditions amiables et correctes, parce qu'ils étaient au terme de leur contrat, Robert s'estimait trahi, victime de la noirceur de ses obligés et de la forfaiture de ses vassaux. Avec l'âge, l'impérialisme de sa paranoïa grandissait et il se répandait de plus en plus dans la presse en dépeignant tous les auteurs comme des ingrats et des renégats. Vers 1987, stupéfait, je découvris dans *Lire* (la revue mensuelle alors dirigée par Bernard Pivot) un entretien presque dément où il me mettait au nombre des félons, sous prétexte que j'avais publié deux livres chez Grasset, à une étape de ma carrière où plus aucun engagement ne me liait à lui. Lequel d'entre nous montrait en l'occurrence de l'ingratitude ? Autant comme auteur que comme conseiller je lui avais apporté plusieurs succès, tant de ventes que d'estime. En outre, sa diatribe mesquine, par endroits calomnieuse, constituait une faute professionnelle stupide, qui dénotait l'étendue et l'aggravation de son aveuglement. Car je venais justement de signer avec lui un nouveau contrat pour un livre ! Inconscient de l'incohérence de son comportement et de l'invraisemblance de ses billevesées, il refusa de se rétracter, ce qui me conduisit à la dénonciation dudit contrat et à la rupture provisoire de notre amitié.

Le caractère d'un homme est souvent le principal ennemi de son talent. Robert en avait. Talent d'une espèce particulière, que celui de l'éditeur, où se mélangent le don de guider les autres et l'effacement de soi, l'agressivité et la discrétion, l'initiative et la docilité. Les éditeurs sont souvent mal compris, plus encore que les hommes politiques, auxquels on reproche aussi à la fois de trop en faire et de ne rien faire. On accuse les éditeurs de ne se soucier que de l'argent et de ne pas vendre assez, de gérer sans prudence et de manquer d'audace, d'imposer leur goût et de n'en point avoir, de trop publier et de refuser trop de manuscrits. Leur métier est d'avancer tout en gardant leur équilibre entre ces exigences contradictoires. Leur art est de s'oublier au profit de leurs auteurs tout en imprimant à leur maison leur style personnel.

Outre ceux dont je viens d'esquisser le portrait, tous les vrais éditeurs auxquels j'ai eu affaire de près, entre autres Jean-Jacques Pauvert, Jean-Claude Fasquelle, Christian Bourgois, Olivier Orban, Nicole Lattès, Guy Schoeller ou Claude Durand étaient ou sont, chacun à sa manière, de ces paradoxes ambulants. Mais, quelque excellents qu'ils fussent dans telle ou telle composante de leur profession, je n'ai jamais rencontré que des éditeurs incomplets. Les uns sont d'attentifs et sagaces liseurs de manuscrits, de judicieux conseillers de leurs auteurs, mais sont incapables d'exploiter un succès et laissent un livre manquer en librairie au moment où toute la presse en parle et où le public le réclame. J'estime d'ailleurs, fort d'une longue expérience, comme auteur, comme responsable d'édition, comme critique et comme acheteur, que la rencontre, à l'instant propice, entre le livre et le client désireux de l'acquérir constitue, dans la majorité des cas, un événement hautement fortuit, improbable, qui relève de la théorie du hasard. D'ordinaire, dans ce secteur de l'économie culturelle, l'on rencontre ou l'offre sans la demande ou la demande sans l'offre. Les éditeurs attribuent les plaintes qu'on leur adresse sur ce point à la paranoïa des auteurs et ensuite gémissent sur la « crise de la lecture ». D'autres éditeurs sont en revanche des virtuoses des relations publiques mais paraissent avoir à peine lu ce qu'ils publient, décourageant ainsi et offensant les auteurs. D'autres encore maîtrisent le marché national mais ratent tous les contrats étrangers. Ou bien encore ils sont à l'aise dans la tribu littéraire, mais ignorent tout du public ; tandis que certains de leurs confrères ne parviennent jamais à se faire accepter dans la société des intellectuels, quelques efforts qu'ils fassent pour publier des livres invendables. C'est pourquoi l'on n'entend jamais définir un éditeur que par ses manques. Les rumeurs qui lui en reviennent altèrent son humeur et aigrissent son caractère.

Il n'y a pas que dans la distribution en librairie que le hasard sert ou dessert. Dans la conception aussi, certains choix judicieux, certains « coups » fructueux peuvent être fortuits, même si l'éditeur se les attribue ensuite. En novembre 1968, Jean-Jacques Pauvert ayant été mis en règlement judiciaire et devant se séparer de son plus talentueux collaborateur littéraire, Jean-Pierre Castelnau, sans pouvoir lui régler d'indemnités, lui donna, pour en tenir lieu, avec licence de le placer et négocier au mieux de ses intérêts, un manuscrit qui venait d'arriver par la poste et que la maison n'avait plus les moyens d'éditer. Voilà Castelnau transformé en agent à son compte. Souhaitant mon avis, il me demande un rendez-vous, qui eut lieu par une noire et glaciale fin d'après-midi de décembre, comme aurait dit Balzac, au lugubre Café de la Mairie, place Saint-Sulpice, à côté des Editions Laffont. « Je n'ai plus de salaire, même plus de sécurité sociale, me confia-t-il ; il ne me reste qu'une famille à nourrir et cette production d'un inconnu, ajouta-t-il en hissant de dessous la table un carton enserrant deux ou trois terrifiants kilos de feuillets dactylographiés. J'aimerais que tu me rendes le service de me dire ce que tu en penses, si tu crois qu'on peut en tirer parti, comment, et si j'ai quelque raison d'en attendre un rétablissement de mes ressources. » Accablé, déjà, de manuscrits pour la plupart informes et ineptes, et par la désolation de cette nuit d'hiver, je rangeai le monstre dans un coin, quelque part chez moi, et demeurai lâchement plusieurs jours sans y toucher, cependant que s'accumulaient sur mon bureau les billets posés en mon absence et répétant comme une litanie : « Monsieur Castelnau a téléphoné, Monsieur Castelnau a téléphoné. » Enfin, un dimanche matin, je me plongeai dans cette épaisse liasse ; et je me sentis aussitôt emporté, dompté comme je l'avais été, à dix ans, en lisant mon premier Jules Verne ou mon premier Jack London. Il s'agissait de *Papillon*, l'autobiographie romancée d'Henri Charrière, le bagnard évadé, installé depuis la guerre à Caracas, d'où il avait expédié son grimoire à Jean-Jacques Pauvert. Dans l'esprit un peu fruste de Charrière, Jean-Jacques était l'éditeur spécialiste des confessions d'évadés, pour avoir publié avec succès *L'Astragale*, d'Albertine Sarrazin, dont un client de *Mi Vaca y yo* (« Ma vache et moi », titre d'un film de Buster Keaton, *Go west* en anglais), la boîte de nuit qu'avait Charrière à Caracas, avait oublié — autre hasard ! — un exemplaire sur sa table, ce qui avait amené le patron à le lire. Si Albertine avait vendu cent mille exemplaires en racontant une minable évasion de la centrale de Compiègne ou d'Arras, raisonna Charrière dans sa tête à la fois rudimentaire et rusée, combien davantage vais-je vendre avec les aventures autrement prodigieuses de mon évasion de Cayenne ! S'il vendit, en effet, plus d'un million d'exemplaires en France et près de vingt millions en des traductions diverses de par le monde, faisant au passage la fortune de Castelnau, associé à l'entreprise, ce ne fut pourtant pas en raison de la seule extravagance de ses tribulations, ce fut en raison de son aptitude à les raconter. *Papillon* n'est pas « de la littérature », certes, dans la mesure où c'est un livre étranger à toute référence culturelle. Mais Charrière possède un don inné de conteur, comme possèdent un don naturel des musiciens de jazz qui n'ont jamais appris le solfège ni entendu un seul concert classique. Comme eux c'est un artiste préculturel. Charrière est un primitif de la narration, tel qu'il en existe dans toutes les sociétés archaïques. *Papillon*, expliquai-je dans la postface que j'écrivis pour ce livre, relève de la littérature orale. En octobre 1994, quand le film assez médiocre réalisé à partir du livre fut reprogrammé sur le petit écran, un journaliste du *Figaro* écrivit : « Après être passé entre les mains de Jean-Jacques Pauvert, le manuscrit, *dont on sait maintenant qu'il ne fut pas écrit par l'auteur* (c'est moi qui souligne), vint se poser chez Robert Laffont. » Cocasse professionnalisme ! En 1994, Castelnau était mort depuis longtemps, mais d'autres témoins vivaient encore. Le soi-disant journaliste ne prit cependant pas la peine de les interroger. Je puis assurer que c'est Charrière seul qui a écrit Papillon. Et même, une fade expérience de récriture, malencontreusement ébauchée par Castelnau, car certains pensaient que le style parlé de Charrière faisait trop négligé, fut écartée avec énergie par moi. Elle eût tué le livre. Le style parlé fondait précisément l'originalité fougueuse du ton, qui conduisit au succès. Dans ma postface, je comparai la veine narrative de Charrière, produit brut et immédiat des sensations, des images, des mouvements, au style pour ainsi dire corporel de Grégoire de Tours dans l'*Histoire des Francs*, tel que le caractérise à merveille Auerbach dans *Mimesis*. Cette mienne comparaison avec le saint prélat mérovingien valut dès lors à Henri Charrière de ne plus être appelé dans les bordels de Caracas autrement que « l'évêque ». Je ne corrigeai pour ma part dans sa copie que quelques hispanismes, dus à son long séjour au Venezuela. Castelnau rectifia des passages confus, élimina des redites, mais retoucha bien moins le texte que les récriveurs appointés ne le font dans la plupart des livres qui paraissent chaque année et dont les trois quarts, on l'oublie trop, ne sont pas dus à des écrivains. Près de la moitié, notamment parmi ceux des hommes politiques, des acteurs, des médecins, diplomates, généraux, ou hommes d'affaires sont en totalité ou en partie écrits par d'autres que ceux qui les signent. D'ailleurs, le paresseux journaliste du *Figaro* aurait dû y réfléchir : si nous avions eu sous la main un « nègre » capable d'inventer à volonté des histoires aptes à se vendre à vingt millions d'exemplaires, pourquoi n'aurions-nous pas eu plus souvent recours à lui et n'aurions-nous pas sorti un *Papillon* tous les deux ans ? Ce fut loin d'être le cas. Ergo...

Le 24 décembre 1968 à midi, avant de fermer pour Noël , la maison Laffont offrait le pot traditionnel à son personnel. Je glissai dans l'oreille de Robert que j'avais pris pour lui et fait noter par sa secrétaire un rendez-vous, le premier jour ouvrable de janvier 1969, avec un certain Castelnau. Je ne serais moi-même pas encore rentré, ajoutai-je. Je lui demandai de recevoir ce Castelnau et d'écouter avec attention ce que ce visiteur aurait à lui dire. Je précisai qu'il y avait sous roche un manuscrit relevant de la littérature populaire, sans doute, mais d'une vigueur, d'une vitalité tout à fait insolites.

Quelle ne fut pas ma colère, à mon retour, quand, m'enquérant de la façon dont s'était déroulée l'entrevue avec Castelnau, j'appris de la secrétaire que Robert avait refusé de le recevoir sous prétexte que je n'étais pas là ! « Où est Jean-François ? Où est Jean-François ? avait-il maugréé. S'il n'est pas là, je ne reçois pas ce monsieur. » Or, je l'avais prévenu de mon absence. Que n'avais-je téléphoné à l'heure du rendez-vous ! Car je reconnaissais bien là sa répugnance à se trouver en face de visages nouveaux, épreuve qu'il affrontait rarement sans la protection d'au moins un de ses aides de camp. Castelnau, furieux de cette impolitesse, prit le large et passa ainsi le mois de janvier à cavaler dans toutes les antichambres éditoriales de Paris, par bonheur sans parvenir à conclure. Je dus me mettre à plat ventre à ses pieds pour le radoucir. Enfin, au début de février, il me releva de ma promesse de ne communiquer le manuscrit à personne. Je pus le porter à lire à Robert qui, je dois le dire, en perçut dans l'instant la saveur sauvage, le rythme exempt de tout temps mort. Dès lors, il arrangea le contrat très vite et sortit le livre au printemps 69. Mais il m'avait fallu, comme le disait Clemenceau de Pétain, « le mener à la victoire à coups de pieds dans le cul ». Par la suite, dans ses souvenirs autohagiographiques, il forgea de cet épisode une version expurgée, où son infaillibilité surnage seule. Comme nous sommes tous les deux de Marseille, Robert a dû sentir à distance que je me suis offert plus d'une pinte de bon sang au fil des remaniements, toujours plus glorieux pour lui, qu'il faisait subir au récit de ce qui fut le plus grand succès commercial de sa carrière et le plus involontaire. Ses entorses à la vérité venaient, je le sais, de son patriotisme robertien et de son culte de la République laffontienne. Aussi ai-je souvent eu envie de lui écrire, dans notre marsilhès natal (la mouture phocéenne du provençal) : « Cher citouyen, si voulen ben sincéramen affermi la République et qué triomphé de seis énémis de toute couleur, rédoublen de zèle per elle... »

Olivier Todd mit fin à notre brouille en nous réunissant à déjeuner en 1995. Et, en 1996, dans son livre de souvenirs, *Léger étonnement avant le saut*, Robert reraconta l'affaire Papillon, avec un « léger » rectificatif, plus conforme à la vérité historique — ou anecdotique.

IV

Pendant ma dernière année à l'Institut français de Florence, j'avais en vain essayé de soustraire mon pauvre Philip Lasell à son excessive consommation d'opium et de cognac ainsi qu'à la filouterie de Nick Putnam, sous l'ascendant duquel il avait de nouveau glissé. Il allait jusqu'à rémunérer au mois son « maître » comme « conseiller spirituel » ! J'avais écrit à mes amis aux Affaires étrangères pour tenter de faire expulser Nick de France et sauver ainsi partiellement Philip. La dupe se montre hélas ! souvent le plus fervent apôtre de son spoliateur. Philip, averti de mon intervention, s'était rué à Florence pour implorer de moi la grâce de Nick. Pendant quelques jours, j'avais trimballé de trattoria en trattoria un spectre raide, atone et aphone, qui ne retrouvait la parole, au moment de la commande, que pour articuler un seul mot, dont il détachait les syllabes sans aucune inflexion et avec un fort accent français : *pro/sciu/tto* (jambon). Cette litanie répétitive avait fini par provoquer le fou-rire quotidien de Pierre Nora, que le hasard avait conduit à séjourner en Italie au même moment, et qui nous accompagnait charitablement dans tous nos déplacements.

A quelque temps de là, Philip avait recouvré sa vivacité, sinon sa lucidité, quand je le revis à Paris. Je l'emmenai un jour déjeuner au restaurant Cartet, rue de Malte, dont il prisait une spécialité parmi les plus réputées. Redevenu loquace, il arborait néanmoins sur son visage un alarmant chagrin. « Je crois que je vais aller passer quelques mois au Mexique, me dit-il. Ici à Paris, on est devenu très méchant pour nous. » Ce « nous » pouvait désigner soit les opiomanes soit les homosexuels, soit les deux. Il me raconta qu'en effet la police avait récemment arrêté plusieurs revendeurs d'opium dont la clientèle, lui compris, se trouvait ainsi aux abois. De plus, on lui avait volé la mallette où il transportait ses pipes, le quinquet servant à chauffer la boulette de précieuse pâte fichée au bout de l'aiguille, pour l'amollir avant de l'appliquer contre le trou et aspirer d'un coup la fumée. Enfin, la direction de l'hôtel Régina, où il avait fidèlement passé tant d'années, avant et après la guerre, le maltraitait. La nuit précédente, ayant fait monter un compagnon de rencontre, il avait été bousculé par d'incessants coups de téléphone du concierge lequel, obéissant, bien entendu, à des instructions, lui demandait toutes les cinq minutes : « Monsieur Lasell, quand est-ce que votre visiteur va partir ? » A mesure qu'il psalmodiait son récit sur un ton de plus en plus plaintif, Philip s'assombrissait. Cette rapide succession de calamités l'avait frappé de désespoir. « En fin de compte, lui demandai-je par politesse plus que par curiosité, tu as réussi à coucher avec ce bonhomme ou pas ? » « Mais non ! rugit-il ; il en a eu assez de ces téléphones et a fini par claquer la porte ; dans ce désert, j'ai dû me masturber trois fois ! »

Il prononça cette dernière phrase avec la force tragique et l'élocution solennelle d'un prédicateur du grand siècle. Il me fit penser au fortissimo tonnant auquel devait se hausser sans doute Bossuet pour clamer, dans l'*Oraison funèbre d'Henriette d'Angleterre* : « Madame se meurt ! Madame est morte ! » ou, dans celle du prince de Condé, pour annoncer qu'il consumait, avec cette ultime harangue, « les restes d'une voix qui tombe et d'une ardeur qui s'éteint ». Philip m'émouvait par la superbe cadence de sa période, qui le haussait vers l'éloquence sacrée. Mais le sujet même de son oraison me laissait indifférent. De toutes les activités humaines, la masturbation est, à coup sûr, l'une de celles qu'il est le plus difficile de faire passer pour une forme privilégiée de la communication. Le récit en est dépourvu de tout intérêt pour l'auditeur. Et Diogène le cynique, qui avait pour habitude « de se masturber sur la place publique », nous rapporte son biographe Diogène Laëce, dans ses *Vies des philosophes illustres*, n'éveillait, ce faisant, aucune curiosité chez les passants. Jean-Jacques Rousseau, quand il nous confie qu'il interrompait parfois sa marche vers le château de Madame d'Epinay pour se masturber dans un fossé, ne captive que lui-même. Car il est peu d'activité plus ennuyeuse pour autrui que l'onanisme, et aucune dont le rayonnement humanitaire et l'universalisme spirituel soient plus limités. Pourtant, dominant mon ennui et feignant l'étonnement admiratif, à l'annonce que Philip s'était masturbé trois fois la nuit précédente, je crus piquant, pour alléger un climat de plus en plus pesant, de le féliciter avec chaleur de son exploit sur un ton badin : « Compliments, c'est vraiment pas mal, pour un homme de cinquante ans », lui dis-je, faussement enjoué et émerveillé. Cette plaisanterie douteuse, au lieu de le dérider, acheva de le plonger dans une affliction qui le submergea. Je vis mon pauvre ami se mettre à pleurer devant moi. Il sanglotait sur ses pieds de mouton. De grosses larmes tombaient dans sa sauce poulette.

Au contraire de Rousseau qui, tout en avouant ou en laissant entendre son penchant pour le plaisir solitaire, l'abhorrait en principe au point, dans l'*Emile*, d'accumuler les précautions pour en détourner son élève, Salvador Dali avait, lui, la masturbation triomphaliste. Il confiait volontiers qu'il se déguisait en roi pour se masturber. Quand je le rencontrai, vers 1960, à un dîner chez le peintre Georges Mathieu, il avait ajouté à la liste de ses amusantes provocations celle de faire de la publicité à la télévision pour une marque de chocolat appelée Lanvin. Il savourait à distance la fureur où devaient plonger ses anciens et vertueux amis surréalistes cette incursion dans la société mercenaire et l'évaluation de l'argent que cette prostitution devait lui rapporter. Remarquant, au moment où nous prenions des verres au salon, qu'il refusait le champagne ou le xérès et réclamait de l'eau minérale, je lui demandai s'il avait renoncé en général à toute boisson forte. « Pas du tout, proféra-t-il avec une pompe cérémonieuse ; mais en ce moment je réserve toutes mes forces pour le chocolat Lanvin : pas d'alcool... et trrrès peu de masturbation. » Dès avant la guerre, fatigué du conformisme avant-gardiste de la plupart des écrivains et des artistes du groupe de sa jeunesse, il avait pris le contre-pied des idées admises dans son ancien milieu en politique et en art. Il prenait la pose réactionnaire dans tous les domaines, se proclamait croyant et pieux alors que les surréalistes bouffaient du curé ; il couvrait de sarcasmes l'avant-garde dans son pamphlet *Les Cocus du vieil art moderne* et enseignait, avec une force oratoire et un souffle prophétique dont il graduait en virtuose les effets parodiques, que l'art futur serait « catholique, monarrchique et immperrial ! ! !... ». Luxueux nonsens, dont il ne se fatiguait pas de nous assourdir et de se délecter. A ce même dîner chez Mathieu assistait Saul Steinberg, le cruel et exquis dessinateur satirique américain, d'origine juive roumaine, dont j'admirais depuis tant d'années les cinglants cartoons, à l'élégante brièveté de trait, dans le *New Yorker*. Voulant lui offrir un cadeau, Georges Mathieu avait acheté à son intention chez un antiquaire une hallebarde médiévale de deux mètres de haut. Cet ustensile, que Steinberg aurait bien du mal, pensai-je, à caser dans son avion pour rentrer à New York, était par ailleurs aussi étranger que possible à l'univers de son talent, tout entier voué à la caricature de la société américaine la plus contemporaine. Mais Georges Mathieu, un peu par mimétisme envers Dali, luttait lui aussi contre le modernisme moutonnier de l'idéologie et de la culture de ces années-là, en préconisant... le retour au Moyen Age. Il était allé jusqu'à placer une de ses expositions sous la devise : « Les Capétiens partout ! » Mot d'ordre d'avenir, s'il en fut. Il avait fait peindre sur la porte de son réfrigérateur les armes du pape et, à l'indignation d'André Breton et des derniers surréalistes, Georges se faisait conduire à Notre-Dame dans l'une de ses trois rolls-royce pour y assister à la messe du dimanche. Nous avions fait connaissance à la suite d'une lettre qu'il m'avait écrite, au sujet d'un article où j'avais parlé de l'abstraction lyrique : il avait calligraphié sa missive au pinceau et à l'encre de Chine sur une immense feuille de papier vergé bouffant, ornée de ses armes et de sa devise en ancien français « Moult de parte », qu'il avait ensuite pliée puis scellée, au dos, d'un large cachet de cire. Mathieu ne tolérait point d'autre support pour sa correspondance, toujours portée par messager. Tout ce style de vie, dont il surchargeait avec humour les extravagances, semait dans les milieux d'art une irritation d'autant plus amère que Mathieu filait avec aisance sur la crête d'une vague énorme de succès artistique et financier, qui, malheureusement pour lui, allait commencer à se briser vers 1965. Mais, si le registre de ses provocations récréatives était, à l'instar de celui de Dali, passéiste, en revanche, à l'opposé de Dali, dont la peinture devient académique et terne après la Deuxième Guerre mondiale, Mathieu avait pris position avec vigueur, dès vingt ans, tant par son œuvre de jeunesse que par sa plume prolixe, dans le sens et en faveur des courants qui renouvelèrent l'art, durant les années quarante et cinquante.

La hallebarde une fois rangée dans un coin de l'entrée, nous dînâmes. Et, comme nous parlions de Proust, Steinberg exposa une sienne théorie selon laquelle la trop fameuse madeleine trempée dans le tilleul qui, au début de la *Recherche*, réveille la mémoire affective du narrateur, était en réalité le souvenir d'enfance d'un plat juif traditionnel, dont il détailla la recette. Sans vouloir contrarier un homme que je vénérais, je lui dis en quelques mots en quoi cette hypothèse me paraissait invraisemblable. Les références proustiennes aux traditions juives sont inexistantes dans son œuvre. Sans doute sa mère était-elle juive, mais elle marqua fort peu ou pas du tout le milieu et les coutumes de son enfance, où dominait l'influence paternelle. Quant à la nourriture familiale, elle sortait tout droit de la classique cuisine bourgeoise qui régnait alors en France. Quelques minutes plus tard, on s'aperçut que Steinberg avait disparu. Il n'était pas aux toilettes. Il fallut bien convenir qu'il était parti — en laissant la hallebarde. « Il n'a pas supporté votre réfutation de sa fantaisie proustienne », me dit Georges. Fort ennuyé, je consultai la compagnie. En prenant pour prétexte de lui rapporter sa hallebarde, ne ferais-je pas bien d'aller le trouver le soir même à son hôtel, pour m'excuser et lui annoncer que, tout bien pesé, je me ralliais à son interprétation ? « Non, pas de hallebarde ! s'écria Dali. Surtout pas de hallebarde. En tout cas pas ce soir : cette arme agressive déclencherait aussitôt chez lui un interrrminable prrocessus parranoïaque. » Nous décidâmes donc que je ne lui restituerais sa hallebarde que le lendemain. Je la transportai donc d'abord chez moi. Au matin j'appelai Steinberg, qui, sur le ton le plus détendu, me donna rendez-vous pour prendre un verre en fin d'après-midi au bar de l'hôtel du Pont-Royal, où mon entrée martiale, avec la hallebarde au bras, fit passer un frisson d'inquiétude parmi les habitués du lieu, auteurs et éditeurs, race assez craintive. Steinberg bavarda de tout, sauf de ce qui s'était passé la veille et de l'évanescente cuisine juive enfouie d'après lui dans la mémoire proustienne. Quand nous

nous quittâmes — ce fut le seul moment pathétique de notre entretien — il me supplia : « Soyez gentil, débarrassez-moi de cette hallebarde, gardez-la ! » Remballant mon matériel de guerre, je me repliai avec docilité chez moi. J'eus du mal à éliminer de ma vie cet engin encombrant. Je tentai en vain d'en faire cadeau à Bernard Frank, puis à Antoine Blondin, qui tous deux me rirent au nez. Même mon fils Matthieu, alors âgé de quatorze ans, le dédaigna. Penaud, je dus la restituer à Georges Mathieu en lui confessant l'échec de ma mission auprès de Steinberg.

L'amour de la peinture amène à l'amitié avec des peintres. Rien de plus futile que de prêter ou de croire propre à une catégorie d'artistes — peintres, comédiens, danseurs, musiciens ou écrivains — une psychologie en quelque sorte professionnelle. La généralisation dans ce domaine, si sotte et arbitraire soit-elle, n'en est pas moins un travers où nous fait tomber l'expérience de la fréquentation assidue et comparative des artistes que la vie nous a fait la joie d'insérer dans notre affection. Les peintres, sculpteurs, photographes ou architectes, du moins ceux que j'ai personnellement connus, se sont toujours montrés à moi et devant moi gens chaleureux, ouverts, communicatifs et même expansifs, hospitaliers, souvent habiles cuisiniers, très prompts sur le coup de rouge, sociables, enclins à nouer sans cesse de nouvelles relations avec leurs plus improbables semblables et prêts à discuter pendant des heures avec le premier venu, dans l'atelier, à la galerie, au café. Même quand ils ne sont pas riches, mais les meilleurs le deviennent vite, leur générosité oblige à se battre pour parvenir à payer en leur présence. Le seul peintre dont l'avarice vigilante m'ait évoqué celle de plusieurs gens de lettres ou musiciens est le néanmoins talentueux sino-cubain Wilfredo Lam. C'est une exception. Ce qui n'en souffre aucune, en revanche, chez les artistes visuels et plastiques, c'est l'obsession, l'idée fixe de soi-même. Comparé au leur, le culte du moi des gens de lettres est une jachère négligée. On s'aperçoit vite, en fréquentant les hommes de la forme, que leur enthousiasme amical, leur ardente affection, l'admiration qu'ils déclarent vous porter, tout en pouvant être très sincères, ne les écartent que très provisoirement de leur unique sujet, eux-mêmes, et les ramènent inéluctablement à leur point de départ. Leur pensée fonctionne comme les petits chemins de fer en circuit fermé des fêtes foraines. Tel l'homme politique, l'artiste plastique tend à voir dans l'homme de plume, si cher puisse-t-il éventuellement lui être, le porte-parole en puissance, le propagateur obligé de son esthétique, le défenseur qui consacrera ses écrits à démontrer sa suprématie sur tous ses rivaux. Quand le poétique et inventif architecte Emile Aillaud téléphonait à ma secrétaire pour lui demander : « Jean-François s'intéresse-t-il toujours à l'architecture ? », je devais traduire : « Voilà longtemps qu'il n'a pas fait d'article sur moi. » Un peintre exige non seulement que vous aimiez sa peinture, mais que vous n'en aimiez aucune autre, du moins contemporaine. Vous avez droit à Lascaux, et encore ! Les peintres modernes, surtout à partir du moment où la peinture a cessé d'être figurative, ont en outre éprouvé le besoin d'entourer leur production et leurs expositions d'un fatras philosophique, de les napper d'une métaphysique verbeuse dont, naïfs, ils croyaient qu'elles les élevaient en dignité. Cette manie les poussaient à s'entourer de plumitifs accrédités, dont les incantations filandreuses n'avaient pas le moindre rapport intelligible avec le produit peint. Si le jargon pataphysique parodiant la philosophie n'étanchait pas assez leur soif de délire verbal, les critiques s'efforçaient alors de parfaire leurs non-sens frénétiques en recourant à la microphysique, très prisée à cause de son « indéterminisme ». C'est ainsi qu'un certain Malespine, que Georges Mathieu cite avec admiration dans son livre *Au-delà du tachisme*, en le qualifiant de « prophétique », éructe cette phrase mémorable, mais qui n'est pas plus absurde que des milliers d'autres dans la critique d'art de l'époque : « Au sens strict (*sic* !) où le physicien Niels Bohr a pu dire : l'aspect corpusculaire est complémentaire de la réalité — la peinture s'inscrit par-delà le déterminisme. » Chaque critique avait alors son « écurie » de peintres et, partant, de galeries, non sans une certaine vénalité. Pour y couper court, j'avais, en prenant la direction des pages culturelles de *France-Observateur*, mis à la porte tous les critiques d'art et les avait remplacés par une critique collégiale d'amateurs anonymes et, du reste, changés tous les deux mois, qui signaient collectivement *Le Piéton de Paris* (souvenir du livre de Léon-Paul Fargue). C'étaient des assidus des galeries. Je les réunissais chez moi chaque semaine autour d'un magnétophone. Ils y enregistraient leurs réactions, diverses et contradictoires, que je m'efforçais ensuite de condenser en un article parfois décousu, mais à la vivacité primesautière. La formule obtint vite le succès. Paris voulait savoir qui était son « Piéton », surtout les galeries, désireuses de lui glisser l'enveloppe rituelle. Leur fureur de ne point parvenir à l'identifier, et pour cause, et donc de le corrompre, les poussèrent, en guise de représailles, à supprimer peu à peu la publicité qu'elles donnaient auparavant avec largesse au journal, ce qui me valut la rancune de ma direction, privée soudain de ces rentes de situation. J'avais congédié de même les critiques musicaux, parasites invétérés des festivals et des maisons de disques, pour embaucher à leur place deux amateurs, alors des inconnus totaux qui devaient faire plus tard quelque chemin : Michel Guy, futur ministre de la Culture après 1974 sous la présidence de Valéry Giscard d'Estaing , et Maurice Fleuret, futur directeur de la musique après 1981, sous la baguette coûteuse et suave de Jack Lang. Fleuret souffrait d'une terrible maladie : la reconnaissance pour les services rendus. Même devenu important, plus tard, il ne manquait pas une occasion de me rappeler que c'était moi qui lui avais « mis le pied à l'étrier », comme il disait. Hélas ! cet homme délicat souilla sa carrière d'un crime impardonnable : il fut l'inventeur de la « fête de la Musique », en réalité festival de la cacophonie.

Pour en revenir aux peintres, il est possible que la création plastique s'accompagne d'une si forte angoisse qu'elle inspire le besoin d'une justification pseudo-théorique, accompagnée de la conviction illusoire qu'on est le seul artiste véritable de son temps. L'objet sculpté ou peint étant détaché du verbe, il ne peut pas, contrairement à l'écrit, argumenter en faveur de sa cause en même temps qu'il se montre. Il ne peut que se montrer, et d'emblée ainsi s'exposer à l'amour ou au mépris, sans filtre ni bouclier. D'où la frénésie d'ergoter hors de l'œuvre. Pierre Aléchinsky, pour une exposition duquel j'ai composé à sa demande une « préface bidon », pastiche du style à la mode dans ce genre oratoire, ne se déplaçait jamais, dans les musées ou les dîners en ville, sans un petit cartable d'où il extrayait bientôt son plus récent rescrit, fulminant un éloge défensif du groupe « Cobra » (Copenhague-Bruxelles-Amsterdam), où les peintres du nord de l'Europe unissaient leurs forces flamandes et scandinaves pour refouler l'envahissante décadence parisienne. Je me souviens d'une longue soirée avec Pierre Soulages où je tentai en vain de lui démontrer, avec force exemples historiques, qu'à aucune époque il n'y a un seul grand peintre, ou architecte ou sculpteur. Il y en a plusieurs ou bien il n'y en a pas du tout. Les génies picturaux supposent une civilisation picturale, un support culturel, un jardin fertile, c'est-à-dire une multiplicité et une variété d'artistes, un foisonnement des formes et des expériences. Mais dans les arts plastiques, il semble plus nécessaire que dans les autres arts à l'équilibre mental du créateur de pouvoir se croire le seul et unique, de penser être imité de tous et n'avoir jamais imité personne. Le bon ami écrivain est donc, pour le peintre, le critique militant, qui épouse sa cause et affirme sa primauté contre tous les comploteurs et calomniateurs qui s'acharnent à lui contester la première place. L'art, en ce temps-là, se divisait en chapelles aussi intrigantes et aussi intolérantes que des partis politiques, avec leurs peintres ou sculpteurs, leurs journaux ou revues, leurs idéologues attitrés, leurs galeries et leurs maisons d'édition. J'étais un amateur d'art, un curieux de peinture, non pas un critique professionnel. Je prenais plaisir à écrire, de temps à autre, sur des expositions. Je n'échappais pas aux accusations de trahison, du fait que je me permettais, avec un écœurant éclectisme, d'aimer des peintres et non des écoles, c'est-à-dire de trouver qu'il y avait de bons et de mauvais peintres dans le groupe Cobra, comme dans l'abstraction lyrique parisienne ou dans le pop'art de l'école de New York.

En 1964, j'avais publié dans *L'Oeil* (numéro de juillet-août) un long compte rendu ou, plutôt, un récit de mes impressions et réflexions sur la Biennale de Venise, qui venait de consacrer l'irruption sur la scène artistique mondiale de l'Ecole de New York, dont le chef de file, Robert Rauschenberg, avait remporté le grand prix de peinture. Le directeur de l'*Œil*, son ami Georges Bernier, avec qui j'eus, de 1961 à 1966, cinq ans de très agréable collaboration, était venu lui aussi inspecter cette Biennale qui marquait un tournant particulièrement difficile à prendre pour l'art européen. Dans mon article, je me gardai bien de louer indistinctement tous les peintres américains de cette nouvelle école ; je soulignai avec insistance que cette émergence de la « nouvelle figuration » du pop'art ne diminuait en rien la portée des apports de l'abstraction lyrique ; mais enfin je ne disais pas non plus que l'Ecole de New York manquait de tout intérêt et ne méritait que les ricanements de mépris qu'il était de bon ton d'afficher à son endroit en France. A la mi-août, allant séjourner chez mes amis Soulages à Sète, je me vis depuis l'aube jusqu'au crépuscule, tous les jours de la semaine, à la piscine et à la cuisine, entouré des sarcasmes de Pierre qui crépitaient en permanence. Il savait quelle admiration j'avais pour son art et il était trop intelligent pour m'attaquer avec maladresse. Mais sa faconde intarissable ironisait sur la dégradation piteuse de mes facultés perceptives et cérébrales, ainsi que sur la jobardise avec laquelle, à Venise, je m'étais laissé circonvenir par la propagande américaine. La France artistique en général décela dans le prix décerné à Rauschenberg une conspiration de l'impérialisme et de l'argent américains. Pourtant, depuis la guerre, douze des grands prix des Biennales de Venise qui s'étaient échelonnées de 1948 à 1962 avaient été octroyés à des représentants de l'Ecole de Paris, contre quatre seulement à des artistes d'autres provenances ! Les Français n'en attribuèrent pas moins le succès vénitien des New-Yorkais à la « francophobie » du jury et au « règne du dollar ». La finesse de Pierre, je l'ai dit, l'empêchait de s'abaisser à des explications aussi vulgaires. Mais sa méthode rusée, destinée à écarter l'éventualité qu'il pût exister un seul peintre en dehors de lui, n'en était que plus efficace. Si par exemple je bredouillais en tremblant que tels ou tels tableaux de Georges Mathieu ne me paraissaient pas entièrement nuls, Pierre, du haut de son mètre quatre-vingt-dix-huit, se penchant sur moi avec un sourire de bon géant, empreint d'indulgence méditative, lâchait : « C'est très beau, très chic de ta part, ce que tu dis là sur Mathieu ; très généreux », façon d'insinuer que mon plaidoyer était dû à mon bon cœur plutôt qu'à mon bon goût.

Georges Mathieu n'était pas, lui non plus, sans me mettre dans l'embarras. En 1963, je publiai chez Julliard un recueil d'articles et d'études de lui sur l'art contemporain, sous le titre, déjà mentionné, d'*Au-delà du tachisme*. L'ensemble formait à la fois un panorama historique et un manifeste esthétique. C'était écrit avec impétuosité. J'en aimai en particulier les pages consacrées à Wols ou à Louise Nevelson. Ne voilà-t-il pas que Mathieu m'annonce son intention de me dédier son livre ! Or j'étais loin de tout y approuver. J'en abhorrais, en particulier, la mélasse philosophico-épistémologico-esthétique, ritournelle obligée de la critique « avancée », en ces années. De plus, Georges m'y attribuait des choses que je n'avais jamais dites et s'y attribuait des choses que j'avais dites, péché mignon que je déplorais mais n'osai lui reprocher, de peur de le blesser ; enfin, quoique très intéressant, dans le registre polémique s'entend, sur tous les artistes dont il dissertait, il aboutissait, bien entendu, à sa propre hagiographie. Publier un livre ne signifie pas qu'on y approuve tout. Par contre, en accepter la dédicace implique au moins qu'on en approuve l'essentiel. Ce n'était pas mon cas. En outre, cette dédicace, qui aurait été interprétée bêtement comme un ralliement intégral à la « doctrine » de Mathieu, m'aurait brouillé avec tous les autres peintres que je connaissais et avec, en littérature, André Breton. C'était là une épreuve que ma lâcheté ne pouvait affronter. Aussi déclinai-je avec douceur l'honneur qui m'était proposé, ce qui ne manqua pas de déchaîner chez Georges des exhibitions répétées et prolongées d'amertume « paranoïaque », comme aurait dit Dali.

Henri Cartier-Bresson employait un moyen encore plus radical que toute ratiocination pour annihiler ses confrères : c'était de professer que la photographie n'était pas un art. Chaque fois que je lui demandais son avis sur des photographes autres que lui-même, il me répondait qu'il ne pouvait pas avoir d'avis, puisque la photographie n'existait pas. Dans ce néant, il ne pouvait y avoir de première place, et nul, par conséquent, ne risquait de la lui disputer. Une fois ménagé ce vide absolu, il s'y installait, conscient et sûr d'être le seul à l'occuper. C'était donc mettre en péril cette solitude impériale et l'irriter dangereusement que de lui soutenir que la photographie était, ne lui en déplaise, un art. Il se prend à chaque seconde des millions de photographies dans le monde. Presque toutes n'ont de pouvoir d'évocation que pour ceux qui les ont prises ou qui y figurent. Ou bien, elles ne suscitent une émotion, en général passagère, qu'en raison de leur lien direct avec une actualité déjà elle-même chargée d'émotion. D'où vient que certaines très rares photographies se détachent du temps et de tout intérêt subjectif ou historique, deviennent indépendantes des circonstances ou, si l'on préfère, éternisent l'éphémère ? C'est là le mystère du plus mystérieux de tous les arts.

La vanité, la suspicion, la rancœur, l'insatiable soif d'approbation et de flatterie, l'exigence d'amour exclusif n'empêchent pas les créateurs plastiques, au demeurant, je le répète, d'être souvent parmi les plus délicieux compagnons, mais elles les rendent plus fatigants encore que les plus susceptibles des amis écrivains. Un soir de 1962, je sortais, en compagnie de Cioran, d'un dîner chez une riche « protectrice des arts », rue Octave-Feuillet. Toute la soirée, le sculpteur Etienne Hajdu m'avait harcelé, à cause de trois lignes insuffisamment élogieuses, dans le dernier Piéton de Paris, sur une exposition de lui. Tandis que Cioran et moi, profitant d'un printanier et tiède début de nuit pour marcher, cheminions sous les arbres, le long de l'avenue Georges-Mandel, vers le Trocadéro, je m'épanchai un peu à son côté. « Hajdu a été fort pénible, lui dis-je ; ces sculpteurs et ces peintres peuvent parfois se montrer insupportables. » Je sentis que j'avais mis en perce, en tapant au hasard dans la réserve de vinaigre de Cioran, un tonneau plein à craquer, et qui craqua. « Insupportables ! Insupportables ! reprit-il dans un crescendo tragique. Quel orgueil ! Quel orgueil ! Ecoutez, c'est très simple », poursuivit-il en s'arrêtant de marcher et en se retournant vers moi pour m'immobiliser, et me contraindre à écouter son message avec tout le recueillement approprié : « C'est très simple ; en cas de révolution, première chose, la plus urgente : descendre tous les peintres ! » Il tonnait avec une rage qui m'effraya. Je l'incitai à des sanctions moins sanguinaires. J'entendais déjà crépiter dans sa voix les pelotons d'exécution. Mais il n'en démordait pas. Par bonheur, comme aucune révolution n'a éclaté, Cioran n'eut jamais l'occasion d'appliquer son programme d'épuration, mais il continua longtemps d'y attacher une grande importance et, tel Sylla, de tenir à jour ses tables de proscription.

V

Dans *La République des Camarades*, paru en 1914, et qui conserve aujourd'hui sa malicieuse et féroce pertinence, Robert de Jouvenel note que tout responsable d'un journal, ou dans un journal, « fût-il un apôtre, fût-il un saint », est contraint, avant chaque décision, de respecter deux conditions : 1 - ne pas froisser ceux qui détiennent les informations, c'est-à-dire les puissances politiques et administratives ; 2 - ne pas heurter ceux qui détiennent la publicité, c'est-à-dire les puissances commerciales et financières. C'est à ce prix qu'un journal peut rester « indépendant », conclut avec ironie Robert de Jouvenel.

J'ai plus souvent, à vrai dire, subi l'implacable vindicte des puissants en violant la deuxième condition que la première. Il arrive qu'on soit « tricard », autrement dit interdit de rendez-vous ou d'invitation, dans les palais de l'Etat. Mais ce bannissement ne dure jamais, tant les dirigeants modernes, qui remplacent souvent l'action politique par les relations publiques, sont avides d'occuper le plus de place possible dans la presse et les médias. Ils en ont plus peur qu'ils ne leur font peur. Ils ne sauraient en supporter le silence à leur endroit. La mort médiatique équivaut pour eux à la mort tout court. « Quand François Léotard reste plus d'une semaine sans passer à la télé ou sans être interviewé par un journal, il tombe malade », me dit un jour Jean-François Deniau. « Il n'est pas le seul », lui répondis-je. Les politiques sont donc prompts à se rabibocher avec leurs détracteurs. En revanche, la rancune des publicitaires perdure, j'entends celle de leurs clients et annonceurs, même et surtout, peut-être, quand la marchandise qu'ils vendent est artistique ou littéraire. Je m'en rendis compte à *France-Observateur*. Avoir rétabli, par le coup de balai raconté plus haut, un peu de probité et d'impartialité — sans la moindre prétention, certes, à l'infaillibilité — dans la critique d'art, la critique musicale, comme aussi dans les critiques littéraire, dramatique et cinématographique, déclencha des représailles qui s'abattirent sur le malheureux hebdomadaire, déjà besogneux, et dont une soudaine disette de réclame asséca davantage encore les maigres finances. Le directeur administratif vit fondre la plantureuse publicité des galeries d'art et des maisons d'édition. Atterré, il me jetait, en me croisant dans les couloirs, des regards haineux, intensifiés par son impuissance à intervenir, car je n'avais accepté ma fonction qu'en échange de la promesse ferme qu'on me laisserait une entière liberté. Et je veillais à ce que cette promesse, en général aussi souvent prodiguée que violée, ne restât point de pure forme. Exigence qui brisait tous les usages, car Robert de Jouvenel aurait dû ajouter à sa liste une troisième condition de l'« indépendance » fictive d'un journal : ne pas résister aux pressions des réseaux d'influence des intellectuels. Ou, tout au moins, n'ouvrir les hostilités contre certains d'entre eux qu'à condition d'être entièrement inféodé à d'autres, sur lesquels s'appuyer dans la défense comme dans l'attaque. La pire attitude, dans l'art aimable de se faire des ennemis, consiste à ne juger les œuvres qu'au cas par cas, quels que soient le groupe ou l'école auxquels elles appartiennent. Pour vivre en paix — et vivre de publicité ou d'autres faveurs, surtout en peinture et en musique —, il faut sinon tout approuver, ce qui ennuierait, du moins s'instituer défenseur attitré d'un courant ou d'un clan, toutes œuvres comprises, les pires comme les meilleures, et attaquer systématiquement les œuvres des clans et courants opposés, les bonnes comme les mauvaises. Je ne crois qu'aux œuvres et aux artistes, réalités uniques et individuelles, et non aux chapelles ni aux groupes. Leurs mœurs et leurs messes me rebutaient. Je fus donc prompt à en exaspérer les célébrants et les pratiquants.

Fondé en 1950 par Claude Bourdet, Hector de Galard, Gilles Martinet et Roger Stéphane, L'Observateur avait dû s'appeler peu après France-Observateur, car le détenteur d'une obscure feuille baptisée, elle aussi, L'Observateur, l'avait débusqué en justice de son premier titre. Racheté et renfloué par Claude Perdriel, l'hebdomadaire devint en 1964 Le Nouvel Observateur, qui, sous la direction de Jean Daniel, connut le succès que l'on sait. A la fin des années cinquante, celui de France-Observateur, après s'être affirmé de façon honorable, commençait en revanche à être de plus en plus ébréché par la montée de L'Express, fondé en 1953 par Jean-Jacques Servan-Schreiber et Françoise Giroud. Les deux hebdomadaires étaient de gauche, mais L'Express représentait une gauche libérale, plus moderne. Il prenait acte de la diffusion de la richesse et du bien-être dans une France où le taux de croissance économique était, depuis 1950, l'un des plus élevé du monde. Pendant que les marxistes continuaient à s'époumoner en claironnant le refrain de la « paupérisation absolue » du prolétariat, dogme ridiculisé par la simple observation de la vie quotidienne, on voyait se rapprocher les niveaux de vie des diverses classes, qui se ressemblaient toujours davantage par leur apparence physique et vestimentaire, leurs loisirs, leurs équipements ménagers, leurs moyens de transport, leurs comportements d'achat. Cette uniformisation marquait l'accès à ce que l'on appellera dix ans plus tard la « société de consommation ». *L'Express* avait bien saisi, dès les premiers symptômes, les modifications de la sensibilité et les curiosités naissantes, surtout celles des jeunes Français, soulevés par cette vague de prospérité, la « nouvelle » vague, comme on disait, et aussi des Françaises. Françoise Giroud avait appréhendé la transformation du rôle et des exigences de la femme, dans ce type de société ascensionnelle. Elle avait inventé la rubrique « Madame Express », dont les marxistes faisaient des gorges chaudes parce que ces pages montraient à la bourgeoisie moyenne ou petite, à la vendeuse et à la secrétaire, voire à l'ouvrière, qu'on peut disposer de moyens modestes et, néanmoins, si l'on se renseigne bien, s'habiller, se meubler, s'équiper à bon compte et avec goût. Selon les préjugés de la vieille gauche ricanante, c'était là le cas d'école de ce que Marx appelle l'« aliénation », cette illusion, chez les classes laborieuses, qu'elles peuvent améliorer leur sort dans le cadre du système capitaliste, au point qu'elles finissent par épouser les valeurs de la bourgeoisie.

En revanche, le public de *France-Observateur* restait, comme celui de la presse politique d'avant guerre, principalement masculin. Et ce public masculin était composé surtout de lecteurs ne participant pas directement à l'activité économique : instituteurs, professeurs, étudiants, magistrats, permanents syndicalistes. Le public de *L'Express* comprenait davantage de lectrices et de ces « jeunes cadres » plongés dans l'économie de croissance, ouverts avec sympathie au modèle américain, cet épouvantail honni comme le diable même par la gauche traditionnelle. Celle-ci composée en large partie de christo-marxistes, se signait à la seule mention des Etats-Unis. En quoi elle se rapprochait des gaullistes, et ce n'était pas leur seul point commun. *L'Express* était le forum de la gauche néo-capitaliste, *France-Observateur* la chaire d'où prêchait l'étroite gauche marxiste mais non communiste, ni favorable au Parti socialiste, SFIO, trop compromis avec le système. Les deux journaux se rejoignaient pourtant dans la question qui divisait alors le plus les Français : la guerre d'Algérie. Ils professaient l'un et l'autre une commune hostilité à la répression et une même conviction : il fallait accorder sans plus tarder l'indépendance à notre colonie. Cette netteté de position leur avait valu à l'un et à l'autre maintes saisies pour « atteinte au moral de l'armée ». Jean-Jacques Servan-Schreiber avait été rappelé dans ladite armée en 1956 en sa qualité d'officier de réserve, ce qui le contraignait au silence Cette mesquine vengeance s'était retournée contre ses auteurs, c'est-à-dire le gouvernement, car elle avait fourni à JJSS, redevenu libre d'écrire après son retour à la vie civile, la matière d'un livre-reportage à succès sur la guerre, ses horreurs et ses impasses : *Lieutenant en Algérie*, paru chez Julliard. C'est en rentrant de là-bas, démobilisé, et juste avant d'entreprendre la rédaction de ce livre, qu'il me fit demander de passer le voir, au début de l'été de 1957. Il me proposa de collaborer à *L'Express*, prétendant avoir été frappé par le « ton nouveau » de *Pourquoi des Philosophes ?*, qu'il n'avait de toute évidence pas ouvert, mais dont Françoise Giroud avait dû lui faire l'éloge, ainsi que François Erval, alors chargé de la section culturelle. Jean-Jacques me fit même l'honneur de solliciter de moi, sur le type de composition qu'il devrait adopter pour écrire, son témoignage algérien, des conseils, que je lui donnai avec une humble circonspection et qu'il ne suivit pas. Après quoi il disparut pendant deux mois pour travailler à son texte, et je n'eus plus pendant longtemps aucune nouvelle de *L'Express*.

A vrai dire, je me sentais à cette époque plus proche de *France-Observateur*, où j'avais un ami de longue date, Hector de Galard, et un autre plus récent, mais avec qui je m'étais entendu d'emblée fort bien, François Furet. Je l'avais connu par l'entremise de Pierre Nora, dont il venait d'épouser la sœur. En tant que chercheur et universitaire, Furet s'occupait déjà de la Révolution française. Mais, en tant que journaliste, à *France-Observateur*, il signait d'un pseudonyme des reportages sur l'Algérie. Il s'y rendait fréquemment, ainsi qu'en Tunisie, où résidait la direction du Front de libération nationale algérien.

Après la publication de quatre de mes livres, qui avaient été bien ou mal accueillis selon les milieux et plutôt mal par la gauche culturelle, mais qui avaient, en tout cas, la réputation d'avoir bouleversé quelques idées régnantes, François Furet « vendit » à Claude Bourdet et à Gilles Martinet l'idée de me confier la direction de la section culturelle de l'hebdomadaire. Cette section sentait le renfermé. C'était la sacristie des tabous culturels de la gauche. Celle de *L'Express* l'avait supplantée par son influence dans les couches vivantes des lecteurs, ceux qui faisaient tourner la mode. L'arrière-pensée de Furet était aussi que la gauche avait besoin qu'on l'aidât à sortir de la confusion culturelle où elle barbotait. Je lui parus l'homme que ses débuts littéraires à contre-courant désignaient pour entreprendre cette folle tâche. Folle, parce qu'il y avait deux gauches. Ou plutôt, la gauche portait deux masques, se subdivisait en deux personnages : d'une part, la gauche doctrinale et politique, de l'autre, la gauche organisée en coterie intellectuelle. La première se voulait l'héritière des Lumières et du marxisme ; la seconde virevoltait au fil des modes, se laissait épater par Teilhard de Chardin, par *Les Voix du silence* de Malraux, la phénoménologie husserlienne, revue par Merleau-Ponty, ou les pièges à jobards de certains cinéastes de la « Nouvelle Vague ». Ni la direction de *France-Observateur* ni son public ne percevaient l'incompatibilité qui existait entre leurs emballements culturels et leur philosophie de base, par exemple entre les élucubrations théologico-darwiniennes du révérend père Teilhard de Chardin et le sérieux scientifique dont, en principe, se réclamait le marxisme. Il suffisait que

Teilhard fît florès dans les salons parisiens, comme dix ans plus tard Foucault, pour qu'il mît aux anges également la salle des professeurs de n'importe quel lycée. Comme si la conciliation verbale, verbeuse et d'ailleurs superflue de l'évolution des espèces et du dogme chrétien concernait la gauche ! Certains collaborateurs de ma section, sensibles avant tout à la qualité ou à la vérité des œuvres, avaient conscience de cette contradiction ou y étaient indifférents. C'étaient, par bonheur, les plus talentueux : Bernard Frank, François Nourissier, André Fermigier (que je convainquis de faire dans le journalisme « culturel » des débuts qui eurent la suite brillante que l'on sait, au *Nouvel Observateur* même, après 1964, puis au *Monde*) et Olivier Todd, qui accepta la critique de télévision et qui, je crois, inaugura ce genre ou, du moins, l'éleva au statut de genre « à part entière ». Mais d'autres collaborateurs « maison » s'offusquaient, avec des mines de séminaristes effarouchés, des libertés que je prenais avec les codes de pensée et de bonne conduite reçus à gauche, en particulier le pacte non écrit du copinage universel. Les plus pesants étaient les critiques cinématographiques, lourde infanterie issue des casernes métaphysiques des *Cahiers du cinéma* et opérant comme force d'intervention et de maintien de l'ordre au service exclusif d'un groupe bien délimité de réalisateurs.

La dissonance, qui venait de loin, entre la gauche culturelle et la gauche politique se doublait d'un désarroi plus récent au sein de la gauche politique même. Aucun journal, peut-être, ne le refléta et ne s'en tortura autant que *France-Observateur*, qui finit par en mourir. Car c'est un moribond que racheta Claude Perdriel en 1964. La substance politique de notre hebdomaire se composait de ce qui restait des courants et partis français une fois qu'on en avait presque tout retranché. Nous étions dans l'opposition, donc antigaullistes. Nous étions contre les communistes, surtout depuis le rapport Khrouchtchev et l'écrasement de la révolte hongroise de 1956. Nous étions contre les socialistes SFIO (section française de l'Internationale ouvrière), responsables des massacres et des tortures en Algérie. Nous n'étions donc rien, sauf la synthèse des reproches encourus par tout ce qui existait. C'était peu, pour entraîner les foules. Les foules, pour dire vrai, nous ne les côtoyions que les jours de défilés contre le « fascisme », qui ne « passerait pas ! ». Le reste du temps nous dialoguions non avec elles, mais avec nous-mêmes. Le pointillisme élitiste de nos positions de gens difficiles, que toute pitance ordinaire rebutait, provenait de ce que la plupart des fondateurs, directeurs et rédacteurs de *France-Observateur*, appartenaient à la grande bourgeoisie, à la haute Université, ou aux deux à la fois. Luxueusement logés dans les beaux quartiers de Paris et plus coutumiers de vacances à Saint-Tropez ou à Courchevel qu'au Tréport ou à Issoire, leurs options politiques obéissaient à des impulsions intellectuelles et non à des poussées sociales. Leurs analyses découlaient de leurs opinions, et non l'inverse.

Un parti nous servait de marionnette sur la scène politique, le PSU (Parti socialiste unifié), assis comme nous sur une tête d'épingle programmatique. La plupart d'entre nous en étaient membres, voire dirigeants (c'était presque la même chose, vu le nombre des adhérents). Ce PSU eut au moins la gloire stérile de compter parmi ses membres Pierre Mendès France, de 1961 à 1968. Quand, plus tard, Michel Rocard en prendra la direction, le PSU servira de rampe de lancement à cet homme politique de qualité. Ce fut son plus grand mérite. Puis il se désintégra dans l'atmosphère trop dense de l'union de la gauche socialo-communiste de 1972, après avoir déposé son chef sur les hauteurs du nouveau parti socialiste, né à Epinay, en 1971. Les particules invisibles issues de cette désintégration flotteront encore longtemps dans les espaces infinis de la politique : candidate à la présidentielle de 1981, Huguette Bouchardeau, son secrétaire national, obtiendra 1,1 % des voix. En 1989, les membres du PSU pour l'ensemble de la France étaient au nombre de...530. En attendant, au début des années soixante, ce petit parti honnête et bien-pensant se montra incapable de faire élire un seul député. Seul Claude Bourdet, à la faveur d'une disposition technique propre au mode de scrutin proportionnel, parvint à devenir conseiller municipal de Paris, piteusement élu « au plus fort reste ! ».

Si minuscule soit-elle, même une tête d'épingle peut se fendiller. Dans notre équipe, une antipathie personnelle doublée d'un désaccord politique opposait de plus en plus les deux directeurs, Claude Bourdet et Gilles Martinet. Claude Bourdet, le plus grand bourgeois de nous tous, avançait de semaine en semaine plus loin dans le sens de l'extrémisme que les Américains appellent la « frange folle » de la gauche (*the lunatic fringe*). Gilles Martinet, plus réaliste, amorçait une marche arrière, classique, vers un empirisme prudent et nuancé. Il en voulait en outre à Bourdet de n'être qu'un directeur postiche, qui ne s'occupait plus du tout de l'élaboration et de la confection du journal, tout en disant à l'extérieur qu'il en était le maître d'œuvre effectif. Martinet taxait pour ce motif Bourdet d'imposture, terme qu'il employa à l'occasion d'une réunion secrète, un complot en quelque sorte, qui se tint un dimanche au vaste domicile d'Hector de Galard, à l'angle de la rue du Cherche-Midi et du boulevard Raspail, avec pour ordre du jour : « Comment s'en débarrasser ? » — de Bourdet, s'entend. L'éviction souhaitée n'aura lieu qu'à l'occasion de la réincarnation de *France-Observateur* dans *Le Nouvel Observateur*, où Claude Bourdet sera le seul membre du noyau primitif de l'ancienne équipe à ne pas être récupéré. Malgré l'étroitesse sclérosée de sa folie politique, Bourdet possédait comme éditorialiste plus de talent de plume que Martinet. Celui-ci, de son propre et modeste aveu, écrivait lourdement. Pourtant il était bon orateur, plein de force, de naturel et de clarté. Je le constatai plusieurs fois dans des réunions publiques ou des colloques. Mais le sentiment de son infériorité dans le style écrit attisait encore sa rancune contre son rival directorial. Claude Bourdet ne paraissait qu'une fois par semaine au journal, le jour de la principale conférence de rédaction, à seule fin de nous communiquer d'un ton hautain le sujet de son prochain papier. L'énoncé en était accueilli par le masque glacial de Martinet et la mine abattue et consternée dont, de toute manière, ne se départissait jamais le rédacteur en chef Hector de Galard. Il était le « Docteur Tant Pis » de notre séminaire vieillot. En plus de sa visite hebdomadaire à nos bureaux, Bourdet se rendait, les soirs de bouclage, au « marbre ». Dans la tradition du XIXᵉ siècle et de la première moitié du XXᵉ siècle, tout « grand » journaliste se devait de faire une apparition à l'imprimerie pour « corriger son papier », et serrer la main du prote, même si aucune correction n'était nécessaire.

Des divergences plus objectives et sérieuses vinrent aussi perturber la fragile harmonie de la rédaction. Elles provinrent surtout de François Furet et de Georges Suffert. Leurs objections à l'orthodoxie bigote de la « petite gauche » (ainsi que nous baptisaient avec commisération les gaullistes) s'appuyaient sur trois constatations de moins en moins niables. La première, que de Gaulle s'orientait à pas petits mais perceptibles vers la négociation avec le FLN et vers l'indépendance de l'Algérie. Volonté de paix qu'avaient perçue avant nous ceux qu'elle menaçait, les forcenés de l'Algérie française, qui tentèrent plusieurs attentats contre la vie du Général. La deuxième évidence était que la politique étrangère gaullienne, antiaméricaine, antieuropéenne et de moins en moins antisoviétique, coupait sous le pied de la gauche le peu d'herbe qui lui restait à fouler. La troisième réalité était que le plan de redressement financier Pinay-Rueff avait stabilisé la monnaie, accéléré la croissance et relancé l'élévation continue du niveau de vie. Une quinzaine d'années après la fin de la Deuxième Guerre mondiale et au terme d'une période probatoire où l'on pouvait hésiter entre les deux systèmes, le doute n'était plus permis au spectateur non prévenu de la scène mondiale : le socialisme avait échoué, le capitalisme avait réussi.

Georges Suffert quitta bientôt *France-Observateur* pour *L'Express*. François Furet, sachant que l'on n'a pas intérêt, quand on est un intellectuel français, à se « classer à droite », restera toujours fidèle au *Nouvel Observateur*, tout en parvenant avec subtilité à garder ses distances par rapport à la vulgate gauchère du journal. Pour ma part, las de m'évertuer à entretenir un feu que plus personne ne pouvait rallumer sans avoir au préalable ramoné à fond la cheminée, ce qui n'était ni dans mes attributions ni dans mes moyens, je démissionnai de *France-Observateur* au printemps de 1963. A l'automne, je reçus un appel téléphonique de Pierre Mazars, rédacteur en chef du *Figaro littéraire*. Cet hebdomadaire, en ces temps reculés, était encore distinct du *Figaro* quotidien, et fort lu. M'ayant invité avec des intonations mystérieuses à prendre un verre au confortable Café du Rond-Point des Champs-Elysées (remplacé depuis par l'inconfortable « drug-store »), Mazars, bon géant souriant et placide, m'y posa d'emblée et sans biaiser la question de confiance suivante : « Avez-vous une objection de principe à collaborer au *Figaro littéraire* ? » Me sachant marqué à gauche, il jugeait inutile de formuler une proposition de collaboration en cas de réponse négative à ce préambule. A ma propre surprise, je ne sentis se lever en moi aucune « objection de principe ». Un an plus tôt, j'aurais refusé net de collaborer à un journal de droite. Après ce que j'avais vu à *France-Observateur*, ma défense immunitaire s'était affaiblie. Je précise que *Le Figaro littéraire*, éclectique, comptait parmi ses gloires des collaborateurs de gauche, tel Jean Guéhenno, figure et héritier du Front populaire. Cela me facilitait la transition. De plus, chargé du compte rendu des essais, je m'offris la coquetterie d'écrire dans ce journal de droite des articles penchant à gauche et louant des auteurs de gauche. On me laissa faire avec élégance, alors que, dans un journal de gauche, je n'aurais pas pu écrire d'articles penchant à droite, ni faire l'éloge d'auteurs de droite. Cette vérité d'expérience, qu'on le croie, je l'énonce sans malveillance et avec d'autant plus de compréhension que j'en connais le motif.

LIVRE DIXIÈME

APPRENTISSAGE
DES VERTUS RÉPUBLICAINES

I

Les débuts d'un écrivain ne peuvent manquer d'être difficiles, croit-on en général, parce que le public et la critique résistent à l'originalité de ses idées ou de son art. Notre époque s'est tellement imprégnée du préjugé selon lequel une œuvre estimable doit par obligation traverser d'abord la salle d'attente de l'« avant-garde méconnue » que nous avons du mal à percevoir les cas, pourtant fréquents, opposés à ce lieu commun. En effet, les débuts d'un auteur peuvent être plus faciles que la suite de sa carrière où, pourtant, la notoriété acquise lui assure en principe une audience par avance attentive à ses livres. Contre un inconnu qui publie un premier livre, les coteries, les idéologies, les solidarités corporatistes n'ont encore, par définition, construit aucune défense préalable. Débordées, bousculées par un ton nouveau, des arguments inédits, un style inhabituel, elles refluent en désordre sans trouver d'emblée la réplique. Elles mettent, de surcroît, contre elles les rieurs ; et les opprimés, qui ont longtemps souffert en silence sous leur domination intellectuelle, professionnelle ou esthétique. Ces victimes étaient souvent inconscientes des raisons de leur malaise, jusqu'à ce qu'un autre les exprimât à leur place. L'auteur renverse alors avec facilité les obstacles qu'on lui oppose. Il semble invulnérable aux contre-attaques. Sa manière, forte de sa fraîcheur, surgit d'un horizon vers où l'on ne regardait pas. Sa verve tout juste affûtée enjole un public qui devient indifférent aux vociférations de ses adversaires. Leurs fanfares sonnent démodé face au registre que l'insolent nouveau venu fait entendre. Cette période d'innocence conquérante peut se prolonger jusqu'au deuxième ou au troisième livre. Par la suite, comme l'enseigne l'immunologie, les défenses se mettent en place. Dans les milieux contestés ou menacés, on a repéré à l'usage les méthodes et le style propres à l'intrus. Ses tours ont perdu le tranchant de l'imprévu. On a peu à peu appris à installer contre lui des barrages, à lancer des actions préventives, à intercepter la teneur de ses textes et à la dénaturer avant même qu'elle n'atteigne le public, qui, dès lors, ne perçoit plus ses idées à l'état vierge et les juge au travers du voile préalable des commentaires hostiles ou sommaires. Son public peut bien être devenu infiniment plus nombreux que naguère, l'auteur éprouve pourtant davantage de peine à trouver des lecteurs non prévenus, des critiques traitant de la simple substance de ses livres et non guidés par le souci prioritaire de se « situer » par rapport à lui. Dès lors, il perd à jamais la joyeuse ingénuité des commencements. Sa tâche se dédouble : il doit non seulement dire ce qu'il veut dire, mais, comme gémissent les hypocrites, « dissiper les malentendus » qui se forment avec régularité et que les apparatchiks de la vérité prennent soin de reformer avec vigilance autour de son œuvre. Lutte aussi épuisante que le serait d'avoir à nettoyer chaque matin une fresque badigeonnée toutes les nuits par les mêmes vandales.

Plus votre public s'élargit et plus les réactions de défense contre votre pensée se multiplient et se perfectionnent. Comme on dit en logique formelle, vous perdez en compréhension ce que vous gagnez en extension. Du moins est-ce l'impression que vous avez. Le nombre des personnes qui vous comprennent — ce qui signifie non pas qu'elles vous approuvent toujours mais qu'elles prennent en considération seulement ce que vous avez voulu dire, sans y substituer une caricature polémique ou une simplification excessive —, ce nombre a probablement grandi depuis le jour de vos débuts. Mais ces lecteurs de bonne foi sont environnés des fracas d'un océan si noir et si agité que le bruit de leurs voix, recouvert par le vacarme des autres, ne peut presque plus parvenir jusqu'à votre ouïe.

Que l'on ne voie dans ces remarques aucune récrimination personnelle. Le ressac culturel que je décris est de tous les temps et il a chagriné les plus grands. « Je me plaignais, dit Montesquieu dans les *Pensées*, d'une infinité de mauvaises critiques sur mon *Esprit des lois*, qui venaient de ce qu'on ne m'avait pas entendu. Je me trompais ; elles venaient de ce qu'on ne voulait pas m'entendre. » La « trahison des clercs » est chronique, mais sans doute Julien Benda eut-il raison de soutenir que notre siècle l'a aggravée, dans la mesure où nos totalitarismes ont légitimé le mépris de la vérité dans le combat intellectuel. Le glissement qui a substitué « combat » à « commerce » est d'ailleurs révélateur. Les réactions des plus grands noms de la philosophie à *Pourquoi des Philosophes* ? furent, à cet égard, celles qui me déçurent le plus. J'ai rapporté, dans *La Cabale des dévots*, celle de Maurice Merleau-Ponty. Elle est indigente. Je voudrais réévoquer la « critique » de Jacques Lacan. Elle fut encore plus expéditive, plus indicative de sa haute intellectualité : au cours d'une séance de son séminaire à la Sorbonne, que me racontèrent peu après des témoins, le psychanalyste hermético-mondain, éructant des cris de rage et balayant la salle de regards furibonds, brandit mon livre puis le jeta par terre et le foula aux pieds avec frénésie jusqu'à le réduire en bouillie, tout en vociférant : « Le contenu de ce livre est celui d'une poubelle, d'une poubelle, d'une poubelle. » Quelques années plus tard, en apparence calmé, il déclara dans un entretien (*Figaro littéraire*, 29 décembre 1966) :

« — Ah, dit Lacan, Revel objecte ? Dans *Pourquoi des Philosophes* ?

— Et dans *La Cabale des dévots*.

— Je serais donc un dévot ?

Et le Dr Lacan rit avec, vraiment, beaucoup de gentillesse.

— Puisqu'il est question de Revel, vous souvenez-vous du slogan qui figurait, si je ne me trompe, sur la bande de son premier livre ? Il disait ceci : "Si vous ne les comprenez pas, c'est vous qui avez raison." Il y a toujours quelque chose de drôle à voir s'avouer la vérité, la vérité du livre s'étalait sur la couverture : un chèque en blanc tiré sur l'ignorance. »

L'ignorance, en l'espèce, est celle du Dr Lacan, lequel semble n'avoir jamais entendu parler de cette règle élémentaire de logique, notoire depuis Aristote, qu'une proposition contradictoire dans les termes, étant dénuée d'intelligibilité au sens que Leibniz donne à ce concept, n'a pas à être comprise, ne peut pas être comprise, parce qu'elle est en effet incompréhensible, et que donc on a raison de ne pas la comprendre, car il n'y a rien en elle à comprendre. L'ennui, avec Lacan, c'est qu'il cachait son vide intellectuel derrière l'écran d'un langage philosophique d'emprunt. Sa connaissance des grands auteurs philosophiques était nulle. S'il eût lu Karl Popper, et donc su qu'une théorie, pour être cohérente, doit être « réfutable », la phrase de la bande publicitaire de mon livre ne l'aurait pas étonné. Son contresens de collégien traduit son inculture. Je n'ai jamais soutenu que toute discipline pût et dût être abordée sans préparation et les textes difficiles sans effort. J'ai voulu établir une distinction entre la vraie technicité, nécessaire à la précision de la pensée, et la fausse, destinée à en masquer le vide. Ne confondons pas profondeur et imposture. L'imposture, d'ailleurs, Lacan l'étale plus loin, dans le même entretien, en trahissant qu'il n'a pas lu mes livres avant de les rejeter, s'étant borné sans doute à les parcourir en y écumant les passages qui l'y concernaient, puisqu'il dit : « D'ailleurs, pourquoi attaquer seulement Heidegger, Merleau-Ponty, voire me chercher dans les réponses incomplètes de la pâte lourde que j'essayais de soulever alors, quand Spinoza et Leibniz ne s'offrent pas plus aisément à la consommation de l'"honnête homme", aux préjugés du bourgeois "cultivé". » C'est là, de la part de Lacan, non une simple contestation d'opinion, mais une grossière erreur matérielle, dénotant une habitude grave de pérorer sur ce dont l'on n'a pas pris connaissance. En effet, les deux tiers de *Pourquoi des Philosophes ?* portent sur l'Antiquité et la philosophie classique. Mon essai ne traite que très accessoirement des contemporains. Hélas ! comme les historiens vérifient rarement leurs dires ou leurs souvenirs sur les sources, ce contresens se perpétue encore en 1989 dans, par exemple, une chronologie résumant *Les Idées en France de 1945 à 1988*, publiée par la revue *Le Débat*, que dirige mon cher Pierre Nora, lequel avait pourtant été le premier, avec Althusser, à lire mon manuscrit ! On trouve ceci dans cette chronologie : « Avril 1957, J.-Fr. Revel, *Pourquoi des Philosophes ?* (Editions Julliard), pamphlet virulent qui dénonce la faillite de la philosophie universitaire traditionnelle et les impasses des nouveaux maîtres à penser (Merleau-Ponty, Lévi-Strauss, Lacan). J. Lacan piétinera le livre en séminaire. L'ouvrage suscite une intense polémique à laquelle J.-Fr. Revel répondra : *La Cabale des dévots* (Editions Julliard, 1962). »

« Universitaire » ? Depuis 1800, quasiment toute la philosophie l'est en France ; et, en Allemagne, bien avant. « Traditionnelle » ? Je ne vois pas ce que cela veut dire. Si cet adjectif est synonyme de classique ou ancien, alors il réfute l'erreur selon laquelle j'aurais écrit un « pamphlet virulent » (autre pléonasme) contre les seuls philosophes du moment. Quant aux « maîtres à penser » alors en selle, je m'étais gardé de trop insister sur eux, de peur de paraître combattre une simple mode. Et je ne les décrète point « en faillite », les voyant, au contraire, avec plaisir, selon la formule de Maurice Barrès dans *Sous l'œil des barbares*, « opulents et considérés ».

Quoique d'une tout autre envergure intellectuelle que Lacan, Claude Lévi-Strauss manifesta presque la même immaturité caractérielle dans ses réactions à mes critiques. Il consacra un chapitre de son *Anthropologie structurale*, en 1958, à répondre aux objections formulées, dans *Pourquoi des Philosophes ?*, à l'encontre de ses *Structures élémentaires de la parenté*, ouvrage que j'admirais, mais dont je disais et montrais que l'extrapolation théorique y débordait et y triturait le noyau d'observation empirique sur lequel l'auteur prétendait s'appuyer. D'ailleurs, quand je dis que Lévi-Strauss me « répondit », je me trompe ; en fait, il me *répliqua*, mais il ne *répondit* à aucun de mes arguments. Comme j'avais quelque respect pour lui, je pris donc ma plume et lui écrivis en substance ceci : « Monsieur, m'autoriseriez-vous à reproduire, en annexe de la prochaine édition de *Pourquoi des Philosophes ?*, le chapitre de votre *Anthropologie structurale* que vous m'avez fait l'honneur de consacrer à mes observations sur les *Structures élémentaires* ? Ainsi, le lecteur pourrait commodément confronter mes objections et vos réponses. Il jugerait par lui-même de la pertinence des unes et des autres. » Je reçus par retour une lettre de l'éminent anthropologue dont l'essentiel peut se condenser comme suit : « Monsieur, je ne puis vous donner mon accord à la suggestion que vous me faites, car j'ai horreur de la polémique. Venez donc plutôt me voir, et nous discuterons. » Reléguer dans les bas-fonds de la « polémique » la possibilité fournie au lecteur de comparer deux séries d'arguments, ce qui définit l'exercice même de la pensée, me parut, de la part d'un philosophe de formation, une bien misérable parade. Quant à la visite, elle eut lieu, courtoise, longue, animée et, tout compte fait, cordiale. Elle se déroula un soir, après dîner, dans l'appartement du maître, rue de Boulainvilliers. Sur le fond, le débat ne progressa guère. Lévi-Strauss m'envoya un mot le lendemain pour me dire qu'il n'avait pas été très en forme la veille. Il avait, m'apprit-il, eu peu auparavant une crise de coliques néphrétiques mais, quoique encore mal en point, n'avait pas voulu me décommander, de peur de sembler esquiver la rencontre. Bien que peu éclairants par rapport à mes doutes, au cours de notre conversation, ses propos n'en avaient pas moins été empreints de bienveillance. Lévi-Strauss m'incita même à me tourner vers l'anthropologie, déplorant que la discipline manquât de jeunes recrues de valeur. Je caressai un instant cette éventualité. Pendant quelques mois, nous correspondîmes à ce sujet. Puis je sentis que, dans le droit fil des coutumes féodales de l'Université française, je n'arriverais à rien sans avoir accepté de passer au préalable vingt-cinq ans sous la férule du maître et à son service. De plus, les livres suivants de Claude Lévi-Strauss, *La Pensée sauvage* et *Le Cru et le Cuit*, brillants mais partant du vrai pour aboutir au faux, me parurent s'éloigner encore plus que les précédents d'une recherche scrupuleuse et rigoureuse. Je ne me sentis pas le goût de m'orienter vers l'anthropologie si c'était pour y retrouver l'ingéniosité lassante de la spéculation philosophique avec, comme dit Kant, le stérile « usage de la raison hors des limites de l'expérience ». Moi aussi les jeux de l'esprit m'amusent, à condition qu'ils ne revêtent pas abusivement l'uniforme de la connaissance. Ma déception devant les sauts de carpe de Merleau-Ponty, de Lacan et de Lévi-Strauss venait aussi d'une autre interrogation stupéfaite : comment des hommes, qui entendaient révolutionner de fond en comble leurs disciplines respectives et qui figuraient parmi les penseurs et guides intellectuels reconnus de leur époque, avaient-ils pu se montrer incapables de réagir à des critiques, fussent-elles accompagnées de persiflage, autrement que sous le seul empire de leur vanité et de leur susceptibilité personnelles ?

Cette question me tarauda ou, plutôt, ce constat m'accabla encore davantage quand je pris connaissance de la réaction de Sartre. Elle se présenta sous la forme d'une conférence, prononcée en 1959, sous le titre *Pourquoi des Philosophes ?* Mais le texte n'en parut qu'en 1984, quatre ans après la mort de Sartre, dans la revue *Le Débat*, numéro 29.

Le meilleur commentaire étant souvent l'explication de texte, je me bornerai ici à démêler les principales lignes d'argumentation suivies par Sartre dans cette conférence.

Un premier groupe d'arguments ou de propos y a pour objectif de jeter le discrédit sur la personne de l'auteur et sur son livre. Ce livre « fit quelque bruit il y a deux ans ». Sous-entendu : il s'agit d'un feu de paille. « Revel est professeur de philosophie, je crois. Mais je suppose qu'il n'aime pas la discipline qu'il exerce — c'est peut-être son gagne-pain. » « Il suffit à Revel d'un peu d'esprit en parlant des philosophes pour qu'il fasse rire d'eux... Certes on peut faire rire de Revel, mais par d'autres procédés que ceux-là, et je ne les utiliserai pas. »

Ces considérations n'ont rien de philosophique. Elles sont sans aucun rapport avec le fond du débat. Quels sont ces mystérieux procédés que Sartre se refuse à utiliser pour faire rire de moi ? Ou l'on fait de l'esprit aux dépens de quelqu'un ou l'on n'en fait pas. Les menaces non suivies d'effet sont, dans ce domaine, oiseuses. Si Sartre entend évoquer je ne sais quelle vulnérabilité personnelle et particulière qui serait la mienne, et dont, au demeurant, je dois dire que la nature m'échappe, on conviendra que ces insinuations creuses manquent d'élégance et, surtout, de teneur philosophique. Au surplus, contrairement à ce que Sartre affirme, il existe en philosophie une longue tradition de satire des idées, qui tire des effets comiques de l'art de tourner en dérision les doctrines en restant sur le terrain de la discussion des concepts. Le *Protagoras* de Platon, les *Philosophes à vendre* de Lucien, le *Post-Scriptum aux miettes philosophiques* de Kierkegaard ou encore de fort nombreuses pages de Nietzsche montrent assez que cet art fait partie de la plus haute philosophie, tout comme l'art polémique d'ailleurs. L'auteur blessé Sartre aurait-il oublié les cours que le professeur de philosophie Sartre a dû faire sur l'ironie socratique ?

J'éviterai de qualifier les considérations sur mon métier d'alors et sur mon « gagne-pain », qui avaient été aussi les siens dans sa jeunesse, pour simplement noter l'étrange postulat qui s'en dégage : à savoir, on s'exclut soi-même de la philosophie si l'on critique la philosophie et les philosophes. De ce train, il faudrait éliminer des manuels d'histoire de notre discipline les neuf dixièmes des auteurs classiques et décréter que l'esprit critique est incompatible avec l'esprit philosophique. Sartre confond sans doute la philosophie avec l'armée, dite la « Grande Muette ». Je m'étonne qu'il n'ait pas demandé au ministère qu'on effectue une retenue sur mon traitement.

Enfin, quand bien même mon livre n'aurait été que l'amusement d'une saison (il se trouve que ce n'est pas le cas mais peu importe), quand bien même il aurait été encore moins qu'éphémère et serait passé entièrement inaperçu, ce facteur extrinsèque ne devrait affecter en rien le jugement d'un philosophe. Ce jugement doit porter sur le fond, et le philosophe doit refuser de recourir à toute arme autre que le raisonnement pour influencer son auditoire. Faute de quoi Sartre tombe, je le crains, dans l'« inauthenticité ».

Un deuxième groupe d'arguments sartriens met en œuvre ce que j'appellerai la parade « mort de Socrate ». Je voudrais, paraît-il, « chasser les philosophes de la cité ». Ils sont d'abord « victimes d'un léger bannissement ». Puis « ce qui est plutôt reproché au philosophe, outre son caractère de parasite à l'égard du constructeur ou du producteur, c'est son inutilité, son inefficacité ». Ensuite, il serait, paraît-il, question de chasser les philosophes « à coups de trique ». Bigre ! Le philosophe devenu non-philosophe — c'est moi-même, Messieurs, sans nulle vanité — parce qu'il pose la question *Pourquoi des philosophes ?* Ce faisant, il « demande qu'on enferme tous les autres philosophes » et « pourquoi on ne les coupe pas tous en morceaux ». Le non-philosophe veut « abattre le philosophe... parce qu'il voit ce philosophe en face de lui comme ce criminel qui fait les choses que lui personnellement s'interdit ».

Je mets au défi quiconque de trouver dans *Pourquoi des Philosophes ?* une seule ligne où je parle du philosophe par rapport à la cité, à plus forte raison où je propose de l'en bannir, où je le taxe de « parasitisme » à l'égard du producteur ou du constructeur, où j'attaque si peu que ce soit la culture philosophique sous l'angle de son application pratique, de son efficacité pour le groupe social, en termes utilitaires. Cette façon d'envisager le rôle de la philosophie est tout simplement et intégralement absente de mon livre. Sartre m'impute, abusant les auditeurs, qui ne m'ont pas tous lu, une odieuse et stupide série de reproches qui sont de sa pure invention. Ce procédé a un nom. J'ai tenté de démonter certaines démarches de la philosophie sur leur terrain même, celui de la pensée, de ses échecs ou de ses réussites, en la confrontant à ses propres points de départ et à ses propres prétentions ou intentions. Me reprocher les sombres desseins que Sartre m'attribue sans le moindre fondement relève de la diversion la plus fantaisiste. Diversion qui confine au délire quand il m'accuse implicitement de vouloir incarcérer, découper en rondelles, peut-être même tuer ce « criminel » : le philosophe. Que ces outrances lamentables convainquent ou non l'auditoire, elles présentent en tout cas pour le conférencier un avantage : elles lui ont servi à éviter de commencer même à effleurer le fond du problème.

Le troisième groupe d'arguments est, à vrai dire, le seul auquel ce terme d'argument convienne. Encore y s'agit-il plus d'affirmations que d'arguments. Du moins ces affirmations concernent-elles des questions philosophiques. La dialectique sartrienne est simple : critiquer « la » philosophie (comme si ce concept était clair, homogène et univoque !), c'est s'exclure de cette même philosophie et devenir un non-philosophe. C'est donc déchoir de toute pertinence philosophique, c'est tomber dans l'inauthenticité et l'« esprit de sérieux », expression ironique, bien entendu. C'est végéter dans le « on » heideggerien... Dès l'instant où il y a mise en contestation de la philosophie, c'est qu'un non-philosophe s'adresse à des non-philosophes. A contrario, par conséquent, je suis en droit d'en induire que, pour rester dans un univers où un philosophe s'adresse à des philosophes , il faut s'abstenir de toute mise en question de la philosophie. Belle leçon de liberté intellectuelle.

Sartre ne doute en outre pas un instant, semble-t-il, qu'il se donne un objet de pensée en faisant simplement précéder un concept d'un préfixe négatif. C'est une des erreurs logiques les plus connues que de croire dire et penser quelque chose parce qu'on écrit « non » devant un mot. Il ne suffit pas, pour fournir à la pensée un objet, de proclamer : nous allons penser le non-monde après avoir pensé le monde ; la non-musique après avoir pensé la musique ; penser la non-sardine après avoir pensé la sardine. En abusant de cet artifice, on ne pense que le vide. Ce sont là de faux concepts qui n'ont d'existence que verbale, à commencer par le trop fameux non-être, comme tout philosophe devrait le savoir depuis que Platon a écrit le *Parménide*.

Certes, remarque Sartre, reprenant un antique lieu commun des manuels pour débutants, même le non-philosophe est un philosophe qui s'ignore. Quoiqu'il ne dise que des « bêtises », décrète notre autocrate du haut du trône de l'affirmation pure, ces bêtises sont des « bêtises philosophiques ». Un pas dans la bonne direction, en somme, mais inconscient et involontaire, n'allant pas jusqu'à autoriser la manumission du non-philosophe.

Qu'est-ce qui distingue le philosophe du non-philosophe ? Eh bien, c'est que la philosophie pense l'Etre. Qu'est-ce que penser l'Etre ? Sartre ne le dit pas. Il dit seulement que tous les chercheurs qui pensent un objet déterminé appartiennent à l'inauthenticité parce qu'ils ne pensent pas l'Etre en général. Vieux et creux poncif heideggerien. Les anthropologues et ethnologues ne pensent donc pas l'homme. La science se situe à cet égard au même niveau d'inauthenticité, d'inessentiel que les préjugés les plus bas et les croyances irraisonnées de la foule abusée : « Si on appartient à un groupement politique ou à une confession religieuse, on sait y demeurer comme un petit pois dans une boîte de petits pois, bien au chaud les uns avec les autres. L'adaptation est donc parfaite, et aussi la soumission à tous ces êtres que nous appellerons la cité. Les valeurs, en tant que ces valeurs ne sont pas créées par moi, ni pensées par moi, mais imposées par la cité, par le métier, le groupe ou le parti politique, la confession, toutes ces valeurs, *auxquelles s'ajoutent naturellement la science et les lois scientifiques* — toutes ces valeurs et ces réalités sont considérées comme l'essentiel. Elles rassurent ; et l'homme est fait pour s'adapter à elles. Il est donc l'inessentiel » (souligné par moi).

Il règne d'ailleurs dans toute cette conférence de Sartre une véritable hantise du petit pois en conserve. La « psychanalyse existentielle » pourrait ici être d'une certaine utilité. Par trois fois, Sartre fait appel à la boîte de petits pois comme système de preuves. Tout non-philosophe — ce qui fait quand même du monde — est assimilé au petit pois écrasé contre les autres dans sa boîte. Cette image fournit une inquiétante indication sur l'estime dans laquelle Sartre tient la quasi-totalité de l'espèce humaine, puisque les philosophes, à chaque génération, sont tout au plus quelques centaines, voire un ou deux milliers. Je me rappelle qu'à cette époque il y avait fréquemment à la télévision une publicité « compensée » (c'est-à-dire ne mentionnant aucune marque) où l'on voyait une boîte de petits pois et, à côté, un petit pois à visage humain qui proclamait : « Il faut toujours avoir des petits pois chez soi ! » tout en invitant par le geste les téléspectateurs à se repaître du contenu de la boîte. La conduite cannibale de ce petit pois, traître infâme qui engageait les humains à dévorer ses propres congénères, jetait Jacques Prévert dans une violente indignation. Il m'en parlait chaque fois que j'allais le voir, en général le dimanche matin, dans son appartement qui donnait sur le toit du Moulin-Rouge. La colère le gagnait, il flétrissait ce « petit pois cannibale », il s'enflammait, s'étranglait, devenait tout rouge jusqu'à friser l'apoplexie, et j'avais le plus grand mal à le calmer. J'ignore si cette publicité a influencé la conférence de Sartre sur *Pourquoi des Philosophes ?* mais je constate qu'il va encore plus loin dans l'anthropomorphisme, puisque, pour lui, c'est le contenu même de la boîte qui se compose d'êtres humains. D'êtres humains non philosophes, cela va de soi. Tous les êtres humains sont-ils des petits pois, à l'exception des philosophes ?

Mon succès me fut donc cause à la fois de satisfaction personnelle et de déception sur la société culturelle française. Si mon modeste opuscule était aussi nul que le proclamaient les géants de la pensée du moment, il aurait dû les laisser indifférents et silencieux. Mais, dès lors que les quatres auteurs philosophiques les plus illustres de cette période — Lacan, Lévi-Strauss, Merleau-Ponty et Sartre — se sentaient dérangés au point de se répandre en commentaires multiples sur ces quelques pages d'un débutant, pourquoi n'éructaient-ils que des remarques mesquines, vulgaires et indigentes ? Si au moins leurs réparties, pour injustes qu'elles fussent, avaient été spirituelles ! Comment expliquer un tel manque de pertinence et de générosité ? A la faillite intellectuelle de la philosophie s'ajoutait ainsi à mes yeux une déroute morale. Quelle valeur éthique pouvait avoir cette « vie selon la philosophie », ce *bios philosophicos*, où n'entraient en ligne de compte que les susceptibilités médiocres de pontes vaniteux ?

II

François Mitterrand établit avec moi, de 1960 à 1970, des relations cordiales, sinon amicales, mais qui, en ce qui me concernait du moins, devinrent vite assez limitées dans leur substance en raison d'un trait fondamental de sa personnalité : son manque total d'intérêt pour les questions politiques.

J'entends les questions politiques de fond, et je ne suis inspiré, ce disant, par aucun goût du paradoxe facile. Mitterand se passionnait, certes, pour les instruments de la politique, pas pour ses objectifs ; pour ses moyens, pas pour ses fins ; pour la conquête et la conservation du pouvoir, pas pour les éventuels desseins que le pouvoir permet de réaliser. C'est le dessein même qui devenait l'un des instruments. S'interroger sur son bien-fondé intrinsèque, hors sa relation avec la stratégie du pouvoir, n'avait pour Mitterrand aucun sens. Seule comptait son efficacité momentanée sur l'opinion publique en vue de la prise ou de la consolidation d'une position. Dans la conversation, je n'ai jamais entendu Mitterrand s'étendre que sur deux thèmes : la pure tactique politique et ses propres souvenirs. Il ressassait son autobiographie avec l'opiniâtreté répétitive d'un vieillard, quoiqu'il n'eût pas atteint cinquante ans quand je le connus. La véracité dans ces récits de sa jeunesse n'était au demeurant pas son fort, ainsi que je le découvris plus tard. Quant à la réflexion politique, à la connaissance des faits, Mitterrand était si incurieux des idées générales, des visions d'ensemble tirées de l'examen scrupuleux du réel que, précisément à cause de son indifférence à la pensée, ce réaliste était incapable de distinguer une analyse sérieuse d'une ânerie chimérique. Justes ou fausses, les notions influaient selon lui sur le jeu des forces politiques et sur le succès ou l'échec dans l'exercice du pouvoir aussi peu que les musiques militaires sur l'issue des guerres. Se figurer que connaître les données exactes composant une société, façonnant une époque, pouvait aider l'homme d'action à en résoudre les problèmes, c'était là, pour lui, une naïveté risible et méprisable. Il feignait, certes, d'accorder sa considération aux intellectuels, tout en ne retenant dans son entourage, au fil du temps, que les flagorneurs, miroirs de son narcissisme, et les charlatans, pourvoyeurs de ses contrefaçons. Mais même quand il tolérait les autres, c'était pour s'en faire une parure, parce que leur réputation lui paraissait une verroterie souhaitable à son collier, jamais pour recueillir leur avis, encore moins pour le solliciter, en tout cas pas pour le suivre.

Bien entendu, les hommes de gouvernement ne sauraient se régler sur la seule théorie, sur des études économiques, sociales et politiques élaborées dans l'unique souci d'approcher la vérité. Leur métier n'est pas la science. Il est de traduire en actes leurs conceptions dans les limites tracées par le mandat qu'ils ont reçu, par les résistances intérieures et extérieures qu'ils rencontrent, par la compréhension ou l'incompréhension de l'opinion, par les moyens dont ils disposent. L'action ne se déploie pas dans la rationalité pure. Mais elle ne saurait non plus n'en tenir aucun compte. L'art de gouverner résulte d'un compromis entre la connaissance des réalités et la part de cette connaissance que les citoyens peuvent accepter, dont ils peuvent accepter de tirer les conclusions pratiques, en général quand il n'y a plus moyen de faire autrement. Si on ôte le second volet du compromis, la politique perd toute chance d'efficacité ; si on ôte le premier, elle perd toute base dans le réel pour flotter dans le vide opérationnel et la jouissance égoïste des avantages matériels du pouvoir. Elle rompt ses liens avec la substance de l'action.

Cette substance, je n'ai jamais vu que Mitterrand s'y intéressât pour elle-même. Tel ou tel aspect d'un examen désintéressé du réel pouvait, un fugitif instant, attraper son attention, parce qu'il pensait en tirer, non une information vraie, qui lui importait peu, mais un projectile politique à jeter au visage de l'adversaire, dans une intrigue sournoise ou au grand jour d'une tribune. En 1972, je jugeai que Mitterrand, devenu Premier secrétaire du Parti socialiste, avait commis une impardonnable légèreté : pour signer le « programme commun de gouvernement » avec les communistes, il avait accepté les exigences de ces derniers en matière de nationalisations des entreprises françaises. Je tentai en vain de lui montrer à quel point le concept éculé de nationalisation était réfuté par l'expérience, avait prouvé sa nocivité, tant par l'échec désastreux des économies collectivistes que par la différence de développement, aisément observable, entre les pays du tiers-monde qui avaient socialisé leurs économies et ceux qui avaient opté pour la libre entreprise, à l'avantage de ces derniers. Notre échange de vues à ce sujet eut lieu à la fois par le truchement d'articles, que nous publiâmes, lui dans l'hebdomadaire du Parti socialiste, *L'Unité*, moi dans *L'Express*, et aussi au cours de rencontres que nous eûmes, à la fin de 1972, pour préparer et réaliser un long entretien qui parut dans *L'Express* du 1er janvier 1973. Je constatai que mes arguments et renseignements sur les rendements comparés de l'économie collectivisée

et de l'économie de marché se heurtaient chez lui à autant d'indifférence aux faits que d'inaltérable placidité quant aux suites. Ces nationalisations en rafale, qui devaient blesser si grièvement la France au
cours des premières années de sa présidence, entre 1981 et 1984,
Mitterrand considérait de toute évidence que j'étais bien futile d'en
faire tout un plat. Pour lui, elles n'avaient par elles-mêmes aucune
importance. Elles n'étaient qu'un moyen d'empocher les voix communistes, soit plus d'un cinquième de l'électorat français à l'époque, et
de consolider le ralliement à sa personne des nouveaux socialistes,
plus gauchisés, plus marxistes et moins sociaux-démocrates que leurs
aînés. Pour lui, mes reproches valaient ceux d'un faiseur d'embarras,
protecteur des animaux, qui lui aurait reproché de s'habiller en chas-
seur tout en se moquant de la chasse, pour se rendre à l'invitation
cynégénétique d'un châtelain, utile à rencontrer en vue de conclure
un fructueux contrat. Durant nos conversations de 1972, je me rappelle lui avoir une fois objecté : « Mais quel sens peut avoir l'idée de
nationalisation, à une époque où le capitalisme est constitué et sera
toujours davantage constitué de sociétés multinationales ? » Je le vis
perdre contenance, rester interdit une seconde, pour ensuite bredouil-
ler des propos désordonnés qui me révélèrent surtout son ignorance
de ce qu'était une multinationale. Je commençai à le lui expliquer,
mais, dès qu'il l'eut vaguement saisi, et soucieux moins de savoir ce
dont il s'agissait que de trouver la parade contre une objection déran-
geante, il proféra cette question : « Comment les juguler ? » Médusé,
interloqué, je finis par lui répondre : « Il n'y a pas lieu de le faire.
C'est comme si, à la fin du Moyen Age, on avait voulu juguler la
prolifération des marchands et leur circulation dans toute l'Europe,
porteuses de modernité. D'ailleurs, je vous signale que Coca-Cola et
l'Union soviétique viennent de signer un contrat. Des multinationales
capitalistes traitent avec les pays socialistes et il existe même des multinationales socialistes. » Mais, à ce point, je sentis que j'abusais de
son attention, que je le fatiguais. Ces révélations, ne pouvant lui servir
à rien d'immédiat dans ce qu'il voulait faire, l'ennuyaient.

Et ce n'était pas seulement parce qu'elles portaient sur l'économie,
pour laquelle son manque de disposition fut toujours proverbial. Dans
d'autres domaines aussi, l'enseignement, les systèmes universitaires
étrangers, les Etats-Unis, la gauche italienne, la politique latino-américaine, l'évolution probable de l'Espagne après Franco, Mitterrand ne
me posa jamais la moindre question, même s'il savait que je connaissais un peu ces sujets ou que je rentrais d'un voyage dans l'une de ces
régions du monde. A leur propos il était pourtant peu à même de se
renseigner tout seul, puisqu'il ne comprenait ni ne lisait aucune langue
étrangère. Ainsi, bien qu'intelligent, mais d'une intelligence toute
manœuvrière, il ne se forgeait pas d'interprétation intellectuelle qui
lui fût propre des grandes questions du monde. Il adoptait de façon

mimétique l'« argumentaire » (comme disent les représentants de commerce) le plus opportun, à cette époque celui de ses partisans les plus sectaires et les plus lourdauds. Par exemple, dans un sien article de *L'Unité*, le 10 juillet 1972, (repris dans son livre *La Paille et le grain*, Flammarion, 1975, pp. 114-115), il réchauffe la viande remâchée des vieilles diatribes communistes contre les « trusts » et les « deux cents familles » en me répliquant : « Jean-François Revel aura besoin de tout son talent pour me convaincre qu'il est scandaleux d'arracher à un homme, à une famille, à un groupe d'intérêts, les moyens de production dont ils tirent d'énormes bénéfices quand ces moyens de production commandent un secteur clé de l'économie, quand ils fabriquent des biens indispensables à la collectivité, quand ils vivent de l'Etat, seul fournisseur et seul client, quand ils dépendent d'un financement collectif. Il n'est, par définition, de monopole qu'après extinction de la concurrence. Ceux qui pleurent sur le sort virtuel de Saint-Gobain ou de Rhône-Poulenc devraient parfois songer aux milliers de petits et moyens entrepreneurs étranglés et finalement expropriés pour la plus grande gloire de ces trusts. Un pouvoir socialiste rendra justice en organisant la défense du plus grand nombre contre les privilèges exorbitants de quelques-uns et en libérant la puissance publique de l'entreprise de groupes de pression. »

Douze ans plus tard, quand il dut bien constater que son programme de « rupture avec le capitalisme » avait conduit la France au bord de la banqueroute et quand il fut contraint de virer de bord, François Mitterrand, dans une déclaration à *Libération* du 10 mai 1984, se contenta, en guise de renouvellement doctrinal, de réchauffer la tisane de l'« économie mixte », ce poncif moisi, héritage de la Première Guerre mondiale. Outre que cette antiquité rebattue lui permettait de ne pas choisir entre l'Etat et le marché, elle signalait une fois de plus son incapacité à penser un problème de façon originale, ou son insouciance complète à cet égard. En cas de nécessité, il choisissait une théorie poussiéreuse apparemment adaptée à la situation, parmi celles disponibles sur les rayons, comme on va au « décrochez-moi ça » se payer un complet plus chaud ou plus léger parce que le temps a changé. La ritournelle de l'« économie mixte », il lui importait aussi peu qu'elle fût juste ou fausse que celle des « deux cents familles ». Elles n'étaient pour lui que des discours de circonstance. Au sortir d'une réunion en vue de la formation de la FGDS (Fédération de la Gauche démocrate et socialiste), en 1967, au moment des négociations entre sa Convention des Institutions républicaines et la SFIO (Section française de l'Internationale ouvrière, nom du Parti socialiste avant le Congrès d'Epinay de 1971), dont le secrétaire général était le cynique et retors Guy Mollet, Mitterrand me dit : « Chaque fois que Guy Mollet fait de la théorie, en réalité c'est de la tactique. » En d'autres termes, les principes ne sont pour lui que des pièces sur son échiquier. Un trait frappant du caractère de Mitterrand est, d'après moi, son talent pour se dépeindre en dénonçant les défauts des autres. Discernant chez Guy Mollet le ravalement des idées au niveau de vulgaires instruments, dont l'emploi n'obéit qu'à l'utilité conjoncturelle, sans obligation d'exactitude ni de nouveauté, Mitterrand trouve ainsi une formule concise et claire pour se décrire lui-même. Les vices qu'il hait le plus chez autrui sont ceux qui correspondent à ses propres envies. Flétrissant, dans le réquisitoire rageur du *Coup d'Etat permanent*, la dégénérescence gaullienne de la République en pouvoir personnel, Mitterrand décrit dès 1964 avec une minutie aiguë et prémonitoire la façon dont il détournera lui-même la fonction présidentielle à son profit quand il l'aura conquise. Dénonçant dans le capitalisme les « privilèges exorbitants de quelques-uns », il annonce les rapines officielles ou cachées que, dans le socialisme, sa famille, ses amis et lui-même commettront aux dépens de la nation, après 1981. Au fond les idées lui servent à percer les mobiles égoïstes de l'action, y compris chez lui, jamais à tenter d'adapter la conduite des affaires publiques à la compréhension de son époque. Quand, en 1978, il m'envoya son livre *L'Abeille et l'architecte*, il y inscrivit la dédicace manuscrite suivante : « A Jean-François Revel, ces pages d'un dialogue interrompu, en souvenir d'heures anciennes qui restent proches, François Mitterrand. » Si ces lignes me touchèrent à titre personnel, en revanche j'ignore, au chapitre intellectuel, de quel dialogue l'auteur voulait parler. Car Mitterrand a toujours vu dans les écrivains des haut-parleurs destinés à répandre ses thèses du moment ou des faire-valoir destinés à le mettre en valeur, jamais des interlocuteurs dont il eût quoi que ce fût à apprendre.

On a souvent reproché à Mitterrand de ne jamais reconnaître ses erreurs. Erreurs par rapport à quoi ? De son point de vue et selon son critère, une idée n'est ni juste ni fausse. Elle est efficace ou non par rapport au pouvoir. Je dis bien par rapport au pouvoir, non par rapport à l'action, la vraie, qui exige la connaissance du réel. Si une idée se révèle inefficace ou quand elle le devient, on l'abandonne comme on abandonne un véhicule en panne pour monter dans un autre. Il n'y a pas là de quoi battre sa coulpe. Au contraire, plus vite on change de voiture, plus on montre son agilité. Une idée peut éventuellement être ridicule mais alors, à l'en croire, ce n'était jamais Mitterrand qui en était responsable, c'étaient ses collaborateurs.

Dans *Un prince des affaires* (1996, Grasset), portrait biographique d'un grand capitaine d'industrie, Ambroise Roux, l'auteur, Anne de Caumont, raconte un déjeuner organisé par Laurence et Pierre Soudet chez eux en mars 1977, pour faire se rencontrer le plus influent des patrons français et le Premier secrétaire du Parti socialiste. De l'avis général, l'alliance socialo-communiste allait gagner les élections législatives l'année suivante. Les deux hommes ne se connaissaient pas. Ambroise Roux raconta plus tard que, posant à François Mitterrand, durant ce déjeuner, plusieurs questions sur des articles du Programme commun de la gauche qui lui paraissaient « extravagantes », il s'aperçut que le chef socialiste ignorait le contenu dudit programme. J'avais fait la même découverte en décembre 1972, par hasard également chez Laurence et Pierre Soudet, qui avaient bien voulu organiser chez eux le dîner destiné à préparer mon entretien avec Mitterrand pour *L'Express*. Pierre Soudet, mon camarade de khâgne, puis d'Ecole normale, s'était orienté ensuite vers l'Ecole nationale d'administration, puis la haute fonction publique. Je l'avais retrouvé pendant les années soixante, au cours de rencontres chez Mitterrand, qu'il avait connu grâce à sa femme, une égérie de la gauche. Le propos d'Ambroise Roux révèle qu'entre 1973 et 1977, Mitterrand n'avait toujours pas pris le temps de lire ce programme commun, bien qu'il l'eût cosigné, ni de s'enquérir des objections élevées contre ce texte par les économistes et les entrepreneurs, tant était inébranlable son indifférence aux idées. Ses mimiques de cabotin politique ne s'étaient pas non plus modifiées. Ambroise Roux lui ayant cité quelques absurdités du funeste programme, Mitterrand foudroie un Soudet penaud (il en avait été l'un des rédacteurs) et lui demande : « Est-ce vrai ? On a écrit de telles conneries dans le Programme commun ? » L'interrogation et l'aveu d'ignorance équivalaient à rejeter les « conneries » sur ses collaborateurs. De même, en 1972, je m'étais gaussé d'un article du Programme qui attribuait la pollution de l'environnement au seul système capitaliste et j'avais rappelé à Mitterrand ce fait notoire que la pollution était mille fois pire dans les pays communistes. Il partagea ma gaieté jusqu'au fou rire et, m'arrachant le livre des mains pour bien vérifier le passage, il s'écria : « Non ? Pas possible ? Ils ont écrit cette ânerie ? » « Ils »... Toujours les autres. L'autocrate irresponsable que Mitterrand deviendrait durant ses deux présidences se peignait là déjà tout entier.

III

J'ai sans doute fait sourire et donné prise au soupçon de vanité en écrivant, plus haut, que Mitterrand avait « établi avec moi » des relations, et non l'inverse. Pourtant ce n'est, en effet, jamais moi, durant ces années où il devint le chef de l'opposition, qui ai pris l'initiative de nos rencontres. Ce n'est pas moi non plus qui, au cours de son ascension, prompte à rameuter autour de lui la bousculade des ambitieux et des arrivistes, désireux de s'arracher par avance les morceaux futurs d'un pouvoir cependant destiné à rester encore longtemps virtuel, ce n'est pas moi, dis-je, qui lui ai demandé de me nommer au Comité directeur de la Convention des Institutions républicaines, ou, en 1966, au Contre-gouvernement (imitation mort-née du *shadow cabinet* britannique). Je ne lui ai pas non plus demandé de m'octroyer, disons plutôt de m'imposer, l'investiture de candidat de la FGDS (Fédération de la gauche démocrate et socialiste) aux élections législatives de 1967. Tous ces honneurs dérisoires et provisoires me tombèrent dessus de par le bon plaisir du monarque absolu qu'il était déjà dans l'opposition. Mais je ne fis jamais rien pour m'avancer dans ses bonnes grâces. Non par mépris ou désinvolture, car j'admirais l'énergie d'opposant de Mitterrand, mais parce que ce n'était pas sous la forme d'une participation personnelle et professionnelle à des comités ou à des élections que la politique m'intéressait, ni même pour siéger sur le « podium du présidium » dans un congrès de la FGDS, entre Gaston Defferre et Guy Mollet, amère apothéose que le destin m'infligea cependant.

J'ai fait la connaissance de François Mitterrand au cours d'un déjeuner en 1961 chez René Julliard. Nous avions été placés à table loin l'un de l'autre et n'avions donc pu parler ensemble. Il rentrait de Chine et venait de publier un livre sur le régime de ce pays. Le voyage chez Mao était alors et restera longtemps, pour les hommes politiques ou les écrivains occidentaux soucieux de se rappeler à l'attention de leurs contemporains, à la fois une obligation professionnelle et la source de milliers de pages de balivernes. Les invités venaient de retourner dans le salon pour prendre le café. Je regardais, dans un coin, rangées sous une vitrine, quelques feuilles manuscrites d'une partition de Bellini ou de Rossini, je ne me rappelle plus. Mélomane, René aimait en particulier l'opéra. Je sentis une présence derrière moi. Je me retournai. C'était Mitterrand, et je l'entendis me déclarer à brûle-pourpoint en appuyant avec force sur chaque syllabe : « Je trouve que votre pensée n'a pas actuellement le rayonnement qu'elle devrait avoir. » Quelqu'un à qui l'on dit que sa pensée ne rayonne pas suffisamment ne saurait concevoir que de bienveillantes dispositions pour l'auteur de cette remarque. Mitterrand voulait dire que la gauche succombait parfois, sans l'avouer, à la séduction du gaullisme, ce qui n'était pas faux ; et j'étais, selon lui, parmi les « écrivains-journalistes » l'un des rares à y résister. La publication, deux ans auparavant, de mon *Style du Général*, analyse critique de la vision du monde gaullienne à travers les discours du Général au cours de la première année qui suivit son retour au pouvoir, n'était sans doute pas étrangère à son opinion. Il m'annonça son intention de constituer un « groupe de réflexion » et me proposa d'en faire partie. Ce « groupe », d'ailleurs variable, se réunit dès lors de temps à autre, à son invitation, pour déjeuner chez lui, rue Guynemer, dans son bel appartement qui donnait sur les jardins du Luxembourg. Quant à la « réflexion », elle se ramenait presque entièrement à un monologue de François Mitterrand lui-même. Dans l'exorde, il nous resservait le récit de sa captivité en Allemagne et de son évasion, pour enchaîner aussitôt après sur la meilleure manière, pour notre petite « Convention des institutions républicaines », d'utiliser Guy Mollet avec sa SFIO et Waldeck-Rochet avec son Parti communiste sans nous faire écraser par ces deux poids lourds. Au début de chaque repas, l'hôte se plaignait en aparté à la personne qui servait à table de ce que le vin manquât de qualité. Et, à coup sûr, les bouteilles posées devant nous appartenaient à la catégorie la plus basse de ces pinards de coupage et de comptoir, ces « litrons » d'antan, vendus sous des marques commerciales dénuées de toute appellation d'origine et que la prospérité a heureusement fait disparaître depuis : vins « du Postillon », « des Rochers » (surnommé par antiphrase dans la publicité le « velours de l'estomac »), « Préfontaines » ou « Réserve spéciale des Chanoines » etc. Avec une mine affligée, Mitterrand donnait instruction à mi-voix que l'on apportât un meilleur vin, et le préposé acquiesçait avec componction, mais je n'ai jamais vu l'ordre du maître de maison suivi du moindre effet. Pas davantage ne le furent les deux pronostics politiques dont Mitterrand m'avait livré la primeur chez René Julliard : l'un que de Gaulle ne ferait jamais la paix en Algérie parce que la poursuite de la guerre était la seule garantie de durée de son pouvoir ; l'autre que les hommes politiques allaient être concurrencés, voire remplacés par les chefs syndicaux. Ces prévisions ne se réalisèrent point, on le sait, non plus que celle que m'exposa

Pierre Mendès France, au cours d'une longue conversation que j'eus un soir avec lui, à son domicile, rue du Conseiller-Collignon, en janvier 1966, et où il m'affirma qu'à son avis, jamais les gaullistes n'abandonneraient le pouvoir à la suite d'une simple défaite électorale. Ils étaient trop peu démocrates pour respecter le suffrage universel. Il faudrait un cataclysme politique et social extérieur à la routine constitutionnelle pour les contraindre à déguerpir.

En septembre 1965, n'ayant pas revu Mitterrand depuis plusieurs mois, je reçus de lui un coup de téléphone où il me dit tout de go qu'il avait décidé de se présenter à l'élection présidentielle, prévue pour le mois de décembre, et que j'étais l'un des deux ou trois premiers auxquels il désirait l'annoncer. Cet empressement me parut peu plausible et disproportionné par rapport à mon importance. Il me gêna plus qu'il ne me flatta. J'avais, à cette date, assez pratiqué l'homme pour connaître la lourdeur des compliments dont il pouvait accabler ceux qu'il voulait séduire afin de les transformer en serviteurs. Son appel me paraissait d'autant plus saugrenu qu'il me parvint non pas chez moi, rue de Furstenberg, mais rue de la Tour, dans l'appartement de Yahne, où j'étais passé un peu par hasard, cet après-midi-là, pour embrasser ma fille Eve, à son retour de vacances. Comme j'étais en instance de divorce, ce numéro de téléphone n'était plus le mien depuis belle lurette. Sans doute Mitterrand s'était-il fié à un antique carnet d'adresses. Cette candidature à la présidence de la République, dont la confidence imméritée me tombait dessus au milieu du chahut des petites amies de ma fille, en train de crier en dévorant des gâteaux, me semblait irréelle. La suite ne le fut pas moins. Non que Mitterrand ait raté son opération, puisque, bien au contraire, il parvint, au-delà même de sa propre espérance, à s'imposer comme candidat unique de la gauche dans la campagne et à mettre de Gaulle en ballottage dans les urnes (avec l'aide, il est vrai, du centre droit et de l'extrême droite). Mais l'aventure fut irréelle en ce qui me concerna, puisque mon embrigadement parmi les « conseillers » de la campagne du candidat, à quoi tendait le coup de téléphone de ce dernier, ne m'amena heureusement jamais à lui donner le moindre conseil, faute d'en être prié. Là encore, il est probable que le succès récent de *En France ou la fin de l'opposition*, autre de mes diatribes contre le mélange malsain de dictature et de démocratie (que j'ai baptisé « démocrature ») du système gaullien, avait incité Mitterrand à estimer que ma présence dans son prétendu *brain trust*, à l'existence duquel croyait la presse, ferait bon effet sur l'électorat. Je fis certes mon possible pour soutenir, par des articles et des discours, le « candidat unique de la gauche », car je croyais à la nécessité de coaliser une opposition démocratique de gauche face à l'hégémonisme gaullien. Mais je ne servis pas réellement de « conseiller » à un homme qui n'en avait ou, plutôt, n'en éprouvait nul besoin. Le seul domaine qui l'intéressât était la tactique.

Avoir auprès de lui des intellectuels et le faire savoir faisait partie de cette tactique. Les écouter sur des sujets généraux, en aucune façon.

Ce n'est pas davantage pour les écouter, ni, d'ailleurs, pour en écouter les autres figurants qu'en 1966 fut créée sur les bords de la Seine cette réplique en toc du *Shadow cabinet* d'Outre-Manche que nous appelâmes « contre-gouvernement ». Le chef du *Shadow cabinet*, d'abord, est désigné selon des procédures démocratiques, par des votes codifiés, au sein du groupe parlementaire du parti d'opposition et par les députés de ce groupe. Le leader compose ensuite son cabinet fantôme exclusivement avec des parlementaires. Les contre-ministres français de la FGDS étaient, eux, pour la plupart, désignés en dehors du Parlement par la faveur et selon le bon plaisir des chefs de ses trois composantes : la SFIO, le Parti radical et la « Convention » mitterrandienne. Ensuite, les contre-ministres britanniques, à l'approche d'une élection, sont mis au courant des dossiers par les ministres en exercice pour être prêts à gouverner dès le premier instant en cas de victoire de leur parti. Une telle confiance faite au civisme de l'opposition ne saurait se concevoir dans la mentalité antidémocratique de la France, où, de surcroît, convenons-en, le secret des documents d'Etat ne serait pas respecté. Le chef du *Shadow cabinet*, enfin, perçoit pour son travail une rémunération officielle s'ajoutant à son indemnité parlementaire. Or en France, tout gouvernement préférerait mourir sous la torture plutôt que de filer du fric à des adversaires pour qu'ils se préparent mieux à lui succéder. La tendance est plutôt de vider les tiroirs de leurs documents et les caisses de leurs réserves quand il faut céder la place. Le contre-gouvernement de la gauche, où la faveur de Mitterrand m'avait valu le tabouret de contre-ministre de la Culture, ressemblait donc au *Shadow cabinet* de Londres à peu près comme le « Gros biceps orchestra », que j'avais constitué en 1934, à Marseille, avec quelques copains, qui tapaient sur de vieilles casseroles, ressemblait à la Philharmonique de Vienne.

Le « Gros biceps cabinet » de Paris tint, d'ailleurs, peu de séances. Et, avec ma participation, une seule. En m'y rendant, un matin, d'un pas vif, le long des quais de la Seine, je tombai sur Pierre Nora qui me demanda : « Vers où marches-tu ainsi avec tant d'allégresse ? » — « Vers l'institution la plus bouffonne du monde, lui dis-je : le contre-gouvernement. » Son éclat de rire eut valeur de présage. A peine les contre-ministres furent-ils réunis que Guy Mollet formula des réserves sur mon accession. On ne l'avait pas consulté, argua-t-il, et pas obtenu son agrément. J'attribuai son animosité aux pages sans eau de rose que j'avais publiées sur lui et sur la barbarie de la répression qu'il avait infligée à l'Algérie, pendant la guerre, quand il était président du Conseil. On me donna néanmoins la parole pour que j'exposasse le programme culturel de la gauche. Pendant que je parlais, le jovial Charles Hernu, craignant que, seul amateur parmi ces

politiciens professionnnels, je ne perdisse mes moyens, avait déplacé
sa chaise derrière la mienne et ponctuait chacune de mes respirations
d'exclamations approbatives : « Bravo ! Très bien ! Excellent ! » Fort
de ce soutien, je conclus sans mal, mais sans avoir éveillé le moindre
intérêt. Après quoi, l'heure des questions sérieuses ayant sonné, Guy
Mollet se lança contre Mitterrand dans une échevelée et véhémente
philippique, dont le motif m'échappa, car Mollet se bornait, en guise
d'éclaircissement, à répéter sans trêve : « Vous savez très bien à quoi
je me réfère ; vous savez très bien à quoi je fais allusion. » Mitterrand,
seul à comprendre, se défendait à grand renfort de sous-entendus tout
aussi sibyllins. A la sortie, il me raconta que le ressort de l'ire mollé-
tienne était la crainte que l'on empiétât sur des associations de jeunesse grassement subventionnées, qui dataient du Front populaire, les
Cercles Léo-Lagrange. Les socialistes exerçaient sur eux un profitable
monopole. Ils veillaient à le perpétuer avec une telle férocité que le
contre-gouvernement dut, ce jour-là, lever la séance dans la précipitation, le tumulte — et le ridicule. J'ignorais tout de ces basses rixes et
ne pouvais même entrevoir si et comment la Convention des Institutions républicaines avait pu comploter contre les Cercles Léo-
Lagrange. J'étais surtout atterré par la gaminerie de cette dispute.
Mais, à mon étonnement, je vis qu'elle avait beaucoup amusé
Mitterrand. Elle l'avait ravi bien plus que ne l'eût fait une question
plus digne d'occuper le temps de l'auguste conclave, par exemple, un
échange de vues approfondi et documenté sur l'indispensable réforme
du système éducatif, trou béant dans la « doctrine » de la gauche, que
la révolte estudiantine de mai 1968 allait prendre au dépourvu exactement autant que la droite. « Guy Mollet, me confia-t-il, aux anges, est
un homme qu'il faut savoir faire sortir de ses gonds en lui appliquant
ses propres méthodes. » Et il me raconta la manière dont le maître
de la SFIO, alors président du Conseil, sous la IVe République, d'un
gouvernement où Mitterrand était ministre, l'avait jadis fait tomber
dans un piège. C'était après l'expédition franco-britannique de Suez,
en 1956, et son échec. Nous refusions, en représailles contre les Egyptiens, d'utiliser le Canal de Suez pour y faire passer nos pétroliers,
qui devaient donc faire un détour très coûteux par le cap de Bonne-
Espérance. « Un matin, me dit Mitterrand, le chef du gouvernement
me convoque, avant le Conseil des ministres, et me déclare : "Ce boycott ne peut plus durer ; nous nous ruinons ; tant pis, nous devons
nous coucher devant l'Egypte et réemprunter le Canal, bien qu'ils
nous en aient dépouillés ; seulement, je ne peux pas proposer ça moi-
même ; j'ai trop clamé que je ne céderais jamais ; je vous demande
donc le service de le suggérer vous-même tout à l'heure, devant le
Conseil, de façon que je puisse me borner à dire oui, sans gaieté, à
une idée en apparence avancée par un collègue." » Marché conclu.
Mitterrand accepte la comédie serviable. Mais, stupeur, à peine avait-

il terminé l'intervention convenue qu'il entend Mollet éclater, tonner de colère : « *Ça* non ! Jamais ! Pas de capitulation ! » Mollet ne l'avait poussé à formuler cette proposition que pour mieux réaffirmer, face au Conseil des ministres et pour le communiqué lu à la sortie, son inflexible patriotisme... « Après le Conseil, me raconta Mitterrand, je lui dis : "Bien joué. Nous sommes tous les deux des hommes politiques. Vous m'avez eu cette fois ; vous ne m'aurez pas une deuxième." » Je ne sentis pourtant chez Mitterrand aucune indignation, aucun mépris durant la narration de cette vilenie. La phrase essentielle était : « Nous sommes tous les deux des hommes politiques. » Reproche-t-on à un joueur professionnel de bluffer au poker ? Non. La loi du métier, c'est d'apprendre à bluffer encore mieux que lui. « Guy Mollet, me dit Mitterrand, a été l'homme le plus puissant de la IVe République. Il faisait et défaisait les gouvernements à sa guise, en leur donnant ou en leur retirant l'appui du groupe socialiste. » La revanche finale de Mitterrand sur Mollet, en 1971, serait écrasante, puisqu'elle aboutirait à détrôner le vieux roué pour prendre sa place à la tête du Parti. Mais ce qui me déconcerta le plus, dans cette confidence, fut de sentir la jouissance de connaisseur avec laquelle Mitterrand dégustait le souvenir de ce coup bas entre renards, bien qu'il en eût été la victime. Il subsistait toujours en lui quelque chose qui sentait l'aventurier, appréciait les autres aventuriers et, d'ailleurs, le poussera sans cesse davantage à s'entourer d'aventuriers.

IV

Pourquoi donc, m'objectera-t-on à bon droit, puisque vous considérez Mitterrand comme un pur manœuvrier sans doctrine, avez-vous été de ceux qui ont accompagné sa trajectoire pendant une dizaine d'années ? A cette époque Mitterrand n'avait pas encore élaboré ou, plus exactement, entériné (car ce n'est jamais lui qui les élaborait) de programmes politiques. Il avait encore moins dirigé le pays comme président. Je ne pouvais donc pas encore soupçonner l'immense banalité des idées, du reste changeantes et contradictoires au gré des circonstances, auxquelles il se laisserait aller à souscrire, ni mesurer l'étendue de son indifférence au vrai et au faux, ni sonder la profondeur de son opportunisme intellectuel et le vide de sa pensée propre. Sans doute cachait-il ce vide avec adresse sous la vivacité de son expression, son sens de la réplique et de l'esquive. Mais il ne le comblait pas et ne l'a jamais comblé à l'aide de ses seuls artifices verbaux, tant admirés des benêts. Qu'on me cite une seule idée originale de Mitterrand, une analyse qui n'aurait pas vu le jour sans lui, et j'adoucirai ma sentence.

Ensuite et surtout, ce qui m'attirait chez le Mitterrand des années soixante, c'était son refus inflexible de transiger avec ce que l'on appelait alors le « pouvoir personnel » du général de Gaulle. Malgré le caramel historique du révisionnisme œcuménique postgaullien, si répandu, depuis, sur le passé, il faut se rappeler combien cet autocratisme, sans aller jusqu'à l'autocratie, faisait régner une atmosphère difficilement respirable pour tous ceux qui jugent, comme moi, que les gouvernants sont les employés des citoyens et non leurs maîtres ni leurs prophètes. Briser ou, tout au moins, acculer au compromis cette morgue hégémonique du gaullisme de la Cinquième constituait à mes yeux une urgence absolue, qui justifiait toutes les alliances.

A ceux qui ont oublié aujourd'hui le poids de cet autocratisme, particulièrement humiliant dans l'information télévisée, je voudrais citer une lettre d'un de mes amis belges, Xavier Zeegers, qui, le

10 novembre 1994, m'écrivait ce qui suit, de son point de vue d'observateur étranger de la France :

« Voilà vingt-quatre ans que le général de Gaulle est mort, et chaque année qui passe entraîne vos collègues de la presse écrite ou télévisée dans un glissement révérencieux qui paraît irréversible. A l'admiration individuelle a succédé le consensus, puis la sanctification ; et la canonisation semble en bonne voie. Quelle mouche anesthésiante les a donc piqués ?

« Cela semble encore plus évident vu de l'extérieur, je veux dire hors de France. Est-il normal que tout le monde, tous partis confondus, tombe dans un unanimisme que je trouve déplacé, car enfin, le mythe de l'homme providentiel, sans défaut, ce n'est pas très sain, et les écoliers qui étudieront de Gaulle, sa vie, son œuvre, manqueront à l'avenir du contrepoint critique minimal nécessaire à la formation d'une opinion éclairée. Et peut-être seront-ils persuadés que seuls les hommes providentiels sont dignes de gouverner. Grave erreur ! Ainsi Alain Peyrefitte, interviewé par Alain Duhamel : "De Gaulle n'avait pas besoin d'être sacré par le suffrage universel, car il l'avait déjà été par l'histoire" (*sic* ! sur France 2). J'ai cherché vainement dans la presse quelque cri d'indignation, de critique, mais voilà : ainsi parla de Gaulle. Ce même livre nous apprend que de Gaulle était opposé à la libération de la femme et à la contraception, choses que Peyrefitte trouve pardonnables (c'est son droit, bien sûr), arguant que ces valeurs (lesquelles ? Si la femme n'est bonne qu'à faire des enfants, pourquoi ne pas parler de valeurs pétainistes ?) ont de grandes chances de revenir. Ce même de Gaulle considérait, pour reprendre la bonne formule de Duhamel, les journalistes "utilisables collectivement, et méprisables individuellement". Est-ce là le signe d'une vision démocratique des choses ? Les régimes où l'on tient la presse pour rien, juste un instrument de pouvoir où [comme Mitterrand lors des obsèques de Pierre Bérégovoy] l'on appelle "chiens" ceux qui dévoilent des choses dérangeantes, est-ce là l'Europe moderne, celle de Maastricht ? Peyrefitte ajoute que la question de la légitimité via l'élection au suffrage universel ne se posait, dans l'esprit de De Gaulle, (pour lui-même la légitimité allait de soi !) que pour les successeurs. Or cela n'est même pas vrai : vous m'avez envoyé un document prouvant que de Gaulle pensait à son fils pour lui succéder en cas de mort brutale. On n'est pas loin de la monarchie de droit divin. Peyrefitte dit d'ailleurs qu'une "monarchie élective" était ce à quoi de Gaulle pensait. »

On me pardonnera la longueur de cette citation, en songeant que les lettres reçues tout au long de ma vie des personnes qui ont pris assez d'intérêt à mes livres pour m'écrire font partie de cette vie même. Même les lettres d'injures me sont chères, car c'est le lecteur, fût-il haineux, qui fait exister l'auteur. L'intérêt des propos de Xavier

Zeegers est de montrer l'écart grandissant qui s'est creusé entre le regard des étrangers sur le gaullisme de la cinquième République, regard resté à peu près normal et plus ou moins fixé sur l'histoire réelle, et, d'autre part, l'édulcoration progressive de la vision française du passé proche, vision enjolivée par les niaiseries de la béatification œcuménique. De Gaulle ne fut pas un dictateur, certes, puisqu'il éprouva, beaucoup plus souvent et sincèrement que Mitterrand plus tard, le besoin de se soumettre à l'épreuve du suffrage universel, quand il doutait de l'appui du pays. Et il partit dans l'heure dès qu'il eut perdu cet appui. Mais, dans sa manière d'exercer un pouvoir conféré par le peuple, il ne fut pas non plus un démocrate, puisqu'il estimait que le suffrage universel, ajouté à sa transcendante « légiti-mité historique », lui conférait les pleins pouvoirs, conception fort éloignée de la philosophie constitutionnelle qui doit régler toute démocratie. Le « sacre par l'histoire », invoqué par Peyrefitte, n'est pas prévu dans la Constitution.

Montesquieu évoquant, dans *L'Esprit des lois*, le régime anglais de son temps, parle d'« une nation où la république se cache sous la forme de la monarchie ». On pourrait, à l'inverse, définir la France de la cinquième République, comme « une nation où la monarchie se cache sous la forme de la république ».

Comment n'ai-je pas deviné que c'était à cette même duperie que Mitterrand projetait de recourir pour s'approprier les Français, lorsque, me racontant avec admiration l'entourloupe de Guy Mollet, il riait et tressaillait de toutes ses dents supérieures, déployées hors de son visage comme un étendard de fête ? Car elles n'avaient pas encore été limées par le dentiste Guy Penne, nommé, après ce grand acte politique, conseiller à l'Elysée pour les Affaires africaines. Et les dites affaires furent bonnes, on peut le croire. Jamais président de la Répu-blique française ne se vautra avec autant de placide vulgarité et de tranquillité goulue que Mitterrand dans les avantages et commodités de sa fonction pour ses plaisirs personnels et ceux de ses parasites, flatteurs et courtisans. A la confiscation politique du pouvoir, encore aggravée par rapport à l'égocentrisme gaullien, il ajouta la confisca-tion financière de l'argent public et les profits mal acquis, dus à la corruption et à la plate délinquance, sous haute protection de l'Etat. Mais la personnalisation du pouvoir et l'étouffement des contrôles, l'écrasement du parlement et l'asservissement du gouvernement datent bel et bien de la période gaullienne. Les gaullistes ont plus tard plaidé que la « dérive monarchique » avait commencé sous la présidence de Pompidou. De Gaulle, quant à lui, ne s'occupait selon eux que de grandiose géostratégie planétaire, abandonnant les affaires intérieures à la discrétion du Premier ministre. Il n'en est rien. L'inco-hérente et illusoire dualité des exécutifs, l'annihilation de l'autonomie gouvernementale par la présidence datent bien du début même de la cinquième République. Dans le livre mentionné par mon correspondant, *C'était de Gaulle* (Fallois-Fayard, 1994), où Alain Peyrefitte publie les notes qu'il prenait après chacune de ses conversations avec le Général, on peut lire, entre autres élucubrations constitutionnelles assenées par le président de la République à son jeune ministre à la date du 18 avril 1962, donc avant même la réforme instituant l'élection du chef de l'Etat au suffrage universel direct : « Le gouvernement n'a pas de substance en dehors de moi. Il n'existe que par mon fait. Il ne peut se réunir que si je le convoque, et en ma présence. Vous êtes le porte-parole du gouvernement. C'est-à-dire le mien... N'employez donc pas l'expression *chef du gouvernement* pour parler du Premier ministre. Le Premier ministre est le premier des ministres, *primus inter pares*, il coordonne leur action, mais il le fait sous la responsabilité du président de la République, qui dirige l'exécutif sans partage. »

Sans partage ! Je savais gré à Mitterrand de dénoncer alors cet abus, contrairement à maintes figures de la gauche politique ou intellectuelle, qui pardonnaient volontiers à de Gaulle son présidentialisme autoritaire et sa conception subjective de la légitimité à cause de son antiaméricanisme, jugé « progressiste », d'autant plus que sévissait la guerre du Vietnam. En cédant à ce gaullisme larvé, la gauche française suivait sa pente coutumière, qui l'avait toujours entraînée à préférer l'idéologie à la démocratie. Elle suivait surtout l'évolution du Parti communiste, par rapport auquel notre gauche non communiste s'est toujours définie, quitte à rejeter, le cas échéant, une partie des théorèmes communistes, mais une partie seulement. Elle s'autorisait parfois à leur encontre des critiques, formulées à condition de ne pas « faire de l'anticommunisme », ce qui revenait à l'histoire de l'ivrogne qui boit un bon coup pour arroser sa promesse de cesser de boire. J'avais suivi le changement communiste sur de Gaulle à travers Emmanuel d'Astier de la Vigerie, que j'avais connu à Lyon en 1944, et revu après mon retour d'Italie, d'autant plus souvent qu'il était aussi auteur chez Julliard. D'Astier, à travers sa courageuse résistance, était passé de l'extrême droite maurrassienne à un stalinisme auquel son élégance de manières et de parole enlevait les plus désagréables échardes. C'était le type même de ce que, dans la classification des espèces totalitaires, on appelait un compagnon de route, et très bien élevé, une taupe de salon. Il était tout indiqué pour effectuer le travail de soutien à de Gaulle dont les chefs officiels du PCF, Maurice Thorez et Jacques Duclos, manquaient trop de doigté pour se charger ouvertement sans déconcerter leur base. En 1958, durant l'été qui suivit la prise du pouvoir par de Gaulle, d'Astier était venu avec sa femme passer les vacances au Croisic, où j'avais moi-même rejoint Yahne et les enfants. J'avais alors beaucoup bavardé avec lui et l'avais trouvé en conformité avec les positions classiques qu'on pouvait attendre d'un homme d'extrême gauche, dénonçant dans le « coup d'Etat » gaullien le « retour du fascisme ». Un an après, lui rendant visite à Paris dans son bureau directorial du quotidien *Libération*, organe officieux du PCF, et qui en dépendait, en outre, pour ses subsides, auxquels ne pouvaient subvenir ses rares lecteurs (ce journal disparut du reste en 1964), je trouvai d'Astier chantant un tout autre air. Il avait dû, m'expliqua-t-il, tenir compte d'une révolte d'une partie de sa rédaction, devenue gaulliste ! Bizarre pour un journal dont tous les collaborateurs étaient ou choisis ou approuvés par le PC. Il eût été plus vérace de dire que la prétendue révolte avait pour inspirateur « Maurice » (d'Astier ne parlait jamais de Thorez qu'en le mentionnant par son prénom). A partir de cette année-là, et surtout à l'occasion du voyage de Khrouchtchev en France, en mars 1960, le PC reçoit de Moscou instruction d'adoucir son antigaullisme. L'URSS commence, en effet, à percevoir comme conforme à ses intérêts la politique gaullienne d'hostilité à l'Amérique, au Pacte Atlantique et à l'Unité européenne. D'Astier applique dans *Libération* la nouvelle ligne. Il ne cogne plus sur de Gaulle que pour la forme et avec des gants rembourrés. Mais une partie de son équipe, surtout ceux de la vieille génération, certains vieux journalistes de la gauche idéaliste ayant fait leurs classes lors du Front populaire de 1936, sont choqués et ne parviennent pas à se plier à ce cynisme. J'ai bien connu l'un d'eux. Il ne mâchait pas ses mots pour flétrir la servilité de d'Astier, lequel était en train de devenir un chantre attitré de la convergence entre Paris et Moscou. Il se vit même, à une époque où l'Etat gaullien contrôlait avec une ombrageuse minutie la télévision française, attribuer pendant plusieurs années une émission régulière de commentaire politique, dont le thème unique consistait à mettre en lumière dans tout événement la convergence soviéto-gaullienne au sein d'un antiaméricanisme commun. D'Astier eut son heure d'exultation suprême, dans cette émission, en 1966, quand la France quitta le commandement intégré de l'OTAN et quand, aussitôt après, de Gaulle fit son grand voyage d'amitié franco-russe en Union soviétique. La mésaventure de 1944 et du fiasco de la « belle et bonne alliance », juste après laquelle Staline s'était retourné contre nous à la conférence de Yalta, n'avait pas, semble-t-il, servi de leçon au Général.

Pour ne pas désorienter son électorat, le PCF n'a jamais affiché en façade ses préférences, c'est-à-dire celles de l'Union soviétique, pour de Gaulle, en raison de la politique étrangère gaullienne, antiatlantiste, antiaméricaine, antieuropéenne et anti-israélienne. Officiellement, dans les luttes politiques intérieures, le PC combattait le régime avec une infatigable énergie verbale et donc nouait des alliances avec les autres partis de gauche (et en sous-main avec les partis d'extrême droite). Mais il le faisait dans la mesure où il savait que la « gauche unie » n'avait à moyen terme aucune chance de gagner des élections législatives ou présidentielles. Dès que cette chance se profila, un an avant les législatives de 1978, puis durant la campagne de la présidentielle de 1981, le PC rompit l'Union de la gauche, combattit le PS et la candidature de Mitterrand, ne s'y ralliant que du bout des lèvres, après le premier tour, pour sauver les apparences. Quant à l'Union soviétique, même après le départ du Général, à chaque élection présidentielle, en 1969, 1974, 1981, elle indiqua toujours, par des signaux sans équivoque, sa préférence pour le candidat gaulliste ou postgaulliste.

Communiste ou suiveuse des communistes, la gauche estimait donc que les appuis « objectifs » apportés selon elle par de Gaulle au camp « progressiste » primaient le retour de la démocratie française à un vrai pluralisme. Je croyais, pour ma modeste part, le contraire. Je n'avais jamais souscrit aux sophismes des marxistes arguant du caractère accessoire de l'Etat de droit et de la démocratie qualifiée par eux de « formelle ». La préférence affichée de Mitterrand allait alors dans le même sens que la mienne : d'abord restaurer, non la démocratie, certes, car son corps principal existait toujours, fort heureusement, mais le plein fonctionnement d'une démocratie aux composantes constitutionnelles équilibrées ; ensuite seulement définir, et approuver ou rejeter le programme politique qui serait soumis au corps électoral. Je ne voyais pas d'inconvénient à ce que, pour tendre au premier but, Mitterrand acceptât au second tour le report des voix communistes sur les candidats de la gauche démocratique les mieux placés (et réciproquement), dans des alliances de circonstance et des échanges de services que notre mode de scrutin, majoritaire en deux temps, rendait inéluctables. En revanche, je ne pus le soutenir lorsque, plus tard, en 1972, pour conserver le concours des communistes, il conclut avec eux un pacte le liant non seulement à eux, mais à la substance même de leur politique. Ce fut le trop fameux « programme commun de gouvernement ». Il me convainquit que Mitterrand se préoccupait peu de savoir en vue de quoi il gouvernerait, pourvu qu'il gouvernât. Aucun dirigeant moderne, j'entends dans les démocraties, n'aura traité à ce point le pouvoir comme un outil étant à soi-même sa propre destination. Sa manière de présider la République confirma mes observations des années soixante et soixante-dix, rapportées plus haut, sur son indifférence intellectuelle au fond et à la substance des grands problèmes. Pour Mitterrand, les programmes, les bilans, les théories sociales, les projets économiques, les déclarations morales sont les décors d'une pièce dont il est le seul acteur. Et il change de décor aussi souvent qu'il le veut ou que le public le veut, pourvu qu'on ne change pas d'acteur. Peu importe le texte. D'où la frivole promptitude et l'impudente fréquence avec lesquelles, une fois le mal irrémédiablement fait, il tournera casaque, sans jamais s'expliquer sur ses volteface ni même les admettre. L'exercice de gouvernement où il excellait le plus consistait à « démontrer », à force d'arguties, la cohérence de ses incohérences à un, deux ou trois journalistes accourus sur commande feindre de le questionner pour la télévision. Il confondait la résolution en politique avec la résolution de ses propos sur la politique. Mais où était l'homme d'action ? Enseveli sous ses propres bavardages. En l'évoquant, je ne puis oublier le terrible fil de soie par lequel Tacite, dans la brièveté d'une phrase strangulatoire, fait périr la gloire de Galba : « *Omnium consensu capax imperii, nisi imperasset* » : « Nul n'aurait douté qu'il fût capable de commander — s'il n'avait commandé. »

V

On peut classer les hommes politiques en deux catégories : ceux qui sont faits pour le gouvernement et ceux qui sont faits pour l'opposition. Il est rare que les mêmes excellent dans les deux emplois. Le plus grand nombre, il est vrai, échoue dans les deux à la fois. Le talent de Mitterrand est celui d'un pur-sang de l'opposition. Même quand il est au pouvoir, il se conduit en opposant, consacre le plus net de ses discours à vitupérer et à dauber la minorité. Le rôle qui lui alla et lui réussit le mieux fut par deux fois celui de président de cohabitation, entre 1986 et 1988, puis de mars 1993 à mai 1995. A la fois chef de l'Etat et chef de l'opposition, il pouvait alors jouir des avantages de la présidence tout en se divertissant à démolir le Premier ministre. Briller dans l'opposition n'exige pas la cohérence, au contraire, puisqu'on peut attaquer la majorité en adaptant, pour transpercer chaque point vulnérable de l'adversaire, des angles de tir chaque fois différents, qui n'ont pas l'obligation d'être compatibles entre eux. Ce chaos logique est en revanche interdit au gouvernant, dont le terrain est l'action, révélatrice expérimentale de toutes les contradictions ; il ne l'est pas à l'opposant, dont le terrain est la seule parole, qui parvient à les masquer.

En 1965, 1966, 1967, j'admirai chez Mitterrand le virtuose de l'opposition. Et un virtuose farouche, réfractaire à tout compromis, à toute concession. Il pariait sur la fécondité de l'absolue intransigeance verbale. Il déguisait pour les besoins de la propagande l'opposition démocratique en guerre de libération nationale. Cette posture héroï-comique de résistant qui « meurt mais ne se rend pas », cette outrance de jusqu'au-boutiste assimilant une campagne électorale à une guérilla de francs-tireurs et partisans, soulevés contre la tyrannie, Mitterrand l'adoptait même à l'occasion de détails minuscules. Lors de ma candidature bouffonne à la députation, en 1967, je le priai, après un déjeuner rue Guynemer, de bien vouloir jeter un coup d'œil, avant que je ne la fisse imprimer, sur ma « profession de foi », cette brève et traditionnelle déclaration de principes et d'intentions figurant sur les prospectus envoyés aux électeurs, pour capter leurs suffrages. Ces chefs-d'œuvre de la prose politique passent pour la plupart sans transition de la boîte aux lettres à la corbeille à papier. Dans ce genre littéraire que je n'avais jamais pratiqué, et que Népomucène Lemercier, le dernier législateur du Parnasse, eût sans doute classé au sommet de sa hiérarchie, dans l'épopée, tant y brille l'emphase martiale, j'avais tenté d'innover avec timidité en introduisant quelques touches d'analyse nuancée. Jugeant évident que notre campagne devait avoir pour but non pas seulement de plaire aux électeurs qui étaient déjà dans l'opposition, mais d'attirer des électeurs nouveaux, donc gaullistes, j'avais estimé qu'il fallait éviter de traiter ceux-ci d'imbéciles en leur clamant au nez qu'ils avaient erré sans discontinuer depuis neuf ans. J'avais donc inséré dans ma profession de foi une sorte de précaution de politesse, à peu près de cette farine : « Sans nier certains acquis et réalisations de la majorité actuelle, néanmoins, etc. » A cette phrase, Mitterrand sursauta. « Jamais ! s'écria-t-il. Il ne faut *jamais* reconnaître le moindre mérite à l'adversaire. C'est un axiome fondamental. » Le reste de mon laïus lui importait peu, du moment qu'il n'y s'agissait que de promettre, projeter, annoncer. Les pires fanfaronnades auraient franchi sans peine la barrière de sa vigilance. Il le prouva par la suite en acceptant de signer les divers projets et programmes pondus par les idéologues les plus naïfs et bornés de son parti. En revanche, il fallait tenir haut l'étendard de l'anathème contre le parti adverse. Or si, comme je l'ai dit, cette fermeté me convenait contre certains abus, comme la dégradation institutionnelle française, elle manquait à la fois de réalisme et d'habileté quand on l'étendait à la totalité des thèmes politiques. Fondée sur l'alternance, la démocratie ne saurait consister, chaque fois qu'une majorité en remplace une autre, à réduire à néant une partie de la nation au bénéfice de celle qui gouverne. La fermeté dégénère alors en fermeture, l'alternance en intolérance. Ainsi, par sectarisme de comportement plus que de raisonnement, Mitterrand se greffa dans le cerveau son verrou socialiste au moment précis où le monde entier esquissait en tapinois une reconversion intellectuelle, économique et politique en direction du libéralisme. Lorsque parut, en 1967, *Le Défi américain*, où Jean-Jacques Servan-Schreiber, renversant le préjugé qui dominait depuis la guerre en Europe, démontrait la supériorité économique de l'entreprise libre sur l'entreprise d'Etat (constatation à laquelle les socialistes français devront bien se résigner à leur tour en 1984, avec les quinze ou vingt ans de retard habituels, sans pour autant faire amende honorable), François Mitterrand me confia longuement et avec amertume sa réprobation. Je le sentis personnellement blessé par la « trahison » de JJSS, mais en aucune façon intéressé par ses arguments. Il lui fallait promettre des nationalisations pour rassembler derrière lui les troupes nécessaires à sa victoire. Je me rendis compte qu'il n'avait pas lu *Le Défi américain* avec attention. J'aurais pu, j'aurais dû peut-être lui exposer la richesse en données concrètes de l'enquête schreibérienne, menée par toute une équipe, premier jalon enfin nouveau, en France, selon moi, d'une gauche réformiste et moderne. Mais, je le vis clairement, ce plaidoyer l'eût si peu intéressé que je crus devoir le lui taire.

Quant à l'origine de ma candidature, elle illustre la conception « instrumentale », selon une récente acception de cet adjectif, que nourrissait Mitterrand des intellectuels. Il ne songeait pas à les utiliser dans leur spécialité, pour en recueillir des informations, des idées, des mises à jour de ses lectures, mais plutôt comme des plantes ornementales. Un soir, après une réunion publique où j'avais dû discourir car il m'avait installé près de lui sur l'estrade, il me prit à part et me dit : « Voici : nous voudrions, pour les élections législatives, qui approchent, présenter quelques intellectuels. Il ne s'agit pas de vous expédier en province, ni de vous manger trop de votre temps, avant ou après le scrutin. Je vous ai choisi dans la région parisienne une circonscription en or, où vous n'avez aucune chance d'être élu, celle de Neuilly-Puteaux, dans les Hauts-de-Seine. Vous ne parviendrez même pas au deuxième tour (précision qui se révéla exacte, quoiqu'il ne s'en fallût que d'une centaine de voix). Tout sera terminé très vite et, au bout de deux ou trois semaines à peine d'affairement, vous pourrez retourner à votre rêve. » Cette vision romantique, lamartinienne, des auteurs, tous habités d'un « rêve », fleurissait encore dans les années où Mitterrand avait fait ses études secondaires. Un après-midi où, m'ayant téléphoné pour que je passe le voir, il avait dû me faire attendre au salon afin de recevoir avant moi Pierre Bérégovoy, il me gratifia d'un patelin : « Je vous laisse un instant en compagnie de votre rêve... » qui me déconcerta par sa résonance vieillotte et pompier. Pour l'heure, c'était plutôt ma candidature qui relevait de l'onirisme. Le seul avantage, si je comprenais bien, en serait que je n'aurais pas à me déplacer en province, chose qu'au demeurant je ne détestais nullement. Cette glorieuse proposition venait de ce que Mitterrand était devenu en 1966 président de la FGDS, dont la Convention des institutions républicaines, sa formation de départ, faisait partie. Or j'étais membre du comité directeur de ladite Convention, ainsi que je l'ai dit.

Je l'ai dit, mais, à l'époque je l'ignorais. Je l'appris seulement en 1975, quand je l'entendis, à ma grande stupeur, de la bouche d'un étudiant qui préparait un mémoire de troisième cycle de science politique sur cette convention. Je lui avais donné rendez-vous au *Golden Gate Bar*, rue de Berri, en face de *L'Express* ; car il souhaitait m'interroger sur cette période et consigner mon témoignage. Un souvenir fantomatique me revint alors. Georges Dayan, le proche ami de Mitterrand, m'avait une fois marmonné dans l'oreille quelque chose d'approchant à ce sujet. Mais comme je n'avais jamais été convoqué à ce comité ni eu conscience de diriger quoi que ce fût, j'avais oublié le jour de gloire lointain de ma promotion.

Les contemporains ont souvent invoqué une séduction personnelle de Mitterrand, qu'ils lui prêtent volontiers pour expliquer qu'il ait rallié tant de fidèles autour de lui. J'avoue n'y avoir jamais été sensible. Pour ma part, j'ai toujours perçu Mitterrand plutôt comme assez lourdaud, même dans sa célèbre ironie, plein d'idées reçues et empruntées, sauf — et là il devenait captivant — lorsqu'il parlait de manœuvres politiques et de tactique électorale. Alors, c'était le pilote de Formule 1, virtuose du dépassement, qui traitait de sa maîtrise technique, de son instinct de rapace et de la sûreté de sa main. La subtilité avec laquelle il a gonflé le Front national, à partir de 1983, pour nuire à la droite parlementaire, ou utilisé Tapie, aux élections européennes de 1994, pour abattre Rocard, force l'admiration. Mais lorsque le pilote de Formule 1 se mettait à pontifier ou à faire de l'esprit hors de sa spécialité, c'était souvent à pleurer. Quant aux compagnons de Mitterrand, hormis ceux qui sont restés suspendus à ses pantalons par intérêt politique ou financier, on remarquera que les esprits un tant soit peu indépendants, même de gauche, ont cessé très vite d'en faire partie. Pour reprendre l'expression de l'un de ces derniers, Max Gallo, l'entourage présidentiel ne s'est progressivement, au fil des ans, plus composé que « de bouffons et de larbins ».

Au sujet de Neuilly-Puteaux, Mitterrand, dans le confessionnal de son bureau de la rue Guynemer, m'éclaira bientôt sur la somptuosité du cadeau qu'il venait de me refiler. Le ministre de l'Intérieur avait réuni en une seule circonscription la commune socialiste de Puteaux et la commune contiguë de Neuilly, pour noyer les voix de gauche de la première sous les voix de droite, plus nombreuses, de la seconde. Ce « découpage » électoral est un art qui absorbe, on le sait, le plus gros de l'énergie mentale des ministres de l'Intérieur depuis que le suffrage existe. De plus, le député sortant, Achille Peretti, maire de Neuilly, qui se représentait, figurait parmi les « barons » les mieux implantés du pouvoir en place. Ce futur président de l'Assemblée nationale et futur membre du Conseil constitutionnel était à lui tout seul l'une des forteresses gaullistes les plus imprenables, comme me le fit remarquer avec un sardonique sadisme Henri de Turenne, qui me trouvait fou de m'être laissé pousser dans cette fosse aux lions. Mes raisons de me réjouir ne s'arrêtaient pas là. Mitterrand y ajouta la réconfortante nouvelle que le maire de Puteaux, le socialiste Dardel, loin de s'apprêter à me soutenir, avait au contraire partie liée en sous-main avec Peretti, pour le faire réélire. Ils avaient monté ensemble de fructueuses combines lors des travaux de la Défense, chantier trouble dans lequel péchaient entre autres les deux municipalités. « C'est un Topaze », me dit Mitterrand de Dardel, faisant allusion à l'édile corrompu de la pièce de Pagnol. « J'ai d'ailleurs refusé d'homologuer à la FGDS la section socialiste de Puteaux. » Bref, c'était bien parti. Et de fait, lorsque je fis ma première visite à ce Dardel, il ne me cacha pas que mon « parachutage » par la fédération dérangeait ses plans, car il avait couvé, jusqu'à ce que je lui tombe sur le dos, la candidature d'un garçon du cru, un « jeune avocat plein d'allant ». Tellement plein d'allant qu'il se révéla du reste par la suite n'être pas du tout avocat, être un imposteur et un usurpateur de titre, comme l'apprit du conseil de l'Ordre un de mes amis qui, lui, était un vrai membre du barreau. Mon rival fut plus tard condamné. Ainsi, on ne le niera pas : les premières et calamiteuses étapes de ma carrière politique active me plongeaient dans un milieu d'une rare élévation morale. A son contact ne pouvaient que s'exalter jusqu'au sublime mon désir de me dévouer pour le bien public et mon estime pour les politiciens qui faisaient de cet apostolat leur métier.

Candidat venu d'ailleurs, ignorant des intrigues locales, je vis néanmoins une foule d'inconnus, résidents chevronnés de Neuilly ou de Puteaux, surgir de l'ombre et s'empresser autour de moi, courir à ma disposition pour me conseiller, me déniaiser et guider mes pas chancelants parmi les embûches de la circonscription. « C'est un vrai Chicago en miniature, ici », résuma un Putéolien, ne me cachant pas que je pourrais bien me retrouver, un soir, « escagassé » (comme on dit à Marseille) au coin d'une rue par les sicaires de Dardel. Le débat d'idées s'approfondissait. La gauche démocratique comptant plus d'orateurs que de boxeurs, la fédération ne disposait pas, face à ce risque professionnel, de gardes du corps à me fournir. Elle dut pour me protéger en emprunter à nos alliés électoraux, les communistes. Je me promenai donc, pendant le reste de la campagne, de réunion en réunion et de café en boutique avec trois ou quatre colosses rigolards, en compagnie desquels je m'amusai beaucoup, sans d'ailleurs jamais parvenir à instaurer entre eux et moi la moindre discussion de politique générale, car ils se montrèrent beaucoup plus intéressés par le vin blanc que par l'idéologie. Mes sermons sur « l'économie socialiste de marché » les réjouissaient moins que les marchés eux-mêmes, où nous allions à la pêche aux électeurs et aux occasions de trinquer avec eux.

La confusion grandissant jusqu'à l'absurde, je sentis que l'optimisme des bons sentiments ne suffirait pas à vaincre la puissance des forces médiocres. Il fallait dissiper l'équivoque. Et, comme je ne souscrivais pas à l'une maxime favorite de Mitterrand, qui était : « On ne sort de l'ambiguïté qu'à son détriment », je refusai d'y rester et j'obtins de lui qu'il vînt visiter Dardel en sa mairie pour le mettre en demeure de choisir son camp. L'entrevue se déroula en ma présence, bien entendu, et en celle de Charles Hernu, amené en renfort par Mitterrand, puisqu'il faut être au moins deux pour constituer une

« délégation ». L'aréopage fut complété par l'irruption d'un certain Ceccaldi, l'œil d'Achille Peretti à la mairie de Puteaux, et qui, de toute évidence et sans doute avec raison, me considérait comme un nigaud inoffensif. Dardel ne rencontrait personne hors la surveillance de ce Ceccaldi, qui le « tenait », m'avait dit Mitterrand. La négociation tituba dans le vide. Au lieu de Mitterrand, ce fut Dardel qui prit l'offensive. « Pourquoi donc, tonna-t-il, la section socialiste de Puteaux n'est-elle pas encore homologuée par la FGDS au niveau national ? » On sait que Mitterrand avait ajourné à dessein cette homologation, à cause des soupçons à la fois politiques et pécuniaires qui ternissaient la réputation de Dardel. Il feignit toutefois lourdement la surprise, comme s'il s'était agi d'un innocent oubli. Se tournant, courroucé, vers Hernu, il lui ordonna, d'un ton pénétré, de veiller à ce que tout rentrât dans l'ordre. Hernu affecta un air contrit et, hochant la tête avec componction, griffonna un pense-bête sur une vieille enveloppe sortie de sa poche, sans ignorer in petto que la soi-disant instruction de Mitterrand d'avoir à corriger la prétendue négligence de la fédération n'était pas destinée à recevoir le moindre commencement d'exécution. Pour conclure, Mitterrand vanta mes mérites à Dardel et à Ceccaldi, soulignant que mon prestige d'éditorialiste à L'Express attirerait sur la circonscription l'attention de toute la nation, voire du monde entier. A quoi Dardel répliqua sur un ton d'ironique affliction que les Putéoliens ne sauraient jamais rien de cette insigne renommée, car personne ne lisait L'Express à Puteaux, banlieue ouvrière, peu portée sur l'hebdo bourgeois de Monsieur Servan-Schreiber. Se repliant pour mieux bondir, Mitterrand, à ce moment, décida de tenter l'échec et mat en demandant à brûle-pourpoint à Dardel s'il était toujours en aussi bons termes avec Peretti. « Naturellement, dit l'autre avec un lumineux sourire, nous mangeons ensemble au moins une fois par semaine dans un restaurant de Neuilly. » Le déjeuner, en France, vaut absolution. Tout était dit. A la sortie, Mitterrand tenta de me consoler en m'annonçant qu'il me prêtait Hernu comme stratège de campagne. C'était très gentil. J'aimais bien Charles, mais, outre qu'il était depuis longtemps battu lui-même partout où il se présentait (et il allait l'être à nouveau en ces élections de 1967), il avait en place de cerveau un vaste courant d'air.

Pour m'extraire des marécages locaux, nous convînmes que Mitterrand viendrait en personne me soutenir, une semaine avant le premier tour, dans une retentissante réunion publique, à la mairie de Puteaux, une des plus spacieuses de France, cathédrale socialiste érigée en 1936, sous le Front populaire. Quand j'annonçai ce projet à Dardel, je vis l'affolement se peindre sur son visage. Comment allait réagir Peretti, qu'aucune vedette nationale de son bord ne viendrait soutenir, évidemment pas le général de Gaulle, et même pas le Premier ministre Georges Pompidou. Dardel inventa donc que sa

mairie était déjà retenue et promise pour une fête d'anciens combattants, ce dimanche-là. Je lui représentai qu'en pleine période électorale il était inexcusable de refuser sa mairie, bastion socialiste, au chef
de la gauche, un homme qui avait obtenu 45 % des voix de la nation
au second tour de la présidentielle de 1965. Il s'inclina de mauvaise
grâce, avec le regard torve de qui mijote une entourloupette. Et en
effet, le jour de gloire enfin arrivé, ni le discours de Mitterrand ni le
mien n'atteignirent un niveau de décibels perceptible par les habitants
de Puteaux et Neuilly massés dans la salle des fêtes et sur le parvis de
la mairie : parachevant les défauts d'une acoustique déjà en elle-même
exécrable, Dardel et Ceccaldi s'étaient arrangés avec les techniciens
pour que la sonorisation des micros tombe en panne. Mitterrand et
moi haranguions et gesticulions comme dans un film muet, lançant
dans le néant des paroles à jamais perdues, sauf pour les fidèles des
trois premiers rangs.

Ce fut là l'une des rares distractions qui égayèrent ma vie politique
sur le terrain. Je tirai de cette expérience la leçon que l'activité de
candidat, et sans doute aussi celle de député, si par malheur je l'étais
devenu, avec leurs fastidieuses réunions publiques où se ressassent des
lieux communs jusque fort avant dans la nuit, exigent deux qualités
dont la nature ou l'habitude m'avaient dès longtemps privé : la résistance à l'ennui et la résistance au manque de sommeil.

VI

Ce que je découvris avec le plus de stupeur, dans mes contacts fugaces et subalternes avec la politique pratique, ce n'est pas tant son immoralité que la médiocrité de cette immoralité. Sans doute étais-je tombé dans un cloaque parmi les plus nauséabonds. Mais il était moins exceptionnel que ne le croient les profanes et, en tout cas, Mitterrand et Hernu le trouvaient à peine anormal. J'ai souvent, par la suite, approché des hommes politiques, des hommes d'Etat, des chefs d'Etat d'un autre calibre que les arsouilles de Neuilly-Puteaux, cela n'était pas très difficile. Mais je n'en ai vu presque aucun à qui l'obsession des basses intrigues eût à ce point fait perdre de vue toute idée générale en politique. Leur cynisme même était le plus souvent piteux. Comme j'aurais aimé connaître un authentique disciple de Machiavel ! Mais pour l'être, pour professer que « la fin justifie les moyens », encore faut-il avoir une fin. Très peu en conservent une, tant leur cerveau est promptement rongé et détruit par le vide où c'est le moyen qui justifie le moyen. Si Mitterrand a poussé cette amputation de tout objet de la pensée jusqu'à la sérénité suprême, il n'est certes pas le seul à se l'être infligée. Mario Vargas Llosa, qui a traversé, en 1990, la politique pratique à un niveau sans comparaison supérieur, bien entendu, à celui de ma pantalonnade putéolienne, puisqu'il se lança dans une candidature à la présidence de la République de son pays, m'a souvent décrit l'inquiétude qui le gagnait, durant sa campagne électorale, en sentant fondre en lui l'intérêt pour les grands desseins. Cet intérêt était broyé par la hantise des pugilats sordides. Le processus de désintégration de toute vision politique noble, par lequel il se sentait happé, à force de fréquenter les bas-fonds du combat quotidien, il le raconte avec art et lucidité dans son livre de souvenirs, *El pez en el agua (Le Poisson dans l'eau)*. Si j'avais à définir l'homme d'Etat, je dirais que c'est celui qui parvient à garder en main les deux bouts de la corde : le bout utilitaire et le bout théorique, le savoir-faire et le savoir tout court, la technique du pouvoir et le but du pouvoir, qui soit autre que la vulgaire jouissance de le posséder.

Cette dualité de vision, à ne pas confondre avec la duplicité de conduite, exige qu'aient gardé leur fraîcheur la capacité de prendre intérêt à une idée ou à une information pour elles-mêmes et la disponibilité de raisonner parfois comme si l'on n'était pas au pouvoir ou pas candidat au pouvoir. Cette faculté, chez les politiques, sauf rarissime exception, je ne l'ai vue qu'atrophiée. En majorité, ils n'ont pas lu les livres dont ils parlent, ni les articles des éditorialistes qu'ils citent. Pour leur « image » ils se font volontiers photographier avec en main un ouvrage de haute tenue philosophique, géopolitique ou littéraire. Ces comédies m'ont souvent remis en mémoire cette phrase sur un personnage des *Démons* : « Il lui arrivait parfois, écrit Dostoïevski, d'emporter Tocqueville au jardin tout en cachant dans sa poche un volume de Paul de Kock. » On trouvera sans peine des équivalents contemporains au prolixe romancier commercial du XIXᵉ siècle... Je dis bien commercial et non populaire. La littérature populaire est aussi respectable que l'élitiste et se distingue autant qu'elle, et parfois davantage, de la fabrication intentionnellement commerciale.

La sclérose intellectuelle et la cécité devant les fins menacent tous les politiques. Elles m'ont toutefois paru toujours plus marquées chez les Français que chez les étrangers. Chez ces derniers, j'ai cru sentir à diverses reprises, quand ils recevaient des écrivains ou commentateurs, un désir sincère de connaître l'opinion que leurs invités, moi ou d'autres, pouvaient avoir sur tel pays, tel courant de pensée, tel parti politique. Ils s'intéressaient apparemment à la substance et non à la seule utilisation propagandiste de ce que nous avions à leur dire. En revanche, les politiques français, pour la plupart, songeaient moins à ce que nous disions de la réalité qu'à ce que nous pourrions dire d'eux. J'ai souvent observé la même déformation chez les chefs d'entreprise. Un grand patron français qui convie à déjeuner un intellectuel, surtout si, comme on dit, celui-ci dispose d'une « tribune » dans la presse, n'a aucune curiosité pour son point de vue. C'est lui qui a une idée derrière la tête, et il veut la faire passer dans celle de son commensal, avec l'espoir que la bonne chère le transformera en divulgateur, qui sèmera au loin la parole fécondatrice. Consulter son invité pour s'enquérir en toute neutralité de son avis sur le problème examiné ne lui traverse pas l'esprit. D'où vient ce comportement si français, et inattendu dans un pays où, plus que partout ailleurs, les chefs d'Etat ou d'entreprise, les dirigeants politiques ou économiques prétendent attacher du prix à la culture, aux idées, aux vues d'ensemble ? Peut-être de ce que l'édifice politique, économique et administratif français se compose de morceaux de pouvoir tellement imbriqués les uns dans les autres, tellement interdépendants, qu'aucun grand responsable ne peut prendre de décision en fonction de la seule exactitude d'une information. La principale, souvent même la seule considération qui l'obsède est celle des ébranlements que sa prise de position risque de provoquer dans la bâtisse des pouvoirs et de ses dédales. Le contre-coup n'en va-t-il pas rebondir vers lui jusqu'à le faire trébucher ?

Cet enchevêtrement de forces qui s'annulent entre elles est une explication de l'immobilisme français. Il engendre cette impossibilité d'améliorer en temps utile le fonctionnement de nos administrations, le rendement de nos entreprises publiques et même privées, d'en corriger les défauts, si visibles et tangibles soient-ils depuis longtemps. Cette incapacité pratique d'effectuer ou d'obtenir des changements, j'en ai eu l'expérience directe dans les domaines que mes occupations m'ont amené à connaître professionnellement : l'enseignement, les relations culturelles françaises à l'étranger, la distribution des journaux ou la diffusion des livres français hors de nos frontières, voire dans nos frontières. J'ai eu beau signaler maintes fois des absurdités néfastes et en apparence faciles à éliminer, soit à des supérieurs, soit à des organismes professionnels, comme le syndicat des éditeurs, soit même à mes collaborateurs. Chaque fois, les intéressés me répondaient avoir pleine conscience de ces déplorables « blocages » mais ne pas pouvoir les faires sauter, en raison de la puissance de tel ou tel corporatisme, ministère ou monopole.

On l'a souvent observé : la France est le plus révolutionnaire des pays conservateurs. C'est un frondeur paralytique. Nos archives regorgent d'analyses perspicaces de nos défaillances, de propositions ingénieuses destinées à y remédier. Les analyses ont presque toutes été applaudies ; les propositions n'ont presque jamais été appliquées. D'où la manie révolutionnaire, qui est le spasme de la faiblesse. D'où aussi cette illusion, au fond paresseuse, tenue pour seule noble, du moins jusqu'à la chute des communismes en 1989, que l'on doit dédaigner de réformer *la* société, pour mieux pouvoir changer *de* société.

Ce sophisme, déjà en 1968, commençait à me paraître éculé. Je m'étais passionné pour la politique parce que je souhaitais atténuer les souffrances humaines, accroître la justice et la liberté. Je découvrais que les moyens érigés en principes sacrés par la gauche pour y parvenir donnaient des résultats contraires à ceux qu'elle en attendait. Mais elle ne voulait pas le reconnaître ou, pis, ne s'en souciait pas. Je ne pouvais, pour autant, éviter de m'apercevoir que les démocraties libérales avaient depuis la guerre apporté à leurs ressortissants une prospérité, une liberté, un progrès dans la culture que le socialisme avait été impuissant à engendrer, et dont il avait, au contraire, détruit les prémices. Les schémas explicatifs qui m'avaient servi jusqu'alors à interpréter la réalité se révélaient réfutés par elle. J'en pris conscience presque malgré moi mais de façon irrésistible. Cependant les socialistes s'obstinaient à identifier le fait d'« être de gauche » à la vénération superstitieuse de *moyens* périmés. Or que ce qui m'importait était d'atteindre les *fins*, qui, pour moi, n'avaient pas changé, et devaient être poursuivies par d'autres moyens. Fidèle à ces fins, je me considérais toujours comme « de gauche », tandis que les socialistes me rejetèrent « à droite » parce que je refusais le fétichisme des moyens. Au fond, les idées « de gauche » constituent un signe de ralliement, un lien tribal, non une méthode d'action pour améliorer la condition humaine. Les critiquer au nom même de leurs objectifs supposés revient à s'exclure soi-même de la tribu, et c'est ce qui m'arriva. Beaucoup d'intellectuels de mes amis, qui étaient parvenus aux mêmes constatations que moi, ne le dirent jamais, ou ne le dirent qu'à mi-voix, soi-disant parce qu'il était plus efficace de critiquer la gauche « de l'intérieur », en réalité parce qu'ils avaient peur d'être mis au ban de la famille par les influents censeurs de la presse et des médias que la gauche contrôlait, à découvert ou en sourdine. Ils savaient par expérience qu'être classé à gauche ne ferme pas l'accès à la presse de droite, tandis qu'être classé à droite ferme hermétiquement l'accès à la presse de gauche. Alors, pourquoi ne pas chalouper entre les deux Eglises ?

Et puis, le culte de l'équivoque idéologique ne motivait pas seul cette prudence. Beaucoup de ceux qui s'exprimaient en privé avec la même sévérité que moi sur le Programme commun de la gauche et me félicitaient en confidence de mes livres ou de mes éditoriaux « réacs », ne s'en trouvèrent pas moins, grâce à leur discrétion, fort bien placés, après l'élection de Mitterrand à la présidence, en 1981, pour bénéficier de la distribution des prébendes. D'autres glaneurs de places, écumeurs de subventions et pique-assiettes publics passèrent d'un seul élan du pompidolisme ou du giscardisme à la curée socialiste. Changement de pâture réjouit le veau, disait ma grand-mère.

Chez la plupart des intellectuels de gauche, toutefois, l'arrivisme sordide était étranger à leur attachement au socialisme, qui provenait de leur pure haine de la société libérale et de leur énigmatique servilité envers les sociétés de contrainte. N'est-ce pas au terme des années de plus grand succès du capitalisme démocratique que notre jeunesse gauchiste proclama le libéralisme en faillite et se rua dans la déchéance intellectuelle de la superstition maoïste, par ailleurs responsable d'une des tyrannies les plus sanguinaires de l'histoire humaine ? Cette jeunesse, en sacrifiant à cette niaiserie criminelle, ne faisait qu'imiter ses maîtres à penser, dont elle n'avait jamais été autant esclave qu'au moment où elle prétendait rejeter leur tutelle. Et, en particulier, le plus prestigieux de tous : Jean-Paul Sartre.

En 1990, à l'occasion du dixième anniversaire de la mort de Jean-Paul Sartre, surgirent plusieurs campagnes de réhabilitation de son comportement politique. Mais l'opération de nettoyage de la statue fut maladroite. Le philosophe a écrit dans *L'Etre et le Néant* des pages d'une délectable dextérité sur la mauvaise foi. Elles s'appliquent souvent à certains officiants du culte. Tel commentateur invoque, par exemple, un entretien radiophonique de 1947 qui prouve, dit-il, que Sartre n'était pas favorable au totalitarisme. Pardi ! C'est en 1952 que Sartre est devenu compagnon de route du communisme international. Sa conversion eut lieu durant sa participation au Conseil mondial de la Paix, réuni à Vienne en décembre 1952. Il choisissait mal son moment : tout à côté, à Prague, on exécutait Slansky et ses onze compagnons, soi-disant « traîtres », condamnés à mort après un procès truqué. Sartre, il est vrai, justifia rétroactivement les procès de Moscou de 1937, en écrivant, dans son livre sur Jean Genet, que Boukharine, célèbre victime de ces comédies judiciaires, était « *objectivement* un traître ». C'était là s'abaisser au pire jargon totalitaire. Peut-on l'en absoudre, lui qui avait dit : « L'écrivain est *dans le coup*, quoi qu'il fasse, marqué, compromis, jusque dans sa plus lointaine retraite » ?

En 1954, de retour d'URSS, il déclare à *Libération*, le journal « compagnon de route » de d'Astier, qu'une « entière liberté de critique » règne en Union soviétique. Un encenseur attitré ose en 1990 excuser cette phrase en arguant que l'écrivain était souffrant quand il la prononça. Faux-fuyant piteux ! Imagine-t-on Newton affirmant que la terre est plate parce qu'il a une crise de foie ? Non, Sartre entrait dans la logique du mensonge totalitaire. Encore en 1973, il disait au magazine *Actuel* : « Un régime révolutionnaire doit se débarrasser d'un certain nombre d'individus qui le menacent, et je ne vois pas d'autre moyen que la mort. On peut toujours sortir d'une prison. Les révolutionnaires de 1793 n'ont probablement pas assez tué. » D'où son approbation de Mao, de Castro, ces grands tueurs, de la bande à Baader, des Brigades rouges, de tous les terrorismes et de tous les despotismes dirigés contre les démocraties, pourvu qu'ils émanassent de la gauche.

Car en réalité, Sartre était le contraire d'un démocrate. En 1973, il intitule un article « Elections, piège à cons », reprenant le slogan stupide de mai 68. De toute la force de sa pensée, il épousait le principe selon lequel la révolution doit être faite par une élite de professionnels. On le voit bien dans un texte sur le rapport Khrouchtchev, écrit au moment de la révolte hongroise (*L'Express*, 11 novembre 1956) : « La faute la plus énorme, dit-il, a probablement été le rapport Khrouchtchev, car, à mon avis, la dénonciation publique et solennelle, l'exposition détaillée de tous les crimes d'un personnage sacré, qui a représenté si longtemps le régime, est une folie, quand une telle franchise n'est pas rendue possible par une élévation préalable et considérable du niveau de vie de la population. » Selon Sartre, il faut donc cacher la vérité historique au peuple parce qu'il a faim. Et ceux qui ont ce droit, que dis-je ? ce devoir, sont les dirigeants mêmes qui l'affament. D'autre part, ce raisonnement repose sur un postulat moral qui respire l'immondice : selon Sartre la conscience humaine supporte sereinement la révélation des crimes commis par un chef d'Etat dès lors qu'a eu lieu « une élévation préalable et considérable du niveau de vie ». Dommage que le maître n'ait pas fixé avec plus de précision le revenu annuel par tête à partir duquel s'éteint l'indignation devant le génocide. Six mille dollars *per capita* ? Quatre mille cinq cents ? Onze mille trois cent soixante-quinze ? Avant ou après impôt ?

Sartre fut l'incarnation suprême du désastre culturel français de l'après-guerre. Pourquoi l'écrivain français le plus représentatif durant les années 50 et 60 a-t-il haï la liberté, lui le philosophe de la liberté ? Pourquoi ce penseur si intelligent approuva-t-il la nuit intellectuelle ? Pourquoi le fondateur de la fameuse revue *Les Temps modernes* adula-t-il les vieilleries utopiques et meurtrières des temps révolus ? Pourquoi ce raisonneur si adroit, ce révolté si méfiant a-t-il été une si sotte dupe de notre siècle de tromperies ? Au lieu d'escamoter ces réalités, mieux vaudrait tenter de les expliquer. Car le problème n'est pas seulement celui des aberrations d'un homme, c'est celui de toute une culture.

Quant à François Mitterrand, après l'éruption de mai 1968, qui s'était mal terminée pour lui, il reprit contact avec moi en me dépêchant son ami Georges Dayan, homme plein d'humour et de cordialité, dont j'appréciais la nonchalance. Mitterrand se servait souvent de Dayan lorsqu'il cherchait à mettre sur pied quelque nouvelle friponnerie. Salvador Dali aimait à répéter : « Dans toutes les circonstances importantes de ma vie, je rencontre des archevêques assis dans des chaises longues au bord de la mer. » J'aurais pu enchaîner pour mon compte, du moins à cette époque-là : dans toutes les circonstances sans importance de ma vie, je rencontre Georges Dayan assis sur une chaise ; en l'occurrence, c'était au Cercle interallié, où il m'avait invité à déjeuner, au début de 1969.

Après quelques considérations sur les limites du saumon fumé, Georges Dayan aborda l'objet de notre rendez-vous. Je n'ignorais pas, dit-il, que la conférence de presse que François Mitterrand avait donnée, le 28 mai 1968, à l'hôtel Continental (aujourd'hui Intercontinental), rue de Castiglione, avait causé beaucoup de tort à notre ami commun. Je l'ignorais d'autant moins, répondis-je, que j'avais assisté à cette conférence, au cours de laquelle Mitterrand, après avoir pris acte de la « vacance du pouvoir », avait annoncé sa candidature à une éventuelle élection à la présidence de la République, en cas de démission du général de Gaulle. Au nom de la gauche, il avait exigé cette démission, en tant que président de la FGDS. Les gaullistes avaient immédiatement présenté cette conférence de presse comme une tentative de coup d'Etat. De plus le journal télévisé l'avait tronquée et en avait tiré un montage tendancieux où surnageait seul un Mitterrand mussolinien, tapant du poing sur la table en criant : « D'ores et déjà je vous l'annonce : je *suis* candidat ! » Déclaration non pas « fasciste », certes, mais imprudente, au regard de la légalité républicaine, puisque rien n'obligeait de Gaulle à partir. Mais nul article de la Constitution n'interdisait à qui que ce fût de l'y inviter. Accordons que l'ambition purement personnelle de Mitterrand, pulvérisant pour une fois son habituel contrôle de soi, avait, ce jour-là, éclaté aux yeux de tous, presque impudique. Il ne s'était toujours pas relevé de cette bévue, six mois après l'avoir commise, et il n'allait pas s'en relever de sitôt, puisque la gauche, en mai 1969, l'en punira en l'écartant de la course à l'Elysée. Ce qu'il avait chargé Dayan de m'inciter à faire pour lui était d'écrire dans *L'Express* un article dénonçant le montage tronqué de la télévision française et prenant sa défense.

Je regardai Dayan avec une stupeur muette. Après la période baroque que nous venions de vivre, où la gauche traditionnelle avait sombré, après quoi la droite avait remporté une cinglante victoire électorale, Mitterrand n'avait donc rien d'autre à me demander qu'un papier de complaisance sur une mésaventure médiatique ? Un peu comme une actrice mobilise un copain, critique dramatique à sa dévotion, au lendemain d'une générale ratée ? Dayan lut dans mes pensées, rougit un peu. Je persistai dans le silence. Il n'insista pas et nous reparlâmes du saumon.

LIVRE ONZIÈME

LES TABLES BANCALES

I

Le temps efface le souvenir des malheurs, jamais celui des fautes. La morsure d'un remords se ravive chaque jour plus cruelle dans notre conscience, à mesure que la vie passe. Je l'éprouvai durant la messe de mariage de ma fille Eve, l'après-midi du 3 décembre 1972, en regardant un jeune homme qui se tenait debout, à quelques pas devant moi. Debout, je l'étais aussi, comme le reste de l'assistance, car il avait pris à Eve et à son fiancé, quoique tous deux de familles catholiques, la soudaine lubie de se convertir à la religion orthodoxe grecque. L'orthodoxie, ainsi d'ailleurs que le catholicisme romain en Italie, a le bon goût de bannir des édifices religieux ces chaises et ces bancs qui enlaidissent tant l'intérieur des églises et des cathédrales françaises. Mon fils aîné Matthieu, après avoir reçu, d'un jury présidé par le prix Nobel français Jacob, son doctorat d'Etat en biologie avec la mention très honorable, venait d'abandonner la recherche scientifique pour embrasser le bouddhisme. En 1967, j'avais épousé Claude Sarraute, qui est juive, et notre fils Nicolas, né en 1966, se trouvait donc, de par la loi mosaïque, qui veut que la religion de la mère détermine celle des enfants, être juif lui aussi. Tout en ne reniant jamais cette appartenance, il n'éprouvera cependant aucun sentiment religieux, pas plus que sa mère d'ailleurs. Bien qu'étourdi et enfumé, dans la petite église orthodoxe de Vanves, par le vacarme guttural des popes hirsutes qui agitaient avec frénésie de multiples encensoirs, j'avais le loisir de méditer l'inattendu de l'existence. Combien l'influence paternelle est chétive. Moi, l'ancien élève des jésuites devenu athée, moi disciple de Voltaire, animé depuis ma dix-huitième année de cet agnosticisme virulent que sait susciter la Compagnie de Jésus, je me retrouvais avec une fille orthodoxe grecque, un fils bouddhiste tibétain et un autre fils juif ! L'indifférence avait depuis quelques années atténué puis exténué mon anticléricalisme. Le danger, au fond, ce n'est pas le clergé. Il compte, après tout, autant de braves gens que les autres professions. C'est la religion. N'en déplaise à ses partisans et contrairement à leurs laborieux plaidoyers, elle engendre l'intolérance au nom de l'amour du prochain et, comme le sport de compétition, excite les foules au fanatisme et à la violence. J'ai renoncé à trouver un sens à la phrase de Malraux : « Le vingt et unième siècle sera religieux ou ne sera pas », et je ne crois pas qu'elle en ait un. En effet, religieux ou pas, le vingt et unième siècle sera. Mais il risque (et en cela Malraux pourrait avoir raison) d'être plus religieux que le vingtième, dans lequel les idéologies avaient pris en partie la place de la foi pour justifier le besoin humain d'exterminer des mécréants, et de s'en inventer s'il le faut. L'âge mûr avait à ce point élimé ma propre intolérance que, retrouvant une gratitude envers des maîtres à qui je devais, somme toute, de bonnes études, j'envoyais même, maintenant, ma cotisation annuelle à l'« Association des anciens élèves des établissements secondaires des Jésuites », l'AJES, qui téléphonait chez moi de temps en temps pour m'inviter, en vain, à une réunion, notamment un « aïoli géant » à Marseille, auquel je regrettais du fond du cœur de ne pouvoir me rendre. Hélène, notre employée de maison, une Berrichonne pleine de rondeurs et d'entrain, trouvant le nom de l'association un peu long à prononcer, le contractait en m'annonçant : « Les vieux jésuites ont téléphoné. » Puis elle ajoutait, soupçonneuse : « Vous ne m'aviez pas dit que vous étiez un vieux jésuite ? »

Assiégé d'une nuée de popes barbus et virevoltants, le vieux jésuite voltairien observait donc, dans la pénombre d'une minuscule église orthodoxe grecque de la banlieue parisienne, à Vanves, un jeune homme d'environ vingt-cinq ans, qui ne le connaissait pas, et que lui-même avait vu pour la dernière fois quand, nourrisson, il gisait encore au berceau. « J'ai invité David Page et sa mère Lida », m'avait dit Eve, qui, guidée par le hasard, l'intuition ou la volonté, je n'ai jamais pu l'éclaircir, a toujours noué derrière et après moi des relations avec des gens que j'avais perdus de vue ou avec lesquels j'avais rompu. Je chercherais à expliquer cette bizarrerie par la psychanalyse, si j'y croyais encore assez. Au crâne dolichocéphale de David et au dessin allongé de ses lèvres, j'identifiai au premier coup d'œil la marque imprimée par son père, Nick Putnam, mort à Londres, d'une crise cardiaque, vers 1959 ou 1960. Nick avait eu cet enfant d'une nièce de Gurdjiefff, Lida, qu'il ne pouvait épouser, bien qu'il l'aimât depuis l'avant-guerre, car, retourné aux Etats-Unis en 1939, il s'y était marié. Pour donner à David un père officiel, il suggéra au plus grand architecte paysagiste du XXe siècle, Russell Page, son ami, qui fréquentait aussi les cercles gurdjieffiens, de contracter avec Lida un mariage blanc, afin de donner son nom au petit. Russell, d'un désintéressement foncier et d'un entier dévouement pour ceux qu'il affectionnait, accepta. J'adorais cet Anglais à la haute taille voûtée, délicat reposoir de la plus fine culture londonienne, doublé d'un Parisien tendrement boulevardier et d'un cosmopolite impétueusement salonnard. Comme tant de membres de l'élite d'outre-Manche, il avait servi son pays dans l'Intelligence service pendant la guerre, en Grèce, à Ceylan et en Égypte. Je l'écoutais avec ravissement, pendant des heures, traiter de son art : l'art des jardins, qu'à tort, dans la création spatiale, on ne situe pas au même niveau que les tout premiers, architecture, peinture et sculpture. Il mettait autant de science à en dépeindre le passé que de génie à en inventer le présent. Malgré ses succès professionnels, quand je le connus il vivait encore, à quarante ans, mystérieusement désargenté, comme un vieil étudiant, dans une chambre de l'hôtel Saint-Germain-des-Prés, rue Bonaparte, qu'il louait à l'année. Dans ce modeste logis de bohème besogneux pendait une étincelante collection de tenues de soirée, que Russell endossait le soir pour aller dans le grand monde.

Au printemps de 1948, quelques mois après la naissance de David, Russell, devant retourner un mois en Angleterre pour y surveiller l'exécution d'une commande, d'une part, me prêta sa chambre d'hôtel de la rue Bonaparte pour que je puisse y terminer dans la tranquillité mon diplôme d'études supérieures sur la *Notion de nécessité chez Spinoza et Leibniz*, d'autre part me remit une assez épaisse liasse de billets de banque, pour que je la lui garde jusqu'à son retour. Le contrôle des changes régnait alors, féroce, en Europe, destiné à réprimer le marché noir des devises et à dissuader de traverser une frontière avec trop d'argent liquide sur soi. L'hôtel Saint-Germain-des-Prés n'avait pas de coffre. Sa clientèle n'en aurait pas eu l'usage. Et les gens comme nous n'avaient pas de compte en banque. Nous vivions au jour le jour, dans une préhistoire économique à peine imaginable aujourd'hui, où se côtoyaient le superflu et les dettes. Russell partit sur *L'Epicurien*, le vol de luxe Paris-Londres, dont une publicité retentissante vantait partout les fastes. Air-France, dans un voyage qui durait alors trois heures, y gavait de foie gras et de champagne ses passagers, enviés du pays tout entier. Je confiai à Nick, qui, lui, à l'hôtel des Saints-Pères, de catégorie supérieure, avait un coffre, le dépôt que j'avais reçu, pour qu'il le mît en sûreté. J'aurais dû me méfier : si Russell m'avait donné à garder cet argent à moi et non à Nick, c'est qu'il se méfiait des talents d'escamoteur de son « maître spirituel ». Nick me dit : « A son retour, vous allez soumettre Russell à un "choc", à une *épreuve* ; vous nierez avoir jamais reçu cet argent ; en même temps, cela constituera un excellent exercice de détachement pour vous-même. » Il faut préciser que l'« enseignement » gurdjieffien avait pour but un dédoublement entre un moi profond et le moi de la vie quotidienne, engagé dans des « rôles ». Le premier moi devait apprendre à contempler le second pour ainsi dire du dehors et à s'en servir comme d'une marionnette. Cette philosophie ne me dépaysait pas, puisque je l'avais apprise déjà chez les stoïciens. Je trouvai donc « dans la ligne » de me livrer à cette déshonorante comédie au détriment du pauvre Russell. Je feignis l'étonnement et l'ignorance quand, revenu de Londres et attablé face à moi, dans l'immense et bruyant mais néanmoins familial et chaleureux restaurant des Ministères, rue du Bac, il me dit avec un sourire timide, employant une expression argotique comme en manière d'excuse : « Pouvez-vous penser à me rendre mes-z-argents ? » Je livre ce récit, non pour mettre mon indélicatesse plus à l'aise, mais pour montrer comment la justification par une idéologie, même quand on n'y croit plus, peut servir à napper d'un badigeon moral les plus méprisables forfaits. Et puis, je songe à ce qu'écrit Jean-Jacques Rousseau. « Je n'ai pas entrepris mes confessions pour taire mes sottises ; et celle-là me révolte trop moi-même pour qu'il me soit permis de la dissimuler. »

Deux ou trois ans après le mariage d'Eve, je revis Russell chez Gabrielle et Teddy van Zuylen au château du Haar, en Hollande, où je devais d'ailleurs le retrouver par la suite, presque chaque été, jusqu'à sa mort, en 1985. Pour expectorer ce souvenir qui me brûlait le cœur depuis un quart de siècle, je profitai de ce que je tombai sur Russell, un matin, alors qu'il était seul, au salon, assis sur l'allège d'une fenêtre, ses longues jambes croisées de biais, un bloc sur les genoux, en train de dessiner le parc pour en remodeler la configuration.

Je lui exprimai l'admiration avec laquelle j'avais absorbé et goûté son enseignement esthétique, en 1962, à la sortie de son livre, *L'Education d'un jardinier*, que d'effrontés pillards avaient depuis fréquemment démarqué sans le citer. Puis, du même souffle, je crachai ma vieille histoire de liasse détournée. « Ne vous faites pas de bile, JF, me répondit-il en riant (il m'appelait toujours par les initiales de mon prénom) ; Nick m'a rendu cet argent, avec recommandation de ne rien vous en dire. » C'était donc moi qui avais été le dindon des farces d'un faux « maître spirituel ». Je préférai cet épilogue, qui soulageait ma conscience, sinon mon amour-propre.

II

Peut-être s'étonnera-t-on que j'aie glissé sur les effusions de mai 1968 à Paris. En fait, ce sont plutôt elles qui ont glissé sur moi. Si jamais il y eut un objet historique insaisissable, ce fut ce spasme français. La perplexité conceptuelle qui l'entoure se traduit du reste par l'habitude de le désigner d'un pluriel vague : « les événements » ; comme si chacun sentait l'inadéquation à ce brouillard de termes aux contours précis : « révolution » ou « changement politique ». En fait, la mutation bien réelle des sensibilités, des mœurs, des critères moraux, en mai 68, m'intéressait et m'impressionnait, dans la mesure où elle était justement apolitique. A cet égard, je l'ai observée et vécue dans une version beaucoup plus pure et originale aux Etats-Unis, où au demeurant elle avait commencé avec quelques années d'avance sur la nôtre. En Europe, le conformisme et le mimétisme idéologiques investissaient en ce temps-là si précocement les cerveaux de la jeunesse qu'ils émoussèrent d'emblée la pointe de fraîcheur qui avait marqué le soulèvement des esprits. Les soixante-huitards, je le sais, se prétendaient affranchis des appareils et des doctrines, même de gauche. Pure illusion. En pratique, ils plombèrent leur verbe et leur pensée des plus éculées vieilleries marxistes, fussent-elles déguisées sous les « habits neufs du président Mao », pour reprendre le titre du chef-d'œuvre de Simon Leys. Ces prétendus novateurs copiaient le passé, imitaient les « journées » révolutionnaires de 1792, 1848, 1871, 1944 avec barricades et pavés, mais sans violence ni affrontements. Ils mimèrent les partisans qui, en 1944, avaient jeté des cocktails Molotov sur les chars nazis fonçant sur eux, mais ne brûlèrent que des automobiles de tourisme en stationnement. En Allemagne et en Italie, durant les années 70, les continuateurs de 1968 se modelèrent sur des passés plus dangereux, le terrorisme russe des dernières années tzaristes en particulier. Leur mouvement acheva de perdre son originalité, régressant vers la mentalité prélogique des anarchistes du début du siècle. Ils crurent pouvoir détruire le capitalisme à coups de revolver dans la rue et dans les cafés, en assassinant des banquiers, des ministres et des journalistes. Les « révolutionnaires » de 1968 en Europe n'eurent pas conscience que l'inspiration profonde du « mouvement », comme on disait aux Etats-Unis, était d'essence libérale. Il n'aurait pas de raison d'avoir été sinon comme moteur d'une accélération de la civilisation libérale et individualiste opposée à l'étatisme et au collectivisme, ce qu'il finit par devenir, plus tard, dans les années quatre-vingt. Mais, au plus fort de la « lutte finale » , la phraséologie lénino-maoïste pesait trop lourd sur les esprits français pour ne pas enfouir sous ses gravats l'impalpable rosée matinale de l'élan primitif et spontané. En ce qui me concerne, je m'étais au début trouvé en sympathie avec les soixante-huitards, ne fût-ce que pour le brio avec lequel ils avaient ridiculisé le pouvoir gaulliste. Car des « mai 68 » ont éclaté dans toutes les sociétés développées — puisqu'il s'agissait d'un luxe de riches. Mais nulle part, même pas dans la fragile République italienne, ces regimbements de la jeunesse n'ont provoqué en quelques jours l'effondrement total de l'autorité publique, ce qui survint en France, pays où de Gaulle se targuait pourtant d'avoir restauré un Etat fort ! Nulle part non plus, la gauche, classique ou nouvelle, ne se montra aussi incapable d'occuper le vide laissé par l'éclipse de la droite. Dès l'excitation éteinte, cette droite remporta, aux législatives de juin 1968, une des plus amples victoires électorales de son histoire, et l'année suivante, enleva la présidence de la République avec aisance et sans adversaire sérieux. Notamment, le Parti communiste donna l'ordre à ses électeurs, représentant alors plus d'un cinquième des suffrages, de s'abstenir au second tour de la présidentielle. Il offrit, grâce à cette discrète poussette, une victoire moelleuse à Georges Pompidou. Non seulement il n'y avait pas eu de révolution, mais de surcroît il n'y avait même plus d'opposition ! Car, je le répète, les soixante-huitards sont passés à côté de leur vraie vocation, en s'engouffrant dans les mots d'ordre les plus poussiéreux de la vulgate socialiste, au lieu de se percevoir eux-mêmes tels qu'ils étaient, c'est-à-dire comme les fruits délicats de la serre capitaliste libérale et démocratique. Ils avaient, certes, botté jovialement le derrière des « crapules staliniennes », comme ils disaient. Mais à quoi bon, si c'était pour encenser avec un stupide aveuglement les crapules maoïstes ?

Mes sentiments de complicité et d'agacement mêlés, face à mai 68, je les ai trouvés reconstitués avec une talentueuse et jumelle similitude sous la plume de Pierre Soudet. Il publia sur ce thème en 1971, chez Denoël, un livre de souvenirs et d'analyses intitulé *Le Manège* et signé du pseudonyme de « Soldatus », par observation du devoir de réserve des hauts fonctionnaires. Soudet avait épousé Laurence de Carvalho, dont la vocation exclusive et la passion prédominante étaient de remplir la fonction d'égérie d'un grand homme politique de gauche. Elle n'aurait pu se résoudre à nul autre métier. Elle avait joué ce rôle d'abord auprès de Pierre Mendès France, qui s'était trouvé, sans même le temps de s'en apercevoir, flanqué en elle d'un aide de camp bénévole. Elle n'épargnait ni énergie ni entregent pour servir sa réputation et accroître son influence. Comme Mendès s'était révélé peu allant dans la marche vers le pouvoir, Laurence avait transporté dans l'entourage mitterrandien son dispositif logistique et sa soif inextinguible de se dévouer à un chef progressiste. Cette ténacité reçut d'ailleurs, beaucoup plus tard, sa récompense, puisque l'active personne se vit promue, à partir de 1981, « chargée de mission » inamovible à l'Elysée, sans que l'on sût au juste en quoi consistait cette mission. Mitterrand a toujours utilisé l'Etat, dès qu'il l'a eu sous la main, comme un bureau de placement pour ses amis. D'une sicilienne fidélité à leur endroit, il n'en a jamais omis aucun sur la liste des places rétribuées par le contribuable ou des parts du butin des opérations véreuses dont le pays réglait la note. Le livre que Mitterrand a publié chez Fayard en 1980, *Ici et maintenant* (comme presque tous les livres de Mitterrand, il se compose d'une série d'entretiens avec un journaliste) est d'ailleurs dédié « A Laurence et Pierre Soudet ».

Quoique ayant la raison à gauche, Pierre ne la perdait pas aisément pour autant : *Le Manège* en témoigne. Rentrant d'une mission en Italie alors que les tribulations de la contestation étaient déjà fort avancées, il note : « Cette seconde partie du mai de 1968, la seule à quoi j'ai assisté, m'a paru parfaitement irréelle. » Pendant que sa « tendre épouse » (ainsi qu'il l'appelait souvent) tente de l'enthousiasmer en faveur de cette révolution de carnaval, il poursuit : « J'ai regardé les événements se dérouler sans croire une seconde à quelque chose de profond au-delà du simulacre : une mise en scène immense greffée sur un canular d'assez bonne venue. » Avec une judicieuse métaphore, il rend bien compte de l'impuissance des politiques à capter le vent de mai pour faire tourner les ailes de leur propre moulin. « Chaque fois, constate-t-il, que quelqu'un, pendant ces journées, a eu l'imprudente tentation — ou la faiblesse, cédant à des harcèlements — d'avancer le bras en vue de s'emparer de cette situation « fluide », comme disent les militaires, instantanément les boules d'ivoire huilées ont jailli en l'air, se sont éparpillées, échappant à la main qui s'efforçait de serrer leur factice unité. » Maussade, il conclut : « L'imagination au pouvoir ? Jamais il n'y eut moins d'imagination. Faute d'analyse suffisante, le mouvement s'est vidé sous ses auteurs. Echec complet, échec tragique. » Quoique plus de gauche que moi, il est encore plus sévère. Car, si je juge, comme Soudet, que « le mouvement s'est vidé sous ses auteurs » en raison de son indigence intellectuelle, je nie qu'il ait été un « échec complet ». Il le fut à l'étage politique. Il ne le fut pas à l'étage de la sensibilité sociale, à laquelle il imprima l'essor vers une métamorphose qui devait se poursuivre durant deux décennies, en bien et en mal d'ailleurs, mais que l'on ne saisit qu'à condition de la considérer dans son ampleur internationale.

Incurablement englués dans la répétition obsessionnelle et la simulation ampoulée de leurs émeutes révolutionnaires de jadis, au demeurant toutes terminées par des désastres et des renforcements de la réaction, Paris et la France jouèrent sur un ton déclamatoire une pièce surannée, indigne d'un médiocre théâtre de province. Néanmoins la société française incorpora la modification des mœurs qu'imposa peu à peu la « contre-culture » à l'ensemble du monde développé. Prise collectivement, la jeunesse n'a jamais d'idées jeunes. En revanche, elle a des instincts jeunes. Elle emprunte les idées jadis révolutionnaires et devenues idées reçues. Mais ses intuitions, ses manières de sentir renouvellent les habitudes des adultes.

Le divorce entre les bouleversements spontanés de la société, dans ses profondeurs, et les tréteaux de la politique officielle aux Etats-Unis ne fut pas perçu en général par les spécialistes ou les journalistes. Ils ne virent pas que les premiers poursuivaient et poursuivraient leur route indépendamment des seconds, sans égard à la couleur politique du parti occupant provisoirement le pouvoir. Après la réélection triomphale de Nixon, en novembre 1972, beaucoup de commentateurs daubèrent sur *Ni Marx ni Jésus* et me jetèrent à la figure leurs sarcasmes : « Vous voyez bien, jubilaient-ils, que vous vous êtes trompé en prédisant une révolution en Amérique. Ce sont les conservateurs qui ont gagné. » Mais je n'avais rien prévu du tout : j'avais constaté. L'erreur de mes contradicteurs provenait de leur incapacité à prêter au terme « révolution » un autre contenu que l'acception scolaire. L'inertie des conventions l'avait plantée une fois pour toutes dans leur tête. Pour eux, une révolution obéissait toujours à une imagerie événementielle selon laquelle une insurrection « de gauche » renversait un régime « de droite ». J'eus la surprise de voir des esprits en général avisés, tels Raymond Aron ou Georges Suffert, donner dans ce panneau. Pourtant, au cours des années suivantes, le « mouvement », selon l'expression américaine, alla son chemin sous des présidences démocrates comme sous des présidences républicaines, indifféremment. L'alternance des partis politiques à la Maison Blanche ou au Congrès ne ralentit en rien la giration du « *melting pot* à l'envers », selon la métaphore que j'avais utilisée dans *Ni Marx ni Jésus*. La civilisation américaine avait cessé de fabriquer de l'intégration pour devenir centrifuge. La prépondérance du droit des minorités de toutes définitions et l'assaut contre la culture, contre les « humanités » traditionnelles poussèrent même, vingt ans plus tard, aux outrances sectaires de ce que l'on devait déplorer sous le vocable de « politiquement correct ». Cette frénésie de nihilisme contre-culturel s'intensifia et s'empara des universités, de la presse, de la critique littéraire, des maisons d'édition. Elle instaura une inquisition de « mercenaires de l'ignorance », pour citer William Blake, qui expurgèrent les bibliothèques, réputées accaparées par les auteurs « mâles blancs ». Souvent, les prétendus combattants pour la tolérance ne visent qu'à rétablir une intolérance là ou une autre était en voie de disparition. Les primates de la « déconstruction » arrachèrent les pages des livres. Or, par une contradiction éclatante, qui troubla peu d'observateurs européens, la niaise tyrannie du « politiquement correct », dégénérescence et falsification des généreuses effusions des *sixties*, prit le pouvoir culturel en Amérique durant la période reaganienne, que l'on proclamait par ailleurs régie par un conservatisme extrême, alors que les véritables réactionnaires se trouvaient non à la Maison Blanche, mais dans les universités.

Contradiction, au demeurant, seulement apparente. Car le prétendu conservatisme reaganien, autre volet de la contestation, se situait en réalité aussi dans la lignée des années soixante, dont il projetait au niveau institutionnel l'aspiration au rejet de l'Etat. La « révolution conservatrice (c'est-à-dire libérale) américaine », à laquelle Guy Sorman a consacré un livre sous ce titre, recueillit, contrairement aux suggestions d'une classification sommaire des boutiques politiques, l'héritage des libertaires du « mouvement », plus que ne le fera la présidente Hillary Clinton assistée de son versatile époux, en essayant de restaurer le *big government* démodé du *New Deal* et du kennedysme. Et la marée républicaine, aux élections de mi-mandat, en novembre 1994, représentait moins un vote « de droite » qu'une contre-attaque furibonde contre l'excès d'Etat. Bill Clinton en tint compte et, durant la campagne en vue de sa réélection en 1996, présenta un programme plus républicain que démocrate, imitant l'évolution des Travaillistes britanniques avec Tony Blair.

Pour en revenir aux origines, le « mouvement » américain, à l'opposé de la « contestation » parisienne, ne manifestait aucune agressivité. On s'y sentait bien. Il y régnait une fraternité dénuée de prosélytisme. On ne vous demandait jamais qui vous étiez, ni quelle était votre formation, ni de quel « lieu » politique vous parliez. On était accueilli avec une gentillesse exubérante chez des gens qu'on connaissait depuis cinq minutes ; vous entriez dans leur appartement ou leur *loft* et l'on vous embrassait comme un cousin qui revient après quinze ans d'absence. On vous donnait à manger. Vous aviez besoin de repos ? On vous préparait un canapé. C'était sincère, ce n'était pas du chiqué.

Je me souviens d'une impression, en 1969, dans un music-hall, à New York, le Fillmore. New York est en général une ville dure, comme Paris. On y joue des coudes, on s'y insulte. A l'entracte, je voulus aller chercher un sandwich et une bière au buffet, dont me séparaient plusieurs couches épaisses de gars aux cheveux longs et de filles en pantalon. Après une quinzaine de jours à New York, j'avais encore durci le réflexe de lutter contre des parois, de l'acier, des portes, des ascenseurs, des couloirs, des taxis, des métros, des foules hostiles et des voisins hermétiques. Puis, ce soir-là, au Fillmore, j'éprouvai soudain la sensation oubliée de m'enfoncer dans du beurre. Je poussais comme un sagouin pour atteindre le bar. Et tout le monde me cédait le passage en me souriant. Je me dis : qu'est-ce qui arrive ? Brusquement, j'ai eu honte de ma conduite. C'est là ce que l'on pourrait appeler des travaux pratiques de morale et de savoir-vivre.

III

L'Express où j'entrai en 1966, je veux dire comme membre permanent de la rédaction (car j'y avais déjà plusieurs fois collaboré occasionnellement), était sans conteste, alors, en France, l'hebdomadaire politique et culturel « de qualité » qui se vendait le plus et qui exerçait le plus d'influence. Ces deux indices du succès ne marchent pas forcément de conserve. Françoise Giroud et Jean-Jacques Servan-Schreiber avaient réussi à faire croître simultanément la diffusion et l'autorité du journal qu'ils avaient fondé en 1953. Onze ans plus tard, ils en avaient fait rebondir le prestige et le tirage en abandonnant la vieille présentation française de l'hebdo dilué sur de vastes pages impossibles à déployer dans le métro sans éborgner son voisin. Les premiers en France, ils avaient adopté le format et la formule du *newsmagazine* à l'américaine, jusqu'alors appliqués en Europe par le seul *Spiegel*. Ce changement, bientôt imité par les Italiens et, plus tard, par les Espagnols, fut une révolution, qui déconcerta les journalistes accoutumés à l'ancien style. Le format, certes, les écœurait, parce que trop « commercial », trop illustré, à leurs yeux. Mais surtout la formule les étranglait, car elle imposait aux articles des longueurs bien calibrées. Je dînai, un soir de 1965, chez Lipp avec François Erval, qui dirigeait depuis dix ans la section littéraire et artistique de *L'Express*. Je le vis extraire de sa poche avec une mine dégoûtée et funèbre un feuillet d'un nouveau modèle de papier-machine calibré — celui même sur lequel allaient être tapés tous mes articles depuis ce moment-là jusqu'aujourd'hui, à *L'Express* comme au *Point*. Ce document, témoignage pour lui d'une irrémédiable dégénérescence, était accompagné d'une note de la direction aux chefs de service — dont lui. Elle leur enjoignait, pour tel type d'article, de le contenir dans des bornes exactes, par exemple, cinq feuillets de trente lignes de trente-sept signes chacune, soit cinq mille cinq cent cinquante signes, pas un de plus ni de moins. « Vous me voyez prescrivant à Sainte-Beuve, à Baudelaire, de ne faire ni plus court ni plus long que cinq mille cinq cent cinquante signes ? » me demanda-t-il d'une voix caverneuse. Je lui répondis avec douceur que Baudelaire, même en tant que poète, sinon en tant que critique, avait accepté d'emmailloter son génie dans des formes fixes, notamment le sonnet, comme l'avaient fait tant d'autres grands poètes avant lui. Il ne m'entendit même pas, tant son affliction l'hébétait. Et, pour en manifester l'intensité, il se commanda, avec une solennelle mélancolie, lui que je connaissais gros mangeur et bon buveur, une salade d'endives arrosée d'une demi-bouteille d'eau d'Evian. Auréolé de cette ostensible négation de son vouloir-vivre, il atteignait, en mâchant sa dernière feuille d'endive, le tréfonds de la pente morale et il m'annonça qu'il allait démissionner, préférant le chômage au déshonneur. Par bonheur, il échappa aux deux, vu ses fonctions chez Gallimard, où il venait de lancer avec audace, intelligence et succès « Idées », la première collection française d'essais en livres de poche.

A coup sûr, le *News* implique une discipline qui mesure les longueurs. Qu'elle fût jusqu'alors étrangère aux journalistes classiques, je l'avais assez enduré à *France-Observateur*. Les vieux routiers des rédactions mettent avec une ombrageuse cautèle sous le nez de leur rédacteur en chef des papiers sans fin. Ils lui notifient l'interdiction de couper une seule ligne. Ils lui remontrent avec bénignité qu'il n'a qu'à faire sauter deux ou trois articles des confrères pour gagner de l'espace. Or, devoir composer un texte en observant certaines limites de longueur ou de temps n'a jamais empêché la qualité littéraire, souvent même l'a favorisée et stimulée. Selon la classique remarque de Pascal, un auteur fait souvent un long ouvrage parce qu'il n'a pas eu le loisir d'en faire un court. On peut ajouter : pas plus que le temps il n'a eu le *talent* d'être bref. Démosthène et Cicéron devaient prononcer leurs harangues dans un délai fixé par des règles, comme il y en eut pour borner la durée d'une tragédie de Sophocle ou de Racine. La concision a longtemps été un idéal littéraire, de Tacite à La Bruyère. Montesquieu en a résumé l'esthétique dans son indélébile précepte : « Pour bien écrire, il faut sauter les idées intermédiaires ; assez pour n'être pas ennuyeux ; pas trop, de peur de ne pas être entendu. » J'ajoute qu'ayant pratiqué toutes les longueurs d'éditoriaux, sur deux colonnes, sur une page, sur deux pages, je puis assurer que la difficulté de s'en tenir au lopin convenu est la même dans tous les cas, puisque l'auteur compare toujours in petto ce qu'il a pu dire à ce qu'il aurait pu dire avec davantage de place. Si l'on veut écrire tout son soûl, il n'est que d'écrire des livres. Tout journal est divisé en parcelles et ne peut que l'être.

Le nouvel *Express* différait de son prototype américain *Time* par la place plus grande accordée aux éditoriaux. Jean-Jacques et Françoise n'ignoraient pas que les Français préfèrent les opinions aux informations et que, pour leur faire ingurgiter les secondes, il fallait les leur enrober dans le condiment des premières. *L'Express* s'orchestra donc comme une continuité d'informations, scandée par quatre éditoriaux, d'une page chacun, répartis tout au long du journal. Le premier, celui de Françoise Giroud, portait sur ce que, dans le jargon des journalistes, lorsqu'ils croient s'ennoblir en singeant la pacotille pompeuse des pseudo-sciences humaines, on baptise « phénomènes de société », à savoir les mœurs, les modes, les mentalités, les mutations de la sensibilité collective, des goûts, de la vie quotidienne. Quand un courriériste vous annonce d'un air solennel et sur un ton pénétré : « Ce n'est plus un fait divers, c'est déjà un *phénomène de société* », vous pouvez vous dire que vous êtes en train d'assister à la naissance d'un poncif. Le poncif n'était pas le fort de Françoise, mais elle en mettait un peu dans ses propos hebdomadaires quand même, car c'est un édulcorant indispensable au journaliste, pour atténuer l'acidité de ce qu'il sert d'original.

J'eus d'ailleurs le plaisir, en 1972, de publier chez Laffont un recueil de ses chroniques sous le titre *Une poignée d'eau*, de même que j'avais publié quelques mois plus tôt une sélection des miennes intitulées *Idées de notre temps*. J'assumais, en effet, quant à moi, dans la formule « magazine » de *L'Express*, l'éditorial « culturel » de la section « Livres ». J'y ai parlé quelquefois de romans. Mais si rares sont devenus les romans lisibles, voire les romans qui en soient vraiment, que je fus amené à consacrer ma rubrique surtout à des essais, philosophiques, historiques, politiques ou esthétiques, en m'efforçant d'en choisir qui offrissent aussi les mérites d'une œuvre ou au moins d'une tentative littéraires. On sait le peu de sérieux que j'accorde à la redite scolastique selon laquelle seule la fiction pourrait aspirer à être « de la littérature », si bien qu'Edmonde Charles-Roux en serait, mais pas Cioran ; Paul de Kock mais pas Michelet ; Scudéry mais pas La Rochefoucauld. J'admire Angelo Rinaldi, le romancier comme le critique. Mais je lui en ai toujours voulu de sa manie, par détestation de ce qu'il appelle la « théorie », d'invoquer sans cesse « la » Littérature. « La » littérature n'existe pas plus comme entité indépendante des œuvres que « la » Raison n'a de réalité hors la capacité de raisonner de tel ou tel individu. Et les dialogues de Platon sont à la fois de la théorie et de la littérature, tandis que des charretées entières de romans, de poèmes, de pièces ne sont ni l'une ni l'autre Louis-Ferdinand Céline avait préfiguré l'inflexibilité rinaldinenne en brandissant « le style *contre* les idées ». « Je ne suis pas un homme à idées, je suis un homme à style », affirme-t-il. D'abord, il fut bel et bien un homme à idées, toutes mauvaises. Ensuite, comment ce prétendu défenseur de la civilisation française peut-il montrer assez d'insensibilité esthétique pour opposer style et idées dans un pays où la littérature compte Montaigne, Pascal, La Bruyère, Bossuet, Montesquieu, Voltaire, Diderot, Benjamin Constant, Tocqueville, Michelet, Renan, Taine, Paul Valéry ?

Entre l'éditorial de Françoise et le mien, la vedette, du point de vue de l'actualité, appartenait, bien entendu, à l'éditorial politique de JJSS, suivi de l'éditorial économique de Roger Priouret. Nos quatre chroniques s'ornaient en outre de nos quatre photos, ce qui dans la presse française constituait alors une innovation. Et comme aucun photographe contemporain ne tolère que son modèle demeure impassible, à croire que l'humanité vit au naturel dans un état permanent de fou rire, nos quatre visages éclataient d'une gaieté sans retenue. Cette hilarité de commande avait amené Bernard Pivot, alors critique au *Figaro littéraire*, où j'avais écrit et où nous étions devenus amis, à me féliciter sarcastiquement de trôner parmi « les quatre rigolards de *L'Express* ». Les *columnists* américains, qui devinrent par la suite dans leurs *news* aussi nombreux que les éditorialistes dans nos hebdos, jouissaient aussi du droit à la photo. Mais on ne les obligeait pas pour autant à se fendre éternellement la pipe. Comme toujours quand les Français imitent les Etats-Unis, ils le font avec un je ne sais quoi de surcharge provinciale.

Le jour de mon engagement à *L'Express* me permit de jauger l'adresse d'esprit et la rapidité de décision de Servan-Schreiber. Il m'avait invité à déjeuner dans la salle à manger de la direction, au dernier étage de l'immeuble du journal, rue de Berri, en compagnie de Françoise Giroud, par une si lumineuse journée, aux effluves si douillets, que nous pûmes sortir pique-niquer en bras de chemise sur la terrasse. Je sentis d'ailleurs qu'il m'aurait jugé avec sévérité si j'avais décliné son offre comminatoire d'ôter sportivement ma veste. « Votre dernier livre, *En France*, me lança-t-il tout de go, est très *soutenu de ton*. D'ailleurs, comme vous l'avez vu, Françoise en a fait chez nous un exceptionnel éloge. » Françoise souriait en silence. « Elle a même écrit, insista Jean-Jacques : "C'est du Revel et du meilleur." Admirablement trouvé. » Je hochai la tête avec une gratitude que j'avais au demeurant déjà exprimée par lettre à Françoise Giroud, moins pour cette formule, d'une platitude assez vide, que pour le reste. Ce qui m'émoustilla surtout dans le propos de JJSS fut le qualificatif « soutenu de ton » que mon futur directeur venait d'accoler à ma prose. Il m'était arrivé de m'entendre adresser des compliments, mais « soutenu de ton » me ravissait parce que ne renvoyant à aucune catégorie critique, intellectuelle ou esthétique définissable. La publicité pour le Club Méditerranée aussi est très « soutenue de ton ». Pourtant, à la réflexion, et vu l'objet de notre rencontre, l'expression du créateur de *L'Express* m'apparut assez judicieuse, car elle désignait la caractéristique du bon éditorial, qui ne doit souffrir aucun ralentissement, sous peine de voir descendre en route ses lecteurs. J'ai souvent comparé l'éditorial réussi à un tapis roulant : si le lecteur pose l'œil sur la première phrase, il doit filer jusqu'à la dernière sans effort ou, tout au moins, sans ennui, et pour ainsi dire sans même s'en apercevoir. « Quelles sont vos collaborations, actuellement ? » poursuivit à brûle-pourpoint Jean-Jacques. Depuis que j'avais quitté *France-Observateur*, je m'étais gardé de renouer avec l'obligation obsédante de l'article hebdomadaire, qui brise trop souvent la cadence du travail d'un livre. Je n'avais conservé que des collaborations épisodiques. Je les énumérai. « Qu'est-ce que vous avez comme autres collaborations ? » insista-t-il, comme un juge d'instruction précipitant son interrogatoire. Je raclai les ultimes broutilles qui pouvaient encore traîner dans les recoins de ma mémoire. « Bien, vous supprimez tout cela, n'est-ce pas ? reprit-il. De toute façon, ce que je vous offre est beaucoup plus avantageux, car ici vous aurez des vacances payées et le treizième mois. » Aussitôt, alors que nous venions de prendre place dans d'autres fauteuils pour le café, et sans que j'eusse même pu donner un consentement que JJSS ne m'avait d'ailleurs pas demandé, entra dans la pièce avec une précision dans le synchronisme qui m'éblouit, le directeur administratif, porteur de mon contrat, préparé à l'avance en trois exemplaires, qu'il me tendit. Je signai, médusé. Dans la minute qui suivit, sans avoir été appelé non plus, surgit un photographe qui se mit à me prendre en susurrant « souriez , plus gai, détendez-vous ». C'était en vue de mon échantillon personnel dans la série des « quatre rigolards ». Jean-Jacques, se tournant vers Françoise, lui enjoignit avec une affectueuse brusquerie : « Bon, alors, maintenant que vous l'avez, votre section culturelle, vous allez me faire le plaisir de vider votre minet. »

La jeunesse d'alors se divisait en « yéyés » et en « minets ». Les yéyés vivaient pour la musique rock et pop, récemment importée des Etats-Unis et prolongée en France par des chanteurs de talent. Ils tressautaient en marchant, pliant sans arrêt les genoux au rythme de leur orchestre intérieur. Les minets cultivaient au contraire le calme et la douceur, s'habillaient avec raffinement, surtout de velours frappé, n'exprimaient aucune conviction, souriaient inlassablement, s'introduisaient partout sans peser nulle part et préféraient au travail l'empressement discret auprès de dames un peu plus âgées qu'eux. Dans la génération précédente, on les aurait appelés gigolos ; mais les gigolos étaient des professionnels tandis que le minet restait un amateur.

Le « minet » que venait d'excommunier Jean-Jacques, je le sus par la suite, était un certain François Bott, dont j'ignorais alors jusqu'à l'existence et au nom. Il avait succédé à François Erval et, en dehors de la jeunesse, il n'avait, autant que je sache, au demeurant rien d'un minet, sinon dans la représentation un peu simplificatrice de JJSS, et en tout cas pas auprès de Françoise Giroud. Je ne sus jamais pour quel mérite Françoise l'avait engagé ni quel démérite Jean-Jacques lui avait trouvé pour l'évincer aussi cavalièrement. Néanmoins François Bott, que j'ai dû ensuite rencontrer trois fois trois secondes en trois décennies dans des cocktails de maisons d'édition, sans échanger avec lui que les salutations d'usage, demeura persuadé à tout jamais que c'était moi qui, ce jour de 1966, avait exigé sa tête avant de signer mon contrat. Or je n'étais même pas son successeur, lequel fut Jean-Louis Ferrier. J'entrais comme simple collaborateur et je n'avais demandé la tête de personne, surtout pas de quelqu'un qui m'était inconnu. Bott ne m'en voua pas moins une haine inextinguible dont, devenu responsable de la section « Livres » du *Monde*, il me fit assidûment sentir les conséquences, avec toute la vigilante rigueur d'un inflexible justicier. Ainsi va la morale.

IV

J'avais adoré enseigner. Et je crois avoir su ne pas trop mal le faire. Du moins les témoignages, directs ou indirects, de mes élèves et anciens élèves et de leurs parents, parfois même plusieurs années après mon départ de l'Education nationale, m'ont-ils incité à m'en flatter. Qu'y a-t-il de commun entre composer un éditorial et faire la classe ? Il y a le souci essentiel et constant de se mettre à la place de ceux qui vous lisent ou vous écoutent, de parler non pour vous-même mais pour eux, de ne jamais supposer connu chez eux ce qu'ils ont le droit d'ignorer, ni compris à l'avance ce qu'on a le devoir de leur expliquer. Abnégation plus acrobatique dans l'éditorial, en raison de la diversité de son public. On s'y adresse à la fois au professeur du Collège de France et au chauffeur de taxi. On doit rester compréhensible pour le second sans paraître banal au premier.

C'est pourquoi aussi, dans l'enseignement, je distinguerai avec soin la classe et le cours. A l'Institut français de Florence, établissement d'enseignement supérieur ou supposé tel, je faisais des cours, c'est-à-dire, en somme, des conférences à des étudiants plus ou moins assidus, disparates par les âges et le bagage intellectuel. Je ne pouvais guère évaluer, sinon à l'occasion des examens de fin d'année, ce que chacun avait retenu et compris de mes exposés ou acquis par ses propres lectures. Au contraire, faire la classe, comme j'ai tant aimé la faire, professeur de lycée, à Mexico, Lille puis Paris, c'est prendre en main, pour neuf mois, l'instruction quotidienne d'un groupe fixe de jeunes gens et de jeunes filles, sans se contenter de monologuer devant eux mais en vérifiant presque à chaque heure s'ils ont assimilé ou non ce qu'on a été chargé de leur apprendre. J'acquérais ainsi au fil des premières semaines une connaissance du niveau, des dispositions, du caractère et de la volonté d'étudier de chacun des individus que j'avais pour mission d'éduquer tout en le transformant en bachelier. En classe, le métier de professeur est à la fois plus technique et plus humain que dans le cours. On s'attache à chaque élève ou on s'en détache dans ce qu'il a de particulier par son caractère, ses dons, ses limites, et, tel le chef d'orchestre ou l'entraîneur, on fait manœuvrer l'ensemble en vue d'une réussite précise et d'une échéance inéluctable : le baccalauréat de fin d'année. C'était un temps où, pour élever le nombre des reçus, le ministère avait pour politique de rendre les candidats plus savants et non l'examen plus facile. Faire la classe à des élèves consiste non pas seulement à les intéresser, mais à les faire travailler, et au besoin à les y forcer. La science et la patience du professeur peuvent parcourir la moitié du chemin pour aller à la rencontre de l'élève, mais elles ne peuvent remplacer l'effort inhérent à l'acte d'apprendre. De tout temps et jusqu'à la fin des temps, il n'y a eu et il n'y aura de résultat éducatif que si l'autre moitié du chemin est parcourue par la curiosité et la volonté de l'élève, dont on peut susciter l'éveil, mais non pallier l'absence. C'est une sottise démagogique de proclamer que cette ardeur est toujours fournie spontanément. L'exiger, l'inspirer, l'obtenir, la rendre attrayante, voilà aussi le talent du pédagogue. Mais, si entraînant soit-il, ce talent ne se substituera jamais entièrement à l'application personnelle de l'apprenti. Nier la nécessité de ce second volet de l'éducation, que seul, en fin de compte, le disciple peut apporter dans le duo pédagogique, est l'effet d'une illusion qui confond instruction et cabotinage, initiation à la culture et léthargie télévisuelle.

Faire la classe, c'est aussi transformer les élèves en demandeurs actifs de connaissances. Parmi les plus rétrogrades âneries des « idées 68 » — dont toutes les aspirations ne furent pas mauvaises, loin de là — brillait cette trouvaille que l'enseignement ne devait pas servir à la transmission des connaissances ! Convenons que le corps enseignant des années soixante-dix a réalisé à la perfection cet idéal, vouant à l'ignorance un culte imperturbable. Mais non pas inoffensif. Ainsi, à la rentrée de l'automne de 1994, regardant une émission de télévison à laquelle participaient une douzaine de « jeunes » (en fait déjà passablement âgés pour les classes où ils se trouvaient), je pris conscience, après deux heures passées à écouter leurs récriminations et revendications, que pas un seul, durant ces longs échanges de vues, n'avait fait état d'un sentiment, malgré tout, non dépourvu d'utilité quand on fait des études : le désir d'apprendre. Ils parlaient de l'enseignement comme d'une sorte de compagnie d'aviation qui s'occupe bien ou mal de passagers, eux-mêmes d'une complète passivité. Nul ne soutiendrait que l'on peut devenir un bon skieur en se contentant de s'inscrire à une école de ski, sans effort musculaire dans l'application des instructions du moniteur. Mais l'effort intellectuel n'est plus considéré comme indispensable pour devenir un bon étudiant. Déplorer cette omission est devenu « réactionnaire ». La « société » porterait seule la responsabilité du résultat des études. D'ailleurs on ne dit plus qu'un élève est paresseux, on dit qu'il est « en échec scolaire », fléau anonyme qui s'abat sur le malheureux comme la pluie ou la rougeole.

Le bon vieux flemmard a disparu. Savoir faire la classe en épargnant aux élèves à la fois le gavage mnémonique et le bavardage berceur avait pourtant très tôt été la supériorité, je dirai même (pour avoir vu fonctionner plusieurs systèmes scolaires étrangers) l'exclusivité de l'enseignement secondaire français. J'ai toujours goûté, dans les *Mémoires pour servir à l'histoire de mon temps* de François Guizot (chapitre XX), une *Circulaire de la commission de l'Instruction publique aux professeurs des collèges*, datant de 1820, qui adressait à mes lointains devanciers de l'époque de la Restauration cette précieuse et concise exhortation : « Ce n'est point ici un cours de faculté. Le professeur ne peut espérer d'être utile à ses élèves qu'en se mettant toujours à leur portée ; c'est pour eux, et non pour lui, qu'il doit faire sa classe. » Dans les pays étrangers où les Relations culturelles m'ont envoyé « répandre la culture française », chaque fois que je déplorais le manque de « bases », comme on disait, des élèves ou des étudiants, mes collègues du pays en question me répondaient immanquablement : « Ah oui ! Mais vous, en France, vous avez un enseignement primaire et un enseignement secondaire d'une telle qualité, d'une telle efficacité que vous ne pouvez pas comprendre ce que c'est que de voir arriver au seuil de l'enseignement supérieur des étudiants quasiment illettrés. » Nous l'avons compris aujourd'hui.

Il est vrai que, jusque vers 1960, dans une classe terminale, alors bien meilleure que son équivalent actuel, on n'estimait pas que l'obtention du baccalauréat impliquait nécessairement chez l'impétrant les qualités voulues pour accéder avec des chances de succès à l'enseignement supérieur. Le professeur de philosophie, celui de mathématiques élémentaires, ayant trente ou quarante élèves, évaluaient en général à moins d'une dizaine les éléments capables d'aborder sérieusement la faculté ou une classe préparatoire à une grande école.

On employait alors le substantif *L'Université* pour désigner l'ensemble des trois ordres d'enseignement : le primaire, le secondaire et le supérieur. On appelait Facultés des lettres ou des sciences ce que nous nommons aujourd'hui Universités, depuis que nous avons copié, après 1968, le vocabulaire mais non la réalité des Universités britanniques ou américaines. Le primaire comprenait jadis non seulement les cinq années de l'actuel enseignement élémentaire, mais aussi les cours complémentaires et les écoles primaires supérieures. Ces dernières dispensaient un enseignement exigeant, précis et solide. Elles ont été les ascenseurs de la promotion sociale républicaine, notamment dans l'accès à la moyenne fonction publique. Si la France a été jusqu'à une date récente le pays le mieux administré du monde, c'est grâce au brevet supérieur. De plus, nombre de ses titulaires, passés dans le privé, ont constitué l'ossature de nos petites et moyennes entreprises. Encore vers 1960, un brevet supérieur, obtenu par des sujets qui n'avaient jamais fréquenté l'enseignement secondaire, était garant de connaissances bien plus sérieuses que les cataplasmes culturels que sont la plupart des diplômes de nos bacheliers actuels. Le beau titre d'instituteur attirait le respect, qui fait défaut de nos jours aux « professeurs d'enseignement général des collèges » (PEGC), puisqu'ils ont tenu, en 1969, à substituer ce jargon administratif ampoulé au noble mot qui, chez Rabelais, Montaigne, Descartes, désignait la mission « d'instituer » les enfants. « Vous faites de l'institution des enfants un grand objet de gouvernement », écrit Voltaire à La Chalotais en 1763. Nous prétendons, au seuil du XXIe siècle, en faire autant, mais nous avons détruit l'instrument qui permettait d'y parvenir. D'où le recul du respect voué aux pédagogues. Un professeur de lycée, je puis en témoigner, comptait encore, vers 1960, parmi les notables de la ville où il exerçait, malgré la modestie relative de ses revenus. Pourquoi entend-on maintenant se plaindre d'un manque de considération le troupeau indistinct des « enseignants » ? Parce qu'ils n'enseignent plus. Et ce malgré ce hideux participe substantivé, en usage depuis la fin des années soixante. (Pourquoi ne pas dire aussi les peignants, les cuisinants, les pêchants, les cultivants, les vendants ?)

Enseigner ! Cet art ne s'enseigne pas. Loin des braiments pompeux et des pesantes breloques verbales dont l'ont empâtée les théories, la pédagogie pratique est en majeure partie faite de procédés humbles et simples que l'on met au point sur le tas. C'est dans les moments où plus personne ne sait enseigner qu'on réinvente la pédagogie théorique. Un minuscule exemple : tant comme élève jadis que comme professeur maintenant, j'avais constaté que nombre d'élèves ne parvenaient pas à suivre parce que au lieu de concentrer leur attention sur le contenu de l'exposé ils étaient trop occupés à le prendre en note. Ils perdaient le fil de la pensée et le déroulement du discours. Ils attrapaient au vol des bribes de mots et non des idées, demandaient à voix basse autour d'eux : « qu'est-ce qu'il a dit ? » et se penchaient vers le cahier de leurs voisins pour recopier au hasard et dans l'affolement ce qu'ils y voyaient d'écrit sans le comprendre. J'avais donc adopté la méthode d'interdire à mes élèves de noter quoi que ce fût pendant la première demi-heure de la classe, afin qu'ils pussent rassembler toute leur vigilance pour écouter le développement et les articulations de la question exposée, dans le seul dessein de s'en pénétrer, d'en saisir l'essentiel, les arguments et les enchaînements, quitte à m'interroger, à la fin, sur les aspects restés pour eux obscurs. Quand j'avais terminé, je reprenais le sujet plus lentement et plus brièvement pour leur permettre d'en coucher les grandes lignes sur le papier, sans confondre le principal et l'accessoire, le fond et la formulation, l'idée et l'exemple. A la fin, ils pouvaient encore me poser des questions. Le lendemain, c'est moi qui leur en posais, pour contrôler le degré de leur assimilation.

Ces petits trucs ne servent à rien si les élèves ne sentent pas chez leur professeur la compétence et la conscience. Leur respect pour lui est à ce prix, et l'avoir obtenu supprime tout problème de discipline. A l'inverse, les lycéens flairent sans retard et traitent sans indulgence le professeur « fumiste », brouillon, paresseux ou inefficace. J'abordais un jour, dans ma classe du lycée Jean-Baptiste-Say, à Paris, l'exposé de la notion pavlovienne de réflexe conditionné, laquelle suppose évidemment pour être comprise que l'on sache d'abord ce qu'est le réflexe inné ou naturel. L'étude en figurait d'ailleurs au programme de biologie de la classe de philosophie. Je dis donc à mes potaches, en guise d'introduction : « Bien entendu, vous avez appris dans votre cours de sciences naturelles ce qu'est l'arc réflexe. » Cette phrase anodine déchaîna chez mes jeunes gens un bruyant fou rire collectif. Eberlué que l'anatomie de la moëlle épinière et le trajet suivi par l'influx nerveux leur parussent à ce point comiques, je m'enquis de la raison de leur soudaine gaieté. Avec réticence, le « chef de classe » finit par m'avouer que leur professeur de sciences naturelles... n'enseignait jamais les sciences naturelles. Ou il les enseignait de façon si brouillonne que nul ne pouvait rien en retenir. Dans tous les lycées circule une cote officieuse de la valeur de chaque professeur. Et ce bouche à oreille des lycéens établit, au sein du corps, enseignant un tri, une hiérarchie et un barème bien plus exacts que ne peuvent en dresser les inspecteurs généraux dans leurs rapports. Comme a osé le proclamer un professeur à la Sorbonne, Gérald Antoine : « A maints égards, il est plus difficile de faire une bonne leçon de grammaire dans une sixième de lycée qu'un bon cours de linguistique en Sorbonne. » (Gérald Antoine et Jean-Claude Passeron, *La Réforme de l'Université*, 1966, Avant-propos de Raymond Aron.) C'est non seulement difficile, mais fatigant, à un degré qu'on a peine à imaginer quand on n'a pas fait le métier. Je sortais de quatre heures de classe « vidé » pour la journée. Cet épuisement de la force nerveuse, plus encore que les préparations et corrections, justifie les fameuses vacances du corps enseignant que toutes les autres professions s'accordent à trouver scandaleusement longues. Les seules heures de travail d'un joueur de football sont-elles celles des matchs ? D'un comédien, le temps des représentations ? Et ces heures mêmes ne consomment-elles pas plus d'énergie que celles de la plupart des autres métiers ?

Laissons ces trivialités pour revenir au noyau commun à l'enseignement et au journalisme, au devoir sans lequel ils ne sont qu'un défilé de masques : le service de la vérité, ou, tout au moins, le ferme propos de la servir. Je me dispenserais de ce truisme si les responsables de l'enseignement ne cédaient pas périodiquement à la tentation de le transformer en instrument de propagande et d'endoctrinement. Pour le journalisme, c'est là un penchant connu et dont les lecteurs se méfient. A l'égard des falsifications de l'enseignement, la méfiance protège hélas ! moins les jeunes. Leur ignorance les rend vulnérables, ce dont peuvent abuser des professeurs pétris d'idéologie et enflés de leur autorité. Ce qu'ils firent, et furent, en Europe occidentale après 1968, considérant que leur mission devenait de convertir toute la jeunesse au socialisme. A la fin des années quatre-vingt, aux Etats-Unis, sévit dans les écoles et dans les universités un nouveau genre de terrorisme moral et intellectuel, le déjà mentionné « politiquement correct » ; en abrégé le « PC ». Un sigle qui, décidément, n'a pas eu de chance au vingtième siècle. En 1988, le cours d'initiation à Stanford élimine donc Platon, Aristote, Cicéron, Dante, Montaigne, Cervantès, Kant, Dickens ou Tolstoï, pour les remplacer par une culture « plus afrocentrique et plus féminine ». Les inquisiteurs relèguent par exemple dans les poubelles de la littérature un chef-d'œuvre du roman américain, le *Moby Dick* d'Herman Melville, au motif qu'on n'y trouve pas une seule femme. Les équipages de baleiniers comptaient en effet assez peu d'emplois féminins, au temps de la marine à voile... Autres chefs d'accusation : Melville est coupable d'inciter à la cruauté envers les animaux, critique à laquelle donne indéniablement prise la pêche à la baleine. Et les personnages afro-américains tombent à la mer et se noient pour la plupart dès le chapitre 29. A la porte, Melville ! Un rapide coup d'œil sur l'histoire des programmes d'éducation dirigistes, qu'ils soient religieux ou politiques, imposés par un pouvoir extérieur ou secrétés spontanément par une caste de clercs, suffit pour constater qu'ils se fondent tous sur la mise à l'index de grands auteurs, auxquels les censeurs substituent des auteurs bien-pensants, selon leur point de vue : des serviteurs de la servitude. Que des tyrans politico-idéologiques abrutissent ainsi leurs sujets, on le comprend. Mais quand des professeurs se disant « de gauche », en Europe ou aux Etats-Unis, pratiquent en démocratie cette sélection obscurantiste, comment ne font-ils pas le rapprochement entre la tyrannie de leur propre bêtise et celle des régimes oppresseurs qu'ils se flattent de honnir ? La haine de la liberté prend souvent le masque de sa défense. La différence entre l'éducation totalitaire et l'éducation libérale consiste en une distinction des plus simples : la première prescrit ce qu'il faut penser, la seconde enseigne comment penser.

Selon le même principe de la civilisation libérale, dans une presse consciente de son devoir, l'article, l'éditorial n'imposent pas au lecteur une opinion ; ils mettent à sa disposition et ils mettent en forme les informations et les raisonnements qui lui permettront de s'en faire une. C'est en vertu de ce précepte que mes deux métiers se sont nourris l'un l'autre. Dans les civilisations altérées par l'idéologie, les deux sacerdoces de l'information — l'éducation et la communication — se dégradent du reste nécessairement ensemble. Le professeur transmet à sa classe et le journaliste à son lectorat non ce qu'ils savent être vrai, mais ce qu'ils veulent leur faire croire. Ils leur cachent ce qu'ils souhaitent leur laisser ignorer. Pour demeurer dans l'orthodoxie « respectable », ils font du mensonge un idéal moral et une seconde nature. La crainte de l'excommunication remplace dans leur cœur le respect de la connaissance. J'en fis à mes dépens la comique expérience dans une mésaventure où, par un providentiel hasard démonstratif, les deux professions se trouvèrent alliées et surenchérirent à tour de rôle dans la partialité pusillanime.

V

Vers le début de l'année 1979, quelques mois après que j'eusse pris la direction de *L'Express*, je reçus la visite de Jean-Louis Servan-Schreiber, que je connaissais de longue date pour avoir publié chez Laffont et fortement sué à rendre lisibles deux de ses livres. Le plus important, *Le Pouvoir d'informer*, constituait une substantielle enquête sur, précisément, le journalisme. Journalisme que Jean-Louis désirait faire connaître davantage et comprendre mieux dans l'enseignement public. Pour y intéresser le corps enseignant et l'inciter à parfois consacrer un peu du temps de classe à commenter et à discuter un quotidien ou un hebdomadaire, il avait créé une associaton, le CIPE. Ce sigle, sauf erreur, devait correspondre à « Comité pour l'introduction de la presse à l'école ». Ledit comité, s'étant réuni la veille pour délibérer du choix d'une personnalité à laquelle proposer de le présider, avait conclu, à l'unanimité, me rapporta Jean-Louis, enjolivant sans doute un peu son récit pour me flagorner, que j'étais l'homme, dans toute la presse française, qui réunissait le plus de titres et de qualités pour accéder à cette dignité suprême. Tout Français rêve d'une présidence, tôt ou tard, peu importe laquelle et de quoi. L'allégresse de s'entendre donner du « Monsieur le Président » ou du « Cher Président » balaye les hésitations d'une égoïste modestie qui pourraient le retenir de se sacrifier pour le bien public.

J'avais cependant d'autres raisons de répondre oui. Microcosme isolé, les professeurs, à la fin du vingtième siècle ignoraient les réalités de l'information ou s'en formaient une caricature naïve. Ensuite, j'avais pu apprécier, aux Etats-Unis, la fécondité de semblables expériences pédagogiques, dans des collèges où, invité à parler, je trouvais un auditoire auquel ses maîtres avaient, le matin, prescrit, comme préparation à ma conférence, quand celle-ci portait sur un thème de science politique, la lecture attentive d'un bon quotidien du jour ou de la veille. J'avais constaté combien l'on y gagnait en précision dans les questions et le débat. C'est un préjugé français de croire que l'on peut discuter avec profit autour du vide, par la génération spontanée

des idées dans un prétendu « dialogue ». Ce faux dieu de l'incompétence ânonnante reculerait en France aussi, me dis-je, devant les impé-
ratifs d'un travail sur pièces. Enfin, raison personnelle d'accepter,
j'avais des sentiments amicaux pour Jean-Louis.

Le frère cadet de Jean-Jacques avait, certes, comme son frère aîné,
une bouleversante confiance en lui-même et la conviction affairée que
les autres humains n'avaient été mis sur terre que pour le service de
sa plus grande gloire. Il les mobilisait comme s'ils étaient tous ses
employés, avec un aplomb dont son manque d'humour l'empêchait de
borner l'excès, mais dont le naturel sidérant paralysait les défenses de
ses victimes. Sa jeunesse était de celles que l'on qualifie d'« éternelles ». Son physique séduisant avait même, disait-on, excité jadis, en
pure perte, une concupiscence peccamineuse chez le vieux François
Mauriac. Son élégance conventionnelle mais soignée donnait l'impression qu'il gardait toujours son pardessus, même quand il l'avait ôté.
Son sourire, fixe, constant, mais dont l'effet bizarre renforçait, au lieu
de l'atténuer, le sérieux de son visage, sous des cheveux noirs plaqués,
avec, sur le côté, la raie méticuleuse de l'organisateur implacable, tout
chez lui me poussait, chaque fois qu'il me rendait visite, à rêver qu'il
venait me proposer un service, alors qu'il venait m'en demander un.
Ou plutôt, il ne se donnait même pas cette peine et m'en traçait en
détail d'emblée la mise en œuvre, tant il doutait peu que je dusse le
lui rendre, sans attendre la moindre contrepartie de sa part.

Une autre fois, il m'avait ainsi téléphoné, un après-midi, exigeant
de me rencontrer sur-le-champ, toutes affaires cessantes. Je lui répondis que je partais le lendemain matin pour New York, que j'avais
encore un article à écrire, une dizaine de lettres à dicter, deux ou
trois rendez-vous à honorer. Son problème ne pouvait-il attendre mon
retour, quelques jours plus tard à peine ? Non, non, insista-t-il. Je
saisirais instantanément, m'assura-t-il, en lui accordant un quart
d'heure, l'importance et l'urgence du motif qui l'animait, et qui lui
faisait un devoir amical de me presser de changer mon emploi du
temps pour l'harmoniser au sien. J'obtempérai, impressionné par ses
objurgations, m'illusionnant au point d'envisager que, pour une fois,
c'était mon intérêt qui était en jeu et non le sien. Quelle révélation
sur mon sort me réservait-il ? Traversant la rue de Berri, où se trouvait encore *L'Express* avant de s'installer plus somptueusement avenue Hoche, je me débrouillai pour retrouver Jean-Louis, tant bien que
mal, une heure plus tard, au Golden Gate Bar. « Voici, me dit-il, avec
une rayonnante solennité, voici les épreuves de mon prochain livre, *A
mi-vie*, qui sort dans quinze jours. Je vous les remets en priorité. J'ai
pensé que ce serait pour vous une distraction agréable que de le lire
dans l'avion. Vous serez ainsi mieux à même, une fois revenu à Paris,
d'en faire préparer sans retard dans *L'Express* une bonne critique,
l'idéal étant, bien entendu, que vous la fassiez vous-même. »

Interloqué, pétrifié, immobilisé comme ces insectes que décrit Jean-Henri Fabre dans *Les Souvenirs d'un entomologiste*, et que la piqûre du prédateur paralyse sans les tuer, les transformant en provision de viande fraîche, je plaçai sans résistance le jeu d'épreuves sous mon bras et regagnai, tel un somnambule, l'ascenseur de *L'Express* et mon bureau. Je sais que j'eus l'intention, pour une fois, de me venger, en interdisant toute mention dans le journal de ce « Jean-Louis par lui-même » sans relief. Mais je serais étonné d'avoir eu assez de persévérance pour me tenir à moi-même parole. Ma rancune fut plus probablement dissipée par le spectacle attendrissant de tant de cabotinage ingénu.

Car j'avais aussi de l'estime pour Jean-Louis. Il avait l'instinct et la connaissance de la presse. C'est lui qui, ayant à peine dépassé vingt ans, et rentrant d'un stage en Amérique, avait conseillé à son frère aîné Jean-Jacques de transformer *L'Express* en newsmagazine inspiré de *Time*. C'est lui qui, cinq ans plus tard, avait conçu, fondé, et conduit au succès le premier magazine économique français à la fois sérieux et populaire, *L'Expansion*, en le confiant à un grand directeur, Jean Boissonnat. Enfin, le premier de ses livres, *Le Pouvoir d'informer*, le seul bon, je l'ai dit, faisait encore autorité. Et, je le répète, je vis dans le CIPE une salutaire initiative, tout en ayant conscience que Jean-Louis attendait surtout de ma « présidence » le soutien de *L'Express*, ce qui, en l'occurrence, n'avait rien d'immoral, à condition que le CIPE tienne ses promesses. Notre entrevue avait eu lieu un vendredi. Avec son infatigable efficacité, Jean-Louis avait déjà mis sur pied la réunion au cours de laquelle on m'introniserait. Elle se déroulerait le lundi suivant dans les bureaux de nos confrères et amis du *Point*, en présence de représentants de tous les journaux qui étaient parties prenantes du CIPE, et qui, dans un gaillard pluralisme englobant capitalistes et communistes, allaient du *Figaro* à *L'Humanité*.

VI

La divinité qui veille sur le bonheur des lâches avait choisi le dimanche suivant, 14 janvier 1979, comme date d'un « Club de la presse » dont l'invité se trouvait être Georges Marchais, secrétaire général du Parti communiste français. Principale émission politique hebdomadaire de la station de radio « Europe n°1 », le « Club de la presse » réunissait, chaque dimanche, de 19 heures à 20 heures, autour d'une vaste table en fer à cheval, une vingtaine de journalistes, pour la plupart directeurs ou rédacteurs en chef, autour d'une personnalité politique. Quel commentateur ou politologue n'a pas tracé en ces années le portrait de Georges Marchais ? Pourtant, c'est un humoriste de génie, l'imitateur Thierry Le Luron qui l'a le mieux croqué, sur la scène. Rogue, tyrannique, vaniteux, menteur (cet attribut répondait, il est vrai, aux exigences organiques de sa fonction), Marchais houspillait, humiliait, injuriait les journalistes avec toute la grossièreté de l'apparatchik et toute la suffisance du médiocre. La presse française, même hostile, au lieu de le rembarrer pour le convaincre de l'inutilité de ses arrogances, courbait l'échine sous ses affronts, allant jusqu'à l'encenser et à le célébrer comme une « formidable bête de télévision », selon le cliché usuel. Si formidable, en effet, que Marchais, avantageux et borné, conduisit avec brio et rapidité son parti, le premier de France en 1945, le premier de la gauche en 1970, au naufrage électoral de 1981 et à la marginalisation politique qui en fit le plus petit des partis classiques, contre toute l'attente des doctes. Le populo qui vote se laisse moins épater que les plumitifs qui opinent.

Ce soir-là, tout au long du « Club de la presse », une idée fixe travaillait visiblement le secrétaire général : il voulait monter à l'attaque du Premier ministre, Raymond Barre, au sujet de la crise de la sidérurgie. Un de ses valets de plume avait dû lui tourner sur ce sujet un couplet qu'il tenait à servir aux auditeurs. Il vint et revint à la charge, sans résultat, balayant la compagnie d'un œil courroucé et martelant : « Vous allez sûrement m'interroger sur la sidérurgie. » Mais les journalistes présents, dont moi, s'intéressaient surtout à la « rupture de l'Union de la gauche », qui, après un artificiel et passager replâtrage entre les deux tours des élections législatives de mars 1978, avait de nouveau séparé les communistes des socialistes. Le PC ne cessait de polémiquer contre le PS, sur instruction de Moscou, ce n'est pas moi qui le dit, ce sont les socialistes eux-mêmes qui le laissaient entendre. L'URSS voulait, en effet, diviser la gauche française pour empêcher Mitterrand de gagner l'élection présidentielle de 1981, conformément à la vieille tradition du Kremlin, qui savait pouvoir compter sur l'antiaméricanisme de la droite gaulliste ou postgaulliste en politique étrangère plus que sur celui des socialistes. En quoi il ne se trompait guère, car je suis personnellement convaincu que Giscard n'aurait jamais pris position en faveur du déploiement des euromissiles en 1983 avec la même netteté que le fit Mitterrand.

Ce soir-là, Marchais, de plus en plus irrité de voir le temps passer sans qu'aucun journaliste non communiste lui tendît une perche pour lui permettre de déblatérer au sujet de la sidérurgie, se renfrognait toujours davantage derrière ses épais sourcils noirs et sa mâchoire carrée. Il y avait, bien entendu, toujours un journaliste de *L'Humanité* au Club de la presse, mais l'usage voulait qu'il demeurât silencieux quand l'invité était le secrétaire général de son parti. Pour que les larrons en foire convainquent, le public doit ignorer qu'ils sont de mèche. Survint une des pauses publicitaires pendant lesquelles l'émission s'arrêtait quelques minutes. L'ordre alphabétique m'avait placé à la gauche de Marchais. Pendant qu'en attendant la reprise je feignais de m'absorber dans la lecture d'un document, soudain Marchais apostropha par-dessus ma tête Pierre Sainderichin, de *France-Soir*, lui-même à ma gauche. Il lui lança, ivre de colère : « Dites-donc, combien il vous a payés, Barre, pour que vous ne me posiez aucune question sur la sidérurgie ? » J'écris bien « payés » au pluriel, car, quoique tombant sur l'inoffensif Sainderichin, l'insulte s'adressait en fait à nous tous. Une partie des journalistes étaient restés à leur place, d'autres l'avaient quittée pour aller prendre une boisson à un bar que la station faisait toujours dresser dans un coin du studio, les soirs de « Club de la presse ». Leur babillage de caillettes se calma d'un seul coup. Déçu par le silence apeuré de mes confrères, mutisme peu approbatif, certes, mais également peu offensif, pas même défensif, je dis à Marchais : « Je vous somme de répéter tout à l'heure publiquement, à l'antenne, ce que vous venez de nous dire en privé. » Il resta une seconde interloqué devant un style de contre-attaque dont toute la presse l'avait par couardise déshabitué. Mais aussitôt il fut repris par son naturel. Il était emporté jusqu'à la folie contre ceux qui osaient lui tenir tête. S'aigrissant devant la contradiction, il me lança : « Et d'abord vous, Revel, vous êtes une canaille. »

Pourquoi une canaille ? Parce que dans *L'Express* des 24 et 31 juillet 1978 (numéros 1411 et 1412) j'avais cosigné avec Branko Lazitch, l'un des plus grands spécialistes de l'histoire du communisme, et qui avait, en fait, rassemblé le plus gros de la documentation, un long récit intitulé « La vraie vie de Georges Marchais ». Nous y relations la collaboration volontaire de Marchais avec l'industrie de guerre de l'ennemi chez Messerschmitt en 1942, ce dont Lazitch devait d'ailleurs trouver dans les archives allemandes la preuve matérielle en 1980 ; puis nous mentionnions l'étrange trou dans sa biographie, de 1943 à 1947, énigme jamais élucidée ; ensuite nous racontions sa non moins tortueuse et ténébreuse carrière dans le Parti, jusqu'à ce que Moscou le hissât au secrétariat général ; enfin son histoire après cette ascension, pur produit du « centralisme démocratique ». De tous les épisodes nauséabonds ou suspects de sa « vraie vie », c'est, on s'en doute, celui de sa période allemande qui gênait le plus notre héros. Les curieux qu'intrigue l'élasticité de l'âme humaine ont d'ailleurs, à ce propos, l'occasion d'admirer une édifiante coïncidence : les deux chefs historiques de la gauche française des années soixante-dix et quatre-vingt, Georges Marchais et François Mitterrand, ont l'un et l'autre eu sous l'Occupation des activités que l'on considérait alors, d'un avis assez général, comme collaborationnistes, même si Mitterrand passa sur le tard à la Résistance. Virage qu'il n'est certes pas le seul vichyste à s'être en temps utile et de justesse avisé de prendre. Marchais, pour sa part, fit mieux : il s'escamota intégralement de la scène historique deux ans avant la fin de la guerre pour n'y réapparaître que deux ans après, sans jamais avoir pu articuler la moindre explication plausible de ce mystérieux tour de magie.

Je me levai et, suave, annonçai à la cantonade que je ne souhaitais pas infliger plus longtemps à un homme d'Etat aussi distingué la compagnie d'une canaille. Je me dirigeai vers la sortie, abandonnant le Club de la presse au beau milieu de la séance. Je fus le seul. Pourtant tous les présents avaient été les destinataires collectifs du crachat marchaisien. Ils en dégouttaient encore. Même Sainderichin, fortuite cible du jet de salive secrétarial, lui qui, le premier, aurait dû exiger des excuses immédiates et publiques pour avoir essuyé l'accusation suprêmement déshonorante pour un journaliste d'être à la solde du gouvernement, ou de qui que ce soit, même lui resta penaud, le séant cloué sur son siège. En traversant le petit public d'invités qui assistait toujours à ces soirées, je me heurtai à un gros bonhomme, qui bafouilla quelques grognements d'où il ressortait que, vu la personnalité du propriétaire de L'Express, j'étais « l'esclave du fric du milliardaire étranger Goldsmith ». Ce fin causeur n'était autre que Georges Gosnat, le trésorier du Parti communiste français. Je ne puis dissimuler, à l'entendre, une explosive gaieté : « A propos de fric, vous aurez bientôt de mes nouvelles », lui répliquai-je. Cette déclaration lui parut sans aucun doute oiseuse et dénuée de signification. Car Gosnat ignorait le fait qui, moi, me faisait rire sous cape : depuis quelques jours, j'avais dans mes coffres des dizaines de « listings » de la Banque de l'Europe du Nord, plus habituellement et justement nommée Banque soviétique. Or ces listings contenaient le catalogue des opérations financières occultes du Parti communiste français, et en particulier des fraudes fructueuses de Georges Gosnat lui-même, de ses trafics malhonnêtes avec les pays communistes. On y trouvait aussi les comptes personnels, fort copieusement garnis, des hauts dignitaires et journalistes du Parti. Ils permettaient de constater qu'ils étaient payés, eux, non par Raymond Barre, mais par Leonid Brejnev. Jean Montaldo, qui avait réussi à se procurer ces pièces, je dirai comment, était en train d'en tirer en grand secret pour *L'Express* un document que j'allais sortir quelques jours plus tard. *Time Magazine* écrivit après cette parution, faisant allusion à l'injure de Marchais à mon encontre, que ces révélations constituaient (on peut traduire ainsi l'esprit de la phrase anglaise) la « réponse du berger à la bergère ». Elles le furent par hasard, car la réplique était prête avant l'affront. Au demeurant Marchais et Gosnat n'étaient pas des bergères : c'étaient plutôt des loups — mais aux dents par bonheur émoussées, tant ils avaient peu l'occasion de s'en servir contre leurs prétendus adversaires, habitués à battre en retraite devant eux sans résister. Quant à moi, c'est la joie au cœur que je quittai, ce soir-là, les locaux d'Europe 1 : car quel inestimable certificat de moralité que l'outrage d'un gredin !

VII

Si *Time* avait répercuté l'écho de cet outrage, qui visait toute une classe de citoyens, c'est que mon altercation avec Marchais avait eu un retentissement national et — la preuve — international. Cette notoriété soudaine d'un épisode aussi misérable me surprit. L'incident avait éclaté à huis clos et alors que les micros étaient coupés. Mais les témoins l'avaient colporté le soir même au dehors. La rumeur s'en était propagée dans les rédactions. Les quotidiens du lendemain relatèrent cette farce, qui me valut une avalanche de lettres, porteuses de sympathie, d'indignation et de soutien. J'ignore encore comment s'était passée la suite de l'émission, après mon départ. Des auditeurs me racontèrent que les animateurs, Alain Duhamel et Gérard Carreyrou, approuvés par certains participants, « déplorèrent » le comportement de Georges Marchais, semble-t-il, mais avec une douleur feutrée, à coup d'allusions confuses et énigmatiques pour le public. La presse française, tout en se croyant frondeuse, respecte les officiels, les « institutionnels », l'*establishment*. Elle les brocarde mais tient toujours à éviter de se brouiller avec eux.

J'en sus quelque chose dès le lundi matin, puisque Jean-Louis Servan-Schreiber m'appela au téléphone à la première heure, d'un ton lugubre et compassé, comme pour me présenter ses condoléances. Il me susurra qu'après le heurt qui m'avait opposé la veille à Marchais, ma présence à la réunion du CIPE, prévue à midi dans les locaux du *Point*, risquait de porter ombrage à nos confrères de la presse communiste et devenait inopportune. Quant à ma présidence, à l'aurore de sa gloire, elle faisait ainsi naufrage, sans avoir même eu le temps de flotter. Jean-Louis reflétait, de toute évidence, le courant majoritaire des membres du CIPE, dont il avait dû sans doute recueillir précipitamment les courageux avis. Je suis facile à amuser, mais, là, je l'avoue, mon hilarité devant la bravoure et le point d'honneur de mes occasionnels confrères transcenda la moyenne de mes joies passées.

Non seulement c'était Marchais qui m'avait insulté, et non l'inverse, mais il l'avait fait parce que j'avais pris la défense d'un confrère ignominieusement agressé par lui, et en des termes qui visaient en fait toute la profession, représentée au complet dans le studio. Pourtant, c'étaient les journalistes communistes, et non les autres, qui avaient, paraît-il, le droit de se sentir offensés ! Et accessoirement de m'écarter de la présidence dérisoire d'un comité provisoire, honneur auquel je n'avais au demeurant jamais été candidat et que l'on m'avait supplié d'accepter comme on mendie un service.

Pour comprendre ce renversement des rôles, il faut se remémorer le climat de terreur que répandait alors à gauche comme au centre et même à droite la peur de passer pour anticommuniste. A peine une décennie plus tard, quand l'Empire soviétique eut entamé sa rapide décomposition, on eut tendance à oublier que les ultimes années de l'intimidation politique et de la dictature intellectuelle des communistes dans les démocraties occidentales furent parmi les plus dures. Les attrape-nigauds du moment, la « détente », l'eurocommunisme, le « compromis historique », le « renoncement » du PCF à la dictature du prolétariat, qui n'existait pas en France, mais non au « centralisme démocratique », qui existait bel et bien dans le Parti, étaient autant de hochets et de leurres qui accréditaient le mythe d'un communisme libéral et discréditaient l'anticommunisme comme une obsession démodée. Surtout en France. L'Union de la gauche, quoique brisée, quoique battue dans les urnes en 1978, y continuait, dans le camp dit progressiste, à faire l'objet d'un culte bigot, tenu pour un devoir sacré. Toute critique du communisme se faisait taxer de crime contre la gauche en général et de complot destiné à entraver l'accession des socialistes au pouvoir. L'histoire de l'univers se subordonnait à l'avenir électoral du PS, lui-même dépendant de l'appoint des voix communistes. A l'inverse, à droite, c'est cet appoint même que l'on comptait voir le PC refuser, en fin de compte, au PS. Décrocher l'abstention communiste pour remporter le second tour de la présidentielle de 1981, tel était l'espoir suprême et fallacieux dont se berçait le président Giscard d'Estaing. Donc, tout le monde ménageait les communistes, et les communistes pouvaient impunément insulter tout le monde. Leur tenir tête rendait l'imprudent imprécateur impopulaire dans tous les partis, mais surtout, bien sûr, dans la gauche non communiste.

Je l'appris à mes dépens durant ces années. Et, entre autres, avec les professeurs du CIPE. Car, pour en revenir à eux, je n'avais pas cru devoir refuser à Jean-Louis, dont nul remords de sa piteuse retraite ne diminuait le contentement triomphal, de venir leur consacrer une matinée, au printemps suivant. J'ai déjà dit mon inaptitude à persévérer dans la rancune. Ma curiosité pour l'expérience balaya mon ressentiment. Ayant longtemps vécu dans le monde enseignant, je savais combien il ignorait celui de la presse. Parler de mes nouveaux confrères à mes anciens collègues me tentait trop pour que je négligeasse l'occasion de le faire. Je me croyais assez qualifié, de par les étapes mêmes de ma vie, pour établir un pont entre les deux professions et bien expliquer mon présent métier à des auditeurs qui exerçaient mon ancien métier. Le CIPE avait rassemblé une centaine de professeurs, venus de toute la France, dans un manoir des environs de Paris, au milieu de jardins pentus qu'ensoleillait un mois de mai déjà estival. Des directeurs de journaux, des rédacteurs en chef, de grands reporters, des critiques, des éditorialistes se produisirent pendant trois jours devant ces représentants du corps enseignant français. J'avais vécu, conféré et écrit dans diverses rédactions, depuis 1958, en France et à l'étranger. Mais *L'Express*, où je travaillais depuis 1966, possédait le prestige d'un hebdomadaire français parmi les plus anciens de l'après-guerre, et le plus diffusé, en France et à l'étranger, l'un des plus influents, dans une histoire politique et culturelle qu'il avait souvent infléchie, autant qu'il l'avait racontée. Quand mon tour vint de comparaître devant mes anciens collègues, je les supposais désireux d'apprendre du directeur de ce journal, qui avait commencé par en être le collaborateur pendant douze ans, comment s'en récoltait la substance, comment se construisait un numéro, qu'est-ce qui dictait le choix d'une couverture, comment se recherchait l'information, comment les visées et servitudes d'un hebdomadaire se distinguaient de celles d'un quotidien, comment nous utilisions les dépêches d'agence ou nos propres informateurs, comment s'élaboraient une enquête, une interview, comment s'exploitaient un document, un sondage, bref en quoi consistait le métier. Nous autres entreprises de presse avions d'ailleurs créé et financé le CIPE dans l'intention de leur ouvrir les coulisses de nos maisons, de les initier à la marche de nos ateliers, en marge des jugements de valeur et des options politiques.

Or les honorables pédagogues réunis à nos frais pour se renseigner sur le fonctionnement de la presse ne m'interrogèrent sur aucun de ces points. La séance dégénéra d'emblée en procès, dont l'acte d'accusation à mon encontre se ramenait à la question qui seule les passionnait : pourquoi *L'Express* ne soutient-il pas le programme commun de la gauche ? Pourquoi avez-vous « viré à droite » ? Incapables de s'arracher à l'ornière idéologique, où périt toute curiosité intellectuelle, ils ne parvenaient même pas à formuler correctement leur préjugé. Car *L'Express* s'était toujours voulu l'avocat d'un libéralisme réformateur, aussi sévère, trop peut-être, pour la droite gaulliste que pour le collectivisme marxiste. *Le Défi américain* de Jean-Jacques Servan-Schreiber en 1967 avait été le manifeste de cette ambition de la réforme libérale. En tant qu'éditorialiste politique du journal depuis 1971, j'étais bien placé pour savoir que nous frappions ponctuellement une semaine à droite, contre ce que nous considérions comme l'immobilisme devant l'avenir du président Georges Pompidou, et une semaine à gauche, contre ce que nous considérions comme la régression vers le passé du programme commun. Tronquée à la base et fondée sur l'ignorance de la teneur exacte de *L'Express* depuis dix ans, l'objection du corps professoral se ramenait donc à l'interrogation monomaniaque : pourquoi n'êtes-vous pas marxiste ? J'y avais répondu en plusieurs livres et maints articles. Et de toute manière, ressasser mes arguments ne constituait nullement l'objet de cette réunion, ni du CIPE. Je n'ignorais pas que la forteresse enseignante votait à gauche dans une proportion d'un quart ou un tiers supérieure à celle du vote de gauche des autres Français dans leur ensemble — ce qui ne laissait pas, d'ailleurs, de proposer un thème intéressant mais fort délaissé à la réflexion des sociologues. Mais ce matin-là, je constatai en outre que ce déséquilibre avait induit une pathétique occlusion mentale chez mes collègues de la nouvelle génération. Ils ne parvenaient plus à s'intéresser au réel ni à profiter d'une occasion exceptionnelle de se renseigner sur une branche de l'activité humaine fort inconnue d'eux. Eussé-je été réparateur de meubles, garagiste ou pâtissier, que, tout aussi incurieux de mes tours de main, ils ne se seraient enquis que de la tiédeur ou de l'ardeur de mon soutien au programme commun de la gauche. Les journalistes, participants bénévoles à ces journées du CIPE, venaient de toutes les rédactions aussi bien de droite et du centre que de gauche. Leur rôle consistait non à traiter de leur vision politique, que l'assistance pouvait connaître en les lisant, mais de leur expérience technique, dont les professeurs n'avaient aucune idée. A quel titre oseraient-ils ensuite entretenir leurs élèves du fonctionnement de la presse française ? L'idéologie, cette contrefaçon stérile de la connaissance, les perdait. Ils voulaient de la polémique ? Je leur en servis, et peut-être plus pimentée que ne pouvaient la digérer leurs fragiles cervelles. Mais c'est avec une profonde tristesse qu'à la clôture je quittai ce débat, ou, plutôt, cette absence de débat. Comment, me dis-je, accablé, ces hommes et ces femmes pouvaient-ils enseigner, alors qu'ils avaient perdu le désir d'apprendre ?

VIII

Ma vie entre 1970 et 1977, ma vie professionnelle au moins, consiste en un permanent va-et-vient entre mes livres et mes articles, entre la concentration et la communication, ou, pour le dire autrement, car ce dernier mot s'est vidé de son sens, vieille serpillière intellectuelle, réduite en lambeaux à force d'avoir essuyé n'importe quoi — un va-et-vient entre la conception et l'extériorisation. Ces années furent aussi un aller et retour ininterrompu entre la France et le reste du monde. Quand je laisse flotter ma mémoire sur cette vie nomade, je me revois moins souvent à Paris qu'en Italie, où m'amenaient mes collaborations avec la *Stampa*, dirigée alors par Arrigo Levi, puis avec *Il Giornale*, fondé en 1974 par Indro Montanelli ; au Portugal, où je suivis de près la « révolution des œillets », conclue par l'heureuse victoire du droit, grâce à Mario Soares ; en Espagne, où je ne cessai d'aller durant toute la « transition démocratique » ; en Suède, où m'attirait le « modèle suédois » ; en Finlande, où j'allai sonder par moi-même la profondeur de la « finlandisation ». Un séjour en Inde me suggéra que ce sous-continent, tenu par les experts et les politiciens pour l'insurpassable musée des horreurs du sous-développement, était en réalité en train d'entamer un décollage économique relatif, en tout cas bien préférable à la dégringolade chinoise, dissimulée par la censure maoïste, dont les journaux, les penseurs et les gouvernements de la planète entière furent presque tous dupes jusqu'au gâtisme. Sans vouloir concurrencer les dépliants des agences de voyage, j'ajouterai qu'une semaine à Hong Kong, deux voyages au Japon et, surtout, une longue virée en Afrique du Sud me convainquirent du caractère unique et incomparable de chaque situation historique, de chaque configuration politique et sociale, de chaque culture ; et de leur complexité, incompréhensible si on s'obstine à leur appliquer ces passe-partout de la pensée que sont les idéologies. Il se serait fait écharper, en Europe ou en Amérique, celui qui, en 1976, date de mon voyage en Afrique du Sud, aurait prédit que ce pays serait un jour la seule démocratie du continent africain, qu'il valait mieux être un Noir à Johannesbourg qu'au Rwanda, parce que, si odieux soit l'apartheid, il était moins incurable que ne l'est la haine interethnique entre les tribus. Ou qui aurait prédit que la Namibie deviendrait indépendante, mais aurait beaucoup de mal à se démocratiser, car elle risquerait de tomber alors sous la coupe d'un parti unique, la SWAPO (*South West Africa People's Organization*), issu de la tribu des Ovambos, avec l'idéologie marxiste en guise de cerise posée sur le gâteau racial.

De même, la plupart des observateurs de l'Amérique latine pronostiquaient, durant les années soixante et soixante-dix, que ce continent ne se débarrasserait des dictatures militaires de droite que par des insurrections d'extrême gauche, de type castriste et guévariste, à quoi s'employaient infatigablement un peu partout guérilleros et terroristes. En 1974, on m'invita au Venezuela, pays qui prouvait le mouvement en marchant, à savoir que la démocratie pluraliste et libérale pouvait très bien fonctionner en Amérique latine... à condition de l'appliquer. J'y fis la connaissance de l'ex-président Romulo Bétancourt, l'homme d'Etat qui, précisément, avait rétabli la démocratie à Caracas en 1959, et surtout de Carlos Rangel, qui comptait parmi les plus intelligents et les plus honnêtes penseurs politiques d'Amérique latine et sur l'Amérique latine, en cette fin de siècle. Je lui commandai, d'ailleurs, et publiai son chef-d'œuvre, *Du bon sauvage au bon révolutionnaire*, paru chez Laffont en 1976. L'origine de ce livre illustre bien certains hasards de l'édition. Quand je rencontrai pour la première fois Carlos à Caracas, en août 1974, l'été de la démission forcée de Richard Nixon aux Etats-Unis, il me pria de lire quelques feuillets de son cru sur le destin historique et la psychologie politique de l'Amérique latine. Modeste, il me les présenta comme, au mieux, l'ébauche d'un article. Après lecture de ces pages lumineuses, et stimulé aussi par une amitié personnelle et une fraternité intellectuelle qui naquirent entre nous presque sur-le-champ, je le poussai, non sans quelque enthousiasme communicatif, à développer ses idées avec toute l'ampleur qu'elles méritaient, en un livre exhaustif et détaillé sur le thème de la civilisation latino-américaine. Dès mon retour à Paris, je lui fis envoyer un contrat par Robert Laffont. C'est là l'explication de ce paradoxe que l'édition originale du chef-d'œuvre de la théorie politique latino-américaine qu'est *Du bon sauvage au bon révolutionnaire* ait paru en français. Je le fis traduire d'après le manuscrit par Françoise Rosset (la sœur du philosophe Clément Rosset), hispanisante de talent, qui avait été ma secrétaire chez Julliard et fut aussi la traductrice de Borges et d'un autre Argentin moins célèbre, mais fort intéressant, Adolfo Bioy Casares. Borges et lui avaient d'ailleurs écrit ensemble quelques textes, inventant pour ce faire sous un pseudonyme un troisième écrivain, qu'ils « assassinèrent » quand ils décidèrent de mettre fin à leur expérience.

Que le *Bon sauvage* en français parût avant l'édition en castillan ne relevait d'ailleurs pas de l'anecdote pure et revêtait une signification liée à la substance du livre. Celui-ci s'adressait en effet au moins autant au public européen qu'au public latino-américain. Les deux sources d'inspiration de Carlos sont, de manière conjointe et complémentaire, les erreurs de l'Amérique latine sur elle-même et les erreurs des Européens sur l'Amérique latine. Les aberrations et les illusions des Latino-Américains ont toujours été encouragées par les projections narcissiques des Européens. Pour eux, l'Amérique est comme le miroir de leurs propres obsessions, répulsives dans le cas de l'Amérique du Nord, oniriques dans celui de l'Amérique du Sud. Ainsi, peu après la décompositon de la « révolution » imaginaire de 1968, les Européens cherchèrent la réalisation de leurs songes chez les guérilleros : Tupamaros, Montoneros, Guévaristes, ou, ensuite, Sentier lumineux péruvien ou totalitarisme sandiniste inspiré et soutenu par celui de Castro. La plupart d'entre nous n'appliquèrent à ces égarements stupides et sanglants pas le moindre réalisme politique ni la plus mince exigence morale. L'intelligentsia du vieux continent adoptait, les yeux fermés, la théorie de l'économiste argentin Raùl Prebisch, qui disculpait entièrement les Latino-Américains de leurs propres échecs et les attribuait tous à l'« effet de domination » des Etats-Unis. La gauche européenne attendait de l'Amérique latine, et du tiers-monde en général, la révolution dont elle avait été frustrée. Ainsi, durant les vacances de l'été 1969, en Tunisie, à Hammamet, je me rappelle une conversation avec Jean Daniel, rencontré sur la plage et qui m'avait gentiment invité à dîner. Le directeur du *Nouvel Observateur* me confia : « Aujourd'hui, je ne vois pas d'où pourrait venir la révolution mondiale ; peut-être d'Amérique latine. » Après la déconfiture de mai 68, la gauche française, grande spécialiste de la révolution par procuration, cherchait dans le Nouveau Monde latin une succursale du Quartier latin. La gauche « révolutionnaire » européenne trouva un nouveau support à ses rêves insurrectionnels en 1994 au Mexique dans l'armée zapatiste de Libération nationale du sous-commandant Marcos dans le Chiapas.

C'était oublier une fois de plus ce que j'aime appeler la « loi de Rangel », formulée par Carlos dans *Du bon sauvage au bon révolutionnaire*, en 1976, et constamment vérifiée depuis. A savoir : chaque fois, en Amérique latine, que le peuple, le vrai peuple, est libre de voter dans des élections non truquées, il choisit des solutions modérées, les partis du centre gauche ou du centre droit. Le légendaire extrémisme latino-américain est un phénomène élitiste. Les militaires « fascistes » et les intellectuels « révolutionnaires » qui se disputent depuis deux siècles le pouvoir à coups de fusil représentent les uns et les autres des oligarchies, avides d'assouvir leur appétit de domination (sans parler de leurs appétits financiers). Les peuples dont ils prétendent abusivement exprimer les aspirations rejettent dans leur majorité ces oligarchies quand on leur donne la parole. Ils ont, depuis 1980, démontré une maturité politique très supérieure à celle qu'on leur supposait. En 1997, le seul pays latino-américain absolument non démocratique qui subsiste encore est Cuba. Le Chili, le Paraguay, le Nicaragua (où les sandinistes ont été battus dans les urnes en 1990, et de nouveau en 1996 à la grande stupeur des « progressistes » du monde entier) sont revenus à la démocratie grâce à des élections à peu près pacifiques et régulières. Au Mexique, l'hégémonisme du PRI, au pouvoir depuis 1929, s'est incontestablement effrité, plus, d'ailleurs, du fait des victoires électorales régulièrement démocratiques du récent Parti d'action nationale, sur sa droite, que de l'insurrection, archaïsante, sur sa gauche, des « zapatistes » de l'Etat de Chiapas. En 1996, à la suite d'une réforme constitutionnelle en bonne et due forme, cet hégémonisme sexagénaire prit théoriquement fin. La démocratisation de l'Amérique latine est venue d'une révolution morale et intellectuelle, sans laquelle les changements politiques et économiques n'auraient pas été aussi décisifs. Dans le débat d'idées de la deuxième moitié du XXᵉ siècle, l'histoire a donné raison à Octavio Paz, Carlos Rangel et Mario Vargas Llosa contre Raùl Prebisch, Fidel Castro et Gabriel Garcia Marquez. Elle a consacré la philosophie des Lumières contre la théologie de la Libération et le vrai pluralisme de l'Etat de droit contre le totalitarisme à prétexte révolutionnaire ou patriotique.

A quel point les intellectuels français sont imbus de la connaissance qu'ils croient avoir de l'Amérique latine, je le vérifiai une fois de plus au cours d'un dîner offert en juin 1994 en l'honneur d'Octavio Paz, précisément, par notre ministre des Affaires étrangères d'alors, Alain Juppé. Nous pouvions être une quinzaine : universitaires, diplomates, écrivains, journalistes, philosophes, académiciens, sociologues. Un quart d'heure après que nous fûmes passés à table, les membres de cette brillante compagnie, tous français, à part l'ambassadeur du Mexique et l'hôte d'honneur, se trouvèrent en train de palabrer entre eux, vociférant et s'interrompant, chacun s'époumonant pour faire retentir sa vision du monde et, en particulier, de l'Amérique latine. Tous avaient oublié la présence de ce pauvre Octavio, qui, rejeté hors de la conversation, se recroquevillait en silence sur son assiette. Le plus illustre écrivain mexicain, prix Nobel de littérature, poète, essayiste, penseur riche et complexe, maîtrisant à la perfection la culture et la langue françaises ne paraissait à personne digne d'être consulté sur la culture et la politique latino-américaines ! Conduite à la fois impolie envers l'éminent invité et sotte par l'incuriosité qu'elle révélait. Le bruyant verbiage se prolongeait. C'était si pénible que, pour y mettre un terme, Alain-Gérard Slama, que n'avait pas déserté toute délicatesse, me fit passer un billet où je lus : « Vous qui connaissez bien Paz, posez-lui une question, par pitié ! » Je dus enfler ma voix pour casser le brouhaha, à la stupeur générale, et pour pouvoir lancer

Paz sur la révolte paysanne « zapatiste » qui sévissait au même moment dans le sud du Mexique. Ce qu'Octavio m'apprit d'ailleurs aussi, ce soir-là, en riant, dans l'ordre anecdotique, c'est qu'il avait jadis quelque peu pâti de mon article de 1952 dans *Esprit*, qui avait tant martyrisé le nationalisme mexicain. Paz se trouvait alors en poste à l'ambassade du Mexique à Paris, en qualité d'attaché culturel. Et, comme nul ne parvenait à percer l'identité du blasphémateur masqué qui signait Jacques Séverin dans *Esprit*, les soupçons se portèrent sur lui. Quel autre traître connaissant bien le Mexique aurait pu glisser ce réquisitoire contre le système dans une revue française ? Le renégat devait habiter la France. Tous les indices pointaient donc vers lui, et il dut beaucoup transpirer pour faire admettre son innocence. Je lui répondis : « Puisque tu t'en es tiré, je puis t'avouer que cette révélation me comble de joie : quoi de plus flatteur que l'attribution par le gouvernement mexicain d'un de mes modestes écrits de jeunesse à un futur prix Nobel ? »

Dans tous mes voyages, durant ces années soixante-dix, j'étais une assez bonne affaire pour mes employeurs, quelles que fussent par ailleurs mes capacités ou incapacités professionnelles. En effet, la plupart de mes déplacements étaient payés par des universités ou des fondations qui m'invitaient, et non par mon journal, pour lequel j'en rapportais cependant tant de précieuses informations, que je distillais ensuite dans mes éditoriaux. Mes séjours à l'étranger les plus fréquents eurent lieu aux Etats-Unis. Dans mon souvenir, quand je regarde cette époque, je me vois presque plus souvent déambulant entre San Francisco et New York qu'en France. Je crois bien que le seul des cinquante Etats où je n'aie jamais mis les pieds est l'Arkansas. Sans revenir sur les enseignements que j'ai tirés de ces incessants allers et retours, puisqu'ils imprègnent déjà mes livres et mes articles d'alors, je me bornerai à dire que cette confrontation répétée entre ce que je constatais en Amérique et la façon dont on le relatait dans la presse européenne, et réciproquement, m'a mis au contact constant et instructif de la relativité de la perception sociologique et de la fragilité de l'information.

Je ne songe point, ce disant, à des erreurs de raisonnement, celles qui résultent de la difficulté de combiner diverses sources et plusieurs séries de jugements, parmi lesquelles clopine notre faillible entendement. Personne n'en est exempt et j'en ai moi-même commis beaucoup. Mais on peut les redresser au fil de l'expérience et dans la souffrance de la réflexion. Car ce sont des erreurs qui sont filles non de l'indifférence à la réalité, mais de la complexité des nuances qui la composent. Et l'on peut les corriger si l'on s'en donne la peine.

Cette peine n'est toutefois pas du goût de tous, et c'est pourquoi je songe ici à une autre énigme : l'aveuglement volontaire devant des faits bruts. J'en donnerai deux exemples des plus prosaïques. Dans la chamaillerie franco-américaine autour de l'autorisation donnée ou non au supersonique Concorde d'atterrir sur les aéroports d'outre-Atlantique, notre presse, nos médias, nos politiques (de droite et de gauche, car la bêtise crée l'union nationale) s'époumonaient à hurler que les Américains perfides et cupides s'acharnaient à éliminer notre supersonique pour écarter la concurrence au profit du leur, en cours de préparation et en retard sur le nôtre. Or les Etats-Unis ne mirent jamais sérieusement en route le moindre supersonique, à cause d'études prouvant l'impossibilité de le rentabiliser, une conclusion que les pertes chroniques et l'échec commercial du Concorde franco-britannique confirmèrent aux dépens des contribuables également franco-britanniques. Une éphémère velléité de supersonique américain avait sombré à la naissance, tuée dans l'œuf par un vote négatif du Congrès, effrayé par l'ampleur des subventions à octroyer au constructeur, sans espoir de récupération. Dans le lexique de la politique américaine, c'était le type même de ce que l'on appelle un *non starter*, un projet (ou une candidature) qui restent sur la ligne de départ. L'avenir du voyage aérien appartenait alors, selon le bons sens, aux gros porteurs pratiquant des tarifs de plus en plus bas, non à la vitesse hors de prix, accessible aux seuls richards, quelques milliers à peine dans le monde, plus quelques parasites, qui ne payaient pas leur place, laissant ce soin à leurs compatriotes pourvoyeurs du fisc et qui, de leur vie, ne prendraient jamais le Concorde. Les Américains l'avaient compris, et ne pouvaient donc nous infliger aucune concurrence déloyale aux fins de favoriser leur avion, qui n'existait pas et n'existerait jamais. L'écologique s'ajoutait à leur réticence économique. En outre, les Français, persuadés du complot politique au plus haut niveau, ne saisissaient pas, ou refusaient de savoir que le président des Etats-Unis, d'après la Constitution, ne *peut pas* donner d'ordre aux gouverneurs des Etats, ni à l'Autorité du port de New York, dont dépend l'aéroport John-Kennedy. Seul l'aéroport fédéral Dulles, qui dessert Washington, et où le Concorde reçut très tôt l'autorisation de se poser, dépendait de l'accord de la Maison Blanche. C'est ce que le président Carter, à peine en fonctions, rappela aux Français dans un entretien réservé à la télévision française. Hélas ! Comme pour rendre irrémédiable la confusion, le journaliste de service, ignorant sans doute qui avait été Foster Dulles et ce qu'était *Dulles Airport*, traduisit Dulles par *Dallas* ! Allez donc, après cette bourde, faire comprendre aux Français, déjà ignares en matière d'institutions américaines, pourquoi le président des Etats-Unis pouvait autoriser un atterrissage dans le Texas et pas dans l'Etat de New York...

Dans une autre affaire, le Watergate, l'opinion française se persuada et continue aujourd'hui de professer que la démission forcée de Nixon résulta de la seule puissance et indépendance de la presse. D'où des hymnes à la vaillance d'icelle, que nous chantons d'ailleurs en les tournant à notre propre gloire, chaque fois que la découverte d'un micro chez un conseiller municipal permet de saluer un « watergate français ». Nul ne s'avise que la dénonciation par la presse des écoutes illégales ordonnées par l'Elysée n'a jamais valu le moindre ennui judiciaire à Mitterrand. En France, Watergate aurait tourné court. Et a effectivement tourné court parce que la presse n'a été suivie ni par la justice ni par le parlement. Pour que Watergate aboutît au châtiment des coupables à Washington, il fallut l'intransigeance de la justice, puis la commission d'enquête dirigée par le sénateur Ervin, enfin la commission de la Chambre des représentants chargée dans la Constitution d'élaborer les motifs d'inculper le Président et de l'envoyer comparaître en jugement devant le Sénat, érigé pour ce cas en Haute Cour. Procédure de destitution (*impeachment*) inconcevable en France, dans cette monarchie bananière que nous a fabriquée la Constitution de la cinquième République et où ni la branche judiciaire ni la branche législative ne peuvent inquiéter le roi. J'eus un certain mal à en convaincre un étudiant en droit, que m'avait envoyé le célèbre constitutionnaliste de gauche (et éditorialiste au *Monde*), Maurice Duverger. Cet étudiant préparait un mémoire de troisième cycle sur le thème : « Un Watergate français serait-il possible ? » Je m'aperçus qu'il ignorait par exemple ce qu'était aux Etats-Unis un « grand jury », instance d'instruction et chambre d'accusation composée de plusieurs citoyens, donc hors d'atteinte des pressions de la hiérarchie. C'est le grand jury qui, en l'occurrence, avait constitué l'étape décisive dans l'inculpation des aigrefins du « département des farces et attrapes » de la Maison Blanche. Rien ne pouvait dès lors plus empêcher le procès ni les engrenages fatals qui s'ensuivirent. Chez nous, faut-il le rappeler ? le chef du département des farces et attrapes de l'Elysée, un plat coquin, fut récompensé d'avoir violé à plusieurs reprises nos lois et le droit au secret de la vie privée de centaines de citoyens victimes d'écoutes téléphoniques par une nomination au grade de préfet, augmentée d'une lucrative sinécure dans l'organigramme des sangsues des jeux Olympiques d'hiver à Albertville, en 1992, et couronnée, en 1995, par une promotion au grade de lieutenant-colonel due au vieux « parrain », avide de caser ses mercenaires avant le terme de son deuxième mandat.

Passé du rôle de complice marginal de la politique active à celui d'observateur extérieur et d'éditorialiste parfois influent, je m'aperçus ou, plutôt, je redécouvris que le véritable engagement, ce n'est pas la politique qui le requiert, c'est la recherche de la vérité. Benda avait raison. Tel est aussi la leçon du « spectateur engagé » que se voulait et que fut Raymond Aron, redressant le contresens sartrien sur la notion d'engagement tout court, défini comme la primauté du parti pris. L'acteur politique, lui, n'a prêté aucun serment à la vérité. Ce n'est pas son affaire. Même s'il est honnête et sert non pas seulement ses intérêts mais ses convictions, il a le droit de mentir pour atteindre son but. Ni le professeur ni l'éditorialiste n'ont ce droit. Les manifestations extérieures de leur pensée doivent être le décalque exact de leurs convictions intimes.

Mais la sincérité des convictions ne préserve pas de l'erreur, et c'est bien là le nœud de la plus grande difficulté. Il n'est pas de péril plus grand et auquel soient plus constamment exposés l'éditorialiste et l'enseignant, que de se laisser entraîner à formuler un jugement dans une question à propos de laquelle ils n'ont pas réuni tous les éléments d'information nécessaire à la construction d'une opinion fondée. Je me place, ce disant, dans l'hypothèse de la bonne foi. La mauvaise relève d'un autre comportement : du mensonge et non de l'erreur. C'est une forme de danger plus simple, plus connue, non moins nocive, mais on sait comment la combattre, ou comment essayer. L'erreur de la bonne foi, en revanche, est plus insaisissable, plus difficile, pour l'esprit même qui la commet et la transmet, à extirper de soi. Car, pour y parvenir, il lui faudrait précisément disposer des données dont l'absence a faussé son jugement, mais qu'enfermé dans sa croyance il n'éprouve pas le besoin de rechercher. Ne nous suffit-il pas, dira-t-on, d'en prendre connaissance pour nous détromper ? Oui, mais nous détournons le regard devant les évidences, puisque nous sommes convaincus d'avoir vu juste. C'est en général une chiquenaude accidentelle qui dérange cette persuasion en circuit fermé : un événement qui traverse nos idées, une conversation imprévue avec un interlocuteur de rencontre, une révélation due au hasard, mais dont l'action sur nous s'explique par une réceptivité due à une évolution autonome. Ce processus correcteur est cependant rare, et son résultat souvent éphémère. L'ingéniosité que déploient les humains, depuis l'origine des temps, pour inventer ou réhabiliter des arguments en faveur d'erreurs l'emporte de beaucoup sur celle qu'ils ont mise à rechercher et démontrer des vérités.

IX

Je me trouvais de passage à Florence, à l'extrême fin de 1958. J'y étais revenu pour voir une exposition, au palais Strozzi. Je prenais un verre, une fin d'après-midi, avant le dîner, 1, place San Giovanni, dans l'atelier de Silvio Loffredo, dont les fenêtres surplombaient splendidement le Baptistère. Je découvris, dans la minuscule cuisine attenante, l'exemplaire de l'édition originale de *Pourquoi des Philosophes ?* que je lui avais envoyé en 1957 : il servait de cale, glissé sous un pied d'une table bancale. Avec humilité, je lui demandai si mon livre suivant, *Pour l'Italie*, que je lui avais dédié, avait été rangé de ce fait à une place plus flatteuse. « Encore plus flatteuse, devriez-vous dire », me répondit-il. — « Il sert à caler la chaise sur laquelle vous êtes assis. C'est toujours sous des pieds de tables, de sièges ou autres meubles de guingois que je mets les livres auxquels je tiens ; comme ça, je sais toujours où les retrouver quand je veux m'y replonger. D'ailleurs le dernier recueil de poèmes de Salvatore, *La Terre incomparable*, est en train d'assurer l'équilibre de cette commode que vous voyez là-bas. »

Ce Salvatore, qui venait d'entrer, c'était Salvatore Quasimodo. Dans sa production poétique, je prisais, à vrai dire, moins les œuvres personnelles que les traductions des *Eglogues* de Virgile, où il avait atteint grâce et perfection. « Dans un an, dit Quasimodo à Silvio, tu me traiteras certainement mieux, car j'aurai obtenu le prix Nobel. » « Tiens, lui dis-je, et quel calcul vous amène à une telle certitude ? » « Très simple, développa-t-il. Après le scandale de Pasternak (l'écrivain russe non conformiste que les autorités soviétiques avaient contraint, en 1958, à refuser le prix car il ne faisait pas partie de la nomenklatura des plumitifs officiels du Parti), les couards de l'Académie suédoise, tremblant de peur à l'idée qu'on puisse les soupçonner d'avoir récompensé Pasternak par anticommunisme, se sentiront obligés d'attribuer le prix à un communiste. D'autre part, le tour de l'Italie est nettement venu. Il n'a même que trop tardé, puisque le dernier écrivain italien couronné fut Pirandello, en 1934. L'équité imposera donc un Italien. Enfin, les poètes sont honteusement sous-représentés depuis la guerre dans la liste des lauréats : deux sur quinze, je crois, TS Eliot et Juan-Ramón Jimenez. Je ne compte pas cette andouille de Gabriella Mistral, la Chilienne, faux poète, qui a raflé le prix en 1945, je crois, maugréa le maestro avec un galant mépris. Concluez vous-mêmes : le prochain lauréat sera de toute nécessité italien, poète et communiste. Or je suis aujourd'hui l'unique individu au monde à remplir ces trois conditions à la fois. Et il y a belle lurette : j'ai ma carte du PCI depuis 1945. »

Deux heures plus tard, Silvio et moi, à la trattoria *degli Orti oricellari*, après un plantureux *fritto misto all' italiana*, fûmes récompensés d'avoir submergé Quasimodo de nos félicitations anticipées et caressé sa vanité durant tout le repas, car il se résolut à écorner sa future fortune en réglant d'un geste magnanime la respectable addition, que, d'ordinaire, nous partagions. Avant de nous séparer, Loffredo et moi, nous nous complimentâmes ensuite en riant tout notre soûl d'avoir su par nos flagorneries éveiller chez le poète une libéralité inaccoutumée. Si nous avions prévu l'avenir, nous aurions commandé des mets et des vins encore plus coûteux : car le pendard décrocha bel et bien le Nobel de littérature l'année suivante !

Cette historiette, transposée à un niveau bassement terrestre par rapport au céleste empyrée du Nobel, peut servir d'illustration à mes promotions successives dans la hiérarchie de *L'Express*. J'ai déjà raconté comment j'en pris la direction en 1978 parce que seul je réunissais, comme Quasimodo dans sa sphère, les diverses conditions simultanées, pas toutes liées au talent, qui se révélaient indispensables. Auparavant, déjà, en 1971, j'étais devenu l'éditorialiste politique du journal parce qu'il ne restait que moi pour assumer cet office. Jean-Jacques Servan-Schreiber avait quitté officiellement le journalisme pour conduire en pétaradant sa carrière de député et de chef du parti des réformateurs. En outre, plusieurs rédacteurs de grande valeur, entraînés par le rédacteur en chef, Claude Imbert, avaient quitté le journal avec le projet de fonder *Le Point*. Ils étaient las des incessantes pressions de JJSS, en dépit de tous ses serments, pour essayer d'utiliser à ses fins *L'Express* depuis la coulisse. Interventions d'autant plus mal supportées qu'avait aussi surgi entre eux et lui un désaccord d'analyse politique qui s'approfondissait de jour en jour. Au plus fort de cette crise, je fus constitué en quelque sorte en juge de paix par quelques rédacteurs restés, comme moi-même, fidèles à Françoise Giroud, qui, quel que fût son attachement pour Jean-Jacques, était décidée à protéger le journal de ses foucades. J'allai trouver Claude Imbert pour tâcher de comprendre ses griefs et tenter de négocier la paix. Je réussis aussi peu à la rétablir entre les deux camps que les Nations Unies, vingt ans plus tard, en Bosnie, entre les Serbes, les Musulmans et les Croates. J'estimais beaucoup Claude Imbert. Il me reçut avec une amicale et diserte cordialité pendant trois heures à son domicile. Après l'avoir écouté, je ressortis de l'entrevue dans les mêmes dispositions qu'en 1988, quand Olivier Todd me demanda de déjeuner avec sa deuxième épouse pour entendre son point de vue et déverser dans son cœur tous les sentiments propices à une réconciliation. Je conclus avant le dessert à l'urgence absolue du divorce. La rupture avec la future équipe et le futur directeur du *Point* ne pouvait pas davantage donner lieu à un quelconque raccommodement. Je devins donc éditorialiste politique et, de surcroît, membre du conseil d'administration de *L'Express*. Je servis ainsi à caler la table devenue soudain bancale, comme mes livres le faisaient dans l'atelier de Loffredo. Les stoïciens l'enseignaient : il ne dépend pas de nous de choisir le rôle que nous attribue le Destin. La seule chose qui dépende de nous, c'est de le jouer bien ou mal.

LIVRE DOUZIÈME

DEMAIN EST ARRIVÉ

Cras te victurum, cras dicis, Postume, semper :
dic mihi, cras istud, Postume, quando venit ?
......
Iam cras istud habet Priami vel Nestoris annos.
......
Cras vives ? Hodie iam vivere, Postume, serum est.

Martial, *Epigrammes*, V, 58

Demain, dis-tu sans cesse, Postumus, demain tu vivras : Dis-moi, ce demain,
Postumus, quand vient-il ?
....
Ce demain est déjà aussi vieux que Priam et Nestor.
....
Tu vivras demain ? Vivre aujourd'hui, Postumus,
c'est déjà vivre trop tard.

I

L'originalité ne fait pas le mérite principal des vers de Martial que je cite en exergue de ce Livre douzième. D'ailleurs, ce n'est pas la nouveauté des idées qui engendre la poésie. Elle naît au contraire du génie de rajeunir par l'émotion et de réinventer dans l'expression les immémoriales ritournelles de l'existence. Mais, par-delà son art de restituer leur virginité à des platitudes sur la fuite du temps, le poète latin suggère une leçon plus fine. Chacun atteint tôt ou tard un moment de la vie où il se rend compte soudain que « demain est arrivé ». Sauf catastrophe, guerre, révolution, accident grave, crise dévastatrice ou folie irréparable, un matin se lève où l'on sait que plus rien de cardinal ne modifiera désormais l'architecture générale d'une destinée dont les traits d'ensemble se sont mis en place, sans retour et sans perspective d'addition, du moins essentielle. Jusqu'à un âge plus ou moins éloigné de la naissance et de la mort, suivant les individus et leur manière propre d'organiser ou de désorganiser leurs « étapes sur le chemin de la vie », comme dit Kierkegaard, ou suivant le poids de la contrainte infligée par la nécessité, un être humain peut garder le sentiment que demeurent possibles une altération des bases mêmes de son existence, une réorientation de tout son itinéraire. Après l'instant où s'est rétrécie la liberté, le dernier lendemain est arrivé, il est devenu un aujourd'hui, et aucune régénération ne peut plus extraire un nouvel homme de l'ancien.

Cette évidence s'empara de mon for intérieur lorsque, contre mon gré mais sans doute conformément à mon désir, ou à l'un de mes désirs, je commençai, en 1977, à me sentir poussé vers la direction de *L'Express* et à pressentir que je l'accepterais. Il me devint clair que les piliers de ma vie alors ne changeraient plus. A cinquante-trois ans, je compris que je serais à tout jamais ce que j'avais été depuis une vingtaine d'années : un homme, d'abord, qui écrit des livres ; qui fait, en France et à l'étranger, des voyages et des conférences, où on l'invite à répéter ce qu'il a déjà dit dans ses livres ; un écrivain qui collabore à des journaux et, le cas échéant, les dirige ou en influence officieusement les choix. Certes, à l'intérieur de ce cadre, bien des imprévus pourraient survenir, d'autres hauts et d'autres bas. Mes livres pourraient fournir des carrières honorables ou décevantes. Mes idées avanceraient ou reculeraient dans l'opinion de mes contemporains. Je connaîtrais — mais comment aurais-je pu alors le soupçonner ? — grâce à la confiance de Claude Imbert, à son doigté amical dans l'art de me faire suivre ma pente en montant, une troisième carrière journalistique, la plus heureuse, peut-être, comme chroniqueur au *Point* pendant plus de quinze ans. En revanche, je ne reviendrais presque certainement jamais à l'édition ou à l'enseignement, me disais-je, non faute de goût mais faute de temps. Si fécond en rebondissements et en traverses que se soit montré le cours de mes ans depuis 1977, c'est donc bien dans une arène aux contours dorénavant figés qu'ils étaient destinés à se manifester, après que j'eus franchi le seuil au-delà duquel il n'est plus de retour ni de bifurcation.

II

La rédaction de *L'Express*, lorsque j'en pris la direction, souffrait d'une incommodité tout à la fois chaotique, hétéroclite et pléthorique qui reflétait son histoire, devenue tourmentée, depuis une dizaine d'années, c'est-à-dire depuis que Jean-Jacques Servan-Schreiber avait entrepris de se lancer dans une carrière politique active. Une première crise, celle qui avait provoqué le schisme de la future équipe du *Point*, en 1971, était venue de l'obstination de Jean-Jacques, en dépit de ses engagements publics et solennels, à vouloir continuer à diriger en sous-main le journal dont il restait l'actionnaire majoritaire. Toutes les belles déclarations de principe sur le mur infranchissable qui devait séparer un journal de son propriétaire quand celui-ci faisait de la politique avaient été balayées par l'incapacité de Jean-Jacques à réfréner ses envies d'utiliser *L'Express* pour le service du « Parti des réformateurs », qu'il tâchait non sans succès ni génie d'enfoncer entre la droite pompidolienne et la gauche socialo-communiste. Quelle que fût la justesse de ses analyses, car les trouvailles de son intelligence l'auraient mené fort loin si elles n'avaient été englouties par les inconséquences de son caractère, les lecteurs repéraient sans mal les articles inspirés par le président du Parti des réformateurs dans le dessein de célébrer son action ou ses intentions et les exploits de ses amis et alliés. Ces pièces rapportées maculaient l'image d'impartialité du journal plus qu'elles ne renforçaient la position politique de son propriétaire. Le public flaire en général avec un assez sûr instinct les articles de complaisance, en politique comme en critique. Tel stragège littéraire qui, par une levée en masse de ses relations dans toutes les rédactions, décroche, selon l'épithète convenue, une presse « éblouissante » autour de son plus récent livre se heurte souvent à la déconvenue de ventes médiocres et d'un tiède accueil du public, lequel a senti la louange frelatée, dans tous ces languissants papiers, qui se révèlent alors autant de leviers morts. Sous la présidence de Françoise Giroud, capable, elle, mais de moins en moins en posture de résister aux lubies envahissantes de Jean-Jacques, le pouvoir effectif de direction avait été dévolu désormais à Philippe Grumbach, rappelé au commande-ment après dix ans de disgrâce. Philippe possédait toutes les qualités d'intelligence et de fermeté convenant à sa fonction, sauf la capacité de refuser quoi que ce fût à Jean-Jacques, à qui le liait une fidélité amicale sans limite, qui ressemblait moins à la loyauté d'un directeur envers son propriétaire qu'à celle d'un « client » de l'ancienne Rome envers son « patron ».

La virtuosité de Jean-Jacques pour inventer des explications qui justifiassent ses désirs faisait ma joie tant qu'elle ne transgressait pas trop les limites approximatives du sens commun. Mais elle s'exalta dangereusement en son esprit comprimé par la contradiction où l'avait fourré son serment de respecter l'indépendance de *L'Express*, joint à son empressement à le violer. Par exemple, ayant fait mettre à la porte Henri de Turenne, que Françoise Giroud avait eu l'heureuse inspira-tion d'engager comme rédacteur en chef après la saignée de l'équipe du futur *Point*, mais qui offrait l'inconvénient d'un caractère indépen-dant, Jean-Jacques, devant mes remontrances, osa me servir un argu-ment qui, de tous les faux-fuyants possibles, était le plus extravagant. « Vous comprenez, eut-il le front de dire, ce n'est pas un journaliste. » Or si quelqu'un incarnait la quintessence du pur journaliste, c'était bien Henri. Correspondant de l'Agence France-Presse tout jeune, d'abord à Berlin, en 1948, à l'époque du blocus soviétique et du pont aérien, puis en Corée pendant la guerre, d'où il avait envoyé une longue série de reportages écrits d'une plume brûlante par une tête froide. Publiés dans *Le Figaro*, toute la France les avait dévorés et ils lui avaient valu le prix Albert-Londres, récompense suprême de la profession. Nommé ensuite à Washington, où je l'avais retrouvé, en rentrant du Mexique, pour suivre avec lui, en 1952, la campagne prési-dentielle Eisenhower-Stevenson, enfin envoyé par l'AFP à la Confé-rence de Genève sur l'Indochine en 1954, Henri avait été aussitôt après appelé par Pierre Lazareff à *France-Soir*, le plus lu des quoti-diens français de l'époque, avant de se consacrer plus tard à la télévi-sion, où il avait inventé une formule originale d'émissions historiques, conçues et menées à la manière, justement, de reportages journalis-tiques précis, vivants et impartiaux. Lui dénier la qualité de journaliste relevait donc de l'énormité délirante et pataphysique. A la vérité, Jean-Jacques trouvait Henri, au contraire, je pense, beaucoup trop redoutablement journaliste pour son goût, beaucoup trop attaché aux faits et à eux seuls pour accepter d'osciller au gré des tribulations des « Réformateurs ». Mais par quel travers de caractère forgeait-il le moins plausible de tous les prétextes afin de l'éloigner ? Chaque fois qu'il rompait avec l'un des hommes qui l'avaient conseillé, assisté, inspiré pendant des années, mais qui, un jour, refusait de changer d'avis en même temps que lui, Jean-Jacques découvrait brusquement à son ami de la veille une masse de défauts et de lacunes si accablante qu'elle rendait inexplicable leur précédente intimité et réciproque estime.

L'obnubilation de son intelligence par sa manie de nier le réel quand celui-ci ne lui convenait pas m'apparut de nouveau, après la visite du président égyptien Anouar el Sadate à Jérusalem. C'était en 1977. Jean-Jacques avait alors vendu ses parts à Goldsmith et donc perdu tout pouvoir, sinon moral, sur le journal. Un matin, il me téléphona cependant pour me prier de passer le voir à son domicile, boulevard de Courcelles. Il me reçut, le poitrail caparaçonné d'une de ces étranges tenues martiales qu'il prisait fort et dont on ne savait pas très bien s'il s'agissait d'un parachute, d'un gilet pare-balles ou d'une cuirasse d'escrimeur. Il me demanda tout de go mon opinion sur le voyage de Sadate, ce qui signifiait qu'il voulait savoir et, au besoin, influencer ce que j'allais en écrire.

Connaissant son attachement pour Israël, je saluai l'immensité de cette concession égyptienne, un geste décisif, tout en déplorant que, la veille, à la Knesset, dans sa réponse au discours du président Sadate, le Premier ministre israélien, Begin, n'eût pas une seule fois en contrepartie articulé le mot « Palestinien », ni déclaré clairement qu'il prenait acte des droits des Palestiniens. Ce silence de Begin mettait Sadate en difficulté, dis-je, face au reste du monde arabe. « Pas du tout ! me rétorqua Jean-Jacques avec un aplomb admirable, Begin a parlé des Palestiniens, puisqu'il a prononcé plusieurs fois les mots *Eretz Israel*. » Interloqué, je lui objectai qu'au mieux de mes faibles connaissances et des souvenirs que je gardais d'un voyage en Israël, « Eretz Israël » signifiait le « Grand Israël » et servait tout au contraire de mot d'ordre aux juifs intransigeants qui s'opposaient à toute restitution aux Palestiniens des territoires occupés à la suite de la guerre des Six Jours, en 1967. J'avais fait ce voyage à l'automne de 1968, en compagnie de Marek Halter, guide aux mille clefs, qui m'avait fait rencontrer tout ce qui méritait de l'être dans la société israélienne, dans la classe politique, y compris Ben Gourion, le fondateur, alors à la retraite dans son kibboutz, mais fort alerte et disert. Jamais quiconque, ouvrier , paysan, chauffeur, ministre, savant ou général n'avait employé devant moi l'expression « Eretz Israël » dans le sens de « Palestiniens ». Sans en démordre, JJSS maintint hautement son interprétation aberrante ou, plutôt, son contresens volontaire. Pour lui, il ne fallait pas qu'Israël pût avoir fût-ce l'ombre du vilain rôle.

De 1971 à 1977, *L'Express* avait ainsi vécu dans un trafic triangulaire entre la rédaction, un directeur officiel, Philippe Grumbach, et un Jupiter invisible, Jean-Jacques, qui, du haut de la voûte céleste, faisait pleuvoir ses pensées fulgurantes sur le troupeau des humains. Lesdites pensées n'étaient pas toutes mauvaises, loin de là, ni toutes mal exploitées, car grande était l'intelligence et de Jean-Jacques et de Philippe. Mais fréquentes, aussi, étaient leurs volte-face, qui désorientaient la rédaction. L'engouement de Jean-Jacques se déchaînait tantôt pour le Club de Rome, tantôt contre les essais nucléaires français dans l'océan Pacifique, tantôt pour Samuel Pisar, l'auteur des *Armes de la Paix*, l'un des livres porteurs de la théorie de la détente entre l'Est et l'Ouest, c'est-à-dire de l'illusion selon laquelle les concessions unilatérales de l'Occident, l'aide économique, financière et technologique à l'Union soviétique rendraient cette puissance plus pacifique ou moins impérialiste. Ces emballements de Jean-Jacques n'étaient pas tous injustifiés. L'ennui est qu'ils devenaient chez lui des idées fixes qui absorbaient toute l'énergie du journal pendant des mois et cessaient aussi brusquement qu'ils avaient commencé. J'eus grand plaisir à me rendre en Italie pour enregistrer un long entretien avec Aurelio Peccei, le fondateur du Club de Rome. Mais cet entretien ne parut jamais dans *L'Express*, car, sur ces entrefaites, Servan-Schreiber s'était brouillé avec Peccei ! Je n'en conservai pas moins avec ce dernier de cordiales relations et il m'invita pendant plusieurs années à toutes les réunions ultérieures du Club de Rome. Quant aux vertus miraculeuses de la détente à sens unique, Pisar convainquit par malheur également de sa thèse le futur président de la République, Valéry Giscard d'Estaing, alors ministre des Finances, qui l'honora d'une préface louangeuse.

Après l'élection de Giscard à la présidence de la République, en 1974, les ambiguïtés des sources inspiratrices de *L'Express* s'embrouillèrent encore davantage, du fait que le nouveau chef de l'Etat transforma les deux fondateurs du journal en ministres, dans son premier gouvernement, celui de Jacques Chirac. Il s'était passé, pour en décider ainsi, de l'approbation de ce dernier. Françoise Giroud devint ministre de la Condition féminine, et, plus tard, dans le gouvernement de Raymond Barre, ministre de la Culture. Ce ministère de la Condition féminine constituait l'une des innovations dues au jeune président, de même que le ministère des Réformes, qui échut en bonne logique au chef des Réformateurs, puisqu'il avait été créé spécialement pour lui. Mais autant Françoise s'avéra un ministre méthodique, travailleur, persévérant et ingénieux, autant il ne fallut que quelques jours à Jean-Jacques pour succomber à l'un de ses spasmes coutumiers et dévastateurs. Prononçant un discours dans sa circonscription de Nancy, un dimanche matin, quelques jours à peine après la prise de ses fonctions ministérielles, il eut la fâcheuse inspiration de prétendre que la campagne de tirs nucléaires prévue de longue date pour la semaine suivante dans le Pacifique avait été imposée au chef de l'Etat et au gouvernement par l'autorité militaire, sans concertation préalable. Giscard aurait été selon lui mis devant le « fait accompli » par les amiraux et généraux. Comme le chef de l'Etat est, d'après la Constitution, le chef des Armées, cette explication saugrenue le ridiculisait et appelait un démenti violent. Aussitôt alerté, le Premier

ministre, qui s'efforçait de déjeuner en paix, demanda audience instantanément au président de la République. Accompagné du ministre
de la Défense, il le pressa de désavouer dans l'heure les propos du
ministre de la Réforme et de le renvoyer, ou alors de bien vouloir
accepter la démission immédiate du gouvernement tout entier. Cette
crise eût été dans l'histoire de la cinquième République une première
d'un effet désastreux et un très mauvais point pour Giscard, puisque
le gouvernement avait moins de quinze jours d'existence. Giscard ne
pouvait que céder à Chirac. J'ignore quels apaisements plus ou moins
équivoques il avait pu étourdiment susurrer à JJSS, pour bercer et
calmer sa ferveur antinucléaire. Mais, sauf égarement de son imagination, comment l'éphémère ministre des Réformes pouvait-il se figurer
que le nouveau président, de surcroît élu grâce au ralliement des gaullistes traditionnels, rameutés par Chirac, allait mettre d'une chiquenaude un terme brutal à une politique de défense liée aux origines
mêmes de la doctrine gaullienne et à la fibre la plus profonde de
la cinquième République ? Je recueillis plus tard, sur ce dimanche
carnavalesque, et les confidences de Jean-Jacques Servan-Schreiber et
celles de Jacques Chirac. Il va sans dire qu'elles ne coïncidaient pas.
JJSS prétendait avoir reçu d'explicites assurances du président, qui
aurait ensuite lâchement reculé. Selon Chirac, la mégalomanie de
Servan-Schreiber lui aurait tourné la tête au point de lui faire entendre
des voix. Quelle que fût la véritable version, Jean-Jacques avait payé
cher sa légèreté de langue et sa crédulité devant ce qu'il échaffaudait
tout seul dans sa propre cervelle. La carrière gouvernementale
qu'avait si ardemment désirée toute sa vie cet homme de talent se
déroula tout entière entre le 27 mai et le 9 juin 1974.

Avec l'un de ses fondateurs ministre en exercice, l'autre, ministre
démissionné, quoique resté provisoirement giscardien, tout en vouant
à Chirac une haine redoublée, *L'Express* encourait le soupçon d'entretenir des relations équivoques avec le pouvoir. C'est le droit d'un journal de soutenir une politique, à condition que les lecteurs aient la
certitude qu'il le fait en toute liberté. Il ne faut pas que les apparences
soient contre lui, même s'il préserve son indépendance dans la réalité.

C'était d'ailleurs le cas, durant toute cette période, à *L'Express*. Les
emportements de Jean-Jacques, pour ou contre, ne suivaient aucune
règle d'inféodation à un gouvernement, à un parti, à une doctrine ou
à un homme, sinon lui-même. Quelques semaines après que j'eus
assumé l'éditorial politique, auquel il se mordait les doigts d'avoir
renoncé par bravade, pour faire belle figure, il esquissa une tentative
pour me tenir la plume. Il me téléphona, un soir d'août 1971, à Lanmodez en Bretagne, où je passais l'été sans cesser de collaborer au
journal. Et, tel un professeur qui rend une copie annotée à un élève,
il me communiqua son « appréciation », en quelque sorte mon « livret
scolaire », sur mes débuts dans le genre. Il s'avouait déçu et me signi-

fiait qu'à son avis je ne tirais point parti avec toute l'ampleur de vues et la vigueur d'exécution souhaitables de la tribune que l'on avait mise à ma disposition. Penaud, je l'interrogeai pour savoir quels défauts de style, de pensée, de ton ou de sérieux il me reprochait. Non, non, ce n'était pas de cela qu'il s'agissait, s'empressa-t-il de dire. Du côté talent, tout était parfait. Alors quoi ? Je ne fus pas long à entrevoir qu'à l'instar de Renart devant une géline qu'il est furieux de ne plus pouvoir attraper parce qu'il est de lui-même venu se poster du mauvais côté de la haie, mon patron gémissait que je ne fusse pas le simple porte-voix du Mouvement des réformateurs et ne le secondasse point dans toutes les sinuosités de son propre itinéraire. Bref, j'aurais dû écrire chaque semaine ce qu'il eût écrit s'il n'avait pas inconsidérément lâché la proie. Visiblement, c'était sur mon concours qu'il avait compté quand il avait approuvé, voire pressé Françoise Giroud de me nommer éditorialiste politique. Tous les patrons de presse, tous les politiciens succombent à cette tentation d'intervenir auprès de ceux dont ils ont garanti l'autonomie. Mais l'avantage, avec Jean-Jacques, c'est qu'il ne restait pas insensible à un raisonnement. Je m'empressai donc de lui en tenir un, fort soigné, lui démontrant que je servirais notre idéal commun avec d'autant plus d'efficacité que mon zèle serait moins ostensiblement engagé. Je lui dévoilai ma méthode, à laquelle je crois, d'ailleurs : la persuasion indirecte. Elle consiste, lui dis-je, à donner au lecteur ou à l'interlocuteur l'illusion qu'ils découvrent eux-mêmes ce qu'en réalité on leur souffle. On doit parsemer leur esprit des informations et des réflexions menant à une conclusion qu'on se garde de formuler à leur place, mais à laquelle ils s'attachent d'autant plus qu'ils l'imaginent leur. Perplexe, ne sachant plus si c'était du lard ou du cochon, il parut se satisfaire de cette séduisante théorie, sans joie ni enthousiasme, certes, mais assez durablement pour que je n'eusse plus jamais vent de ses récriminations.

Au demeurant, par l'entrechoc des excès compensés, Servan-Schreiber et Philippe Grumbach retombaient avec fréquence sur un mitan qui équivalait à de la perspicacité. Nous partageâmes en général tous trois les jugements à porter sur les événements et les questions de ces années. L'Express formula, en définitive, des analyses parmi les plus justes ou les moins fausses sur les Etats-Unis, le Watergate, l'Alliance atlantique, l'Ostpolitik, la détente, l'évolution de l'Union soviétique et de la Chine, la crise du pétrole ouverte par la guerre du Kippour, sur le Vietnam devenu entièrement communiste en 1975, sur le Cambodge des Khmers rouges, sur la Révolution des œillets au Portugal, sur le Chili d'Allende, sur la transition démocratique en Espagne, sur l'eurocomunisme, sur le « compromis historique » en Italie et, bien entendu, encore et toujours, sur la gauche française, fourvoyée dans l'impasse archaïque et sectaire du « Programme commun ». Tâche malaisée, car, à cette époque, les journaux français les plus influents, sans compter, naturellement ceux qui appartenaient au Parti communiste proprement dit, étaient les porte-parole d'une gauche qui estimait que les Américains portaient seuls la responsabilité de la guerre froide, qui louait sans restriction Mao et Castro, attribuait à la seule CIA la chute d'Allende, niait l'existence de camps de rééducation, c'est-à-dire de camps de la mort, au Vietnam, tenait les Khmers rouges pour de bienfaisants philanthropes, excusaient, voire encensait le terrorisme des Brigades rouges en Italie et de la Fraction de l'Armée rouge en Allemagne, soutenait au Portugal le Mouvement des Forces armées procommuniste contre le social-démocrate Mario Soares, relégué avec mépris par le PS français dans la « gauche américaine », voyait dans le dirigeant communiste Santiago Carrillo l'homme de l'avenir en Espagne et croyait encore, un an après l'avènement du roi Juan Carlos, que cet inventif démocrate était le pur et simple continuateur du franquisme.

Pour m'être employé à soutenir devant l'opinion française et internationale Mario Soares contre le complot soviétique et Juan Carlos dans sa transition démocratique, éclatante dès juillet 1976, j'avais suscité des protestations contre mes éditoriaux jusque dans le sein de la rédaction de L'Express, en majorité à gauche, et dont certains meneurs recevaient des consignes de partis ou de syndicats extérieurs et hostiles au journal, parfois même d'autres sources, plus lointaines et plus suspectes. Ces mêmes éléments déclenchèrent un mouvement de révolte, qui d'ailleurs tourna court, lorsqu'en janvier 1976, Jean-Jacques et Philippe décidèrent de donner dans un numéro spécial, tiré à un million d'exemplaires, de copieux extraits de mon livre La Tentation totalitaire. Il va de soi que je ne leur avais rien demandé, m'étant contenté de leur faire parvenir, en novembre 1975, à chacun, un jeu d'épreuves, par souci de réserver, comme il était naturel, la priorité des « bonnes feuilles » à L'Express. Mais ils publièrent beaucoup plus que des bonnes feuilles : de véritables « morceaux choisis » de tout le livre, au point que l'éditeur put craindre que la prépublication d'un choix d'une telle abondance, accompagné d'un résumé presque exhaustif, ne nuisît à la vente ultérieure de l'ouvrage en librairie, ralentissement qui par bonheur n'eut pas lieu.

Un an et demi plus tard, lorsque Raymond Aron, qui avait quitté Le Figaro à la suite d'un différend avec le propriétaire Robert Hersant, devint collaborateur de L'Express, les délégués syndicaux fournirent une preuve de leur habituelle ouverture d'esprit en publiant un communiqué hostile à son arrivée. Ils prétextaient, à l'appui de leur excommunication, que le recrutement d'Aron comme éditorialiste entraînait une décisive accentuation à droite de l'orientation du journal, à propos de laquelle la direction aurait au préalable dû consulter en assemblée générale la rédaction et le personnel, afin qu'ils pussent au besoin s'y opposer ou, pour le moins, obtenir d'Aron des « assurances d'impartialité » ! Cette assertion outrecuidante et cette prétention inquisitoriale reposaient sur un échafaudage d'âneries et de mensonges que, fort heureusement, une minuscule pichenette suffit à éparpiller. D'abord les syndicats étaient encore moins représentatifs dans la rédaction qu'ils ne l'étaient dans le pays, ce qui n'était pas peu dire. Ensuite, le rôle légitime des syndicats n'est pas de définir ou de censurer l'orientation politique d'un journal ou d'une maison d'édition, il est de défendre les intérêts du personnel. Cet empiétement révélait la politisation abusive et illégale des syndicats français. *L'Express*, enfin, avait toujours attaqué, bien avant l'arrivée d'Aron, le socialisme nationalisateur et antilibéral du Programme commun. Nous lui préférions la social-démocratie, que, précisément, la gauche française telle qu'elle était devenue répudiait et diabolisait, la chassant du temple comme un suppôt du capitalisme, parce qu'elle conservait l'entreprise privée et l'économie de marché. A la direction de *L'Express*, nous les considérions, nous aussi, comme indispensables à la croissance économique et à la liberté politique. L'arrivée d'Aron, plus libéral, certes, que social-démocrate, n'accentuait en rien cette analyse d'ensemble, qui pour nous ne datait pas d'hier, ni même notre critique des idées du Programme commun puisque je l'avais proposée en quelque sorte par avance dès 1970 dans *Ni Marx ni Jésus*, puis développée en 1975 dans *La Tentation totalitaire* et que JJSS l'avait exposée avant moi en 1967 dans son *Défi américain*. Mais Aron, le penseur libéral le plus célèbre de France, allait, il est vrai, renforcer nos thèses de tout le poids de son autorité et de sa science. Enfin, la pétition des syndicats se hissait sur les cimes de la stupidité sordide, surtout pour qui savait quels nullards l'avaient signée, en dépeignant l'irruption d'Aron comme une sorte de « coup d'Etat fasciste », de crime contre la liberté, de viol antidémocratique des droits de la rédaction ! L'auteur de *L'Opium des intellectuels* restait, vingt ans après, la bête noire de la gauche. Il n'avait pas encore accédé au statut immaculé de mentor œcuménique de toute l'intelligentsia française qui deviendrait le sien à la fin de sa vie et surtout après sa mort. Cette canonisation amènerait ceux qui lui avaient sans relâche craché dessus à se réclamer de lui sans honte, voire à l'annexer, à l'arracher à ses plus anciens disciples ! Faute d'avoir baigné dans l'étroitesse de vues et l'absence de scrupules de la gauche des années soixante-dix, on ne saurait comprendre comment une telle atmosphère rendait possible sans faire rire de présenter Aron comme un danger pour la démocratie. Le pauvre arpentait les couloirs, se frappant le front en répétant : « Je ne puis accepter le communiqué des syndicats. » Par coïncidence, nos relations en 1977 avaient gagné en chaleur et en cordialité, car je venais de publier dans l'une de mes collections chez Laffont son *Plaidoyer pour l'Europe décadente*, son plus notable succès de prestige et de tirage depuis *L'Opium des intellectuels*. La réussite cimente toujours l'amitié entre un auteur et un directeur de collection. Ce fut d'ailleurs un de mes derniers actes dans l'édition. La connivence qui en était née entre nous me permit en tout cas de panser l'indignation du philosophe sans nier que, même lancé par des imbéciles, un tel caillou puisse faire mal.

Quant à notre position plutôt favorable à Giscard (qu'Aron tenait cependant pour un piètre homme d'Etat) pendant les débuts du septennat, elle découlait non pas de la présence au gouvernement de Françoise Giroud, mais bien du relatif libéralisme des réformes du président, comparées à l'étouffement conformiste de la période de Georges Pompidou. Je mentionnerai en particulier un bât qui nous blessait fort : le service soi-disant public de l'information. Les belles voix qui tonnent aujourd'hui contre l'abaissement du niveau des télévisions, lequel serait dû aux privatisations, ont oublié ou n'ont jamais connu l'humiliation de cette décennie sous-développée des années soixante où la chaîne unique de la télévision française, sous la poigne gouvernementale, servait de haut parleur à la seule mégalomanie officielle. Dans son livre, *C'était de Gaulle*, Alain Peyrefitte, en 1994, rapporte une interrogation d'André Malraux. Elle suit le droit fil de la conception gaullienne du bon usage des médias : « Comment fait donc Kennedy, dit l'auteur des *Voix du silence*, qui aurait mieux fait ce jour-là d'imposer silence à la sienne, pour gouverner les Etats-Unis sans avoir le contrôle de la télévision ? » Cette question à la fois naïve et lyrique, digne d'un primitif de l'information, n'étonnerait pas venant d'un président africain, qui se la poserait à propos d'un Premier ministre britannique. Qu'elle émane d'un Malraux, dans la France des années du grand essor médiatique mondial, indique bien de quel caporalisme nous a de son plein gré délivrés François Mitterrand, fût-ce incomplètement. Aucune télévision commerciale future, en dépit de ses vulgarités, ne pourra égaler en servilité feu l'ORTF (Office de radiodiffusion et télévision française), cette « Voix de la France », comme osait la définir Pompidou, confondant la France avec le palais de l'Elysée.

Que ce soit dans l'exploitation privée ou dans le secteur public, la France, il est vrai, a raté sa civilisation audiovisuelle. Au moins pour ce qui concerne l'information. Jamais, nulle part, même dans les pays dits sous-développés, du moins ceux où les ondes n'appartiennent pas exclusivement à l'Etat, je n'ai vu ou entendu de journaux télévisés ou radiophoniques aussi désorganisés qu'en France. On passe d'un fait divers à un détail de politique intérieure, on mélange le sport et les affaires internationales, on traite des pays étrangers à la va-vite et sous un angle purement anecdotique, avant de sauter à un commentaire creux sur un « problème de société » ou à un chiffre brut de résultat économique, auquel les auditeurs ou spectateurs n'entendent goutte, ignorant le contexte. Et que dire des fonds de tiroir intemporels, sans intérêt et sans rapport avec l'actualité, dont la télévision nous abreuve pour boucher les trous ? Cette absence de hiérarchie entre les sujets gomme toute notion de l'importance relative des événements et toute curiosité pour les enchaînements qui les rattachent les uns aux autres, donc toute capacité de les comprendre et, finalement, de s'y intéresser. Le tréfonds de la niaiserie médiatique est sans doute atteint par ces émissions de radio nocturnes où des auditeurs téléphonent à une station pour se confier à un meneur de jeu qui devient ainsi à la fois leur directeur de conscience, leur maître à penser et leur « copain ». Le tutoiement immédiat et l'usage du prénom sont de rigueur, avec cette cordialité superficielle qui est la dégradation radiophonique de l'amitié. On ne sait ce qui est le plus consternant, dans ces échanges de lieux communs, l'indigence narcissique des confidences, la prétentieuse banalité des conseils ou la décomposition de la langue et de l'expression. On nous sert ce brouet noir, bien sûr, au nom de la « communication » et du « dialogue ». Une consolation pour un Français : le record de sottise et de vulgarité de ces bavardages revient aux radios espagnoles.

On pourrait concevoir que le public français, conscient de ne pouvoir à travers cette bouillie appréhender ni expliquer l'actualité et encore moins l'époque, se tourne donc en masse pour y parvenir vers la presse écrite. Car celle qui se veut sérieuse classe, hiérarchise, distribue, analyse les informations et les sujets selon un ordre logique et en fonction de leur substance. Hélas ! de tous les pays jouissant d'un pouvoir d'achat et d'un niveau d'éducation élevés, la France est l'un de ceux où la presse écrite a le plus de mal à vivre. Les quotidiens généralistes nationaux, au cours du dernier tiers du XXe siècle y disparaissent les uns après les autres ou y chancellent, au bord de la faillite. Les quotidiens régionaux, eux, sont souvent prospères, mais si chiches d'informations à caractère universel qu'on ne peut pas se tenir au courant de l'actualité nationale et internationale en se contentant de son journal régional. En fait, un quotidien régional n'est pas en France le même produit qu'un quotidien national, même s'il se présente matériellement sous la même apparence. Pourquoi cette étroitesse du régional est-elle si proprement française ? C'est un autre sujet d'étonnement. Car on peut suivre l'actualité internationale en ne lisant par exemple qu'un régional italien, qui donne beaucoup plus que les nouvelles locales. Cela n'empêche pas la presse nationale italienne d'être elle aussi fort lue dans les régions. D'ailleurs, les quotidiens nationaux italiens sont presque tous des régionaux dilatés, qui conservent leurs liens locaux privilégiés, le *Corriere della Sera* avec Milan, la *Stampa* avec Turin, de même qu'en Allemagne la *Frankfürter Allgemeine Zeitung* avec Francfort et la *Süddeutsche Zeitung* avec Munich. Mais, quoique nettement locales, la *Nazione* de Florence ou, en Espagne, la *Vanguardia* de Barcelone, ont une substance rédactionnelle couvrant les affaires du monde. Il semble donc qu'en France tout se tienne et que la pauvreté chaotique de l'information radiotélévisée, au lieu d'accroître la tendance à chercher dans la lecture des journaux une information plus complète et mieux construite, en amenuise au contraire le besoin à force de ne le satisfaire qu'à demi. Le sevrage d'information intelligible aiguise peut-être, en un premier temps, la curiosité, mais à la longue il l'atrophie.

La presse hebdomadaire, toutefois, atténue la noirceur de ce tableau. Quand j'en assumai la direction, *L'Express* demeurait l'hebdomadaire français le plus diffusé, en France et à l'étranger, malgré un fléchissement récent, dû aux incartades de JJSS et à l'ascension d'excellents concurrents. *Le Nouvel Observateur* avait, en dix ans, sous la direction de Jean Daniel, reconquis un vaste lectorat. Créé en 1972 par Claude Imbert, *Le Point* avait atteint l'équilibre de ses comptes et imposé l'autorité de son titre avec une magistrale promptitude. Les dirigeants et beaucoup de collaborateurs de nos deux principaux concurrents venaient d'ailleurs de chez nous, comme ce devait aussi être le cas du fondateur-directeur et de plusieurs vedettes du futur *Evénement du jeudi*, créé en 1984. Nous tirions quelque fierté de ce rôle d'école de journalisme que jouait en quelque sorte *L'Express*. En mettant entre parenthèses les préférences ou les méfiances que l'on peut avoir pour leur engagement ou leur absence d'engagement politique et en ne jugeant que de leur valeur professionnelle, on doit admettre que les trois hebdomadaires d'information et d'analyse, de loin les plus vendus et les plus influents appartenaient à ce qu'on appelle la « presse de qualité ». On ne pouvait contester la leur, tant dans les sections de politique intérieure ou internationale, d'économie ou de « société », que dans les sections culturelles : la critique des idées, des lettres, des arts, des spectacles, les entretiens et extraits de livres. L'irruption sur le marché en 1978 et le triomphe commercial d'un quatrième concurrent puissant, *Le Figaro Magazine*, supplément du samedi du *Figaro* quotidien, accrut encore le lectorat de ce type de presse et en confirma la vitalité, exceptionnelle en France.

Il n'en devenait donc que plus nécessaire de redonner à *L'Express* un élan et de le guérir de cette présomption trompeuse que la première place lui était due et lui resterait dévolue. Avant la naissance du *Point* et la renaissance de *L'Observateur*, *L'Express* avait joui d'une confortable et splendide solitude dans sa catégorie, comparable à celle du souverain *Spiegel* en Allemagne. Le mol oreiller du monopole nous avait non pas endormis, certes, mais capitonnés dans une croyance excessive en notre invulnérabilité. Il m'incombait à la fois de rétablir et de rajeunir notre tradition d'agressivité exploratrice dans la recherche des faits et notre vocation de découverte dans le lancement des thèmes. En outre, notre journal avait dès l'origine compté ce qu'on appelle de « grandes signatures », tant parmi les éditorialistes et les critiques maison qu'en faisant appel occasionnellement à des écrivains célèbres ou en publiant les bonnes feuilles de leurs livres en exclusivité. Mais toutes ces ressources ne pouvaient dérouler et n'avaient jamais déroulé leurs vertus qu'en étant mises au service, non pas d'une « ligne » politique, définition trop étroite et qui pue le parti pris, mais d'une conception d'ensemble, d'une vision originale des problèmes prépondérants de l'époque. D'abord les déceler, puis les énoncer clairement, ensuite les classer par ordre d'importance, enfin étudier les moyens de les résoudre, telle était la tâche que je m'assignai et à laquelle j'entrepris de réintéresser la rédaction.

III

Qu'il s'agisse d'investigation ou de réflexion, de découvrir des faits nouveaux ou de raisonner juste à leur sujet, n'allons pas croire que la tâche la plus rude, dans le travail du journaliste comme de l'historien, soit de décrire la vérité avec exactitude et de la commenter avec talent. Elle est de surmonter la résistance qu'opposent à sa divulgation les préjugés, les intérêts, les lâchetés et la bêtise. J'en conterai ici quelques morceaux de choix, destinés à illustrer les paradoxes de la communication et la chimère de la toute puissance journalistique. Je glisse rapidement sur le premier de ces épisodes, et ne le mentionnerai que pour mémoire, car je l'ai déjà raconté en détail dans *La Connaissance inutile* (au chapitre IV). Je me dispense donc ici de redire par le menu les raisons qui me poussèrent, après maintes réflexions et consultations, à publier dans *L'Express*, en l'entourant de toutes les indispensables gloses réprobatrices, un entretien avec l'ancien commissaire général aux questions juives de Vichy, Louis Darquier de Pellepoix, qui terminait sa néfaste vie à Madrid, où il s'était enfui et s'abritait depuis l'écroulement du nazisme. Les témoins et acteurs des événements de notre temps que le journaliste, cet historien du présent, doit forcément interroger pour comprendre leur fonctionnement moral et mental, nous ne les choisissons pas. Ce sont ceux qui ont existé, si haïssables soient-ils, et non pas ceux que nous aurions souhaité voir exister à leur place. Partir de ce principe était compter sans la psychopathologie française touchant le souvenir de l'Occupation, sans l'ambivalence qui nous entraîne, pour tout ce qui s'y rapporte, à majorer tantôt notre culpabilité tantôt notre héroïsme. Mais, même averti de nos égarements à l'égard du souvenir de Vichy, je n'aurais jamais conjecturé qu'un éditorialiste aussi intelligent que Pierre Viansson-Ponté, du *Monde*, pour ne citer que lui dans la meute grouillante, se figurât qu'on le croirait sincère quand il accusa *L'Express*, en première page..., d'antisémitisme ! C'est comme si l'on avait imputé à Soljenitsyne l'intention de rétablir ou de renforcer le goulag. « Je suis suffoqué par la mauvaise foi du procès qu'on te fait », m'écrivit alors

Alain Besançon dans une lettre du 3 novembre 1978, qui en reflète quelques centaines d'autres, moins fermement rédigées, quoique de même substance. « Ces antisémites profonds et refoulés du *Monde* ont enfin trouvé un chef d'accusation : l'antisémitisme ! Double alibi, envers leur antisionisme actuel et leur infinie complaisance aux crimes présents de leurs amis. Il faut leur répondre non pas en disant « je ne suis pas antisémite » mais : "vous l'êtes". » A ces considérations et à ce que j'ai dit dans *La Connaissance inutile* sur ces calomnies aussi nauséabondes qu'invraisemblables, je joindrai aujourd'hui seulement une remarque, inspirée par la publication, en 1994, du livre de Pierre Péan, *Une jeunesse française, François Mitterrand 1934-1947*, qui exhuma enfin au grand complet les convictions et les compromissions vichystes du président socialiste, et, en particulier, son ancienne amitié, restée inaltérable durant les décennies ultérieures, pour René Bousquet, ex-chef de la police de Vichy, instigateur en 1942 et organisateur, entre autres crimes, de la grande rafle du Vel d'Hiv, prélude à la déportation outre-Rhin et à l'extermination de milliers de juifs. On savait Mitterrand friand de la compagnie des escrocs, dont il a bourré ses ministères et son entourage. Mais, sur la fin de ses ans, il a brillé aussi par sa prédilection pour les assassins, avérée par sa fidélité à René Bousquet et, en mars 1995, par son hommage fervent à Fidel Castro, reçu dans la pompe à l'Elysée et dans l'intimité au domicile privé du ménage Mitterrand, avec tous les honneurs dus aux bienfaiteurs de l'humanité. Or Bousquet, l'homme dont on parla le plus en France dans les semaines suivant la sortie du livre de Péan, c'est l'entretien avec Darquier qui, en 1978, avait rétabli la vérité au sujet de ses fonctions sous l'Occupation, vérité que l'intéressé était parvenu à enfouir dans l'oubli, grâce à l'amitié de vieux complices comme Mitterrand, précisément.

« La grande rafle, c'est Bousquet qui l'a organisée. De A à Z. Bousquet était le chef de la police. C'est lui qui a tout fait. Maintenant, vous savez comment il a terminé, Bousquet ? Il a écopé de cinq ans d'indignité nationale. Il aurait aidé la Résistance ! Quelle farce ! Et il a terminé directeur de la Banque d'Indochine. Ah ! il s'est bien débrouillé, Bousquet ! Pourtant, c'est lui qui organisait tout », déclare Darquier à *L'Express*. J'eus la surprise agréable, seize ans plus tard, de voir rappeler ce témoignage par Delfeil de Ton dans un de ses « Lundis » du *Nouvel Observateur*. Mon plaisir fut décuplé, je l'avoue, par le commentaire dont Delfeil faisait suivre cette citation : « Ah ! s'il y a un type, jusque-là tranquille comme Baptiste et introduit dans les meilleurs milieux, qui n'a pas été content de voir paraître, trente-quatre ans après la Libération, cette interview de Darquier de Pellepoix dans *L'Express*, ce fut assurément René Bousquet. Eh bien, en cette année 1978, que croyez-vous qu'il arriva ? Il arriva que *L'Express* fut accusé de tous les péchés. On vit Raymond Aron et

Jean-François Revel, alors responsables de cet hebdomadaire, devoir rappeler leurs écrits antinazis. Raymond Aron ! Jean-François Revel ! C'est qu'on voulait les poursuivre. Les voir condamnés. Publier les propos de Darquier de Pellepoix, c'était criminel. » J'appréciai d'autant plus cette justice de pur bon sens enfin rendue que, exception rarissime dans le patelin journalistico-littéraire, je n'avais jamais eu de relation, bonne ou mauvaise, avec Delfeil de Ton, chroniqueur à la fois important et marginal du *Nouvel Observateur*. J'ignorais même à quoi il ressemblait. Dans la suite de son article, il égrène à titre d'exemples, pour illustrer son propos, une série d'imprécations émanant de partis, de journaux, d'organisations, d'institutions de droite comme de gauche, allant de l'Elysée de Giscard à l'Association française des juristes démocrates, tenue par les communistes, en passant par la Ligue des droits de l'homme, tenue par des socialistes « compagnons de route ». Ces citations montrent qu'il faut parfois beaucoup d'imagination pour être bête et malhonnête. Sans pousser l'hypocrisie jusqu'à soutenir, comme Viansson-Ponté, cette bouffonnerie que Darquier s'exprimait au nom de *L'Express*, les saintes nitouches fondaient toutes leurs piailleries sur un raisonnement sous-jacent commun si toutefois on peut élever du grade de raisonnement un magma infra-mental aussi informe. Il consistait à arguer qu'il est dangereux et mauvais de citer des propos ou de mentionner des actes attentatoires à la dignité humaine, si anciens fussent-ils, et même à titre de simples documents historiques. Eclatante contradiction, en ces décennies où l'on n'a jamais autant fait claquer au vent le terme « mémoire », en l'estropiant d'ailleurs dans un sens impropre, et où, dans la pratique, la mémoire publique n'a jamais été aussi sélective et les souvenirs collectifs plus caviardés par le « démon du Bien », un Bien très unilatéral. Une telle censure équivaut à interdire la connaissance de l'humanité, car l'humanité n'est hélas ! pas exclusivement vertueuse. Pour l'observer, force est de faire souvent aussi l'inventaire du mal et de rechercher ce qui incite l'homme à le commettre. Mon objectif, en faisant interroger Darquier, avait été de diriger la lumière sur ce qui se passe dans le ciboulot d'un nazi raciste. Comme l'écrit encore Delfeil, « il est bon de savoir comment ça parle, comment ça raisonne, d'autant que celui-ci, de par son passé, est exemplaire. Et vous réclamez la censure ? En faisant taire Darquier, vous protégez Bousquet ».

Certes, le souci intéressé de garder ensevelis certains secrets de l'Occupation constituait un des mobiles du chœur des cagots, qui entonna derechef en 1985 sa cantate pour couvrir le bruit que fit cette année-là un reportage télévisé sur l'affaire Manouchian. Ce groupe de résistants communistes soupçonna le parti communiste lui-même ou les services soviétiques de l'avoir livré à la Gestapo. Mais en 1978, un autre mobile des fourbes était le désir vulgaire de tenir à peu de frais un noble rôle en fulminant à titre rétroactif contre Darquier, un individu mis par bonheur hors d'état de nuire depuis plus de trente ans, *comme s'il s'agissait d'un combat actuel.* Au moment même où ils tonnaient contre Darquier et contre moi, son « complice », ils avaient la frousse, y compris à droite, de blâmer ou même de paraître remarquer les crimes contre l'humanité commis en URSS, en Chine, au Vietnam communiste, au Cambodge des Khmers rouges ou à Cuba. Ces crimes-là étaient pleinement actuels et quotidiennement contemporains. On aurait pu les empêcher ou les réduire, si l'on en avait eu le courage.

Alors que je m'épuisais en interminables polémiques avec des contradicteurs de mauvaise foi, et alors que, même dans quelques secteurs de la communauté juive un revirement se dessinait contre moi, car on y professait volontiers que j'aurais dû cacher le document sous prétexte qu'« il y a certaines choses qu'il vaut mieux ne pas remuer » et que ces empoignades « risquaient de relancer l'antisémitisme », c'est d'outre-Rhin que me parvint un renfort inattendu. Dans un discours public, le fondateur du Congrès mondial juif, Nahum Goldmann, un vétéran du sionisme, alors âgé de quatre-vingt-trois ans, se félicita de ce que les déclarations de Darquier de Pellepoix eussent été publiées. (Voir *Le Monde* du 11 novembre 1978.) « De cette façon, estima-t-il, les Français sont amenés à comprendre les responsabilités qu'ils ont pu eux-mêmes endosser dans le martyre du peuple juif. » Ce rappel, poursuivait-il, permettait de « ne rien oublier, pour réparer le plus possible ». Goldmann prononça ce discours lors des cérémonies destinées à marquer le quarantième anniversaire de la Nuit de Cristal, ce pogrom au cours duquel les sections d'assaut hitlériennes avaient, dans toute l'Allemagne, attaqué des juifs, dévasté leurs logements, pillé leurs magasins ou ateliers, incendié leurs synagogues. Or, (je le raconte aussi, plus en détail, dans *La Connaissance inutile*) dix ans plus tard, lors du cinquantième anniversaire, cette fois, du même pogrom, le président du Bundestag, Ernst Jenninger, se vit accuser d'« indulgence envers le nazisme », parce que, dans un discours sans doute trop subtil pour la majorité des journalistes et des parlementaires, il s'était efforcé d'expliquer comment et pourquoi le peuple allemand avait pu concevoir, perpétrer ou tolérer de tels crimes. Décidément, dans la République fédérale, l'argumentation du fondateur du Congrès juif mondial n'avait pas plus porté que la mienne en France. A défaut d'être une consolation, c'était une leçon.

IV

Nos mentalités ou nos lâchetés sous l'Occupation ne garnissaient pas la seule nécropole dont l'entrée s'ornât de l'avertissement : « Vérité interdite ». Sur le porche d'une autre, l'injonction se faisait encore plus menaçante : c'était le communisme. J'ai déjà mentionné la publication par *L'Express*, le 17 février 1979, des comptes secrets de la Banque soviétique, dite BCEN (Banque commerciale pour l'Europe du Nord), avec des documents précis et photocopiés sur les liens entre la Banque d'Etat soviétique, le PCF et son appendice syndical, la CGT. Ces documents m'avaient été apportés par Jean Montaldo, personnalité originale autant que marginale du journalisme français. De petite taille et mince, toujours habillé avec une élégance du dimanche, à l'italienne, s'arrêtant rarement de rire, même dans la colère ou l'indignation, tant ce qu'il faisait l'amusait, ce pied-noir, alors âgé de trente-sept ans, aura été l'un des plus infatigables chiens de chasse de l'histoire de la presse française, aux côtés d'autres enquêteurs tenaces, tels Jacques Derogy, Jean-Marie Ponteau ou Edwy Plenel. Mais avec plus de mérite qu'eux, car il travailla toujours en solitaire, sans journal puissant derrière lui, sans aucune accointance gouvernementale ou administrative, donc avec encore moins de retenue commandée. Aucun apparentement politique, aucun tabou idéologique ou amical ne l'arrêtèrent jamais, pas plus que l'indispensable prudence qu'impose aux plus impartiaux l'appartenance permanente à une rédaction, à une entreprise. Il publia maints articles, certes, en pigiste libre, dans divers journaux, mais du gros de ses trouvailles il fit avant tout des livres. Lesquels contiennent des révélations, servies par une faconde haletante, toute méridionale, qui valurent à leur auteur de dérangeants succès de vente. A la fin de la gérance Mitterrand (je dis bien gérance et non gestion, car Mitterrand a géré la France comme on gère un bar : à son profit), trois livres de Montaldo, *Lettre ouverte d'un chien à François Mitterrand au nom de la permission d'aboyer*, en 1993, *Mitterrand et les quarante voleurs*, en 1994, et *Rendez-nous l'argent !*, en 1995, s'élevèrent, pris ensemble, à près d'un million et demi d'exemplaires vendus, ce qui veut dire, pour ce type d'ouvrage, qui circule beaucoup de main en main, environ dix millions de lecteurs, soit le tiers des votants d'une élection présidentielle. Malgré cette audience, et quoique nul ne l'ait jamais convaincu de mensonge ou d'inexactitude grave, Montaldo est resté toute sa carrière un pestiféré, parce que, dans sa prime jeunesse, il avait collaboré à l'hebdomadaire d'extrême droite *Minute*. Qu'un pied-noir de vingt ans, désorienté par l'épreuve de l'exode précipité des rapatriés au moment des accords d'Evian de 1962, écrivît des critiques de cinéma et de télévision dans un organe qui, à ses yeux, avait le mérite d'avoir défendu l'« Algérie française », voilà qui lui valait à tout jamais dans la profession un opprobre et une excommunication auxquels échappaient en 1975 ou 1980 des staliniens de vieille souche ou même des staliniens en pleine éruption. Les ironies de l'histoire font d'ailleurs qu'en 1959, après la mise en scène du faux attentat des Jardins de l'Observatoire, le sénateur Montaldo, père de Jean, avait été le seul membre de l'assemblée du Palais du Luxembourg, qui avait accepté de plaider en faveur de Mitterrand pour présenter selon l'usage sa défense, dans le débat sur la levée de son immunité parlementaire, devant la commission du groupe de la gauche démocratique, auquel appartenait l'imposteur. Mieux : à la présidentielle de 1981, Jean a voté Mitterrand. Il l'a fait moins par approbation du programme de Mitterrand que par déception de la présidence de Giscard. Mais il est significatif que cette déception ne l'ait pas conduit à voter pour l'autre candidat de droite, Chirac. A l'époque où je le connus, Jean avait déjà une bibliographie fournie. En particulier, dans ses *Finances du Parti communiste*, il avait démonté pièce par pièce le mécanisme des faux « bureaux d'études » et du détournement des fonds municipaux au profit du Parti, toutes rapines inventées et appliquées d'abord par les communistes, avant d'être ensuite imitées et amplifiées par les autres voleurs politiques. De cet ouvrage, *L'Express* avait publié en janvier 1978 un chapitre en bonnes feuilles : « PCF : main basse sur les villes ». En 1971, à l'appui d'une enquête sur la misère des prisons, notre journal avait déjà présenté une analyse d'un autre de ses livres, *Les Corrompus*, qualificatif qui, à l'époque, visait donc en priorité le pouvoir en place, l'Etat UDR, l'Etat gaullo-pompidolien. Dans *Tous coupables*, Montaldo avait décrit la mainmise dictatoriale du pouvoir républicain sur la radio-télévision depuis la guerre, tant sous la Quatrième que sous la Cinquième, et tant par la gauche que par la droite. Nos Républiques, dans le domaine de l'information audiovisuelle, ont longtemps copié avec un soin servile les méthodes du régime de Vichy. Malgré cette impartialité dans la curiosité (une de ses enquêtes avait même malmené avec rudesse un notable dirigeant gaulliste, Alexandre Sanguinetti, pour affaires suspectes), Montaldo n'en resta pas moins classé à l'extrême droite et, à ce titre, mis en relégation par la profession, qui ne s'en repaissait pas moins de ses livres et les pillait, sans les citer, avec une vertueuse goinfrerie. Il va sans dire qu'on ne l'invitait quasiment jamais sur les ondes ni sur le petit écran, ou alors avec une parcimonie sans commune mesure avec le retentissement de ses révélations, bannissement qui s'est peu à peu atténué durant les deux décennies suivantes.

Au début de janvier 1979, Jean m'avait proposé de venir me voir à mon domicile. Il désirait, étant donné le piquant du dossier qu'il m'apportait, me dit-il, éviter d'alerter par une visite à mon bureau les espions du PCF que comptait inévitablement le personnel du journal, comme de tous les journaux et de toutes les maisons d'édition. Ce réseau d'espionnage, mes amis les « renégats » Charles Tillon et Auguste Lecœur, tous deux anciens membres du bureau politique ou du secrétariat à l'Organisation, et familiers des rouages secrets du Parti, m'en ont toujours, et séparément, confirmé l'existence, me traitant même de naïf quand je leur paraissais douter de son omniprésence.

Montaldo vint donc prendre le petit noir du petit matin chez moi, un jour d'hiver, vers sept heures (tous deux méditerranéens, nous ne mangions rien au petit déjeuner, nous contentant de quelques tasses de café très fort). Il étala sur mon bureau et sous mes yeux écarquillés des relevés de la BCEN, appelée Eurobank, où figuraient les comptes du PCF, de *L'Humanité*, d'autres journaux communistes, de la CGT, le syndicat dépendant (illégalement) du Parti et des principaux comités d'entreprise que la CGT contrôlait, puis les comptes indivi-duels de nombreuses hautes ou basses personnalités du Parti. Les plus instructifs de ces comptes étaient ceux des « entreprises rouges », qui captaient et parasitaient le commerce entre l'Est et l'Ouest pour per-mettre ainsi à l'Union soviétique de subventionner, sous le couvert de transactions commerciales en apparence normales, les « Partis frères » d'Europe occidentale (car la Banque soviétique n'opérait pas qu'en France) au moyen de prétendues commissions, versées à des sociétés fantômes, destinées à ce seul usage. Jean m'annonça qu'il allait consa-crer un livre à toute cette moisson de preuves et m'offrait l'exclusivité d'une prépublication dans *L'Express*.

La première idée qui me vint à l'esprit fut aussi celle qui, après la divulgation et le scandale, allait, en un premier temps, venir à celui, fort ébranlé, du malheureux président de la Banque à Paris, Guy de Boysson, et aux rédacteurs de *L'Humanité* pris de court. Ces pièces, me dis-je, avaient sans doute été soutirées et sorties en cachette grâce à des connivences frauduleuses au sein de la maison. Auquel cas, dis-je à Montaldo, je ne pourrais de toute évidence pas les utiliser dans *L'Express*, sous peine de rendre le journal complice d'un délit. Cette objection inquiète précipita mon interlocuteur dans une intense crise de joie. Dès que l'apaisement progressif de son fou rire lui eut restitué ses facultés d'élocution, il me rétorqua que mes craintes n'avaient pas de fondement. Il me raconta comment il avait pu tirer parti d'une aubaine accidentelle et inopinée sans violer le moindre article du code. Le hasard avait fait que, passant devant l'Eurobank, 81, boulevard Haussmann, un après-midi de l'automne de 1978, période durant laquelle une grève des éboueurs avait privé Paris, pendant plusieurs semaines, du ramassage des ordures ménagères et autres déchets, il avait remarqué sur le trottoir une monumentale accumulation de sacs poubelles. On en voyait dans tous les quartiers, certes, mais ceux-là, éventrés par une chute de grêle, offraient la particularité de dégorger dans la rue des relevés bancaires à foison ! Alléché, il revient pendant la nuit avec une voiture pour y embarquer les sacs. Et, enflammé par la beauté de sa prise, il recommence toutes les nuits suivantes, se substituant bénévolement aux éboueurs jusqu'à la fin de la grève. Or il n'y a aucun larcin à s'approprier ce qui est abandonné volontairement sur la voie publique. On s'étonne d'ailleurs de la somnolence des services de sécurité de l'Eurobank qui, non seulement laissaient traîner comptes et télex sur la chaussée, mais ne remarquèrent pas cette bizarrerie que leurs sacs se volatilisaient sans que le nettoyage municipal eût repris le travail.

Bien joué, dis-je à Jean. Lui, au moins, savait sauter sur la proie quand elle passait à sa portée, par la grâce d'une situation inédite et inattendue. Ses confrères n'avaient pas eu le réflexe de l'exploiter, se contentant pour la plupart de se pelotonner dans leur bureau en parcourant les dépêches d'agences. Bien joué, repris-je, mais comment pourrai-je prouver que c'est bien comme tu le dis, en toute régularité et légalité, que tu t'es approprié des documents confidentiels ? Après un deuxième accès d'hilarité, Montaldo me pria de le suivre jusqu'à sa voiture, garée au coin de la rue de l'Hôtel-de-Ville et de la rue Geoffroy-L'Asnier, à trois minutes à pied de mon domicile. Il ouvre le coffre, encore gorgé de sacs poubelles, et extrait d'un cartable un rôlet. Le goupil avait eu la ruse, dès sa première razzia, et durant toutes les suivantes, de se faire accompagner et de faire constater la réalité des faits par un huissier. Il me lut en se léchant les babines ce procès-verbal de constat, rédigé dans l'archaïque et inimitable prose de la basoche :

« L'An Mil Neuf Cent Soixante-Dix-Huit et le Quinze décembre.

« En l'étude de l'Huissier de Justice soussigné, s'est présenté Monsieur Montaldo Jean, né le 6 Septembre 1941 à Teniet El Haad (Algérie), de nationalité française, demeurant à Paris (16e), 91, boulevard Murat.

« Lequel m'a exposé :

« Qu'il a le plus grand intérêt à faire constater la présence ou l'absence de paquets-poubelles, déposés sur le trottoir du Boulevard

Haussmann à Paris, face au 81 de cette même voie, aux fins d'enlèvement par les services de la voierie.

« Qu'il me requiert pour ce faire, comme de constater l'enlèvement
par lui de tout ou partie de ces sacs, en décrire sommairement ou
précisément leur contenu.

« Déférant à cette réquisition et sans désemparer, me suis transporté ce jourd'hui à 5 heures 15 à Paris, sur le trottoir du Boulevard
Haussmann, face au 81, où étant, j'ai constaté :

« Deux personnes, l'une de race blanche, l'autre de race noire,
sortent de l'immeuble sis au 81, Boulevard Haussmann et déposent
sur le bord du trottoir, aux fins vraisemblables d'enlèvement par les
services de voierie, une vingtaine de sacs-poubelles, parmi des ordures
ménagères et autres, contenues dans des boîtes en carton ou posées à
même sur le trottoir.

« A 6 heures 05, en compagnie de mon requérant, me suis approché
desdits sacs.

« Ceux-ci ne sont pas fermés et laissent ainsi apparaître des feuilles
manuscrites ou imprimées, listings, bandes perforées de télex.

« Ils contiennent en outre des déchets divers, boîtes de carton,
emballages, bouteilles en verre ou en plastique.

« A 6 heures 10, mon requérant transporte six de ces sacs, dans
son véhicule automobile R5, transformé en break, qui stationne à une
vingtaine de mètres au-delà.

« Au moyen de ce véhicule, nous venons déposer les six sacs en
mon Etude et nous repartons rue de La Boétie à Paris, à la hauteur
du numéro 26, où le requérant se gare.

« Nous empruntons le métropolitain, à la station Miromesnil et sor-
tons à la station Saint-Augustin, sortie boulevard Haussmann.

« A 6 heures 40, mon requérant à pied se rend devant l'immeuble
sis au 81, boulevard Haussmann, prend un septième sac, qu'il transporte à bout de bras, en se dirigeant vers la station du métropolitain
Saint-Augustin.

« Revenus par le métropolitain à la station Miromesnil et au 26, rue
de La Boétie, après que mon requérant a placé le sac dans son véhicule, nous nous transportons à nouveau en mon Etude, où mon requérant se mit en devoir de faire l'inventaire des sept sacs, pris sur le
trottoir face au 81, boulevard Haussmann à Paris.

« *Contenu des sacs* :

« Outre des ordures ménagères, telles que bouteilles d'eau en plastique, bouteilles en verre, cartons ayant contenu des aliments, mon
requérant sort et classe des documents, parmi lesquels... »

Suivaient l'inventaire et la description par l'huissier des pièces bancaires contenues dans les sacs, et notamment, ce qui indique un rare
laisser-aller des responsables, « deux rapports émanant du comité de
direction du 4 décembre 1978 en original et un autre en date du

7 décembre 1978 en photocopie ». Après avoir consigné que les documents étaient « tous en bon état de conservation et parfaitement lisibles », l'éminent officier ministériel concluait :

« Après que mon requérant m'a laissé nombre de ces pièces, que j'ai annexées en original, j'ai arrêté mes opérations, desquelles j'ai dressé le présent procès-verbal de constat, les jour, mois et an que dessus, pour servir et valoir ce que de droit. »

Nous convînmes que Jean continuerait par précaution à s'abstenir de venir me voir au journal et qu'en me téléphonant il s'annoncerait en usant d'un nom de code. Comme il me rappelait Rouletabille, le personnage du journaliste fouineur, dans *Le Mystère de la chambre jaune* de Gaston Leroux, et comme nous nous fixâmes comme lieu régulier de rendez-vous le bar de l'hôtel Napoléon, je l'affublai du diminutif de « Tabille-Napoléon », bientôt simplifié, par usure phonétique, en Toto-Napoléon. Ce surnom lui resta dans le cercle des initiés — Aron, Goldsmith, Lazitch, Todd.

Ce furent ceux-ci que d'ailleurs je consultai, au cours d'un dîner dans un cabinet particulier du restaurant Laurent, pour leur exposer les faits, leur communiquer un échantillon des pièces, leur prouver, grâce aux constats d'huissier, l'origine sans tache des cargaisons, enfin recueillir, avant de procéder à la publication, leur accord formel et la garantie de leur soutien futur en cas de remous prévisibles. L'acquiescement sans réserve de Branko Lazitch, l'un des deux ou trois meilleurs spécialistes vivants des questions communistes, et d'Olivier Todd m'était acquis d'avance. Je tenais à m'assurer de la solidarité avant tout du propriétaire du journal, Jimmy Goldsmith, et de sa plus haute autorité morale, Raymond Aron. Car je n'ignorais pas que les révélations embarrassantes pour le Parti communiste n'irritaient pas seulement les communistes et leurs alliés socialistes. Elles inquiétaient aussi nos dirigeants libéraux, à l'époque le président Giscard d'Estaing et le Premier ministre Raymond Barre, aux remontrances desquels Goldsmith et Aron ne résistaient pas toujours.

Depuis les débuts de la cinquième République, les gaullistes estimaient avoir intérêt à ménager le Parti communiste, dont, en raison de leur politique étrangère « indépendante » (lisez : antiaméricaine), ils recevaient un soutien discret. J'ai déjà signalé cette connivence cachée et j'allais voir à mes dépens s'en reproduire la manifestation l'année suivante, lorsque l'Elysée blâma dans un communiqué officiel *L'Express* d'avoir retrouvé et publié le document établissant que Georges Marchais, le secrétaire général du PC, était allé comme travailleur volontaire en Allemagne, dans l'industrie de guerre, sous l'Occupation. En 1979 et 1980, les communistes, brouillés avec les socialistes, les attaquaient sans relâche. Cette rupture prolongée de l'Union de la gauche favorisait la perspective de réélection de Giscard en 1981. Moscou, d'ailleurs, par de multiples signes, indiquait sa préférence pour lui, au détriment de la candidature socialiste de Mitterrand. Le Président souhaitait donc que rien ne vînt perturber cette connivence occulte. D'où le soin que je pris, pour prévenir tout revirement de leur part, d'encorder Aron et Goldsmith en les associant à la décision de publier les secrets de la banque soviétique. Les bonnes feuilles du livre de Montaldo parurent dans le numéro du 17 février 1979. Qu'en ressortait-il ?

A cette époque les liens financiers entre Moscou et le PCF forment un circuit à trois voies. La première voie est celle des échanges commerciaux entre l'Est et la France, avec, comme intermédiaire obligatoire, un réseau de sociétés aux mains d'amis du PCF. Cet aspect est relativement connu, ainsi que l'homme qui symbolisait ces affaires, Jean-Baptiste Doumeng, le « milliardaire rouge ». Les journaux le mentionnent de temps en temps, sans cependant pouvoir apporter toute la lumière sur des opérations financières manigancées en partie hors de France, ni sur les commissions versées grâce à elles au PCF. Mais on n'ignorait plus qu'il existait un communisme d'argent, à l'échelle multinationale.

La deuxième voie de ce circuit va en sens inverse de la précédente : ce n'est plus Moscou qui fait gagner de l'argent aux communistes français, mais c'est le PCF qui dépose son argent à la banque soviétique de Paris. Sur ce point, les révélations et les preuves apportées par la documentation des *Secrets de la banque soviétique en France* étaient sans précédent : le PCF disposait à la BCEN de deux cent dix-neuf comptes, avec plusieurs dizaines de millions de Francs, et la CGT détenait pour sa part plus de deux cents comptes, avec un dépôt d'environ 50 millions de francs.

En 1979, la France compte un millier d'établissements bancaires, mais une seule banque avec un capital presque exclusivement soviétique (99,7 %). Les autres banques étrangères, qui ont des établissements chez nous, sont privées, alors que la BCEN est une filiale de la banque d'Etat de l'URSS. Ses dirigeants sont nommés par un conseil d'administration dont les membres sont désignés par le *gouvernement* soviétique. Or, l'argent du PCF et de la CGT se trouve précisément dans cette banque, partenaire soigneusement caché par ces organisations, comme l'illustrait le silence de la CGT dans le rapport présenté à son plus récent congrès.

Il est licite, pour une entreprise française, de travailler avec la filiale d'une banque étrangère et, pour un particulier, d'y ouvrir un compte. Mais, outre que la chose est déjà un peu plus délicate pour un parti politique ou un syndicat, la BCEN, répétons-le, n'a rien à voir avec la Morgan, la Westminster ou le Banco di Roma. Elle est la banque d'Etat soviétique. Ses principaux dirigeants relèvent de l'autorité directe de l'ambassade d'URSS. Et, qui plus est, cette banque accorde au PC des facilités de crédit rarement pratiquées dans les rapports habituels de banque à client.

Car là est la troisième voie, dans ce trajet Moscou-Paris : la BCEN accorde son « concours financier » au PCF en particulier à la presse et à l'édition communistes, bénéficiaires encore peu auparavant d'une « injection » de plusieurs dizaines de millions de francs en moins d'un semestre. Sur ce troisième point, les preuves précises que nous fournissions étaient entièrement originales. Pour donner une indication sur l'évolution du pouvoir d'achat du franc depuis lors, je rappelle que *L'Express* valait 8 F en 1979 et atteignit 18 F en 1996.

Depuis 1974, les relations politiques entre le Kremlin et la Place du Colonel-Fabien avaient connu des hauts et des bas. En revanche, les relations financières entre Moscou et le PCF étaient restées sans changement. Dans cette situation, en apparence contradictoire, trois questions se posaient donc : pourquoi le PCF n'avait-il pas pris ses distances à l'égard de Moscou sur le plan financier, comme il l'avait fait un moment sur le plan idéologique en s'alliant aux socialistes ? Pourquoi avait-il, depuis peu, dû faire machine arrière sur le plan idéologique et politique ? Pourquoi restait-il financièrement lié à la banque soviétique, puisque cette situation comportait le risque permanent d'être accusé de compromission ?

La réponse à ces trois questions est d'une seule et même lumineuse simplicité : le PCF ne pouvait pas agir autrement. Sa marge de liberté se limitait à dissimuler cet état de dépendance à l'aide d'expédients.

Il était bien connu depuis longtemps que le secteur presse-édition communiste marchait mal et restait grevé d'un lourd déficit permanent. Mais on ne savait pas, juqu'alors, par l'effet de quelle aide financière les publications communistes arrivaient néanmoins à subsister. Ce secret était désormais levé.

Dans la survie ou la mort d'une publication communiste, deux décideurs, toujours les mêmes, apparaissaient : Georges Gosnat, trésorier du Parti (et détenteur de comptes bien pourvus à la BCEN), qui communiquait la sentence, et la BCEN, elle-même, qui agissait en coulisse. Quand une publication était à la fois financièrement en perte et politiquement plus ou moins déviationniste, le couperet l'exécutait.

Nous en apportions deux exemples : *Action* et *Les Lettres françaises*. Il y en avait d'autres : en 1964, le quotidien *Libération* avait été supprimé du jour au lendemain, à tel point que son directeur, Emmanuel d'Astier de la Vigerie, devait se lamenter par la suite de ne même pas avoir bénéficié du droit de préavis légal.

Quelquefois, quand le tandem Gosnat-BCEN jugeait que l'hérésie politique n'était pas encore incurable, un sursis était accordé, assorti d'avertissements sévères, mésaventure que venaient de vivre deux publications des Jeunesses communistes : *L'Avant-Garde* et *Clarté*. Ces deux titres étaient pratiquement sans lecteurs : quatre militants de l'Union des étudiants communistes avaient révélé (*Le Matin*, 16 janvier) que *Clarté*, dont la vente se faisait pour l'essentiel par abonnements, plafonnait à... 600 exemplaires. Quant à *L'Avant-Garde*, elle en vendait, semble-t-il, à moins d'un millier.

Sur cette diffusion désastreuse se greffait un défaut politique : les jeunes responsables de ces feuilles étaient de tendance plutôt libérale, comme le montrait le numéro de novembre 1978 de *Clarté*. La revue y publiait deux longues interviews, l'une sur le livre *L'URSS et nous*, où des communistes encartés esquissaient cependant une légère critique du système soviétique, et l'autre défendant la « Charte 77 » de Prague par la bouche de Zdenek Mlynar, dissident communiste tchèque en exil. La suite est inscrite dans les archives de la BCEN : le 21 décembre, les dirigeants de ces deux publications informent la banque qu'elles sont l'objet de saisie-arrêt. La banque, visiblement, ne faisait qu'attendre ce moment. D'un côté, la politique du bâton : elle refuse d'accorder le moindre découvert immédiat à ces deux revues communistes ; de l'autre côté, la politique de la carotte : elle finance leur reparution à une date ultérieure. Mais, en contrepartie, un prix politique est payé : dans le numéro de janvier de *Clarté*, il n'y a plus d'article élogieux pour la contestation à l'Est ni de critique à l'adresse de l'URSS. En revanche, deux articles attaquent la social-démocratie. Ainsi, la ligne politique est « redressée ». Pudiquement, l'éditorial de *Clarté* de janvier 1979 débute par ces mots : « Décembre 78. Des difficultés financières retardent la parution de *Clarté*. » La revue ne raconte pas la suite.

A l'étranger, aussi, la sollicitude des autorités soviétiques pour le secteur propagande éclaircissait certains mystères. Comment, par exemple, des partis communistes minuscules, à la fois par leurs adhérents et par leurs électeurs, réussissait-ils à faire vivre un quotidien ? Quand on sait que l'organe central du puissant Parti communiste français était en difficulté financière chronique, en dépit du fait que le cinquième des Français votaient communiste, comment expliquer que le Parti communiste autrichien, avec 1,2 % des suffrages, fût en mesure de publier un quotidien ? En cas de scission entre libéraux et néo-staliniens dans ces partis microscopiques, comme par hasard le journal du Parti se rangeait toujours du côté de la fraction prosoviétique.

Déjà, le 16 novembre 1948, à l'Assemblée nationale, Jules Moch, ministre de l'Intérieur socialiste, avait décrit, dans un discours mémorable, les liens financiers du PCF avec l'URSS via la BCEN. Après trente ans de bavardage sur le « changement » du Parti, sur le Rapport Khrouchtchev et la déstalinisation, sur l'eurocommunisme et l'« abandon » de la dictature du prolétariat, on constatait que ces liens étaient restés inchangés. Ils s'étaient même développés à la faveur de l'accroissement du commerce Est-Ouest, dû à la politique dite de détente des puissances capitalistes.

Ces révélations, comme dans le cas des camps de concentration soviétiques, confirmaient en fait une réalité connue depuis toujours mais objet d'un persistant oubli volontaire. Elles allaient d'ailleurs, par les soins de la presse « bourgeoise », être très vite à nouveau enterrées. Nos articles suscitèrent un tonitruant mais éphémère remue-ménage. « Le pugnace chef du Parti communiste français, Georges Marchais, écrivit *Time Magazine* dans l'article déjà mentionné (5 mars 1979), a toujours été prompt à accuser ses adversaires politiques d'être des valets payés par les étrangers ou par le gouvernement capitaliste... *L'Express*.... montre, preuves et documents à l'appui, que le flirt ostentatoire de Marchais avec l'eurocommunisme n'a pas altéré les liens financiers entre le Parti et la banque contrôlée par Moscou[1]. »

Les réactions du Parti, à vrai dire, ne sortirent pas de l'ornière intellectuelle et terminologique qui caractérisait son irréversible sclérose. *L'Humanité* du 20 février 1979 fulmine dans son titre contre une « provocation » de *L'Express*. On aurait deviné le mot, tant le vocabulaire communiste est resté figé, immuable, conservé sous vide pendant soixante-dix ans. Et même davantage : il a continué d'imprégner le vocabulaire de la gauche non communiste longtemps après la disparition de l'Union soviétique, comme il l'avait contaminé pendant tout le siècle. Après ce titre fulgurant, repris mot pour mot, comme l'article lui-même, par toute la presse communiste et syndicale cégétiste de province, le rédacteur de *L'Humanité* redoublait d'imagination créatrice en demandant avec finesse : « Est-ce parce que *L'Express* vient d'être acheté, journalistes compris, par le milliardaire britannique M. Goldsmith que son directeur a pris une telle initiative ? » Deux jours plus tard, le rédacteur en chef de *L'Humanité*, René Andrieu, dont nous avions d'ailleurs reproduit dans nos colonnes le compte, grassement approvisionné, à la BCEN, approfondissait cette subtile analyse en éructant : « Tous les journalistes de *L'Express* sont vendus à un milliardaire anglais. » Très en veine, il ajoutait que les documents utilisés avaient été « volés ». Double diffamation, dont il eût, bien entendu, été inutile de réclamer réparation devant les tribunaux. Leur jurisprudence l'atteste : ils estimaient la presse communiste dispensée de respecter les lois de la République française, à commencer par celle sur le droit de réponse. Montaldo en fit l'expérience à ses dépens un

---

1. *Pugnacious French Communist Party chief Georges Marchais always has been quick to accuse his political opponents in the press of being hire-lings in the pay of foreigners or the capitalist government... L'Express..... shows with documentary proof that Marchais's showy flirt with Eurocommunism has not altered traditional financial links between the party and the Moscow-controlled bank.*

peu plus tard. Insulté par Andrieu et par un compagnon de route socialiste du communisme, Claude Estier, qui l'avaient traité par écrit d'« auxiliaire de police » et de « journaliste-flic », atteinte indiscutable et sans fondement à son honneur professionnel, il les assigna tous deux en diffamation mais fut débouté au motif, disait la Cour en des attendus d'une savoureuse veulerie dans la cynique négation de l'évidence, que « ces propos de MM. Estier et Andrieu ne dépassaient pas les limites admises de la polémique politique ». On notera aussi la cohérence du PC qui, tout en prétendant pourfendre le racisme et la xénophobie, déniait la nationalité française à Jimmy Goldsmith, lequel la possédait pourtant, de par notre sacro-saint droit du sol, si cher à la gauche. Il était en effet né à Paris d'une mère française et d'un père anglais. Il résidait à Paris et votait à Paris. Il possédait, certes, la double nationalité, conformément à des conventions internationales connues de tous. Quant à la diffamation selon laquelle nous aurions « volé » les documents, elle n'était pas seulement, comme l'autre, odieuse, elle était, de surcroît, idiote. La manie du mensonge lui étant montée à la tête, au point de le priver du sens de la vraisemblance, Andrieu omettait d'expliquer comment un cambrioleur solitaire, fût-il « auxiliaire de police », aurait pu être assez costaud pour sortir d'une banque 450 à 500 kilos de colis, et sans attirer l'attention des services de sécurité.

Le malheureux Boysson, président-directeur général de la BCEN, affolé par la peur d'être jeté dehors par ses maîtres soviétiques et humilié jusqu'à l'égarement par le ridicule dont le couvrait son incurie aux yeux de ses confrères banquiers capitalistes, commit la même ânerie. Je publiai sa réponse et ma réponse à sa réponse dans le numéro du 3 mars 1979, après d'ailleurs avoir dû le prier d'amender son texte pour pouvoir l'imprimer. En effet, son torchon fourmillait de termes injurieux et diffamatoires envers *L'Express*, Montaldo et moi. Lénine seul sait quels avocats ineptes conseillaient le désarçonné Boysson, mais ces maîtres du Barreau ignoraient visiblement que la loi de 1881 n'oblige pas un journal, pour honorer un droit de réponse, à publier des insultes et des calomnies contre lui-même et ses collaborateurs.

Après avoir clamé simultanément que les pièces exhibées étaient des faux et qu'elles avaient été volées dans leurs bureaux, absurdité qui impliquait que l'Eurobank fabriquait des faux, les communistes et leur infortuné Boysson coururent s'abriter sous une autre dialectique : nous étions ignobles parce que nous remplissions notre journal des détritus des poubelles. C'était là jouer sur le mépris que suscite, employée hors contexte, l'expression indéterminée « faire les poubelles », qui évoque les charognards et les maîtres-chanteurs. Mépris justifié si cette pêche aux informations n'a pour but que de dénicher des secrets privés et de les exploiter pour les monnayer ou à des fins de scandales discréditant des individus. Mais outre qu'en l'occurrence les poubelles étaient venues à Montaldo plus que Montaldo n'était allé aux poubelles, ces humbles sacs ménagers contenaient non des indiscrétions sur des particuliers, mais des informations d'intérêt public, en révélant l'ampleur stipendiée des réseaux d'influence soviétique en France. Néanmoins, sachant la puissance d'envoûtement des formules stéréotypées, l'empoté Boysson emboîta le pas à l'emporté Andrieu. Après avoir claironné avec une menaçante solennité : « Naturellement, nous allons poursuivre pour vol M. Montaldo et *L'Express* », poursuite qui ne vint jamais, et pour cause, le plaintif Boysson se mit à psalmodier, sur le trottoir désormais bien nettoyé du boulevard Haussmann, la vieille complainte des poubelles.

Une si soudaine transition ne sembla pas frapper outre mesure la presse bourgeoise. Elle s'avisa fort peu de ce que, poubelle ou pas, ce qui comptait, c'était la substance du dossier, et c'était aussi l'aveu, passé pour la première fois par les communistes, de l'authenticité des documents de la banque soviétique que nous avions divulgués et de leur signification pour l'histoire.

Cette signification, pourtant, selon la presse de la gauche non communiste et du centre gauche de cette époque, c'est très simple : elle était nulle. Les Européens d'Occident venus à la maturité politique après la chute de l'Union soviétique ne peuvent pas se douter de ce que fut l'intimidation des esprits par le communisme jusque dans les toutes dernières années de son règne. Ainsi, le gouvernement français d'alors, inspiré, bien entendu par le Président, crut devoir se disculper auprès de l'Ambassade soviétique, en lui donnant discrètement l'assurance qu'il n'était pour rien dans la divulgation des documents de la BCEN. Le quotidien socialiste *Le Matin*, propriété de Claude Perdriel, également propriétaire du célèbre hebdomadaire *Le Nouvel Observateur*, décrète dès le 22 février, sur un ton ferme et sans argument comme sans détours, par l'entremise de la plume d'un collaborateur nommé Pascal Krop, que, dans *L'Express*, « les preuves concrètes du financement du Parti communiste français par les Soviétiques brillent par leur absence ». Tout faraud, *Le Matin*, dans un « chapeau » surmontant l'article, vante le travail de vérification de son collaborateur, d'une solidité de granit, car Krop « a mené son enquête notamment auprès des dirigeants de la banque soviétique incriminée ». Je crains que ce « notamment » ne fût un euphémisme destiné à remplacer « exclusivement ». Je puis assurer en tout cas que Krop, cet as de l'investigation, n'a « mené l'enquête » ni auprès de moi, ni auprès de l'huissier détenteur des pièces à conviction, ni auprès de Montaldo. Celui-ci, précisément, ne dit à aucun moment que le PCF est financé par l'URSS de façon directe. Nous savons aujourd'hui, grâce à l'ouverture des archives du Comité central du parti communiste de l'Union soviétique et du KGB, depuis 1991, que c'était le cas, de même que pour les autres « Partis frères » gémissant sous l'oppression bourgeoise, y compris le « libéral » Parti italien. Mais les documents que nous avions en main permettaient de prouver des « concours financiers » et des « facilités » anormales, ce qui était déjà beaucoup, et revenait au même résultat mais n'était pas la même chose, et nous ne le disions pas. En nous accusant de ne pas démontrer... ce que nous n'affirmions pas, *Le Matin* se faisait le porte-parole de la banque soviétique et, les yeux fermés, en prenait à son compte la thèse au lieu de la présenter comme le point de vue de Boysson et de ses maîtres. Le porte-parole se mua en porte-voix, une voix de stentor, dès le lendemain, dans une récidive en date du 23 février. La voix de stentor fut celle, bien connue pour ses cris irrépressibles et désordonnés, de Jean-François Kahn, signature reluisante, requise d'urgence pour voler au secours du trop obscur Krop. Kahn choisit le ton badin, comme afin de mieux accentuer le comique notoire de cette bonne blague, les relations financières entre le PCUS et les autres PC : « Quelle excellente idée que de publier un nouveau livre sur les finances "occultes" du Parti communiste français ! Il ne s'agit guère que du trentième ouvrage du genre, mais c'est comme l'*Almanach Vermot*, on ne s'en lasse jamais. » Kahn, en sublime éditorialiste aux transes inspirées, ne se croyait pas tenu de préciser quels étaient les vingt-neuf ouvrages antérieurs contenant les *photocopies des documents bancaires* qui attestaient les privilèges dont jouissait le PCF à la BCEN, ce financement qu'avec des guillemets d'ironie il qualifie avec un rare à-propos d'« occulte » au moment même où il cessait de l'être. Plus grave, dans un journal qui n'était pas, officiellement du moins, le supplétif socialiste de la presse communiste, *Le Monde*, dirigé alors, il est vrai, par le quasi-compagnon de route Jacques Fauvet, un éditorialiste plus pondéré, Alain Duhamel, le 3 mars 1979, avec un sentencieux aplomb, porte sur toute l'affaire ce diagnostic péremptoire : « A aucun moment de la démonstration de Jean Montaldo, dans aucun passage précis de son livre, et dans aucun des très nombreux documents qu'il reproduit, il n'est établi que le PC et la CGT aient bénéficié par ce canal d'un seul centime, d'une seule subvention ou d'une aide qui serait effectivement déshonorante. En somme, le Parti communiste et la CGT ont, en utilisant la BCEN en banquier de prédilection, fait preuve d'une maladresse psychologique et politique. C'est beaucoup, mais c'est tout. »

A quoi il est facile de répondre que les prêts consentis par la BCEN aux filiales du Parti étaient financés pour l'essentiel par des capitaux soviétiques et sur des dépôts d'origine est-européenne ; et qu'à défaut de subventions, il y avait là une aide qui résultait de facilités financières exorbitantes. Elles assuraient en contrepartie à la BCEN — et donc à l'Etat soviétique — une possibilité de regard sur toutes les opérations du PCF, de sa presse et de ses organisations de masse. Loin d'être une « maladresse », ce montage était, au contraire, extrêmement adroit. Duhamel, le contraire d'un écervelé, ne pouvait pas l'ignorer. Il n'est donc qu'un échantillon d'une « servitude volontaire » qui dépassait à ce point les exigences d'un quelconque calcul tactique, même cynique, qu'elle demeure l'une des énigmes « psychologiques », comme il dit, de notre temps.

Deux dogmes avaient été imposés à l'opinion par la gauche durant les années soixante-dix et quatre-vingt : l'URSS et les pays de l'Est avaient cessé depuis longtemps de financer les partis communistes occidentaux ; l'URSS et les pays de l'Est n'apportaient aucun soutien au terrorisme qui ensanglantait les démocraties occidentales. Envisager le contraire dénotait un fanatisme anticommuniste voisin du délire obsessionnel. Après la chute du Mur de Berlin en 1989 pour la RDA et après celle de l'Union soviétique en 1991 pour le PCUS, l'ouverture des archives du KGB et autres officines policières de l'ex-empire communiste, surtout la Stasi allemande, a montré que les PC occidentaux, même l'italien, ont été payés par l'Est jusque sous Gorbatchev ; et que les terroristes opérant en Occident étaient bel et bien des instruments des services soviétiques et de leurs filiales satellitaires, même quand ces terroristes opéraient pour des Etats arabes eux-mêmes clients de l'URSS. *Le Monde*, dans son numéro du 17 septembre 1992, révéla que, d'après les archives de la RDA, le célèbre Klaus Croissant, coqueluche, en 1977, de l'intelligentsia de gauche parisienne, laquelle avait signé force pétitions pour empêcher son extradition dans la « totalitaire » république fédérale d'Allemagne, avait été un agent de la Stasi et venait, le 15 septembre 1992, d'être arrêté et écroué par la justice de son pays pour espionnage au profit du régime communiste est-allemand. Mais *Le Monde* ne rappelait pas sa propre campagne en faveur de Croissant en 1977...

Les écrivains, les journalistes, les historiens, les hommes politiques qui ont deviné et parfois établi ces vérités durant les années de plomb de la domination culturelle communiste, avant que leurs analyses ne fussent surabondamment étayées par l'inventaire des archives de l'Est, seraient heureux d'entendre parfois une parole de réparation de la bouche des vertueux censeurs qui les traitaient alors de réactionnaires. Quant à moi, qu'on me permette de me borner à reprendre à mon compte la phrase de Jorge Semprun, dans *Federico Sanchez vous salue bien*, et de la lui emprunter humblement : « Je suis habitué, de toute façon, à être traité d'homme de droite par toutes sortes d'imbéciles. »

Le cadeau que font à leurs frères humains les imbéciles, c'est, comme s'en était « hénaurmément » réjoui Flaubert, de nous fournir maintes occasions de rire. Un soir au bar du Napoléon, « Toto » et moi concertâmes ensemble le détail de cette lettre :

« Paris, le 11 avril 1979
à Monsieur l'Ambassadeur de l'URSS
40, boulevard Lannes
75016 Paris

Copie à M. Guy de Boysson
Président-Directeur général
de l'Eurobank — 79/81, bd Haussmann
75008 — Paris
« Excellence,

« Vous devez connaître les graves accusations portées par Monsieur Guy de Boysson, Président-Directeur général de la Banque commerciale pour l'Europe du Nord/Eurobank, la banque de l'Etat que vous représentez, à la suite de la parution, le 16 février 1979, de mon livre sur *Les Secrets de la banque soviétique en France* (Editions Albin Michel). Dans une lettre du 19 février à Monsieur Jean-François Revel, Directeur de l'hebdomadaire *L'Express*, qui venait d'en publier des extraits, Monsieur de Boysson distingue mon *"dernier livre des précédents essentiellement par le fait qu'il* (Montaldo) *y publie des documents dérobés frauduleusement dans notre banque"*. Affirmant ne pas écrire *"sous la dictée"*, le Président de votre banque stigmatise ensuite cette *"publication, produit d'un vol pur et simple"*. Et il conclut : *"Faire dérober des documents dans des tiroirs ou des corbeilles (à moins qu'il ne les ait reçus obligeamment de certaines mains généreuses....) ou faire poser des micros par des « plombiers » dans les locaux d'un journal, ne relèvent certes pas de la même technique, mais bien de la même inspiration."*

« Dans une seconde lettre du 7 mars à Monsieur Revel, Monsieur de Boysson va plus loin : *"Alors pourquoi tout ce bruit et cette fureur autour du livre de Monsieur Montaldo (...). D'abord le côté scandaleux (...). Sans doute aussi le côté Arsène Lupin : comment Monsieur Montaldo a-t-il pu se procurer les documents de cette banque réputée 'mystérieuse' : les poubelles ont bon dos et servent de couverture, mais l'explication se trouve plutôt dans la déclaration de Monsieur Jules Moch* (Ministre de l'Intérieur en 1948) *citée à la page 46 du livre : 'Nous possédons fort heureusement, c'est notre devoir le plus strict, quelques intelligences dans cette banque.' "*

« Ainsi le P-DG de la banque soviétique accuse un journaliste-écrivain, une maison d'édition et un journal français de vol, recel et association de malfaiteurs.... policiers. Ce faisant, il écrit, en conclusion de sa lettre du 19 février : *"Naturellement, nous allons poursuivre Monsieur Montaldo car le procédé qu'il a employé est condamnable ; et il sera vraisemblablement condamné."*

« Cinquante et un jours après, j'attends toujours l'accomplissement de cette menace.

« Nous savons, Monsieur l'Ambassadeur, que votre gouvernement vous a chargé de veiller au maintien des bonnes relations entre votre pays et le mien. C'est pourquoi je vous prie de lui communiquer les copies des constats d'huissiers attestant la légèreté à peine croyable, vous en conviendrez, de Monsieur de Boysson et des autres dirigeants, français et soviétiques, de votre banque en France. C'est bien dans les *"sac poubelles"* déposés chaque jour par vos employés sur le trottoir même de la banque, aux fins d'enlèvement par les services de la voierie, que j'ai trouvé *la totalité* des documents originaux et confidentiels (plusieurs centaines de kilos) qui constituent la base de mon livre.

« Pour pouvoir offrir une autre preuve matérielle, aussi incontestable, de cette cueillette commencée en octobre 1978, lors de la grande grève des éboueurs, j'ai conservé tels quels une importante quantité de ces « *sacs poubelles* » : 243 à Paris ; un peu plus en province et ailleurs. Certains ont été mis sous scellés sur le trottoir même de la banque, immédiatement après leur sortie.

« Veuillez, Monsieur l'Ambassadeur, communiquer à votre gouvernement que je ne tiens pas à les conserver. Trop de personnes semblent s'y intéresser. Je vous propose donc (la BCEN étant bien la banque de votre Etat) la restitution de ce qui m'appartient aujourd'hui tout à fait légitimement et en toute propriété, les objets abandonnés sur la voie publique devenant le bien de celui qui s'en empare. Je vous demande, en seule contrepartie, un visa d'entrée dans votre pays. Je souhaite y présenter mon livre sur *Les Secrets de la banque soviétique en France* à l'Union des écrivains de l'URSS, conformément aux accords d'Helsinki garantissant la libre circulation des hommes et des idées. Si vous consentez à me délivrer ce visa (veuillez pour cela me signifier votre accord), je vous remettrai la moitié des « *sac poubelles* » de votre banque lors de mon départ et l'autre moitié à mon retour. Ainsi, la démonstration sera complètement faite de mon indépendance et nous aurons œuvré ensemble pour une meilleure entente entre nos deux peuples.

« Je vous prie de croire, Monsieur l'Ambassadeur, en ma considération distinguée.

« Signé : Jean Montaldo. »

Aucune réponse à cette lettre rédigée sur un coin de bar ne parvint jamais à Jean. Mais à moi, beaucoup plus tard, si. En décembre 1992, durant un séjour à Moscou, rencontrant dans une réception un diplomate ex-soviétique qui me dit avoir été en poste vers 1978-1980 à l'ambassade de Paris, je lui demandai s'il avait par hasard lu, en ce passé lointain, notre lettre provocatrice et humoristique. Secoué d'une hilarité complice, il tomba dans mes bras — la vodka aidant — et sanglota en balbutiant : « Merci, merci ! Pauvre Boysson ! Comme on s'amusait en ce temps-là ! C'était plus rigolo que la perestroïka. »

V

Faire travailler les autres à une œuvre de l'intelligence épuise les forces souvent plus que d'y travailler soi-même. Je l'avais déjà constaté quand j'enseignais. Diriger une rédaction m'accapara donc évidemment et m'avait, on l'a vu, outre des raisons déontologiques, amené à quitter l'édition. Cependant, j'étais parfois rattrapé par la publication d'un livre que j'avais naguère commandé ou demandé, ou insidieusement suggéré à l'auteur, en lui injectant l'illusion empoisonnée que c'était lui qui me le proposait. Ainsi parut en 1979 chez Laffont le deuxième livre d'Emmanuel Todd, *Le Fou et le prolétaire*. J'avais, en 1976, je l'ai raconté en son lieu, accueilli son premier essai, *La Chute finale*, d'une insolite puissance déductive et prospective, chez un aussi jeune homme. Dans ce deuxième ouvrage, il agitait déjà le trousseau de clefs avec lequel il devait, quelques années plus tard, s'ouvrir un domaine nouveau de la démographie sociologique et historique. Comme moi dans *La Tentation totalitaire*, mais en allant plus loin que moi sur le chemin de l'hypothèse, il avait, avec *Le Fou et le prolétaire*, buté sur cette évidence qu'on ne peut pas comprendre le phénomène totalitaire à la lumière des seules causes socio-économiques et politico-historiques. En d'autres termes, on ne saurait se satisfaire d'une explication marxiste du marxisme. La disproportion entre l'humiliation de la défaite allemande de 1918, par exemple, si cuisante eût-elle été, et la monstruosité nazie interdit de voir entre l'une et l'autre un simple lien de principe à conséquence. Comme l'a écrit Descartes, dans un de ses rares éclairs de bon sens, lequel est la chose du monde la plus mal partagée, il ne peut pas y avoir « davantage dans l'effet qu'il n'y a dans la cause ». Pourquoi le cataclysme économique de 1929-1930 et les millions de chômeurs qu'il engendra produisirent-ils en Allemagne l'assassinat de la démocratie par Hitler et aux Etats-Unis l'extension de la démocratie par Roosevelt, avec le New Deal, même si, comme remède économique, ce New Deal fut en réalité un échec, comme l'a bien montré Alfred Sauvy ? « Mano », comme je continuais à l'appeler depuis les années cinquante, où il était un gamin que je voyais courir dans les rues de La Garde-Freinet, quand je séjournais, l'été, chez ses parents, déterrait les racines du totalitarisme à la fois dans la psychopathologie et dans les systèmes familiaux. Emmanuel Le Roy Ladurie, usant de tout le poids de son autorité d'historien illustre, réussit à faire accepter par *Le Monde* (20 février 1979) un large compte rendu avantageusement présenté avec « attaque », en première page, du blasphème de son jeune collègue. Mano m'avait dédié *Le Fou et le prolétaire*. Et *L'Express*, on l'a vu et on le reverra, divulgait parfois des dossiers préjudiciables au Parti communiste et à l'Union soviétique. Aussi Georges Marchais et le bureau politique, qui, dans *L'Humanité*, ne laissaient guère passer de jour sans m'honorer de leurs insultes indigentes, finirent par voir en moi l'instigateur ou l'instrument d'un « complot » contre eux, hantise qui d'ailleurs corroborait l'interprétation psychologique de Todd. L'idéologie est sœur jumelle de la pathologie.

Ce sont les deux sœurs, sans doute, qui ont, par exemple, nourri avant, pendant et après la Deuxième Guerre mondiale, l'énigme des oscillations d'un Bertrand de Jouvenel. En 1980 parurent, en effet, également chez Laffont, ses Mémoires : *Un voyageur dans le siècle*. Encore aujourd'hui je respire les effluves, j'épie les regards et je rumine les sous-entendus de cette journée de 1976 où, invité chez Jouvenel, à la campagne, j'eus la cruauté de provoquer sa glissade, contre son esprit ondoyant et rétractile, vers la décision involontaire de raconter sa vie. Et pourtant, à mon arrivée et jusqu'au moment du déjeuner où j'enregistrai sa défaillance, l'intention ne m'effleurait pas de lui infliger un tel supplice. J'étais au début si désarmé par le fragile ascendant de sa gentillesse !

Elancé, courtois et las, l'homme âgé qui ne parvenait pas à avoir l'air d'un vieillard m'accueillait, en une matinée torride, au bout du pré et sous les arbres, devant une large et basse maison de gentilhomme campagnard du siècle dernier. J'ai beau savoir qu'il a longtemps pratiqué la boxe et continue de cultiver la natation : cet adolescent septuagénaire me surprend. La courte barbe et la moustache blanches, les cheveux eux aussi blancs neigeux, me semblaient comme posés sur un visage plus jeune qu'on aurait grimé en patriarche. Des dents gâtées de paysan ignorant l'existence des dentistes n'enlevaient rien à la séduction du sourire. Mais un sourire dans un visage soucieux. Et, cependant que mon hôte m'introduisait dans sa demeure tout en me soumettant, sous l'amas des compliments, à ce que Proust appelle « l'épreuve de l'excessive amabilité », deux images de lui s'entrechoquaient dans mon esprit.

J'avais devant moi l'un des fondateurs mondialement connus de la science politique contemporaine, le précurseur d'une réflexion originale sur l'avenir, l'auteur de livres fondamentaux et classiques, dont les titres vigoureux et concis étaient gravés dans tant de mémoires :

Du pouvoir, De la souveraineté, De la politique pure, L'Art de la conjecture. Et j'avais aussi devant moi celui dont une légende persistante faisait le modèle du personnage de Colette, Chéri. Je dis bien légende, car *Chéri* était achevé quand Bertrand de Jouvenel rencontra Colette, mais légende qui devait se transformer en demi-vérité ; la romancière éprouva pour le jeune Bertrand une inclination qui semble bien être allée jusqu'à la chute. Non sans drames : Colette, en effet, était la seconde femme du père de Bertrand, ce personnage considérable de la IIIe République que fut Henry de Jouvenel, sénateur de la Corrèze, ministre, ambassadeur, l'une des têtes pensantes et influentes du Parti radical, alors pivot du système. Adorateur et adoré des femmes, adepte du maternage sinon du matriarcat, certes, Bertrand devait l'être toujours.

C'est durant l'été de la canicule et de la sécheresse, en août 1976, que je rendis cette visite à Jouvenel, chez lui, à Anserville, entre Paris et Beauvais. Nous nous connaissions à peine jusque-là. Et puis, à propos d'un livre de lui paru en mai, *La Civilisation de puissance*, nous avions échangé quelques lettres. En suite de quoi il m'avait suggéré de venir poursuivre l'échange de vues sous forme de conversation.

Sa lettre d'invitation était un prodige de circonspection. Il fallait, précisait-il, que je lui téléphonasse la veille, « pour qu'il y ait à manger, comme on dit dans mon pays ». Parce qu'il vivait seul, il se pourrait que le téléphone ne répondît point s'il était sorti ; auquel cas, me conseillait-il, une solution ingénieuse pourrait consister à rappeler à un autre moment de la journée ou dans la soirée. Suivait la description, d'une minutie notariale, des 47 kilomètres séparant Paris d'Anserville, avec énumération de tous les pièges à éviter, chemins de traverse, croisements trompeurs, panneaux mensongers, virages à ne pas prendre, raccourcis illusoires ; si bien que, pénétré du sentiment de la difficulté de ma tâche, et à force de scrupule à suivre cet itinéraire (au lieu de la carte Michelin, d'une lumineuse simplicité), je ne manquai pas de m'égarer mais arrivai néanmoins à l'heure dite.

A travers les hautes fenêtres du salon, bourré de vieux meubles, je regardais, derrière la maison, l'attirant et vaste jardin à la française qu'un croissant manque d'entretien avait transformé en jardin anglais. « Ce n'est point ma maison de famille, laquelle était en Corrèze, à Castel Novel. Elle est aujourd'hui transformée en hôtel. Les nouveaux propriétaires l'ont d'ailleurs arrangée avec beaucoup de goût. Ma femme et moi avons acheté cette maison-ci bien après la guerre. » Il venait de perdre cette deuxième épouse, Hélène, à la mémoire de qui était dédié, en un latin très pur, son récent livre. Bien que ce ne fût pas une maison de famille, Anserville en avait tout l'air, avec juste ce qu'il faut de délabrement, de patine, de désordre et de beauté, comme si Jouvenel avait réussi en vingt ans à reconstituer à lui tout seul un siècle de confortable laisser-aller collectif. Il me montra de précieuses éditions originales anciennes : « J'en vends une de temps en temps, me dit-il. Quand j'ai besoin d'argent. Je n'ai pas de retraite, car je n'ai jamais appartenu à une profession déterminée, du moins jamais assez longtemps. »

Jouvenel soupire : « Le succès de mon livre *Du pouvoir*, en 1945, m'a amené à délaisser ma véritable vocation : le journalisme. A cause de ce livre, j'ai été sollicité par diverses universités, en particulier aux Etats-Unis, et je suis devenu professeur durant toute la seconde partie de mon existence. Je l'ai toujours regretté. »

Je lui dis mon étonnement, puisqu'il n'avait jamais cessé, me semble-t-il, de donner des articles aux journaux quand il le voulait. « Cela n'a rien à voir, réagit-il vivement. Les articles que j'ai écrits depuis la guerre prolongent mon enseignement de politiste. Le journalisme dont je parle, au contraire, le journalisme que j'aime et le seul vrai, c'est celui que j'ai pratiqué avant la guerre : le reportage. »

Propos étranges ! Pour moi, Jouvenel est un penseur, un philosophe orienté vers le permanent, les idées générales, et le voilà qui me fait part de sa nostalgie pour le métier qui consiste à saisir le concret, l'instantané, et à le raconter. Même de sa période d'avant guerre, je retiens surtout le titre d'un ouvrage de 1928, *L'Economie dirigée*, qui aurait pu faire de lui un Keynes français avant Keynes, s'il l'avait approfondi ou si les Français s'intéressaient à l'économie, ce qui est devenu davantage le cas aujourd'hui. Pourtant, ce n'est pas de ce livre pionnier qu'il est le plus fier, c'est de ses grands reportages sur le terrain : dans les Etats-Unis en crise, en 1932 et 1933, ensuite dans l'Angleterre du chômage, vue dans ses usines, ses docks, ses entrepôts, à travers des conversations avec ses ouvriers et ses chefs d'entreprise, la même Angleterre qui, au même moment, révoltait tant George Orwell. En 1935 et 1936, il est grand reporter à *Vu* et au *Paris-Soir* de Prouvost, le quotidien qui est en train de révolutionner la presse. Elevé en aristocrate par des gouvernantes anglaises, Jouvenel est bilingue, ce qui était encore plus rare en France au temps de sa jeunesse qu'actuellement.

Il me parle aussi de ses reportages en Espagne, « par hasard » du côté franquiste, durant la guerre civile — avec une ombre de réticence. Il veut oublier que je sais que lesdits reportages ont paru dans *L'Emancipation nationale*, l'hebdomadaire du fasciant « Parti populaire français » de Jacques Doriot, mais il devine que je le sais. J'ai découvert cet incroyable écart lorsque, en 1969, pour préparer mon commentaire du film d'Henri de Turenne, *36, le Grand Tournant*, j'étais allé à la Bibliothèque nationale lire la presse française de l'époque du Front populaire. Lui chez Doriot ! Sa mélancolie s'accroît encore lorsque je me risque à évoquer sa célèbre interview de Hitler, en 1936. Détail instructif ; dans cette interview, Hitler emploie, pour la première fois au sens que lui donneront plus tard les Soviétiques, le mot « détente », promis à la fortune ultérieure que l'on sait, et dont, avant Brejnev, le Führer sut faire bon usage pour duper les démocraties.

Journaliste, comment Jouvenel ne le serait-il pas devenu ? Son père était rédacteur en chef du puissant *Matin* (rien à voir avec l'éphémère quotidien créé par Claude Perdriel à la fin des années soixante-dix) ; son oncle était rédacteur en chef de *L'Œuvre*, plus à gauche. Il s'agissait de Robert de Jouvenel, l'auteur du pamphlet politique dont le titre a créé une expression : *La République des camarades* (1914). Sa mère, une Américaine, Sarah Claire Boas de Jouvenel, tenait, en outre, au lendemain de la Première Guerre, un « salon » politique comme il n'en existe plus et où se retrouvait, durant et après les négociations du Traité de Versailles, tout ce qui était disponible dans l'Europe d'alors en matière de chefs d'Etat, d'Etats sans chef et de chefs sans Etat. Comment le jeune Bertrand n'aurait-il pas été attiré par le journalisme politique, au sens large ?

Et pourtant, l'itinéraire de Jouvenel est à cet égard, pour moi comme pour beaucoup d'autres, y compris pour lui-même, une énigme. Sa perspicacité, si grande et si précoce en économie, en stratégie, semble s'émousser dès qu'il s'agit de politique. Il lance dès 1928 l'expression Gauche unitaire, soutient, en 1933, l'idée (prématurée) du Front commun entre les socialistes et les communistes, animé par l'étoile du jeune radicalisme, Gaston Bergery, qui devait, durant la Deuxième Guerre mondiale, après avoir, comme leur ami commun Emmanuel Berl, rédigé certains des appels radiophoniques du maréchal Pétain, devenir l'ambassadeur du gouvernement de Vichy à Ankara. Au début des années trente, Jouvenel est reçu fréquemment, et depuis longtemps, par Léon Blum presque comme un fils. Il acclame le Front populaire en 1936, collabore à l'hebdomadaire socialisant *Marianne*, dirigé par Emmanuel Berl. Puis, brusquement, à la fin de 1936, il adhère au parti fasciste de Jacques Doriot, prend la parole dans des meetings doriotistes, donne des articles au journal du mouvement, *L'Emancipation nationale*. Il quitte aussi soudainement l'extrême droite doriotiste après deux ans.

Sous l'Occupation, il est chargé par les services de renseignement français, où il est entré en 1939, de surveiller les milieux de la collaboration. Une vieille amitié avec Otto Abetz, l'ambassadeur du IIIᵉ Reich en France occupée, lui en rend l'accès facile, ce qui ne manque pas de lui forger à lui-même une réputation gênante et imméritée de collaborateur.

Aujourd'hui, en ce jour d'août 1976, à soixante-treize ans, après avoir tant vu et tant analysé, il est partisan du Programme commun de Georges Marchais et François Mitterrand, avec une absence d'esprit critique qui me confond. Quand j'essaie de lui demander le fil conducteur de cet itinéraire contrasté, je sens que je le tourmente. Il se lève d'un coup, m'entraîne dans la salle à manger en me disant : « Je ne crois pas à l'introspection. Je déteste m'analyser. » Je comprendrai pourquoi trois ans plus tard, après avoir lu le manuscrit de ses *Mémoires*. J'y trouve cette phrase : « Ecrire ce livre a été une sorte de descente aux Enfers, pour y revivre ce que j'avais voulu oublier, pour y retrouver des amis malheureux. L'entreprenant, je ne soupçonnais pas combien il me ferait souffrir. »

Voyageur dans le siècle n'est pas seulement la traversée d'une époque tragique, c'est aussi le tête-à-queue d'une génération qui a donné le contraire de ce qu'elle attendait d'elle-même ; et un témoignage sur l'incapacité de l'intelligence humaine à comprendre l'histoire qu'elle vit. Un bon viatique pour le XXIe siècle, en somme ?

Pendant tout le temps où, en proie aux tortures de la mémoire, Jouvenel confessait en gémissant ses erreurs à la postérité, il cherchait à nous en fourguer un nouvel échantillon, à Georges Liébert, qui m'avait succédé chez Laffont, et à moi-même qui prenais plaisir à rester dans l'affaire en tant que mouche du coche. Il insistait pour que Laffont lui prenne de toute urgence un livre... sur Karl Marx ! Livre élogieux pour Marx, bien sûr, et même indulgent pour Staline ! Le calcul qui lui dictait ce caprice était double : d'abord se remettre dans les bonnes grâces de la gauche, alors maîtresse de l'intelligentsia et bientôt de la République ; ensuite conjurer par avance l'aveu de ses aberrations passées en se convertissant au culte du dieu présent. Georges et moi résistâmes avec une respectueuse inflexibilité à ce louche désir d'un nouveau baptême socialiste. Un après-midi, nous retournâmes tous deux à Anserville, en compagnie de Patrice Blank, riche financier, disciple inconditionnel et ami empressé de Bertrand. Nous enjoignîmes tous ensemble à notre hôte empressé de terminer ses Mémoires avant de songer à publier son *Marx*. J'aurais voulu le filmer, dans son jardin, sautillant de buisson en buisson en agitant les bras et en roucoulant plaintivement qu'il souffrait de la décadence de la France par rapport à la grande puissance mondiale qu'elle avait été après la Première Guerre. C'était pour cette raison, suppliait-il, qu'il souhaitait publier son *Marx* avant ses *Mémoires*. Comme aucun de nous trois ne voyait le rapport entre le mal déploré et le remède proposé, nous restâmes d'une insensibilité marmoréenne à ses objurgations.

Après notre tout premier déjeuner, en l'été 1976, Jouvenel m'avait entraîné chez son vieil ami Emmanuel Berl, dont la maison campagnarde était située à Cauvigny, à quelques kilomètres de là. Berl y passait alors les dernières semaines de sa vie, avec un enjouement inaltérable. A moitié paralysé, dans un grand fauteuil au milieu d'un pré, sous le ciel d'un éclat cru, tout provençal et inusité, qui jetait une couleur violette sur le Beauvaisis calciné, Berl, pendant deux heures, chevauchant, à sa manière habituelle, les siècles et les cultures, vaticina sans retenue mais non sans son habituel scepticisme.

Jouvenel et moi revenons ensuite à Anserville et prenons place sur un banc au milieu du grand jardin touffu.

« Vous étiez plus spontané, plus confiant, plus naturel avec Berl que vous ne l'êtes avec moi, me dit-il, en me dévisageant avec une soudaine tristesse. Pourquoi ? »

J'ai beau lui répondre que je connais Berl depuis presque vingt ans, et lui, Jouvenel, à peine depuis quelques heures, je sais que ce n'est pas la seule raison. Berl, quoique ballotté lui aussi au gré des demi-vérités et des demi-erreurs, a toujours mis les autres à l'aise parce qu'il a toujours été à l'aise avec sa propre personnalité. Jouvenel semble avoir sans relâche cherché en lui-même un centre qui l'a fui, un noyau dur qui est resté glissant et lui a toute sa vie échappé.

Quand Berl mourut, environ un mois plus tard, le 20 septembre 1976, malgré ma peine de le perdre et de voir disparaître cette rareté, un intellectuel plus disponible à autrui qu'à lui-même et aux idées du dehors qu'aux siennes, je ne pus m'empêcher paradoxalement de rire, au souvenir, inopinément revenu, d'un épisode bête et cocasse des années soixante. Quand j'allais le voir chez lui, rue de Montpensier, à la fin des années cinquante, Berl aimait à discourir en restant allongé sur son lit, et en battant la mesure avec son fume-cigarette, dans sa chambre qui donnait sur les jardins du Palais-Royal. Une manie chez lui m'intriguait : quand il lui arrivait de mentionner l'homosexualité, il pointait son index à plusieurs reprises vers le parquet en ajoutant : « Vous comprenez, moi, l'homosexualité, je connais. » Regardant par terre, j'inspectais en vain sa descente de lit, incapable d'y déchiffrer la moindre figure ou inscription qui rappelât l'homosexualité. J'appris, beaucoup plus tard, qu'un de ses amis, poète glorieux aux goûts notoires, habitait l'étage du dessous. Il s'appelait Jean Cocteau.

Emmanuel Berl fut, durant l'après-guerre, l'un des survivants et derniers pratiquants de la civilisation de la conversation. Cette civilisation, comme le montre avec un savant éclat Marc Fumaroli dans *La Diplomatie de l'esprit*, est une source de ce qu'il y eut sans doute de plus français dans les lettres françaises. Elle brilla une dernière fois entre les deux guerres avec vivacité et s'éteignit par paliers durant les années soixante. L'après-guerre, dogmatique et idéologique, a substitué à l'art de la conversation l'âge de la notification. Quand des interlocuteurs se renseignent mutuellement sur leurs « positions », ce n'est pas pour éventuellement les modifier après avoir écouté l'autre, c'est pour savoir où il se « situe » afin de décider si on pourra l'embrigader ou si on devra l'exterminer. On affuble ces monologues parallèles et antagonistes du terme honteusement dévoyé de « dialogue ». Quand j'apercevais la chevelure blanche de Berl, place du Palais-Royal, devant la Comédie-Française, tournoyant entre son bureau de tabac et sa pharmacie, avec sa dégaine élégante de vieil original anglais, adepte de la flanelle, du shetland et du tweed, je savais que, s'il m'apercevait, il se précipiterait vers moi pour me demander : « Alors, cher ami, qu'est-ce que vous pensez de la situation ? » La situation ! En 1960, on ne discutait plus aussi passionnément de « la » situation (sous-entendu : politique ou des affaires) comme je l'avais si souvent entendu faire entre mon père et ses amis, parce qu'on ne croyait plus que chaque situation fût unique en son genre. On ne la voyait plus que comme la vérification particulière d'un système général. C'est à cette application monotone d'une grille idéologique uniforme de lecture du réel que se livre Sartre dans ses essais intitulés *Situations*. La conversation, la vraie, n'échappe à l'ennui que dans les civilisations qui sont attentives avant tout à l'indivuel et à l'incomparable.

La conversation de Berl ressemblait certes souvent à ce qu'on pourrait appeler, sans intention péjorative, un café du commerce de haut niveau. Modeste dans sa faconde, il parlait pour montrer qu'on pouvait voir un auteur, une conjoncture, un événement de telle manière mais aussi de telle autre, et il était surtout curieux de connaître la vôtre, tant il était peu sûr de la sienne. Sa culture était encore celle des opinions, de toutes les opinions, conçues comme des sites qu'on visitait. Il était licite et amusant, selon lui, de les essayer toutes. Il ne se rendait pas compte, bien que juif, qu'elles peuvent tuer, ce que pourtant l'histoire, depuis la Terreur jusqu'au bolchevisme et au nazisme, nous avait coûteusement appris. Dans sa République des lettres préidéologique sinon inoffensive, Julien Benda et Charles Maurras, Alain et Drieu La Rochelle signaient au sommaire des mêmes revues sans exiger l'expulsion de l'autre ni menacer de démissionner. Intellectuel bourgeois, Berl se conformait à la tradition qui, de Balzac à Baudelaire jusqu'à Gide et Breton, en passant par Stendhal et Flaubert, impose à tout penseur et à tout artiste en France la haine du bourgeois. Mais il ne voulait pas le tuer. C'était inutile d'ailleurs, puisque le travail était déjà fait, ainsi que Berl l'avait proclamé dans ses deux pamphlets de jeunesse, *Mort de la pensée bourgeoise*, en 1929, et *Mort de la morale bourgeoise*, en 1930, qui étaient devenus introuvables et que j'ai tous deux réédités dans *Libertés*, chez Pauvert. La préparation de ces rééditions nous fut l'occasion de plusieurs déjeuners dits « de travail », au Grand Véfour, à la table que surmonte aujourd'hui une plaque discrète portant l'inscription « Table Emmanuel Berl ». En fait de travail, Berl était si peu vaniteux que je ne pus jamais l'amener pendant ces déjeuners à se concentrer sur ses livres. Son esprit détalait vers les sujets qu'il n'avait jamais encore traités. Il était alors obsédé par l'indifférence des écrivains contemporains à l'essor technologique. « Voltaire, plus moderne en son temps qu'eux au vingtième siècle avait compris au dix-huitième que la technique allait faire basculer le monde. » — « Et Proust ? » lui demandai-je.

Je connaissais d'avance la réponse, mais j'aimais à le lancer dans ses souvenirs sur Proust, qu'il avait bien connu. « Proust, répétai-je, avait-il compris le problème ? » — « Proust, trancha-t-il, ne s'intéressait qu'à un seul problème : comment ne pas être cocu ? Du reste, qu'a-t-il connu du machinisme ? L'ascenseur, vaguement. Donc, la question moderne devenait pour lui : comment ne pas être cocufié dans un ascenseur ? » — « Et Bergson ? » insistai-je, car il avait aussi fréquenté le philosophe, dont il était un parent. — « Non ; il avait trop l'air d'un clergyman. » Verdict digne d'un Diogène le cynique... Ces *concetti* en apparence futiles constituaient en fait une manière de savoir-vivre, pour transmettre une intuition en évitant tout pédantisme, tout didactisme. La langue parlée de Berl possédait la diction et la correction, la sûreté de la syntaxe et la propriété des termes, tout en gardant le naturel et en se pimentant, çà et là, du tour familier ou du mot d'argot qui lui ôtaient toute raideur. La bouillie inarticulée qui commença, vers 1970, à prévaloir dans le style parlé des Français, traduit plus un appauvrissement et un dépeçage de la langue qu'un recours dosé à la saveur du parler populaire. Le français populaire et le français littéraire se sont *l'un et l'autre* décomposés de conserve au fur et à mesure que la conversation de l'honnête homme a été supplantée par le « dialogue » du « communicateur ». De nos jours, un « échange d'idées » à table ou devant un micro, ce sont dix bègues qui hurlent ensemble des onomatopées.

Les derniers troubadours de la conversation que j'ai entendus, un Etiemble, un Jean Paulhan possédaient tous, comme Berl, cette profusion précise de l'expression au service d'une multiplicité de conceptions. Paulhan me téléphonait parfois, en général vers sept heures du matin, saisi d'une transe métaphysique, pour m'adresser, par exemple, cette interrogation dolente nappant un amer reproche : « Mais, *tout de même*, Spi-no-za ? » Mes arguments contre Spinoza alertaient moins son intelligence qu'ils ne chagrinaient son cœur, comme si je lui avais dit que je détestais la peinture de Georges Braque.

Cette culture du goût subjectif et de l'opinion facultative a entraîné Berl à des revirements que n'expliquent ni la raison ni même l'intérêt. Avoir milité en faveur du Front populaire et du pacifisme intégral pour devenir, en 1940, avec Bergery, le rédacteur, même occasionnel et éphémère, des premières allocutions de Pétain, n'est-ce pas incohérent ? Oui, si l'on juge cet acte à la lumière d'un avenir que nul ne connaissait encore. Beaucoup moins, si l'on reconstitue en pensée le désarroi des Français refoulés en juin 1940 à Bordeaux, en compagnie d'un gouvernement d'épaves. Sur les ruines d'un régime parlementaire déconsidéré et pulvérisé par la défaite, Pétain pouvait, quelques semaines, paraître le seul radeau possible à ce fataliste optimiste qu'était Berl. La critique du parlementarisme dégénéré et de l'incivisme déclaré ne retentissait pas seulement à droite, en ces années.

Sans quoi les députés du Front populaire élus en 1936 ne seraient pas devenus en 1940 les fossoyeurs de la troisième République, eux qui votèrent les pleins pouvoirs au fondateur du régime de Vichy. Berl, venu aussi de la gauche, ne servit de nègre au Maréchal que le temps d'un encrier, ce qui lui valut, après la Libération, les quolibets des existentialistes, rendus résistants par la disparition de l'occupant. Il en conçut de la rancune contre Sartre et, dans son compte rendu de *Pourquoi des Philosophes ?*, article qui fut la cause de notre première rencontre, il me reproche mon indulgence pour *L'Etre et le Néant*, ce qui est une lecture à l'envers et ne fut en tout cas pas celle, on l'a vu, de l'auteur de ce poids lourd. L'épuration judiciaire ou le simple ostracisme moral d'après guerre cinglèrent de leur fouet les écrivains plus que les politiques. Berl ne connut certes qu'une quarantaine brève pour une étourderie qui l'avait été. Des politiciens, beaucoup plus gravement, sciemment et longuement compromis n'en subirent aucune.

VI

L'affaire Marchais éclata ou, plus exactement, se dilata, en mars 1980, quand *L'Express* découvrit, dans les archives de la ville d'Augsbourg, la fiche de travailleur volontaire en Allemagne nazie du secrétaire général du Parti communiste français. Cet amusant moment de notre folklore national mérite le récit, car il mit en branle et en lumière, une fois de plus, la prude aversion pour la vérité que ressent, à l'époque, la classe politique et journalistique française, dès que l'on touche à la nomenklatura de gauche. Ou plutôt, dès qu'une précision indéniable risque de l'acculer à tirer les conclusions pratiques d'une vérité, au lieu de pouvoir continuer à feindre de l'ignorer tout en la connaissant et en s'en délectant sous cape.

Car dans toutes les rédactions et dans tous les partis, y compris le PCF, les moins nigauds étaient fixés depuis vingt ans sur le fructueux coup de main que Georges Marchais, sous l'Occupation, avait donné à l'industrie de guerre hitlérienne. Pierre Viansson-Ponté, l'un des éditorialistes les plus lus du *Monde*, dans un livre de 1976 intitulé *Lettre ouverte aux hommes politiques*, assaillait Marchais en ces termes, après avoir mesuré en long et en large l'ampleur louche du « trou » de sa biographie : « Comment voulez-vous après cela qu'en toute bonne foi on ne se demande pas ce que vous cachez de si grave, de si honteux, à coup de silences contraints, d'explications contradictoires et confuses, et si vous n'avez pas bien d'autres secrets... » Dans le milieu politico-journalistique, un code de connivence non écrit tolérait ces interrogations assassines, pourvu qu'on les maintînt enrobées dans la barbe à papa du registre allusif, c'est-à-dire qu'on permît à l'intéressé de les repousser avec dédain et de les imputer sans y répondre à une croisade de dénigrement. Mais, comme on l'avait vu pour les secrets de la banque soviétique, dépasser les sous-entendus perfides et mettre sous le nez du public des preuves, des noms, des dates irréfragables, c'était violer le pacte tacite que j'appellerai de la bienséance venimeuse.

A cette sournoise convention de ménagement réciproque, appli-

cable à tous les partis, s'ajoutait le traitement de faveur dont jouissaient le Parti communiste et le communisme international. Aussi, les
documents, recoupements et raisonnements qui amenaient, d'une
poigne trop contraignante, à démasquer le Marchais « collabo » de
l'Occupation, avaient-ils été jusque-là rayés et refoulés par la grâce
d'un pieux accord de bienveillance sardonique.

Nous nous étions bornés, Branko Lazitch et moi, dans les deux
livraisons de *L'Express* où nous avions raconté « La vraie vie de
Georges Marchais », en juillet 1978, à exhumer et à récapituler les
informations qui avaient traîné sur tous les marbres au cours de la
décennie écoulée, mais qui avaient été par nos confrères balayées avec
soin et expédiées avec diligence à l'incinérateur de salut public. J'avais
donc avec ce dossier une familiarité, tenue à jour jusqu'à la rengaine,
en raison notamment de mes relations cordiales avec Auguste Lecœur
et de mon amitié affectueuse pour Charles Tillon et sa femme
Raymonde, que j'allais souvent voir chez eux, à la Bouëxière, près de
Rennes, où ils s'étaient retirés et où leur hospitalité régnait, généreuse
et chaleureuse autant que plantureuse. Souvent aussi, quand je revenais de Lanmodez à Paris, nous nous donnions rendez-vous pour
déjeuner dans quelque restaurant recommandable de la région
rennaise.

Auguste Lecœur, ancien combattant des Brigades internationales
d'Espagne, croix de guerre 1939-1945, avait été l'un des instigateurs
de la résistance aux Allemands dans le Nord occupé. Il y avait lancé
au prix de quels risques ! la puissante grève des mineurs de mai 1941,
donc *avant* l'invasion de l'URSS par Hitler, en juin 1941, et avant que
le Parti communiste français ne fût, par voie de conséquence, passé
de la collaboration à la résistance. Il avait ensuite été ministre en
1945, membre du bureau politique et du secrétariat du PCF, puis avait
démissionné du Parti en 1954. Le Parti, incapable de concevoir qu'on
veuille le quitter, avait refusé sa démission... pour pouvoir l'exclure.
Les anciens résistants communistes, encore membres du Parti ou non,
avaient flairé les antécédents suspects de Marchais dès son adhésion.
Ils n'avaient néanmoins qu'en 1970 décidé de les porter sur la place
publique. Le Kremlin venait pratiquement d'assassiner, en le « soi-
gnant » à Moscou, Waldeck-Rochet, coupable d'avoir désapprouvé
l'intervention soviétique de 1968 en Tchécoslovaquie. Brejnev avait
aussitôt après imposé Marchais comme successeur de Waldeck au
secrétariat général. Pour les résistants, subir la grossièreté de ce brail-
lard médiocre et vaniteux, de surcroît ancien collabo, c'était trop d'humiliation. Grâce à leurs taupes, ils retrouvèrent dans des archives
ministérielles françaises le *Certificat d'embauche* de Georges
Marchais, en date du 12 décembre 1942, avec départ prévu pour le 17,
en tant que travailleur volontaire en Allemagne. Volontariat qu'attes-
tent deux mentions sans équivoque. D'abord la rubrique : *Durée du*

contrat — 12 monate (12 mois), il s'agissait donc d'un contrat, non d'une réquisition ; ensuite l'indication : « A touché la prime d'équipement », avantage réservé aux volontaires et pour lequel Marchais avait d'ailleurs signé un reçu, joint au certificat. Noir sur blanc y figurait également l'affectation de l'embauché : les usines Messerschmitt, fleuron de l'industrie aéronautique de guerre de nos ennemis.

Ces documents parurent en octobre 1971 dans *La Nation socialiste*, modeste bulletin de quatre pages de 20 x 27cm, dirigé par Lecœur et sous-titré « mensuel social-démocrate ». Bien que ces renseignements nouveaux fussent très peu repris par la grande presse, Marchais improvisa une tactique de défense consistant d'une part à reconnaître qu'il avait été en 1942 travailler en Allemagne dans des usines d'armement, d'autre part à prétendre qu'il s'y était rendu sous la contrainte comme « déporté du travail », au titre du STO (Service du travail obligatoire), qu'il s'était ensuite évadé, en janvier 1943, mais avait été repris au cours d'un contrôle à Stuttgart. Il qualifiait enfin de « faux grossiers » les documents Lecœur, selon le vocabulaire rituel et invariable du Parti. Parmi les charmes de Marchais figurait le toupet ou la sottise de ses mensonges, dont on aurait dit qu'il les choisissait parmi les moins plausibles, exprès pour que n'importe qui puisse les réfuter sans mal dans les trois minutes qui suivaient. Ainsi, le STO, créé par Vichy en février 1943, ne pouvait pas le concerner, lui qui était parti en décembre 1942. D'ailleurs le STO ne mobilisait que la main-d'œuvre disponible *qui ne se trouvait pas déjà dans les usines*, à savoir les étudiants et les jeunes paysans. N'importe quel ouvrage d'histoire élémentaire suffisait à vérifier ce point.

Quant à l'authenticité de son certificat d'embauche, Marchais, en commettant l'étourderie de la nier, n'obtint que de la faire confirmer avec éclat par la justice française. En 1975, il porte plainte contre Lecœur pour faux et usage de faux. Démarche inconsidérée, sinon masochiste, puisque deux jugements, prévisibles, le déboutent et ont, de surcroît, l'effet de déclencher une autre plainte, contre lui cette fois, de l'Association nationale des déportés du travail, qui le fait condamner, en première instance, en appel et en cassation pour « utilisation abusive de la qualité de déporté ». Enfin deux autres jugements, en première instance et en appel, sur plainte en diffamation d'Auguste Lecœur contre *L'Humanité*, qui l'avait traité de faussaire, condamnent l'organe central du Parti communiste français aux dommages, dépens et publication du jugement. Précisons que, toujours en vertu de l'étrange traitement de faveur ou de la crainte lâche qui capitonnaient le PC, la presse communiste n'exécutait jamais les publications judiciaires, au mépris impuni de la loi. Quoi qu'il en fût, ce dernier jugement, rendu le 16 janvier 1980, donc deux mois à peine avant la détonation de l'« affaire Marchais » proprement dite, était le *septième* qui donnait tort au secrétaire général et officialisait devant les tribunaux son imposture au sujet de sa biographie sous l'Occupation. La justice française, pour une fois, n'avait pas osé se dérober, parce que les plaignants étaient des déportés.

Dès 1970, un autre dirigeant historique de la résistance communiste sous l'Occupation et qui avait résisté, lui aussi, sans attendre juin 1941, Charles Tillon, ancien commandant en chef du Commandement militaire national des francs-tireurs et partisans, ancien ministre, comme Lecœur, et ancien membre du bureau politique, dévoila que Marchais avait « collaboré », en fait, dès juillet 1940. Il avait en effet en toute liberté sollicité et obtenu son embauche dans l'usine AGO à Bièvre, pure entreprise allemande opérant sous le contrôle direct de la Luftwaffe. Les salariés de l'AGO jouissaient d'un statut privilégié et s'engageaient à ne commettre aucune indiscrétion, puisqu'ils travaillaient sur un prototype secret : l'avion de chasse Focke Wulf 190. Obligée de fermer ses portes à la fin de 1942 à cause de la fréquence croissante des bombardements alliés, l'AGO transféra chez Messerschmitt près d'Augsbourg des éléments de son personnel français, une élite animée d'un « excellent » état d'esprit. D'ailleurs, le 24 mars 1980, alors qu'une partie doucereuse de la presse retournait son gilet et commençait à feindre de croire à l'innocence de Marchais, Charles Tillon, venant à ma rescousse, accordait au *Journal Rhône-Alpes* une interview, reprise par les agences, dont le titre proclamait sans circonlocution : « Marchais a été un collaborateur de la première heure. » Tillon ajoutait : « Ecoutez, je pense que les faits sont clairs. En juillet 1940, voilà un homme qui, alors même que la majorité des travailleurs de la région parisienne n'était pas encore revenue d'exode, a choisi, lui, de se faire embaucher dans la meilleure usine de l'époque. Celle où les salaires étaient les plus élevés. Celle où la police était assurée par la Gestapo. Celle qui permettait d'obtenir des Ausweiss[1] au jouisseur qu'il était. Cette usine, c'est celle d'AGO, installée à Bièvre sur un terrain acheté par les Allemands. Cette usine, à 100 % allemande, servait à entretenir les avions de la Luftwaffe, qui, à l'époque, avaient commencé à bombarder l'Angleterre en vue d'un débarquement qui n'a pas eu lieu...

« Dans ces conditions, vous comprenez bien que la question de savoir si, en 1942, M. Georges Marchais collaborait ou non en Allemagne chez Messerschmitt n'a plus guère de sens puisqu'il est prouvé qu'il collaborait en France dès juillet 1940.

« Il va d'ailleurs de soi qu'ayant accepté les avantages d'une situation à l'AGO, il en avait aussi, dès l'origine, accepté les conditions, qui pouvaient inclure des déplacements en Allemagne. »

---

1. Papiers d'identité allemands, délivrés par les autorités d'Occupation aux Français travaillant dans leurs services, et permettant de circuler librement, en particulier pendant les heures de couvre-feu.

Ayant mené de son côté sa propre enquête, *Le Point* confirmait, peu après, pièces à l'appui, la présence de Marchais dans le personnel de l'AGO. Les héros communistes de la Résistance, les vrais, ceux qui avaient résisté dès l'été 40, de leur propre initiative, avant la rupture du Pacte Hitler-Staline en juin 1941 et contre les instructions de la direction du PCF et de Moscou, avaient tous payé leur indépendance intempestive d'une disgrâce ou d'une exclusion, quelques années après la guerre, une fois estompés les souvenirs d'une gloire que leurs chefs jalousaient. C'était le cas de Tillon et de Lecœur. Et il n'allait donc pas sans signification politique, ce recrutement atypique de Georges Marchais par le PCF, en 1947, sans qu'il eût à remplir, selon l'obligation sacrée, impérative pour tout nouvel adhérent, la rituelle fiche biographique. Il entra et grimpa, par cooptation directe du secrétaire général Maurice Thorez, auquel, certes, aucun acte de résistance ne pouvait être imputé, et de Jacques Duclos, le correspondant du KGB dans le PCF. Son accession se manigança contre toutes les règles, par-dessus la tête du secrétaire à l'organisation, mon ami Auguste Lecœur, aux premières loges pour contempler l'irrégularité suspecte de cette carrière d'apparatchik.

Charles Tillon avait été éliminé du bureau politique, en même temps qu'André Marty, autre énergumène trop combatif, en 1952, et ramené à la base. Comme me le dit Roger Vailland plus tard, après qu'il eut perdu lui-même ses illusions et claqué la porte du Parti : « Ces deux-là, s'ils n'avaient pas été protégés par la loi bourgeoise, on leur aurait flanqué une balle dans la tête à la sortie de la réunion du BP. » Déchu de tous ses postes mais resté membre, Tillon fut, au bout du compte, exclu en 1970 par sa propre cellule, sur ordre du tout nouveau secrétaire général, qui assouvissait ainsi sa rancune personnelle : Georges Marchais.

Cette exclusion, soit dit en passant, avait fourni à Marchais un appât de plus qui l'induisit à succomber à sa morbide propension au mensonge-boomerang. Durant un Club de la Presse, le 29 octobre 1979, j'avais demandé au secrétaire général pourquoi le Parti, fort de son émouvante et récente intention affichée de se convertir au pluralisme démocratique, ne réhabilitait pas et ne réintégrait pas Charles Tillon. Marchais me répondit, avec une impavide balourdise : « Mais le Comité central n'a jamais exclu Charles Tillon. » Charles, que j'avais appelé à la Bouëxière pour le prévenir de ma question, était à l'écoute et, bien entendu, dans l'heure qui suivit l'émission, l'Agence France-Presse diffusait son communiqué : « Je viens d'entendre la réponse faite par M. Georges Marchais à la question posée par Jean-François Revel. Paroles imprudentes. En juillet 1970, le centralisme dit démocratique a joué. C'est à l'instigation de Duclos, de Billoux et de la Fédération des Bouches-du-Rhône dirigée par un membre du Comité central que ma cellule d'Aix-en-Provence fut chargée de m'exclure.

Georges Marchais, entre autres choses, confirma les propos méprisants de Duclos contre moi à la télévision le 22 juillet 1970. »

Aucun menteur n'a jamais montré autant d'empressement à se faire prendre en flagrant délit dans la minute même de son imposture. Certes, le mensonge était indispensable à Marchais pour l'aider à se maintenir là où il l'avait porté. Mais l'art du menteur exige que l'on n'en ait point la tête. Or, loin de posséder le talent que loue Homère d'« inventer force mensonges semblables à la vérité » (*Odyssée*, XIX, 203), le pauvre Marchais respirait la tromperie même quand il lui arrivait de dire la vérité, incartade conjecturale dont, au demeurant, aucun historien n'a jamais pu le soupçonner. En tout cas pas durant la suite de l'affaire Marchais, on va le voir.

VII

Ainsi au moment où *L'Express* verse une pièce inédite à ce dossier, personne en France, parmi les professionnels qui traitent de la politique ou qui en font, n'ignore les services rendus par Marchais à l'Allemagne comme volontaire sous l'Occupation. Dans tous les esprits, à droite comme à gauche, le fait est solidement établi, autant que dévotement enseveli. Notre document eut donc surtout pour vertu d'interdire à ces esprits d'éluder plus longtemps l'alternative : soit tirer les conséquences politiques d'une vérité désormais irrécusable soit la nier avec une hypocrite effronterie contre toute évidence. La plupart choisirent le second terme. Mais nous rendîmes impossible de perpétuer la dérobade par laquelle on feignait d'ignorer en public ce dont l'on faisait des gorges chaudes en privé. Selon la bonne méthode, un fait accède à la certitude historique lorsqu'il se trouve corroboré par au moins deux sources documentaires distinctes et indépendantes l'une de l'autre. S'ajoutant au *certificat d'embauche* à Paris provenant des archives françaises, la *fiche de séjour* à Augsbourg, issue des archives allemandes, fournissait la contre-épreuve rêvée. A partir de cette découverte, l'intérêt de mon récit vient moins du passé somme toute banal de Marchais, personnage fade, robot monotone, que des réactions de la société politique française à ce passé. Que le lecteur me pardonne d'avoir fatigué son attention en accumulant les détails et de devoir encore le faire. Je ne pouvais me dispenser de ces précisions, fastidieuses en elles-mêmes, mais indispensables pour éclairer la culture politique française. Elles me servent à restaurer une réalité qu'était parvenue à engloutir après coup la brume fallacieuse du conformisme et de la complicité. Le cliché courant devint : « Au fond l'affaire Marchais n'a rien prouvé. » Il s'installa très vite dans les tournures des suiveurs, de par le zèle des manieurs d'extincteur. Dénégation si contraire à la plus palpable matérialité des pièces à conviction, qu'elle en acquiert une sorte de beauté surréelle. Certains faiseurs d'opinion, qui ne sont parfois que des faiseurs tout court, me firent alors penser à ce personnage de Proust auquel, dans l'instant où il s'apprête à partir pour un bal, on vient annoncer la mort d'un proche parent, et qui, décidé à ne pas renoncer à sa soirée, lance à la ronde, tout en bondissant dans sa voiture : « Est-ce bien sûr ? Vous savez, dans ces cas-là on exagère toujours ! »

La fiche d'Augsbourg, dont nous reproduisions la photocopie en couverture et à l'intérieur de notre numéro du samedi 8 mars 1980, attestait que Marchais s'était bien présenté à ses nouveaux employeurs, dans cette ville, le 19 décembre 1942. On y voyait en outre, inscrite à la main, la date du 10 mai 1943, barrée d'un trait de crayon. Or, à cette date, Marchais avait obtenu un congé pour se rendre en France, en raison, disait-il, d'un deuil familial. La même date, un an plus tard, 10/5/44, était aussi barrée. On pouvait en induire, sans certitude mais avec vraisemblance, qu'elle correspondait à celle d'une deuxième permission, indication qui impliquait la présence de notre homme en Allemagne à la veille du débarquement allié en Normandie. Une autre inscription sur cette fiche contribuait également à ruiner la légende de la déportation et le bobard de l'évasion : c'était la mention de l'adresse de Marchais à Augsbourg, adresse *privée*, « Zum blauen Bock », « Au Bélier bleu », auberge où logeaient des travailleurs de toute évidence libres, étrangers *et allemands*. Par définition, ces derniers ne pouvaient pas être des déportés. A elle seule, cette résidence à la dénomination bucolique et pastorale révélait le volontariat. Elle étalait en outre le menteur, avec une profusion superfétatoire. Car si Marchais s'était évadé en janvier 1943, comme il s'en vantait depuis dix ans, et si, comme il l'ajoutait, il avait été repris et arrêté peu après en gare de Stuttgart, on ne voit pas comment la police allemande se serait soudain muée en bienveillante agence touristique et bornée à le ramener poliment à son hôtel d'Augsbourg ni comment il aurait, quatre mois plus tard, obtenu en récompense un congé régulier pour s'offrir un séjour en France ! Ce gênant bélier bleu donnait à la fable de la réquisition et de l'évasion l'allure d'un mouton à cinq pattes. Or, lors des premières fuites concernant son passé, Marchais avait affirmé dans *L'Express* (27 juillet 1970) : « Requis à la fin de 1942, je me suis évadé en janvier 1943. J'en garde les preuves. Et je les fournirai, si j'y suis contraint. » Par quel motif intelligible, au demeurant, Marchais aurait-il dû subir une « contrainte » pour livrer des preuves qui, si elles avaient existé, eussent lavé son honneur ? Et pourquoi les a-t-il, avec tant d'opiniâtre abnégation, gardées secrètes, lors de tous les procès contre Lecœur qu'il a perdus et après le scandale accablant de la fiche d'Augsbourg ? Cette soif du martyre jure avec son caractère et donne rétrospectivement raison à Charles Tillon qui, dès cette même année 1970, accusait la direction du PCF de « vouloir à présent inventer pour les besoins de la cause une évasion de Marchais ; ce qui est faux : il est revenu en France en 1945 ». Cette date de retour reste en effet la seule plausible *si* Marchais se trouvait bien en Allemagne encore au moment du débarquement de juin 44, contretemps, on s'en doute, qui interrompit les villégiatures en France des civils étrangers qui étaient résidents allemands.

La couverture de *L'Express*, avec pour titre « La preuve du mensonge », provoqua l'affolement instantané au sommet du Parti. Pierre Juquin était alors membre du bureau politique et plus ou moins porteparole et « chargé de la communication » du secrétaire général. Dix ans plus tard, dans un téléfilm de Mosco consacré aux *Ex-communistes* (ce que Juquin était devenu à son tour dans l'intervalle), il a raconté comment des ouvriers communistes travaillant à l'imprimerie de *L'Express* étaient venus sonner à sa porte en pleine nuit, pour lui mettre sous le nez les morasses du numéro maudit, qui serait en vente le surlendemain. Juquin avait aussitôt improvisé une réunion nocturne des membres les plus sûrs du bureau politique autour d'un Marchais hébété par le choc. D'où venait le coup et comment le parer ? A la première question, cette « cellule de crise » inventa trois réponses fausses, et à la deuxième, une riposte stupide. Le coup, selon eux, pouvait venir soit du président Giscard, soit du frère ennemi socialiste Mitterrand, soit des Soviétiques. Dans leurs cervelles déformées par l'interprétation conspiratrice de l'histoire, l'exhumation du document ne pouvait avoir pour cause qu'un complot politique, pas une enquête journalistique. Quant à leur riposte, elle fut aussi rudimentaire et peu imaginative qu'à l'accoutumée : elle se résuma au pitoyable subterfuge consistant, comme pour le certificat d'embauche, à crier au « faux grossier ».

C'est ce tuba tonitruant qu'emboucha *L'Humanité Dimanche* du 9 mars 1980. Elle titrait sur toute la largeur de la une, hurlant de tous ses caractères les plus gros, les plus gras et les plus grands : « L'infâme machination ». Dans l'éditorial, pour lequel un poète réaliste-socialiste avait avec amour fignolé ce titre « Contre la boue, pour le bonheur », le directeur de *L'Huma*, Roland Leroy, écrivait que « Jean-François Revel, utilisant un *faux grossier*, tente de relancer contre Georges Marchais la calomnie pourtant usée de son séjour en Allemagne ». Leroy se contredisait du même souffle avec cette question : « Pourquoi attribuer une valeur morale à un document d'origine hitlérienne ? » Car de deux choses l'une : ou le document était un « faux grossier », donc récemment fabriqué, auquel cas il ne pouvait pas être d'origine hitlérienne ; ou il était d'origine hitlérienne dûment attestée, auquel cas il était authentique, puisque antérieur au 8 mai 1945, date avant laquelle personne n'aurait eu l'idée, ni pris la peine, ni eu le moindre motif de forger un faux document pour compromettre *dans l'avenir* l'obscur ouvrier Marchais. Au demeurant, les documents *officiels* permettant de reconstituer ce qui s'est passé à l'intérieur de l'Allemagne durant le IIIᵉ Reich sont forcément d'origine hitlérienne ! Quant à l'instigateur du complot, les soupçons de ces esprits supérieurs, armés de toutes les ressources conceptuelles du matérialisme historique, paraissaient s'être en définitive arrêtés sur le Parti socialiste. Ces vieux renards jugeaient avec raison Giscard trop inoffensif pour une telle noirceur. Quant aux Soviétiques, Marchais venait de leur donner, en janvier 1980, une éclatante marque de servilité en approuvant depuis Moscou, à la télévision française, avec une véhémence comminatoire à l'intention des Français, l'invasion de l'Afghanistan par l'armée Rouge. Pourquoi les agents du PCUS auraient-ils voulu déstabiliser un si obséquieux secrétaire général du PCF ? Restait Mitterrand. Dans son réquisitoire, Roland Leroy, du haut de sa sainte colère, après avoir tonné : « Toute la presse reprend à son compte les calomnies de *L'Express* », isolait donc, d'un index accusateur, le plus coupable des coupables : « L'un des journaux les plus actifs pour véhiculer et amplifier la calomnie est le socialiste *Le Matin*. A lire l'éditorial du journal de Claude Perdriel (également propriétaire du socialiste *Le Nouvel Observateur*), Georges Marchais devrait répondre, pour les communistes et pour l'ensemble de la gauche. Le souci manifesté par Perdriel pour l'honneur des communistes est singulier. »

Aussi bien, l'insoutenable thèse du faux fut-elle jetée par-dessus bord le soir même, de la main même du Parti, avec une vélocité comique. Un Club de la presse d'Europe 1 était fixé depuis longtemps, avec Marchais comme invité, à ce 9 mars, hasard journalistiquement providentiel. Ce fut le théâtre choisi par le bureau politique désemparé pour éloigner du lit du vent le lourd vaisseau du PCF.

Je me retrouvais donc face à face avec Marchais — cette fois-ci on m'avait placé au bout d'un diamètre dont il occupait l'autre extrémité — et je me demandais pourquoi moi, qui, à dix-neuf ans, avait distribué tant de *fausses* cartes d'identité à de *vrais* réfractaires du STO (les seuls « faux grossiers » dont je reconnusse la paternité), je devais subir l'ennui de ce collabo idiot. Quand Marchais émargeait chez Messerschmitt, je me berçais, moi, de l'espoir, en cas de survie après la guerre, de fournir une traduction en un français enfin poétiquement acceptable des poésies de Catulle. Et, en 1980, je me retrouvais, à la suite d'une voltige imprévisible, qui m'avait placé à la tête d'un journal, presque en posture d'accusé, obligé de me justifier, devant un de ces minables que mes camarades et moi en 1942 méprisions jusqu'à la nausée, parce qu'ils servaient les nazis, non pas même par fanatisme politique, mais pour des avantages matériels. En attendant que le gong de ce débat dérisoire retentît, conscient de gaspiller une énergie que j'aurais pu et dû consacrer à mon travail, je m'apostrophais dans mon âme, comme Catulle lui-même, dans la pièce 8, en cholïambes scandés comme par un bon batteur de jazz :

Miser Catulle, desinas ineptire,
« Malheureux Catulle, cesse tes bévues »,

que je transposais à mon usage :

« Malheureux Jean-François, quand vas-tu marcher droit ? » Et j'y ajoutais la musique des distiques mélodieux de la pièce 7 :

Si qua recordanti benefacta priora voluptas,

« Si l'on est heureux au souvenir de ses bonnes actions d'antan », oui, alors, on ne devrait pas consentir au salissant dialogue avec les fripons dont on s'était à tort cru pour toujours délivré.

VIII

A ce Club de la presse du dimanche 9 mars 1980, Marchais, une fois de plus, se défendit en niant l'évidence avec un aplomb borné. Il proclama « maintenir totalement » ce qu'il « avait dit depuis dix ans ». Or des éléments nouveaux venaient précisément de le réfuter. Il réitéra qu'il avait été un « déporté du travail » et que ses « calomniateurs », lisez : Lecœur et Tillon, avaient forgé un faux « certificat d'embauche », prétendument trouvé au ministère des Anciens combattants et Victimes de guerre. La justice lui avait donné raison sur ce point, maintenait-il avec une effronterie puérile. Cette invention patente, une contre-vérité au sens le plus littéral, n'importe qui pouvait la ridiculiser en se procurant les expéditions des jugements. Mais, il est vrai, ce genre de contrôle n'entrait pas dans les méthodes favorites d'un grand nombre de journalistes. « Vous vous référez sans arrêt, répondis-je à Marchais, à des procès que vous avez perdus comme si vous les aviez gagnés. Vous savez très bien que vous avez été débouté contre Auguste Lecœur et que la Cour a reconnnu l'authenticité du document. Ensuite, vous parlez du titre de « déporté du travail » et vous savez aussi que la Fédération nationale des déportés a gagné son procès contre ceux qui tentaient d'usurper cette notion. Et l'arrêt de la Cour d'appel du 13 février 1978 vous interdit l'usage des termes "déporté du travail", que vous avez d'ailleurs fait disparaître de votre notice dans le *Who's Who*. » (C'est Emmanuel Le Roy Ladurie qui avait attiré mon attention sur l'aveu que constituait cette soudaine suppression.)

Dans le tome III et avant-dernier de son *Histoire intérieure du Parti communiste français*, tome consacré à la période 1972-1982 et soustitré *Du Programme commun à l'échec historique de Georges Marchais* (par référence à l'effondrement électoral irréversible du Parti en 1981), Philippe Robrieux, racontant cette soirée, dit avoir eu l'impression que je m'étais comme détaché du débat et abstenu d'acculer Marchais à l'aveu. C'est négliger que cette émission ne pouvait se réduire à un face-à-face entre Marchais et moi. Vingt journalistes y participaient, sous l'« animation » de Gérard Carreyrou et Alain Duhamel. Leur vigilance et la règle du jeu m'interdisaient de monopoliser la parole. Je formulai une proposition précise : constituer un jury d'honneur, composé d'anciens résistants de toutes appartenances politiques, et chargé de faire la lumière sur le passé du secrétaire général sous l'Occupation. Marchais s'en tira par une rouerie qui équivalait à une dérobade : il acquiesça au projet de cette commission, à condition qu'on en constituât également une pour enquêter sur... tous les autres hommes politiques. Et, en particulier, sur l'« affaire des diamants », dans laquelle pataugeait depuis quelques semaines Giscard d'Estaing. *Le Canard enchaîné*, en liaison avec *Le Monde*, avait révélé qu'à l'époque où il n'était encore que ministre des Finances, le président de la République avait eu l'étourderie d'accepter en cadeau et, surtout, de garder pour lui ou de distribuer autour de lui des diamants, d'ailleurs de peu de valeur, offerts par le bouffon et sanguinaire « empereur » de la République centrafricaine, Bokassa. Les deux affaires n'avaient rien de comparable mais leur rapprochement permettait l'esquive. Aurais-je mieux réussi à faire perdre pied à Marchais si j'avais suivi le conseil que m'avait donné le matin même par téléphone Gaston Defferre ? Le maire de Marseille, puissant notable socialiste, ancien résistant et futur ministre de l'Intérieur de Mitterrand, m'avait invité à me cantonner dans une simplicité carrée et à poser sans fioritures à Marchais cette seule question : « Où étiez-vous et que faisiez-vous en 1943, 1944, 1945 et 1946 ? Où étiez-vous et que faisiez-vous ? » Sans doute alors les bafouillages incohérents de Marchais, privé de l'échappatoire de la Commission sur les diamants, eussent-ils mieux fait ressortir le néant de ses contes. Mais ce n'est pas sûr. Cette question n'était-elle pas, en effet, celle qu'on lui posait depuis dix ans et à laquelle il s'arrangeait toujours pour répondre par des échappatoires ? Si ce Club de la presse ne fit guère progresser la lumière, c'est en réalité que la plupart de mes confrères, quoique en majorité, bien sûr, non communistes, se montraient peu enclins à creuser et très désireux de replonger dans la pénombre le dossier qui venait d'en émerger. Marchais, en ces années, parlait en futur maître de la France. Il répandait si fort l'intimidation que, par exemple, ce soir-là, le représentant du *Monde*, Thomas Ferenczi, quand vint son tour d'interroger l'invité du jour, se trouva sans voix, pétrifié d'effroi, et préféra se désister de sa question.

Voilà pourquoi une attitude consistant à maintenir, avec un sans-gêne arrogant, des assertions fantaisistes que l'avalanche des investigations avait en dix ans inexorablement démolies, cette opiniâtreté sans nuance dans le mensonge flagrant, qui aurait déconsidéré n'importe quel autre politicien, fut alors acclamée, venant de Marchais, comme une « formidable prestation ». Là réside l'indice le plus révélateur du climat politique de l'époque, le plus intéressant pour l'historien, le signe qui confère une portée générale à cet épisode misérable. Dès le lendemain, Alain Duhamel lui-même, dans son éditorial, au micro même d'Europe 1, accréditait le contraire exact de ce qui s'était déroulé en claironnant : « On ne peut vraiment pas contester de bonne foi que Georges Marchais ait fait preuve, au Club de la presse, une heure et demie durant, d'un sang-froid, d'un contrôle de lui-même, d'une présence d'esprit et, surtout, d'une habileté impressionnante. » Quant au directeur de l'information de la station, Etienne Mougeotte, il se hissait, le même 10 mars, presque aux cimes de la poésie épique, dans cette envolée, que *L'Humanité* du lendemain reproduisit, cela va de soi, avec une ferveur zélée, ainsi, d'ailleurs, que le dithyrambe de Duhamel : « Un homme qui affirme droit dans les yeux de vingt journalistes et de millions de téléspectateurs qu'il a été requis pour aller travailler en Allemagne et qu'il n'y est pas retourné après une permission obtenue en mai 1943, cet homme mérite d'être cru ou alors c'est que, décidément, le mot honneur aurait perdu toute signification. »

Les Français devaient donc se le tenir pour dit : ne pas se fier à la parole de Marchais, célèbre pour son respect de la vérité, c'était priver de toute signification le mot honneur. Marchais lui-même n'avait jamais poussé si loin ses prétentions. Il n'exigeait pas qu'on le crût sur parole. Il se targuait de posséder pour se disculper un monceau de preuves et de témoignages, même si, par une pudeur inexplicable, il les soustrayait à notre curiosité. Etienne Mougeotte, dans un éditirial du 18 mars, accéléra encore sa fuite loin des faits et près de Marchais, en proclamant celui-ci « victime d'une odieuse campagne de presse » et d'une « attaque au-dessous de la ceinture ». L'escamotage de la source documentaire du débat se parachevait.

Cette source, pourtant, une dépêche de l'agence Associated Press, le 10 mars, en confirmait l'authenticité. Wolfrom Baer, directeur des Archives municipales d'Augsbourg, fit à cette agence une déclaration formelle dans ce sens. Et il précisait que, selon la fiche, Marchais « avait résidé en Allemagne nazie plus longtemps qu'il ne l'avait jusqu'alors publiquement admis ». Des deux dates barrées, poursuivait le Dr Baer, 10-5-43 et 10-5-44, on pouvait déduire « avec une probabilité confinant à la certitude » que Marchais se trouvait à Augsbourg à ces deux dates, qui devaient correspondre à la remise au travailleur de ses cartes de rationnement. Toutefois, ce n'était « pas une certitude absolue ». Bien entendu, mais c'était encore moins la certitude du contraire. Wolfrom Baer attestait enfin que l'envoyé de *L'Express*, Branko Lazitch, avait été autorisé très officiellement à photocopier le document. Ce qui mouchait un autre mythomane malveillant mais peu imaginatif qui, dans *La Lettre de l'Expansion* du 10 mars, une de ces lettres confidentielles vendant très cher aux jobards du Paris politique des ragots de brasserie et des racontars d'antichambre, « dévoilait » à ses abonnés que la fiche de Marchais avait été fournie à *L'Express* par « une officine parisienne spécialisée dans l'anticommunisme ».

Cet après-midi du lundi 10 mars 1980, j'étais allé au *Quotidien de Paris*, près de la République, enregistrer un long entretien que m'avait demandé Philippe Tesson, pour publication le lendemain. Quand je regagnai ma voiture, mon chauffeur m'apprit que le « type d'Augsbourg » avait « parlé à la radio » et dit : « le document de *L'Express* est vrai ». Ce renfort m'emplit de joie. Il venait à point nommé assommer d'un coup définitif la thèse du « faux », déjà moribonde, sans doute, mais capable de rebondir. Cette fois, elle avait son compte. De retour à mon bureau, je lus la dépêche complète. Elle était tombée à seize heures trente. Or, au journal télévisé de vingt heures, aucune des deux chaînes, ni TF1 ni Antenne 2, toutes deux alors contrôlées par le gouvernement, ne mentionna même cette information capitale, sur une affaire dont elles ne cessaient de retentir depuis le vendredi. Ce silence anormal m'intrigua. Trois jours plus tôt, TF1 m'avait invité, le vendredi soir, à commenter en long, en large et en direct, dans le journal de vingt heures, le numéro de *L'Express* en train de partir pour les kiosques. Cette séance avait même été ponctuée dans le studio d'une vague de rire parce que Patrice Duhamel (ce frère d'Alain opérait à TF1), ému par la grenade qu'il dégoupillait, s'était, dans un lapsus, adressé à moi en m'appelant « Monsieur Marchais ». Pourquoi cette soudaine évaporation de l'intérêt de nos médias pour ce dossier, dont toute la France, toute l'Europe et même l'Amérique bruissaient ? Autre indice d'un revirement : l'auteur d'un livre intitulé *L'Impossible Vie de Georges Marchais*, Nicolas Tandler, qui nous avait mis sur certaines pistes, avait enregistré pour Antenne 2, le samedi, une émission sur le sujet, devenu soudain de pleine actualité. Et cette émission, sitôt prête, avait été déprogrammée plat et court. Avec la même muette brusquerie, TF1 avait annulé de son côté un rendez-vous avec ce même Tandler, qui tournait en bourrique à force de se voir submergé par les télévisions françaises de tant de pressantes invitations qu'on lui déchirait ensuite à la figure dès qu'il y répondait.

Le zèle de la télévision d'Etat à servir Marchais passa même, dès le 13 mars, de la censure passive au plaidoyer actif. Le correspondant permanent d'Antenne 2 en Allemagne, Michel Meyer, s'entretient, ce jeudi, au journal du soir avec un quidam présenté comme un « juriste » allemand. Bien que l'enjeu du débat n'ait rien de juridique et requière plutôt de robustes connaissances historiques, le « juriste » enrôlé pour désamorcer la fiche débute par dire que Marchais ne se trouvait pas à Augsbourg en qualité de travailleur. Or cette qualité se trouve écrite en toutes lettres sur le document ! Dans l'Europe de 1943, un séjour touristique ou de loisirs culturels en Bavière paraît improbable pour un Français âgé de vingt-trois ans. De plus, ce savoureux « juriste », dont on nous laisse ignorer quelle branche du droit il a illustrée de ses talents, n'a visiblement pas connaissance de l'existence du certificat d'embauche établi fin 42 en France, tant l'ensemble du dossier lui est peu familier. Serait-il paresseux ? A défaut de compétence, du moins ruisselle-t-il de bienveillance pour l'individu sur lequel il improvise si laborieusement ses affirmations gratuites. Toutes les interprétations qu'il donne sont de façon systématique les plus favorables à Marchais. Que le « déporté » loge librement en ville n'est pas retenu, même à titre hypothétique, comme le signe du volontariat. Lorsque Marchais change d'adresse, le juriste dit « cela ne prouve rien de plus, rien de moins que le fait qu'il ait déménagé ». Avions-nous besoin d'un juriste pendant dix minutes du journal de vingt heures pour nous apprendre que, quand quelqu'un change d'adresse, cela prouve qu'il a déménagé ? Quel coup de génie ! Meyer ne lui pose pas la question qui s'imposerait : « Les travailleurs requis ou déportés logeaient-ils librement en ville et déménageaient-ils de même de leur plein gré ? » Le fait incontesté que Marchais déménage paisiblement en mars 1943 n'est pas tenu pour bizarre, alors qu'il a prétendu s'être évadé ou avoir tenté de s'évader en janvier et être revenu début mars. Quelle mansuétude inaccoutumée, de la part des autorités nazies ! Meyer ne pose aucune question à ce sujet, ne soulève aucune objection. Il ne demande pas au « juriste » : si Marchais s'était évadé en janvier, ou avait tenté de s'évader, est-ce que cela figurerait sur cette carte ? Et aurait-il continué à loger sans surveillance en ville ? La question n'a pas été posée. L'interprétation donnée des deux dates barrées est aussi légère. Elle n'est pas plus démontrable de façon concluante que les autres interprétations. Elle n'en est pas moins présentée comme la vérité indiscutable. Meyer ne pose pas de question sur les autres significations possibles. D'après le « juriste », le 10 mai ne signifierait rien. Or Marchais a dit lui-même à la télévision et au Club de la presse qu'il était parti en permission le 10 mai, date qu'il n'avait jamais mentionnée auparavant. Si « 10 mai 1943 », barré au crayon, signifie, de son propre aveu, qu'il est parti en congé à cette date, pourquoi « 10 mai 1944 » barré au crayon ne signifierait-il pas la même chose pour l'année suivante ? Meyer n'énonce même pas le problème, n'objecte rien. Le « juriste », c'est l'Evangile. Pourquoi le service des travailleurs étrangers d'Augsbourg éprouvait-il le besoin de tenir à jour en 1944 une fiche sur un homme soi-disant disparu depuis un an ? Croyant blanchir Marchais, le « juriste » exhibe une mention, *1946*, sur la carte d'un autre travailleur comme la preuve que ces dates n'indiquaient nullement la présence en Allemagne. Or justement cette ultime date sur cette autre carte *n'est pas barrée*, et c'est la seule à ne pas l'être. Là encore, Meyer ne pose pas la question qui devrait lui venir aux lèvres : « D'accord, en 1946, le travailleur ne pouvait qu'être parti. Mais justement la date n'est pas barrée. Cela ne tend-il pas à prouver que les dates barrées correspondaient à un contrôle de présence ? »

D'ailleurs on lisait clairemnt au-dessous, en allemand : « Est retourné en France ». Ce que l'on ne lit pas sur la carte de Marchais.

Giscard d'Estaing, le 17 mars, ne se contenta plus d'envoyer ses hommes de communication à la rescousse de Marchais, il s'élança en personne à la tête de leur troupe. Le président de la République, nous apprit un communiqué de l'Elysée, « désapprouve les attaques personnelles dirigées contre les hommes politiques ». Argument d'une indigence peu digne d'un tel esprit, aussi doté, il est vrai, d'intelligence que dépourvu de jugement. Qualifier de purement personnelles, voire de relatives à la seule « vie privée », comme s'empressa de le crier la cohue des suiveurs, les questions, en réalité profondément politiques, parce que relatives au passé, durant la Deuxième Guerre mondiale, d'un dirigeant d'envergure nationale et même internationale, c'était un indice d'incompétence, d'hypocrisie et de futilité. J'étais frappé, une fois de plus, par la balourdise des hommes politiques, si enclins à se prendre pour de subtils Machiavel, tout en s'entortillant comme des empotés dans d'épaisses ruses, enfantines à déchiffrer. Le faux calcul de Giscard accoucha de toutes ses conséquences néfastes pour son auteur, puisque la main charitable tendue à l'ancien pensionnaire du « Bélier bleu » n'adoucit pas d'un seul ton la sauvagerie de la campagne menée par la gauche contre le Chef de l'Etat autour de l'« affaire des diamants », sauf, il est vrai, dans *L'Humanité*. Donnant, donnant.... Mais en pure perte, car le quotidien national du Parti communiste français avait fort peu de lecteurs et aucune influence. Les journaux qui avaient les deux étaient *Le Monde* et *Le Canard enchaîné*, qui continuèrent à s'acharner sur Giscard et ses diamants. La fleur faite à Marchais ne lui servit même pas à obtenir l'abstention communiste entre les deux tours de l'élection présidentielle de 1981.

Auguste Lecœur qui, en tant que secrétaire à l'Organisation, avait intériorisé une intuition des réflexes organiques du Parti aussi sûre et intime que celle d'un pêcheur de gardons qui sent sur le bout des doigts les secrets de son coin de rivière, me dit que, sans doute, le souhait du bureau politique, conforme à celui de Moscou, était d'assurer la réélection de Giscard. Mais, m'assura-t-il, le Parti ne pourra pas, sans désorienter et s'aliéner sa base d'électeurs honnêtes, donner de consigne explicite d'abstention au détriment de Mitterrand. Le PC avait pu en lancer une contre Poher, à l'avantage de Pompidou, en 1969, parce que Poher relevait de la droite autant que Pompidou. Mais en 1981 provoquer à visage découvert l'échec d'un socialiste serait un sacrilège aux yeux du « peuple de gauche » sincère et honnête, imprégné de la mystique du Front populaire. Cette machination se retournerait contre le PC, qui le savait fort bien. Que Giscard n'y comptât donc point.

Je rapportai mot pour mot cette analyse de Lecœur au principal conseiller politique du Président, Jean Serisé, qui m'avait avec affabilité convié à un petit déjeuner en sa compagnie, à l'Elysée, pour me passer un peu de baume à la suite du communiqué. J'y ajoutai que, toujours, selon Lecœur, la question politique, la seule sérieuse, que devrait examiner le Président était de percer les motifs qui avaient amené les Soviétiques à nommer un secrétaire général aussi vulnérable, aussi « tenu » par un dossier aussi gênant, à la tête d'un si important parti communiste d'Occident, le deuxième par ses effectifs, sa puissance électorale et syndicale, son influence politique et culturelle, sa capacité de nuisance contre les démocraties dans les relations internationales. Bien entendu, le Président ne prêta aucune attention à ces conseils, qui lui furent rapportés. Il s'en trouva fort mal. J'ai rarement vu les hommes d'Etat tirer profit des véritables compétences. Giscard devait se fier pour les questions communistes à quelque docte et rassurant soviétologue conventionnel, nourri au bouillon de légumes de la détente, tandis qu'un vieux crocodile carnassier comme Lecœur, habitué à toutes les crevasses du marigot, ne lui paraissait pas digne de foi. Je remontrai à Serisé le tort de Giscard d'avoir souffleté *L'Express*, sans profit pour lui-même. Avec la souriante irréflexion des coadjuteurs politiques, s'imaginant qu'ils peuvent faire croire à n'importe quel paroissien n'importe quel boniment, il se récria en m'étreignant et en me rassurant, selon lui Giscard n'avait point songé à viser *L'Express*, il avait entendu sans arrière-pensée rappeler un simple principe intemporel de morale politique... Rentré au journal, je fis dans l'après-midi porter à Serisé le billet suivant :

« Paris, le 25 mars 1980.

Cher ami,

Merci pour ce délicieux petit déjeuner et pour cette bonne conversation.

J'ai été rasséréné en apprenant que le Président n'avait pas du tout visé *L'Express* au moment où il avait élaboré son communiqué. Mais un de mes collaborateurs, auquel j'en parlais après notre entrevue, me rappelait toutefois que tel n'avait pas été le sentiment de tout le monde, puisque sur Antenne 2, Poivre d'Arvor, en lisant le communiqué de l'Elysée, exhibait en surimpression le numéro de *L'Express*... »

Je ne saurais dire si cet homme d'une courtoisie suave sentit, pour employer une formule chère au plébéien Lecœur, que je me « payais sa fiole » ou, du moins, comprit qu'il n'avait pas réussi à se payer la mienne.

Quant à Marchais, fortifié par de tels encouragements présidentiels, il retrouvait la voie libre pour se payer tant et plus celle des Français. Dans une conférence de presse tenue au siège du Parti, place du Colonel-Fabien, il « annonce une contre-attaque ». Ses armes : « Plus de cinq kilos de dossiers remplis, dit-il, de preuves et de témoignages sur son séjour en Allemagne, les circonstances de son départ, sa présence *permanente* (*sic*) en France jusqu'à la Libération. » Ayant articulé son prône, il joint le geste à la parole, un geste d'une aussi théâtrale bouffonnerie que celui de l'aigrefin Ribouldingue qui, dans *Les Pieds Nickelés*, devenu banquier véreux, ouvre, dans son bureau, devant ses clients, pour les rassurer, le placard où sont entassés leurs sacs de pièces d'or, qu'il a depuis belle lurette remplacées par des boutons de culotte, et dont les pauvres benêts ne demandent même pas à vérifier le contenu. La dépêche de l'AFP (16 mars) sur cette conférence de presse relate comme suit la trouvaille de l'histrion : « Un collaborateur apporte ces dossiers dans le bureau du leader communiste pour en montrer le volume, pas le contenu, qui sera produit *à mon gré*, précise Georges Marchais. » Ce gré ne vint jamais, pas plus que n'était venue ni ne devait venir l'heure propice à la divulgation des copieuses liasses de « preuves » dirimantes, que Marchais, on s'en souvient, s'était targué de posséder, au tout début de son « affaire », en 1970.

Cette triviale supercherie satisfit, non les Français, qui se mirent dès 1981 à voter de moins en moins communiste, mais le gros des journalistes français, qui ensuite s'étonnent de voir leur crédit décliner dans l'opinion. Ainsi, le 18 mars, deux jours après cette conférence de presse qu'aurait pu contresigner l'« empereur » Bokassa, Ivan Levaï invite à l'un de ses entretiens matinaux d'« Europe 1 », très écoutés, l'avocat de Marchais, Me Jules Borker. On l'a lu plus haut, j'avais rencontré en 1966 cet homme vif et cordial, chez Mitterrand, car il faisait la liaison entre le PCF et le chef de la Fédération de la gauche démocrate et socialiste.

A « Europe 1 », le 18 mars 1980, péremptoire, il eut le front de réaffirmer que « la justice française » avait récusé comme un « faux grossier » le certificat d'embauche sorti par Lecœur. Or, de notoriété publique, c'était le contraire qu'avait conclu le tribunal, mais, par une réserve empreinte de tact et de délicatesse, Levaï s'abstint de réchauffer ce vieux contentieux. Borker enchaîna donc, en octroyant au peuple cette joyeuse nouvelle : le PC s'apprêtait à publier (il ne le fut oncques) un dossier « énorme, six kilos » (il en avait donc pris un de plus en deux jours) de documents et témoignages permettant de reconstituer les années de guerre de Marchais à l'entière satisfaction de l'intéressé et pour l'éternelle confusion de ses détracteurs. Or, en réalité, comme le relevait *Le Monde* du 15 mars, « hormis celui de sa première épouse, le secrétaire général du Parti communiste n'a produit aucun témoignage de sa présence en France dans les deux dernières années de la guerre ». Encore faut-il noter que cette première épouse, chambrée avec vigilance, n'a jamais pu « témoigner », sinon par le canal des « organes » du PC, qui ont toujours empêché les journalistes de la rencontrer en tête à tête. Enfin, Me Borker conclut en annonçant à Levaï et à tous les auditeurs que Marchais allait prochainement porter plainte contre *L'Express* et contre moi pour diffamation. Seize ans après, j'attends toujours cette plainte.

En pratique, Marchais, avec un réalisme tout léniniste, a renoncé dès le début de l'affaire à se défendre sur le fond, parce qu'il se savait indéfendable. Il avait sans attendre assis avec sagesse toute sa stratégie sur l'esbroufe et le chantage. Bien avant 1980, il avait renoncé à toute argumentation de bonne foi, sachant qu'elle n'aurait pu manquer de tourner à sa déconfiture. Sinon, lui qui se proclamait déporté et évadé, pourquoi n'aurait-il pas sollicité l'attribution d'une attestation bien connue : la carte de réfractaire ?

Comment Georges Marchais, militant syndicaliste, puis permanent syndical de la Fédération des métaux, dans les toutes premières années ayant suivi la guerre, donc entouré de camarades ayant été des « personnes contraintes au travail » sous l'Occupation, aurait-il pu ignorer ou négliger l'existence d'une puissante organisation — d'obédience communiste — la « Fédération nationale des déportés du travail », et se désintéresser de toute démarche pour faire valoir ses droits, s'il avait vraiment été « déporté du travail » d'abord , « réfractaire » ensuite ? A partir des lois de 1950 et 1951, puis des décrets de 1952, régissant les statuts respectifs des réfractaires et des personnes contraintes au travail en pays ennemi, il a eu jusqu'au 31 décembre 1958 — date de la forclusion légale — pour déposer des dossiers de demande de titre et de carte. Il n'en a rien fait. Entre la levée de la forclusion (1975) et la publication du document allemand dans *L'Express*, cinq ans supplémentaires se sont écoulés au cours desquels il aurait pu, se libérant ainsi d'une casserole gênante, déposer les mêmes demandes. Il s'en est abstenu. Pourquoi ? Parce que avant 1958 comme après 1975, ses dossiers auraient été examinés par des commissions paritaires où siégaient, aux côtés des représentants de l'Administration, les délégués des groupements de personnes ayant été effectivement contraintes et de réels réfractaires, qui auraient sans mal décelé la supercherie. Les formulaires à remplir avaient été même considérablement simplifiés depuis 1975. Mais, dans les deux cas, Marchais eût été dans l'impossibilité de répondre aux questions posées sans se dénoncer lui-même comme imposteur.

Si j'ai tympanisé le lecteur de tant de détails en dépouillant ce dossier, c'est pour deux raisons. La première est mon désir de répondre une fois pour toutes aux nombreux journalistes qui, au moment où sortit l'affaire Marchais, écrivirent ou dirent sur un ton péremptoire que les documents publiés « ne prouvaient rien ». Je devais bien montrer, ici, qu'ils constituent des preuves fort claires, pour quiconque consent à les examiner sans parti pris. La deuxième raison est que je redoute la même légèreté et la même mauvaise foi de la part des historiens futurs. L'âge venant, je vois paraître des ouvrages consacrés à des événements que j'ai vécus, à des personnalités que j'ai connues, à des discours que j'ai entendus, voire à de petits rôles que j'ai pu jouer, dans les lettres ou la politique. Et je suis éberlué par le fourmillement des erreurs qui sautent au visage, à chaque page, presque, de ces livres à étiquette scientifique. Erreurs de faits, erreurs d'interprétation, erreurs d'atmosphère et, surtout, erreurs par omission ou par négligence. Dans une biographie parue en 1994 de René Bousquet, chef de la police de Vichy, l'auteur, Pascale Froment, mentionne (p.577) un Gérard Hisard qui est, dit-elle, « à l'origine des révélations sur le passé de Georges Marchais sous l'Occupation ». L'origine, elle est due exclusivement à Tillon et Lecœur en 1970 et à *L'Express* en 1980, ce qui est très facile à vérifier. J'ai souvent vu ce Gérard Hisard, qui vint me tanner *après* la publication de la fiche Marchais pour tâcher de me vendre, sur les hauts faits de celui-ci en 1944 et 1945, *d'autres* informations, qu'il proposait également au *Point* d'ailleurs, mais sans parvenir jamais à les étayer assez pour que je me risque, pas plus que *Le Point*, à les utiliser. Il est vrai, Mme Froment est journaliste et non historienne de métier, mais bien des synthèses portant sur les années soixante à quatre-vingt-dix, dues à des universitaires ou à des professeurs à l'Ecole des sciences politiques, sont émaillées de bévues du même acabit ou déformées par une partialité délibérée. Coincée entre l'incompétence et le parti pris, la pauvre histoire « scientifique » se voit infliger à sa racine d'irréparables mutilations, au moment où elle a pourtant le privilège de se trouver encore à proximité des sources et des témoins.

Une autre leçon, pour moi, de cette expérience, fut de voir se mettre en place la solidarité de tous les partis de la classe politique, se refermer, autour de Marchais une *omertá* sur laquelle l'ex-employé de Messerschmitt avait de toute évidence judicieusement compté. De surcroît, depuis décembre 1979 et l'entrée des troupes soviétiques en Afghanistan, tout se compliquait pour les Occidentaux, cramponnés à la défunte « détente » comme une bigote à son chapelet. Dans ses rapports avec les communistes, le Président français ne savait plus très bien où donner de l'entrechat. Au cours d'un déjeuner, en compagnie du chancelier fédéral Helmut Schmidt, il m'avait soutenu qu'il s'agissait d'une crise « Sud-Sud » et non « Est-Ouest ». François Mitterrand, Michel Poniatowski (ancien ministre de l'Intérieur), Jacques Chirac et d'autres moindres seigneurs de la politique, avaient maintes fois asticoté Marchais au sujet de ses pérégrinations entre 1942 et 1946. Ils mettaient souvent avec une cruelle lourdeur les points sur les i. Mais dès que la preuve formelle de sa compromission et de sa dissimulation eut surgi, ils reculèrent, en prétextant leur refus de toute « incursion dans la vie privée ». Comme s'il s'agissait de vie privée ! L'union sacrée due à une morale de caste, à une mentalité de *cosa nostra* à la sicilienne se déchaîna et imposa la discrétion. Sans elle, il aurait fallu prendre une décision. En effet, notre document établissait au minimum que Marchais s'était rendu coupable de faux témoignages en justice. Or les articles 42 et 366 du code pénal prévoient que les tribunaux peuvent, à la suite d'un faux témoignage sous serment, interdire d'exercer « les droits de vote, d'élection et d'éligibilité ». La question, donc, de la candidature de Marchais à la présidence de la République en 1981 et même de son maintien dans son siège de député pouvait être posée. Elle ne le fut par aucune des autorités compétentes. Si elle l'avait été, Mitterrand serait redevenu le seul candidat de la gauche, comme en 1965 et en 1974, ce qui, en 1981, l'aurait rendu quasiment invincible. Avec génie, Tim avait ramassé ce drame en un dessin visionnaire : au milieu d'une morne plaine balayée par la bourrasque, Giscard et Barre s'arc-boutaient des deux côtés d'un épouvantail vermoulu pour l'empêcher de tomber en miettes sur le sol en criant : « Pourvu qu'il tienne jusqu'à l'élection ! » L'épouvantail était Marchais.

Lequel me décevait, car il ne portait toujours pas plainte contre *L'Express*. Je souhaitais pour ma part un procès qui permît de faire de fond en comble l'inventaire du dossier et la synthèse des conclusions. Devant cette dérobade, je décidai de porter plainte moi-même, en tant que directeur de l'hebdomadaire, « contre Georges Marchais, *L'Humanité* et *L'Humanité Dimanche* pour imputations calomnieuses, diffamation et injures publiques », puisqu'on avait porté atteinte à notre honneur professionnel en nous qualifiant de faussaires.

A quelque temps de là, j'étais en train d'assister, un après-midi, à Roland-Garros, aux internationaux de tennis, dans la loge réservée à *L'Express*, où je recevais quelques-uns de nos invités. Soudain, j'entends qu'on m'appelle par haut-parleur au téléphone. En 1980, les appareils portatifs n'avaient pas encore été inventés. Je dus courir jusqu'à une cabine. C'était Tom Sebestyen, très proche collaborateur de Jimmy Goldsmith qui, de la part de celui-ci, me priait *pour raison d'Etat* de retirer ma plainte. Jimmy était non seulement propriétaire mais « directeur de la publication », titre vétuste, n'ayant d'autre signification que de désigner le responsable juridique d'un journal. Toute plainte était censée venir de lui et aucune plainte ne pouvait tenir sans son accord. A travers les voix de Tom et de Jimmy, je perçus, bien sûr, le chant mélodieux de l'Elysée, inquiet d'un procès qui mettrait le PC en colère et Marchais hors course. Je revins à la loge du court central secoué de rire et j'obligeai Raymond Aron, interdit, en lui narrant la conversation téléphonique, à boire une exceptionnelle coupe de champagne pour trinquer avec moi et fêter ce rideau dérisoire qui venait de tomber sur une farce politique de province. « C'est curieux, me dit-il, avez-vous remarqué ? Le président de la République a mis dix fois moins de temps et dix fois plus de conviction à condamner la publication par *L'Express* de la fiche Marchais que l'invasion de l'Afghanistan par l'armée Rouge. »

LIVRE TREIZIÈME

LE PLUS JEUNE MÉTIER DU MONDE

I

Les journalistes, qui s'octroient la mission de faire connaître le vaste monde à leurs semblables, sont souvent, de tous les humains, ceux qui connaissent le plus mal leur petit monde à eux. Je n'ai vu aucune profession, pas même la politique, plus aveugle devant l'écart quotidien qui sépare sa pratique de ses principes, plus mal renseignée sur elle-même et, à la fois, plus incurieuse et plus dissimulatrice de son propre fonctionnement.

Cette naïveté radieuse tient sans doute à ce que le journalisme, j'entends le journalisme moderne, non point les petites gazettes confidentielles de sa préhistoire, le journalisme de masse, né il y a moins de deux siècles, est le plus jeune métier du monde. Il ne ressemble au plus vieux que par ses pires côtés, quoique ce ne soient pas les moins répandus, mais il inspire à la corporation qui le pratique, y compris à la plus saine et honnête part de la profession, une ivresse de contentement rare ailleurs, même chez les peintres, les philosophes ou les cuisiniers, nobles corps dont l'ancienneté tempère la vanité. Chaque rédacteur d'un journal est à ce point ébloui par le pouvoir, réel ou supposé, qui lui est échu, qu'il perd quelquefois tout sens critique sur son propre talent, sa propre compétence, sa propre probité. Les plus médiocres versent d'autant plus dans ce défaut qu'ils répugnent à être jugés sur la qualité de leurs articles, sachant que ce critère leur serait fatal. Dans certaines rédactions dégradées par une longue incurie et lacérées par les intrigues, on voit même les mauvais journalistes dénigrer et persécuter les bons, tant ils craignent que l'accent mis sur la prépondérance de la qualité ne menace leur emploi.

Je n'ai pas la bile assez noire pour affirmer que la rédaction de *L'Express*, lorsque j'en pris la direction, croupissait dans le triste marasme que je viens d'évoquer. Ce serait là commettre une injustice à l'égard de mes prédécesseurs, tous des vedettes reconnues, aux capacités confirmées et originales. Hélas ! de même que les Etats dégénèrent parfois sous des gouvernants intelligents, mais distraits du réel par des tentations extérieures et absorbés moins par leur tâche que par des rêves irréalisables, un journal excellent peut glisser dans un chaos presque incurable s'il cesse d'être dirigé avec cette vigilance quotidienne qui prévient les abus féodaux, la formation des chapelles, les embauches d'incapables et les guérillas entre coteries. J'ai raconté en plusieurs des chapitres précédents les secousses successives qui avaient déréglé et divisé la rédaction de *L'Express*, conduisant d'abord au départ de l'équipe qui allait créer *Le Point*, puis à une sorte de navigation sans boussole, entrecoupée de mutineries, de changements de pavillon et d'embarquement de passagers clandestins. Le rachat du journal par Jimmy Goldsmith, au printemps de 1977, avec les bouleversements inévitables et légitimes qu'il annonçait, envenima encore la méfiance et l'agitation.

Jean-Louis Barrault me donna un jour sa définition d'une troupe de théâtre en bon état de marche. « C'est, me dit-il, une démocratie amoureuse. » M'inspirant de sa formule, je définirai une rédaction en mauvais état de marche : une anarchie haineuse. L'humeur où se convulsait la rédaction de *L'Express* quand elle me tomba sur les bras m'aida surtout à comprendre que toute considération sur le journalisme en général et, à plus forte raison, sur la communication en soi, n'est que bavardage creux. Diriger un journal constitue toujours un art ou une technique à réinventer dans chaque cas particulier, parce que aucun journal ne ressemble à un autre, parce que, même entre deux journaux de même espèce, les différences de situations et de problèmes peuvent être énormes, parce qu'elles peuvent l'être aussi bien entre deux moments distincts de l'histoire d'un même journal.

Quand je compare le travail du directeur du *Point* et celui du directeur de *L'Express*, au cours des années soixante-dix, en dépit de l'identité ou de l'étroite parenté des formules des deux hebdomadaires, je constate que les objectifs à se proposer, les difficultés à surmonter et les méthodes appropriées pour y parvenir au jour le jour divergeaient du tout au tout.

La tâche la plus ardue de Claude Imbert au *Point* consistait à intéresser à un hebdomadaire nouveau-né assez de lecteurs pour le rendre rentable. Il lui fallait conquérir un public, et l'on sait qu'il y est parvenu. Ce n'était certes pas facile. Mais pour tout le reste, il était libre : libre de définir la formule du journal qu'il avait fondé et qu'il dirigeait, libre d'en fixer les orientations, libre de choisir ses collaborateurs, du point de vue de leur qualité comme de leur quantité. En prenant ses fonctions, il ne se heurtait pas au maquis des « situations acquises » : aucune ne l'était encore ; il ne découvrait point de « cadavres dans les placards » : aucun placard n'existait. Mes difficultés à moi se situaient à l'opposé des siennes. *L'Express* possédait d'ores et déjà un public vaste, quoique fort diminué, depuis quelques années, par les oscillations et foucades dues au « subjectivisme » de Servan-Schreiber. (On se souvient que le terme « subjectivisme » servit aux brejneviens à flétrir les caprices légendaires de Khrouchtchev quand ils le renversèrent en 1964.) Mon effort tendrait donc à ramener à nous les lecteurs qui nous avaient abandonnés, ou à en amener d'autres qui les remplacent, et, d'abord, à enrayer une chute qui, d'ailleurs, autant que des inconséquences de Jean-Jacques, provenait des illogismes et des pesanteurs d'une rédaction aussi pachydermique qu'hétéroclite. *Le Point* se contentait d'une équipe légère d'environ 80 journalistes, alors que nous en avions 131. Mais cette supériorité numérique de *L'Express* n'était qu'apparente. Car si les rédacteurs du *Point*, récemment embauchés, étaient tous des cellules vivantes et actives, je découvris rapidement que, sur mon effectif théorique de 131 collaborateurs, je ne pouvais compter que sur une trentaine ou une quarantaine pour faire le journal. La plupart des autres se révélèrent aussi peu capables que peu désireux d'enquêter et d'écrire. Ils arpentaient les couloirs en bougonnant contre « la direction » qui les « brimait sur le plan de la signature », qui les « censurait pour des motifs politiques », alors que j'attendais depuis trois mois les papiers que je leur avais demandés, ou fait demander par leur chef de section. Un des méfaits de la jeunesse du journalisme, avant-dernier-né dans l'ordre chronologique d'apparition (juste avant le cinéma) entre les activités de l'esprit, c'est que les membres de la corporation n'acceptent pas l'idée qu'ils exercent un métier à risques, où l'on doit mériter sa place par son talent ou, du moins, par une compétence indiscutable dans un domaine précis. Ils veulent savourer à la fois la gloire de voir leur nom imprimé et la sécurité de l'emploi du modeste et anonyme fonctionnaire. L'écrivain admet le risque de voir son prochain manuscrit refusé par son éditeur ; l'acteur celui de ne pas être engagé pour jouer dans une autre pièce, dans un autre film ; le peintre celui de ne plus trouver de galerie qui l'expose, de collectionneur qui l'achète. Le compositeur ne peut jamais contraindre un interprète ou un chef d'orchestre à programmer son œuvre. Mais un directeur de journal ne peut se défaire d'un journaliste qu'il juge mauvais, sinon en surmontant d'épuisantes résistances et en affrontant des remous préparés avec raffinement et des assemblées générales truquées qui perturbent le travail d'une rédaction pendant des semaines. Les journalistes talentueux sont de rapport facile. Ils savent qu'on tient à eux et que, s'il y avait mésentente avec leur direction pour une raison de fond, ils retrouveraient sans peine une collaboration ailleurs. Le cauchemar directorial vient des mauvais. Sachant, dans leur intime conviction, que leur journal n'a jamais eu de motif de les embaucher, sinon par égarement, complaisance ou piston, ils perpétuent au moyen d'intrigues tenaces le miracle de l'avoir été. Ils emploient toute leur énergie à se cuirasser contre le licenciement et consacrent à cette tâche les forces que la nature leur a refusées en vue de la confection d'articles. Un des moyens, dans ce but, consiste à multiplier et accumuler les titres et grades. Jadis, il y avait dans un journal un seul rédacteur en chef. Avec le temps, tout le monde a voulu se hisser à ce poste hiérarchique. On vit fleurir dans l'« ours », c'est-à-dire la liste des collaborateurs (que personne ne lit sauf ceux-ci), quinze, vingt rédacteurs en chef et adjoints, sans compter les chefs de section. Le plus pompeux des titres, celui auquel aspirent et accèdent les poids les plus morts, qui ont décidé une fois pour toutes de ne plus jamais rien faire, tout en obtenant naturellement l'augmentation de salaire correspondante, c'est celui de « conseiller de la direction ». Il équivaut, comme rendement, à ce qu'était, dans le Vatican des Borgia, la fonction mirifique de « moutardier du pape ».

Cette guerre de tranchées, qui figeait dans l'immobilité une rédaction à la fois largement pléthorique et partiellement inerte, avait, entre autres néfastes conséquences, celle d'interdire quasiment l'embauche de nouveaux journalistes, en particulier de donner leur chance à de jeunes débutants. Comment le directeur financier et le propriétaire du journal auraient-ils accepté de me laisser accroître la masse salariale déjà fort lourde sans la soulager par ailleurs en éliminant des éléments notoirement stériles ? Ils me pressaient sans arrêt de me séparer de ces derniers pour leur substituer dans la rédaction un peu de sang neuf. C'était d'autant plus souhaitable que L'Express s'était également offert depuis longtemps, non sans imprévoyance, un service de documentation et un service photographique fort précieux, mais dont l'ampleur disproportionnée à notre diffusion grevait fâcheusement le compte d'exploitation. C'était surtout nécessaire, parce qu'une rédaction doit se revivifier périodiquement et parce qu'un directeur doit pouvoir composer selon ses vœux, au moins dans ses parties essentielles, l'équipe avec laquelle il va travailler. Mais ce n'était presque pas réalisable, sinon au compte-gouttes, sous peine de susciter des mutineries d'autant mieux organisées que la plupart des médiocres à éconduire se trouvaient comme par hasard être militants syndicaux ou délégués du personnel. Ils n'avaient à la bouche que les mots « défense de l'emploi », mais en fermaient hermétiquement l'accès à leurs jeunes confrères impatients de faire leurs preuves ; ou les mots « défense de l'outil de travail », mais ils incarnaient eux-mêmes la principale cause de la décrépitude de cet outil. Je ne leur contestais pas, certes, le droit de gagner leur vie, mais bien celui de s'obstiner à tout prix à le faire dans un métier pour lequel ils n'étaient pas doués, barrant ainsi à leurs cadets la route de l'embauche. J'ajoute que ces cadets eux-mêmes adoptaient prestement la mentalité de leurs aînés. « Donner sa chance à un jeune » n'est pas l'expression qui convient car, au bout de trois semaines, le jeune, abandonnant toute notion de « chance », donc de risque, se considérait comme un journaliste chevronné. Si on lui disait qu'on jugeait son essai négatif, il oubliait sa promesse antérieure d'accepter ce verdict éventuel. Mauvais perdant, il soulevait le même raffut syndical que s'il avait eu vingt ans d'ancienneté.

J'ai décrit cette tendance à la fonctionnarisation de la presse, parce qu'elle révèle un fixisme qui est une constante de la société française, et parce qu'elle explique le manque fréquent de compétence qui est une tare du journalisme français. Nos journalistes se proclament des « professionnels », méprisent les collaborateurs extérieurs qui, à leurs yeux, n'en sont pas, mais, en ce qui les concerne, ils refusent l'idée même de sanction pour faute professionnelle. Cela étant dit, et cela devait l'être, car on le cache le plus souvent, je ne voudrais pas laisser ressortir de ces considérations une vision trop noire de la rédaction que je trouvai quand on me demanda de la diriger. Par bonheur, les rédacteurs de grande valeur et avec lesquels je m'entendais fort bien depuis fort longtemps, car certains avaient, comme moi, dix ou quinze ans de maison, formaient l'ossature qui garantissait la qualité du journal. Si je leur donnais ici l'impression de l'avoir oublié, je ne me le pardonnerais pas. Mais, comme le talent est sans histoire, c'est surtout la proportion anormalement élevée des sans-talent qui m'inflige les histoires de ce récit.

Parmi les recrues récentes, Raymond Aron et Olivier Todd, le premier illustre, le second célèbre, apportèrent au journal l'un la solidité de pensée, l'autre la célérité de réflexe, deux qualités qui s'étaient quelque peu raréfiées depuis le départ des fondateurs de *L'Express* et de l'équipe qui avait créé *Le Point*. Par la philosophie politique je me sentais plus proche d'Aron et par la sensibilité personnelle plus proche de Todd. Celui-ci, à l'époque, se croyait encore socialiste. Ce désaccord entre eux, d'ailleurs, provoqua le premier accident grave de l'« ère Goldsmith » au sein de la rédaction et rendit patentes les incohérences qui firent sentir à beaucoup le besoin de me proposer la direction.

II

Trois semaines avant les élections législatives des 12 et 18 mars 1978, où l'on attendait en général un triomphe de la gauche — bien qu'elle fût désunie, puisque les communistes avaient rompu, l'été précédent, avec les socialistes — j'étais allé, comme chaque année en février, passer avec ma famille huit jours à la montagne, à La Clusaz, en Haute-Savoie. J'avais pris mes dispositions pour envoyer de cette station de neige un éditorial préélectoral, double de la longueur ordinaire, et destiné à paraître dans le numéro du lundi 6 mars, le dernier avant le premier tour.

En ce début de 1978, le journal était dirigé par trois personnes, autant dire qu'il ne l'était pas du tout. Après qu'au printemps de 1977 Jimmy Goldsmith eut acheté la majorité des actions, il ne lui fallut que quelques mois pour congédier le directeur en fonction, Philippe Grumbach. Le prétexte de ce licenciement fut que Grumbach avait laissé sortir un numéro dont la couverture caricaturait de façon irrévérencieuse, presque injurieuse... François Mitterrand. La raison véritable (car l'animosité sans limite de Jimmy envers Mitterrand l'eût aisément consolé de ce portrait chargé s'il n'avait pas voulu exploiter l'anicroche pour changer la direction) était que Philippe incarnait l'esprit et l'époque de Jean-Jacques Servan-Schreiber, dont il avait toujours épousé les idées et exécuté les volontés. Pour remplacer Philippe, Jimmy avait nommé non pas un nouveau directeur, mais un triumvirat, composé d'Yves Cuau, qui venait du *Figaro*, et qui donc n'avait aucune expérience de la presse hebdomadaire, très différente de la presse quotidienne ; de René Guyonnet, un vieux de la vieille de *L'Express*, mais homme d'appareil, tout au plus un bon secrétaire de rédaction, sans imagination et qui ne pouvait guère communiquer aux autres une inspiration dont il était lui-même cruellement dépourvu ; enfin Olivier Todd, qui possédait, lui, à la fois la connaissance de la presse hebdomadaire, l'invention dans la conception des thèmes et le talent d'écrire, mais dont la fougue supportait mal qu'on l'eût attelé avec les deux autres.

Et d'autant plus mal que Jimmy lui avait promis, quand il l'avait engagé, quelques mois plus tôt, de le nommer rapidement rédacteur en chef : j'entends d'en faire non pas « un » rédacteur en chef, mais « le » rédacteur en chef. Quant à moi, Jimmy avait insisté, dès son arrivée dans la maison, pour que j'y aie un bureau, servitude que j'avais toujours réussi à éviter depuis mon entrée, en 1966. Il passait m'y voir fréquemment et me consultait, sans presque jamais suivre mes conseils, bien entendu. Ainsi, malgré mon insistance pour que nous redonnions à Françoise Giroud, qui venait de quitter le gouvernement, une tribune car, selon moi, elle nous apporterait à nouveau une touche et un ton qui n'appartenaient qu'à elle, Jimmy refusa. Il craignait, comme avec Grumbach, que JJSS ne se réintroduisît ainsi par plume interposée. Un racontar fit croire à Françoise que c'était Raymond Aron qui avait pris l'initiative et la tête de l'opposition au rétablissement de sa chronique. Il est vrai qu'il n'y était pas favorable, comme il le consigne dans ses *Mémoires*. Mais sa réticence envers elle ne se mua en veto que sous la pression extérieure. Elle lui écrivit une lettre ulcérée, dont elle m'envoya copie. Elle l'y accusait de lui « avoir interdit les colonnes de *L'Express* », ce journal, ajoutait-elle, « que j'ai fondé et dont vous m'avez exclue ». En fait, la décision irrévocable de ne pas restituer sa tribune à Françoise prenait sa source en Jimmy, qu'Aron se contenta d'approuver. Mais peut-être, comme Raymond en émet lui-même l'hypothèse dans ses *Mémoires*, « Jimmy Goldsmith, transmettant à Françoise Giroud la réponse négative, l'attribua-t-il à moi seul. » J'étais en train de tenter de dissiper le quiproquo et de favoriser une réconciliation lorsque Aron publia un éditorial pour reprocher à Françoise, dans *L'Express* même, ce qui était du pire goût, de s'être ralliée, venant de la gauche, à l'État giscardien, en échange d'un portefeuille ! Mes bons offices se présentaient dès lors sous un jour si désespéré que j'y renonçai. Raymond, quoique titulaire, au Collège de France, de la chaire de « sociologie de la civilisation moderne », n'excellait pas autant dans la civilité que dans la civilisation.

Entre autres conseils inutiles à Jimmy, je lui avais donné celui de renoncer à son idée de triumvirat. Il fallait n'avoir jamais vécu dans une rédaction pour se figurer qu'un journal pût être dirigé simultanément par trois personnes, qui, si elles ne s'étaient pas déjà haïes, n'auraient point tardé à le faire dans une telle rivalité. Derrière l'enchevêtrement de son trépied paralytique, Jimmy nourrissait la secrète pensée de s'arroger en sous-main l'autorité de directeur de la rédaction sans en assumer le titre officiel, mais en « tranchant » et en « arbitrant » dans les désaccords, en imprimant des impulsions « générales », bref en jouant le rôle de « chef d'orchestre clandestin » et omnipotent. Ambition irréaliste, pour trois raisons : la première, cette formule est en elle-même inapplicable ; la deuxième, Jimmy, si intelligent fût-il, ne possédait aucune des dispositions nécessaires à la direction cohérente d'un journal ; la troisième, il était absent les trois quarts du temps et ses réapparitions étaient imprévisibles. Sur quelque continent éloigné qu'il se trouvât, il utilisait, certes, le téléphone et le courrier (le plus souvent dicté par téléphone) avec une redoutable prolixité, et il me submergea par la suite de milliers de communications disparates par ces deux truchements. Pour mon repos, très relatif, on n'avait pas encore, à l'époque, la télécopie ou fax. Malgré l'absence de cet instrument, Jimmy n'arriva jamais à se départir de l'illusion qu'on peut confectionner un numéro de journal à distance et je m'épuisai pendant ces années à contenir le flot incessant de ses illuminations intempestives. La trinité directoriale, en revanche, n'offrait pas le front uni qui lui eût permis d'y résister.

De surcroît, au moment de ses pourparlers avec Jimmy, au printemps de 1977, Olivier avait en toute loyauté informé cet ultra-libéral de ses propres sympathies socialistes et l'avait prévenu de son intention d'écrire, avant les prochaines élections, un éditorial recommandant le vote à gauche, c'est-à-dire un papier de sens opposé à ce qu'il prévoyait que serait le mien. Olivier faisait de l'acquiescement de Jimmy sur ce point une condition de son entrée, et il l'obtint. Mais, par une omission regrettable, comme pour son serment de nommer le même Olivier rédacteur en chef, Jimmy s'abstint d'en informer qui que ce fût, et en particulier Raymond Aron.

Or, avant de s'envoler pour une île des Antilles y passer la même semaine où je me reposais à La Clusaz, Jimmy nous avait, un pied déjà dans l'avion, légué cette fulgurante trouvaille : remettre les « pleins pouvoirs politiques » à Raymond Aron durant son absence, pour le cas où il faudrait refuser, commander ou corriger un article, autoriser ou interdire une prise de position, puisque l'imminence d'élections décisives enflammait les passions et opposait les factions dans une rédaction où la gauche comptait des partisans déterminés et rusés. Cette mission d'arbitre satisfaisait Aron, qui avait quitté *Le Figaro* et avait décliné l'offre d'entrer au *Point* parce que, dans ces deux journaux, Robert Hersant et Claude Imbert, respectivement, avaient refusé de lui conférer le titre qu'il convoitait de « directeur politique ».

L'ayant donc obtenu chez nous à titre temporaire, son premier acte dans l'exercice de ses pouvoirs spéciaux, pendant la soirée de « bouclage », le 2 mars 1978, du délicat numéro préélectoral, fut pour décider que l'éditorial d'Olivier Todd ne passerait pas. Il déchaîna ainsi un immédiat tremblement de terre dans la rédaction, dont une large fraction, en particulier la section « France », que dirigeait Albert du Roy, avalait déjà de travers que deux éditoriaux sur trois plaidassent pour le vote libéral, en faveur de la majorité au pouvoir. Si la seule tribune soutenant les socialistes disparaissait, le pluralisme, dont

Jimmy avait promis le respect dans tout l'éventail allant « de la droite non extrémiste à la gauche non totalitaire » (joli brin de phrase), disparaissait aussi. La rédaction s'insurgea et cessa le travail.

Vers onze heures et demie du soir, en Savoie, je commençais à m'assoupir dans ma chambre de l'Hôtel Beauregard, tout en me congratulant in petto de la journée écoulée. De cinq heures à huit heures du matin, j'avais écrit mon éditorial, que j'avais aussitôt fait envoyer par télex au journal à Paris. De dix heures à midi, j'avais pris une leçon de ski de fond. L'après-midi, j'étais descendu m'embarquer près d'Annecy pour me livrer aux périlleuses incertitudes de la navigation lacustre et à d'infructueuses tentatives pour pêcher l'omble-chevalier. Dans mon périple, j'avais salué au passage la grande ombre d'Hippolyte Taine, devant Menthon-Saint-Bernard, lieu de la résidence estivale de l'auteur des *Origines de la France contemporaine*. J'évoquais, à moitié endormi, le discrédit injuste où la propagande d'Aulard et de Mathiez avait enfoncé ce chef-d'œuvre, avant que le ravalement de François Furet n'effaçât les repeints subis au vingtième siècle par l'histoire de la Révolution française. Inquiétante, la sonnerie du téléphone posé à mon chevet m'extirpa de ma somnolence culturelle. J'entendis la voix de René Guyonnet, étranglée par l'angoisse d'un danger et anémiée par la fatigue des palabres. « L'heure est gravissime, chuchota-t-il. Le prochain numéro risque de ne pas paraître et, peut-être même, le journal de disparaître. » Après m'avoir résumé le mélodrame qui secouait la rédaction depuis deux ou trois heures, il ajouta : « Nous avons envisagé de faire appel à l'arbitrage des fondateurs (Françoise Giroud et Jean-Jacques Servan-Schreiber) ; mais ils n'ont évidemment d'autorité que morale. Ni Aron ni Goldsmith ne sont obligés de les écouter. » Je lui remontrai alors l'absurdité de toute cette tempête, puisque, par contrat au moins verbal, Olivier avait obtenu de Jimmy le droit d'écrire, précisément à la date où nous étions, un édito prosocialiste. « Oui, me répondit-il de plus en plus affaibli. Mais Aron ne veut pas le croire. Personne n'ose déranger Jimmy dans les Caraïbes. Tu es le seul qui puisse lui téléphoner. » Guyonnet, sur ces entrefaites, me donne le numéro tropical de Jimmy. Je le compose aussitôt. La chance veut que je tombe sur Jimmy lui-même. Avec le décalage horaire, c'est, en effet, l'heure normale où il remonte de la plage. Je lui narre l'anecdote sur un ton badin, prétendant seulement vouloir le distraire un peu avec le récit de ces gamineries parisiennes. Mais je lui rappelle sa promesse à Olivier et lui demande de m'autoriser à la communiquer à Raymond. Ayant su le dérider, j'eus affaire au « bon » Jimmy, si enjoué, si détaché, tout à la fois élégant et familier. Il s'esclaffa de son soi-disant « oubli », qui avait laissé Aron dans la brume, et me donna toute autorité pour rétablir la paix. Je me gardai de réveiller le « mauvais » Jimmy, en lui faisant observer que la catastrophe frôlée avait démontré l'insanité de son triumvirat directorial, surtout coiffé d'un contrôleur politique intérimaire. Car alors à quoi bon trois directeurs, si aucun ne pouvait prendre de décision politique ? Mais je crus plus prudent de réserver ces propos pour une conversation ultérieure. Pour l'instant, il n'y avait que le résultat qui comptait et je l'avais obtenu. Je rappelai Guyonnet sans tarder. Je l'informai que le propriétaire du journal venait de me mandater pour donner l'ordre de rétablir l'éditorial censuré. La fabrication du numéro — comportant l'article d'Olivier — reprit son cours, jusqu'au bouclage, de justesse, dans les délais requis. Le lundi suivant, à mon retour à Paris, j'eus le plaisir de trouver sur mon bureau le mot suivant d'Albert du Roy, avec qui j'avais souvent eu d'acerbes prises de bec, en particulier après la publication de *La Tentation totalitaire*, livre qui avait douloureusement heurté en lui le fervent adepte du « Programme commun de la gauche » :

« Vendredi, 1 heure

Jean-François,

Merci de ton intervention si efficace de cette nuit. La crédibilité du journal était en cause. Et la tolérance. Ce sont, entre autres, des points fondamentaux sur lesquels je me retrouverai toujours de ton côté.

Albert. »

III

Avec un rare détachement, Aron me pardonna de lui avoir, bien contre mon gré, fait perdre la face, et il ne s'en émut guère. Au contraire, appliquant avec une froideur tout intellectuelle à la comédie que nous venions de vivre les mêmes souverains dons d'analyse qu'il déployait devant les plus complexes énigmes géopolitiques, il en induisit que le « règne des pieds nickelés », comme il me dit, devait céder la place à un vrai directeur, et un seul, qui eût seul le pouvoir de dire : « Ceci passe et ceci ne passe pas. » A l'usage des jeunes générations, je précise que *Les Pieds Nickelés* étaient, du temps de la jeunesse d'Aron et encore de la mienne, une série de livres pour enfants très populaires dont les trois héros picaresques se nommaient Croquignole, Filochard et Ribouldingue. Raymond m'invita chez Laurent (restaurant appartenant d'ailleurs à Jimmy Goldsmith) à déjeuner, commanda une salade de homard, mais ne but pas de vin, incompatible, me dit-il, avec les pillules pour dormir qu'il devait absorber chaque soir. Puis, plongeant au cœur du sujet, il me résuma son diagnostic, pour conclure que le directeur qu'il voyait ne pouvait être que moi. Lui, Aron, était trop âgé désormais pour débuter dans cette carrière. Les rares autres, pourvus des éventuelles qualités nécessaires, étaient trop nouveaux venus. Pour ma part, j'appartenais depuis douze ans à la rédaction. En outre, je m'étais familiarisé avec les ressorts de l'entreprise pour avoir siégé au conseil d'administration. Enfin mon nom était connu en France comme à l'étranger à cause de mes livres, ce qui contribuait à mon autorité au sein du journal comme à l'autorité du journal aux yeux de l'extérieur. Je remerciai Aron de ce portrait flatteur de mes titres à la direction, mais je lui fis remarquer que Jimmy ne me paraissait pas du tout enclin à déléguer de vrais pouvoirs à un vrai directeur, car il désirait visiblement imposer ses quatre volontés et ses vingt-quatre lubies quotidiennes au fur et à mesure qu'elles lui venaient. Sornettes, me rétorqua Raymond. Avec votre accord, je lui démontrerai que vous êtes la seule solution, car, sans un patron — et non pas simplement un propriétaire —, le journal fera naufrage dans des convulsions, à force d'anarchie. Dans une rédaction meublée de bric et de broc, disloquée par des crises anciennes et répétées, par des luttes intestines, dans une équipe composée, comme un mille-feuilles, de couches entassées, de vagues successives et hétérogènes de journalistes de provenances diverses, et formant autant de clans, avait poussé une jungle. D'où un état d'esprit détestable de conspiration et la conviction suicidaire que l'on réussissait plus par l'intrigue et les crocs-en-jambe que par le travail et le talent. Ce venin avait encore concentré ses toxines du fait d'une injection de transfuges du *Figaro*, où, pendant les récentes années, certains n'avaient guère appris à faire autre chose, me dit Aron, qu'à s'ingénier du matin au soir à faire trébucher la direction, alors assurée par Jean d'Ormesson, et à décrier leurs camarades d'autres coteries que les leurs. Personne, conclut Aron, après ce tableau désolant et perspicace, personne qui n'ait pas grandi dans ce sérail qu'est *L'Express* ne pourra le remettre à la raison et au travail. Sur quoi, il demanda l'addition. Alors survint une anecdote qui en dit plus long sur la pureté d'un homme que mille discours moraux. Je lui fis observer qu'il s'agissait d'un déjeuner de travail et que donc *L'Express* le rembourserait. « Tiens, oui. Pourquoi pas ? », dit-il en rangeant le papier dans sa poche. « C'est la première fois de ma vie que je fais une note de frais. » A soixante-treize ans ! Et après trente-cinq ans de journalisme !

Plusieurs des conseillers de l'entourage personnel de Jimmy, qu'il transportait avec lui dans toutes ses sociétés, de l'agro-alimentaire à l'industrie du jouet de la moutarde au vinaigre et à la confiserie, ou à la grande distribution, étaient entrés nombreux dans l'administration de *L'Express*. La plupart abondaient dans le sens d'Aron. A leur bienveillance empressée je répondis par une disponibilité passive. Je ne voulais pas tenir à Jimmy quelque propos que ce fût qui pourrait ressembler à une candidature. J'avais senti combien il lui serait douloureux de déléguer une autorité dont il n'usait pourtant lui-même que de façon papillonnante. Je préférai donc laisser la résolution cheminer dans son esprit, sans sollicitation de ma part. Dans la rédaction, ce fouillis convenait à quelques seconds rôles, qui jouaient ainsi ou se figuraient jouer les premiers. La combine leur était tournée en coutume. Mais comme les conflits de décisions ou d'indécisions enrayaient toujours davantage la machine, chacun prenait de plus en plus fréquemment l'habitude de s'adresser à moi pour trancher, quoique je n'eusse encore aucun titre officiel pour le faire. C'était une conséquence de mon intervention victorieuse auprès de Jimmy avant les élections. Au cœur des vacances d'été, on me téléphonait chaque jour chez moi en Bretagne pour me demander des instructions, y compris les directeurs des principaux départements de l'administration, qui étaient des hommes de Jimmy. Ce pouvoir en coulisse devenait si encombrant qu'il valait mieux pour moi glisser vers la scène.

Je me trouvai donc insensiblement tiré vers un poste que je remplissais déjà en fait lorsqu'il me fut conféré en titre, au mois de septembre 1978.

C'est pourquoi me parut risible une remarque agressive que me lança le journaliste de radio Ivan Levaï, qui m'avait invité pour la circonstance à une émission d'entretien qu'il faisait tous les matins à « Europe 1 », avec une personnalité chaque fois différente : « Ainsi vous avez été *bombardé* directeur ! » fut son apostrophe sardonique. Rarement terme avait été aussi impropre ! La lenteur avec laquelle l'épilogue avait mûri sous la pression des nécessités, et sans aucune hâte de ma part, ne s'apparentait en rien à un tir d'artillerie. D'autant moins que, collaborateur du journal depuis douze ans, j'avais travaillé sous quatre directeurs de la rédaction différents : JJSS, Claude Imbert, Françoise Giroud et Philippe Grumbach. Même à l'ancienneté, je n'étais pas le moins qualifié. Mais l'exaspération de Levaï provenait de son engagement à gauche. « Alors, tout ce que va nous offrir maintenant *L'Express*, c'est votre anticommunisme ? » vociféra-t-il, sans me poser une seule question sur ma conception du journalisme et de l'information, ni sur la façon dont je comptais les mettre en œuvre. Seule l'obnubilait la rage qu'il ressentait à l'idée que le premier des hebdomadaires politiques français allait être dirigé par un adversaire du Programme commun de la gauche. Illustrant les passions françaises du moment et l'antithèse même du bon journalisme, il ne me posa sur mes principes professionnels aucune des questions qui auraient éventuellement intéressé les auditeurs et qui m'auraient donné l'occasion de les informer de mes intentions, ce qui était, après tout, le but de l'entretien. Mais entretien est en l'occurrence un terme trop honorable et dont je me repens de m'être servi.

IV

J'épargnerai au lecteur le résumé de ce que fut le contenu de *L'Express* pendant les trois ans où je le dirigeai. La collection est là : aux historiens de juger si nous avons avec exactitude reflété, parfois devancé ou même précipité les courants qui traversèrent et transformèrent cette période décisive. Alors s'amoncelaient, dans la nuit du secret totalitaire, les facteurs qui préparaient la chute imminente d'un Empire soviétique acharné à conjurer sa déchéance interne par son expansion externe. Alors la leucémie qui allait miner tous les partis communistes occidentaux s'installait subrepticement dans leurs artères. Alors se préparait en économie le discrédit de l'idéologie collectiviste, du socialisme et même de la social-démocratie, qui se croyaient au faîte de leur puissance au moment même où le retour encore imperceptible du libéralisme les réfutait et les marginalisait, laissant pointer l'offensive de la décennie suivante. Alors en Grande-Bretagne tombaient les ultimes pierres de l'édifice travailliste, ruiné par l'étatisme syndicaliste, et surgisssait Margaret Thatcher avec les prodromes de ce qui ne s'appelait pas encore le thatcherisme. Alors couvait, derrière les grimaces larmoyantes et impuissantes du président Jimmy Carter, la « révolution conservatrice américaine », à laquelle Guy Sorman devait peu après consacrer un livre sous ce titre. Alors en Amérique latine le règne des caudillos, guérilleros, terroristes et despotes rétrocédait la place à l'aube d'une démocratisation. Alors la république fédérale d'Allemagne s'affirmait comme la première puissance européenne et la plus démocratique, contre tous les préjugés stupides et calomniateurs entretenus en France. Alors l'Espagne et le Portugal parachevaient leur transition démocratique et frappaient à la porte de l'Union européenne, résistant aux assauts d'un terrorisme adoré par la sotte gauche et protégé par la couarde droite française. Alors l'Italie, déjà politiquement malade, mais ayant réussi à se débarrasser dans la légalité des Brigades rouges, surgissait dans le peloton de tête de la création industrielle. Alors s'amorçait le déclin du tiers-mondisme, avec, en particulier, la souillure des crimes des Khmers rouges au Cambodge et du martyre des boat people au Vietnam.

Sur ces années climatériques et ces mutations révolutionnaires, souvent encore souterraines, telles qu'elles ont été captées par *L'Express*, qu'on veuille bien, le cas échéant, si on a la bonté de s'y intéresser, se reporter au journal, je le répète. Comme je répète aussi que je m'interdis le plus possible, dans ces fragments narratifs de ma vie, de resservir quoi que ce soit qui fasse double emploi avec ce que j'ai auparavant publié ou fait publier. Je m'efforce ici de ranimer seulement ce qu'on ne peut pas trouver dans mes livres antérieurs ou en feuilletant l'hebdomadaire : l'acoustique du théâtre où répétait la troupe, les couleurs des décors où se joua la pièce, l'allure des comédiens qui interprétèrent les rôles.

Diriger un journal c'est avoir affaire à trois partenaires qu'il faut à la fois écouter et maîtriser, exploiter et satisfaire, traiter avec respect et pourtant tenir en respect : le propriétaire, la rédaction et le public.

Je ne suis pas de ces maximalistes qui rêvent d'interdire au propriétaire d'un journal le droit d'en influencer ou d'en apprécier le contenu. Investir dans la presse, j'entends la presse généraliste et sérieuse, d'information et d'opinion, politique, économique, sociale, culturelle, constitue un placement risqué, rarement rémunérateur, aisément générateur de pertes. Un capitaliste soucieux du seul profit évite ce secteur. S'il y met son argent, c'est parce qu'il y est incité par un autre intérêt que purement financier. Prétendre lui refuser le droit de le manifester ne serait pas réaliste. Certains journaux qui se proclament « indépendants » dépendent en réalité des banques. Et les banques, en Europe du moins, et surtout en France, dépendent souvent du gouvernement ou en ont longtemps dépendu, jusqu'à ce que la libéralisation due à l'Union européenne ait un peu desserré ce lien. Plutôt qu'au monstre gélatineux qu'est l'Etat je préfère avoir affaire à un homme. Avec lui je peux discuter et je lui reconnais la faculté d'avoir des idées. Ne trouve-t-on pas naturel qu'un éditeur imprime à sa maison un style à lui, y traduise ses préférences pour tels auteurs, tels genres littéraires, telles écoles, telles orientations esthétiques, philosophiques, politiques ? N'est-ce pas même à ce prix qu'on lui reconnaît la qualité de véritable éditeur[1] ?

Dans la presse, l'actionnaire principal peut posséder la vocation et la capacité de diriger lui-même son journal. Lorsque l'entrepreneur de presse n'a pas lui-même de talent journalistique, tout en ayant ses inclinations pour une forme de journalisme qu'il souhaite promouvoir,

---

1. J'emploie ici « éditeur » au sens premier, celui de l'anglais *publisher* : c'est-à-dire l'entrepreneur. *Editor* doit se traduire par « directeur littéraire » (dans le cas d'une maison d'édition) ou par « directeur de la rédaction » dans le cas d'un journal.

pour une cause qu'il souhaite défendre, alors doivent intervenir une définition et une délimitation précises et stables de ses rapports avec le directeur de la rédaction. Cette règle s'applique à la presse audiovisuelle autant qu'à la presse écrite. Il est nécessaire que le propriétaire et le directeur se mettent d'accord sur les orientations majeures, politiques, morales, culturelles, comme sur le style et la déontologie journalistiques qu'ils décident de viser et de respecter. Il est tout aussi normal qu'ils fassent périodiquement le point ensemble sur le travail accompli et qu'en ces occasions le propriétaire exprime des vœux quant à ce qui est à faire ou des réserves sur une partie de ce qui a été fait, voire sur la totalité. Ce qui entraîne, dans cette dernière hypothèse, la rupture du contrat moral qui le lie au directeur. Mais la pire de toutes les formules, c'est que l'actionnaire principal, qu'il soit privé ou public (il est souvent public en Europe dans le cas des radios ou des télévisions), ne soit capable ni de diriger lui-même, ni de laisser le directeur diriger. Le pire est que le propriétaire, sans assumer ouvertement la direction de la rédaction, se mêle à tout propos du train-train quotidien de la vie du journal. Un éditeur digne de ce nom, pour reprendre cette comparaison, marque de son style sa maison, mais il ne dicte pas leurs manuscrits à ses auteurs, ne leur arrache pas la plume des mains, quand ils écrivent, pour rayer ou rajouter des phrases à leur texte, ne leur téléphone pas six fois par jour pour leur enjoindre de changer le sujet de leur ouvrage.

Jimmy Goldsmith appartenait malheureusement à l'espèce hybride et instable des interventionnistes non dirigeants. Souvent je lui disais : « Jimmy, pourquoi ne prenez-vous pas vous-même en main, sans intermédiaire, la direction du journal ? Je vous assure que je serais très heureux de redevenir simple éditorialiste. » Il accueillait toujours cette proposition avec un vaste rire un peu figé et il secouait la tête en répétant : « Non, c'est impossible, impossible. » Mais j'ignorais si cet « impossible » signifiait qu'il s'en estimait incapable, ce dont je doute, ou qu'il était trop occupé par ses autres affaires pour se consacrer au seul *Express*, ce qui était vrai, mais ne l'empêchait pas de perdre son temps à me faire perdre le mien à force de me submerger de notes et de téléphonages. Pas seulement moi, d'ailleurs. Car, à peine étais-je devenu directeur en titre que je découvris sa manie d'envoyer, par-dessus ma tête, des commentaires et des injonctions aux collaborateurs du journal à propos de leurs articles passés, présents et futurs. Je lui remontrai avec vivacité l'incongruité de cette cavalcade et le priai de bien vouloir adresser toutes ses observations à moi seul, en me laissant juge de les communiquer ensuite ou non aux journalistes concernés. Il s'y résigna, non sans rechigner ni m'adresser une note, pour me spécifier qu'il comprenait mon désir d'être un directeur « à part entière », mais qu'en tant que président de la société il ne serait jamais, quant à lui, un « président dormant ». Je ne sais s'il dormait , mais il avait, si c'était le cas, un sommeil extrêment agité. Je compris donc dès le début que j'aurais en permanence à entendre siffler à mes oreilles les interjections de son « back seat driving ». L'expression s'applique, on le sait, à ces gens exaspérants, qui, assis sur le siège arrière d'une automobile, ne cessent d'asticoter le conducteur en le criblant de remarques sur ce qu'il doit faire ou ne pas faire. Chez Jimmy les inconvénients ordinaires de l'« interventionnite » étaient encore aggravés par son incohérence. Elle partait dans tous les sens et changeait de direction de minute en minute. Si bien que, même en lui témoignant la plus plate servilité, comme celle où se vautreront mes successeurs, nul n'aurait pu appliquer sa volonté, parce que ses constants revirements la rendaient inapplicable. Au moment où l'on s'apprêtait à la suivre, une autre l'avait déjà remplacée.

Cette inaptitude à un travail continu et à une collaboration efficace, respectueuse des attributions de chacun, ne venait pas chez Jimmy d'un manque d'intelligence. Il en était, au contraire, fort pourvu. Il l'avait vive, plaisante, spirituelle, mobile, ce qui communiquait à sa conversation, semée d'intuitions, de raccourcis et de pointes, un tour fort agréable. Je ne songe pas ici à la forme d'intelligence spéciale qui, grâce à une maîtrise plus qu'ordinaire des instruments financiers, l'avait rendu milliardaire en moins de vingt ans. Un de ses amis de jeunesse, Pierre de Ségur, m'a raconté que, vers 1960, Jimmy, alors que l'une de ses femmes venait d'accoucher, avait dû faire la tournée de quelques copains, dont Ségur, pour leur emprunter de quoi payer la clinique. Cette anecdote, que plusieurs personnes me confirmèrent, m'avait paru peu croyable, car le père de Jimmy avait lui-même de la fortune. Mais il pouvait s'être momentanément fâché avec son fils. Quoi qu'il en fût, Jimmy avait construit sa propre fortune avec une rapidité révélatrice de ce don supérieur à la commune mesure, et restreint à un domaine particulier, qu'on appelle le génie. Cependant il était intelligent aussi dans d'autres domaines. Beaucoup de ses semblables possèdent le même don financier mais rien de plus : George Soros par exemple, que j'ai connu et avec lequel j'ai longuement conversé en 1995 au cours d'un repas auquel il m'avait aimablement prié. Ses spéculations sur les variations des cours des devises médusaient alors toutes les banques centrales. En revanche ses spéculations sur les questions de politique internationale, auxquelles il s'entêtait à se vouer, rendaient immangeable le meilleur dîner. Pourquoi certains grands maîtres des échecs montrent-ils, loin de l'échiquier, la plus navrante hébétude intellectuelle, tandis que d'autres, tel le champion du monde Youri Kasparov, que je rencontrai à Prague dans un congrès politique, peu après la « Révolution de velours », brillent-ils par la diversité originale de leurs curiosités ? Les génies financiers se partagent également entre ces deux groupes de personnalités. Mais si Jimmy possédait la curiosité et la vivacité, il était dépourvu de la continuité nécessaire à la direction d'un journal et, à vrai dire, de toute entreprise. C'était un financier, pas un entrepreneur.

De surcroît son intelligence se pétrifiait par instant du fait de son incapacité à supporter une objection. Toute opinion différente de la sienne le frappait en plein front non comme un argument, une nuance, mais comme une trahison. Non point qu'il ne changeât pas d'avis. Tout au contraire. Je l'ai déjà déploré, il en changeait beaucoup trop. Mais ce n'était jamais parce qu'il avait tenu compte d'une observation raisonnable d'autrui. Il vivait en autarcie et chacun de ses avis, si peu qu'il durât, s'érigeait, dans le temps qu'il vivait, en citadelle aux épaisses murailles contre lesquelles tout raisonnement se brisait. Sa capacité d'attention au même sujet n'excédait d'ailleurs pas cinq à six secondes. Devant une résistance, cet homme affable et bien élevé pouvait alors entrer dans une colère d'une férocité qui frôlait la démence et l'amenait à détruire en une minute le fruit d'un long travail ou le lien d'une vieille amitié. Il avait ainsi brisé celle qu'il entretenait avec le baron Teddy de Zuylen parce qu'une fois, au château du Haar, en Hollande, où les Zuylen l'avaient invité à passer un week-end, il n'avait pas été placé, le vendredi soir, à la droite de la maîtresse de maison. Il fila de fureur, sans prendre congé, dès l'aube le lendemain matin. La baronne, désolée, m'expliqua qu'ayant une vingtaine d'invités elle ne pouvait placer tout le monde à sa droite le même soir et que le tour de Jimmy était prévu pour le dîner du samedi. Je voulus éclairer plus tard et radoucir Jimmy sur cet incident. Mais il me coupa, fulminant qu'il ne pouvait admettre d'avoir été mis en bout de table au milieu de « tous ces cons d'Anglais », dont chacun aurait donné, me dit-il, la moitié de sa vie pour obtenir un rendez-vous d'une minute avec lui à Londres. Il refusa donc de se réconcilier avec Zuylen. Il faisait pourtant souvent avec lui une partie de jacquet — backgammon en néo-français — au Travellers'club des Champs-Elysées, parce que Teddy était un des rares compétiteurs disponibles qui était assez riche pour parier des sommes à la hauteur des siennes. Mais tous deux jouaient des heures sans s'adresser la parole. Les spasmes auxquels son irascibilité portait Jimmy le conduisaient à des revirements parfois plus graves.

Ainsi, en 1979, deux ans après avoir acheté *L'Express*, il créa en Grande-Bretagne un hebdomadaire, *Now*, conçu d'après le modèle des newsmagazines qui existaient aux Etats-Unis, en France, en Allemagne, en Italie, en Espagne, mais, étrange exception, pas au Royaume-Uni. En effet, *The Economist*, ne fût-ce que pour être dénué d'illustrations photographiques et pour d'autres raisons de fond et de style, n'entre pas dans cette catégorie. *Now* fut le premier et le dernier hebdomadaire de type newsmagazine en Grande-Bretagne. L'ayant fait naître à partir du néant, contrairement à *L'Express*, Jimmy pouvait le mener et malmener à sa guise et lui vouait de ce fait beaucoup d'affection. Pour célébrer le premier anniversaire de sa créature, il offrit un majestueux dîner au Savoy, auquel assistaient le Premier ministre, Margaret Thatcher, et une centaine de personnalités de la presse et de la politique. Il m'y avait convié et, avec la courtoisie qui faisait de lui un hôte si prévenant et chaleureux, m'avait invité à loger chez lui, dans sa propriété des environs de Londres. Or, cinq à six semaines à peine après avoir fêté cet anniversaire, et alors que le Premier ministre de Grande-Bretagne avait, dans un discours éloquent, souhaité longue vie à un organe qu'elle jugeait si salutaire, discours auquel un Jimmy enflammé avait répondu en traçant sur un ton prophétique un programme journalistique s'étendant pour le moins sur un siècle, il ferma boutique en trois minutes, par représailles contre un article jugé par lui d'une hostilité mesquine à l'égard de Giscard d'Estaing, sur l'« affaire des diamants ». Ces fatals joyaux, offerts par l'« Empereur » de la République centrafricaine, Bokassa, lui avaient beaucoup nui. *Now* avait informé ses lecteurs de ce qu'imprimait à ce sujet la presse française. Pendant deux ans, Jimmy avait débauché des collaborateurs d'autres journaux britanniques pour les attirer grâce à des salaires trois fois supérieurs à ceux pratiqués dans la presse anglaise. Puis, pour un mot pris de travers paru dans son journal, il effaçait tout cet investissement d'un trait de bile. Voilà comment son caractère effaçait son intelligence. La promptitude irrépressible et irréversible avec laquelle son humeur se coagulait autour d'une idée fixe le privait souvent de l'usage de sa subtilité naturelle et de son sens de l'observation. Quand c'était moi qui le contrariait, il le supportait avec gentillesse, sans pourtant l'accepter au fond de lui-même. Il cachait sa contrariété derrière un rictus immuable et silencieux, sorte de fétiche protecteur contre sa propre violence, ou de drapeau blanc signifiant un cessez-le-feu amical sans garantie de paix. Je savais devoir recevoir sans tarder une note réaffirmant ce qu'il n'avait pas osé continuer à me soutenir de vive voix. Mais son entourage normal se composait de « conseillers » qui n'avaient survécu auprès de lui que pour avoir à jamais renoncé à lui recommander quoi que ce fût d'autre que ce qu'il venait de leur ordonner de lui dire. Chacun d'eux savait par expérience que lui tenir tête était signer son propre arrêt de mort et tous avaient affiné jusqu'à la suprême perfection l'art de l'acquiescement.

Je ne voudrais pas donner, avec les lignes précédentes, l'impression fausse de frictions quotidiennes entre Jimmy et moi. A mon départ de *L'Express*, en 1981, j'avais fait expédier à une adresse de campagne, dans l'Yonne, les caisses contenant mes archives. Je ne les ai ouvertes que douze ans plus tard, quand je sentis le besoin de confronter ce qui avait survécu dans ma mémoire avec les documents de cette période. Non sans surprise pour moi, ces archives livrent beaucoup plus de compliments chaleureux de la part de Jimmy que je ne m'y attendais. « Je trouve le reportage sur l'Espagne exemplaire. C'est ce que nous devrions toujours faire et je vous en remercie » (26 décembre 1977). « Merci pour votre note. Je connais toutes les frustrations de la gestion d'une affaire. Mais quand je vois le numéro de cette semaine de *L'Express*, je pense que cela en vaut quand même la peine. C'est un très beau numéro » (8 septembre 1980). « Le numéro que je viens de parcourir semble excellent et je vous en félicite... Nous avons plus de trois millions de lecteurs, compte tenu de l'édition internationale » (20 mars 1981). Ces billets encourageants n'étaient pas rares.

D'où vient que surnagent pourtant en moi, malgré une estime réciproque, surtout des images d'escarmouches épuisantes ? D'abord, Jimmy n'avait pas en son tréfonds renoncé à rétablir les commodités de l'interrègne du triumvirat : conférer la responsabilité apparente à une direction fantoche, tout en lui imposant ses caprices. Mais j'avais fort peu la vocation d'homme de paille. Il réalisa son rêve après mon départ, et peut-être même accepta-t-il mon départ pour le réaliser. Pour l'heure, je lui tenais tête, ou du moins ne lui cédais qu'à condition qu'il m'eût convaincu avec de bons arguments. Hélas ! cette opiniâtreté de ma part entretenait chez lui une irritation latente, qui éclatait en poussées éruptives au moindre prétexte.

Et les prétextes, voire les bonnes raisons, foisonnaient. Ainsi, *L'Express* ayant publié, à l'automne de 1978, un sondage révélant, sur certains points, une évolution de l'opinion publique défavorable au

Premier ministre Raymond Barre, Jimmy s'était gonflé le crâne du soupçon que le chef de la section France, Albert du Roy, penchant à gauche, avait falsifié les réponses ou, du moins, orienté les questions. Les tristes vizirs que Jimmy avait amenés avec lui l'encouragèrent — il les payait pour ça — dans cet emportement de son imagination. En réalité, il avait décidé d'ériger en scandale ce sondage prétendument frelaté pour exiger de moi le licenciement d'Albert du Roy et son remplacement par un rédacteur en chef plus enclin à soutenir la majorité Giscard-Barre. Il appuyait volontiers ses désirs sur des justifications insolites, en l'occurrence qu'Albert appartenait à une famille de la « petite noblesse belge », classe sociale, selon lui, — première nouvelle pour moi — rongée d'un penchant héréditaire... pour le gauchisme ! Je le remerciai de cet intéressant aperçu sociobiologique, mais lui indiquai sans périphrase que le renvoi d'Albert entraînerait ma démission. Je ne partageais pas toutes ses thèses et ce n'était pas un ami intime, mais je ne permettrais pas qu'on jetât un doute sur son honnêteté professionnelle. Quelques mois à peine après mon entrée en fonctions, me voir claquer la porte soulèverait sur la place un esclandre que Jimmy ne pouvait s'offrir sans s'affaiblir. Mais, de mon côté, je flairai une odeur de mauvais augure dans cette obligation d'avoir à brandir si tôt l'arme de la dissuasion suprême.

J'assurai une fois de plus à Jimmy que j'avais bien pour intention de mettre *L'Express* au service de la société libérale et du monde démocratique. Ce que d'ailleurs j'ai fait, comme l'atteste la collection, j'y renvoie à nouveau. Mieux, j'avais la conviction que l'exactitude de l'information ne pouvait que tourner à l'avantage de nos choix, puisque je les croyais justes. Mais je l'adjurai de comprendre que *L'Express*, qui au demeurant n'avait jamais été socialiste, était une institution nationale dont la longue histoire s'était néanmoins déroulée dans les zones de sensibilité du centre gauche. Nous devions en tenir compte, aussi bien chez nos lecteurs que dans la rédaction, et conserver de cette tradition ce qu'elle avait de meilleur. Jimmy pouvait s'il le voulait créer un nouveau journal, en y engageant une rédaction de droite homogène. Mais en achetant un monument historique comme *L'Express*, il ne partait pas de zéro, et devait accepter une réalité préétablie, puisqu'il était bien content d'accepter notre portefeuille de trois millions de lecteurs, lesquels appartenaient à presque toutes les tendances politiques. Il nous fallait les persuader, non les brutaliser. La rédaction, plaidai-je, était grevée de suffisamment de poids morts : les cas d'irresponsabilité pure, les incompétents chroniques, les incapables et inutilisables, les militants voire les agents infiltrés, les intrigants frénétiques, les apparatchiks sans talent. Nous devions nous appuyer sur les bons journalistes, et, s'ils étaient d'opinions contraires aux nôtres, les en faire changer plutôt que de les en punir. Ce discours contrariait Jimmy plus qu'il ne le convainquait.

C'était à contrecœur, je le sentais bien, qu'il s'inclinait sans les admettre devant mes raisons.

Ma tâche était ingrate, car la rédaction, peu intuitive, ne soupçonnait pas l'énergie que je dépensais pour défendre son indépendance. Et je le faisais avec d'autant plus de mérite que j'étais loin de pouvoir toujours lui donner raison. Témoin cette note adressée au même Albert du Roy le 27 avril 1978, juste après les élections législatives, au sujet d'un article tendancieux dû à un analyste de sondages et de scrutins extérieur à l'équipe mais auquel la section France faisait souvent appel :

« Ce n'est pas uniquement parce que les affirmations que Roland Cayrol formulait à la fin de son article étaient en contradiction avec d'autres analyses publiées dans *L'Express* qu'elles m'ont paru peu souhaitables ; c'est parce qu'elles ne découlaient pas du tout de l'analyse précédente — les voix qui avaient manqué aux socialistes au premier tour — mais s'y surajoutaient comme une sorte de hors-d'œuvre.

« Dans mon article du 20 mars j'ai essayé de fournir un certain nombre d'arguments pour remettre en question *le postulat selon lequel il ne peut pas y avoir de Parti socialiste fort en France sans alliance avec le Parti communiste.* J'aurais été parfaitement ouvert à une argumentation en sens contraire, mais pas à une pure et simple réitération de la thèse classique, réitération qui m'a paru en outre être contredite plutôt que corroborée par l'analyse des suffrages présentée dans la première partie de l'article de Cayrol lui-même. Il n'y a donc pas "normalisation" mais nécessité de définir la finalité d'un papier : ou Cayrol, en tant que politologue, fait une radiographie des élections et du comportement électoral, ou il s'insère dans une dialectique normative et fournit des recettes et des conseils politiques. C'est à nous de savoir quel papier nous voulons lui demander. Certes une ligne de conduite peut ressortir clairement d'une analyse de faits ; mais, encore une fois, cela ne m'a pas paru être le cas. La conclusion m'a paru nettement rapportée. »

La « normalisation » était le mot qui désignait la mise au pas que Moscou avait infligée à la Hongrie, à la Tchécoslovaquie et à la Pologne après leurs vains sursauts pour rejeter l'occupant soviétique. Je faisais allusion en l'employant à un propos abusif d'Albert du Roy. Il m'avait soutenu que la direction voulait par les mêmes méthodes « normaliser » la rédaction après la défaite électorale de la gauche ! Délire qui valait bien certains de ceux de Jimmy, bien que de sens contraire. Mon devoir consistait à inciter simultanément la rédaction à l'impartialité et Jimmy à la modération. J'éprouvais souvent moins de difficultés à plaider pour Jimmy devant la rédaction qu'à plaider pour la rédaction devant Jimmy. Car ce dernier, hormis ses outrances, mettait aussi le doigt de temps à autre sur des excès de partialité réels et vraiment inadmissibles. Pouvais-je m'abstenir de l'approuver quand il dressait, le 1ᵉʳ mars 1978, cette liste ironique des appréciations qui figuraient respectivement, dans un portrait de Raymond Barre d'un côté, de François Mitterrand de l'autre :

« Je me suis livré hier soir à une analyse de mots :

1°) Une mauvaise surprise

Son slogan a été choisi par des spécialistes

Isolé

Tiendrait-il les Français pour des étudiants souvent inattentifs et indisciplinés, parfois bornés, voire contestataires ?

2°) Brillant élève

Fidèle

Il a tenu tête au Parti communiste

Brillant

Un humour féroce

Il a tout fait parce qu'il sait tout faire

Expérience irremplaçable de gestionnaire

Grand orateur

Discret

Compétent

Dynamique

Très prudent, effacé

Le plus brillant », etc.

La première partie, bien entendu, se réfère à Barre, la seconde se réfère au premier secrétaire socialiste. »

Mais, d'autres fois, les excommunications majeures de Jimmy se mettaient à galoper périlleusement loin des pistes non seulement du réalisme mais du réel. Il me faisait alors songer à un pur-sang caractériel dont il était propriétaire. Je pariai infructueusement à plusieurs reprises sur ce poulain, qui courait en saison de plat, de temps à autre, à Longchamp ou à Deauville. Il s'appelait *Mad Captain* : le « capitaine fou ».

Après les tempêtes et les campagnes d'une mauvaise foi au fond salutaire soulevées par la publication de l'entretien avec Darquier, Jimmy s'était laissé circonvenir par les juifs conservateurs et les conservateurs non juifs. On l'avait convaincu qu'il fallait arrêter de « remuer toute cette boue ». Juif lui-même par son père anglais, il appartenait surtout, par sa formation, au milieu mondain de l'internationale des richissimes conservateurs, qui comptait de nombreux juifs éminents, mais encore plus conservateurs que les autres. Eux principalement tendaient à juger de mauvais goût l'évocation incessante de l'holocauste. Comme blaguait Pierre de Ségur, me parlant de Jimmy : « Tu sais, mon vieux, les juifs, quand ils se mettent à être réactionnaires, ils le sont encore plus que nous. » A la vérité, l'entretien Darquier constitua peut-être le point de départ de la longue reconsidération des responsabilités françaises dans la persécution antisémite.

Cet examen de conscience étalé sur près de vingt ans aboutit, en juillet 1995, à la reconnaissance officielle par le président Chirac de la culpabilité de l'Etat français, pris dans sa continuité historique — et pas seulement de l'« Etat français » vichyssois — à l'origine de ce crime contre l'humanité. Il est donc naturel que le début de ce bouleversement ait provoqué quelques troubles dans des milieux conformistes, soucieux d'asseoir l'équilibre social plus sur une sorte de pacte d'oubli que sur l'inventaire de la vérité. Jimmy subissait l'influence de ces milieux, ce qui suscita entre nous un savoureux échange de notes dont je reproduis quelques extraits, pour faire sentir quels étranges tourbillons se cachent parfois derrière la façade d'un journal.

« Mémorandum
Pour : Jean-François Revel
De : James Goldsmith   Date : 5 mars 1979
Encore une fois le numéro de cette semaine est très bon. Je crois qu'il est très important maintenant que l'on se donne une période de convalescence et que pendant au moins six mois le mot « juif » ou « sémite » n'apparaisse plus dans le journal. D'une façon générale, sur la place de Paris, après le feuilleton télévisé Holocauste et les journaux de la semaine dernière, je crois que l'on a atteint le niveau de saturation. D'ailleurs tout autre article sur Holocauste, sur les problèmes juifs, etc., aurait tendance à me rendre moi-même antisémite. Je crois que le niveau maximum a été atteint.

A demain donc, 20 heures, si cela vous convient, chez Laurent.

JMG

PS — Je remarque un projet d'article sur Holocauste par Eric Schmoll et Jean-Pierre Aymon pour le numéro du 10 mars. Est-ce que l'on en a vraiment besoin ?

JMG »

Fidèle à ma vieille tactique, dont j'avais expérimenté l'efficacité en d'autres moments de ma vie, je lui répondis en commençant par lui donner raison afin de mieux ensuite lui donner tort :

« Note pour Jimmy Goldsmith
Confidentielle
Je suis tout à fait d'accord avec vous pour cesser pendant un temps de parler dans le journal d'*Holocauste*, du IIIe Reich, de l'antisémitisme, etc.

L'énorme vague que nous avons soulevée à la suite de la publication de l'entretien Darquier de Pellepoix, énorme vague qui est l'inévitable conséquence d'un journalisme vivant, et qui a abouti au grand débat national entourant la projection d'*Holocauste*, laquelle n'aurait pas eu lieu sans nous, tout cela, bien entendu, risque de produire un effet de saturation et, par conséquent, il nous appartient d'éviter le plus possible d'insister nous-mêmes sur ce passé et, comme on dit, d'en "rajouter".

Il me paraît cependant difficile d'aller jusqu'à bannir totalement de nos colonnes le mot "juif" et toute allusion à la religion, à la civilisation juives et aux juifs qui font quelque chose ou auxquels il arrive quelque chose en tant que juifs. Cela me paraîtrait déraisonnable et impraticable.

Je prendrai un exemple précis : je fais moi-même un entretien avec Bernard-Henri Lévy à l'occasion de la sortie de son prochain livre *Le Testament de Dieu* qui doit sortir à la mi-avril. Dans ce livre, Bernard prolonge *La Barbarie à visage humain* et en même temps essaye d'interpréter le système totalitaire comme un abandon du monothéisme. Etant donné que ce livre s'appuie en grande partie sur une nouvelle lecture de la Bible par l'auteur (auquel je ne peux pas demander de s'appeler Dupont), faudrait-il donc nous interdire un pareil entretien, sous prétexte qu'inévitablement il y sera question des juifs et de la religion juive ? Je crois pouvoir être sûr que ce n'est pas du tout cela que vous avez voulu dire. Convenons donc que nous nous refusons à exploiter les retombées de Darquier et d'*Holocauste* (et nous sommes d'ailleurs *le seul* journal à ne pas l'avoir fait et à nous être cantonnés dans le domaine d'une information factuelle). Mais il me paraît impossible de renoncer pour autant à rendre compte de l'actualité et du mouvement des idées chaque fois qu'ils touchent de près ou de loin à la culture juive.

J.F.R.

20/03/79 »

A ma grande honte, la thèse de Bernard-Henri Lévy sur le monothéisme comme parapluie contre l'intolérance ne me paraissait cependant pas résister au plus superficiel examen historique. Je le lui objectai, avec maints exemples, au cours de notre entretien, qui parut dans *L'Express* du 14 avril 1979 sous le titre « Dieu et le goulag ». Mais cette croyance, juste ou non — la foi comme antidote au communisme et le communisme comme conséquence de l'abandon de la foi —, soufflait dans l'air du temps, comme venait de le montrer l'élection d'un pape polonais, camouflet à Moscou. Ce premier pontife non italien depuis 1503, un homme de combat, était décidé à renverser le courant trop favorable à la « détente » et à l'entente avec le communisme qui dominait la diplomatie et même l'idéologie de l'Eglise depuis une vingtaine d'années. Dieu contre le goulag, c'était aussi l'inspiration centrale des objurgations de Soljenitsyne, pour qui l'« erreur de l'Occident », son apathie face au totalitarisme résultaient de la baisse de sa spiritualité. J'étais peu sensible à ces voix célestes, dont mon intermittent ami Maurice Clavel, qui devait mourir cette même année 1979, se faisait alors le tonitruant cicérone et prophète. Mais un journal doit être à la fois le véhicule des idées auxquelles il croit et le miroir de celles auxquelles il ne croit pas. S'abstiendrait-on de mentionner ces dernières qu'on ne les empêcherait pas d'exister.

Jimmy ne l'entendait pas ainsi. Mes remontrances sur le débat concernant les juifs et Vichy ne l'avaient pas fait changer de position. D'ailleurs il flairait avec une juste intuition, dans ce débat, l'inéluctable tarissement de l'eau trouble qui avait servi aux Français à colmater ce ravin de leur histoire que fut l'Occupation. Le soin avec lequel nous tenions nos souvenirs à longueur de gaffe m'avait déjà frappé dans le cas du dossier Darquier dont m'avait parlé Alain Peyrefitte, ministre de la Justice au moment de la publication de l'entretien. Il avait fait rechercher ce dossier, qui ne se trouvait même plus à la Chancellerie. On le retrouva aux Archives nationales !

Or, à sa grande surprise, le garde des Sceaux, en l'examinant, constata que jamais, ni avant ni après le procès par contumace, le gouvernement français n'avait demandé l'extradition de Darquier de Pellepoix. Cette révélation confirmait donc les thèses soutenues par *L'Express* en 1967, 1972 et 1978. Contrairement à l'affirmation du président de la République, Valéry Giscard d'Estaing, l'extradition de Darquier n'avait, comme nous l'avions toujours écrit, *jamais été demandée*. Peyrefitte ajoute qu'en outre il était extrêmement curieux que l'incrimination de Darquier eût été formulée pour « intelligence avec l'ennemi » et non pas pour « crime contre l'humanité ». En effet le premier motif bénéficie normalement de la prescription de vingt ans, alors que le second n'est jamais prescrit. Mais Darquier ayant été condamné une fois par contumace pour intelligence avec l'ennemi, on ne pouvait pas, en 1978, l'incriminer de nouveau pour crime contre l'humanité. Il reste déconcertant qu'aucun gouvernement français ni sous la IVe ni sous la Ve République n'ait jamais demandé au gouvernement espagnol, fût-ce pour le principe, l'extradition du principal responsable, avec René Bousquet, du massacre des Français juifs et des juifs étrangers résidant en France au cours de la période 1940-1944.

Je rapportai aussitôt à Jimmy en novembre 1978 ma conversation avec Peyrefitte et la stupéfiante leçon qui se dégageait du dossier exhumé. Mais visiblement cette réserve suspecte des autorités françaises recueillait son approbation, puisque je trouve encore dans mes archives ce « mémorandum » de lui, daté du 24 septembre 1979 :

« Je sais qu'il y a eu la sortie du livre, et bien évidemment, Raymond Aron avait le désir et le droit de s'exprimer comme il l'entendait, mais, s'il vous plaît, ne parlons plus d'histoire juive. Je deviens moi-même profondément antisémite et je crois que la nation suivra si nous continuons à tellement en parler ! Je crois que, quelles que soient les tentations, cette décision a une importance fondamentale car il y a maintenant une exagération dangereuse dans la presse en général. »

Le livre dont il s'agit est *Les Juifs de France*, de Harris et Sédouy. J'avais d'ailleurs dû batailler avec Jimmy pour que nous en prissions des extraits. Une fois de plus, je tentai de lui ouvrir les yeux sur l'extravagance de ses consignes, dans une note du 2 octobre :

« Votre désir de ne plus jamais voir d'articles consacrés aux juifs dans *L'Express* ne me paraît pas réaliste ni même réalisable. Depuis l'affaire Darquier de Pellepoix, nous avons montré la plus grande discrétion dans ce domaine, évitant les couvertures et les titres accrocheurs que tous nos confrères ont pratiqués intensément, ce qui leur a d'ailleurs permis à plusieurs reprises de notables succès de diffusion. Ce n'est pas en l'occurrence notre objectif essentiel, j'en conviens (encore que nous les eûssions volontiers accueillis dans notre OJD...). Mais une mesure comme celle que vous préconisez irait à l'effet exactement contraire de celui que vous visez.

« Imaginez, en effet, qu'un événement, un débat, un livre, un scandale importants voient le jour demain, ayant trait d'une manière ou d'une autre à la question juive. Tous les journaux, tous les médias, tous les hommes politiques, tous les intellectuels en parleraient et *L'Express* serait le seul à observer sur cet événement un silence profond ? Comment ne voyez-vous pas qu'à ce moment-là ce silence serait beaucoup plus remarqué que l'article que nous écririons, en faisant notre métier, et en nous efforçant d'introduire un peu de raison dans l'éventuel débat ? Ce que nous avons fait jusqu'à présent et ce dont l'article de Raymond Aron est l'exemple même. De même, Raymond me faisait remarquer l'autre jour que nous assistons actuellement aux Etats-Unis, après le départ de Andrew Young[1], à la constitution d'un lobby noir qui va s'opposer au traditionnel lobby juif favorable à Israël. Devons-nous ne pas mentionner ce fait, qui va jouer un rôle capital dans la prochaine élection présidentielle et devonsnous également omettre les prises de position des Neuf en faveur de l'OLP ? En effet, mentionner cette prise de position nous amène également à mentionner les prises de position en sens inverse des organisations juives européennes et américaines.

« La meilleure manière de combattre l'antisémitisme n'est pas de faire le silence sur tout problème concernant un fait juif ou israélien quel qu'il soit. C'est au contraire d'analyser de sang-froid les éléments que nous présente l'actualité de manière à désamorcer les courants irrationnels. »

Cette réponse atténua quelque peu l'intransigeance de Jimmy. « Je ne demande pas que nous ne parlions jamais de questions juives, me

---

1. Andrew Young était un homme politique noir, nommé par le président Carter ambassadeur des Etats-Unis aux Nations Unies, et qui venait de démissionner pour avoir dépassé ses instructions en prenant des contacts voyants avec l'Organisation de libération de la Palestine.

répondit-il, je demande que nous n'en fassions pas une obsession. » Si obsession il y avait, ce n'était pas, je pense, chez moi. Un an après l'échange ci-dessus, le 24 novembre 1980, Jimmy bondissait derechef sur le même lièvre dans les termes suivants :

« Je vois dans les projets de "Société" du 29 novembre un article *Les juifs collabos* par Jacques Derogy. Je crois vraiment qu'il faut qu'on parle de moins en moins des problèmes juifs car sinon nous serons, nous, les responsables d'une recrudescence d'antisémitisme. La rue Copernic a trop sensibilisé les choses pour qu'on puisse permettre la moindre bavure à ce sujet.

« Le numéro de cette semaine est superbe. »

L'attentat contre la synagogue de la rue Copernic, qui venait d'avoir lieu à Paris, ne devait rien à un quelconque antisémitisme français, bien que la gauche, en un premier temps, en eût accusé sans preuve ni scrupule les partis de droite. Il fut l'œuvre d'un commando terroriste palestinien, protégé par une ambassade arabe et composé de tueurs entrés en France la veille du crime et repartis le lendemain. Ironie des choses : ce fut précisément Jacques Derogy, un des meilleurs enquêteurs de la presse française, qui établit ce fait, en retrouvant les garages où les Palestiniens avaient acheté leurs motocyclettes et les avaient payées avec des billets de banque français acquis en Suisse quelques jours auparavant.

Après bien des hésitations, je me suis résolu à citer ce long échange de notes, parce qu'il illustre bien, je crois, deux conceptions opposées du journalisme et, par extension, de l'histoire.

Nous nous expliquions, bien sûr, de vive voix, Jimmy et moi, et cordialement, lorsqu'il se trouvait à Paris, n'étant pas des monomanes de la note écrite et ayant, je le répète, un « bon contact » personnel. Mais il s'absentait très souvent de France. C'est la raison pour laquelle il fut amené à m'adresser tant de messages en général dictés à sa secrétaire par téléphone. Chaque matin, quand j'entrais dans mon bureau, une petite pile de ses productions des vingt-quatre heures précédentes m'attendait sur une étagère spécialement réservée à cette paperasse.

Je commettrais une injustice et un mensonge si je disais que tout était insensé dans ses remarques. Jimmy, j'y reviens, avait fréquemment raison contre la rédaction, ou contre certains éléments de la rédaction. Ses reproches concernant les manquements à l'impartialité ou à la compétence qui pouvaient avoir échappé à ma vigilance furent plus d'une fois fondés. J'aurais été stupide de vouloir me passer du concours de l'intelligence de Jimmy et de son expérience internationale de « citoyen du monde ». Mais l'intelligence sans le bon sens dévoie aussi parfois l'action. Les outrances conservatrices de Jimmy, jusque dans les questions touchant l'évolution des mœurs, par exemple la place des femmes dans la société, faisaient de lui sur bien des points un marginal de la droite plus qu'un représentant du courant libéral.

En outre, ses perpétuelles oscillations me plaçaient parfois dans des situations fausses, génératrices de crises artificielles mais néfastes. Nous avions par exemple un rédacteur en chef de la section « science », Jacqueline Giraud, qui, outre la caractéristique de ne posséder aucune formation scientifique, était une ardente écologiste et la déléguée syndicale du Syndicat national des journalistes CGT, émanation du Parti communiste. Dans la lettre où le secrétaire général du CNJ-CGT faisait part de cette nomination à l'un de mes précédesseurs, il lui enjoignait de respecter « toutes les prérogatives que cette fonction comporte ». Cette classique menace signifiait que nous devions la considérer comme intouchable.

L'écologisme exterminateur de Mme Giraud lui avait inspiré dans le journal une suite de campagnes hostiles au programme d'industrialisation électronucléaire civil mis en route par le président de la République et le Premier ministre. Je recevais de tous côtés, entre autres de Raymond Aron, des récriminations contre cette excommunication systématique. A la fin de 1978, quand le second choc pétrolier, consécutif à la chute du shah et à l'installation du régime des ayatollahs en Iran, doubla de nouveau le prix des hydrocarbures par rapport aux tarifs du premier choc, celui de 1973, il me parut inacceptable de continuer à condamner de façon aussi absolue les centrales nucléaires, clef de notre indépendance énergétique, au moins partielle. J'invitai à déjeuner la fort susceptible Jacqueline Giraud pour lui annoncer avec ménagement ma décision de changer de ligne et donc de m'opposer à la sienne. « Impossible, me répondit-elle sèchement. Goldsmith m'a donné sa parole l'année dernière ; il m'a promis que c'est moi et moi seule qui déciderais de la politique de l'énergie soutenue par le journal. » Interloqué, j'expédiai illico un message à Jimmy (c'était bien mon tour !) en lui demandant des éclaircissements et en soulignant avec vigueur que je ne pouvais diriger le journal s'il déléguait avec autant de légèreté dans mon dos à un de mes collaborateurs le pouvoir de décider à ma place dans un domaine aussi capital que l'énergie. Jimmy subissait l'influence d'un frère écologiste et, l'été précédent, enthousiasmé par un article de Mme Giraud, il lui avait télégraphié de Bombay pour la féliciter. Dès son retour, elle s'était précipitée dans son bureau pour se faire donner et obtenir sans mal la haute main sur cette catégorie de sujets. Malheureusement pour elle, cette collaboratrice avait un homonyme, André Giraud, ministre de l'industrie, sa bête noire, principal artisan du programme électronucléaire. Ce ministre avait fait depuis peu la connaissance de Jimmy. Les deux hommes avaient sympathisé d'autant plus que les interventions d'André Giraud étaient, semble-t-il, indispensables à l'implantation d'une des sociétés de Jimmy quelque part en Amérique latine.

Surtout, le ministre, puissante et persuasive machine intellectuelle, ajoutant ses arguments à ceux de Raymond Aron, avait converti Jimmy au nucléaire. Embarrassé du mauvais cas dans lequel il s'était étourdiment fourré, mon ami Jimmy me gratifia d'un délicieux billet où il tirait une conclusion magnifiquement contraire aux prémisses qu'il y énonçait dans le commencement :

« Mon cher Jean-François,

Comme vous le savez, je suis personnellement d'accord avec les préjugés antinucléaires de Jacqueline Giraud, mais, tout en ayant les mêmes préjugés, je ne suis pas convaincu de connaître les solutions. Je crois que lorsque nous attaquons le nucléaire, il faut quand même que nous pensions à suggérer des alternatives valables car l'attaque sans alternative est chose stérile. Qu'en pensez-vous ?

Très amicalement,

JMG »

J'en pensai le plus grand bien, mais ne me contentai pas de penser. Je priai Jimmy de bien vouloir préciser devant moi, dans mon bureau, à Jacqueline Giraud, que je déciderais de la politique de l'énergie comme des autres, bien entendu en la consultant. Ce fut fait. Hors d'elle-même, elle réagit en proférant un discours violent contre Jimmy, Aron et moi, nous accusant de servilité envers le « lobby atomique » et de nous être laissé « entuber » (*sic*) par le gouvernement. En guise de péroraison, la pauvre Jacqueline Giraud éclata en sanglots et quitta la pièce — mais pas le journal. Un instant confus et gêné, après cette scène pénible due à une inconséquence de sa part, Jimmy se ressaisit en deux temps, trois mouvements et, jovial, articula sa morale de la fable : « Ah ! les femmes ! dans ces cas-là, elles pleurent toujours. »

Comme beaucoup d'individus d'un entêtement inflexible, Jimmy était aussi aisément influençable et dangereusement versatile. Ses opinions étaient inébranlables durant le temps où il les avait, mais il en changeait et on l'en faisait changer fort souvent. Hélas ! dans cette opération de substitution, il subissait l'influence de ceux dont il aurait dû se méfier et il se méfiait de ceux auxquels il aurait dû faire confiance. Les années et le parasitisme avaient agrégé autour de lui un cabinet parallèle, composé de paillassons humains sur lesquels il s'était tellement frotté les pieds qu'il ne leur restait plus un poil sur la trame. Avec ces surmenés de la courbette, il n'était jamais sur ses gardes. Eux seuls pouvaient glisser leurs opinions dans son esprit en lui donnant l'illusion que c'étaient les siennes. Ces opinions, si toutefois j'ose honorer de ce substantif des lambeaux de clichés, tournaient pour la plupart autour du reproche de « parisianisme » dirigé contre la section culturelle, leur cible principale. Depuis mille ans, la province française dénonce la dictature du goût et de l'esprit de Paris tout en l'adorant. Elle a besoin de ce double rapport passionnel, qui règle la circulation des idées et des modes en France. Chaque fois qu'on la laisse faire, la province renchérit encore sur le ton parisien de Paris, dans ses festivals ou ses expositions, comme l'a bien démontré la « décentralisation » culturelle. N'importe quelle arpète faisant ses premières armes dans la critique musicale ou littéraire à Romorantin sait cela. Les hommes de Jimmy et Jimmy lui-même l'ignoraient ; pis, ils étaient incapables de l'apprendre. Outre leur marotte anticulturelle, ils soutenaient, dans les autres domaines, dont nul n'échappait à leur ignorance, que les couvertures de politique étrangère et de sujets internationaux ne pouvaient déterminer que de mauvaises ventes. Il fallait, selon eux, leur préférer les sujets « de société » ou « de proximité », les plus difficiles, à vrai dire, et parfois fourmilières d'écœurants poncifs, mais réputés plus commerciaux. Même si ce diagnostic avait été d'une exactitude absolue, je n'y aurais assurément jamais sacrifié pour autant un grand sujet de politique internationale. Mais il se trouve qu'il ne l'était pas, du moins pas toujours. Plusieurs de nos « unes » internationales comptèrent parmi nos plus plantureux succès de vente, tandis que des couvertures sur la sécurité sociale ou les instituteurs, thèmes censés « porteurs » , car parlant aux Français de leur « vie quotidienne », rampèrent dans la médiocrité commerciale. Si un remords me tenaille, c'est de m'être un jour laissé induire par le directeur commercial à maintenir une couverture sur les « nouveaux médicaments », dont il attendait mirifique moisson, au lieu d'y substituer celle qu'imposait l'éclatement de la guerre du Liban et le bombardement de Beyrouth par les « orgues de Staline », à la fin de 1978.

Une fois par semaine, je participais en compagnie de cette cour sans miracle à ce qu'ils appelaient un « déjeuner de direction ». Ils avaient la bonté de m'y aider de leurs ingénieux conseils et de m'y administrer d'obligeantes remontrances. Mon expérience de deux décennies dans l'activité qu'ils nommaient « communication », sans jamais l'avoir pratiquée, autoriserait-elle ma faible raison à oser frayer avec la leur ? C'est la question qu'à chaque déjeuner je me posais avec une anxieuse humilité. Avoir souvent trouvé le chemin d'une assez vaste audience, par mes livres et mes articles, me serait-il à leurs yeux un titre à me prévaloir de ce « sens du public » dont ils se considéraient comme titulaires du seul fait qu'ils n'étaient pas des « intellectuels », ce dont je leur donne acte avec le plus diligent empressement. Que connaissaient-ils en matière d'information et d'idées, eux qui avaient passé leur vie dans l'épicerie, la pharmacie et l'expertise comptable ? Je riais sous cape en écoutant ces interstitiels de la vie économique m'enseigner la culture et la communication, comment on suscitait la curiosité des lecteurs et l'inspiration des créateurs dans la vie des idées. Je n'ai jamais éprouvé de mépris, tout au contraire, pour les métiers qu'ils avaient exercés. Je trouve stupide le dédain des intellectuels pour les professions marchandes. Mais l'outrecuidance ne me serait jamais venue d'en remonter aux confidents de Jimmy sur la manière dont on dispose les denrées alimentaires dans un supermarché ou dont les visiteurs médicaux doivent recommander les remèdes aux praticiens. Eux, en revanche, dans le meilleur des cas, connaissaient du journalisme seulement ce qu'il avait en commun avec n'importe quelle autre entreprise, et non ce qu'il avait de spécifique. Ils se croyaient dotés d'un flair infaillible et inné dans la pratique de la communication. L'équité commande de remarquer, à leur décharge, que la culture et l'information sont domaines où chacun, il est vrai, s'estime volontiers compétent.

Chacun l'est, en effet, comme membre du public, comme consommateur de presse. A ce titre, chacun peut de plein droit porter tout jugement qu'il voudra, même faux, sur un livre, un journal, une émission. Bonne ou mauvaise, sa réaction fait partie des données dont les créateurs, les producteurs, les diffuseurs doivent, en professionnels, tenir compte. Mais il existe un abîme entre être un cinéphile, averti ou pas, et devenir un réalisateur de films. On peut avoir fréquenté avec assiduité les cinémas et les ciné-clubs, avoir lu tout ce qui s'est publié sur le septième art, et néanmoins être incapable de réaliser un film, même médiocre. Car un film, quand bien même il ne serait pas un chef-d'œuvre, doit tenir debout, s'organiser selon une cohérence. La familiarité avec l'histoire du cinéma peut servir l'artiste à condition qu'il sache construire une œuvre. Elle peut aussi conduire le connaisseur, si éclairé soit son goût, à ne confectionner que de plats pots-pourris de citations, des juxtapositions de fragments disparates. Ainsi, Jimmy connaissait bien et jugeait selon ses sympathies et antipathies la presse, toute la presse du monde, du moins celles de langue anglaise et de langue française. Mais j'assistai des centaines de fois à la naissance des assemblages biscornus et changeants qu'à partir de cette connaissance brouillonne il extrayait de son brasier cérébral. Il ne pouvait pas concevoir un organisme journalistique en état de fonctionner, parce qu'il picorait un peu partout des idées et des formules qui n'étaient pas destinées à faire bon ménage ni à se compléter et à se fondre dans un ensemble. Ses lubies et ses phobies n'avaient d'ailleurs pas que des motifs politiques. Un jour il voyait *L'Express* tout en photos pittoresques, le lendemain tout en dissertations austères. Quand je lui représentais en badinant que je ne pouvais pas, sans désorienter le public, fabriquer une semaine *Paris Match* et la semaine suivante *La Revue de métaphysique et de morale*, qu'on ne pouvait pas jouer sur le même terrain à la fois au tennis et au football, il quittait avec précipitation mon bureau en riant de son rire d'autodéfense.

Il pouvait, un matin, suggérer qu'on supprime la rubrique de scrabble pour donner plus de place au courrier des lecteurs et, le soir, exiger qu'on la rétablisse, oscillant sans doute au gré des rencontres et des conversations. Une fois il se plaignit à moi, probablement à la suite de la remarque d'un ignare, dans quelque dîner, de notre critique d'art, Pierre Schneider. Il ne traitait, me dit-il, que de peinture moderne. Quand je lui rétorquai que Pierre, s'il était, certes, un grand spécialiste de Matisse, avait aussi écrit un livre sur Poussin, et venait de publier dans le journal un document sur les « trésors picturaux des églises de Paris », trésors tous anciens et fort éloignés de l'art abstrait, il acquiesçait d'un air incrédule, flairant dans mes rectifications quelque complot du « parisianisme ». Ou encore, il critiquait le choix que j'avais fait d'un jeune inconnu ou encore peu connu, pour assurer la critique de la télévision, Philippe Meyer, dont le style aigu et allègre m'avait séduit d'emblée ainsi que nos lecteurs, et qui allait accumuler, dans les vingt années qui suivirent, les preuves de son talent et de son originalité. Le Basile du dénigrement de Philippe était, d'après mes soupçons, un nommé Humbert Frèrejean, sorte de mielleux entremetteur d'antichambre et de couloirs, qui avait passé son élastique vie à zigzaguer entre les groupes de presse, achetant et revendant, rasant les murs, frôlant, flattant, écoutant, épiant, touchant des deux côtés et poignardant quand il y trouvait son intérêt. Jimmy l'avait élu son conseiller intime et Frèrejean avait repéré le faible de Jimmy : ne pas pouvoir supporter qu'on le prenne à contre-poil. Il faisait tout pour le pousser dans le sens de sa pire pente, jouant le rôle du parasite flagorneur de la comédie latine. Ses exploits dans le maniement de la *combinazione* me prenaient de court. Il m'organisa par exemple en janvier 1979 avec le Premier ministre Raymond Barre un grand déjeuner-débat à l'Intercontinental, rue de Castiglione, avec deux à trois cents invités appartenant à la presse étrangère et française, à la diplomatie, au monde des affaires et des chefs d'entreprise, parmi lesquels nos annonceurs. Ce déjeuner me parut de prime abord une honnête opération de relations publiques. Et peut-être même de révélations politiques, si le Premier ministre s'avisait de se livrer à quelque déclaration originale sur ses intentions. Mais je découvris que Frèrejean s'était arrangé avec les collaborateurs de Raymond Barre pour que les questions posées à ce dernier fussent convenues à l'avance et insignifiantes. Je sus, d'autre part, qu'il leur avait promis que nous consacrerions à l'« événement Barre » la couverture du numéro suivant.

« Il y a là quelque chose d'extrêmement dangereux pour le journal, écrivis-je à Jimmy. Promettre la couverture de *L'Express* au Premier ministre pour faire plaisir à nos annonceurs, qui seront contents d'avoir déjeuné avec lui, c'est un détour dont je me demande s'il ne nuira pas au journal plus qu'il ne lui rapportera. On ne doit donner la couverture qu'à un événement intéressant par lui-même. Si le Premier ministre fait une déclaration inédite et importante dont nous aurons l'exclusivité, cela vaut la couverture ; si le Premier ministre se borne à des propos conventionnels, bien que justes, je ne vois pas en quoi cela mérite la une. En somme, on demande à la rédaction de sacrifier la qualité du journal pour attraper des annonceurs tout en flagornant le gouvernement. C'est à mon avis le pire stratagème possible pour un hebdomadaire comme le nôtre.

« Encore une fois, je n'exclus pas que ce jour-là Barre soit intéressant, auquel cas la couverture ou un large article seront normaux ; mais je crains aussi qu'il ne se contente de propos déjà entendus quoique intelligents. Nous n'avons donc pas à prendre par avance d'engagement sur la présentation dans le journal de son discours sans en connaître encore le contenu, la qualité et l'intérêt. »

Même s'il était parfois coriace, Jimmy, dans un tel cas, était trop alerte pour méconnaître à quel point il eût été fatal pour l'autorité et l'honneur du journal que le bruit se répandît (et il se serait inévitablement répandu) que nous avions à des fins publicitaires accepté avec le chef du gouvernement un débat truqué ! Il me donna donc raison sans hésiter dans ce message avec copie à Frèrejean :

« Je suis entièrement d'accord avec vous. On peut seulement promettre la couverture si ce que Barre dit est un événement et s'il n'y a pas d'événement plus important dans la semaine en question. Il est donc impossible de prendre un engagement. Et si cela veut dire qu'il faut annuler, eh bien, annulons ! »

Je rétablis donc, en accord avec le cabinet de Barre, le débat sur des bases normales. Mais les tours de passe-passe d'Humbert Frèrejean, qui servait aussi d'informateur à Jimmy (on l'avait surnommé « les RG », les Renseignements généraux), avaient révulsé la rédaction, qui avait eu le sentiment qu'on avait voulu la vendre au Premier ministre et aux publicitaires.

Ma grande préoccupation, chaque fois que pointait à l'horizon un conflit entre le propriétaire et la rédaction, était d'éviter les palabres, assemblées générales et autres réceptions de délégations qui risquaient de retarder la sortie du numéro en cours et de faire tomber les ventes. Mais Jimmy, lui, au contraire, exultait à l'idée de ces affrontements. A sa prestance, à sa voix forte, il joignait un talent d'orateur qui lui permettait de dominer aisément et même de retourner complètement un auditoire hostile. Aussi adorait-il ces assemblées générales, qui lui fournissaient l'occasion de développer ses principes politologiques, dont je lui avais fait comprendre une fois pour toutes que je ne leur ouvrirais jamais les colonnes du journal, où il rêvait d'écrire. Comme la maison ne disposait d'aucune salle assez vaste pour contenir tout le personnel, il en faisait, dans les grandes occasions, louer près des Champs-Elysées, qui fussent dignes de servir de théâtre à son éloquence. Il aurait volontiers organisé des tournées en province. Tout en me gênant dans mon travail, son amour de la bagarre me le rendait attendrissant. Le soir, à Londres, où nous roulions tous les deux vers le Savoy, lieu du dîner de gala dont j'ai déjà parlé, en l'honneur du premier et dernier anniversaire de *Now*, sa seule et mort-née progéniture dans la presse, Jimmy avait fait ranger un smoking de rechange dans le coffre de la voiture. Car il avait entendu à la radio que des manifestants l'attendaient à l'entrée du célèbre palace dans le dessein de le maculer d'œufs pochés et de spaghettis sauce bolognaise. Pour protester contre quoi ? J'ai oublié. Mais je n'ai pas oublié la jubilation de mon hôte qui, pendant tout le trajet, nous fit les témoins, sa femme, son chauffeur et moi, de l'humeur amusée avec laquelle il se ruait au combat. L'assaut ne fut d'ailleurs pas livré, car le chauffeur, en tacticien avisé, se faufila jusqu'au sous-sol par une porte secondaire, évitant de nous déposer à l'entrée principale, où se trouvait concentrée l'armée ennemie. Celle-ci conserva donc pour sa consommation les projectiles, lesquels devaient être excellents, puisqu'ils avaient été volés dans les cuisines mêmes de l'hôtel, jadis illustrées par le génie du grand Escoffier.

Après la soirée, nous allâmes prendre un verre et commenter le succès de la fête dans un cercle privé, qui appartenait à Jimmy et où je gagnai même un peu d'argent à la roulette. Plus que des compliments dont il avait été couvert par le Premier ministre, Jimmy se réjouissait des aliments dont il avait failli l'être par les gauchistes.

Il se voyait en croisé de la liberté, ce qu'il était par intermittence dans ses idées, sinon dans la manière de les appliquer. Un jour où il voulait me dissuader de publier des extraits d'un livre de François Mitterrand qui allait sortir, *Ici et maintenant*, et à plusieurs autres reprises, il me lança comme argument : « Je suis prêt à me faire fusiller sous l'Arc de triomphe par amour de la liberté ! » Pourquoi l'Arc de triomphe ? Sans doute par commodité, parce que ce monument trônait tout à côté du journal. Nous logions en haut de l'avenue Hoche, ce qui ne laissait que la moitié de la place de l'Etoile à traverser. Depuis la terrasse, attenante à son bureau, Jimmy dominait ce grandiose décor. Dans un ample geste tragique, héroïque et somptueux, semblable à celui de Laurence Olivier entraînant ses soldats au combat dans *Henry V*, il me désignait du doigt le lieu du sacrifice suprême, qu'il fallait présumer imminent. Je tremblais, dans ces instants, qu'il ne me priât de téléphoner séance tenante au ministre de la Défense pour requérir l'envoi dans les plus brefs délais d'un peloton d'exécution. Je parvins, le jour de la conversation sur le livre de Mitterrand, à éviter cette pénible extrémité, en lui représentant une fois de plus, sans le convaincre mais en le faisant provisoirement céder, que le bon journalisme consistait, tout en critiquant le programme socialiste, à permettre à nos lecteurs d'en prendre connaissance. De toute façon, lui dis-je, le livre est tellement mauvais que cette publication (qui eut lieu dans *L'Express* du 1er novembre 1980) n'est guère de nature à grandir Mitterrand.

Quoi que je fisse pour lui inculquer le pluralisme didactique et l'art de convaincre subrepticement, les discussions de sourds renaissaient entre Jimmy et moi chaque fois que j'envisageais de publier un document ou un point de vue en me fondant sur le motif qu'ils étaient dans l'actualité, et non que je fusse nécessairement d'accord avec eux. Je retrouve par exemple cette note d'octobre 1979 où je reviens à la charge à la suite d'un regimbement de Jimmy et lui explique pourquoi j'ai pris les bonnes feuilles d'un livre du journaliste William Shawcross, qui qualifiait de « criminelles » la politique et la stratégie américaines au Cambodge, telles qu'elles avaient été conçues et conduites par Henry Kissinger entre 1970 et 1975.

« Concernant Shawcross, le raisonnement qui nous a conduits à la publication a été le suivant. Nous avons appris que *L'Observateur* et *Le Point* cherchaient à se procurer les droits de ce livre pour le publier en même temps que nous sortirions les *Mémoires* de Kissinger, et nous couper l'herbe sous le pied en disant "Kissinger ment, le récit véridique se trouve dans Shawcross". Il nous a donc paru préférable de transporter le débat à l'intérieur même du journal. Un débat ne signifie pas que l'une des deux parties a sans examen raison, sans quoi, il n'y aurait pas lieu à débat. J'ajoute qu'il est intéressant de faire état de la controverse que Shawcross a déchaînée outre-Atlantique, où son livre a été un best-seller et le sujet d'innombrables discussions dans les journaux. Encore une fois je ne pense pas que ce soit en supprimant la discussion que l'on supprime la propagation des thèses que l'on souhaite combattre. Je pense même le contraire. En outre, l'image de *L'Express* que nous cherchons à donner depuis deux ans, et vous avez toujours été d'accord avec moi sur cet objectif, est que *L'Express* doit redevenir toujours davantage, à l'intérieur naturellement des limites de la décence, le grand lieu de rencontre des controverses, problèmes, échanges d'idées et des signatures qui tissent l'histoire mouvementée du monde contemporain. Aux Etats-Unis, des journaux comme le *Chicago Tribune*, le *Los Angeles Times*, le *Baltimore Sun*, des personnalités comme le général James Gavin ont souligné l'importance du livre de Shawcross comme *recherche*. *Last but not least*, ce que raconte Kissinger sur le Cambodge ne diffère pas fondamentalement de ce qu'en dit Shawcross. Il répond à ses objections, conteste son interprétation, mais ne conteste pas ses faits. Il me l'a confirmé lui-même par téléphone hier au soir.

Nous affirmons, je crois, assez hautement nos orientations pour nous permettre de fournir à nos lecteurs toutes les facettes de la réalité moderne. Sans quoi ils iront chercher ailleurs celles qu'ils ne trouveront pas chez nous. »

J'ajoute qu'en 1979 le brûlot sectaire de William Shawcross tombait d'autant plus mal pour l'auteur que la nouvelle du génocide commis au Cambodge par les Khmers rouges à l'encontre de leurs propres compatriotes, depuis 1975, avait fini par inonder tous les organes d'information, après que la gauche eut essayé d'abord de le célébrer, puis de le justifier, ensuite de l'excuser, enfin de le passer sous silence. En comparaison, le régime antérieur du général Lon Nol, qu'avaient appuyé les Etats-Unis, faisait presque figure de paradis perdu, malgré les bombardements dits secrets motivés par la fonction de sanctuaire au profit de l'armée vietnamienne qu'avait malgré lui rempli le Cambodge. Davantage : l'opinion occidentale commençait alors à reconsidérer aussi l'estime initiale qu'elle avait eue pour le régime du Vietnam réunifié, après la chute de Saigon en avril 1975. Comme l'avait dès le début fort exactement prédit Soljenitsyne, dans une mémorable émission à la télévision française, au cours de laquelle Jean Daniel l'avait contredit avec agressivité, le Vietnam progressiste, nouveau chouchou de la gauche universelle, se dévoilait à grande allure comme le pays des camps de rééducation, des fusillés, des victimes mortes de mauvais traitements par centaines de milliers et des boat people. Il est vrai que, pour la gauche, le sang ne compte pas quand c'est elle qui le verse. Je trouvais néanmoins de bonne pédagogie d'étaler sous les yeux de nos lecteurs le réquisitoire antiaméricain de Shawcross, au moment même où le torrent des abominations du Cambodge communiste le noyait implacablement dans un macabre ridicule. Depuis cinquante ans que la gauche prophétisait l'avènement d'un totalitarisme végétarien, on voyait au contraire les régimes communistes nouveau-nés se montrer encore plus cannibales que leurs féroces ancêtres.

Toutefois cette mienne pédagogie, selon laquelle l'histoire véridique est le plus sévère de tous les pamphlets, échappait à Jimmy, qui voulait un journal d'une intransigeance purement militante, et même militaire, une sorte de censure de temps de guerre, qui escamotât toute trace, tout écho des faits et gestes, dires et pensées des hérétiques, pécheurs, traîtres et relaps.

Néanmoins, et c'était le paradoxe de nos relations, il se flattait de l'illusion qu'il me laissait toute ma liberté. Je ne me suis pas gêné pour la prendre certes, mais il me fallait la reconquérir chaque matin. « Une chose en tout cas est incontestable, me disait-il en conclusion de la plupart de nos entretiens, c'est que je n'interviens jamais dans les questions rédactionnelles de *L'Express*. » Devant des affirmations contredisant ainsi les faits les plus flagrants, on peut se proposer trois analyses. La première est qu'il s'agit d'une provocation, mais je ne vois en l'espèce pas le profit qu'aurait pu en tirer l'auteur. La seconde, que la capacité d'aveuglement volontaire de l'être humain est sans borne ; mais c'est là une hypothèse d'une généralité trop vague pour éclairer l'immense diversité des cas particuliers. La troisième, la bonne je crois, c'est qu'en proférant ces déclarations pour moi si ahurissantes, Jimmy laissait transparaître sa conviction de posséder, en vertu de son paquet d'actions, un droit tellement énorme à ma docilité, que les prérogatives dont il se contentait de faire usage lui paraissaient des broutilles en comparaison de celles dont il aurait pu se prévaloir. Elles fournissaient, dans son esprit, la preuve irréfutable de sa modération.

Des droits, certes, il en avait, mais pas comme il l'entendait. On ne devient pas acteur parce qu'on achète un théâtre, ni médecin parce qu'on a 51 % d'une clinique. Silvio Berlusconi, homme du métier, lui, contrairement à Jimmy, a laissé Indro Montanelli diriger en toute autonomie *Il Giornale* pendant près de vingt ans. Par le choix de Montanelli, dont les idées étaient connues, Berlusconi exerçait donc son droit de propriétaire en déterminant de ce seul fait l'orientation générale de son quotidien, dont les deux hommes reparlaient au demeurant en toute tranquillité lors de rencontres régulières. Le propriétaire n'importunait pas pour autant le directeur six fois par jour à propos de la rubrique de cinéma, de la page des mots croisés ou de la décision de Carter sur la bombe à neutrons. Quand la rupture survint entre eux, ce fut pour une raison sérieuse. Berlusconi, en 1993, devint homme politique et en 1994 président du Conseil. Il entendait transformer *Il Giornale* en instrument de ses ambitions, puis de son gouvernement. Il en avait le droit. Si je peux me payer un journal pour qu'il me soutienne, pourquoi pas ? Mais alors je dois m'offrir aussi un directeur voué à la servilité, laquelle, toute l'Italie le savait, n'était pas le fort de Montanelli, qui démissionna. De tels rapports de propriétaire à directeur sont d'une entière logique. Ils le furent aussi bien durant la période d'entente de ces deux fortes personnalités que par la raison claire, grave et précise, de leur mésentente finale.

La logique, en revanche, était ce qui manquait le plus dans la conduite erratique de Jimmy. Malgré toute la sympathie que j'éprouvais à son égard, cette irrationalité perpétuelle m'épuisait.

Je m'ouvris de ma lassitude à Bertrand de Jouvenel, qui me conseilla d'aller me reposer, réfléchir et prendre une décision au Castel Novel, à Varetz, en Corrèze. C'était le château, aujourd'hui transformé en hôtel, que possédaient et qu'avaient occupé maints étés, pendant les années vingt, son père Henry de Jouvenel et sa belle-mère, Colette, qui y avait écrit *Chéri*, m'assura-t-il. Il m'avait déjà souvent loué le bon goût avec lequel les hôteliers acquéreurs avaient arrangé cette fastueuse résidence. « Je sais par expérience, me dit-il, avec sa coutumière intonation d'élégiaque mélancolie, qu'il est peu de séjours aussi propices à la sérénité dont vous avez besoin pour méditer la décision difficile que vous aurez à prendre. » J'allai donc y passer une petite semaine. Je ruminais mon casse-tête assis dans un fauteuil, sur la terrasse, d'où mon regard balayait la plaine et suivait dans les lointains le charmant galop des cavalières du proche centre hippique de Pompadour, car le château se dressait sur le sommet d'une colline. Quand je sortais, je faisais à pied le tour de cette même colline, affectueusement suivi du chien des gérants, qui répondait de bon cœur au nom de Lucas, et s'attachait à mes promenades avec un entier désintéressement, car je n'avais aucune friandise à lui faire happer, sinon, le soir, au salon de l'hôtel, avant dîner, quelques-uns des « amuse-gueule » qu'on me servait pour accompagner mon verre de champagne. La sollicitude de Lucas me réconfortait sans toutefois m'éclairer. Démissionner au bout de quelques mois en fournissant pour toute explication que je ne supportais pas les sautes d'humeur du patron serait piteux et quelque peu risible. Je décidai donc d'attendre que se produisît un conflit sur une question grave, d'ordre moral. Tel que je connaissais Jimmy, ce heurt ne manquerait pas de surgir et fournirait une raison compréhensible à mon départ. Je me remémorai que j'avais de toute manière prévu de m'en aller au plus tard le 19 janvier 1984, jour de mes soixante ans, pour retrouver le loisir d'écrire des livres, et en espérant avoir alors remis *L'Express* sur de bons rails. Mais au Castel Novel, je me dis aussi que je n'atteindrais sans doute pas cette date sans qu'un sujet rédhibitoire de discorde avec Jimmy ne m'amène bien plus tôt à me retirer. Je ne me trompais pas. En tout cas, j'avais compris qu'il me fallait renoncer à normaliser et rationaliser mes rapports avec le propriétaire et que même des années d'expérience ne réussiraient pas à faire son éducation de véritable homme de presse.

En effet, j'ai souvent observé que des gens dont la réussite prouve la perspicacité, dans les activités ou les disciplines les plus variées, sont affligés, à l'égard de la communication, d'une crédulité des plus simplettes. Ils lui supposent une omnipotence miraculeuse qu'elle possède rarement, pour servir ou pour nuire, quand elle use de moyens brutaux et trop directs. Ce pouvoir magique ingénument prêté au journal, au micro ou à la télé tourne les têtes les plus pleines et les mieux faites. Les naïfs de la communication s'imaginent que ce qui n'est pas mentionné n'existe pas et que, pour faire exister l'inexistant, il suffit de le mentionner. Jimmy était du nombre. Il suffisait selon lui de se taire sur une affaire ou un homme pour les anéantir et, inversement, d'imprimer une couverture proclamant : « Giscard est un génie » pour assurer sa réélection. Il partageait cette illusion avec les meilleurs esprits, ceux de la politique et même du milieu universitaire. Cioran me dit un jour par façon de blaguer : si vous imprimez dans *Le Cafetier-Restaurateur parisien*, mensuel tirant à 5 000 exemplaires : « Le professeur X, titulaire de la chaire d'assyriologie au Collège de France, est un imposteur, un ignorant, une nullité dont personne ne va écouter les cours », et si vous envoyez le canard à l'intéressé, le type se suicide à l'instant, par honte du déshonneur. Il est convaincu que cet écho fielleux sera lu par l'humanité tout entière et que ces six milliards de lecteurs prendront tous la calomnie au pied de la lettre. Si vous écrivez au contraire : « Le professeur X est le plus éminent assyriologue de tous les temps », le pauvre homme croira identiquement avoir bondi d'un coup au faîte de la gloire universelle. Combien de magnats du sucre ou de la parfumerie achètent un journal en comptant ainsi acquérir le sésame infaillible de l'influence ?

Cette illusion de l'omnipotence de la communication affecte le psychisme de la plupart des dirigeants. Elle les rend incapables de se demander si une information défavorable à leur action ou à leur personne est vraie ou fausse. Ils ne se soucient que de savoir pourquoi on a relaté tel ou tel fait. Que ce soit tout bonnement parce qu'il a eu lieu n'effleure même pas leur esprit, rongé par la superstition de la communication. Le mobile de la publication ne saurait être à leurs yeux que le désir de nuire, jamais celui d'informer. Ce qui n'empêche personne de professer par ailleurs que l'information est un droit sacré du citoyen.

Le mal s'aggrave lorsque le politique moderne se lance dans une campagne de communication destinée à contrecarrer les conséquences d'une information exacte, faute d'avoir pu en arrêter la diffusion. Trop confiant dans son brio médiatique, il s'imagine que le lecteur, l'auditeur, le téléspectateur ne voient pas les « blancs » qui trouent ses explications, ne remarquent pas ses regards courroucés, autant d'aveux, quand il écarte les questions trop précises. Alors survient la catastrophe dans les sondages ou dans les élections. La communication pure, celle qui a rompu les amarres avec l'information vraie, se retourne contre le communicateur. Pourtant, le malheureux n'a pas compris. Il communique encore ! Et plus il communique, moins il est cru.

Certes, en face d'un politique qui serait toujours trompeur ne se dresse pas immanquablement un informateur qui serait toujours véridique. Fuyons le manichéisme. La presse, les médias, l'opinion publique même ne sont ni infaillibles ni exempts de partialité. Pas plus que le politique. Mais, quand il y a erreur, la politique se doit et nous doit de la réfuter avec des preuves, pas avec des coups bas. Même s'il y a « manœuvre politicienne » — objection suprême des dirigeants mis en cause —, l'important est de savoir si le dossier est solide. S'il est truqué, qu'on le démontre, et la manœuvre s'effondrera. S'il résiste à l'examen, la contre-manœuvre ne change rien au fond.

Le politique peut bien être tantôt le maître tantôt l'esclave de la communication. Mais de l'information, à l'heure des comptes, il ne peut être que l'esclave. La démocratie a besoin parfois de la communication, parce qu'il ne suffit pas d'avoir raison pour avoir le pouvoir. Mais elle a surtout besoin de l'information, parce qu'il ne suffit pas d'avoir le pouvoir pour avoir raison.

De plus, Jimmy s'imaginait-il que j'ignorais l'imprégnation de l'intelligentsia française par la tradition de gauche, puis gauchiste (les deux qualificatifs ne sont pas synonymes) ? Mais supposait-il qu'il pût suffire de rayer quelques phrases par-ci par-là dans les articles de

Mathieu Galey ou de Dominique Fernandez pour renverser sur-le-champ un courant vieux de deux siècles et qu'avait gonflé une nouvelle crue en mai 68 ? Comment un homme aussi vif en d'autres domaines ne soupçonnait-il pas qu'en celui-ci je m'y connaissais mieux que lui ? Et que je maîtrisais moins mal que lui les moyens forcément subtils, progressifs et indirects de lutter contre le conformisme ? Comment ce robuste esprit préférait-il, pour ce faire, s'abandonner aux avis des balourds incultes qui composaient son cabinet parallèle ? Accordait-il à ces illettrés obséquieux une intuition supérieure à la mienne des méandres de la diathèse politique et culturelle française ? Tout son entourage ne se composait pas seulement d'intrigants obtus. L'un de ses acolytes possédait même finesse, culture et goût. Je devins son ami. Mais vingt ans de servitude auprès de Jimmy avaient broyé son caractère et sa volonté. Il avait perdu l'énergie de lui tenir tête, même quand il savait que Jimmy s'égarait.

En somme, pour que Jimmy fût satisfait de son acquisition, il aurait fallu que *L'Express* devînt le reflet fidèle d'un monde qui n'existait pas, un monde tel qu'il le souhaitait, mais tel qu'il n'était pas. Mieux, il croyait que, si le monde réel ne se conformait pas à ses vœux, c'était par la seule raison que la presse le dépeignait différent de ce qu'il aurait dû être d'après lui. Il suffisait donc, avait-il cru en se lançant dans la presse, de devenir propriétaire d'un journal et d'en faire le miroir d'un monde imaginaire pour transformer ce dernier en réalité.

De son côté, une large part de la rédaction raisonnait de même, quoique en sens inverse. Elle s'attribuait la mission de cacher tout ce qui était défavorable à la gauche et tout ce qui pouvait être favorable à la droite, en vue de hisser à la victoire électorale l'union socialo-communiste. Aux yeux de Jimmy, on passait pour un ultra-gauchiste à peu de frais, aussi peu qu'il en fallait à la cohue des pleurnicheurs nourris au lait du « programme commun » du PS et du PC pour le juger ultra-réactionnaire, même sur les points où c'étaient eux qui l'étaient et où c'était lui qui avait raison. Coincé entre ces deux partis pris contradictoires quoique complémentaires, je résolus de continuer à les tenir à distance tout en les considérant et en les traitant l'un et l'autre comme représentatifs, au fond, de l'opinion publique française de ces années.

On peut devenir libraire (en France, du moins), journaliste ou propriétaire de journal sans jamais avoir subi le moindre examen obligatoire établissant que l'on possède les connaissances et la capacité de pratiquer ces métiers. Ce sont là, certes, des professions où l'expérience est souvent la plus irremplaçable des écoles. Mais, pour la moyenne des impétrants, une modeste formation de base éviterait bien des malheurs.

LIVRE QUATORZIÈME

GRIS, TANNÉ, NOIR

Car le noir dit la fermeté des cœurs
Gris le travail et tanné les langueurs
Par ainsi c'est langueur en travail ferme
Gris, tanné, noir.

Clément Marot

I

Ni les tracasseries ni les inerties ne parvenaient cependant à étouffer chez moi l'allégresse intellectuelle que l'on éprouve à concevoir, agencer et faire réaliser chaque numéro d'un hebdomadaire. C'est une activité qui exige que l'on marie les contraires, le passé et l'avenir, la liberté de la rédaction et la nécessité de l'orienter. Un journal ne peut pas être un simple rétroviseur, l'hebdomadaire moins encore que le quotidien. Malgré l'expansion de la radio et de la télévision, le quotidien écrit s'appuie encore sur la primeur de la nouvelle. De plus, en cas d'erreur ou de lacune, il peut rectifier dans les vingt-quatre heures. L'hebdomadaire ne peut compter sur aucun de ces expédients. Il n'est jamais porté par l'actualité, c'est lui qui la porte. On doit donc le penser de telle sorte qu'il conserve son intérêt non seulement le jour de la sortie, mais pendant toute la semaine qui suivra. Faute de quoi, toute bévue, toute omission s'étalent sous les yeux du public durant sept cruels jours. L'hebdo ne peut se borner à vivre le présent, il doit y survivre. Il lui faut joindre l'anticipation à la synthèse, deviner les sujets qui émergeront à la surface du futur, exercent déjà sur lui une influence souterraine, sans avoir encore éveillé l'attention des confrères. C'est par là que l'hebdomadaire passe du journalisme d'information à ce journalisme d'intervention qui m'était cher, et qui signifie journalisme non de parti pris mais de prévision et d'accentuation de l'histoire. Aussi l'hebdomadaire a-t-il été poussé par la concurrence des médias audiovisuels à s'éloigner de la formule originelle du newsmagazine comme miroir impersonnel de la semaine écoulée. Cette inoubliable création journalistique de *Time* était, dans les années vingt, ajustée aux besoins de l'époque. Elle a dû se renouveler depuis, y compris dans *Time*, plusieurs fois.

Certains journalistes, à *L'Express*, surtout ceux formés par la presse quotidienne ou l'Agence France-Presse, ne comprenaient pas que l'hebdomadaire de la fin du siècle, c'est l'union de l'information et des idées. Ils se contentaient de laisser flotter vers eux les événements et ne cessaient de maugréer que j'étais un « intellectuel ». Eux seuls étaient des « professionnels ». Je ne pouvais quant à moi me satisfaire du « professionnalisme », par exemple, d'Yves Cuau, que je voyais, renversé dans son fauteuil, les pieds posés sur son bureau, comme dans les vieux films américains mettant en scène les journalistes, lire à longueur de journée des dépêches d'agence. Il faut, bien sûr, lire les dépêches. Mais il faut savoir que celles du mardi après-midi, indispensables à un quotidien qui boucle le soir même et sort le lendemain à l'aube, seront en revanche défraîchies quand sortira l'hebdomadaire, quatre jours plus tard. Un hebdo ne saurait se résigner à la triste platitude d'être un résumé de dépêches. Après mon départ du journal, j'appris qu'un conseiller, c'est-à-dire un béni-oui-oui de Jimmy, l'indicible Humbert Frèrejean, après avoir passé trois ans à me jeter au visage les plus impudentes flagorneries, à m'enrober de son amabilité obséquieuse, crut me donner le coup de pied de l'âne (ce genre de coup de pied qui n'atteint que l'âne) en saluant dans un communiqué interne la sortie des « intellectuels » par cette formule qui était une ritournelle chère à mon successeur Yves Cuau : « Maintenant, *L'Express* va pouvoir devenir une machine à informer. » C'est plutôt une machine à ennuyer qu'il aurait dû dire, à en juger par la suite. L'accès à un poste de commandement révèle souvent le talent, mais plus souvent encore son absence. La pire punition, pour les médiocres à la poursuite d'une place dépassant leurs capacités, c'est de l'obtenir.

Avec le paradoxe de l'actualité conjuguée au futur, je m'efforçai de maîtriser celui d'une rédaction laissée libre de ses initiatives tout en étant guidée par les miennes. C'est un équilibre difficile à trouver que de faire sentir à chaque instant où repose l'autorité sans en rendre le poids incommode. Je fus fort aidé dans ce dosage par mon souvenir des fameuses pages de Castiglione sur l'idéal de la *sprezzatura*, cette « désinvolture contrôlée », qui applique aux relations avec les humains un détachement apparent, une négligence diligente. Laisser le rédacteur maître de son travail tout en inspirant et en vérifiant ce travail est, au demeurant, d'autant plus nécessaire que les lecteurs, à un degré que je ne soupçonnais pas avant d'occuper ce poste, tiennent le directeur pour personnellement responsable du moindre mot qui s'imprime dans les colonnes du journal, même quand il a laissé passer ce mot à contrecœur, pour éviter de vexer ou de décourager un collaborateur. Une direction dictatoriale « démobilise » les journalistes (ce verbe fait florès dans les rédactions en crise). Une direction impuissante favorise la fragmentation en féodalités, qui estiment n'avoir ni instructions à recevoir, ni comptes à rendre et mènent leurs opérations personnelles derrière un brouillard de faux prétextes.

Les deux dévoiements peuvent au demeurant se conjuguer, car il advient au même directeur autoritaire de conduire à la trique les sections qui lui importent et de laisser les autres agir beaucoup trop à leur guise. Ainsi je m'aperçus, en prenant mes fonctions, que la section

« Livres » avait depuis des années été abandonnée à elle-même. Je
tins donc à lui restituer son rang, si je puis dire, en créant une conférence spéciale, une fois par semaine, dans mon bureau, pour en réunir
les responsables et les principales signatures. Mais, revers de la
médaille, pour certains d'entre eux : ils ne furent plus aussi libres de
n'en faire qu'à leur tête. Certes, je n'exerçais aucune pression sur les
jugements des critiques, même quand je les désapprouvais ou en
redoutais les suites. Il m'est arrivé d'écrire à un auteur ou à un éditeur
de mes amis pour les prévenir qu'un article sévère d'Angelo Rinaldi
sur un de leurs livres allait paraître dans *L'Express*, que j'en étais
désolé pour eux, tout en m'interdisant de suggérer à Angelo la
moindre retouche. Françoise Giroud avait montré le même respect
absolu pour mes articles quand j'appartenais à la section « Livres »,
entre 1966 et 1971. Mais, sur les questions autres que d'esthétique
pure, l'intervention du directeur relève de ses prérogatives, de son
devoir même, parce que toute négligence ou incompétence de sa part
encourage les collusions, si fréquentes entre l'édition et la critique.
Ainsi, le chef de la section « Livres », Jean-Louis Ferrier, en place
dans l'appareil depuis une quinzaine d'années, et sous lequel j'avais
moi-même travaillé avec plaisir, vint m'annoncer un beau matin d'un
air de triomphe qu'il allait consacrer l'« ouverture » (article de tête,
long et bien illustré, donnant une vigoureuse impulsion aux ventes de
l'œuvre qui en est l'objet) à « la première traduction en français »
d'un « grand roman italien » paru en 1894 et jusque-là « injustement
ignoré » de l'édition de notre pays, *Les Vice-Rois* de Federico
de Roberto. De longue date, j'éprouvais moi-même de la tendresse
pour cette histoire, pétrie des vieilles mœurs siciliennes et qui avait
été tirée d'un semi-oubli au moment du succès international en 1958
du *Guépard* de Giuseppe Tomasi di Lampedusa. Federico de Roberto
constituait de toute évidence l'une de ses sources inspiratrices. Je me
félicitai donc de voir cet auteur proposé aux Français, avec toutefois
ce petit correctif : il était faux que ce fût la première fois. Il existait
déjà une version en français des *Vice-Rois*. Je l'avais eue entre les
mains vers 1965. J'avais même reçu la traductrice, car je songeais à
republier son texte dans ma collection « Littérature », projet qui sombra lorsque les Presses de la Cité rachetèrent Julliard, entraînant mon
départ de cette maison. Il fait bon traduire les auteurs méconnus.
Nous ne pouvions cependant pas, décidai-je, garnir indûment notre
front des lauriers de l'inédit et consacrer l'ouverture à une réédition
fort louable mais qui, par définition, n'était pas une première. Un
élogieux mais plus bref article suffirait. A ces mots, Jean-Louis Ferrier
parut comme assommé par une bombe tombée d'une soucoupe
volante. Il s'attendait à ce que j'ignore jusqu'au titre de ce roman
italien et *a fortiori* l'existence de la traduction qui en avait déjà été
jadis publiée. Sans deviner par quel mobile secret il cherchait à monter

sa petite opération, je m'y opposai. Habitué depuis longtemps à toutes ses aises, devenu réfractaire à toute limitation de ses quatre volontés, il ne put supporter mon veto et démissionna.

J'ai raconté cette anecdote bien mineure pour faire toucher du doigt aux aspirants journalistes que le métier ne se compose pas seulement des flamboyantes bannières d'apparat qu'ils rêvent d'y porter — journalisme « d'investigation » , « grands » reportages, subtiles analyses politiques, flatteuses rencontres de chefs d'Etat et de ministres, éditoriaux « faisant autorité », etc., mais aussi d'un labeur méticuleux, voire fastidieux, qui doit souvent venir à bout de résistances psychologiques aussi fatigantes que bêtes. Certains « grands » reporters, par exemple, quand je les envoyais dans un pays étranger où ils se rendaient pour la première fois, voire qu'ils connaissaient déjà mais qui avait changé depuis leur dernière visite, estimaient superflu de profiter, pour se préparer, de l'inégalable service de documentation que Servan-Schreiber avait jadis mis sur pied à grands frais. La superstition bornée du « contact direct », redoutable poncif, le prétexte de conserver l'« esprit frais » venaient au secours de leur paresse muée en vertu, pour les retenir de lire quoi que ce fût avant de partir.

S'imaginaient-ils que c'est en discutant au bistrot du coin ou même en écoutant un ministre, fût-ce en tête-à-tête, dégoiser son creux monologue, imprimé vingt fois partout, que l'on apprend quel est le Produit national brut d'un peuple, son taux d'alphabétisation ou son espérance de vie ? Certes les reporters véritablement « grands » que comptait la rédaction, un André Pautard ou un Jacques Derogy, ne nourrissaient pas ce préjugé obscurantiste. Ils alliaient de solides connaissances documentaires au talent de peindre avec vivacité les particularités et les acteurs de l'histoire en train de naître.

Le reportage sur place, irremplaçable, cache néanmoins des pièges. La section « spectacles » tend plus que d'autres à y tomber. Le cinéma, les variétés charrient des pépites à écumer çà et là, bien plus graves et abondantes que n'en peut charrier l'édition. De plus, les relations publiques, la promotion, le lancement décident, pour l'industrie du spectacle, du sort commercial de ses produits de façon encore plus envahissante que pour les autres activités artistiques. En conséquence, se tissent entre les professionnels et les journalistes des connivences. Elles peuvent rendre à la longue les critiques de cette branche plus proches et plus dépendants des producteurs, agents et imprésarios que de leur propre journal.

Lorsque les frais de voyage et de séjour aux festivals ou sur les lieux de tournage d'un film sont couverts par les maisons de production et non par l'organe de presse, la question de l'indépendance et même de l'intégrité du critique devient, pour le dire avec le doux adjectif cher aux diplomates, « préoccupante ». Les invitations à se goberger deux ou trois semaines à Osaka ou à Santa Fe sous prétexte de « reportage sur les lieux de tournage » figuraient en bonne place dans l'arsenal séducteur et corrupteur des industriels cinématographiques. Ces « reportages » ne pouvaient comporter aucun jugement de valeur sur le film en préparation, qui, comme l'impliquait la situation, n'existait pas encore. Pour meubler les feuillets, le journaliste reproduisait donc les propos autopublicitaires du réalisateur et des vedettes, révélations « confidentielles » livrées avec une équitable grandeur d'âme « en exclusivité » à quelques centaines de confrères de la presse mondiale, venus eux aussi grossir le troupeau des parasites. Le producteur obtenait ainsi le résultat recherché : préparer la sortie de son film en obtenant dans les journaux un battage anticipé aussi assuré que flatteur. Si la notion de « faux événement » convenait à une gesticulation inepte, c'était bien à ces agapes. Pour le public, la valeur informative et critique des papiers publicitaires qui en sortaient égalait zéro et même moins. Je décidai sinon d'interdire, du moins de restreindre et de placer sous mon contrôle cette pratique équivoque. J'exigeai que le journal seul finance désormais les déplacements et qu'ils ne soient plus payés par ceux que l'on était censé aller juger. Le rédacteur en chef de « spectacles » m'accusa de « putsch culturel ».

Outre d'évidents motifs déontologiques, un souvenir cuisant m'incitait à la vigilance : à la fin de 1978, je m'étais laissé blouser dans une histoire de chansonnette. L'impératrice des spectacles au journal m'avait proposé, courant novembre, un « grand » document de son cru, digne de la « une », sur la « nouvelle chanson française ». Patriotiquement convaincu, quoique peu averti de l'inépuisable capacité de renouvellement créatif de la chanson française, j'acquiesçai à ce projet. Je trouvais en outre justifié de réserver chaque année quelques couvertures aux spectacles. Plus tard, je bataillai même une fois avec Jimmy, à coup de notes comme d'habitude, pour lui expliquer une mienne décision de consacrer la couverture à Woody Allen, dont il ne paraissait pas saisir le talent ni pressentir l'avenir. Ce choix lui semblait futile. Je trouvais en outre opportun, en cette fin de 1978, de donner la « une » de la semaine des fêtes de Noël et de nouvel an à un sujet de variétés.

Je félicitai donc le rédacteur en chef « spectacles » de son idée, tout en lui recommandant de me remettre son papier quinze jours avant la publication, afin que je puisse le lire avec attention et ensuite délibérer avec elle de la meilleure façon de le mettre en page et d'illustrer la couverture. Les conférences de rédaction se succédaient, je revenais à la charge, la date limite approchait, je réclamais l'article, mais son auteur ne le jugeait toujours pas en état de m'être soumis. J'écopai par provision de quelques scènes convulsives. La martyre incomprise allait se réfugier chez René Guyonnet, lui-même aigri de n'avoir pas obtenu la direction de la rédaction. Elle se plaignait à lui de ce que je la persécutais. Je haïssais, disait-elle, son papier — qui n'existait pas encore ! Guyonnet me convainquit que je la « perturbais » et qu'il me fallait la laisser travailler « à son rythme ». Astucieux rythme. Le stratagème des compères réussit. Retardé jusqu'à l'ultime seconde possible, l'article me parvint au moment même où il devait sans délai partir pour la composition et où je ne pouvais plus rien y faire changer. A la lecture, il s'avéra être non pas un ensemble sur la « nouvelle chanson française », mais un dithyrambe sur *un seul* jeune chanteur, déjà connu, au demeurant, et nullement une découverte : Alain Souchon, dont le portrait se trouva, par miracle et à l'exclusion de toute autre recherche, orner la couverture, imposée à dessein dans la précipitation. Enfin, par une providentielle coïncidence, la semaine même où parut notre numéro, un récital Alain Souchon, prévu pour durer un mois, s'ouvrait à l'Olympia, le flamboyant music-hall où se pressaient les élites et les foules. Conscient d'avoir été joué, je resservis à mes loyaux camarades la phrase de Mitterrand à Guy Mollet au moment de l'affaire du Canal de Suez[1] : « Nous sommes, vous et moi, des professionnels ; très bien, vous m'avez eu cette fois ; vous ne m'aurez pas une deuxième. »

_____

1. Voir plus haut, p. 374.

II

Je m'étends sur ces épisodes dans un but pédagogique : enseigner aux apprentis journalistes, qui souvent l'ignorent ou s'en soucient trop peu, que l'on ne parvient à faire de « grand » journalisme qu'en le défendant contre de petits personnages. Les médiocres ont cette supériorité de consacrer la totalité de leur temps à intriguer, ne s'intéressant à rien d'autre, tandis que leurs cibles passent la majorité du leur à tâcher de créer, n'en gardant que fort peu pour intriguer en retour.

C'est que le combat contre la corruption, la forfaiture ou l'incompétence est, d'un point de vue personnel, un gaspillage d'énergie. Je voyais bien qu'Yves Cuau laissait un peu trop percer l'envie qui le rongeait. Il en devenait violacé dans les conférences de rédaction. Mais que m'importait ? Je ne tenais pas à ma place pour les raisons qui la lui faisaient convoiter, je n'y tenais que pour essayer de rendre compréhensible notre temps. Hors cette possibilité, elle ne m'intéressait pas. Aux entourloupettes des arrivistes s'ajoute un autre frein : le corporatisme des journalistes, qui les porte à se solidariser avec ceux de leurs camarades qui ont commis des fautes, même quand tous connaissent ces fautes et ne manquent pas de s'en gausser à longueur d'année jusqu'à ce que survienne le moment où leur accumulation appelle une sanction. Ils se comportent alors beaucoup moins en « professionnels », ce qu'ils se targuent d'être, qu'à la manière de ces « intellectuels » qu'ils méprisent volontiers.

Ce funeste abus du sens de la solidarité s'enracine dans le désir chez les journalistes de se voir conférer la même inamovibilité qu'aux fonctionnaires. J'ai connu, dans l'enseignement public, des collègues qui avaient cessé de faire la classe et conseillaient à leurs élèves de jouer au bridge pour s'occuper pendant les cours. Le proviseur du lycée et l'inspecteur d'Académie, au courant, ne proposaient pas pour autant au ministère de les révoquer ni de les sanctionner. Ces collègues gravissaient même les échelons de la carrière et du traitement presque à la même vitesse que ceux qui s'éreintaient au travail. Quand des journalistes exigent la disparition de tout critère de capacité ou de faute, c'est avant tout pour se protéger eux-mêmes, ce qui les amène à protéger à titre préventif les moins défendables de leurs camarades. « Si on a gardé Untel ou Unetelle, se dit tout un chacun, alors moi je ne cours aucun risque. »

Je dus ainsi affronter un tintamarre bien disproportionné à l'insignifiance du personnage en licenciant un prétendu « journaliste d'investigation », en réalité médiocre glaneur de ragots et qui suppléait la maigreur de ses trouvailles par l'ampleur de sa mythomanie. Je tombai un jour sur la preuve que, dans une enquête sur une affaire criminelle, il avait organisé avec un comparse une mise en scène qu'il avait présentée dans un article comme un fait dont il aurait été l'involontaire témoin. Ce genre de falsification, dont il était coutumier, attirerait tôt ou tard au journal des condamnations pénales et un discrédit moral désastreux. En ne sautant pas sur l'occasion de délivrer *L'Express* de ce danger, j'aurais positivement trahi mon devoir. Pourtant, je n'y parvins pas sans maintes contre-offensives syndicales, alors que je défendais la bonne santé et la longévité de l'« outil de travail ». L'administration même du journal poussa de rauques piaillements, car de tels soubresauts perturbaient son euphorie digestive.

Encore avais-je pu, dans ce cas-là, mentionner le motif réel de ma décision. Je m'abstins et même je m'interdis d'user de la même clarté lors d'un autre licenciement, tant ma franchise eût détruit la réputation, à vrai dire déjà peu flatteuse, de celui qui en fut l'objet. Je le connaissais surtout pour son appartenance à cette catégorie des « grands reporters » incapables de rédiger. Une spécialité maison. Le mystère de son engagement, une quinzaine d'années plus tôt, restait pour moi impénétrable. Certes, Françoise Giroud avait joué longtemps le rôle de la couturière aux doigts de fée qui ravaudait les articles les plus bancals et sirupeux. Elle raccourcissait les phrases, supprimait les chevilles, éliminait les transitions pesantes, rajoutait des attaques et des conclusions frappantes, coupait et intervertissait les paragraphes, pressait le récit. Elle avait contribué à expurger le journalisme français de ce style déclamatoire, didactique, raisonneur, pompeux et prolixe, qui terrassait le lecteur sous le poids de dissertations ampoulées et béates. Comme dans cet exercice, elle ne ménageait pas sa peine et prenait même plaisir à sa propre virtuosité, plusieurs reporters se vautraient dans l'habitude paresseuse de livrer des bouillies indigestes et fades, sachant qu'on les métamorphoserait « là-haut » en potages fluides, aromatiques et savoureux. Ainsi savoir écrire avait cessé d'être une condition pour entrer à *L'Express*, de sorte que, Françoise partie, je me retrouvai avec sur les bras une bonne moitié de l'équipe convaincue de son droit immuable à ne remettre que des brouillons décousus et sans relief, destinés à être récrits. « Nos articles ne sont qu'une matière première, c'est même une *doctrine !* » me lança un jour l'un des reporters, avec une morgue offensée.

Tous les journaux recourent à des chirurgiens esthétiques clandestins qui possèdent le talent de rendre appétissantes les déjections des autres. Même un grand écrivain comme Angelo Rinaldi a gagné son pain, lors de ses débuts, à *Nice-Matin* puis à *Paris Match*, en remplissant l'office, disait-il avec humour, de « réparateur de styles ». Malheureusement, certains papiers sont irréparables, et ceux du collaborateur dont je parle ici relevaient de cet affligeant dépotoir. Il avait travaillé jadis à Rio de Janeiro dans un journal brésilien et se vantait souvent d'y avoir tellement brillé par le talent littéraire qu'il « corrigeait le portugais des autres ». J'en doute fort, car ici c'était le contraire. Il fallait que d'autres corrigeassent son français. Je décidai donc de donner en public cette impuissance rédactionnelle comme cause officielle d'un licenciement dont je ne dévoilerais qu'à l'intéressé, en privé, la cause réelle.

Nous projetions en 1979 un numéro spécial sur Cuba, pour le vingtième anniversaire de la révolution castriste. Je me heurtais dans mes préparatifs à deux obstructions. L'une venait de l'intérieur de la rédaction, de la section « Monde », non pour des raisons politiques mais pour des raisons de sacristie. J'avais demandé à Fernando Arrabal ses suggestions et un article. Les archiprêtres de la section, Yves Cuau, venu du *Figaro*, et Pierre Doublet, venu de l'Agence France-Presse, voyaient dans Arrabal un saltimbanque et dans son intrusion un sacrilège. Je n'aurais pu être aussi mal accueilli si j'avais suggéré au cardinal-archevêque de Paris de faire célébrer la messe de Pâques à Notre-Dame par un ayatollah. Tout appel à des collaborations extérieures horripilent les rédactions. Faire écrire dans le journal des sinologues comme Simon Leys sur la Chine continentale ou René Vienet sur Taïwan, arguant de la célébrité mondiale du premier, de la compétence reconnue du second, qui vivait à Taïwan, et surtout de leur connaissance approfondie et de leur pratique courante de la langue, c'était, aux yeux des archiprêtres, introduire des prostituées au domicile conjugal. L'élan « panique » d'Arrabal et surtout son irremplaçable connaissance de Castro et du castrisme matèrent ces effarouchements de chaisières jalouses.

L'autre obstruction venait des autorités cubaines. A la suite des relations affectueuses que le général de Gaulle, dans son souci obstiné de se montrer désagréable envers les Américains, avait établies avec le dictateur de La Havane, les journalistes français désireux de se rendre à Cuba obtenaient facilement leur visa. Le refus du tampon ne servait pas aux Cubains, comme aux autres régimes communistes, d'instrument de barrage à l'encontre des « ennemis de classe ». Mais ils recouraient, pour les écarter, à un subterfuge de remplacement, consistant à dire : « Vous ne pouvez pas venir car nous n'avons pas de place en ce moment dans nos hôtels. » Faute de chambre d'hôtel dûment octroyée, la police révolutionnaire refoulait tout visiteur, même muni de papiers en règle. J'avais choisi Liliane Sichler, fine observatrice et correcte plume, pour aller enquêter sur place, tout en sachant qu'on ne lui laisserait voir que les simulacres officiels destinés à la propagation de la foi. Mais comment paraître sérieux sans mandater sur place un « envoyé spécial », quoique dans tout pays totalitaire un envoyé spécial, fût-il l'œil le plus exercé, soit pure illusion. Simon Leys a multiplié les démonstrations de ce théorème en traitant du « voyage en Chine sous Mao », sommet de la littérature comique au vingtième siècle. Un journaliste américain, raconte Leys, se vit même complimenter pour l'authenticité de son regard après avoir publié un « Voyage en Chine » sans jamais y avoir été. Il avait confectionné un pot-pourri à partir d'ouvrages de ses prédécesseurs. Mais si j'avais proposé à Liliane ce voyage à Cuba, sur le conseil d'Olivier Todd, c'est aussi parce que, de notoriété parisienne, son cœur penchait passionnément à gauche et que son nom plairait donc aux autorités castristes. Pourtant, malgré nos démarches, nous reçûmes à plusieurs reprises la réponse stéréotypée du consulat : « Nous sommes au regret de ne pouvoir ni la loger ni assurer sa sécurité. » Las de ces mensonges, je téléphonai à l'ambassadeur de Cuba pour le prier, le moins vertement que me le permit mon exaspération, d'instruire son consul d'avoir à respecter les usages franco-cubains, faute de quoi je saisirais du contentieux le ministère français des Affaires étrangères. Vantardise digne des joueurs de pétanque de mon quartier natal, le Petit-Nice, sur la Corniche, à Marseille, car je n'ignorais pas la tremblote chronique du Quai d'Orsay à l'idée de tout affrontement, même minuscule, avec un Etat communiste. L'agressivité de ma fanfaronnade désarçonna pourtant l'ambassadeur au point de le pousser à une bévue. « Je sais, me dit-il, et je vous remercie de me confirmer que vous préparez un numéro spécial sur mon pays. J'ai reçu à ce sujet la visite de votre collaborateur, M. X, qui m'a mis au courant de votre projet. Nous éprouvons de la méfiance, je ne vous le cache pas, du fait que vous associez à ce projet Arrabal, ami et défenseur d'un ennemi du peuple cubain, Armando Valladares, et de plusieurs autres traîtres à la Révolution. » Le X en question n'était autre que le « grand reporter », ce colosse de nullité dont j'ai parlé. Il avait donc agi en informateur pour le compte de l'ambassade de Cuba ! Car non seulement je ne l'avais, bien entendu, jamais chargé de la moindre mission auprès des services diplomatiques cubains, autrement dit des agents de renseignement castristes, mais avec soin je l'avais de propos délibéré tenu à l'écart de tout le projet, bien qu'il se targuât d'une spécialisation hors pair dans les questions latino-américaines. Il s'avérait bien être un « spécialiste », en effet, mais soudain d'un genre très particulier. Avais-je affaire à un agent patenté ou nous avait-il, en cette occasion seule, mouchardés par dépit ? Dans les deux cas, mon devoir était de le congédier. Déjà dans le passé sa conduite m'avait intrigué, en certaines conjonctures, qui me revinrent alors en mémoire sous un jour nouveau et inquiétant.

En 1974 et 1975, années où je ne pouvais même imaginer que je dirigerais un jour *L'Express*, je m'étais voué par prédilection à observer et analyser la révolution portugaise, avec l'accord et sur instruction de mon directeur, Philippe Grumbach, et aussi par goût personnel, étant donné les rémanences sentimentales de mon enfance lusitanisante au Mozambique. J'allais souvent à Lisbonne, où ma grand-mère maternelle avait passé une partie de la guerre de 14-18 avec ma mère. Elle y avait acheté une édition rare des *Lusiades* de Camoës, que je retrouvai intacte sous les ruines de sa maison marseillaise, rue Daumier, où la tua le bombardement de mai 1944. Je transportai ce livre précieux longtemps avec moi par la suite, pour en lire quelques vers chaque soir. A Lisbonne en 1974 les communistes du Mouvement des forces armées voulaient confisquer le pouvoir, et donc éliminer l'architecte du soulèvement du 25 avril 1974, coup de grâce à la dictature salazarienne, le général Spinola, pour eux trop à droite. Ils inventèrent comme tactique à cet effet de mettre en scène une ribambelle de faux « coups d'Etat de droite », dans le dessein de pouvoir épurer, pour soi-disant complot, tous les non-communistes, Spinola en tête. La première de ces comédies se joua en septembre 1974, et bouta Spinola hors de la présidence de la Junte provisoire. La seconde, en mars 1975 : elle le bouta hors du pays. En sa première année, la Révolution des Œillets oscillait et vacillait entre totalitarisme et démocratie. Ce fut surtout grâce à certains organes de la presse étrangère, obviant à l'asservissement de la presse portugaise, aussi surveillée que sous Salazar, quoique en sens opposé, et grâce à Mario Soarès, chef du Parti socialiste et ministre minoritaire dans le MFA, que la démocratie survécut à une implacable offensive d'inspiration soviétique. Je le dis à regret, le Parti socialiste français soutint cette offensive, réprouvant Mario Soarès, trop « social-démocrate » pour son goût et relégué (en compagnie de Michel Rocard) dans l'infâme « gauche américaine ». Inventer un danger fasciste servait chaque fois au MFA communiste à justifier des arrestations et à renforcer une répression qui le rapprochaient insensiblement du monopole du pouvoir. Mais les pseudo-coups d'Etat de leur cru destinés à cette besogne étaient de facture si grossière que seuls leurs auteurs et quelques gauchistes scandinaves y croyaient. Mario Soarès, que je voyais beaucoup, en ces mois orageux où se forma notre amitié, me les annonçait même à l'avance. Le hasard fit mieux encore pour m'édifier. Le 11 mars 1975, en fin de matinée, je me dirigeais vers l'aéroport où j'allais prendre l'avion pour rentrer à Paris. A gauche de la route sur laquelle roulait la voiture de l'ami qui me raccompagnait, nous vîmes des caméras et des équipes de la télévison gouvernementale, la seule, s'ag-glutiner en grand nombre, se déployer en toute tranquillité et s'instal-ler en position de filmage devant une caserne, celle même où devait éclater, une heure plus tard, le « soulèvement militaire » ordonné par ceux qu'il était censé renverser et promptement écrasé par les « forces révolutionnaires » ! Les réalisateurs et les techniciens de la télévison avaient reçu la veille au soir leur ordre de mission. C'est, à ma connaissance, le seul exemple dans l'histoire d'un coup d'Etat télévisé en direct.

Dès mon arrivée à Paris, j'écrivis un éditorial pour acclamer le brio de cette pantalonnade. Comme un engagement préalable m'amenait à repartir aussitôt pour Bruxelles, où je devais faire une conférence dans une réunion des parlementaires de l'OTAN, je claironnai de bon cœur devant cet auditoire, et devant les télévisions et radios belges, mon admiration pour les organisateurs du carnaval de Lisbonne. La stupeur se peignait sur les visages, mais non l'incrédulité, vu les détails que je fournissais. La version du truquage s'imposa vite comme la vraie.

Mais ce fut lors du premier putsch de pacotille que X partit à l'as-saut de l'article que j'avais écrit à cette occasion dans L'Express. Il poussa la bassesse jusqu'à envoyer une lettre furieuse à Jean-Jacques Servan-Schreiber pour m'accuser de complicité avec la contre-révolu-tion et l'extrême droite portugaises. Il tombait mal, car je devais mes informations à une source de première main, un avocat international et homme politique portugais, Antonio-Maria Pereira, que j'avais connu grâce à un associé de Robert Laffont, un Français vivant à Lisbonne, l'éditeur Georges Lucas. Antisalazariste mais pas marxiste, Pereira, libéral comme Sa Carneiro et Annibal Cavaco Silva, tous deux futurs Premiers ministres, figurait sur la liste des suspects, en cette période où être même seulement socialiste et non pas commu-niste vous rejetait dans le fascisme. A la suite d'une délation menson-gère, il paya d'ailleurs cet entêtement démocratique de quelques semaines passées derrière les murs d'une prison d'où on l'avait vite libéré, faute de preuves d'une quelconque intrigue réactionnaire. Plus tard député, puis président de la commission des Affaires étrangères de l'Assemblée de la République, Antonio est devenu et resté un de mes bons amis. Il m'a toujours beaucoup aidé à suivre et à comprendre la politique portugaise, d'un point de vue quelque peu différent de l'éclairage que m'apportait de son côté Mario Soarès, mais aussi honnête. Les circonstances et ses relations l'avaient, en sep-tembre 1974, placé devant les ressorts cachés de la feinte tentative de restauration fasciste, agencée en vue de permettre ensuite aux communistes et à un traîneur de sabre extrémiste, Otelo de Carvalho, de sévir contre le centre et le centre gauche en « bolchevisant » la Révolution. Antonio-Maria Pereira publia en 1975 sur cette provocation de 1974 un livre aujourd'hui devenu classique, *A Burla do 28 setembro* (« La Farce du 28 septembre »). J'emploie ici provocation au seul sens techniquement exact du terme en matière de manipulation des foules, c'est-à-dire l'acte de fabriquer soi-même un événement, un attentat, un putsch, un appel à l'insurrection, en s'arrangeant pour que les apparences le fassent attribuer à l'adversaire que l'on veut perdre en l'accusant du forfait.

J.J.S.S. m'ayant transmis la lettre de X, je fixai à ce dernier un rendez-vous au Berri-Bar, café de la rue de Berri jouxtant l'entrée de *L'Express*, avant le transfert du journal avenue Hoche en 1979. Je trouvai devant moi un être décomposé, au visage tiraillé par une épreuve morale dont l'intensité affolée me parut disproportionnée avec l'incident. Je savais que les reporters détestent voir les éditorialistes, race qu'ils jalousent, se mêler d'aller eux-mêmes compter les bouteilles dans les celliers placés sous leur garde, au risque de s'apercevoir qu'il en manque. Mais mon empiétement profanateur ne suffisait pas à expliquer sa détresse. J'avais devant moi, au Berri-Bar, je le compris plus tard en découvrant ses liens avec les services cubains, un homme désemparé parce qu'il venait de perdre la face vis-à-vis de ses employeurs, je veux dire ceux qu'on ne connaissait pas et qui n'étaient pas la direction du journal. Sûr, jusque-là, de couvrir seul le Portugal, il leur avait promis que *L'Express* publierait ponctuellement la version à leur convenance de tout événement survenant dans ce pays. Mon intrusion l'avait empêché de leur livrer la marchandise et, pis, l'écartait du dossier. En même temps qu'il se tordait la bouche d'anxiété, il essayait de me soutirer des renseignements sur mes sources, pour fournir à ses amis de Lisbonne les noms des coupables. Dès ce moment, seuls André Pautard, un authentique « grand » reporter, et moi-même nous occupâmes, en effet, de la Révolution portugaise. Les sauveurs rétrospectifs de la démocratie au Portugal furent légion par la suite, comme devaient le devenir ceux de la transition démocratique en Espagne. Sur le moment, pourtant, j'ai vu beaucoup de ces futurs secouristes plutôt dans le chœur qui soutenait les artisans d'une mainmise bolcheviste-léniniste.

Quatre ans plus tard, en 1979, aussitôt terminée ma sidérante conversation téléphonique avec l'ambassadeur de Cuba, je convoquai X pour l'informer de ma découverte et de son inéluctable conséquence : son licenciement. Je lui dis mon intention d'en cacher le vrai motif, de peur de l'empêcher de se recaser ailleurs. Je prétexterai, lui précisai-je, ne plus vouloir personne qu'on soit obligé de récrire, du moins de récrire intégralement, car le public ne supporte plus, aujourd'hui, de reportages dans un style anonyme. Il partirait ainsi avec de plantureuses indemnités, dont Dieu sait combien sa faute professionnelle et morale aurait justifié qu'on le privât. Pétri d'un imbécile contentement de lui-même, il restait inconscient de sa forfaiture.

« Ben, tu comprends, répliqua-t-il, en guise de plaidoyer, affectant une gouaille traînante et rigolarde, et me prenant presque pour complice d'une bonne blague, c'était pas sorcier de subodorer que si *L'Express* préparait un numéro sur Cuba, ça serait forcément pas un truc très chouette pour eux. » Incommodé par cette placide et injurieuse jactance et passant de la commisération au courroux, je lui notifiai avec toute la sécheresse dont j'étais capable que le journal n'avait pas besoin d'indicateurs dans sa rédaction et lui montrai la porte.

Mais je n'étais pas au bout de mes peines. Loin de partir avec discrétion et avec l'argent, l'énergumène, sachant pouvoir compter sur le secret que je lui avais promis, s'offrit auparavant le luxe d'un scandale public. Par souci d'impartialité, je laisse le soin de raconter l'épilogue à un organe professionnel, dont voici le compte rendu dépourvu de fioritures :

« Offensive syndicale à « L'Express » au sujet du départ (à terme) d'un reporter.

« La rédaction d'un journal est-elle condamnée à être « gelée » dans sa totalité ou le directeur qui a été placé à sa tête conserve-t-il la liberté de choisir ses collaborateurs comme il l'entend et au mieux des intérêts dont il a la responsabilité ? La question, aussi absurde qu'elle paraisse au premier abord, n'en est pas moins revenue au premier plan de l'actualité la semaine dernière, avec les remous créés à *L'Express*, par le départ (à terme) d'un reporter de l'hebdomadaire.

« Ce reporter qui est à *L'Express* depuis quinze ans, faisait partie, lui, de l'ancienne équipe, celle de Jean-Jacques Servan-Schreiber et de Françoise Giroud où il était couramment admis que les articles des reporters lancés aux quatre coins de la planète, soient « rewrités » à la rédaction du journal. Les temps ont changé, les méthodes également. Jean-François Revel, qui a succédé l'année dernière à Philippe Grumbach, aurait donc fait comprendre à X que l'heure avait peut-être sonné de chercher un poste qui puisse lui convenir dans quelque autre rédaction en train de s'organiser actuellement, étant admis que le collaborateur de *L'Express* quitterait la place avec les honneurs dus à son rang et les indemnités allant de pair avec son temps de présence dans la maison.

« L'histoire aurait sans doute été sans problème si l'intéressé n'avait pas appartenu au Conseil national des journalistes CFDT. Le ban et l'arrière-ban syndicalistes de *L'Express* ayant été dûment mobilisés, Jean-François Revel fut sommé de s'expliquer le 6 juillet sur le congé « à terme » donné à ce collaborateur. Ce que fit de bonne grâce le directeur de la rédaction qui fit état de l'incompatibilité des méthodes de travail de X avec celles de la nouvelle équipe de *L'Express*. Pour donner à l'affaire l'ampleur qui convenait à un événement dont la minceur confinait à la transparence, de nouvelles réunions syndicales furent prévues pour le 9 et le 10 juillet d'où il émergea finalement que la solidarité des éléments de gauche avec le futur partant pourrait se traduire par des suspensions de travail.

« Une fuite opportune en direction de *Libération* et en l'absence de Serge July, avait pourtant donné naissance à la dernière page du journal à une relation très « orientée » des faits chapeautée d'une « Menace de grève à *L'Express* » dont le principal intéressé, Jean-François Revel, qui avait reçu les syndicats à plusieurs reprises, n'avait jamais entendu parler.

« Qui restera en fin de compte maître du terrain du syndicat CFDT ou de la direction de *L'Express* ? Jean-François Revel, tout en exprimant son désir de se séparer du vétéran « dans les conditions les plus humaines et les plus amicales », ne semble envisager nul compromis sur le principe de sa propre autorité : « Un directeur de journal doit pouvoir modeler son équipe comme il l'entend », dit-il avec fermeté. Il est assez évident que si dans cette mini-épreuve de force syndicats-direction, les premiers devaient s'avérer gagnants et réussir à maintenir X à son poste de reporter, Jimmy Goldsmith, lui, n'aurait plus qu'à envisager sérieusement de fermer son journal pour se consacrer au secteur alimentaire. Ce qui, à l'heure où nous écrivons, paraît quand même douteux. »

Un petit groupe anonyme de militants d'extrême gauche, à *L'Express*, saisissait toute occasion de téléphoner, contre la direction, des communiqués, exprimant soi-disant le sentiment de la rédaction tout entière, à des journaux qui ne nous aimaient pas et s'empressaient de les publier en se gardant bien d'en vérifier le bien-fondé comme de contrôler l'authenticité de leur source. Jamais, dans ces campagnes de dénigrement, venues de nos propres rangs, je n'ai reçu le moindre coup de téléphone des directeurs de ces journaux, presque toujours *Le Monde*, *Libération* et *Le Matin* (quotidien socialiste fondé en 1977 et disparu en 1987), dans le dessein au moins de recueillir, sinon de croire, ma version des faits. Plusieurs de mes prédécesseurs, Jean-Jacques Servan-Schreiber ou Philippe Grumbach, avaient déjà essuyé de ces violations grossières de la déontologie, dues à nos positions favorables au libéralisme économique, à la démocratie politique, à l'Alliance atlantique et au Marché commun, bref à l'Occident et à « l'Europe décadente » (pour reprendre le titre du livre de Raymond Aron). Je contestais à nos confrères non pas le droit de combattre nos idées au moyen des leurs, mais d'ourdir contre nous des coups bas, véniels à leurs yeux car, dans le climat de l'époque, nos thèses leur paraissaient des crimes contre l'Union de la gauche. Quant aux journalistes qui tramaient dans le sein ô combien nourricier de *L'Express* leurs minables machinations, je ne leur reprochais pas non plus leurs opinions. Mais pourquoi n'allaient-ils pas les défendre dans les journaux dont elles constituaient la doctrine officielle ? Pourquoi endurer le martyre dans un hebdomadaire dont la ligne prédominante contrariait si douloureusement la leur, eux qui ne pardonnaient pas à un homme politique de rester dans un gouvernement opposé à ses options ?

Je ne m'étais pas plus tôt fait ces réflexions qu'elles reçurent une nouvelle illustration, en janvier 1981. Jimmy Goldsmith venait, en qualité d'invité à titre personnel, de prononcer une communication concernant la presse devant la Commission des médias du Parti conservateur britannique à la Chambre des Communes. Il y mentionnait, entre autres sujets, les « moyens de désinformation » dont disposaient les pays communistes en Occident. Bien que conforme à ses obsessions, le thème n'avait rien que de très banal et ne manquait pas de fondement, comme l'a prouvé l'ouverture des archives du KGB après 1991, et, auparavant, de la Stasi, après la disparition de l'Allemagne de l'Est en 1989 ou encore de la Securitate roumaine après la chute de Ceauşescu.

Aussitôt connu le discours de Jimmy, nos mêmes bienveillants confrères à Paris s'empressèrent d'accommoder à leur sauce ses déclarations sur les « infiltrations communistes dans la presse occidentale » en les présentant comme le prélude à une « chasse aux sorcières » de type « maccarthyste » à *L'Express*. Et, avec la même et opportune simultanéité coutumière, un correspondant anonyme téléphona de chez nous à l'Agence France-Presse un « communiqué » de source indéterminée. « Les » journalistes de *L'Express*, y lisait-on, se « déclarent choqués par les propos de M. Goldsmith, qui jettent le discrédit sur toute la profession ». Or je n'avais eu connaissance d'aucun texte dans ce sens portant les signatures de la majorité des collaborateurs du journal, au nom de laquelle avait parlé sans mandat une poignée d'insaisissables propagandistes, dont la tactique, par parenthèses, pouvait passer pour une confirmation expérimentale de la thèse prêtée à Jimmy.

Quant à la teneur réelle et intégrale de son exposé, personne, ni chez nous ni chez nos confrères, n'avait pris la peine de s'en informer. Elle se composait de deux parties distinctes. Dans la première, l'orateur décrivait l'appareil international de la propagande soviétique, les organisations dites satellites ou « de façade » (*front organizations*) banal catalogue, depuis longtemps de notoriété publique et accessible à tout le monde. Pour étayer la réalité de leur influence sur les mass media occidentaux, Jimmy s'appuyait sur des documents déjà publiés, republiés et archiconnus, notamment les témoignages de deux Tchécoslovaques et d'Andréï Sakharov. Dans cet aperçu international, il ne consacrait à la France qu'une seule et unique mention, à propos d'un exemple incontestable, celui d'un certain Pathé, obscur auteur d'une « Lettre confidentielle », démasqué comme agent soviétique et que la justice française venait de condamner et d'emprisonner pour espionnage. On ne pouvait donc guère expliquer cette référence au récent cas de Pathé, officiellement reconnu agent soviétique par nos propres tribunaux, par la seule « paranoïa anticommuniste » de Jimmy. Dans la seconde partie de son allocution, la France était, pour le coup, totalement absente. Il n'y était question que de la Grande-Bretagne, à propos d'affaires notoires qui avaient, elles aussi, traîné en long, en large et en travers dans tous les journaux et devant tous les tribunaux. En conclusion, cette anodine causerie aux Communes ne contenait aucune allusion à la presse française, à part celle au très marginal et indubitable Pathé, et encore moins à l'éventualité d'une « chasse aux sorcières » à *L'Express*.

Si et quand la rédaction éprouvait des inquiétudes, à tort ou à raison, je ne demandais pas mieux que d'en écouter les motifs. Mais je ne pouvais accepter la diffusion au-dehors de communiqués malveillants et mensongers, dus à des tireurs embusqués. Je suggérai qu'avant tout communiqué de ce genre, pour s'assurer qu'il présentât des garanties de représentativité et de légitimité, on discute section par section, puis en assemblée générale, avec quorum et vote secret. La dérobade des chefs de service me déçut. Eux-mêmes intimidés par les agitateurs au sein de leurs troupes, ils déclinèrent ma proposition sous des prétextes indignes de leur intelligence. Ce que recherchaient les auteurs de ces communiqués diffamatoires n'était en effet pas du tout que l'on analysât de façon rationnelle leurs motifs de mécontentement afin d'en tenir compte ou pas. Ils voulaient au contraire continuer à fuir toute délibération honnête et, surtout, publique, qui n'eût pas manqué de révéler à quel point ils étaient minoritaires. Ils voulaient rester dans l'ombre et continuer à expédier au nom de tous ce qui n'était que les brûlots d'une coterie. Ils savaient que, dans l'eau trouble de la mauvaise foi, leur pêche serait plus fructueuse que dans l'eau claire d'un débat honnête. Contre leurs calomnies lâchement anonymes, mes rectificatifs, si argumentés fussent-ils, ne palliaient qu'en partie le dommage causé par eux au journal.

Il valait la peine de supporter ces misères, dévoreuses d'énergie et de temps, afin de s'efforcer de bâtir un journal qui fût plus qu'une feuille d'avis : une œuvre. Peut-être a-t-on pensé que nous y étions en partie parvenus, puisqu'un grand nombre d'oiseaux vinrent visiter notre vaisseau et se percher sur nos vergues.

III

En janvier 1978, Jimmy avait eu le bons sens et le bon goût de suggérer la constitution d'un Comité éditorial restreint, chargé de veiller à l'exactitude de l'information, voué à réfléchir aux orientations générales, à définir et redéfinir nos principes, à trancher dans les questions qui impliquaient d'importants choix politiques, idéologiques ou moraux. J'applaudis à sa proposition, car les conférences de rédaction, séances de travail bi ou trihebdomadaires servaient de lieu d'élaboration du numéro en cours et de théâtre d'opérations aux batailles que livrait chaque chef de section aux autres pour grapiller le plus grand nombre de pages possible. Mais une assemblée vaut ce que valent les dispositions naturelles de chacun de ses membres à traiter des objets qu'elle examine. Sa fécondité dépend du supplément d'invention ou de clairvoyance apporté par les échanges d'idées qui s'instaurent entre eux du seul fait qu'ils sont ensemble. La composition du Comité résultait d'un compromis entre les considérations d'ancienneté, de hiérarchie et de notoriété. Ce mélange aux éléments hétéroclites et inégaux se révéla de ce fait peu efficace. Les délégués syndicaux de la CGT (communiste) et de la CFDT (alors socialiste révolutionnaire) crurent devoir confier, une fois de plus, à l'Agence France-Presse l'expression de leur inquiétude à l'apparition de ce comité éditorial. Comme de coutume, ils outrepassaient les limites légales de leur mission, laquelle consistait à veiller aux conditions de travail et aux intérêts matériels de leurs mandants, non à s'ériger en cellule de police idéologique et politique du contenu rédactionnel de *L'Express* au nom de la gauche. Cet abus de fonction et cette inconvenance se doublaient d'une sotte alarme. Pendant les réunions du comité, en quoi les syndicats bornés voyaient un tribunal de l'Inquisition de droite, Olivier Todd et Max Gallo plaidaient pour le socialisme. Max possédait même sa carte du PS et deviendrait député, puis ministre sous la première présidence de Mitterrand. Danièle Heymann, quoique plutôt à gauche elle aussi, mais indifférente aux problèmes généraux, ne s'occupait que de ses propres oignons, qu'elle cultivait loin de cette enceinte. Yves Cuau se bornait à résumer les dépêches d'agence de la veille en affectant un air préoccupé « pour l'avenir du journal », façon délicate de mettre en doute mes capacités. Tim, imprégné de sagesse politique autant que de talent graphique, observait cependant une réserve modeste. Il ne pesait jamais en faveur d'une solution rédactionnelle plutôt que d'une autre. René Guyonnet ne disait jamais rien. Pour ma part, quand je devins, à quelque temps de là, directeur, j'adoptai en comité éditorial une attitude neutre. Puisque je détenais par ailleurs l'autorité, j'attendais de ces réunions une lumière venue des autres. Je me bornais donc à y soumettre les projets et à y décortiquer les dilemmes pour y attendre les conseils et les appuis qu'on voudrait bien me donner, espérant de mes compagnons un surcroît de discernement et de détermination. Aucun surmenage cérébral ne me menaça dans la collecte de leurs recommandations. Dans un journal, je l'ai souvent noté, beaucoup gémissent qu'on ne les consulte pas, mais, quand on leur demande leur avis, on s'aperçoit qu'il n'en ont aucun.

Restait Raymond Aron. Il était, bien entendu, celui dont j'attendais le plus. C'était, à dire le vrai, surtout pour lui que nous avions institué ce comité, afin de lui en confier la présidence, de l'installer et de l'exhiber ainsi au faîte du journal, au-dessus de tous les autres éditorialistes.

Il n'eût tenu qu'à Raymond de tourner ce poste honorifique en centre d'influence actif. J'en sentais le besoin et il en avait envie. J'aurais voulu la sécurité d'un confident au-dessus de moi, d'un aîné, d'un arbitre à qui je puisse tout dire, d'un conseiller tel que lui, c'est-à-dire qui fût supérieur à moi et au clapotage quotidien de la rédaction, capable de m'aider à contenir les embardées de Jimmy aussi bien que les cabales des grands médiocres et des petits ambitieux. Aron possédait toute la stature voulue pour exercer cette magistrature morale. Lui, j'y reviens, aspirait depuis des années à ce qu'on lui reconnût la fonction de directeur politique d'un journal. Comme il le confesse avec un échauffement ulcéré dans ses *Mémoires*, c'est parce que en 1977 Robert Hersant, le propriétaire, lui avait refusé l'exercice effectif de cette fonction qu'il avait démissionné du *Figaro*. Devenu ainsi disponible, le plus convoité des éditorialistes politiques français reçut alors des offres simultanées du *Point* et de *L'Express*. Ses inclinations, son amitié pour Georges Suffert le portèrent d'abord à préférer le premier. Claude Imbert me le raconta plus tard : durant les pourparlers qui se nouèrent avec Olivier Chevrillon, le président, et Georges Suffert, Aron ne tarda pas à entonner sa nouvelle litanie et à réclamer le titre de directeur politique. Chevrillon prit alors son téléphone pour demander à Claude, qui avait préféré les laisser négocier d'abord seuls, de venir se joindre à eux, pour ouïr l'exigence d'Aron. Claude, en toute logique théorique et pratique, y objecta que le seul directeur politique possible d'un journal politique était son directeur tout court, en l'occurrence lui-même. Sans quoi, relégué au rang de secrétaire de la rédaction, quelle autorité concrète et morale aurait-il gardée ? Que Raymond ne comprît pas la légèreté de sa revendication m'étonne encore aujourd'hui et montre que l'esprit le plus vaste et le plus rationnel peut s'aveugler sur un point, quand il omet d'ouvrir les volets d'une seule de ses fenêtres. Dépité, il se tourna vers *L'Express*, par un coup de chance pour nous. Dans la confusion du changement de propriétaire, qui survenait au même moment, j'ignore la promesse qu'il reçut de Jimmy, mais ce ne fut pas celle qu'il aurait la direction politique. Il ne l'obtint qu'à titre exceptionnel, durant sa malencontreuse juridiction provisoire, à la veille des élections, en mars 1978, où son inexpérience de l'action et des hommes nous fit frôler le déraillement, ainsi que je l'ai narré. Avant et à part cette folle soirée, quand je lui rendis visite, durant l'été 1977, en compagnie d'Olivier Todd, dans sa maison du Midi, à Joucas, il n'évoqua aucune direction politique. En revanche, je jugeai que la présidence du Comité éditorial lui conviendrait à merveille comme outil de l'influence légitime qu'il méritait d'obtenir, et dont, pour mon compte personnel, je voulais que nous eussions le bénéfice. Aron accédait ainsi de façon élégante à la fonction « rectrice », sinon directrice, qu'il avait tant souhaitée.

Hélas ! j'ai rarement vu aspiration plus contraire au tempérament d'un homme et illusion sur lui-même plus stupéfiante. Comment Raymond avait-il pu mettre tant d'opiniâtreté depuis quelques années à ambitionner un poste actif, au point d'envoyer promener deux journaux qui le lui avaient refusé, alors que, je m'en aperçus très vite, il souffrait d'une incapacité insurmontable à prendre une décision ? Que dis-je, une décision ? à donner même un conseil précis, fût-ce en laissant à autrui la responsabilité de la décision proprement dite.

Chaque fois que je soumettais au Comité un éventail de ces « grandes orientations » sur lesquelles Raymond désirait si ardemment avoir son mot à dire, il le disait, en effet, et avec abondance, mais sans jamais indiquer quelle branche de l'alternative il préférait en pratique. L'étendue de son intelligence maîtrisait toutes les idées, mais répugnait à en appliquer aucune, quand l'application dépendait de lui. Dans ses éditoriaux, bien entendu, il prenait parti pour une politique, même si c'était après avoir analysé mieux que personne le pour et le contre de toutes. Mais sa position ne valait pas décision. Au contraire, dans le cadre pourtant modeste de *L'Express*, comparé aux enjeux des puissants Etats qu'il admonestait dans ses articles, conscient que son avis déterminerait une option et l'associerait à une éventuelle erreur, il reniflait comme un cheval face à une haie d'épines et se dérobait devant l'obstacle. Il se réfugiait dans une éblouissante leçon magistrale, un festival des mondes possibles, sans jamais consentir à calculer, tel le Dieu de Leibniz, afin de porter à l'existence le meilleur d'entre eux[1]. Avec lui, le Comité éditorial s'apparentait moins à une instance de délibération aboutissant à des directives qu'à une séance pluridisciplinaire de l'Académie des sciences morales et politiques — dont il était d'ailleurs un membre éminent. L'Académie comme le Comité siégeaient le lundi après-midi. Raymond passait sans transition de la première au second, en me donnant parfois l'invincible impression qu'il ne les distinguait plus très nettement, du moins quant à la méthode de travail et aux objectifs poursuivis.

Ainsi, malgré tous les rappels à l'ordre du jour que la politesse me permettait, je n'ai jamais réussi à frayer un bief de partage entre le Comité, devenu séminaire intemporel de science politique, et les résolutions concrètes et constantes que doit arrêter un directeur de la rédaction. Aron ne se compromettait pas davantage quand je provoquais avec lui, Goldsmith, Todd et quelques responsables une réunion confidentielle et plus restreinte en vue d'une décision sortant de l'ordinaire. Il développait avec clarté, subtilité, prolixité le pour et le contre, mais ne concluait pas. Si on avait voté, il se serait abstenu. Il ne s'abstenait pas, je le répète, dans ses articles, puisque aussi bien il revendiquait le qualificatif de spectateur « engagé » de la scène mondiale, mais il reculait dès qu'on lui demandait un avis destiné à déterminer sur son lieu de travail un acte excluant l'acte contraire.

Il n'usait pas davantage du pouvoir qu'il avait tant appelé de ses vœux et que mon admiration, mon affection lui reconnaissaient sans arrière-pensée, lorsque nous déjeunions en tête à tête. C'était fréquent, et je sollicitais alors son intervention ou son appui dans telle ou telle affaire, soit auprès de Jimmy, soit auprès de tel ou tel secteur de la rédaction. Je ne sollicitais son intervention, cela va de soi, que dans les cas où il me donnait raison. Mais agir violentait sa nature et constituait dans notre confiante collaboration une étape au seuil de laquelle il préférait m'abandonner, même quand c'était lui qui m'avait, de sa propre initiative, signalé une difficulté ou un abus appelant d'énergiques mesures.

Il en avait du reste conscience dans le tréfonds de son for intérieur. Ainsi, le 29 décembre 1979, répondant à mes vœux de bonne année, il écrivait à la fin de son petit mot : « Je profite de l'occasion pour vous remercier de votre gentillesse, de votre loyauté dans vos relations avec moi. Vous me rendez ma collaboration à *L'Express* aussi agréable que possible. » A ces lignes qui me consolaient et me comblaient, il ajoutait avec lucidité cette semi-confession : « Je regrette, de temps à autre, de ne pas donner davantage à *L'Express* ; mais, au bout du compte, peut-être les choses sont-elles ainsi le mieux possible. » Cet aveu sous-entendu devint explicite dans une conversa-

---

1. *Dum Deus calculat, fit mundus*, « Dieu crée le monde en calculant ». (Leibniz.)

tion que nous eûmes chez *Tiburce*, aimable petit restaurant de la rue du Dragon, alors encombré d'éditeurs, d'auteurs et de journalistes. C'était à l'automne de 1981. J'avais quitté *L'Express* six mois plus tôt. Je ne sais pourquoi ou, plutôt, je crois le deviner, et j'en reparlerai, Raymond éprouvait alors le besoin de me voir encore plus souvent qu'auparavant. Au cours de ce déjeuner, j'attirai son attention sur un article pitoyable, paru dans « son » journal, qui désormais n'était plus le mien et, en fait, n'était plus à personne. Il y était question de la récente réorganisation du Centre national de la recherche scientifique par le ministre socialiste, suivant les deux principes du Parti socialiste, c'est-à-dire d'abord l'application de critères idéologiques, ensuite la distribution de places aux amis. Le socialisme se croyait scientifique mais ne croyait pas que la recherche dût l'être. Le coup de force à la fois abêtissant et prédateur du ministre avait choqué les vrais chercheurs au point de provoquer plusieurs démissions réprobatrices. Le CNRS méritait, certes, une « révolution culturelle », comme aimait à dire le ministre, Jean-Pierre Chevènement. Ce Lénine provincial et béat, rédacteur intarissable de tous les programmes et manifestes de François Mitterrand, appartenait à la catégorie des imbéciles qui ont un visage d'homme intelligent, encore plus traîtresse et redoutable que celle des hommes intelligents qui ont un visage d'imbécile. J'entends ici par intelligence non point la seule aptitude à concevoir et à discourir, mais la capacité de comprendre les grands sujets de son époque. Selon cette définition, ma remarque s'applique aussi bien à François Mitterrand qu'à Charles Maurras. En fait de révolution culturelle, il aurait fallu au CNRS une réforme corrigeant l'idéologisme et le favoritisme, et non pas une giclée de copinage les aggravant. Or *L'Express* venait de publier sur cet exploit un article d'une si niaise complaisance qu'il aurait pu servir de repoussoir même à des journaux soutenant la nouvelle majorité, lesquels, *Le Monde* par exemple, formulaient certaines critiques. La journaliste de *L'Express* avait reproduit sans changement la ritournelle officielle que lui avait administrée un membre du cabinet du ministre, sans aucune vérification des faits ni confrontation à un autre point de vue. Souvent, les journalistes qui se disent « professionnels » ne peuvent entrer dans un ministère sans entrer aussi en extase. Ils ingurgitent avec recueillement la sainte communion gouvernementale. La servilité nouvelle de *L'Express* à l'égard du pouvoir socialiste illustrait bien l'inconséquence de Jimmy, car elle survenait au moment où son journal avait, plus que jamais, une fonction de vigilance à remplir et occupait une position incomparable pour le faire.

— Que Jimmy ne soit guère au fait des labyrinthes universitaires, on peut l'en excuser, dis-je à mon hôte ; mais, vous, Raymond, vous qui connaissez à fond la culture française, la sacristie et le sérail, vous qui siégez depuis des dizaines d'années dans les commissions du

CNRS, comment avez-vous laissé passer un tel article, à la fois flagorneur et erroné ?

— Oui, je sais, me dit-il, soudain triste et résigné, c'est un article avilissant de sottise et de lâcheté ; mais si je me mettais à batailler contre tous les articles de même farine qui passent en ce moment dans le journal, il ne me resterait plus de force pour faire quoi que ce soit d'autre, ni même pour vivre.

— Laissez, lui dis-je, je vous comprends. Finissez votre sole avant qu'elle ne refroidisse. Savez-vous qu'elle est déglacée au champagne ? C'était en effet une fierté du chef-patron. Il lui arrivait d'insister pour que le client aille en cuisine constater de visu qu'il employait bien du champagne dans ses sauces, comme la carte l'annonçait.

La carte des socialistes annonçait aussi beaucoup, à l'époque où Aron et moi collaborions au sein du même journal, mais l'addition restait encore heureusement virtuelle. La partie de la lettre de Raymond où il me remerciait avec tant de bonne grâce de notre entente était, je crois, sincère. Il la confirme dans ses *Mémoires*. Il me touchait en mentionnant souvent (par exemple, encore, dans une lettre du 20 mars 1980) le « climat de confiance entre nous ». Ma « loyauté » à son endroit ne me coûtait d'ailleurs aucun effort, tant elle découlait de l'estime affectueuse que je lui portais. Mais je savais désormais que nos discussions tout à la fois professionnelles et amicales devaient se circonscrire au choix des sujets de ses éditoriaux. Aron ne s'intéressait, en fait, qu'à la pensée d'Aron, dont la richesse justifiait d'ailleurs cette passion exclusive.

Non qu'elle fût tournée seulement vers elle-même, comme tant de pensées au verbalisme narcissique d'autres philosophes. L'universalité de sa curiosité intellectuelle et de son information, si scrupuleuse, constamment tenue à jour, promptement disséquée, me ravissait chaque fois que nous parlions. D'un commun accord, je lui téléphonais tous les lundis matin à neuf heures moins le quart à son domicile pour convenir avec lui du thème de son éditorial de la semaine. L'effet des somnifères qu'il prenait s'achevait à huit heures précises. Quarante-cinq minutes plus tard, son esprit analysait événements et idées avec souplesse et virtuosité. Il me sentait captivé, au bout du fil, par ses démonstrations. Il les développait avec d'autant plus de plaisir qu'il me savait avide de les entendre. Même les rédacteurs les plus glorieux et les plus sûrs de leur talent éprouvent le besoin de trouver dans leur directeur de la rédaction un confesseur et une sorte de premier public. Ce dosage entre l'autorité et la disponibilité diffère et traverse toutes les proportions selon le rédacteur auquel on l'adapte. Mais il est indispensable pour empêcher les stérilités contraires et symétriquement néfastes du despotisme et de l'anarchie. Même quand on change un titre, il faut savoir donner à l'auteur de l'article l'illusion que c'est lui qui a trouvé le nouveau, et lui envoyer au besoin un billet pour le féliciter d'avoir deviné que son magnifique papier, intitulé « L'art du bilboquet dans les Carpathes », allait s'améliorer encore si on l'appelait « Un dernier amour de Michel-Ange ».

Mais la circonférence de son intelligence et la diversité de son œuvre étaient telles qu'Aron, atteignant soixante-quinze ans, pouvait nourrir le sentiment d'avoir déjà dit dans le passé tout ce que les autres pouvaient dire aujourd'hui. La difficulté de l'associer à la confection de tel ou tel numéro venait de ce que tout article proposé, même dû à un spécialiste de renommée mondiale, lui inspirait un désabusé : « J'ai déjà dit tout ça. » Il me reprocha en 1979 avec amertume de ne pas l'avoir associé à la préparation de notre numéro spécial sur l'Allemagne, un de nos plus marquants succès, alors qu'il connaissait si bien et la langue et le pays. Je l'avais consulté en tête à tête, mais je l'avais en effet tenu à l'écart des réunions de travail, feignant de juger qu'il s'agissait d'une basse cuisine indigne de lui. Je prévoyais que nous y entendrions avec profit ses exposés, mais qu'il récuserait pour incompétence toutes les propositions de collaborations intérieures ou extérieures, ou, au mieux, les accueillerait avec un indulgent scepticisme, sans jamais mettre noir sur blanc : « Nous demandons tel article à Untel », de sorte que la préparation du numéro aurait pu durer quinze ans sans aboutir.

En novembre 1980, j'avais participé, au Pérou, à un colloque international sur « Démocratie et économie de marché ». C'est en Amérique latine que prirent alors leur essor certains thèmes centraux du débat idéologique de la décennie suivante. Deux ans auparavant, au Venezuela, la Fondation Cisneros avait organisé sur le sujet « Démocratie, autocratie et totalitarisme » une conférence où, entre autres orateurs, je m'étais retrouvé en compagnie de John-Kenneth Galbraith, Arthur Schlesinger, historien et ancien conseiller du président Kennedy, Carlos Rangel évidemment, Hugh Thomas, l'historien britannique auteur de travaux classiques notamment sur la guerre d'Espagne et sur Cuba, Romulo Betancourt et Rafael Caldera, appartenant à deux partis opposés, tous deux anciens présidents du Venezuela (le premier avait restauré la démocratie dans son pays, le second serait de nouveau porté à la présidence en 1994), enfin Felipe Gonzalez, le jeune secrétaire général du Parti socialiste espagnol, qui représentait un socialisme moderne, antitotalitaire, et même antimarxiste, ce libéralisme de gauche dont j'avais souhaité l'éclosion dans *La Tentation totalitaire*, bref le contraire de la régression socialiste à la française. Hélas ! qu'ils fussent espagnols ou français ou italiens ou grecs ou belges, les socialistes, tant marxistes que sociaux-démocrates, une fois au pouvoir, allaient tous s'affaisser dans la même corruption crapuleuse, manifester le même don inné pour le vol. Felipe, encore dans l'opposition, gardait sa pureté. A cette réunion de Caracas, couverte par les presses de tous les pays hispanophones et anglophones, il articula une condamnation hardie de l'Union soviétique, précipitant au bord de la crise de nerfs les rares socialistes espagnols demeurés archaïques et les nombreux socialistes français qui l'étaient redevenus. Sa femme, Carmen Romero, incarnait, contrairement à lui, le sectarisme soupçonneux de la gauche figée. Mais ce qui me porta un coup, chez elle, fut moins la raideur de ses convictions que la maigreur de ses jambes. Je me rappelle un après-midi où le président du Venezuela en exercice, Carlos-Andrès Perez, avait invité les congressistes à prendre le thé à sa résidence. Carmen croisait ses jambes dans un fauteuil à ma gauche, Felipe souriait dans un autre fauteuil, en face de moi, pendant que le Président, assis à ma droite, nous détaillait les finesses de la politique pétrolière de son pays. Mais tout le pétrole de Maracaïbo, même si on m'en avait fait cadeau, n'aurait pu distraire mon attention ni détacher mes yeux furtifs de ces deux longues allumettes, selon moi propres à tuer tout désir masculin pour une femme par ailleurs assez jolie. Mais pourquoi ? A mon retour je soumis la question non pas à Raymond, mais à Jimmy, plus entraîné que le premier à méditer sur ce genre d'énigme. En revanche, je réservai à Raymond une anecdote plus appropriée à ses préoccupations, la réponse qu'avait faite l'ex-président Romulo Bétancourt à ma question : « Quel fut le plus beau moment de votre carrière politique ? » Je m'attendais à ce qu'il me répondît : « Ce fut de succéder en 1959 au dictateur Pedro Jimenez en tant que premier président régulièrement élu de la nouvelle ère démocratique. » Or Bétancourt me surprit en se montrant plus démocrate encore et moins égocentrique que je ne l'attendais de lui, en prononçant ces mots : « Ce fut en 1964 quand je transmis mes pouvoirs à mon successeur, Raùl Leoni, qui avait battu le candidat de mon parti de deux ou trois mille voix seulement, et qui prit possession de la présidence sans qu'éclatât dans le pays la moindre sédition tendant à renverser le verdict des urnes. Je compris alors que nous étions enfin guéris de la tradition "golpiste" latino-américaine (de *golpe*, coup d'Etat) et venions d'accéder à la rationalité de l'Etat de droit. »

Quant à mon colloque à Lima, en 1980, j'en rapportai l'amitié qui m'unit dès ce moment à Mario Vargas Llosa (avec qui je correspondais déjà depuis qu'il m'avait consacré un article dans *Cambio 16* en août 1979) et aussi le souvenir de mes conversations avec Friedrich von Hayek, l'invité de marque du colloque. Nous vivions alors ce tournant de la pensée économique du XXe siècle où le dirigisme de Keynes, révélant ses limites et ses effets contre-productifs, tombait dans le discrédit, et où le libéralisme de Hayek en sortait. En bavardant, j'informai donc Aron de mon intention de faire réaliser et paraître en document de fin de journal un entretien substantiel avec Hayek : « Tiens ! Il existe encore ? » me dit-il d'un air malicieux. Pour lui, Hayek évoquait, avec von Mises et Schumpeter, cette préhistoire libé-

rale autrichienne, brillante pendant les années vingt, ensuite disquali-
fiée par la mode keynésienne, puis ensevelie sous la coulée de lave
marxiste. Maintenant elle ressortait, seule intacte, des décombres
socialistes et dirigistes. « Hayek existe d'autant plus, répondis-je à
Raymond, que, je vous le rappelle, il a obtenu le prix Nobel d'économie en 1974. En outre, je vous le signale et il m'a chargé de vous le
dire, il vous estime beaucoup. » Le piquant de l'affaire, c'est que la
réciproque était vraie. Car à quelle autre école d'économistes Aron
aurait-il pu se rattacher par une plus étroite filiation ?

IV

Sur les questions de fond, et si l'on écarte les susceptibilités à fleur de peau, je rencontrai donc bien peu de sujets de mésentente avec Raymond Aron. En deux occasions, cependant, surgit entre nous un désaccord, qui, dans la deuxième, s'aigrit jusqu'au débat public, puisque nous convînmes de publier, l'un et l'autre, côte à côte dans le même numéro de *L'Express*, nos opinions, qui divergeaient. Les deux points de mire successifs de la colère d'Aron s'appelaient Emmanuel Todd et Bernard-Henri Lévy. Entre le moment où Françoise Giroud en avait délaissé la direction effective et celui où je l'avais assumée, *L'Express* avait quelque peu relâché son attention pour la jeune culture et perdu en partie son prestige de jadis dans ce domaine. Bien que nous eussions, en littérature pure, un des meilleurs critiques de Paris, Angelo Rinaldi, nous avions pris un coup de vieux que je désirais pallier, notamment grâce à l'audience accordée aux œuvres de jeunes auteurs. Deux d'entre eux, l'un n'ayant pas encore atteint la trentaine, l'autre l'ayant à peine dépassée, avaient d'emblée bousculé le public par leur originalité. Leurs caractères contrastaient, d'ailleurs, au possible. Le premier, à la fois orgueilleux et timide, profond et solitaire, non sans dogmatisme, ne comptait que sur la force de sa pensée et le sérieux de son information. Le second, tout en dehors et en réseaux, a fini, au fil des années, par répandre plus d'énergie dans les relations publiques que dans l'œuvre elle-même. On puise l'impulsion d'écrire ou d'abord en soi ou d'abord en autrui. Les deux types d'auteur existent, voire coexistent ou alternent jusque dans le même individu. Ici, on les trouvait isolés presque à l'état pur, séparés et incarnés en deux jeunes écrivains.

C'était moi qui, en quelque sorte, avais découvert Emmanuel. Bien sûr, le talent n'a pas à l'être. Le seul mérite que puisse avoir un tiers consiste à ne pas le laisser échapper. J'avais, comme on sait, publié chez Laffont son premier livre, *La Chute finale*, en 1976. Son deuxième, *Le Fou et le Prolétaire*, allait sortir Jugeant qu'il valait plus qu'un compte rendu, je demandai à Christian Jelen, qui avait la responsabilité des documents de fin de journal, de réaliser un entretien avec le jeune Todd. Par parenthèse, Jelen illustre bien mon dada, contraire à celui des pseudo-« professionnels », que pour devenir un bon journaliste la culture générale et les connaissances ne nuisent pas, même si elles ne suffisent pas toujours. Jelen réussissait à identifier avant nos concurrents les bons documents, à observer et à faire se confesser les auteurs ou autres personnalités, parce qu'il possédait lui-même l'équipement intellectuel et d'un historien et d'un reporter, comme il l'a montré par ses livres et ses articles. Il complétait en outre ces qualités par celle de modestie, rare chez les « professionnels », et il la manifesta dans la circonstance en demandant à Max Gallo de se joindre à lui pour interroger « Mano », puisque tel était son diminutif familial. Son père, Olivier, resta d'un bout à l'autre étranger à cette opération, comme l'exigeait non point la coutume du milieu, ô que non ! mais bien la décence que lui-même s'efforçait avec moi d'y introduire. L'entretien parut le 10 février 1979. Je ne résumerai pas ici *Le Fou et le Prolétaire*, trouvant les condensés dangereux pour la compréhension des livres. Disons en simplifiant à outrance que dans l'une de ses thèses centrales « Mano » s'efforçait d'établir que le totalitarisme constitue en quelque sorte une socialisation de la maladie mentale, qui s'objective, se projette et se fond dans une structure collective, à laquelle le moi s'identifie en s'annihilant. La maladie se trouve ainsi neutralisée chez l'individu, parce que transposée et matérialisée, « objectivée », diraient les philosophes, dans des organisations de masse. L'auteur décrivait en outre l'obsession totalitaire comme une pathologie petite-bourgeoise, qui avait déteint en France ou en Italie sur un prolétariat initialement sain, ce qu'était resté le prolétariat en Angletere ou en Suède. Cette théorie, dont l'audace un peu spéculative aurait pu à bon droit susciter la critique ironique d'Aron, déchaîna chez lui beaucoup plus : une ire dont la virulence reste pour moi un mystère. Dans une séance du Comité éditorial, il ne se contint plus, au point qu'Olivier Todd, le géniteur du coupable, préféra par discrétion s'esquiver de la salle. Quand on examine les œuvres de jeunesse d'Aron, il est facile de voir qu'elles se signalent par le sérieux d'un universitaire supérieurement doué, mais bien sage, tout grand esprit qu'il fût appelé à devenir. Ni *La Sociologie allemande contemporaine* (1934), ni *La Théorie de l'histoire dans l'Allemagne contemporaine* (1938) ne scintillaient de risques effrénés dans l'imagination de concepts imprévus. C'était bien le risque et l'imprévu, au contraire, qui ressortaient des deux premiers livres de Mano. Intrépidité qui n'impliquait pas de sa part pour autant une carence de solidité dans la documentation ni la recherche fondamentale, loin de là. Au demeurant, des historiens et sociologues classiques avaient émis avant lui cette même hypothèse : que les guerres, les révolutions, les dictatures fournissent à des psychopathes les situations leur permettant de traduire en actes des perversités ou délires, qui, en temps de concorde civile ou de paix, se fussent retournés contre le sujet atteint et se fussent intériorisés en maladies mentales. C'est l'un des enseignement du *Suicide* d'Emile Durkheim. Et Tocqueville, dans ses *Souvenirs*, applique cette explication à certains acteurs de la Révolution de 1848 qui étaient en traitement psychiatrique avant de se soigner par la politique et qui ont aujourd'hui leurs boulevards à Paris, rappelais-je à Raymond. Je lui citai un autre auteur de poids, Hippolyte Taine, qui, dans *Les Origines de la France contemporaine*, porte ce diagnostic : « Supprimez la Révolution et probablement Marat eût fini dans un asile. » C'est là sans doute une conjecture, lui dis-je ; mais en quoi déshonore-t-elle plus le petit Todd que ces grands hommes ? En outre, il l'appuie d'un luxuriant appareil sociologique. Aron ne se rasséréna point dans l'instant. Mais, deux ans plus tard, il s'abstint de toute objection quand je fis derechef appel à Mano dans un tout autre domaine, mais en vue d'une collaboration encore plus étroite. Avec *L'Invention de la France*, publié par Georges Liébert en 1981, dans la collection « Pluriel » chez Hachette, Emmanuel (associé à l'un de ses collègues démographes, Hervé Le Bras, avec lequel il ne devait pas tarder à se fâcher, car les savants se chamaillent entre eux avec encore plus d'âpreté que les danseuses) reprenait la tradition de l'école française de sociologie électorale, fondée avant la guerre de 1914 par André Siegfried. Mieux : il en perfectionnait l'outillage par un recours original à l'analyse des structures familiales cachées derrière les comportements politiques. Je me servis de cette méthode, avec le concours actif de Mano et de Le Bras eux-mêmes, tous deux armés d'un ordinateur situé à l'Institut national des études démographiques, pour suivre et analyser sur le vif l'élection présidentielle de 1981. S'associant à la première chaîne de télévision et à la station de radio la plus populaire en France, RTL, *L'Express* organisa ainsi dans les médias deux « nuits des élections », qui retentirent favorablement sur les ventes des numéros du journal sortis les lendemains matins des deux tours. Nul n'ignore que la réputation et l'autorité d'Emmanuel Todd comme sociologue politique se sont vues confirmées et reconnues toujours davantage au cours des trois lustres qui séparent l'année 1981 de celle où paraît le présent livre.

Avec *L'Idéologie française* de Bernard-Henri Lévy, en 1981 également, ma promenade aventureuse dans un champ de mines révélait-elle encore plus chez moi une aspiration secrète à m'immoler par le feu ? Pourquoi ai-je soutenu ce livre avec une ardeur dont m'ont blâmé certains de mes amis les plus proches, les plus chers et les plus estimés, tous au premier rang de l'histoire ou de la sociologie de notre temps, François Furet, Emmanuel Le Roy Ladurie, Pierre Nora, François Bourricaud et, pour commencer, Raymond Aron lui-même ? Sans parler de ma belle-mère, Nathalie Sarraute, qui tout en ayant elle-même souffert des persécutions antisémites sous l'Occupation, jugea BHL outrageusement injuste envers les Français.

J'avais décidé de soutenir dès 1977 ceux que l'on appelait alors les « nouveaux philosophes », fausse école, hétéroclite, hâtive et volatile, fabriquée par le génie publicitaire de BHL. André Glucksmann, Bernard-Henri Lévy et Jean-Marie Benoist, les trois seuls talents capables de tenir un rôle au milieu d'une troupe étriquée d'obscurs comparses rameutés pour la figuration, ne se ressemblaient ni par le tempérament, ni par l'âge, ni par le style. De plus, les deux premiers venaient du gauchisme et de mai 68, le troisième avait toujours été un libéral, qui avait eu la témérité de s'exposer aux quolibets et de passer pour un benêt en publiant son pamphlet prémonitoire *Marx est mort* en 1970, au moment où le marxisme, anéanti par l'expérience mais au pinacle de la mode, semblait devoir triompher partout. Entre *Les Maîtres penseurs* de Glucksmann, reprenant le procès intenté à quelques grands philosophes du passé par Karl Popper dans son classique *La Société ouverte et ses ennemis*, chef-d'œuvre méconnu alors en France, et *La Barbarie à visage humain* de BHL, il y avait peu en commun, dans le ton comme dans les concepts, sinon l'identification sans périphrase et la condamnation sans absolution du totalitarisme. Un an après *La Tentation totalitaire*, leur succès m'aidait à me sentir moins seul. Que Glucksmann et Lévy vinssent tous deux du maoïsme de 68 leur conférait une puissance de feu supérieure à la mienne dans la tranche d'âge des générations montantes. La faconde enflammée de BHL, surtout, les ensorcelait plus que toutes les démonstrations, fussent-elles mordantes. Des lecteurs m'écrivirent pour s'indigner de ce que Lévy ne se référât point à *La Tentation totalitaire* dans *La Barbarie à visage humain*. Certes, cette omission un peu voyante m'amusa aussi. Il faut se sentir très sûr de sa propre originalité pour avouer ses sources, ou, tout au moins, saluer ses devanciers. Cette course à la virginité a pris, au cours des années quatre-vingt, des dimensions industrielles. Quand on veut deviner aujourd'hui en France quels auteurs précédents ont le plus nourri un nouveau livre, il n'est que de regarder la bibliographie : ce sont ceux qui n'y figurent pas. Outre les plagiaires *stricto sensu*, qui ont prospéré au grand jour sans endurer de discrédit durable, on a vu proliférer dernièrement les pique-assiettes et les voleurs à la tire, servis par l'amnésie des médias. Un nouvel auteur se reconnaît volontiers des dettes à l'égard de prédécesseurs auxquels il ne doit rien, mais dont citer les noms l'ennoblit, et il n'avoue pas les emprunts effectifs qu'il a faits à d'autres écrivains, instigateurs de polémiques trop violentes, et dont il veut bien partager les idées, mais pas les ennemis. Certains ne craignent pas de dévaliser plus petits qu'eux-mêmes. Au royaume de la « création », on voit d'opulents conducteurs de Rolls Royce chiper leur vélo à des gamins. Les idées sont si rares...

L'efficacité de *La Barbarie à visage humain*, je le reconnais, pouvait gagner à l'omission de mon nom, lequel risquait de rester en travers de la gorge à beaucoup de gens de gauche. Ceux-ci acceptent parfois de se défaire de leurs croyances, à condition de ne pas avoir à donner raison à ceux qui les ont critiquées avant eux. Je soutins aussi, en 1979, le livre suivant de BHL, *Le Testament de Dieu*, sans l'approuver pour autant, comme je l'ai raconté.

Avec *L'Idéologie française*, nous tombions du ciel tirant vers le serein de la spinoziste controverse théologico-politique dans l'enfer grondant des vieilles haines civiles. On connaît le fil conducteur de BHL dans ce livre et son but : doucher le sommeil des bien-pensants, pour qui la France contemporaine sort d'une saine et fondamentale tradition républicaine, révolutionnaire, humaniste et humanitaire ; pour cela, soutenir que dans leur idéologie la plus profonde les Français cultivent le droitisme, le racisme et l'antisémitisme. Ce sont les contradictions mêmes de la civilisation française qui alimentent et enveniment cette discussion. D'un côté, l'Action française, l'hostilité à la République, la droite traditionnaliste, Charles Maurras, Edouard Drumont avec l'antisémitisme, à quoi s'ajoutèrent Drieu La Rochelle ou Brasillach avec le fascisme, tout ce que l'historien israélien Zeev Sternhell a baptisé « droite révolutionnaire en France », dans un livre portant ce titre (1978), furent des courants qui ont tenu dans l'histoire des idées de notre pays depuis la fin du XIXᵉ siècle une place reconnue, à côté d'autres écoles de pensée. Jusqu'en 1940 le maurrassisme ne faisait pas du tout figure de folie marginale, bien que c'en fût une. Dans mon adolescence, on en discutait avec sérieux, comme d'une doctrine d'un poids comparable à celui du socialisme. Le même Sternhell a pu écrire un second ouvrage sur *L'Idéologie fasciste en France* (1983). Cette idéologie a fortement pesé entre les deux guerres sur le débat public, quoique pas du tout, et c'est heureux, dans les urnes. Aujourd'hui encore, à la fin du XXᵉ siècle, la France n'est-elle pas le seul pays d'Europe qui ait conservé — ou, plutôt, reconstitué depuis 1981 — un parti d'extrême droite stable, organisé, implanté dans l'espace et dans la durée, capable de remporter aux élections sinon la victoire du moins des succès qui faussent l'ensemble de la vie politique ?

Mais, d'un autre côté, on ne peut davantage contester que la France est aussi le seul pays d'Europe continentale et occidentale qui, entre les deux guerres, ne soit pas devenu fasciste de son propre mouvement. Dans presque tous les autres et les plus importants, l'Italie, l'Allemagne, la Grèce, l'Espagne, les forces de la dictature ont supplanté celles de la démocratie parce qu'elles s'y sont avérées les plus fortes, par le jeu de la pure politique intérieure, par la voie électorale ou par la voie insurrectionnelle. En France aucune des deux voies n'a réussi aux partisans de la droite totalitaire, aussi longtemps que leur affrontement avec le camp démocratique est resté confiné dans le contexte purement national. Il a fallu la défaite de 1940, l'occupation et l'intervention étrangères, l'armée et la police nazies pour que s'imposât ou fût imposé à la France un régime réactionnaire qui, admettons-le, avait certaines racines dans notre culture mais qui, sans la défaite, n'aurait jamais prévalu par ses propres moyens. Ajoutons, à propos de l'antisémitisme, que de tous les pays vaincus et occupés par les nazis, et donc servant de proie à la « solution finale », la France est celui, après la Bulgarie et l'Italie, où la plus grande proportion de Juifs a réchappé, 75 %, ainsi que l'établit Emmanuel Todd, à propos de la prétendue xénophobie française, dans son *Destin des immigrés*, paru en 1994. A titre de comparaison, 90 % des Juifs polonais périrent, 77 % des grecs, 75 % des hollandais, 60 % des belges. Sans la complicité de la majorité de la population, comment les trois quarts des Français juifs auraient-ils pu se soustraire aux arrestations ? En 1994 aussi Marek Halter a opposé sur ce point la vérité à la fable dans *Tzedek, Les Justes*, irréfutable film documentaire, que Christian Jelen a commenté et complété dans *Le Point* (26 novembre 1994), en racontant comment ses parents, juifs d'origine polonaise arrivés en France avant la guerre, ont dû leur salut sous l'Occupation à divers « Français moyens » du fond des provinces, les « Justes » selon Marek.

J'avais présents à l'esprit ce pour et ce contre, ainsi que la fragilité de la documentation de Bernard et les outrances de sa rhétorique lorsque je décidai néanmoins de dire oui à la prépublication d'un extrait de son livre dans *L'Express* du 10 janvier 1981. Pourquoi ?

Depuis 1980 environ, les Français ont réexaminé leur attitude sous l'Occupation et, en particulier, leurs responsabilités passives ou actives dans les persécutions antisémites, les déportations et l'holocauste. Le procès Barbie, qui d'ailleurs cacha plus de secrets qu'il n'en révéla, les volumes copieux et circonstanciés de *L'Histoire des Français sous l'Occupation* d'Henri Amouroux ; le cinéma, par exemple le film de Mosco, à la télévision, en juillet 1985, sur l'arrestation suspecte en 1943 par la Gestapo du « Groupe Manouchian », sans doute intentionnellement sacrifié par les services soviétiques ; surtout *Shoah*, l'œuvre impérissable de Claude Lanzmann ; une profusion de livres approfondissant la connaissance historique, parmi lesquels l'inventaire exact du passé vichyste de François Mitterrand, et jusqu'à l'empoignade avec les « révisionnistes », qui niaient l'holocauste, tous ces retours de flammes remirent en fusion une matière mnémonique jusqu'alors refroidie et solidifiée.

Mais, vers 1980, cette matière sommeillait encore sous le tendre gazon de la bonne conscience. Dix ans plus tôt, Marcel Ophuls avait réalisé *Le Chagrin et la Pitié*, une innovation dans l'enquête cinématographique fondée sur des entretiens. A travers les témoignages de survivants, il dressait le catalogue de tous les comportements possibles des Français sous l'Occupation. Ce film discréditait le mythe angélique d'une France unanimement antinazie, exception faite d'une poignée de vendus collabos. Mais il n'accréditait pas non plus le contre-mythe diabolique d'une France unanimement collabo, exception faite d'une poignée de héros résistants. En tout cas, il invitait à reprendre l'histoire à la base. Or les pouvoirs publics et les conducteurs d'opinion, à commencer par l'omnipotent monopole de la télévision d'Etat, avaient tout mis en œuvre pour étouffer ce film, à défaut de l'interdire, ce que la loi n'autorisait quand même pas. Après quelques jours dans une minuscule salle du Quartier latin, le Saint-Séverin, il avait disparu des écrans français, alors qu'il était en train de devenir un classique à l'étranger. Quand une chaîne de télévision française osa enfin le présenter, quinze ans après sa réalisation, *Le Chagrin et la Pitié*, sans rien perdre de sa force, n'ébranla pas la conscience française comme il l'eût fait au temps où tout ce qu'il inventoriait n'avait pas encore été exhumé. Je connaissais Marcel Ophuls depuis 1965. Il m'avait tenu au courant au jour le jour des mille artifices par lesquels de vertueux patriotes, mandatés de très haut, chaque fois que son film avait une chance de reprendre la route des petits écrans, trouvaient le moyen de crever les pneus de la voiture au moment opportun. Ce calvaire de Marcel m'avait incité à saisir toute occasion de fourrer le nez des Français dans leur mauvais passé, qui n'était pas le seul, mais qui était.

Cette résolution m'avait amené à publier l'entretien avec Darquier de Pellepoix, épisode aux suites édifiantes sur lesquelles je ne m'étendrai pas à nouveau. Sinon pour souligner que, sous l'avalanche des réactions hypocrites, des contre-vérités cyniques et des malhonnêtetés grossières suscitées par ce document, j'avais conclu à l'urgente nécessité de poursuivre le grand nettoyage des écuries de la mémoire. Sans doute, par la suite, le balancier alla-t-il trop loin dans l'autre sens, vers l'autoflagellation. Mais l'inconséquence et les sautes d'humeur des Français à propos de cette période violentent parfois toute logique. Ainsi, en 1992, pour le cinquantième anniversaire de la grande rafle du Vel d'Hiv, au cours de laquelle 12 000 Juifs étrangers furent arrêtés par la police française et envoyés à la mort en Allemagne, les organisations de Français juifs, appuyés par une majorité de l'opinion, mirent en demeure Mitterrand de reconnaître la culpabilité de l'Etat français dans ce crime contre l'humanité — non pas de l'Etat français au sens de Vichy, ce qui allait de soi, mais bien de l'Etat représentatif des mille ans d'histoire française, autrement dit la responsabilité de la nation française tout entière.

Le président Mitterrand s'y refusa arguant que la République, alors interrompue, n'avait pas à endosser les forfaits de l'usurpateur pétainiste. Son successeur, Jacques Chirac, décida, au contraire, en 1995, de reconnaître la responsabilité de la France intemporelle dans l'infâme rafle. Sans entrer dans le dossier juridique de cette divergence, je m'étonne que la querelle ait déclenché une tornade nationale de passions violentes et d'arguties pour et contre, tant autour de la décision négative de Mitterrand qu'après la déclaration opposée de Chirac. Pourquoi chez moi cet étonnement ? Parce que, en 1967, avait paru chez Robert Laffont le premier livre complet sur ce moment de l'holocauste : *La Grande rafle du Vel d'Hiv* de Claude Lévy et Paul Tillard. Tout y était, y compris les noms des criminels, notamment celui de Bousquet, dont on feignit cependant de découvrir vingt ans plus tard le rôle, que Darquier, je l'ai rappelé, avait pourtant et derechef, lui aussi, mis en pleine lumière dans *L'Express*, en 1978. Bien qu'il rouvrît une plaie encore récente, le livre de Lévy et Tillard en 1967 n'émut pas grand monde. Il passa même presque inaperçu. Mieux. Comme j'en avais rédigé un compte rendu, paru dans *L'Express* du 8 mai 1967, où je citais, parmi d'autres, le nom d'un ancien membre du cabinet de Pétain, l'énergumène vichyssois nous poursuivit en diffamation, *L'Express* et moi, devant la dix-septième chambre correctionnelle de Paris. Malgré le notoire talent de l'avocat du journal, Me Georges Izard, vedette du barreau et membre de l'Académie française, nous fûmes condamnés — dans l'indifférence universelle.

L'idéologie française prit pour moi la fonction d'une arme tactique, d'un bélier destiné à éventrer les murailles du silence. Aron ne jugea, quant à lui, le livre qu'à l'aune de son absence de rigueur scientifique, sur laquelle s'abattirent, il est vrai, les réquisitoires des historiens, par exemple dans un numéro spécial du *Débat*, la revue de Pierre Nora, à chaud, en 1981. Le propre réquisitoire d'Aron parut dans *L'Express* du 7 février. J'y juxtaposai dans le même numéro ma plaidoirie en faveur de BHL, dont la chevauchée aura eu la vertu de lever quelques lièvres, même si elle a eu l'inconvénient de lancer la légende noire et mensongère jusqu'au grotesque d'une France fondamentalement xénophobe, raciste, antisémite et fasciste. A propos des moments dramatiques de son histoire — la Révolution de 1789, Napoléon, l'Occupation — comme à propos des conflits embrouillés de sa politique — l'immigration, l'enseignement, la libre entreprise —, est-ce que l'esprit français ne peut décidément accoucher que d'excès compensés, d'outrances stériles et d'antithèses alternées ?

V

Une partie de la fureur déchaînée par *L'Idéologie française* provenait des pages que l'auteur y avait consacrées à une institution très représentative des ambiguïtés de l'époque de Vichy : l'Ecole des cadres d'Uriage. Dans ce village de l'Isère s'étaient réunis, en une sorte d'ordre mi-chevaleresque mi-monastique, des dizaines de jeunes intellectuels, sous la direction d'aînés désireux de les préparer à devenir les cadres nouveaux d'une France régénérée. La philosophie d'Uriage reposait sans aucun doute sur un patriotisme hostile à la collaboration avec l'occupant. Mais elle reposait aussi sur une approbation de l'antiparlementarisme, sur une haine de la société marchande, d'où sortira l'antiaméricanisme, cette constante de la gauche et notamment de la gauche chrétienne d'après guerre. Certains maîtres d'Uriage accordaient aux régimes fascistes le mérite d'avoir fait redresser la tête à la jeunesse (le « jeunisme » date de Vichy), en lui tenant un langage de fierté dont les vieilles démocraties « ploutocratiques » avaient perdu l'usage. Cette mélasse moralisatrice comportait maints ingrédients empruntés aux « idéaux » de la Révolution nationale de Vichy. Elle confirmait que ces poncifs n'avaient pas séduit seulement quelques forcenés d'extrême droite et une bourgeoisie conformiste, mal remise de ses frayeurs du Front populaire. Ils traduisaient aussi les aspirations de toute une « famille spirituelle », d'une « sensibilité » préludant à notre future gauche « christo-marxiste » qui, même aujourd'hui, après le naufrage du communisme et la mise au grand jour de ses ravages, voit dans le libéralisme l'ennemi le plus haï, le mal le plus redoutable. N'a-t-on pas entendu, pendant les années soixante-dix, de grandes voix de la gauche française, d'illustres penseurs, de prestigieux journaux « politiquement corrects » célébrer comme des héros les lugubres assassins de la bande à Baader et les débiles mentaux des Brigades rouges ?

A Uriage avaient enseigné, entre autres, Hubert Beuve-Méry, le futur fondateur du *Monde*, et Emmanuel Mounier, le fondateur de la revue *Esprit*. Le centre forma et marqua directement ou indirectement plusieurs des personnages clefs de la France journalistique, universitaire, syndicale et politique, qui ont orienté notre histoire et nos mentalités de la Libération à nos jours. Car la première génération issue d'Uriage, en vieillissant, a éduqué des disciples fidèles à son esprit. C'est pourquoi un facteur qui transforma en brasier d'invectives la discussion autour du livre de Lévy, c'est l'existence d'un « lobby » d'Uriage dont je découvris, dans cette polémique, l'implantation fort étendue et la pugnacité insoupçonnée. Toute une gauche ne se contenait plus de rage, dès lors que l'on déterrait les racines de sa bâtardise idéologique, croisement de l'archaïsme vichyste et de l'anticapitalisme marxiste. Si cet épisode, somme toute minuscule, de la Seconde Guerre mondiale demeurait, après quarante ans, susceptible de déchaîner une aussi véhémente colère, c'est sans doute qu'il enveloppait un inavouable secret de famille. En fait, il est vrai que la plupart des hôtes d'Uriage sont passés à la Résistance en janvier 1943. Mais reste que, pendant les deux ans et demi qui ont précédé, ils ont cru possible de concilier patriotisme, gauche et Révolution nationale. On n'anime pas pendant deux ans et demi un centre subventionné par le gouvernement de Vichy sans une certaine équivoque, même si l'on a souvent maille à partir avec l'orthodoxie de Vichy. Les gens d'Uriage étaient des antinazis, mais ils ont quand même avalé Montoire, les lois raciales, la grande rafle du Vel d'Hiv', avant de cesser de croire au « double jeu » du Maréchal. Ils étaient contre le parlementarisme, contre l'« individualisme », pour l' esprit de « communauté », pour la morale des « chefs ». Ils haïssaient l'« argent », conçu comme une abstraction diabolique et dotée d'une volonté propre. Sous le vocable infamant de « ploutocratie », ils refusaient donc les sociétés industrielles et commerciales libérales. Cette répulsion allait établir en France, après la Libération, un climat réceptif à l'utopie totalitaire, répandu très au-delà des limites du Parti communiste et qui devait nous coûter, qui nous coûte encore très cher. Là encore, il s'agissait pour moi dans *L'Express* non d'attaquer des hommes, mais de constater un phénomène historique, le terrain commun à la rhétorique de droite et à la rhétorique de gauche.

Cette ambiguïté épargnait alors peu de Français, certes, et c'était bien là le sujet. Néanmoins, sur un autre point, et capital, Aron et moi étions d'accord : en France, le totalitarisme, parfois menaçant, n'a jamais triomphé, sauf à la faveur d'une occupation étrangère, on ne le répétera jamais assez.

Peu après nos échanges publics d'arguments, Raymond Aron, avec ce charme philosophique délicieusement grec qui le portait à envisager tous les aspects possibles des questions et à soutenir même avec plaisir des thèses opposées aux siennes, évoqua devant moi avec volubilité un souvenir de son exil londonien pendant la guerre. Lorsqu'il avait reçu, me dit-il, par des voies clandestines, le premier numéro d'*Esprit* depuis la défaite, après que la revue eut été autorisée par le gouvernement à reparaître, il avait humé avec un haut-le-corps le parfum de « Révolution nationale » que dégageait cette livraison, et particulièrement l'article d'Emmanuel Mounier. Raymond voulait-il, au moyen de ce souvenir, m'indiquer discrétement qu'au fond il n'était pas en désaccord total avec moi ? Peut-être. Quant à moi, ne voulant pas demeurer en reste, je lui répondis : « Sans doute, mais n'oublions pas que Mounier a quand même eu ensuite des ennuis avec les tribunaux de Vichy. » Il est ardu d'être juste avec l'histoire de ce temps, comme le prouve également ce qui va suivre.

Une seule écharde, en effet, reste fichée dans mon souvenir, à propos de cette publication des extraits du livre de BHL, une négligence que je ne me pardonne pas. C'est d'avoir laissé passer une des illustrations du document : une photo de l'entrée de l'Ecole des cadres d'Uriage qui avait été prise un an après la cessation de son activité et alors que le bâtiment était devenu un local de la Milice de Vichy. Le panneau surmontant le portail, « Ecole des cadres, Milice française », résultait d'une superposition accidentelle et suggérait une complicité qui n'avait jamais eu lieu, bien au contraire, puisque les élèves d'Uriage, une fois dans la Résistance, combattirent la Milice et furent pourchassés par elle. Attentif avant tout au texte, j'avais, pour l'illustration, laissé faire le secrétariat de rédaction, qui n'avait trouvé à la documentation que cette photo d'Uriage qui datât de l'Occupation. Il l'avait mise en page, sans penser à mal, n'étant pas forcément versé dans les menus épisodes, mois par mois, de l'histoire de France. Il m'incombait, en revanche, d'arrêter un document qui, même sans volonté de tromper, constituait intrinséquement un mensonge, une calomnie. Tout directeur de journal doit se le tenir pour dit : dans son travail, le survol ne suffit pas, la vérification des moindres détails est la seule voie du salut, suivie de la vérification non moins indispensable (à quelque temps de là j'allais en faire l'expérience) que les services ont bien appliqué ses instructions. Si l'on voit dans sa minutie une tyrannie tatillonne, qu'il hausse les épaules devant ce reproche : car, en cas de catastrophe, la responsabilité sera la sienne et non celle des collaborateurs qu'il aura imprudemment laissés faire.

Hormis cette vilenie photographique, involontaire et néanmoins inexcusable, je maintiens que le fond du dossier BHL, malgré toutes ses imperfections et, comme disait Aron, son « hystérie », méritait de voir le jour. Il nous avertissait que les plumets de la morale de Vichy, plantés sur d'autres casques, avaient servi de points de ralliement à nombre d'armées progressistes depuis la Libération. Dix ans après *L'Idéologie française*, Marc Fumaroli a dévoilé, dans *L'Etat culturel*, les origines vichyssoises, non pas vagues mais explicites et bien inscrites dans les institutions, les organisations, les manifestes, de tout un courant inspirateur des politiques de la culture sous les IVe et

Ve Républiques, de Jeanne Laurent à Jack Lang. La haine de l'individu, l'éloge du groupe, le culte du grégaire et du « collectif », la répudiation de l'éducation de l'esprit comme conquête de l'autonomie du goût et du jugement, au profit de l'effusion abêtissante et des braillements grégaires dans les « fêtes » de foules anonymes et acéphales — on a même inventé une « science en fête » ! — dirigées et subventionnées par l'Etat, toute cette négation récente de l'essence même de la civilisation occidentale, telle qu'elle court de Socrate à Proust, prend sa source en Vichy et, plus généralement, dans les philosophies totalitaires. On ne pouvait relever chez Fumaroli, scrupuleux érudit, professeur au Collège de France, aucune légèreté dans la documentation, objection suprême des universitaires contre Lévy. Pourtant, *L'Etat culturel* essuya les mêmes vociférations que naguère *L'Idéologie française*, preuve que, dans les deux cas, c'était le sujet qui embarrassait, non la méthode.

Le plus souvent, les historiens et sociologues officiels préfèrent laisser prendre par des amateurs, par des marginaux, le risque de soulever les couvercles sous lesquels pourrissent les eaux les plus empoisonnées du passé et du présent nationaux, comme la collaboration sous Pétain ou la corruption sous Mitterrand.

Par un paradoxe que j'avais déjà constaté comme directeur de collection, je fus plus assailli de reproches pour avoir défendu le livre de Lévy que pour avoir écrit certains des miens ! Bernard se rendit d'ailleurs compte des tracas que m'avait amenés mon soutien à son livre. « Partant dans quelques minutes pour Milan, m'écrivit-il le 27 janvier 1981, je tiens à te dire surtout, du fond du cœur, à quel point, durant toutes ces semaines, ton amitié, ta chaleur, ta disponibilité m'ont aidé. Pardonne-moi de te dire les choses un peu niaisement : mais je crois, décidément, que les hommes comme toi sont rares dans les temps que nous vivons. »

Je cite ses lignes, qui me touchèrent, non parce que je les prends au pied de la lettre. Je n'ai pas cette haute opinion de moi. Je les cite pour pouvoir tirer la leçon de cette comédie humaine. A savoir que l'on doit se hâter de savourer ces louanges durant le temps où l'on dispose d'un pouvoir d'établissement, comme on disait dans l'ancienne France. Car les laudateurs perdent souvent leur inspiration du jour où vous perdez vous-même votre puissance. Du moins cette sorte grossière de puissance aux effets immédiats et aux conséquences éphémères qu'au prix d'un contresens on qualifie aujourd'hui de médiatique. Elle contraste avec la puissance supérieure des œuvres, dont, pour la plupart, les effets sont différés et les conséquences durables.

LIVRE QUINZIÈME

LE SERMENT DE SOCRATE

I

J'ai consacré assez de place, dans les pages qui précèdent, aux détails anecdotiques de la vie de *L'Express*, tâchant ainsi de peindre la vie d'un journal, puisque la vie, c'est le détail. Dans les pages qui suivent, je me bornerai donc aux grandes lignes et aux principaux enseignements des circonstances qui m'amenèrent à mettre fin à mon expérience de directeur. Cet épisode, si minuscule soit-il dans l'histoire contemporaine, peut néanmoins apporter sa parcelle de lumière aux esprits curieux de notre civilisation, fondée, paraît-il, sur l'information, et où, pourtant, c'est sur l'information que nous sommes souvent le plus mal informés. Dès que la vérité entre en jeu, alors les informateurs adorent s'informer sur les autres, mais détestent informer les autres sur eux.

N'en va-t-il pas de même, objectera-t-on, dans tous les milieux ? Certes, mais, dans les autres milieux, on ne prend pas pour métier, pour obligation, pour raison d'être le service du vrai. La seule justification professionnelle des journalistes, au contraire, comme des historiens, des enseignants, des philosophes, des intellectuels en général consiste à remplir cette mission : connaître et faire connaître la vérité. Ou, pour le moins, s'interdire de la dissimuler ou de la déformer sciemment. On devrait leur faire prêter un « serment de Socrate », comme on exige du futur médecin un serment d'Hippocrate.

Si la grande histoire se trouve de génération en génération faussée par la partialité et appauvrie par la paresse, on imagine l'ampleur des inventions et des omissions, volontaires ou involontaires, qui dénaturent la petite. Par exemple, Pierre Salinger, dans ses souvenirs, *De mémoire*, publiés en 1995, prétend qu'en 1978 je l'aurais, sur ordre de Jimmy Goldsmith, licencié de *L'Express*, où Servan-Schreiber l'avait embauché en 1973 — année où, soit dit en passant, JJSS feignait d'avoir depuis longtemps renoncé à ce pouvoir et à ce droit, pour se consacrer à la politique. Pure théorie ! Salinger croit se rappeler qu'après l'avoir chaleureusement confirmé dans sa fonction de grand reporter et lui avoir même proposé la « direction de l'édition internationale », je lui avais, ensuite, demandé sa démission, au prix d'une inconséquence que seule, selon lui, pouvait expliquer une mise en demeure de Jimmy. Or je n'ai jamais congédié personne sur ordre de Jimmy, obstruction de ma part qui, d'ailleurs, s'inscrivit parmi les manifestations d'indépendance qui lui firent dès le début regretter de m'avoir nommé. D'abord, je ne pouvais pas avoir promis à Pierre Salinger la direction de l'édition internationale, pour la bonne raison que celle-ci ne se distinguait en rien de l'édition nationale, sinon par la couverture, et n'avait donc nul besoin d'un directeur particulier. Ensuite, et Pierre ne le mentionne pas, je ne lui ai pas demandé d'emblée sa démission, je l'ai prié de choisir entre son appartenance à l'équipe de *L'Express* et la direction, ô combien absorbante ! qu'il assumait depuis deux ans, du bureau parisien, c'est-à-dire européen, de la chaîne de télévision américaine *ABC News*. Parmi les dégradations qui augmentaient les dépenses et diminuaient le sérieux de *L'Express*, figurait la licence peu à peu tolérée chez certains journalistes de travailler à la fois pour nous et pour une autre entreprise. Jean-François Kahn avait longtemps conjugué la tâche de grand reporter chez nous et de journaliste de radio à Europe 1 ; Roger Priouret celle de commentateur économique pour RTL, autre station, et pour *L'Express*. Autant un critique, un éditorialiste peuvent, dans la limite des forces humaines, mener de front un article hebdomadaire et la pratique d'un autre métier — professeur, conseiller d'édition, médecin ou diplomate —, autant il est impossible à un journaliste d'information, censé se tenir en permanence à la disposition de sa direction, de remplir « à plein temps » les mêmes fonctions dans deux rédactions simultanément. J'avais donc mis fin à cet abus et exigé l'exclusivité, pour les seuls professionnels « à part entière », s'entend. Cette décision vint de moi seul, Jimmy n'y fut pour rien. Pierre opta pour *ABC News*. Je ne lui en voulus nullement. Nos relations demeurèrent des plus cordiales. Je lui obtins même les indemnités de départ les plus favorables, quoiqu'il n'eût pas encore atteint les six ans d'ancienneté que, d'après le contrat d'entreprise, il fallait avoir pour en bénéficier. Cette anecdote infime n'a d'autre raison d'avoir été racontée que mon intention d'illustrer une fois de plus la facilité et la rapidité avec lesquelles le compte rendu des événements, petits ou grands, se déforme dans le souvenir, presque dès l'instant où ils se produisent.

II

Plus surprenante, venant de l'auteur de *L'Introduction à la philosophie de l'Histoire*, quoique tout aussi vénielle, est l'indifférence de Raymond Aron pour l'exactitude des faits, du moins dans le chapitre de ses *Mémoires* consacré à *L'Express* et à mon départ. Ces faits, il ne les déforme certes pas de propos délibéré, il en eût été moralement incapable, mais il ne montra jamais le moindre empressement à les vérifier, pas même pour recueillir mon point de vue durant les multiples conversations que nous eûmes durant les deux ans et demi qui séparèrent ma démission de sa disparition. Sa célèbre *Introduction*, parue en 1938, livre de base, sur lequel, comme potache, j'avais souvent et longuement penché un front studieux, entre 1940 et 1943, avait, il est vrai, comme sous-titre, *Essai sur les limites de l'objectivité historique*.

Dans le chapitre de ses *Mémoires* où il résume ses années à *L'Express*, Raymond a l'élégance de réitérer publiquement les assurances d'estime, de reconnaissance et d'amitié qu'il m'avait souvent prodiguées en privé. Mais, dans son récit des dernières semaines de ma direction et dans son analyse de mon conflit avec Goldsmith, qui se solda par ma démission, il commet plusieurs erreurs, aussi bien d'appréciation que de négligence.

Il ne saisit pas l'enjeu d'une crise dont l'issue, au-delà de mon cas personnel, fut l'écrasement proclamé de l'indépendance de la rédaction et nuisit à la réputation du journal, laquelle ne se rétablit jamais complètement par la suite. Le jour de mon départ, Jimmy annonça fébrilement son intention de diriger désormais lui-même la rédaction. Même s'il ne mit pas sa menace à exécution, faute d'en être capable, le coup porté au crédit de *L'Express* se révéla une blessure durable. En continuant à collaborer, Aron se rendit-il compte de la diminution d'autorité qu'infligeait à ses propres éditoriaux le contexte dans lequel ils paraissaient ? Peut-être, car, lorsque je publiai en octobre 1981 la première critique d'ensemble du « système Mitterrand » et du pouvoir socialo-communiste, *La Grâce de l'Etat*, il y consacra dans *L'Express*, lui qui ne rendait pour ainsi dire jamais compte de livres, un article d'une rare générosité, m'accordant le mérite d'avoir, le premier, attrapé la vivacité, le ton, les arguments propres à faire sentir le climat unique des commencements du socialisme, avec leurs dangers et leurs ridicules. Comme il avait lui-même publié pendant l'été sur ce sujet plusieurs éditoriaux à rallonge, d'une veine, il est vrai, didactique, sans bonheurs satiriques, son hommage dégageait autant de chaleur affectueuse à mon égard que d'humilité implicite au sien. Son compte rendu n'était guère, en tout cas, le genre de louange dont il était coutumier. Cette exception me flatta et m'émut.

Traduisait-elle un certain remords ? Je reste convaincu que Raymond ne se sentit jamais très fier de n'avoir pas pesé de son immense prestige pour empêcher Goldsmith d'accomplir son puéril coup d'Etat. Philippe Meyer, dans un numéro de *L'Evénement du jeudi* largement consacré au quarantième anniversaire de *L'Express* (13 mai 1993), écrit sur la crise de mai 1981 : « Je me souviens que Jimmy Goldsmith, alors propriétaire, plaça Revel dans une situation qui le contraignit à démissionner. Je me souviens que Raymond Aron ne fit pas ce que j'espérais — et qu'il pouvait faire — pour amener Goldsmith à revenir en arrière. Comme j'aimais Aron, je me souviens d'une déception vertigineuse. » Meyer ne fut pas le seul à l'éprouver, en France et à l'étranger, si j'en juge par le déluge épistolaire qui me submergea, et qui laisse présumer l'ampleur de celui qui dut inonder aussi Raymond. Sollicitant plus tard des éclaircissements d'un proche d'Aron, Philippe Meyer obtint cette réponse : « Il détestait les affrontements. » Toujours la même contradiction ! On ne peut pas à la fois convoiter un pouvoir et redouter les affrontements. Aron avait beau avoir pris en grippe Olivier Todd, cause de mon litige avec Goldsmith, il lui incombait de placer l'intégrité morale du journal au-dessus de ce ressentiment trivial. Comme président du Comité éditorial, c'était son devoir. Cette présidence, il est vrai, et il l'admet dans ses *Mémoires*, devenait chaque jour plus « fictive ». Mais à qui la faute ?

Le malaise de conscience qui tourmenta Raymond après cette affaire se reflète dans la confusion même et les confusions qui parsèment le récit qu'il en fit. Il n'est pas dès lors étonnant qu'il n'ait guère compris ma décision. Se trouvant, ce jour-là, hospitalisé pour subir une intervention sans gravité, il cherche à me joindre. « De l'hôpital, se souvient-il, je donnai un coup de téléphone à *L'Express*. J'eus au bout du fil Jean-François qui, manifestement tourneboulé, me dit : "je suis démissionnaire", et raccrocha. » On le sent mortifié de ce qu'il considère comme une impolitesse. A la vérité, c'est là tout ramener à soi et manifester beaucoup d'égocentrisme. Il se trouve qu'au moment où je pris sa communication, la nouvelle de ma démission, tout juste répandue dans la rédaction, avait drainé dans mon bureau une trentaine de journalistes désireux d'obtenir des informations et de me pousser à résister à Jimmy. Ces invasions bruyantes ne favorisaient guère un long téléphonage privé et je me sentais non pas « tourneboulé » mais plutôt assourdi par les vociférations de mes camarades. Moins replié sur lui-même, Aron aurait pu se douter, sans débauche de tact, que le téléphone ne constituait pas, en un tel jour, le meilleur truchement pour nous et il aurait pu m'inviter à passer le voir, d'autant plus que je n'ai pas « raccroché », me bornant à lui préciser que les circonstances du moment ne brillaient point par l'intimité et m'interdisaient une longue conversation confidentielle à distance.

Aron ne se comporta, durant ces journées, ni comme un allié, ni comme un ennemi, mais comme un spectateur, au reste peu engagé, et indifférent au sort profond du journal. Sa froideur provenait sans aucun doute de contrariétés qu'il avait éprouvées durant les derniers mois de notre collaboration, à commencer par notre différend au sujet de *L'Idéologie française*. Mais d'autres frictions, dont l'objet tombait dans le dérisoire, l'avaient probablement « tourneboulé » sans que je m'en aperçusse : prétextes et, à vrai dire, exutoires d'une frustration pire, comme on peut le déceler à divers signes dans son récit.

Il s'offusque, par exemple, de ce que, dans une réunion, peu avant l'élection présidentielle de 1981, j'eusse déploré son « engagement dans le comité de soutien à Giscard », tout comme, d'ailleurs, « l'engagement de Max Gallo dans le comité de soutien à Mitterrand ». En effet, j'ai toujours estimé que les éditorialistes, sauf, évidemment ceux des journaux de partis politiques, ne doivent pas signer de pétitions ou de manifestes politiques au sens étroit du terme en faveur d'un camp ou d'un autre. S'ils s'y laissent entraîner, quel intérêt peut prendre ensuite à leurs articles le lecteur, qui se dit à bon droit : « Lui, on connaît déjà sa position ; inutile de se fatiguer à le lire. » C'est d'ailleurs parce que leurs conclusions sont connues d'avance que les journaux de partis se vendent si mal. Puis, en ces jours fiévreux qu'agitaient périlleusement l'envie ou la crainte d'un changement de majorité, comment pouvais-je interdire aux membres de la rédaction d'aller plastronner eux aussi sur les estrades ou les affiches, aux côtés de Georges Marchais, Jacques Chirac, Arlette Laguiller, Brice Lalonde, Coluche ou Mouna Aguigui, dès lors que le collaborateur le plus illustre du journal se laissait enrôler parmi les propagandistes d'un des candidats ? Je me trouvais coincé, en particulier, pour rappeler à l'ordre Max Gallo. Si amis que nous fussions, je comptais l'inviter à choisir entre exercer la magistrature éditoriale et militer officiellement dans un parti politique. Encore Max suivait-il un calcul logique, puisque sa déclaration d'allégeance socialiste préparait son entrée dans une carrière d'acteur politique, qui allait le conduire d'abord à l'Assemblée nationale, puis au gouvernement, enfin au parlement européen. Mais que pouvait attendre un Raymond Aron du geste stérile d'inscrire son nom au bas d'un appel électoral, dans un conglomérat improvisé d'encenseurs discordants ?

Dans ses *Mémoires*, il semble presque insinuer que je désirais éviter de prendre position. Il note comme un signe bizarre et un peu louche que, dans le numéro précédant le premier tour de l'élection, j'attaque Marchais mais pas Mitterrand. Or l'éditorial que je consacre à Marchais et à son parti parut non point avant mais après le premier tour. J'y analyse les raisons de l'effondrement électoral des communistes en 1981, amorce de leur ultérieure marginalisation. Dans le numéro précédant le premier tour, je n'avais écrit aucun article, étant trop occupé à mettre sur pied une opération compliquée, dont j'ai parlé, où *L'Express* s'associait avec la station de radio RTL, avec la première chaîne de télévision et avec l'Institut national des études démographiques, pour couvrir la nuit électorale. Quant à dire que je n'attaquais pas Mitterrand et les socialistes, alors que je ne cessais de les harceler depuis neuf ans, c'est-à-dire depuis la signature du Programme commun socialo-communiste, il fallait une inattention de circonstance ou de commande pour le soutenir. Quoique ouvert à l'expression d'opinions diverses, *L'Express*, dans son axe prépondérant, et moi personnnellement, dans mes articles et mes livres, avant comme depuis Goldsmith, plaidions avec constance une cause sans équivoque. Comment Aron ose-t-il, en me visant semble-t-il, écrire qu'« une publication se discrédite si elle se déclare incapable de prendre position » ? La position d'un journal ne s'énonce pas seulement dans le numéro qui paraît la veille d'une élection ! Elle se construit semaine après semaine, pendant des années. Les nôtres étaient nettes et ne devaient rien à l'opportunisme. Aron se sentait-il offensé que je ne lui eusse pas confié le rôle, pour cette élection, d'unique porte-parole du journal ? En tout cas les socialistes et la gauche en général ne nourrissaient depuis longtemps aucun doute sur la position de *L'Express* ni sur la mienne à leur égard, si j'en juge par les libelles diffamatoires qu'ils ont prodigués contre moi et par les manœuvres répétées de déstabilisation de certains confrères proches d'eux contre *L'Express*. La presse étrangère avait, elle aussi, montré maintes fois qu'elle n'avait aucune hésitation quant au combat d'idées que nous menions. Elle le voyait fort lucidement, des deux côtés de l'Atlantique. Pour ne citer qu'un seul extrait de mes dossiers de presse étrangère, un numéro du magazine du dimanche du *New York Times* me consacrait quatorze pages sous le titre malheureusement exact : « La bête noire de la gauche française[1] ». Je dis malheureusement parce que j'aurais préféré réussir à faire réfléchir la gauche, ce qu'elle ne fit que trop tard et trop peu, et seulement après l'échec, plutôt que de

---

1. « The Bête noire of France's Left », *The New York Times Magazine*, 11 décembre 1977, par David Pryce-Jones.

devenir sa « bête noire », ce qu'avait cessé depuis peu d'être Aron. La gauche allait bientôt, en effet, se l'approprier pour s'absoudre elle-même, au prix d'une œcuménisation interlope qui lui fait injure en le dénaturant plus qu'elle ne lui rend justice en le canonisant.

Outre les questions d'amour-propre, qui comptaient beaucoup pour lui, un contresens sur le fond de ma pensée a pu égarer Aron. Il me définit dans ses *Mémoires* comme un anticommuniste « viscéral » qui, en revanche, éprouverait quelque indulgence envers les socialistes. Or, mon anticommunisme n'avait rien de viscéral, il était au contraire tout ce qu'il y a de cérébral. Il avait mûri lentement, grâce à la réflexion, sous la triple pression de l'expérience, de l'information et des leçons de l'histoire. Quant à l'obsession d'Aron selon laquelle je « m'obstinais à me dire socialiste », elle résultait d'un malentendu sur le début de *La Tentation totalitaire*, que sans doute Aron s'était borné à parcourir d'un œil distrait. C'était son droit, à condition qu'il ne discutât point des thèses qu'il avait négligé d'examiner à fond. Il est vrai qu'il m'était arrivé de commettre la même faute à son sujet, avec moins d'excuses que lui.

On peut entendre le terme « socialisme » dans le sens général de « société de solidarité ». C'est en le prenant ainsi que j'ai écrit, au début de *La Tentation totalitaire* : « Le monde évolue vers le socialisme ». Le coût de plus en plus accablant de l'Etat-providence dans les économies réputées libérales n'a guère par la suite démenti ce pronostic. Il fallait évidemment préciser — et j'ai précisé plus bas dans le même livre — que seules les sociétés *capitalistes* ayant atteint un degré de développement économique avancé avaient progressé à pas de géant dans la voie de la solidarité sociale. C'est pourquoi j'avais risqué l'idée, paradoxale en apparence, mais conforme aux réalités, que les seules traces de socialisme concret, bénéfique aux individus, qui fussent observables dans le monde contemporain l'étaient dans les sociétés capitalistes et que ce mouvement vers l'Etat-providence serait à peu près irréversible, sous réserve qu'on ait la sagesse de le contenir dans les bornes d'un équilibre budgétaire durable.

En un autre sens, le sens strict, le seul techniquement exact, le terme « socialisme » désigne la suppression du capitalisme privé. Même si cette suppression est conçue comme graduelle, elle demeure le but final, elle conduit à la « socialisation » des moyens de production, qui seule donne un contenu et une cohérence à la doctrine socialiste, telle qu'elle fut affirmée par l'immense majorité des penseurs socialistes et des Etats socialistes. Or, cette solution, lorsqu'elle va jusqu'au bout de sa logique, c'est-à-dire lorsqu'elle est appliquée à l'intégralité ou à la majeure partie de la production et de la distribution, brise les principaux moteurs de la vie économique, anéantit la productivité, la création, l'efficacité, bref les sources mêmes du bien-être. Ce paradoxe fournissait l'un des thèmes de *La Tentation totalitaire* : le libéralisme seul peut tenir les promesses du socialisme. Aron, semble-t-il, n'avait pas perçu mon ironie. Il avait si souvent vu clair, sur tant de sujets, contre tant de gens qui se trompaient ! Cette habitude d'avoir raison contre tous l'avait rendu comme incapable d'admettre que d'autres puissent avoir un bon jugement et des intuitions justes. Par exemple, il avait beau ne pas pouvoir blairer le « petit » Todd plus que le « grand », il n'empêche que ce ne fut pas lui, Aron, mais bien Emmanuel Todd qui, le premier, observa que l'Union soviétique était le seul pays au monde où l'espérance de vie baissait chaque année, et à tirer les conséquences prévisibles de cette anomalie pour l'avenir du système communiste, dans le livre de lui que j'avais publié en 1976, *La Chute finale*. Aron avait d'abord refusé d'en rendre compte dans *Le Figaro*, mais, se ravisant avec cette honnêteté profonde dont il ne se départit jamais, il en avait ensuite parlé avec force louanges dans une émission de télévision.

Quant à la préférence que d'après lui j'aurais donnée durant la campagne électorale à mes attaques contre les communistes, contrastant avec la sourdine mise à mes critiques contre les socialistes, ce reproche ne correspondait à aucune réalité, et encore moins à l'impression de Mitterrand ! Au surplus, les socialistes eux-mêmes s'estimaient visés, à cette époque, par toute diatribe dirigée contre le communisme et l'Union soviétique. J'avais subi les contrecoups de cette solidarité après *La Tentation totalitaire*. Je les ai relatés, documents à l'appui, dans *La Nouvelle Censure*, livre dont la substance, si elle n'était déjà publique, pourrait faire partie de cette autobiographie, d'autant qu'elle est fort révélatrice du climat nauséabond de cette époque. Les socialistes français, durant les années soixante-dix, s'étaient identifiés aux communistes par l'idéologie et surtout les procédés. C'était précisément cette connivence politique, intellectuelle et morale que je m'acharnais à mettre en lumière et en accusation.

Les historiens mesurent trop peu, à mon sens, à quel point, par son idéologie et son programme, le Parti socialiste français, rénové en 1971, différait plus des autres partis socialistes européens, du Sud comme du Nord, que du Parti communiste. Cette « exception française » faisait l'objet de mes analyses depuis dix ans. Elle se traduisait, sur le plan doctrinal, dans le PS français par un abandon du socialisme réformateur au bénéfice d'un socialisme de « rupture avec le capitalisme ». Ainsi, Branko Lazitch, juste avant son entrée à *L'Express*, cite dans un article du *Figaro* (20 mai 1977), parmi les preuves de cet alignement, une brochure intitulée *Petite bibliographie socialiste*, éditée par le Parti socialiste. Destinée aux nouveaux adhérents, elle est présentée par Lionel Jospin, secrétaire national et futur premier secrétaire. Ce manuel initiatique présentait la liste des « classiques du socialisme », établie comme suit : 1°) Karl Marx et Friedrich Engels ;

2°) Lénine ; 3°) Jean Jaurès ; 4°) Léon Blum ; 5°) Rosa Luxembourg ; 6°) Antonio Gramsci ; 7°) Mao Tse Toung ; 8°) Fidel Castro.

A part Jaurès et Blum, qu'il eût été tout de même en France scabreux d'éliminer, et qui sont les seuls socialistes démocrates jugés dignes d'être lus, tous les autres « classiques » retenus appartiennent au courant totalitaire. Aucun des théoriciens du marxisme réformiste et démocratique, tous condamnés par Lénine, il est vrai — tels Karl Kautsky, Otto Bauer, Edouard Bernstein —, n'est jugé assez orthodoxe pour figurer dans la liste. En sont de même exclus les œuvres des auteurs assassinés par Staline, un Trotsky ou un Boukharine. En revanche, le PS conserve Mao, dont les crimes et l'échec étaient, en 1977, amplement connus, et intronise parmi les « classiques du socialisme » Fidel Castro, que même les Soviétiques n'avaient jamais élevé au grade de penseur ! Est-ce à l'influence philosophique de Régis Debray sur Mitterrand que le bavard sanguinaire de La Havane dut cette risible promotion ?

Dans la pratique, Mitterrand et le PS, aidés par le PC, amorcèrent bel et bien la « rupture » jusqu'à la faillite de 1983, dont la France payera longtemps les dégâts. Ils établirent et enfoncèrent dans les replis les plus intimes de la chose publique un régime de concussion, de dilapidation et de corruption, déshonneur de ces temps par ailleurs « tellement infectés et souillés par l'adulation », comme dit Tacite (*Tempora illa adeo infecta et adulatione sordida*).

Cette adulation, cette corruption et cette débâcle, après l'élection de Mitterrand, *L'Express* était, avec *Le Point*, le journal français le mieux armé pour les combattre ou les mitiger. Aron n'a pas compris que l'important n'était pas mon départ, c'était la perte, par un *Express* devenu invertébré, de toute influence politique, à un moment décisif de l'histoire du siècle. Ni ses éditoriaux, auxquels sa mort mit hélas ! un terme au bout de deux ans, ni ceux, ensuite, de ses héritiers spirituels, Alain Besançon, Jean-Claude Casanova, si justes qu'ils fussent, ne suffiraient à compenser l'absence de cohérence et de continuité du journal pris dans son ensemble, lacune aggravée par les foucades et le caractère velléitaire du propriétaire, que dans la rédaction nulle personnalité n'avait plus désormais la force ni l'intention de contrecarrer.

Une autre fantaisie que Raymond me prêtait à tort aurait consisté, selon lui, en ce que je faisais « un saut dans l'utopie » quand, écrit-il parlant de moi, « il [Revel] se dressait contre les souverainetés nationales, à ses yeux le mal par excellence ». Je n'ai jamais soutenu que l'Etat souverain fût « le mal par excellence » ni que la patrie manquât de réalité. Dans *Ni Marx ni Jésus* en 1970 et dans *La Tentation totalitaire* en 1976, je m'étais borné à constater que le nationalisme pur ne pouvait demeurer, à la façon gaullienne, l'unique vecteur de la diplomatie, le seul principe de décision dans les affaires mondiales, à l'heure de l'interdépendance universelle et de la formation, sur tous les continents, de fédérations d'Etats, conscientes de la nécessité d'une gestion multinationale d'un nombre croissant de dossiers. Et peut-on considérer comme un bien, après l'écroulement du monde bipolaire dû à la guerre froide, qu'Aron n'a pas eu le bonheur de voir, cette régression vers les fragmentations nationales les plus minuscules et les étripements ethniques les plus sauvages ? A quoi bon sortir d'une barbarie pour tomber dans une autre ? Au demeurant mes idées sur l'Etat-nation ou l'Etat souverain n'avaient rien d'extravagant, elles étaient même très classiques, puisqu'elles reflétaient une des pensés les plus influentes de la seconde moitié du XXe siècle, celle de Jean Monnet, dont je me sentais intellectuellement le disciple et dont j'eus le bonheur de faire la connaissance en 1976.

Si ces désaccords fictifs entre Aron et moi sur des sujets théoriques montrent combien les auteurs se lisent peu entre eux, ils n'expliquent en revanche pas le moins du monde l'inertie d'Aron durant la folie qui disloqua en quelques jours *L'Express*, ce journal dont lui et moi avions contribué à développer ensemble la qualité après l'avoir héritée des grands créateurs de presse qu'avaient été nos prédécesseurs. Cette inaction, cette indécision face au désastre provinrent pour l'essentiel, chez Raymond Aron, de ce mélange contradictoire d'amour-propre et de passivité, qui le faisait aspirer à être consulté sur tout et à ne donner de conseils sur rien.

Son amour-propre, déjà blessé par ce qu'il avait perçu pendant la campagne comme une insuffisance de considération pour son magistère, subit en outre pendant la crise une brûlure factice, que lui infligea une fourberie de Jimmy, soucieux avant tout de parer au danger du discrédit supplémentaire que le départ du grand homme eût entraîné pour l'équipe restante, le titre et le propriétaire.

Depuis plusieurs mois, Jimmy, aiguillonné par les mouches du coche et les parasites de troisième ordre qui l'entouraient, me tannait pour que je dresse ce qu'il appelait avec componction un « Plan à cinq ans ». De quoi pouvait-il s'agir ? S'il s'agissait d'un plan concernant le contenu du journal, l'expression n'avait pas grand sens. Le contenu d'un journal dépend, pour la plus large part, d'événements imprévisibles. Certes on fait évoluer, au fil des années, la conception qui préside à certaines rubriques, on en crée de nouvelles, on en supprime d'autres, on procède aussi, de loin en loin, à ces palingénésies climatériques appelées, dans l'espoir et le tremblement, « nouvelles maquettes » — avec conférence de presse et cocktail. La plus récente des nôtres datait de mars 1980 et avait reçu un excellent accueil, d'autant meilleur que son premier numéro était celui où nous sortions le document Marchais. Mais, dans l'ensemble, il faut être un âne administratif pour croire que la substance journalistique ou littéraire se planifie à l'avance. Si au contraire par « Plan à cinq ans », Jimmy et ses tristes vizirs entendaient la seule réorganisation matérielle de l'entreprise, les économies nécessaires, la promotion, la publicité, les achats de papier, les relations avec les imprimeries, l'évolution technique de la fabrication, la gestion des « ressources humaines », comme on baptise aujourd'hui la compression des sureffectifs, alors, c'était là leur travail et pas le mien. Leur mission consistait à me fournir un instrument qui marche, et à le mettre sans arrêt au point, avec mon accord, bien sûr, pour qu'il épouse les besoins de la rédaction et les attentes du public. Pourquoi Jimmy, néanmoins, me demandait-il de faire le travail des responsables administratifs à leur place ? D'abord parce qu'il les avait recrutés plus pour leur servilité que pour leur efficacité. Cette servilité, d'ailleurs, il la payait fort cher, plus cher que n'aurait coûté une équipe fondée sur l'efficacité. Car je m'étais aperçu qu'au bout d'un certain temps les salaires de l'administration avaient grimpé en catimini très au-dessus de ceux de la rédaction : favoritisme qui acquittait le prix de la flagornerie et qui m'avait incité à exiger d'énergiques redressements. Ensuite et surtout, et je sentais que c'était là son intime motif, Jimmy me réclamait ce rapport absurde pour m'embêter et me faire expier mon obstruction à ses humeurs, en m'infligeant une corvée qui n'aurait dû m'incomber qu'en partie et me faisait gaspiller un temps que le soin de bien mener la rédaction eût mieux employé.

Sa rage de me voir fort peu réceptif à ses inspirations journalistiques (« Je suis moi aussi journaliste », aimait-il à me répéter) alternait pourtant avec de touchants élans d'amitié. Je retrouve par exemple cette lettre de lui, autographe (ce qui était rare) et datant de la période qui précéda notre rupture :

« Merci, mon cher Jean-François.

« Je me félicite d'une association (un *partnership*) avec vous qui devient chaque jour plus agréable.

« Avec toute mon amitié,

« Jimmy »

Ces effusions intermittentes ne me dispensèrent pas cependant du pensum de ce fameux plan, dont je m'acquittai. Il comportait naturellement un chapitre sur les collaborateurs. J'y mentionnais que Raymond Aron, alors âgé de soixante-dix-sept ans, aurait sans doute pris sa retraite et n'émargerait donc plus au budget des éditorialistes en 1986. Or voilà qu'au plus fort de la crise, et pour achever de tuer toute velléité qu'aurait eu Aron de lui donner tort, Jimmy isola ce passage de mon rapport, le tronqua et le transmit à l'intéressé comme s'il s'était agi d'une note de service datée de la semaine, où j'aurais suggéré sa mise à la retraite immédiate. Jimmy découpa d'ailleurs d'autres passages aussi désagréables pour plusieurs autres membres de la rédaction, en omettant de préciser que ces morceaux faisaient partie d'un ensemble de prévisions pour les années 1986-1991. Il les fit circuler afin de désigner à l'indignation publique ma duplicité.

Aron ingurgita le venin sans méfiance. Il tremblait encore de fureur contre ma trahison imaginaire lorsque, juste avant mon départ définitif, notre ami commun Alain Besançon lui rendit visite pour le persuader de jouer à plein de son autorité afin de ramener Jimmy à la raison et de sauver le crédit de *L'Express* en vue de l'ère dangereuse qui débutait. Il tombait mal. Ivre de déception à mon endroit, Raymond passa de la neutralité à l'hostilité juste le temps nécessaire pour rendre l'épilogue irréparable. Très vite, je n'eus aucun mal à le détromper, en lui fournissant les preuves de l'infamie qui l'avait berné. « Ne connaîtrais-tu point quelque honnête faussaire ? » lui écrivis-je, ornant ainsi mon envoi du plaisant vers de Racine dans *Les Plaideurs*. Nos rapports n'en redevinrent que plus amicaux, mais seulement hélas ! après le succès de la manœuvre. « Je n'ai, pour ma part, jamais cru un instant, m'écrivit Alain Besançon, à la prétendue note de service. Je l'ai dit aussitôt à Raymond Aron en donnant pour argument que cela contredisait aussi bien tes intentions manifestes que ton caractère. » Mais si peu qu'elle ait duré, la crédulité d'Aron avait suffi à faire le jeu de Jimmy. A celui-ci, j'avais évidemment envoyé une protestation passablement pimentée. Il me répondit en troussant le petit roman bonasse ci-après :

« Mon cher Jean-François,

« Merci de votre mot. Je vous réponds en hâte avant de partir pour l'Espagne. En effet, il y a eu des rumeurs au sujet du plan à 5 ans. Cela est partiellement dû au fait qu'il y a eu des réunions pour essayer d'établir un nouveau plan à 5 ans et les anciens documents de travail ont été utilisés comme base. J'ai donc fait lire à Raymond Aron les paragraphes le concernant et il a pu apprécier lui-même le ton amical qui a été utilisé. Il m'a d'ailleurs dit que, dans le cadre d'un plan à 5 ans, il n'était pas déraisonnable de prendre en compte la possibilité de sa retraite éventuelle. Je lui ai dit que nous espérions tous que ce ne serait pas le cas.

« Je pense que les choses se calment.

« A très bientôt et très amicalement.

signé : Jimmy »

Il n'y avait qu'invraisemblance, dans cette version euphorique et mythique, où l'enfantillage et la légèreté ne voulaient pas lâcher prise. Aucune réunion sur un quelconque plan à cinq ans ne pouvait, pratiquement et psychologiquement, avoir eu lieu entre le 13 mai, date du début de la crise, et le 22, date de la réponse ci-dessus. Durant ce laps de temps, tout le journal avait en effet vécu dans l'effervescence, ballotté d'assemblées générales en assemblées générales peu propices à la planification à long terme. Jimmy menaçait toutes les demi-heures de fermer la boutique. Cette atmosphère de vociférations et de chaos

ne se prêtait guère à des méditations prospectives et collectives auxquelles, même si elles avaient existé, Raymond, hospitalisé de nouveau, n'aurait au demeurant pas pu participer.

A tous ceux qui ont jugé avec sévérité la conduite d'Aron dans cette
conjoncture, j'ai toujours objecté qu'on ne peut pas exiger d'un
homme qu'il agisse contre son propre caractère. Il répugnait à toute
décision, à tout parti net, sauf dans l'ordre des idées. Ses qualités
morales ne commençaient à se manifester que là où s'interrompaient
les chemins de l'action. Mais alors elles étaient grandes. Il n'eut jamais
la mesquinerie de ces despotes universitaires qui ont tant garrotté l'invention intellectuelle en France. Parfois susceptible et égocentrique
jusqu'à la puérilité, il savait aussi se montrer affectueux et généreux,
sans ménager son temps ni ses forces, avec un sincère désintéressement, toujours prêt à fournir une recommandation, un soutien, une
préface aux débutants les plus obscurs, du moment qu'il leur trouvait
du mérite et du talent. A son enterrement, en 1983, au cimetière
Montparnasse, où, par la volonté de sa veuve, Suzanne, nous étions
très peu nombreux à avoir été autorisés à nous rendre, je fus un
moment saisi d'une crise de larmes, sans pouvoir me contrôler. Quelqu'un derrière moi me posa gentiment le réconfort de sa main sur
l'avant-bras. Je me retournai : c'était Jimmy Goldsmith, haute tour
humaine voilée d'un immense pardessus noir.

III

Nos confrères prirent pour argent comptant la version goldsmithienne selon laquelle Olivier Todd aurait été licencié pour avoir publié, entre les deux tours de la présidentielle, une couverture où un Giscard vieilli et accablé contemplait un écran de télévision que remplissait un Mitterrand radieux et triomphant. Jimmy rappelait même et n'eut aucun mal à faire gober par les colporteurs de cancans qu'il s'était séparé du précédent directeur, Philippe Grumbach, au début de 1978, déjà en raison d'une autre couverture, laquelle représentait un Mitterrand caricaturé en coq gaulois. Il l'avait jugée, assurait-il, d'un insupportable mauvais goût. Décidément, les couvertures jouaient un rôle fatidique à *L'Express* !

Tout était faux dans cette pittoresque galéjade. Dès sa prise de contrôle du journal, en 1977, Goldsmith avait résolu de se séparer le plus tôt possible de Grumbach, à ses yeux beaucoup trop l'« homme de Servan-Schreiber ». Cette intention ne fut, des mois durant, un secret pour personne sauf pour l'intéressé. Un nouveau président nomme un nouveau Premier ministre, nul ne saurait s'en étonner. Mais pourquoi ne pas demander alors avec franchise à Philippe sa démission, en arguant d'un désir de marquer une rupture avec l'ère schreibérienne ? Au lieu de quoi la couverture Mitterrand, qui n'enfreignait aucune des règles et ne franchissait aucune des limites de la caricature, genre classique depuis le dix-septième siècle, fournit à Jimmy le mauvais prétexte d'un inélégant licenciement. Même un hebdomadaire aussi compassé que *The Economist* met fréquemment à sa « une » des portraits encore plus chargés de personnalités publiques.

L'effet maléfique prêté par l'imagination de Jimmy à la couverture Giscard en mai 1981 relevait de la même propension à la diversion fantaisiste et à l'invention de médiocres faux-fuyants. La cause profonde de la secousse fut en réalité l'éruption de son désir, depuis longtemps contenu, d'écarter Olivier Todd du poste de directeur adjoint de la rédaction, mais non du journal. La cause occasionnelle en fut la transe douloureuse où la victoire socialiste à la présidentielle jeta le psychisme, déjà passablement exalté et versatile, de Jimmy. Pendant plusieurs jours, il oscilla entre divers paroxysmes et chercha divers coupables. Par exemple, il décida, sans raison, en trois minutes, au lendemain du second tour, de tordre le cou au supplément lyonnais de *L'Express*, que nous préparions à sa demande depuis trois mois et qui allait sortir son premier numéro la semaine suivante. J'avais toujours été contre ce projet. Le seul chagrin que m'inspira son abandon soudain fut dû à l'annulation du grand déjeuner de lancement qui avait été prévu chez Bocuse. Pour justifier cette immolation, Jimmy prétendit que l'avènement du socialisme avait entraîné le forfait de tous les annonceurs publicitaires. Pure légende. C'est une autre légende qu'il ait voulu, d'emblée, licencier Olivier. Il commença par me proposer de le nommer correspondant permanent à Washington, poste flatteur, on ne pouvait en disconvenir, et de m'adjoindre Yves Cuau à la direction. Outre mes raisons personnelles de ne pas vouloir de Cuau, plus doué pour les menées secrètes et les calomnies de couloir que pour la création journalistique, j'objectai à Jimmy qu'un directeur de la rédaction qui ne peut pas choisir son adjoint n'est pas un directeur de la rédaction et que, par conséquent, un déplacement d'Olivier effectué contre mon gré entraînerait ma démission. Quand je lui tins ce langage, il réagit d'abord par une immense surprise. Je la vis tomber d'un coup sur sa figure comme l'ombre inopinée d'un gros nuage. Les puissants vivent si entourés de gens courbés dans l'empressement à sacrifier leur dignité pour conserver leur place que l'inverse les déconcerte. Il ne s'attendait pas à ce rebondissement. Il me suggéra que nous nous arrêtions là et réfléchissions pendant la nuit pour reprendre l'entretien le lendemain. Le lendemain matin, en arrivant au journal, je trouvai sur mon bureau la lettre par laquelle il acceptait ma démission.

Quant à la malheureuse couverture, que reproduisirent, je le dis sans exagération, de nombreux journaux dans le monde entier, elle joua le même rôle fictif que l'eau du ruisseau dans la fable où, contre toute vraisemblance, le loup accuse de polluer son breuvage l'agneau placé en contrebas, qu'il souhaite sous ce prétexte dévorer. Jimmy avait d'ailleurs mis plusieurs jours à s'aviser du caractère prétendument insultant de cette « une » envers le président battu. Pour m'expliquer cet éveil tardif de sa susceptibilité, sa lenteur à s'enflammer, il me raconta qu'il avait mesuré l'abjection de l'affront seulement la veille au soir, lorsque, rendant visite à sa mère, une « brave Auvergnate toute simple », il avait constaté la tristesse de la chère dame face à ce dessin pénible. C'était donc par piété filiale qu'il tenait rigueur à Olivier. Une envie de rire me prit alors, si furieuse qu'il me fallut quitter la pièce un instant pour la laisser éclater et s'apaiser loin des regards courroucés de l'admirable acteur qui l'avait suscitée. Le coup de la vieille mère, on ne me l'avait plus fait depuis Florence, à l'époque où mes étudiants de la *Facoltá di Magistero* justifiaient une absence en invoquant une maladie soudaine de la *povera mamma*, quand ils avaient séché mon cours pour aller au bordel.

Sur le fond, la genèse de la couverture litigieuse épouse avec une entière ingénuité empirique les méandres du rapport de forces entre les candidats finalistes. Au milieu du délai de quinze jours séparant les deux tours, les sondages — que la loi interdisait de publier mais qui circulaient dans les milieux politiques et journalistiques — rendaient probable une victoire de Mitterrand au second tour. Mitterrand, qui était, bien entendu, le dernier à l'ignorer, avait, de ce fait, jugé inutile de procéder à la cérémonie du débat télévisé rituel entre les ultimes duellistes, fixé d'ordinaire quatre ou cinq jours avant le dimanche décisif. Devant cette dérobade dédaigneuse, Giscard, qui comptait beaucoup rebondir grâce au débat, pour lequel il possédait plus d'aptitude et surtout de connaissances exactes que Mitterrand, peu épris de travail, avait annoncé qu'il se rendrait de toute manière au studio de télévision préparé pour l'affrontement. Il y attendrait, dit-il, son adversaire, que celui-ci vînt ou pas, et resterait si besoin immobile et silencieux toute la durée prévue de l'émission. La France entière pourrait ainsi constater, au cas où Mitterrand n'aurait pas daigné paraître, le mépris du candidat socialiste pour le dialogue.

Le temps pressant, car le numéro sortait juste avant la date envisagée de la confrontation, j'avais demandé un projet de couverture montrant un Giscard un peu prostré, en train, comme il l'avait lui-même programmé, d'attendre un Mitterrand obstinément absent, dans un studio vide, face à un écran blanc. La situation n'étant pas d'une folle gaieté, l'expression, la contenance et l'attitude du personnage s'en ressentaient... Quelques heures avant le bouclage, j'obtiens enfin au téléphone Mitterrand, qui baguenaudait en Camargue, s'estimant déjà à l'Elysée et, d'ici là, en vacances. Je le supplie de me confier, pour les besoins de ce numéro « historique » de l'entre-deux tours, s'il compte, en définitive, se rendre au studio pour y célébrer le face-à-face. Comme *L'Express* ne sortait que quarante-huit heures plus tard, son coup de théâtre de dernière minute, dans l'annonce de la nouvelle, ne risquait pas d'être éventé. Oui, me dit-il, j'irai. Aussitôt, je demande qu'on garnisse d'un cliché de Mitterrand l'écran de l'appareil de télévision, laissé vide sur l'esquisse, et je fais rouler.

Il est exact que le visage de Giscard y portait des rides excessives. J'avais ordonné de les atténuer. J'ai encore l'épreuve, annotée de ma main, portant mes instructions écrites à cet effet. Elles ne furent pas exécutées. Que l'on se soit abstenu d'effectuer sur la couverture les améliorations et atténuations que j'avais prescrites résultait-il de l'indolence abrutie d'exécutants paresseux ou de la malignité haineuse de comploteurs avides d'attirer sur moi l'ire goldsmithienne, toujours au bord de l'explosion ? L'atrophie chez moi de l'organe paranoïaque me retient d'opter pour la seconde hypothèse avec l'empressement qu'y mettraient des esprits plus normaux et mieux outillés pour flairer les combines. Restait que, loin de se vouloir outrageante, la couverture n'offrait, tout bien pesé, que le raccourci fidèle et banal de la situation objective. Nous n'avions fait que notre métier en la peignant telle qu'elle se dessinait sous notre regard dans le paysage politique.

Olivier s'était fait dans les sommets de la rédaction des ennemis qu'aigrissaient ses brusqueries, le dépit de n'avoir pas obtenu sa place et le désir de la lui subtiliser. La diplomatie, certes, est une vertu nécessaire, dans une rédaction, mais elle n'est pas la seule. S'il fallait, dans quelque art que ce soit, choisir un coordonnateur en raison de la seule douceur de son caractère, Arturo Toscanini ne serait jamais devenu chef d'orchestre. L'imagination d'Olivier dans la recherche des sujets, son impatience de les voir traiter sans retard bousculaient bien des nonchalances dorées. De plus, certains ennemis d'Olivier savaient que j'avais indiqué, dans mon « Plan à cinq ans », que je considérais leurs salaires et avantages (voitures, chauffeurs, etc.) comme disproportionnés et excessifs par rapport au travail fourni et au talent déployé. L'inefficacité n'a jamais eu qu'un seul moyen d'éviter la sanction, c'est la promotion. Il était donc grand temps pour les « professionnels » concernés de faire trébucher Todd et, si possible, moi-même.

Je n'ignorais pas les défauts d'Olivier. Mais il en était trois, au moins, qui lui manquaient : la paresse, l'esprit d'intrigue et la lâcheté, dont je savais en revanche redoutablement pourvus les successeurs que Jimmy avait en tête de lui trouver et de m'imposer. Surtout, je me sentais incapable, pour conserver mon poste, de laisser expier par mon adjoint une faute inexistante et qui, si elle avait existé, ne pouvait être que mienne. Grâce au présidentialisme de la cinquième République, ai-je déploré plus tard, en 1992, dans *L'Absolutisme inefficace*, les coupables des erreurs ne sont pas en France ceux qui donnent les ordres, ce sont ceux qui les reçoivent. Je n'allais pas commettre moi-même cette infamie. Même quand je n'en avais pas eu personnellement l'idée, toute couverture du journal m'était soumise. Aucune ne paraissait sans mon visa et beaucoup se heurtèrent à mon veto. Si Jimmy avait cru pouvoir saisir le prétexte de celle-ci pour se débarrasser d'Olivier sans me pousser à revendiquer la responsabilité ultime du prétendu délit, c'est qu'il surestimait mon immoralité. Il s'exagérait sans doute aussi mon attachement à un poste, certes, intéressant, mais pas dans n'importe quelles conditions et, de toute manière, fort loin de résumer à mes yeux le sens de la vie.

C'est là une disposition psychologique insaisissable pour beaucoup. Ma démission fut saluée comme un « beau geste » par de nombreux articles, de nombreuses lettres, en France et hors de France. Je le dis sans vanité, mais, qu'on me le pardonne, non sans satisfaction.

Cependant, elle a parfois aussi été assimilée par des gens humbles à une sorte de renvoi, de même que par les carriéristes du haut de gamme.

L'amoureux véritable des fonctions et des places ne démissionne jamais, ni pour raison de conscience, ni faute des conditions techniques nécessaires à son office. Il sacrifie toujours ce qu'il faut et ceux qu'il faut à la conservation de son pouvoir, y compris ce pouvoir même, s'il doit se résigner à n'en plus retenir que l'apparence. Les trahisons que son arrivisme lui impose et les volte-face que ses opinions exécutent, il les déguisera en décisions immaculées, qui coulent de la pure source d'une conviction intime et d'une méditation toute personnelle. La démission, s'il y est acculé, il la négocie contre un autre poste, dans lequel il s'arrange pour gagner en élévation ce qu'il a perdu en influence. C'est pourquoi cette engeance ne croit jamais qu'une démission d'autrui soit autre chose que le maquillage d'un renvoi. Les gens modestes, étrangers aux mœurs des coupe-gorge de l'élite, opinent de même, mais pour une autre raison, plus élémentaire et plus estimable, liée à la dureté de leur existence, à la difficulté pour le petit de conserver son gagne-pain. Elle se situe non pas dans le registre de l'ambition, mais dans celui de l'angoisse, de la peur de manquer, de la lutte pour survivre : quand on a une bonne place, il faut être fou pour la lâcher, dit la sagesse populaire. On ne saurait prendre l'initiative de déguerpir. Si on s'éclipse, c'est qu'il s'est produit quelque événement, ignoré du commun, qui vous y a contraint.

Toutefois, l'interprétation de ma démission en licenciement circula principalement et beaucoup plus tard dans le milieu des journalistes, et dans la partie basse de ce milieu, aussi peu capable de se figurer un départ volontaire que les politiques de croire à un refus de devenir ministre ou de le rester. Sur le moment, aucun des articles que je lus, aucune des lettres que je reçus ne comporta ce contresens. La marée de ces lettres, je l'ai dit, me surprit agréablement par son ampleur et m'émut au point que je passai presque tout l'été de 1981 à rédiger des réponses manuscrites, tâche contraire à tous mes penchants, mais qu'alors j'assumai volontiers. Comme me l'écrivit Pierre Nora : « A travers toute cette aventure, tu t'es découvert bien des amis fidèles. » J'ai assez daubé sur la cohue soudaine des amis, connus et inconnus, qui se lèvent et accourent, se pressent et s'empressent quand on accède à un poste d'influence. J'ai raillé les indéfectibles de raccroc qui s'évaporent quand on le quitte. Je dois donc aussi reconnaître que la nature humaine n'est pas aussi mesquine que la dépeignent La Rochefoucauld, La Bruyère, Chamfort ou Cioran. Chacun de nous peut recevoir à foison, dans un sort contraire, des témoignages inattendus de sympathie et de fidélité dictés par un entier désintéressement. Des Etats-

Unis, notamment, où le *New York Times*, le *Washington Post*, *Time*, *Newsweek*, et, par voie de conséquence sans doute, d'autres journaux que je n'ai jamais lus, avaient donné quelque importance et pas mal de place aux malheurs de *L'Express*, je reçus d'étonnantes lettres, non seulement de gens rencontrés durant mes séjours, d'amis écrivains, de politiques, de professeurs et de confrères, mais de lecteurs de mes livres ou d'auditeurs de mes conférences qui ne me connaissaient pas ou du moins avec qui je n'avais jamais eu de relations personnelles. « I was sorry to hear of Jimmy Goldsmith's intervention in the editorial conduct of *L'Express* and *I congratulate you on your resignation* » est une phrase que j'ai bien dû lire dans cinquante lettres. Je mentionne ce phénomène, non pour moi-même qui n'en fus que l'occasion, mais pour l'enseignement qui s'en dégage : à savoir qu'il existe un fort attachement du public aux garanties d'une information compétente et honnête. Le public tient en piètre estime les journalistes, tout en souhaitant les protéger contre l'arbitraire de l'Etat ou du capital. Le directeur du *Washington Post*, Ben Bradley, avec qui j'avais noué dès 1973 d'étroites et cordiales relations de travail au moment du scandale Watergate, défendit, dans un éditorial, le droit qu'avait Goldsmith d'embaucher ses directeurs à sa guise. J'en conviens. Il ne peut y avoir que deux sortes de propriétaires d'un journal, d'une station de radio ou de télévision : l'Etat ou l'actionnaire privé. L'un et l'autre posent ou ont le droit de poser des questions aux rédactions. Mais, malgré tous ses risques, je préfère la propriété privée à l'Etat. Il n'y a qu'un seul Etat tandis qu'il y a plusieurs propriétaires privés. Cette pluralité permet aux journalistes de circuler d'un organe de presse à un autre en cas de désaccord. Je l'ai souvent fait. On déjoue par contre moins aisément la dictature du propriétaire dit de « service public » que celle des patrons privés. Reste que le casse-tête de rapports équitables entre les propriétaires et les journalistes s'éternise et rebondit avec une monotonie d'autant plus affligeante que ni les uns ni les autres ne sont des saints, que seules guideraient la bonne foi et les exigences du métier. Le législateur n'a dans aucun pays adopté un contrat-cadre, comme il l'a fait pour la relation entre les éditeurs et les auteurs de livres, afin de régir dans leurs grands traits l'aspect éthique et les garanties professionnelles de la relation entre l'entrepreneur et le rédacteur de presse. On exige, en pratique sinon en droit, des journalistes un minimum de capacités dont les propriétaires se jugent pour la plupart dispensés et se trouvent trop souvent dépourvus. Le législateur pourrait et devrait trouver un moyen de mettre fin à ce déséquilibre. Pourquoi serait-on dispensé de qualifications intellectuelles et morales pour posséder un journal, une radio ou une télévision, alors qu'il en faut pour y travailler ? Souhaitons que cette législation voie le jour dans l'Europe unie, si celle-ci accède à plus de réalité. Que ce soit une législation non pas dirigiste, comme l'Europe a trop tendance à en produire, mais qui définisse les termes de bon sens d'un contrat professionnel délimitant les droits et responsabilités des hommes du capital et ceux des hommes du métier.

IV

Les éructations contradictoires et gesticulations désordonnées de Jimmy, durant les semaines qui suivirent mon départ et celui d'Olivier, révélèrent l'incohérence de ses mobiles comme de ses projets. Un jour, il claironne qu'il va prendre lui-même la direction de la rédaction. Puis, pour mettre celle-ci en confiance, l'après-midi même, il lui lance un mémorable : « Vous me faites tous chier ! » hurlé à la face des journalistes siégeant en assemblée générale, salle des Centraux, rue Jean-Goujon. Le lendemain, quoiqu'il eût proclamé son intention de durcir les positions droitières de *L'Express*, puisqu'il avait rompu avec Olivier pour cause de connivence socialiste, il s'empresse de nommer chef du service politique Christian Fauvet, un fantoche conformiste entièrement confit en dévotion de gauche. Ledit Christian ne devait son embauche à *L'Express* qu'à l'obligeance de mes prédécesseurs envers son père Jacques, le directeur du *Monde*, qui avait fait de ce quotidien le porte-voix officieux de l'alliance socialo-communiste. Christian Fauvet se trouvait être en outre le beau-frère de Michel Vauzelle, un dévot mitterrandien de la plus docile espèce, devenu dès mai 1981 porte-parole de la présidence de la République. Il deviendra, en 1992, garde des Sceaux, quand l'Elysée sentira le besoin d'un ministre prêt, place Vendôme, à faire obstruction au cours de la justice, pour soustraire au châtiment des tribunaux les friponneries du parti socialiste et surtout de son auguste parrain.

Comme « virage à droite » et pour aiguiser *L'Express* en tant que fer de lance de la presse d'opposition à la nouvelle majorité, cela revenait à placer une nonne à la tête de l'Union rationaliste. Par cette nomination en contradiction étourdie avec ses intentions affichées, Jimmy avouait que la raison réelle du licenciement d'Olivier n'était point qu'il penchât trop à gauche : c'était son indépendance de caractère. De surcroît, les convictions socialistes d'Olivier battaient lugubrement de l'aile à l'époque. Son inclassable esprit critique, son dégoût vite avéré pour la cour mitterrandienne, où l'on s'élevait d'autant plus haut dans les places que l'on courbait plus bas l'échine devant le maître, lui eussent fait vite ordonner à mon côté l'assaut contre la gauche « autocléricale » et cupide qui venait de s'installer au pouvoir.

Cependant, Jimmy poursuivait l'édification de son nouvel et génial organigramme selon une logique sans doute inspirée de la « pataphysique » d'Alfred Jarry. En effet, la presse fit savoir en touche complémentaire (*Matin de Paris*, 19 mai 1981, etc.) qu'il avait chargé Raymond Aron d'« assurer le pluralisme du journal ». La hiérarchie se composait donc d'un directeur de la rédaction en titre, Yves Cuau ; d'un directeur réel, Jimmy Goldsmith, à la tête d'une croisade destinée à fabriquer, selon ses propres termes, un « *Nouvel Observateur* de droite » ; flanqué, en vue de l'épauler dans cette tâche, d'un chef de service politique socialiste ! Et, enfin, d'un préposé au pluralisme. Comme si le pluralisme était un condiment dont on saupoudrât un journal et non point la projection naturelle dans ses pages de la complexité inhérente à la réalité et de la diversité des hypothèses envisageables pour la comprendre. Au sein de cette abracadabrante restructuration, Jimmy maintint toutefois non sans continuité de vues le cap sur un rêve, un seul : assouvir enfin son désir de régaler les lecteurs de son journal du nectar de ses méditations personnelles sur la politique, l'histoire et la morale. J'avais toujours fait semblant de ne pas saisir ses avances d'auteur potentiel et d'ignorer ses aspirations à la publication d'articles de son cru, lorsqu'il me communiquait « à titre confidentiel » ses grimoires visionnaires. Je lui jurais, en l'aspergeant d'éloges, qu'honoré de sa confiance je garderais farouchement le secret de leur important contenu. Il se forçait à rire, sans pouvoir empêcher sa rogne d'affleurer. Avec mon successeur Yves Cuau, cette incompréhension opiniâtre fit enfin place à une juste et accueillante reconnaissance des dons de penseur de l'actionnaire principal. « En septembre 1984, relate (dans *L'Evénement du jeudi* du 17 avril 1986) Albert du Roy (qui avait quitté *L'Express* en même temps que moi), Jimmy, selon ses propres termes, rédige "un *mémo* destiné aux responsables du journal" et que "le directeur de la rédaction a suggéré de transformer en article à publier". Quel modeste patron ! Et quel directeur compréhensif ! » ironise Albert du Roy.

Les brûlots de Jimmy, flottant à contrecourant du cours, plutôt progouvernemental, des eaux hebdomadaires de *L'Express*, aggravaient l'impression de cafouillis, la perte de crédibilité qui s'était produite en une semaine, en 1981. Elle avait frappé les commentateurs dans les pays les plus divers, depuis celui du *Times* de Londres (20 mai 1981) jusqu'à celui de la *Far Eastern Economic Review*, en passant par la presse latino-américaine, québécoise et même arabe. Carlos Rangel résume bien la substance de tous ces éditoriaux dans ce passage d'une lettre qu'il écrivit à Jimmy (15 juin) et dont il m'envoya copie : « Avec la victoire de Mitterrand à l'élection présidentielle française,

L'Express apparaissait destiné à accroître considérablement son importance. Il aurait été le seul organe d'opposition crédible, au moment où *Le Monde* et *Le Nouvel Observateur* obtiennent enfin ce qu'il ont voulu (et mérité) et ont maintenant à subir le châtiment de devenir les porte-parole semi-officiels du nouveau gouvernement socialiste. *L'Express* se trouvait être à ce moment-là l'instrument le plus parfaitement au point pour accomplir la tâche qui se présente. Et c'est ce moment que vous avez choisi, dans un accès d'humeur, pour endommager cet outil de façon probablement irréparable. » Carlos se trompait : *L'Express* n'était pas « le seul organe d'opposition crédible », heureusement. Mais il aurait pu être le plus puissant. Or, comme me le disait Simon Leys, développant, dans une lettre du 10 juin 1981, la cruelle épitaphe rédigée par la *Far Eastern* pour *L'Express*, à propos de ce piteux moment de l'histoire de la presse, qui devrait s'exhiber dans le musée des horreurs des centres de formation des journalistes : « Goldsmith n'a pas idée de ce qu'est l'activité journalistique. Il la prend pour une simple entreprise de propagande. Il ne se rend pas compte que le capital le plus précieux d'une revue, c'est sa crédibilité. Celle de *L'Express*, que vous et votre équipe aviez admirablement réussi à bâtir (cette appréciation flatteuse pour moi émane naturellement d'un ami, mais en général peu complaisant), a été anéantie d'un seul coup par Goldsmith. *L'Express* n'existe plus. Le fantôme qui continue à porter son nom ne présente plus aucun intérêt. » Que l'on me comprenne bien : je n'ai pas l'outrecuidance de soutenir que c'est mon départ, en tant qu'individu, qui a sapé l'autorité de *L'Express*. C'est le fait que les causes, prétextes et conditions de ce départ démontraient l'impossibilité pour tout directeur, moi ou un autre, d'exercer sous un tel propriétaire ses fonctions selon les règles d'une élémentaire déontologie professionnelle.

En outre, non seulement Jimmy avait brisé le moteur et l'audience de ce qui fût devenu le plus vigilant et le plus écouté des organes d'opposition, mais, par sa purge « stalinienne », il jetait les libéraux dans le vilain rôle de se comporter en censeurs intolérants de la liberté d'expression, au moment où elle devait être plus que jamais défendue, contre la gauche. Il privait ainsi les libéraux du droit de protester contre le sectarisme et les censures socialistes. En France et à l'étranger, les journaux raillèrent sans indulgence cette absurdité suicidaire. Par une amère ironie de la destinée, qui intervertissait pour notre honte les emplois, il revint... à la presse soviétique de sonner le glas de l'autorité perdue de *L'Express*, comme en témoigne la savoureuse dépêche d'agence reproduite ci-après :

« *Moscou Soir* » et le « scandale de *L'Express* »

« Moscou, 7 juill. (AFP) — Le « scandale de *L'Express* » qui s'est soldé par le licenciement du rédacteur en chef, M. Olivier Todd, et la démission du directeur de la rédaction, M. Jean-François Revel, témoigne des limites de la liberté de la « presse bourgeoise », estime mardi *Moscou Soir*.

« Le journal soviétique dénonce les méthodes employées par le propriétaire de *L'Express*, M. Jimmy Goldsmith, sans pour autant prendre parti pour les journalistes de l'hebdomadaire qualifié de "légèrement vulgaire, ouvertement anticommuniste et antisoviétique" (AFP 072025) »

Contemplant les décombres de notre crédibilité, sur lesquels même un quotidien contrôlé par le KGB pouvait s'offrir le luxe de dauber, constatant que *L'Express* s'était infligé, à un moment décisif, des blessures qui le mettaient hors de combat et accomplissaient ainsi un des rêves de la gauche, je me pris un soir à me poser la plus saugrenue de toutes les questions : Ciel ! Jimmy Goldsmith serait-il une taupe du Parti socialiste, chargée de discréditer le libéralisme ?

V

Malheureusement, je l'ai su trop tard, Valéry Giscard d'Estaing et Raymond Barre, encouragés sans doute par d'extravagantes promesses que Jimmy avait dû leur faire — ou leur faire transmettre par ses arlequins — et dont il n'avait pas osé me parler, considéraient que *L'Express* avait pris l'engagement de se muer en organe de propagande militante et en soutien actif au service de la réélection du président sortant. Raymond Aron lui-même, très perméable aux effluves du cabinet du Premier ministre, dans lequel notre ami commun, Jean-Claude Casanova, qu'il voyait constamment, occupait une fonction de premier plan, n'était pas loin de se laisser gagner par cette fièvre militante. D'où, d'ailleurs, sa nervosité, relatée plus haut, due à la place trop large que j'accordais, selon lui, aux opinions opposées à celles de la majorité et aux informations que celle-ci aurait souhaité voir passées sous silence. On l'a vu, un journal devait selon lui, à la veille d'une consultation aussi grave, prendre position, non faire défiler à la tribune des orateurs de tous bords. Mais l'un n'empêche pas l'autre ! J'ai toujours admiré, à partir de 1982, année où j'entrai au *Point*, l'art avec lequel Claude Imbert maintenait une ligne ferme, voire agressive, à l'égard du gouvernement tout en donnant avec libéralité dans son journal la parole aux ministres socialistes, avec lesquels il entretenait d'excellentes relations personnelles : j'ai rencontré plus d'une fois, dans les fréquents et si délicats dîners que Claude et sa femme Alix offraient chez eux, rue du Cherche-Midi, des personnalités politiques que nous venions d'étriller dans *Le Point*, sans bassesse mais sans ménagement. Leur appétit ne paraissait pas en souffrir, ni leur volubilité. L'analyse politique, ou autre, n'est influente que si elle est respectée, et, pour l'être, elle doit très évidemment découler non du préjugé mais du jugement. L'ignorance de cette règle par Jimmy, au cours des six premiers mois de 1981, règle qu'Aron lui-même avait quelque peu perdue de vue, aggrava encore le désaccord de principe et de méthode entre le propriétaire et moi-même.

Je ne me vanterai pas d'avoir « prévu » la victoire de Mitterrand, tant les résultats électoraux dépendent d'impondérables, jusqu'à l'ultime journée, comme l'ont encore démontré en 1995 l'élection de Jacques Chirac et la première place inattendue de Lionel Jospin au premier tour de la présidentielle. Les prophètes rétrospectifs, j'ai trop subi leur suffisance pour avoir le cœur de les imiter. Je dirai, en modérant mes termes, que, très tôt en 1981, il m'apparut que l'élection d'un président et d'une assemblée socialistes avait cessé d'être impossible. La cause en était simple : l'affaiblissement du Parti communiste. Quelques centaines de milliers de sympathisants avaient reculé devant le vote de gauche en 1973, en 1974 et en 1978 par crainte de porter au pouvoir le PCF qui, malgré ses simagrées, demeurait totalitaire. Ce probable effondrement communiste, les politologues n'y croyaient pas, en dépit des sondages. Ils annonçaient que le PCF « finirait autour de 20 % », son « matelas incompressible ». Or la débâcle allait éclater avec la chute brutale à 15 % en mai 1981 au premier tour. La rupture entre PCF et PS durant l'été de 1977, brouille sur laquelle avait projeté une cruelle lumière, plus qu'elle ne l'avait apaisée, la comédie d'une feinte réconciliation, entre les deux tours des législatives de 1978, avait depuis tourné au pugilat. Les attaques aussi violentes que vulgaires de Marchais contre Mitterrand, pendant la campagne, loin d'affaiblir les socialistes, les renforçaient. Leur tendance à la montée ressortait clairement de plusieurs élections partielles. Elles montraient que les socialistes auraient de moins en moins besoin des voix communistes pour se faire élire dans le système du scrutin majoritaire à deux tours et donc de moins en moins de rétributions politiques à leur distribuer en cas de prise du pouvoir. Les électeurs, jusque-là réticents, le pressentaient. Je développai cette réflexion dans mon éditorial du 24 janvier 1981, cinq mois avant l'élection (*L'Express*, n°1542). J'en avais extrait pour l'exergue (en argot de métier, la « fenêtre », une phrase encadrée en petites capitales, au milieu de l'édito) l'idée essentielle : « La gauche désunie sera plus dangereuse pour Giscard que la gauche unie. »

D'autant plus, ajoutai-je, que ce paradoxe politique ne s'appliquait pas du tout à la droite. Sa désunion la rendait, à l'inverse, de moins en moins dangereuse pour la gauche. Elle permettait de prévoir un exécrable report des voix de Chirac sur Giscard au second tour, pronostic que l'événement confirma et que Chirac ne chercha guère à déjouer. Etant allé passer une fin de semaine dans les Côtes d'Armor entre les deux tours, j'ai moi-même entendu le Colonel Rémy, conscience morale et figure historique du gaullisme en Bretagne, téléphoner dans les six départements pour recommander l'abstention ou même le vote Mitterrand. Quant au calcul giscardien d'une abstention communiste compensatoire, j'ai déjà expliqué pourquoi ce n'était qu'un rêve de grand bourgeois, ignorant du phénomène communiste et de la « culture de gauche ». Même en enrageant, en grinçant des dents et en gémissant (« *frendens gemensque* », tel Hannibal obligé de quitter l'Italie), les dirigeants du PCF ne pourraient se dispenser de se rallier à Mitterrand pour le second tour, fût-ce après avoir utilisé, sur ordre de Moscou, tous les coups bas pour l'abattre au premier. La loi constante de la gauche, sur ce point, depuis le Front populaire, s'appliquerait. En revanche, la haine des gaullistes pour Giscard allait s'exacerbant. Pour en convaincre Jimmy, j'avais suscité, quelques semaines plus tôt, un dîner où Jacques Chirac nous convia aimablement tous les deux seuls avec lui à l'Hôtel de Ville de Paris, dont il était le maire depuis 1977, comme on sait. Il nous y reçut avec sa coutumière et naturelle cordialité, tout en nous exposant intarissablement, au moyen d'accablants exemples puisés « sur le terrain », à quel point les militants de son parti, le Rassemblement pour la République (RPR), éprouvaient envers le président Giscard d'Estaing une animosité toujours plus vive et plus intraitable. Chirac, malgré tout le désir qu'il avait de la combattre, disait-il, se désolait d'avoir dû y renoncer. Nous ne crûmes guère à ce désir, et lui ne paraissait guère souffrir de sa renonciation. Mais notre hôte sans la noircir décrivait une réalité que confirma deux mois plus tard le désastre des reports du second tour. Jimmy, quand, après avoir pris congé, nous nous retrouvâmes lui et moi dans sa voiture, formula ce jugement sur Chirac, qu'il venait de rencontrer en tête à tête pour la première fois : « Cela ferait un excellent gouverneur d'Etat en Amérique, mais pas un grand président. » Etait-ce bien vu ? Je l'ignore encore en 1996, mais je retrouvais dans cette formule le Jimmy perspicace, sarcastique et lapidaire que j'aimais, l'aspect de lui dont je me souviens toujours avec plaisir, même si, aujourd'hui, après l'élection de Jacques Chirac à la présidence, je souhaite, sans trop y croire, que cette boutade ait marqué trop de sévérité.

S'ajoutant à la « politique du pitre » de Georges Marchais (j'emprunte ce fin jeu de mots à l'hebdomadaire officiel du Parti socialiste, l'heureusement défunte *Unité*) et à la guerre intestine de la droite, un troisième facteur préparait la victoire de Mitterrand : c'était la dégradation psychologique de Giscard. Il répugnait de plus en plus au contact avec la réalité. C'est là une maladie professionnelle et une fatalité institutionnelle chez les présidents français sous la Ve République. Comme rien ne les contraint à s'exposer malgré eux aux critiques, aux conseils ou aux contrôles d'autrui ou d'un autre pouvoir, ils glissent à la longue dans le narcissisme. Giscard y était déjà prédisposé. Son dévissage n'en fut que plus rapide. L'illusion d'être seul intelligent dans le royaume, d'émerger, unique rescapé, au-dessus de l'océan de la sottise universelle pousse peu à peu tout président français à s'emmurer dans une solitude revêche et méprisante, qu'il se figure indispensable à la protection de ce qu'il baptise sa méditation personnelle. Dans la dernière année de son mandat, Giscard consultait de moins en moins autour de lui. Les confidences que j'obtenais d'amis membres du gouvernement ou collaborateurs de l'Elysée m'apprenaient que le Président ne convoquait plus jamais personne ni n'acceptait de donner audience à qui que ce fût dans l'intention de se livrer avec son interlocuteur à un tour d'horizon détendu des grands et petits problèmes. Dans son entourage, les seuls collaborateurs qui pussent encore oser alerter de temps à autre sa vigilance ou troubler sa torpeur ombrageuse étaient Jean François-Poncet, ministre des Affaires étrangères, Jean-François Deniau, son vieil ami, alors ministre de la Réforme administrative, Monique Pelletier, ministre délégué à la Condition féminine et Jean Serisé, son conseiller politique à l'Elysée. Encore ces privilégiés, me disait-on, n'étaient-ils autorisés à lui soumettre leurs observations que sous forme de billets manuscrits qu'ils lui glissaient dans le creux de la main à l'issue du Conseil des ministres. Le psychisme du président était devenu trop fragile pour supporter un échange d'idées dans la liberté d'un face-à-face et le cours imprévisible d'une conversation. Un tel repliement sur soi inquiétait ses fidèles. Il se doublait, chose fréquente dans ces évolutions autistes, de manies mesquines et tyranniques. Giscard en était venu à se méfier des ministres qui, en Conseil, faisaient des communications dont le texte n'était pas écrit de leur main. Il les tenait pour des paresseux qui se bornaient à lire des mémos établis par leurs services. Reproche surprenant, de la part d'un homme qui n'ignorait sans doute pas qu'on peut dicter. Surtout il avait lui-même été souvent ministre et donc devait savoir que, meilleur est un ministre, plus ses services reflètent sa pensée. Jean François-Poncet, en vertu de la hiérarchie protocolaire, siégeait à la gauche du président, qui, de ce fait, pouvait voir les papiers disposés devant son ministre des Affaires étrangères. L'infortuné devait ainsi recopier tous les mardis, veille du Conseil, jusqu'à trois heures du matin, les mémorandums que ses services lui avaient adressés. Il ajoutait, amer et indigné : « Ce salaud de Monory (le ministre de l'Economie) qui est assis en face, de l'autre côté de la table, n'a pas à en faire autant. » Je résume la substance de ce que me racontèrent des ministres ou collaborateurs proches du Président, sans décider ce qui serait le plus inquiétant : qu'ils aient dit vrai ou qu'ils l'aient inventée.

La stature morale de Giscard continuait à souffir des séquelles de l'« affaire des diamants », une peccadille comparée au gigantisme des futures déprédations mitterrandiennes. Mais *Le Canard enchaîné*, *Le Monde* et toute la gauche socialiste (pas les communistes, qui ménageaient le Président, je l'ai dit, au sujet des diamants, en échange de son appui dans l'affaire de la collaboration de Marchais avec l'ennemi sous l'Occupation) avaient su à merveille élargir la brèche ouverte par cette faiblesse, avec une énergie et une ingéniosité polémiques dont la droite, contrairement à la légende, est en général dépourvue. J'avais commandé, sur les qualités et les défauts présumés des principaux candidats, un même sondage dont une question était : « Le jugez-vous honnête ? » Dans le sondage sur Giscard, une majorité dans l'opinion avait répondu par la négative. Très embarrassé, je consultai Chirac, invité à cet effet par moi en cabinet particulier chez Laurent. Devais-je publier une telle réponse ? Je dois le dire, malgré son aversion pour Giscard, qui confinait alors à l'idée fixe, Chirac, avec une insistance et une éloquence qui ne me parurent pas feintes, me déconseilla la publication. « Vous ne *pouvez* pas, répétait -il, vous ne devez pas, aux yeux de l'étranger, imprimer que les Français jugent que leur président est un malhonnête homme. » Hélas ! malgré l'injustice d'une telle condamnation, il eût été, comme toujours, pire pour l'intéressé de la censurer que de la maintenir. L'aurais-je rayée du sondage publié que mille indiscrets, dans l'institut de sondage même et dans ma propre rédaction, auraient colporté partout chez nos confrères et chez les socialistes à la fois la réponse et sa censure. Les dégâts eussent été incomparablement pires, tandis que le sondage — ô paradoxe ! — passa presque inaperçu. Accompagnant cet affaiblissement généralisé du président, s'accentuait sa rupture de plus en plus envenimée avec son Premier ministre Raymond Barre. Transfert de responsabilité conforme, là encore, à la pente des institutions de la Cinquième, qui porte le président à reprocher au chef du gouvernement les consé-quences de l'exécution de ses propres instructions. Telle était, à la fin, la rancune du chef de l'Etat contre Barre qu'il interdit même à René Monory de tenir des propos optimistes sur le redressement écono-mique, l'amélioration de l'emploi et la baisse de l'inflation, espérés à moyen terme. La France, malgré la crise, jouissait d'une meilleure santé économique et sociale que la plupart des autres pays européens, Giscard ne l'ignorait pas. Mais il avait attendu encore mieux de son Premier ministre, un miracle de courbes spectaculairement ascen-dantes, au cours des trois derniers mois de son mandat. Faute de les avoir obtenues, il écarta Barre de la campagne, ce qui multiplia les morceaux en lesquels s'était brisée la majorité sortante, au moment exact où il aurait fallu les recoller.

Voilà les constatations et les réflexions qui m'avaient amené, pen-dant que Jimmy courait les brelans et prenait conseil dans les dîners, à éviter d'associer complètement *L'Express* au naufrage prévisible de Giscard et à commencer mes préparatifs pour faire de notre journal le plus efficace et le plus écouté des futurs contre-pouvoirs. Après une dernière et vaine entrevue avec un Jimmy forcené d'exaltation chaotique, je revenais une dernière fois vers mon bureau. Comme je marchais dans les couloirs, se remirent à tournoyer et à chantonner dans ma tête, j'ignore pourquoi, d'affreux vers de mirliton datant de l'année précédente. C'était au cours d'une réunion, au début de juin 1980, avec les services commerciaux et de diffusion Pour un hebdomadaire, les longs week-ends, les ponts, qui ajoutent à ces week-ends un vendredi, voire un jeudi ou un lundi fériés, parfois additionné d'un mardi, entraînent une baisse d'un quart ou d'un tiers de la vente au numéro. Haletants au volant, éperdus sur les routes, les lecteurs achètent moins les journaux. La plupart des kiosques ferment dans les grandes villes. Mai et juin, mois les plus hachés de congés de ce type, nous retranchaient toujours des coupes claires dans la diffusion. Au printemps de 1980, en outre, un voyage du pape Jean-Paul II en France, déplaçant des centaines de milliers de croyants vers les divers points du territoire où le souverain pontife devait officier, aggravait encore l'improbabilité de rencontres entre le journal et les acheteurs. D'où cette lugubre réunion des commerciaux, le 4 juin 1980. Pour les dérider, j'avais improvisé cette bagatelle, qui, un an plus tard, se remettait à flotter dans ma mémoire, dans le style de Chapelle et de Bachaumont :

> *Tantôt par des ponts*
> *Tantôt par des papes*
> *La distribution*
> *Porte un handicap.*
> *Ces week-ends trop longs*
> *Tombent dans la trappe*
> *Et la diffusion*
> *Jamais ne rattrape*
> *Cette succession*
> *De ponts et de pape.*

Pourquoi marmonnais-je à nouveau cette fadaise ? Parvenu devant la porte de mon bureau, on me remit une dépêche d'agence, en même temps qu'une pétition que me tendit, au nom du personnel administratif, une gentille jeune femme, pour me demander de reconsidérer ma démission. Je lus d'abord la dépêche à haute voix : « Rome, 17h19, AFP. Le pape Jean-Paul II vient d'être victime d'un attentat, place Saint-Pierre. Dans un état très grave, il a été transporté d'urgence à l'hôpital, etc. » La jeune femme devant moi murmura : « Ah non, c'est trop pour une seule journée. » Puis elle s'évanouit et s'écroula devant moi par terre. En participant de mon mieux à son ramassage, je me demandais si je devais me mettre à croire à la transmission de pensée (mais n'étais-je pas indigne, moi, mécréant, de recevoir à distance un message du Saint-Père ?) ou aux « hasards objectifs », auxquels avait donné droit de littérature mon cher André Breton. Par réflexe professionnel, je me dis plutôt : « Tiens, il va sans doute falloir changer la une. » Puis un retour sur la situation me rappela que cette décision avait cessé de m'incomber. J'éprouvai, à cette pensée, non point du dépit, mais je ne sais quelle vague sensation de largeur et de liberté.

LIVRE SEIZIÈME

DANS LES PLIS DE L'OUBLI

« Vous qui n'y voyez pas,
pensez à ceux qui voient ! »

Dicton surréaliste

A partir de quel moment un événement devient-il un souvenir ? Dès l'instant même où il a lieu, répondrait Bergson. Lorsqu'il est tiré d'un oubli préalable, protesterait Proust. Ils évoquent deux réalités distinctes. Le philosophe parle de la formation du souvenir, de la « trace mnémonique », pour employer le jargon de la tribu. Le romancier pense, de son côté, à l'effet d'éloignement qui transforme le souvenir en objet littéraire. Le passé ne se raconte que si on l'a d'abord « perdu ». Il doit nous être devenu en quelque sorte étranger, je dirai même à quelque degré indifférent. Tant qu'il nous demeure présent — et ce présent peut durer plusieurs années — il alimente notre rumination quotidienne mais ne saurait se prêter à cette reconstitution narrative qui suppose la traversée de l'imagination. Tout récit n'est pas fiction, mais tout récit naît de la recomposition imaginaire. Le compte rendu des événements récents est autre chose. Le témoignage est d'une autre substance que le souvenir.

Le début de mon présent se situe, pour moi, aux alentours des années 1983-1984. Après elles, malgré les douze ou treize ans qui m'en séparent, je pense et je sens ce qui m'est advenu et ce que j'ai fait, je vois les êtres que j'ai connus et connais encore comme du tissu d'aujourd'hui, non d'hier. C'est pourquoi j'ai résolu ou, pour être plus exact, je me suis senti intérieurement contraint d'arrêter à cette date ces souvenirs. Sans préjudice d'un « bada » qui pourra voir le jour plus tard, sans doute après ma mort, mais, pourquoi pas ? pourrait même être « anthume », adjectif cher à Alphonse Allais. Le bada, en « marsilhès », variante phocéenne du provençal, c'était, du temps de mon enfance, le petit morceau supplémentaire que le marchand de glaces ambulant ajoutait gracieusement au sommet du cornet qu'un gosse venait de payer cinq, dix ou vingt sous, selon le nombre de boules. Un glacier méritait le déshonneur dû au pingre et s'attirait les railleries des gamins et des fillettes s'il se dispensait de « donner le bada ».

Cependant, m'a opposé un lecteur qui a eu la bonté de prendre intérêt à cette narration, la douzaine d'années écoulées a beau sonner à vos oreilles comme votre présent, elle n'en a peut-être pas moins comporté des histoires, des rencontres, des personnages que nous serions curieux de connaître. Merci de le croire, et c'est en effet possible. Devant cette flatteuse sollicitude, je formulerai deux remarques.

La première est qu'à partir de 1982 ma vie s'identifie de plus en plus à ma vie intellectuelle, dans laquelle s'inscrivent et de laquelle découlent désormais mes nouvelles rencontres, mes nouvelles expériences, mes nouvelles amitiés. Les livres et les articles que j'ai, depuis cette date, écrits rendent compte de ma biographie avec une fidélité sinon exhaustive, du moins décemment approximative, exception faite des cartes cachées dans ma manche que je réserve pour le bada. Mais concernant le gros œuvre, lorsque l'envie m'est venue de risquer ces mémoires, pris que je fus par le mal du passé, comme on éprouve le mal du pays, c'était pour tenter de dire ce que mes autres livres ne disaient pas, ou pas assez. Au cours des récentes années, l'âge et la fatigue m'ont peu à peu réduit aux limites de l'« intellectuel » qui logeait en moi. De moins en moins de choses pendant cette période me distinguent de lui. Il m'agace moins et il a lui-même de moins en moins de mal à me supporter. Je lui ai laissé une fois pour toutes la parole, me bornant à acquiescer dans mon coin et le laissant savourer mon amical mutisme. Raconter cet armistice pécherait donc par redondance.

La seconde remarque, moins personnelle et plus littéraire, tient à la diversité des genres que recouvre le terme de « mémoires ». En simplifiant, je mettrai d'un côté les mémoires historiques, qui valent par leur teneur documentaire, de l'autre, les mémoires littéraires, qui valent non par l'importance des événements qu'ils racontent, mais par la manière de les raconter. Certes, certains mémoires réunissent les deux qualités, comme ceux du cardinal de Retz ou les *Souvenirs* de Tocqueville. Les *Mémoires* de Saint-Simon, bien que dépeignant un théâtre où des personnages illustres ou très connus jouent de solennelles scènes historiques, nous éblouissent en saisissant plus ce que ces personnages ont d'accessoire que ce qu'ils ont d'important ; ce qu'ils ont d'humain devant l'éternité et non ce qu'ils ont de grand devant leur époque. L'enchantement des *Confessions* découle tout entier de l'art de Rousseau. Il est le même, que l'auteur fasse le portrait d'une femme célèbre trônant dans un des salons les plus glorieux du XVIIIᵉ siècle ou qu'il fasse celui d'un marchand d'oublies rencontré au hasard d'une promenade campagnarde. Le plus souvent, nous lisons les mémoires des chefs d'Etat, des généraux, des ambassadeurs comme des documents d'archives ou des témoignages, par intérêt pour l'histoire, non pour rechercher un plaisir littéraire, même s'il leur arrive d'écrire — ou de faire écrire — honorablement la chronique de leur carrière. Le cas extrême des mémoires-littérature, par opposition aux mémoires-histoire, serait de s'attacher le lecteur tout en ne roulant que sur des faits dérisoires et sur des personnages obscurs. C'est là le mérite, par exemple, des *Souvenirs d'enfance et de jeunesse* de Renan, puisque l'auteur, bien que célèbre au moment où il écrit, reconstitue la période de sa vie où il était bien loin de l'être devenu et où il grandissait parmi des gens qui ne le deviendraient jamais.

Quoique les hasards de mon métier ou de mes amitiés m'aient parfois mis en présence de certains acteurs de l'histoire, de protagonistes du destin des Etats, de l'art, de la poésie ou de la science, ce n'est pas sur cet adjuvant extérieur que j'ai tablé pour tenter de capter ici l'attention du lecteur. (J'emploie « protagoniste » au sens propre : « celui qui joue le rôle principal »). Autant dire que je m'inspire ou tâche de m'inspirer entièrement du second genre de mémoires et nullement du premier. Certes, je ne me sens digne à aucun degré des génies de la création littéraire dont j'ai fait ci-dessus l'énumération rapide. Mais un auteur, après tout, a bien le droit d'avoir des modèles, sans prétendre les égaler, ni même les approcher. En clair, j'ai voulu que ce livre, si minces soient ses mérites, repose sur la narration plus que sur la documentation, même s'il peut en même temps n'être pas dénué de valeur informative sur quelques aspects de l'époque que je me trouve avoir traversée.

Pour mieux afficher cette intention, j'avais projeté de sous-titrer mon livre « roman de mémoire ». Mes éditeurs et amis, Olivier Orban, Jean-Claude Simoën, Laurent Theis, qui ont dorloté ce manuscrit du début à la fin, se sont récriés avec épouvante que le public prendrait le mot « roman » comme un aveu d'irrespect pour la vérité. Or, je me suis efforcé de lui rester fidèle et crois ne l'avoir jamais trahie, du moins de propos délibéré. J'eus beau objecter particulièrement à Laurent Theis, dont la sollicitude chaleureuse m'a soutenu pendant tout mon travail, et qui, de surcroît, est médiéviste, qu'au XIIe siècle le terme « roman » signifiait « récit », il me rétorqua non sans fondement qu'on ne pourrait pas fournir en prime à tout lecteur un dictionnaire de l'ancien français. Je m'inclinai donc avec docilité et tentai de sous-titrer « fragments de ma vie », d'abord parce que c'est vrai, ensuite en hommage à l'un de mes maîtres, le philosophe anglais Alfred Ayer, dont les Mémoires, parus en 1977, s'intitulent *Part of my Life*. Mais derechef ce fut peine perdue.

Quant au titre proprement dit, j'avais d'abord projeté, j'avais même décidé d'appeler ce livre *Que me veux-tu* ? Allusion patente au vers de Verlaine, que je comptais placer en exergue : *Souvenir, souvenir, que me veux-tu ? L'automne*, etc. A l'essai, je m'aperçus que les gens susceptibles de lire mon livre comprenaient naturellement tous sans hésiter cette allusion, ce qui me rassura. Je recueillis même l'approbation émerveillée d'Angelo Rinaldi. Mais avec lui, aussi conciliant dans la conversation qu'il l'est peu par écrit, on ne sait jamais s'il approuve par lassitude ou par conviction. Hésitait-il à me dissuader ? Pourtant, je suis facile à contredire. Je le prouvai, d'ailleurs, lorsque je capitulai, dès l'instant où Olivier Orban m'avoua trouver mon titre exécrable, arguant d'abord que les lecteurs éventuels ne saisiraient en fait pas tous la connexion avec le « souvenir » verlainien, ensuite qu'un bon titre n'était jamais interrogatif. Je contestai ce théorème, mais, doté d'un naturel accommodant, je feignis de prendre une affirmation pour une démonstration, et m'inclinai.

Je dois donc une explication au lecteur concernant le titre, un peu mystérieux, que j'ai substitué au premier. « Le voleur dans la maison vide » vient d'une comparaison, empruntée au bouddhisme, entre la vie humaine éparpillée dans le monde de l'illusion, avant l'« Eveil » ou, du moins, sans la recherche de la sagesse menant à l'Eveil, et la convoitise stérile d'un voleur qui s'introduirait plein d'espoir dans une maison d'apparence cossue, en comptant y trouver un copieux butin, pour s'apercevoir, une fois entré et l'ayant visitée, qu'elle est entièrement vide et qu'il a été dupe d'une enveloppe trompeuse. Je cherchais un titre pour remplacer *Que me veux-tu ?* lorsque, en mai 1996, je me rendis au Népal durant deux semaines pour y réaliser avec mon fils Matthieu, moine bouddhiste, des entretiens sur les rapports entre le bouddhisme et l'Occident destinés à paraître en 1997 sous le titre *Le Moine et le Philosophe*.

Ce fut au cours de ces entretiens que Matthieu utilisa cette allégorie, que j'ignorais, du voleur dans la maison vide, pour illustrer l'un des thèmes favoris de la doctrine bouddhiste. Je la trouvai belle et jugeai qu'elle ramassait en une parabole imagée une idée que je m'efforce d'exposer et d'illustrer de façon plus raisonneuse et laborieuse dans ces Mémoires. Mon emprunt est toutefois partiel, car je ne suis pas bouddhiste, ne crois pas à l'Eveil, quoique j'apprécie dans la morale bouddhiste de nombreux préceptes judicieux, analogues, selon moi du moins, à ceux des sagesses les moins périssables de l'Antiquité grecque. Comme je l'expose dans *Le Moine et le Philosophe*, le retour de la sagesse, dans la philosophie de la dernière décennie de ce siècle, et, dans ce courant, l'influence récente du bouddhisme en Occident proviennent à la fois d'une lassitude devant la stérilié des systèmes philosophiques de facture traditionnelle, ceux que j'ai analysés dans *Pourquoi des Philosophes ?*, et de l'effondrement des utopies politiques, révolutionnaires et totalitaires, qui prétendaient apporter au problème du bonheur humain une solution collective, par la reconstruction intégrale de l'édifice social. Les uns et les autres tendaient à se substituer aux techniques empiriques de la recherche individuelle de la sagesse, et à l'individualisme en général. Aujourd'hui, ce sont eux qui apparaissent comme périmés et la philosophie entendue comme sagesse renaît pour combler le vide qu'ils ont laissé.

En reprenant à mon compte la métaphore de la maison vide, je n'ai pas entendu pour autant souscrire mot pour mot à ce que veulent dire les bouddhistes. Je ne crois pas, comme eux, que notre vie ne soit qu'illusion, car je ne crois pas qu'à notre monde on puisse en opposer un autre qui serait la réalité. C'est, selon moi, l'obsession de cet arrière-monde qui constitue la véritable illusion. Plutôt, je ressens avec force que ma vie, comme toute vie, est fortuite, en quelque sorte *facultative*. Tout ce qu'elle fut aurait pu ne pas être et tout ce qu'elle n'a pas été aurait pu être. Le sentiment rétrospectif d'irréalité que j'en retire ainsi provient de la seule contingence illimitée des choix ou des occasions qui l'ont composée. Le « vide » de ma maison à moi est empirique et non pas métaphysique.

La berceuse d'une biographie sans retouche, dans laquelle, s'il nous était donné de la récrire dans le réel à notre guise, nous déplacerions à peine çà et là quelques virgules, nous épargne la rage de devoir avouer que, si nous avions pu rectifier les décisions et corriger les faiblesses échelonnées tout au long de notre vie à la lumière des événements survenus plus tard, autrement dit à la lumière de leurs conséquences, nous n'aurions pas manqué d'en modifier beaucoup. Feindre de croire le contraire revient à se proclamer soit infaillible soit irresponsable. Comment affirmer qu'un choix, une manière d'être, une opinion de nos trente ans eussent été identiques à ce qu'ils furent si une vision prophétique avait pu nous donner pour guide, au moment de les adopter, l'expérience de notre cinquantième année ? Nous pouvons, certes, plaider que, faute de cette inaccessible connaissance de l'avenir, nos aveuglements ont des excuses, mais non pas soutenir que nous nous reproduirions inchangés s'il nous était donné de nous refaire. Ce serait nier l'intelligence et le libre arbitre, la conscience morale et jusqu'au sens élémentaire de notre intérêt dans ce qu'il a de plus prosaïque. Nul besoin, au demeurant, de nous supposer un don de divination pour nous rendre compte, en réfléchissant à tel ou tel moment de notre passé, qu'à l'aide des seuls éléments d'appréciation dont nous disposions le plus aisément du monde, nous aurions pu faire preuve de davantage de discernement et de caractère. L'horreur de l'angoissant « j'aurais pu faire mieux » est commune, du reste, à l'acteur des affaires publiques et à celui des affaires privées. Par vanité, par lâcheté, par cécité, par fainéantise, nous répugnons à envisager que notre histoire personnelle, tout comme l'histoire de l'humanité, aurait pu être meilleure si nous avions été moins bêtes, moins veules et moins méchants. Et quel mérite de surcroît peut revenir à nos bonnes décisions, à nos idées justes, à nos actes vertueux, si nous décrétons que nos bévues, nos inepties et nos noirceurs sont de la même farine ?

Quand je compare ce que je suis devenu à ce que je voulais devenir quand j'avais douze ans, les deux images coïncident, dans leurs contours extérieurs les plus grossiers — sous le rapport de la carrière, j'entends. Dans les autres domaines, ceux du bonheur, de la sagesse, de l'harmonie intérieure, de l'ordonnance de ma vie, de mon emploi du temps quotidien, c'est tout l'opposé ou presque. Là, ma maîtrise de moi m'a échappé, ou plutôt, je l'ai laissée m'échapper, je n'ai pas eu la force de la garder. Je dis douze ans, puisque c'est à cet âge, peut-être même plus tôt, que je me représentai en toute niaiserie mes buts à l'état pur, sans aucune notion des obstacles à surmonter, des moyens à mettre en œuvre, avec l'ingénuité d'une vocation nue et puérile. Quand j'eus quinze, dix-huit, vingt ans, la vocation avait cessé d'être un songe pour devenir une ambition, voire une prétention ou une présomption. Elle était déjà battue en brèche par la sourcilleuse conscience des réalités, par les doutes adultes sur mon propre talent et, au cas où il émergerait, sur ma capacité à le faire connaître. Comment briser les résistances ou l'indifférence de la presse, de l'édition, du public, de la « république des lettres », de la société même où se déploie la littérature ? Passer de l'âge ignare à l'âge de raison, c'est aux dispositions ajouter le calcul. Et l'on connaît cette race d'écrivains pour qui tout n'est que calcul. Ce ne sont d'ailleurs pas ceux qui calculent le mieux.

En fait, comme auteur ou comme journaliste, les affres du calcul m'ont toujours été épargnées. J'ai entretenu avec mes éditeurs et mes directeurs de journaux — sauf quand je fus moi-même directeur d'un journal — des rapports d'une merveilleuse facilité, qui ont parfois été troublés par les désaccords, les ruptures ou les brouilles, mais pour des raisons, somme toute, accessoires, des raisons qui ne venaient pas de menaces pesant sur le bien le plus précieux : la chance constante que j'ai eue de pouvoir ne me préoccuper, à l'exclusion de toute autre considération, que de ce que j'écrivais et de la plus pertinente façon de l'écrire, à mes yeux du moins. Cette autonomie, on l'imagine, ne m'a pas épargné les erreurs. Du moins furent-elles miennes, à l'exception de quelques sottises dues à la trop forte pression persuasive d'un autre, à laquelle il m'arriva de céder, victime d'une crédule défaillance, grâce au ciel assez rare, je crois.

J'écrivis mes quatre premiers livres au cours d'années où je vivais à l'étranger et où, tout en suivant, bien entendu, avec attention ce qui se publiait en France, je ne subissais pourtant pas la pression directe de mon milieu culturel d'origine. J'étais soustrait, en particulier, au vertige du qu'en-dira-t-on de la société littéraire la plus cancanière du monde en matière d'idées et de modes, à ces bavardages dont les tiraillements en tous sens et les retournements à tout instant peuvent nous rendre de façon chronique esclaves de l'insignifiant et aveugles à l'important. Eparpillement de l'attention d'autant plus néfaste qu'on est plus jeune et que, rôdant aux lisières de la horde, on n'en picore que les reliefs avariés. Je tâchai toujours, par la suite, quoique avec le temps cette innocence me devînt de moins en moins accessible, d'écrire mes livres dans la même disposition d'esprit, pour moi seul, collé à une source située en moi seul, dans l'état bienheureux d'une apesanteur sociale.

Lorsque le deuxième de ces livres, *Pourquoi des Philosophes ?*, parut, je n'étais plus un jeune homme, tant s'en faut, puisque j'avais trente-trois ans, mais j'étais un débutant. Je m'épatai donc aisément de ce qui m'arrivait. Ce premier succès, après l'échec d'*Histoire de Flore*, se répéta et s'amplifia, même, l'année suivante, en 1958, avec *Pour l'Italie*, et par la suite. Ces expériences contrastées, où le positif me parut aussi incontrôlable que le négatif, me rendirent d'emblée, et à jamais, sinon optimiste, du moins fataliste en matière de « relations publiques ». Je me dis une fois pour toutes que rien ne pouvait remplacer, en fin de compte, la substance et le style d'un livre comme causes de sa capacité à susciter l'intérêt ou l'exécration du public et des critiques. L'audience qu'un éventuel intérêt lui vaut n'est certes pas plus garante de son mérite qu'elle n'est synonyme de compréhension. Je découvris en effet, lors de cette expérience inaugurale, si exaltante fût-elle pour moi, qu'un livre peut fort bien être abondamment diffusé, commenté, débattu, sans pour autant que le noyau central de sa raison d'être soit vu, ou même entrevu, sinon par un nombre infime de lecteurs, lesquels au demeurant appartiennent rarement au « milieu » intellectuel. Quand je dis compréhension, je n'entends point approbation. Les éloges peuvent, autant que les attaques, passer à côté de l'essentiel et porter sur des aspects accessoires, voire inexistants de l'ouvrage encensé ou blâmé. Et la durée ne corrige guère ce paradoxe de l'affreuse « communication », qui est le contraire de la culture, du savoir et du goût. Vingt-sept ans après la publication de *Pourquoi des Philosophes ?* je reçus un jour un épais *Dictionnaire de la philosophie* où mon livre était décrit comme un « pamphlet contre la psychanalyse ». Or, j'y consacre en tout et pour tout à la psychanalyse un chapitre, d'ailleurs à vrai dire un peu extérieur, ajouté à la dernière minute, et qui, de surcroît, n'est pas contre la psychanalyse, puisqu'il est contre Jacques Lacan.

Ces deux leçons, l'une qu'avoir du succès ne dépend guère de ce que l'on fait en dehors du livre même, la seconde qu'avoir du succès n'est pas du tout la même chose qu'être compris, m'ont accompagné tout du long, depuis lors. Ces deux maximes, non dénuées de simplisme, j'en conviens, m'ont cependant permis de trouver par leurs effets opposés un point d'équilibre au milieu des assauts du mal littéraire.

Sans doute le moins estimable des rêves de jeunesse est-il le désir de célébrité.

D'abord parce que la célébrité est une indication quantitative et non qualitative. L'ampleur n'en est à aucun degré proportionnelle (ni directement ni inversement, d'ailleurs) au bien-fondé du motif pour lequel elle se met à draper un quidam. En d'autres termes, c'est une grandeur, ce n'est pas une valeur.

Ensuite parce que c'est un désir de dupe. Dans un double sens. Le premier, qu'elle ne nous paraît jamais suffisante. J'ai connu des écrivains, des savants, des peintres jouissant d'une gloire mondiale et qui, du lever au coucher, s'épuisaient en propos envieux et en dénigrements obsessionnels envers des rivaux fort éloignés d'égaler leur réputation. Ils ne suspendaient l'étalage de leur aigreur que pour détailler à leur auditoire tous les articles du catalogue récent des témoignages d'admiration dont ils avaient eux-mêmes été l'objet. Je les voyais, en somme, d'autant plus malheureux qu'ils étaient plus illustres. Leur célébrité détruisait leur sérénité. Elle la rongeait aussi dans un deuxième sens. Pour un auteur, un chercheur, un artiste, la célébrité transforme le monde extérieur en source intarissable d'extermination de leurs forces et de leur liberté. Elle met en pièces chaque jour ce loisir intérieur, l'*otium* des Anciens, cette réserve spirituelle de silence et d'énergie sans laquelle ne naît point d'œuvre, ni même d'envie d'en faire. Les instruments de torture que la société manie pour dépecer le pestiféré que la célébrité débilite et expose à ses coups sont nombreux, divers, et leur convergence d'autant plus destructrice que les tortionnaires s'ignorent entre eux. Chacun se croit le seul attaquant. Ils bondissent hors de tranchées sociales distantes les unes des autres et mus par des mobiles personnels étrangers les uns aux autres. C'est à leur insu que leurs pressions convergent et s'additionnent pour broyer le malheureux auquel ils adressent l'hommage vénéneux de leurs conquérantes attentions.

Notre société considère un écrivain de quelque réputation comme une station-service, ouverte à toute heure, et à la disposition permanente, le plus souvent gracieuse, des particuliers, des collectivités, associations, comités, cercles de conférences ou de colloques, organisations gouvernementales ou non gouvernementales, étudiants ou enquêteurs, collecteurs de signatures ou quémandeurs d'articles, amis ou élèves jaillis de la préhistoire et soudain réveillés par un pressant désir de vous parler, relations de voyages nouées en des universités lointaines, remontant à des temps reculés, lesquelles estiment tenir à tout jamais de cette brève rencontre le droit imprescriptible de s'emparer d'une de vos soirées à chacun de leurs passages en France. Chaque fois que je reviens à Paris, je me vois sous les espèces d'une de ces pitances que l'on lance dans un bocal de poissons rouges : elle est aussitôt déchiquetée par des bouches voraces qui en arrachent chacune un petit bout, jusqu'à l'anéantissement final. Ainsi en va-t-il du temps de mes journées. Pour me livrer à ce qui m'importe — le travail, l'amitié, la vraie conversation, la lecture — je dois me réfugier dans les heures où les poissons dorment ou bien dans des lieux où ils ignorent que je me suis rendu. Il faut fuir la « sordide négligence[1] » dont parle Sénèque et boucher les fuites de temps, comme on colmate les voies d'eau sur la coque d'un navire. Ce sage précepte, certes, je l'explique mieux que je ne l'applique. Pour excuser mes jérémiades, on voudra bien tenir compte de ce que l'agitation dispersée, l'adaptation de chaque minute aux mouvements imprévisibles du monde, si

---

1. *Turpissima est jactura, quae per negligentiam fit.*

elles sont inhérentes et naturelles à bien des occupations, contrarient par nature et paralysent celle de l'écrivain. Il a besoin, certes, de contacts, mais aussi de longs moments de recueillement où non seulement il n'est pas dérangé mais sait qu'il ne peut pas l'être, même quand il n'écrit pas. Nul n'est moins misanthrope que moi, ni plus enclin aux plaisirs et même aux excès qui nuisent au travail. Il s'agit sur ce chapitre non de mon caractère, mais de mon métier. Si je n'écoutais que mon caractère, je bavarderais avec tout le monde, tout le temps, et je festoierais du matin au soir. Du reste, je me repens, mais un peu tard, et assez mollement, d'avoir plus souvent dévalé la pente de mon caractère qu'observé la règle de mon métier. Pourtant, si, pendant mon adolescence, j'avais entrevu cette galopade d'homme traqué qu'on appelle succès, fût-il modeste, j'aurais choisi l'obscurité, selon le précepte du Monsieur Teste de Valéry ou selon les exhortations de Cioran, lui qui savait si bien dresser la liste des diverses formes de supplices dont se compose l'enfer de la renommée : oui, l'obscurité est seule garante de la liberté.

Mes livres auraient été posthumes. Mais est-ce possible ? Sans doute pour un certain type d'œuvre. Pas pour la mienne. A l'extrémité opposée les auteurs d'un tempérament communicatif peuvent écrire tout en vivant comme jetés hors d'eux-mêmes et tout entiers voués à leurs relations publiques. Pas moi. J'ai donc vécu entre les incompatibles.

Le titre *Le voleur dans la maison vide* ne dépeint pas seulement le sentiment de contingence personnelle que j'éprouve, au souvenir de mes faits, gestes et pensées, après avoir occupé ce logement sous-loué qu'on appelle une vie. Il désigne aussi le XXe siècle tout entier, où l'humanité est entrée et qu'elle a traversé en l'imaginant rempli de nouvelles richesses matérielles, spirituelles, intellectuelles et morales et dont elle va ressortir non seulement sans rien en remporter de ce qu'elle espérait y trouver, mais même dépouillée d'une part de ce qu'elle possédait avant de l'aborder.

Les sociétés depuis longtemps démocratiques et les sociétés qui le sont devenues récemment ou qui se trouvent en voie de démocratisation ont, en gros, tiré de l'échec mondial du socialisme, totalitaire ou pas, les conclusions pratiques qui en découlaient. Mais elles n'en ont pas tiré les conséquences intellectuelles. Les intellectuels de ces mêmes sociétés, en effet, contrairement à ceux qui ont vécu sous le communisme, se dérobent avec une énergie retorse à tout examen de conscience et à toute modification de leurs méthodes. Face aux décombres laissés par le désastre culturel dont ils ont été responsables ou complices, ils demeurent impavides, voire puisent dans le souvenir de leurs sottises un regain de confiance en eux et d'agressivité envers autrui. Le véritable héritage du communisme, y compris et peut-être surtout dans la gauche non communiste, réside dans la persistance d'habitudes graves de malhonnêteté intellectuelle, tenues pour légitimes, et qui se substituent comme allant de soi à la discussion loyale et compétente des idées. J'ai décrit ces procédés en 1977 dans *La Nouvelle Censure*, livre qui réunit le dossier des polémiques soulevées en France par *La Tentation totalitaire*. Concédons-le : cette empoignade se situait à un moment de notre histoire — celui du pacte socialo-communiste — qui en explique la violence. Il fallait alors, chez les partisans de l'Union de la gauche, sacrifier la vérité à la cause, nécessité qui d'ailleurs démontrait — ces benêts ne s'en doutaient pas — l'absurdité de la cause. Mais que ces mêmes recours à la tricherie institutionnalisée aient survécu à la débâcle du socialisme, à la fois comme utopie et comme réalité, pose une question plus mystérieuse. Je tenterai peut-être d'y répondre dans un autre livre. Je ne veux pas que le présent récit glisse dans la théorie ni s'encombre de monotones controverses idéologiques. Je donnerai toutefois de la déchéance intellectuelle de notre temps deux exemples vécus qui relèvent de l'anecdote plus que de l'idéologie et n'en sont que plus instructifs. Je les ai, je le jure, tirés au sort, après avoir mélangé dans un saladier, d'ordinaire imprégné du parfum de l'huile d'olive, plusieurs dizaines de morceaux de papier nauséabonds où j'avais, au fil des ans, noté au vol quelques bassesses de l'esprit humain.

Qu'on me pardonne si les broutilles des deux lauréats de cette sinistre loterie me concernent. Du carquois aux clichés contemporains, je me doute qu'on va m'extraire cette flèche : « C'est un règlement de comptes ! » Si j'avais voulu « régler des comptes » dans ces Mémoires, j'aurais écrit un tout autre livre. Quand je parais le faire, c'est toujours que les « comptes » en question ne me concernent pas seul et ont un lien avec un débat de portée générale. Combien n'ai-je point retranché de pages de ces souvenirs, chaque fois que le mobile subjectif d'une prise à partie pouvait paraître l'emporter sur son intérêt objectif ! Que les noirceurs ci-après me concernent ne m'interdit pas de les mentionner, s'agissant du récit de ma vie, et elles ne sont pas pour autant dénuées de signification générale. Elles méritent l'explication de texte, cet exercice fructueux qu'on chérissait avec raison, dans l'enseignement française de ma jeunesse.

La première vient du livre que Régis Debray a publié en 1985 sous le titre *Les Empires contre l'Europe*. En le feuilletant quand il sortit, j'éprouvai je ne dirai pas une surprise mais une admiration pour l'improbabilité de l'injure dans un passage où Debray me compare à... Marcel Déat. Philosophe et homme politique venu du socialisme, député et deux fois ministre sous la troisième République, Déat évolua, par la voie du pacifisme, vers la collaboration avec l'occupant nazi entre 1940 et 1945[1]. Dès avant la guerre, Déat préconisait l'entente à

---

1. Sur cette évolution, typique de l'époque, voir le livre de Christian Jelen, *Hitler ou Staline, le prix de la paix*, 1988, Flammarion.

tout prix avec Hitler et, en mai 1939, écrivit dans son journal, *L'Œuvre*, le retentissant article « Mourir pour Dantzig ? » dont la formule est restée. Quant à moi, à part le fait d'être, comme Déat, et comme Régis Debray d'ailleurs, normalien et agrégé de philosophie, je ne me trouvais rien de commun avec le chef du RNP (Rassemblement national populaire), l'un des partis les plus extrémistes de la collaboration avec Hitler. Non seulement j'avais fait de mon mieux pendant la guerre pour être un humble serviteur de la Résistance, ainsi que je l'ai raconté, mais la France de 1985, que je sache, n'était pas occupée par une puissance ennemie. Certes, j'étais, comme Déat, anticommuniste, mais pas pour les mêmes raisons avec les mêmes objectifs et dans le même contexte. Même sous l'Occupation, du reste, tous les anticommunistes n'étaient pas hitlériens et tous les antinazis n'étaient pas staliniens, fort heureusement. Enfin, Marcel Déat, en 1944, s'enfuit en Allemagne avec le dernier carré des collabos, connu sous le nom de « gouvernement de Sigmaringen », et il fut, après la Libération, condamné à mort par contumace, deux désagréments qui, sauf trou de mémoire, ne figurent point dans mon curriculum vitae. Ce qui me surprenait jusqu'au ravissement, dans cette comparaison injurieuse, c'était sa totale inadéquation aux faits, son absolue invraisemblance, sa gratuité confinant à la stupidité. Pour en comprendre la genèse chez Régis Debray, il faut partir d'une série d'équations : pour lui anticommunisme = proaméricanisme = extrême droite = trahison = collaboration sous l'Occupation. Que combattre après la guerre le communisme fût défendre la liberté, comme l'avait fait la Résistance sous l'Occupation ; que l'alliance avec les Etats-Unis ait été conclue par des gouvenements et ratifiée par des parlements français démocratiquement élus, et n'eût rien à voir avec la collaboration dictée du dehors au gouvernement de Vichy cerné par la Wehrmacht, ces légères différences avaient cessé d'être perceptibles par la cervelle macérée dans le tiers mondisme castriste de Régis Debray. Curieux d'entendre ses explications, j'acceptai, à la demande du *Nouvel Observateur*, un entretien avec lui sur son livre. A ma question hors entretien sur ma ressemblance avec Déat, il répondit : « Je ne vous ai pas comparé à Marcel Déat. J'ai écrit au contraire : *je n'irai pas jusqu'à comparer* Jean-François Revel à Marcel Déat. » Ce raffinement dans la fourberie me laissa sans voix.

Ce qui me sidère n'est pas que la gauche post-communiste compte des fourbes, il y en a partout, c'est la bonne conscience hautaine avec laquelle ils restent au service d'idées que l'histoire a déconsidérées avec autant d'éclat. Le cas de Régis Debray, en 1985, sans préjudice de ses cabrioles ultérieures, montre, une fois de plus, que l'immoralité est compatible avec le courage et le talent sans quoi aucun régime totalitaire n'aurait tenu bien longtemps. Toutefois dans cette famille d'esprits le mensonge sournois s'allie le plus souvent à la médiocrité intellectuelle. C'est ce que montre mon second exemple. Il est tiré d'un extrait de l'*Histoire de la France au xxᵉ siècle,* tome V, *De 1974 à nos jours*, par Serge Berstein et Pierre Milza (1988, Editions Complexe, 480 pages). M. Berstein (nous apprend la notice de l'éditeur) est « professeur des Universités à l'Institut d'études politiques de Paris et directeur du Cycle supérieur d'histoire du xxᵉ siècle ». Mazette ! M. Milza, quant à lui, fait rayonner sa pensée en qualité de « professeur à l'Institut d'études politiques de Paris, où il dirige le Centre d'histoire de l'Europe du xxᵉ siècle ». Qu'écrivent ces deux sommités (p. 273-274) ? « De même que la "nouvelle philosophie" s'est transformée en instance de relégitimation des idéaux démocratiques, la Nouvelle Droite a évolué dans le courant des années 1980 dans le sens d'une réhabilitation des postulats libéraux. Dans le climat produit en France par l'arrivée au pouvoir des socialistes en 1981 et par la "reaganomanie" ambiante, celle-ci a bénéficié d'une part du ralliement d'anciens intellectuels venus de la gauche, comme Jean-François Revel, éditorialiste à L'Express et auteur en 1976 de *La Tentation totalitaire*, et d'autre part du "silence" (dénoncé dans *Le Monde* en juillet 1983 par Max Gallo) des clercs supposés par principe favorables au régime et en fait déçus par celui-ci. Depuis cette date, tandis que la droite libérale et conservatrice achevait d'assimiler et de faire siens les moins compromettants des thèmes développés par la Nouvelle Droite, la gauche gouvernementale demeurait en délicatesse avec ses scribes, que ce soit sur le terrain de la politique intérieure et notamment sociale, ou sur celui de la politique étrangère. »

Disséquer une prose aussi vaseuse, au propre comme au figuré, tient de la gageure. Tentons-le néanmoins, en nous bouchant les narines. Je suis défini comme « ancien intellectuel venu de la gauche ». En français, cela signifie qu'à partir de 1981, j'aurais cessé d'être un intellectuel. Comme je ne vois pas ce qui différencie mon activité postérieure à cette date de celle qui la précédait, je suppose que les auteurs voulaient dire « intellectuel anciennement de gauche ». Je constate, d'autre part que la gauche, malgré toutes ses fausses contritions depuis la chute du mur de Berlin, continue à rejeter à droite ceux qui ont décrit tel qu'il était le régime totalitaire et à considérer comme des défenseurs de la démocratie les anciens complices des bourreaux. Je désirerais savoir de ces messieurs pourquoi mon livre *La Tentation totalitaire* n'est pas une « relégitimation des idéaux démocratiques » autant que la « nouvelle philosophie », à la naissance de laquelle il est d'ailleurs antérieur. A cette incohérence intellectuelle s'ajoute l'erreur matérielle : en 1981, j'ai cessé d'être éditorialiste à *L'Express* pour passer au *Point* en 1982. Erreur vénielle, dira-t-on. Non ; comme on ne lit éventuellement MM. Berstein et Milza de toute évidence ni pour la profondeur de leur pensée, ni pour la grâce de leur style, mais en comptant y trouver des renseignements, aucune erreur n'est vénielle dans cette sorte de livre. Rappelons qu'il s'agit d'un manuel destiné aux étudiants. L'absence de fiabilité des informations y vaut tromperie sur la marchandise. J'ai réservé enfin pour la bonne bouche une authentique ignominie : la confusion volontaire (du moins je veux le croire, car, involontaire, elle dénoterait une ignorance crasse et une insigne incapacité professionnelle) entre nouvelle droite et néo-libéralisme. Le néo-libéralisme est le courant de pensée qui, à partir des années soixante-dix, a voulu remettre en vigueur l'économie de marché pour tenir compte des échecs socialistes et keynésiens. Ce courant, il n'est pas exagéré de le dire, est, en cette fin de siècle, celui qui s'est imposé dans le monde, aussi bien dans certains vieux pays capitalistes penchant jusqu'alors vers le dirigisme que dans les pays en voie de développement ou les pays anciennement communistes. Il ne se ramène pas à la « reaganomanie », à quoi voudraient le réduire nos dédaigneux duettistes. En outre, ce néo-libéralisme économique, loin de s'opposer à la démocratie, tend au contraire à en accompagner l'instauration ou la restauration, dans les aires en voie de développement comme dans les aires libérées du communisme. Il n'a rien à voir avec la Nouvelle Droite, appellation purement française, qui désigne le courant de pensée lancé par Alain de Benoist, diffusé par le GRECE (Groupe de recherche et d'études sur la civilisation européenne), et dont l'organe d'expression principal fut la revue *Eléments*. La Nouvelle Droite hait le libéralisme avec autant de dogmatisme que la gauche. Comme elle aussi, elle vomit l'Amérique. Des textes formels du GRECE[1] professent préférer le soviétisme à l'américanisme, car le premier, y lit-on, « laisse intacte l'espérance » (*sic*) et le second « tue les âmes ». Alain de Benoist rendit même un hommage extatique[2] au discours hystériquement antiaméricain de Jack Lang au Mexique, le qualifiant de « discours le plus important de l'histoire contemporaine » (!) après celui, toutefois, du général de Gaulle à Phnom Penh en 1966 contre les Etats-Unis. Quel rapport ce fatras peut-il bien avoir avec le libéralisme, ou même avec la « reaganomanie » ? Une aussi manifeste négligence des sources les plus accessibles ne saurait être innocente. Elle a pour dessein de favoriser dans l'esprit du lecteur un glissement insensible vers le Front national, qui n'est pas nommé, mais suggéré, puisque, lisons-nous, « la droite libérale achevait d'assimiler et de faire siens les moins compromettants des thèmes de la Nouvelle Droite ». Or, qu'est-ce qui est « compromettant » à notre époque aux yeux de la gauche ? Pas l'antilibéralisme de la Nouvelle Droite, mais bien le racisme du Front national. Ainsi, la boucle est bouclée ; les néo-libéraux sont assimilés aux néo-racistes et pourquoi pas ? aux « révisionnistes » pronazis. Et qu'on ne vienne pas

---

1. *Le Monde*, 20 mai 1981.
2. *Eléments*, octobre-novembre 1982.

me dire que je fais ici un « procès d'intention ». La Nouvelle Droite d'Alain de Benoist étant bien oubliée en 1994, quand leur livre parut. Il est clair qu'alors classer un auteur dans la « nouvelle droite » c'est insinuer, chez Milza et Berstein, que cet auteur penche vers Le Pen. Le cliché du « procès d'intention » ne tendrait dès lors qu'à m'empêcher de démasquer des tartufes, nuls en eux-mêmes, mais représentatifs.

Malhonnêteté intellectuelle grossière, vilenie morale ; paresse au travail et dans la vérification des faits et des dates ; ignorance de la langue française, sclérose idéologique faisant passer des lubies pour des notions scientifiques ; falsifications des sources et confusion des termes, escroquerie commerciale aux dépens des acheteurs du livre, la panoplie du déshonneur est réunie au grand complet, sous la plume de tâcherons qui usurpent le titre d'historien et qui, pour comble de forfaiture, sont par ailleurs rétribués par la République pour apprendre l'histoire à la jeunesse étudiante, ravalant ainsi au rang d'agit-prop notre enseignement supérieur.

Dira-t-on que je grossis démesurément, par rancune personnelle, les défauts d'un ouvrage de toute évidence bâclé et obéissant probablement à des préoccupations plus alimentaires que scientifiques ? D'abord, MM. Berstein et Milza sont trop minuscules pour que je les honore de ma rancune. Ensuite, j'ai essuyé dans ma carrière des calomnies bien plus rudes que celles dont accouche péniblement leur double plume mollasse. Mais, à force de répéter que ces misérables canailleries n'ont aucune importance, on les laisse proliférer impunément et donner le ton à notre vie intellectuelle. L'extrait d'ouvrage qu'un tirage au sort m'a conduit à commenter est d'autant plus révélateur qu'il est plus quelconque. Il illustre ainsi cet anoblissement du mensonge, légitimé par le communisme, qui a laissé sur maints esprits une trace indélébile, bien au-delà des limites du communisme officiel. Les contorsions auxquelles se livre la gauche actuelle ont pour but de lui épargner d'avoir à rendre compte de sa gestion intellectuelle passée. Elle voudrait même faire croire que c'est elle qui, la première, a dénoncé le totalitarisme. La manœuvre est laborieuse, mais elle circonvient les plus crédules, tant est oublieuse cette présente génération qui ne parle que de « mémoire ». Ainsi, la faillite du communisme, qui devait permettre la sortie du mensonge, commence par nous y enfoncer davantage. Pour être devenu rétrospectif, le mensonge n'en règne pas moins très ordinairement. C'est là un des principaux phénomènes culturels de notre fin de siècle.

Il faut donc assigner une place unique, dans l'histoire de ce même siècle, aux intellectuels dissidents qui, du plus profond de la nuit totalitaire, ont trouvé en eux-mêmes le courage et la lucidité d'analyser jusque dans ses moindres détails la nature des régimes qui les écrasaient. Leur courage personnel, certes, fait d'eux des héros de la lutte pour la liberté et la dignité. Tous ont payé leur révolte d'années de prison ou de camp de concentration, d'exil d'intérieur, de blessures faites à leur moi dans les hôpitaux psychiatriques spéciaux ou de la perte de tout emploi correspondant à leur capacité. Mais ce n'est pas tout. Plus encore que leur grandeur morale on est tenté d'admirer la force de leur pensée. Comment, privés de livres, d'informations, de contacts, de possibilité de circuler et d'enquêter, ensevelis sous la banquise de la propagande omniprésente, ont-ils trouvé en eux les ressources d'une réflexion clairvoyante que le système tendait de tout son être à réduire à néant ? Car il faut bien le comprendre : le totalitarisme ne se borne pas à exercer une censure extérieure sur la vie intellectuelle, à la manière des anciens régimes ou des pouvoirs autoritaires modernes. Il ne se borne pas à contrôler l'expression et la diffusion *matérielles* des idées jugées dangereuses pour l'autorité en place. Le totalitarisme veut atteindre la racine même de la pensée et de la sensibilié, tuer la source de l'indépendance intellectuelle et morale en chaque individu. La preuve en est qu'il y est parvenu chez de nombreux intellectuels, même parmi nous, et continue à les stériliser, même après s'être éteint. Il veut se substituer à nous en chacun de nous, régner en maître à l'*intérieur* des consciences. Le ramas d'inepties du *Petit livre rouge* de Mao tint lieu de cerveau à presque tous les Chinois et à nombre d'Occidentaux pendant la Révolution culturelle. Et deux opéras-ballets dus au génie conjugal de Madame Mao se substituèrent à toute la tradition artistique chinoise. « Totalitarisme » n'est pas une étiquette fabriquée après coup par les historiens, c'est un programme et un concept consciemment forgés par un politicien — Benito Mussolini en 1922 — et, ensuite, « perfectionnés », si j'ose dire, par les nazis. Quant aux communistes, ils avaient, dès l'époque de Lénine et de Trotski, devancé tous les autres totalitarismes et préfiguré avec talent les apocalypses futures.

Les dissidents de l'Est furent d'autant plus héroïques que, non contents d'être en butte aux procédés d'extermination morale de leurs régimes, ils essuyèrent aussi les calomnies, le mépris et les mesquineries de la gauche occidentale, prompte à les rejeter vers la « nouvelle droite ». « Traîtres » dans leurs pays, ils devinrent parias dans les nôtres. Que des hommes et des femmes élevés, enfermés dans ces systèmes aient pu néanmoins préserver leur intelligence et la retourner contre la machine qui devait l'anéantir, tout en étant abandonnés, répudiés par les intellectuels des sociétés qui auraient dû les secourir, tant d'énergie et de lucidité, en eux et grâce à eux, rachète nos aveuglements et nos lâchetés et prouve que l'espèce humaine mérite, tout bien pesé, peut-être de survivre.

Le présent livre ne comporte pas de conclusion, puisque, par définition, c'est la fin de ma vie qui sera cette conclusion. Qu'on me comprenne donc si je termine ces pages à la manière des finales secs et soudains d'Igor Stravinski, c'est-à-dire, précisément, sans finale. Pourtant, des plis de l'oubli tombent encore quelques miettes futiles et disparates, semblables aux images qui, paraît-il, se mettent à danser devant la conscience des mourants, lorsqu'ils ne sont plus qu'à demi présents à la vie. Je revois, dans un café proche du Palais-Royal, le premier endroit où je m'assis à mon retour du Mexique et des Etats-Unis, en 1952 ; et, comme j'avais commandé un blanc sec, je revois et j'entends le patron lancer d'une voix forte au garçon : « Et on fera marcher le sauvignon-détail ! » apostrophe d'une rhétorique de cabaretier, pompeuse et charmante, qui me fit d'un coup sentir que j'étais bien revenu en France. Sur cette même place du Palais-Royal, je revois Emmanuel Berl déjà fort âgé, sortant d'une pharmacie, avec son allure de lord dans sa veste de tweed pied-de-poule grise, me disant : « Monsieur Revel, je vous présente mes élégances » ; et, comme je le complimentais sur sa bonne mine, ironisant : « Oh ! oui... Et puis, dans dix ans, elle sera meilleure encore. » Je revois — je devais aller sur mes treize ans — Winston Churchill s'adonnant à l'aquarelle à Cassis, sous l'inexplicable direction de l'ami de mon père, le peintre local Louis Audibert, et suppliant son « maître » de lui enseigner comment reproduire.... le fond de la mer. Je revois les contrôleurs italiens dans les trains des années cinquante, auxquels il suffisait, quand ils passaient demander les billets aux voyageurs, de dire laconiquement « Già visto ! » (déjà vu), pour qu'ils acquiescent et passent leur chemin sans rien contrôler du tout. Je revois Zuorro, sous la quatrième République, s'étant fait voler sa montre et téléphonant à un président du Conseil de ses amis, à l'hôtel de Matignon, uniquement pour lui demander l'heure. Je réentends André Breton, désigné par Gaston Gallimard pour aider Marcel Proust, vers 1920-1921, à mettre au point matériellement, contre honoraires, les manuscrits dactylographiés de la *Recherche du temps perdu*, me raconter comment il arrivait vers minuit chez son « employeur » et comment, avant chaque séance de travail, il savourait, sous l'œil prévenant du maître de maison, une exquise collation apportée tout exprès du Ritz pour lui. Paradoxe de cette situation : il était tout aussi sensible à l'extrême courtoisie de Proust qu'entièrement insensible à son art, n'ayant jamais pu lire une ligne de la *Recherche* après cette éphémère obligation d'« assistance technique ». Je réentends le même André Breton, à qui je signalais, vers 1959, qu'un critique l'avait comparé à... Paul Claudel, répliquer avec une grandiloquence ironique très particulière à son humour : « Est-ce pour salir Claudel ou pour me grandir ? » Je réentends Bernard Frank, avec toute la tristesse de celui qui doit la vérité à un ami, me notifier d'une voix caverneuse cette condamnation infamante : « Au fond, tu es un vieil efficace. Julliard t'a embauché comme directeur de collection parce qu'il a flairé en toi le vieil efficace. » Retrouvant Proust, en compagnie de Berl cette fois, j'entends celui-ci me narrer comment, tout jeune, croyant pouvoir se faire consoler par le grand écrivain parce que la jeune femme qu'il aimait venait de mourir, il avait essuyé une violente colère, montant jusqu'à des hurlements : « Vous n'êtes qu'un petit imbécile ! Ne comprenez-vous pas que, vivante, elle eût pâti de l'inexorable dégradation de votre passion ? Morte, elle garantit la permanence de votre amour. Le véritable amour n'a pas besoin que son objet existe ! » Je me revois à la Foire du livre de Francfort, en 1966, au stand des Editions Stahlberg, qui venaient de publier la traduction allemande de mon livre *En France*, sous le titre *Was ist mit den Franzosen los ?*, et je vois un monsieur se présenter à moi en disant : « Je suis votre éditeur, Gerhard Heller. » Gerhard Heller ! Le fameux lieutenant Heller, *Sonderführer* affecté à la Propaganda-Staffel sous l'Occupation, et dont l'entregent et la culture avaient fait un peu la coqueluche du tout-Paris littéraire des années noires, du moins du tout-Paris peu farouche. « Ah ! c'est vous, lui dis-je, dont j'allais voler les livres dans votre librairie allemande, place de la Sorbonne. » Le voilà qui était devenu mon éditeur ! En 1981, je reçus un livre de souvenirs de lui, *Un Allemand à Paris, 1940-1944* (Seuil), avec cette dédicace : « Cet Allemand à Paris a édité un de vos livres et vous lit chaque semaine. » Et en signant cette phrase il avait francisé son prénom, l'orthographiant *Gérard* (et non Gerhard, comme sur la couverture). Je réentends Borges me récitant, à un déjeuner chez Claude Gallimard, un vers intrigant et beau de Paul-Jean Toulet, où il est question d'oronge, et que je n'ai jamais réussi à retrouver. Ou encore, je revois mon ami l'historien d'art Jacob Bean, futur conservateur au Metropolitan Museum, qu'en des temps reculés à Paris, j'étais allé soustraire à des dangers que son état d'ébriété le rendait incapable d'écarter, au *Bar des Familles*, enseigne édifiante, discrètement morale, derrière laquelle grouillait un ramassis patibulaire d'ivrognes, de drogués, de joueurs, de truqueurs et d'entôleurs. Or, le jour même où ce souvenir me revenait, j'apprenais la mort de Jacob, assassiné à New York dans des circonstances violentes et en de louches compagnies, semblables à celles où avait péri, à Rome, Pasolini. Ou encore, je revois Bobby de Pomereu, me faisant lui confectionner une lettre pour son cousin Grimaldi (le futur prince de Monaco), lequel refusait, malgré toutes ses promesses, de lui restituer à la première demande un studio que Bobby lui avait prêté. Par sa mère, Bobby était aussi un d'Harcourt, famille à laquelle l'occupant abusif du studio était par quelque côté apparenté. Quand le scribe que j'étais eut terminé de rédiger la missive vengeresse du comte de Pomereu, celui-ci y ajouta de son propre chef cette conclusion méprisante : « Je croyais avoir eu une parole de d'Harcourt, et je n'ai eu qu'une parole de Grimaldi. » J'appris ainsi que les Grimaldi n'étaient pas pris très au sérieux par le gratin du Gotha. Je revois et je réentends don Manuel Domecq nous expliquer, à Claude Imbert, à sa femme Alix et à moi, dans les caves de la dynastie Domecq, à Jerez, et avec toute la grâce hospitalière d'un grand d'Espagne, comment le *fino* parvient à se muer en *amontillado* ou, plus rarement et plus lentement encore, en *palo cortado*. Je revois et je réentends un collègue algérien, en 1947, à Tlemcen, éclatant en sanglots en m'ouvrant la porte de son appartement, où j'étais venu dîner (il m'avait demandé d'arriver un quart d'heure avant les autres convives, tous musulmans, qui donc n'avaient pas le droit de voir sa femme, qu'il tenait à me présenter, à moi « roumi », et qui, dès que je l'eus saluée, disparut pour toute la soirée dans la cuisine) : c'était le 29 novembre 1947, jour du vote aux Nations Unies accordant aux Juifs une partie de la Palestine. « Quel malheur pour tous les Arabes ! » gémissait mon hôte. Je revois, je revois... Et ce que je revois n'est qu'un peu d'eau sur la terre sèche, comme dit encore un proverbe bouddhiste : elle stagne un instant, puis disparaît.

TABLE

DU MÊME AUTEUR

Histoire de Flore, roman, Julliard, 1957.

Pourquoi des philosophes ?, Julliard, 1957. Prix Fénéon. Laffont, coll. Bouquins, 1997.

Pour l'Italie, Julliard, 1958. Laffont, coll. Bouquins, 1997.

Le Style du Général, Julliard, 1959. Complexe, 1988.

Sur Proust, Julliard, 1960. Laffont, coll. Bouquins, 1997.

La Cabale des dévots, Julliard, 1962. Laffont, coll. Bouquins, 1997.

En France, Julliard, 1965.

Contrecensures, Jean-Jacques Pauvert, 1966. Laffont, coll. Bouquins, 1997.

Lettre ouverte à la droite, Albin Michel, 1968.

Ni Marx, ni Jésus, Laffont, 1970. Laffont, coll. Bouquins, 1986.

Idées de notre temps, Laffont, 1972.

La Tentation totalitaire, Laffont, 1976. Laffont, coll. Bouquins, 1986.

Descartes inutile et incertain, Stock, 1976. Laffont, coll. Bouquins, 1997.

La Nouvelle Censure, Laffont, 1977.

Un festin en paroles, Jean-Jacques Pauvert, 1979. Plon, 1995.

La Grâce de l'Etat, Grasset, 1981. Laffont, coll. Bouquins, 1986.

Comment les démocraties finissent, Grasset, 1983, prix Aujourd'hui, 1983, prix Konrad-Adenauer, 1986. Laffont, coll. Bouquins, 1986.

Le Rejet de l'Etat, Grasset, 1984.

Une anthologie de la poésie française, Laffont, coll. Bouquins, 1984.

Le Terrorisme contre la démocratie, Hachette, Pluriel, 1987.

La Connaissance inutile, Grasset, 1988, prix Chateaubriand, prix Jean-Jacques Rousseau. Hachette, Pluriel, 1990.

Le Regain démocratique, Fayard, 1992. Grand prix littéraire de la Ville d'Ajaccio et du Mémorial. Hachette, Pluriel, 1993.

L'Absolutisme inefficace ou contre le présidentialisme à la française, Plon, 1992. Pocket, 1993.

Histoire de la philosophie occidentale de Thalès à Kant, Nil Editions, 1994. Plon, Pocket, 1996.

Cet ouvrage a été composé par
Nord Compo (Villeneuve-d'Ascq)
et imprimé par **Bussière Camedan Imprimeries**
à Saint-Amand-Montrond (Cher),
pour le compte de la Librairie Plon

Achevé d'imprimer le 30 janvier 1997.

N° d'Edit. : 12712 - N° d'Imp. : 1/253.
Dépôt légal : janvier 1997.
Imprimé en France